Stasi-Untersuchungsgefängnis Berlin-Hohenschönhausen. Mit seiner Frau Hannah und den beiden Kindern bei der Republikflucht gestellt, steht Manfred Lenz am Nullpunkt. Vier Monate Einzelhaft, Schikanen, endlose Verhöre durch die Stasi. Zeit genug, sein Leben zu rekapitulieren. Bilder werden dabei wach, Erinnerungen, wie jene an die Düfte, die ihn als kleinen Jungen zu Witwe Krauses Seifenladen oder Schuster Schmiedepfennig am Prenzlauer Berg zogen. Auch als die sowjetischen Panzer am 17. Juni 1953 durch Berlin rollten, war er dabei. – »Kordons Innenansichten geben sensiblen Einblick in den Alltag der DDR, ohne an Sentimentalität zu ersticken. Es ist ein Werk voller Selbstironie und außergewöhnlichem Gespür für die schönen und komischen Momente im Erwachsenwerden. [...] Vor den Lesern, die nahezu nichts mehr von der DDR als totalitärem Staat oder vom ostdeutschen Alltag wissen, breitet sich ein Panorama aus, das Kordon hervorragend mit menschlichen Wünschen und Ängsten verwoben hat. Genauer und verlässlicher könnte der Blick darauf nicht sein.« (Elena Geus in der ›Frankfurter Allgemeinen Zeitung‹)

Klaus Kordon, 1943 in Berlin geboren, war Transport- und Lagerarbeiter, studierte Volkswirtschaft und unternahm als Exportkaufmann Reisen nach Afrika und Asien, insbesondere nach Indien. Seit 1980 ist er als freiberuflicher Schriftsteller tätig. Seine zahlreichen Veröffentlichungen (Erzählungen, Lyrik, Kinder- und Jugendbücher) wurden in viele Sprachen übersetzt und mit namhaften nationalen und internationalen Preisen bedacht. ›Krokodil im Nacken‹ wurde 2003 mit dem Deutschen Jugendliteraturpreis ausgezeichnet und war für den Deutschen Bücherpreis nominiert.

Klaus Kordon

Krokodil im Nacken

Roman

Deutscher Taschenbuch Verlag

Für Jutta, Karen und Frank

Ungekürzte Ausgabe
Dezember 2005
4. Auflage März 2007
Deutscher Taschenbuch Verlag GmbH & Co. KG,
München
www.dtv.de

Umschlagkonzept: Balk & Brumshagen
Umschlaggestaltung: Stephanie Weischer unter Verwendung
einer Fotografie von plainpicture/A. Keller
Druck und Bindung: Druckerei C. H. Beck, Nördlingen
Gedruckt auf säurefreiem, chlorfrei gebleichtem Papier
Printed in Germany · ISBN 978-3-423-13404-0

Inhalt

Erster Teil *Inseln*

1. Nicht in Amerika

Lenz hatte gehofft, noch vor dem Frühstück geholt zu werden. Seit dem frühen Morgen stand er neben der Tür und lauschte auf Schritte. Er hörte aber nur den Wachposten von Spion zu Spion schlendern und irgendwann auch in seine Zelle spähen. Später vernahm er das Schmatzen von Gummirädern auf Linoleumfußboden. Das Geräusch wurde lauter und lauter, leise Stimmen drangen zu ihm, und er begriff, dass der gummibereifte Wagen, der da offenbar von Zelle zu Zelle geschoben wurde, irgendetwas lieferte. War schon Frühstückszeit?

Der Wagen wurde auch vor seine Zellentür geschoben, die Klappe ging. »Schüssel«, sagte eine Stimme. Ein Gesicht war nicht zu sehen.

Lenz reichte die blaue Plastikschüssel hinaus, und vier dicke, dünn mit Marmelade bestrichene, zu Klappstullen aufeinander gepappte Brotscheiben wurden hineingeworfen.

»Becher.«

Er hielt den weißen Plastikbecher hin und erspähte einen Uniformärmel und eine Hand, die aus einer großen Kanne heißen Muckefuck in den Becher goss. Danach wurde die Klappe wieder geschlossen.

Die Brote rührte Lenz nicht an, von dem Kaffeeersatz, einer schlimm stinkenden Lorke, nahm er nur einen kleinen Schluck. In der vergeblichen Hoffnung, das heiße Getränk würde ihm gut tun. Gleich darauf lauschte er erneut.

Eine Weile war alles still, dann war wieder das Schmatzen der Gummiräder zu hören. Die Frühstücksreste wurden abgeholt.

Die Klappe ging. »Sie haben nichts gegessen?«

»Wie Sie sehen.«

Die Schüssel wurde über einem Plastikeimer ausgekippt, die Klappe geschlossen und der Wagen weitergeschoben, bis die Gummiräder nicht mehr zu hören waren. Nun war wieder alles still. Lenz lehnte sich an die mit beiger Lackfarbe gestrichene Wand und schloss die Augen. Ruhig bleiben! Vielleicht wollen sie das ja gerade, du sollst nervös werden, damit du leichter zu handhaben bist …

Doch dann wurde es plötzlich sehr laut, Schritte hallten, Riegel klirrten, Schlüssel rasselten. Lenz konnte sich nicht mehr beherrschen und begann in der Zelle auf und ab zu rennen, von der Tür zu den Glasziegelsteinen, die das Fenster ersetzten und hinter denen schemenhaft das Gitter zu erkennen war, und zurück. Acht kurze Schritte hin, acht kurze Schritte her. Die berühmten acht Schritte! Langte er an der Tür an, lauschte er jedes Mal. Näherte sich aber jemand seiner Zelle, hörte er schon bald, wie derjenige sich wieder entfernte. Andere Zellentüren wurden geöffnet.

Hatten sie ihn vergessen? Waren sie nicht neugierig auf ihn? War er ein so kleines Licht?

Als dann am späten Vormittag, auf dem Flur war längst Ruhe eingekehrt, sich mit einem Mal doch noch Stiefel seiner Tür näherten, laut krachend erst der obere und dann der untere Riegel zurückgezogen wurde und der Schlüssel ins Schloss fuhr, erschrak Lenz dermaßen, dass er bis ans Ende der Zelle zurückwich.

Es war der Schließer vom Abend zuvor, der die Zelle betrat, der nicht ganz und gar unfreundliche Feldwebel, der ihm Bettwäsche, Haftkleidung, Seife, Handtuch, Zahnpasta, Zahnbürste und das Plastikgeschirr gebracht hatte; ein Pickelgesicht mit noch sehr jungen Augen. Da er seinen Namen nicht kannte, hatte

Lenz ihn wegen der vielen roten, teilweise erst frisch ausgedrückten Vulkane und Vulkänchen rund um Nase, Stirn und Kinn »Marsmann« getauft.

Der nur mittelgroße Feldwebel blickte in die Runde, als müsste er sich erst davon überzeugen, dass der Untersuchungshäftling Lenz in der zurückliegenden Nacht nichts Unschickliches angestellt hatte, dann befahl er: »Von nun an gilt: Betritt jemand von der Wachmannschaft den Verwahrraum, haben Sie sich ordnungsgemäß zu melden. Ihre Verwahrraumnummer ist die Hundertzwo, der Raum ist für zwei Häftlinge vorgesehen. Wer von der Tür aus rechts schläft, bekommt die Nummer Eins. Sie haben die linke Pritsche gewählt, also sind Sie die Nummer Hundertzwo-Zwo. Das gilt auch für die Zeit, in der Sie in Einzelhaft sind. Wird also die Tür geöffnet, treten Sie so weit wie möglich zurück, legen die Hände an die Hosennaht und melden sich mit Hundertzwo-Zwo. Haben Sie verstanden?«

Lenz nickte nur.

»Ob Sie verstanden haben?«

»Ja.«

»Wie melden Sie sich?«

»Mit Hundertzwo-Zwo.«

»Gut! Singen, Pfeifen, lautes Sprechen ist laut Verwahrraumordnung verboten. Auch dürfen Sie sich tagsüber nicht auf die Pritsche legen. Das ist erst zur Nachtruhe gestattet. Haben Sie das verstanden?«

»Ja.«

»Raustreten.«

Wie er aus der Zelle zu treten hatte, hatte ihm der Marsmann am Abend zuvor, als er ihn zur Effektenkammer und zur kriminalistischen Erfassung führte, schon beigebracht. Er musste sich links von der Zellentür aufstellen – Gesicht zur Wand, die offenen Hände auf dem Rücken – und warten, bis die Tür verschlossen war. Setzte der jeweilige Schließer sich danach in Bewegung, durfte er ihm, Hände auf dem Rücken, im Abstand von drei Schritten folgen.

Wieder musste Lenz die ihm viel zu weite dunkelblaue, ehemalige Volkspolizistenhose auf dem Rücken festhalten, damit sie nicht bis auf die Knöchel runterrutschte; wieder hatte er das Gefühl, in den ihm viel zu großen, groben Wollsocken, die ihm über die schwarzgelben Filzlatschen hingen, zum Puschenheini degradiert worden zu sein; wieder ging es durch den nur schwach beleuchteten, ebenfalls beige gestrichenen Flur mit den schwarzen Riegeln und Schlosskästen an den grauen Zellentüren links und rechts. Alarmleinen aus Klingeldraht zogen sich in Griffhöhe an den Wänden entlang. Sollte der Schließer oder Läufer, der den Gefangenen führte, angegriffen werden, brauchte er nur danach zu greifen und schon würde ein Rollkommando herbeigestürzt kommen.

»Was erwartet mich denn heute?«

»Seien Se still!«

Das klang zornig. Musste ein Untersuchungsgefangener sich doch denken können, dass auf den Gefängnisfluren nicht gesprochen werden durfte; schon gar nicht in diesem vertraulichen Ton. Hier wurden keine Freundschaften geschlossen, hier wurde verwahrt und verwaltet, ermittelt und bestraft.

»Bleiben Se stehen!«

Die rote Lampe über der Gittertür, hinter der es nach rechts in einen weiteren Zellenflur ging, war Teil einer Ampelanlage; davor, auf dem Linoleumfußboden, war ein roter Stoppstrich aufgemalt. Vor dieser Markierung musste Lenz stehen bleiben und warten, bis der Marsmann die Ampel betätigt hatte und sicher war, dass keine andere Gefangenenzu- oder -rückführung ihren Weg kreuzte. Erst danach ging es durch die Gittertür und hundert Meter weiter in das zwischen den Etagen mit Stahlnetzen und an den Seiten mit Gittern gegen etwaige Suizidversuche abgesicherte Treppenhaus hoch, das Lenz bereits vom Abend zuvor kannte, als man diesen Weg mit ihm gegangen war, um ihm die Fingerabdrücke abzunehmen und von allen Seiten Fotos von ihm zu schießen. Fürs Verbrecheralbum.

Auch im Treppenhaus sorgte sich der Marsmann vor einer zufälligen Begegnung mit einem anderen Pärchen. Immer wieder ließ er einen seiner Schlüssel am Treppengitter entlangschnarren oder rasselte mit dem Schlüsselbund. Ansonsten liefen sie durch ein Totenhaus, überall tiefste Stille.

Zwei Stockwerke höher ging es durch eine schwere Stahltür in einen ebenso stillen, einem Hotelgang ähnelnden Flur hinein. In der Mitte ein roter Läufer, rechts und links hell gestrichene Türen mit schwarzen Ziffern, aber ohne Namensschilder. Vor einer der Türen blieb der Marsmann stehen und wies Lenz an, sich davor wie vor seiner Zellentür aufzustellen: Gesicht zur Tür, Hände auf dem Rücken. Er wartete, bis Lenz die verlangte Position eingenommen hatte, dann klopfte er, schob den Kopf in den Türspalt, flüsterte irgendwas und öffnete die Tür schließlich ganz.

Lenz durfte eintreten und wurde angewiesen, auf dem Hocker in der äußersten Ecke neben der Tür Platz zu nehmen. So blieb zwischen ihm und den beiden Tischen, die den kleinen Raum fast zur Hälfte füllten, ein größerer Abstand.

Hinter dem Schreibtisch saß ein junger Mann, der Lenz neugierig anblickte. Kastanienbraunes, lockiges Haar, mittelgroße Knabenfigur, schmaler Kopf, braune Knopfaugen, nicht älter als Mitte zwanzig. Ein Klassensprechergesicht! Der Typ, den die netten Mädchen und die bequemen Lehrer bevorzugen; keiner, mit dem ein Manfred Lenz sich angefreundet hätte, aber auch kein Unsympath.

Der Klassensprecher gab dem Marsmann zu verstehen, dass er gehen konnte, dann musterte er Lenz, bis der den Kopf abwandte.

Links vom Schreibtisch, unter dem wie immer ein wenig zu bunten, farbigen Honecker-Porträt, standen ein niedriges Schreibmaschinentischchen mit abgedeckter elektrischer Schreibmaschine und ein nicht sehr hoher, dunkelbraun gespritzter Panzerschrank, gleich daneben verriet ein mit Stores verhängtes, vergittertes Fenster, dass draußen die Septembersonne schien. Auf dem etwas kleineren, quadratischen Tisch direkt vor dem Schreibtisch gähnte ein großer, leerer, sauber gewischter Aschenbecher, rechts an der Wand erhob sich ein zweitüriger Schrank, auf dem ein paar Bücher und Aktenordner abgestellt waren. Neben dem Schrank führte eine Tür in ein Nachbarzimmer.

»Nun?«, kam es mit heller, spöttischer Stimme. »Sind wir wieder zu Hause angelangt?«

»Zu Hause ist vielleicht ein wenig übertrieben.«

Zum ersten Mal trafen sich ihre Blicke – und die Fronten waren abgesteckt: Zwei junge Männer, beide voller Vorurteile, würden um ihre Wahrheit ringen wie zwei verliebte Burschen um das schönste Mädchen und ahnten doch schon, dass jeder nur nach seinen eigenen Regeln siegen konnte.

»Wissen Sie denn überhaupt, wo Sie sich hier befinden?«

»In einer Untersuchungshaftanstalt des Ministeriums für Staatssicherheit.«

»Genaueres wissen Sie nicht?«

Genaueres wusste Lenz nicht. Er war erst tags zuvor mit einer von der Stasi gecharterten *Interflug*-Maschine aus Sofia ausgeflogen worden, zusammen mit sechzig, siebzig anderen in Bulgarien Festgenommenen. Am Flughafen Schönefeld waren sie in grün gespritzte, fensterlose *Barkas*-Kleintransporter geladen worden, die in jeweils vier oder fünf enge Verschläge unterteilt waren. In diesen düsteren Kammern, in denen, wer über eins sechzig war, ständig die Arme anwinkeln musste, waren sie forttransportiert worden; wohl jeder in seinen Heimatbezirk zurück. Nur die Berliner blieben in der Stadt. Aber wohin, in welchen Teil der Stadt hatte man sie gebracht?

»Na, Sie müssen ja nicht alles wissen.« Der Klassensprecher lächelte, legte sich ein Formular zurecht und begann Lenz' Personalien aufzunehmen.

Lenz antwortete mit gespielter Gelassenheit. Dass sie ihm nicht sagten, wo er sich hier befand, sollte ihn doch nur verunsichern. Genauso wie die zu große Hose, die Socken und Puschen an seinen Füßen, dieser Hocker, der verhinderte, dass er sich zurücklehnen konnte, und vielleicht auch der Aschenbecher, der ihn mit hämischer Freude daran erinnerte, dass er nichts zu rauchen hatte.

Sein Gegenüber tat, als langweilte ihn diese Prozedur. Du, mein Lieber, sollte das wohl heißen, bist für mich nur einer von den vielen Dummköpfen, die auf die Parolen des Klassenfeindes hereingefallen sind. Ein Verirrter, eine unfertige Persönlichkeit. Wenn du klug bist, kooperierst du; ansonsten sehe ich schwarz.

Und du?, versuchte Lenz mit stummer Miene zu antworten. Was bist du denn für einer? Ein Büttel, der sich nur hochdienen will. Doch es erforderte viel Kraft, den Selbstbewussten zu spielen, auf diesem Häftlingshocker und in diesen Klamotten, die ihn zum komischen Vogel machten, und mit all der Sorge um Hannah und die Kinder im Herzen. Er suchte nach einem Rettungsanker, irgendetwas in diesem Raum, an dem er sich festhalten und vielleicht sogar aufrichten konnte. Sein Blick blieb an dem Honecker-Porträt hängen. Erich anschauen und nicht belustigt sein war unmöglich. Ein Gesicht, trocken wie ein Furz; nichts als Brille und enger, verkniffener Mund; Farbfoto eines Farblosen.

Der Klassensprecher schloss die Feststellung der Personalien ab und nannte Lenz die Paragraphen, deren Übertretung seine Frau und er sich nach Ansicht der Staatsanwaltschaft schuldig gemacht hatten. Erstens Paragraph 213, Absatz 1 und 2 des Strafgesetzbuches: ungesetzlicher Grenzübertritt in schwerem Fall; zweitens Paragraph 100, Absatz 1: Aufnahme von staatsfeindlichen Verbindungen.

Lenz versuchte seine Bestürzung zu verbergen. Den Vorwurf des versuchten illegalen Grenzübertritts hatte er erwartet. Aber wieso »schwer«? Und zu welchen Staatsfeinden sollten Hannah und er Verbindung aufgenommen haben?

Der Klassensprecher sah ihm dennoch an, was in ihm vorging. »Sie hätten zuvor mal die Gesetze studieren sollen«, freute er sich. »Wer Grenzanlagen beschädigt, Gruppen bildet, gefährliche Gegenstände mit sich führt, im Wiederholungsfall den Grenzdurchbruch versucht oder ihn mit falschen Pässen erzwingen will, hat sich nun mal des schweren Grenzdurchbruchs schuldig gemacht. Höchststrafe acht Jahre. Und in Ihrem Fall treffen mindestens zwei der genannten Tatbestände zu.«

Sag nichts dazu, Manne! Sieh ihn dir nur an, diesen netten jungen Mann, der da so eifrig seinen Staat vertritt.

»Wie darf ich Ihr Schweigen deuten? Wollen Sie sich dazu nicht äußern?«

»Ich bin bereit, mich zu allem zu äußern. Ich würde nur gern vorher einen Rechtsanwalt sprechen.«

Wieder ein Grinsen. »Sie haben zu viele amerikanische Filme gesehen. Sie sind hier aber nicht in Amerika. Erst wird das Ermittlungsverfahren abgeschlossen, dann können Sie einen Rechtsanwalt hinzuziehen.«

Nur ein Bluff? Oder ging es hier wirklich so zu? »Unter diesen Umständen verweigere ich die Aussage.«

»Und wie lange wollen Sie das durchhalten? Wenn Sie nicht mitarbeiten, lasse ich Sie sofort in Ihren Verwahrraum zurückbringen. Irgendwann – und sollte es nach Monaten oder Jahren sein – werden Sie klüger geworden sein.«

»Sie haben mir noch keinen Haftbefehl gezeigt.«

»Keine Angst! Den werden Sie schon noch zu sehen bekommen. In Kleinigkeiten sind wir sehr genau.«

Ein Blick zu Honecker hoch. Gefällt dir das, Erich? Warst doch auch mal Häftling, macht es Spaß, uns zuzusehen?

»Jetzt sind Sie beeindruckt, was?« Der Klassensprecher spielte mit seinem Kugelschreiber. »Seien Sie doch vernünftig, Mann! Die Strafprozessordnung garantiert Ihnen das Recht auf aktive Mitwirkung am Strafverfahren. Aber natürlich müssen Sie dieses Recht auch wahrnehmen wollen, indem Sie bereit sind, umfassend und zusammenhängend auszusagen.«

Jemand klopfte. Der Klassensprecher stand auf und öffnete die schalldämmend gepolsterte Tür, die nach innen aufging, so dass Lenz den, der nun dem Klassensprecher etwas zutuschelte, nicht sehen konnte.

Die Septembersonne hinter dem Fenster. Diese Helligkeit! Lenz spürte, wie sich alles in ihm zusammenzog. Er hatte darauf vertraut, einen Rechtsanwalt sprechen, sich beraten lassen zu dürfen. Nun war er ganz und gar auf sich selbst gestellt, musste sein eigener Berater sein …

Die Tür wurde geschlossen, die Vernehmung ging weiter.

»Sie sollten auch an Ihre Kinder denken. Es hängt ganz von Ihnen ab, wann Sie sie wiedersehen.«

»Wo sind meine Frau und die Kinder denn überhaupt? Wo haben Sie sie hingebracht?« Verdammt, das hatte schuldbewusst, vielleicht sogar weinerlich geklungen, und solche Töne hatte er doch vermeiden wollen ...

Der Klassensprecher schüttelte den Kopf. »Sie, der Sie uns so wenig entgegenkommen, verlangen von uns Auskünfte?«

»Muss ich erst ein paar Verbrechen gestehen, bevor Sie mir sagen, was Sie mit meiner Frau und meinen Kindern gemacht haben?«

»Was soll das denn heißen?« Jetzt wurde er zornig, der nette junge Mann mit dem lockigen Haar. »Bei uns muss niemand eine Tat gestehen, die er nicht begangen hat. Und die Unterstellung, wir hätten mit Ihrer Frau und Ihren Kindern irgendwas ›gemacht‹, verbitte ich mir. Sie allein haben Ihre Familie ins Unglück gestürzt. Ist Ihnen das immer noch nicht klar geworden?«

Das Fenster, der schöne Spätsommertag! Lenz hätte so gern über alles geredet. Doch es ging ja nicht nur um ihn, es ging auch um Hannah und die Kinder. Vor allem um die Kinder! »Ich bleibe dabei. Lassen Sie mich einen Rechtsanwalt kontaktieren und ich bin bereit auszusagen.«

»Na, dann müssen wir das wohl so ins erste Protokoll aufnehmen.«

»Bitte.«

Es dauerte nicht lange, dann war dieses erste, per Hand geschriebene Protokoll zu Papier gebracht. Lenz betrachtete einen Moment lang die noch nicht sehr ausgereifte Handschrift seines Vernehmers, dann unterschrieb er. Die letzten beiden Sätze lauteten: »Dieses Protokoll entspricht in allen Teilen der Wahrheit.

Meine Worte sind darin richtig wiedergegeben.« Eine Floskel! Er hatte nichts ausgesagt, wie sollten seine Worte falsch wiedergegeben sein?

Auch der Klassensprecher unterschrieb das Papier. Dabei schirmte er mit der linken Hand die rechte ab, damit Lenz seinen Namen nicht lesen konnte. Schien eine Art ungeschriebenes Gesetz zu sein: Keinen einzigen Namen sollst du erfahren, nicht von den Wachmannschaften, nicht von den Vernehmern. Aber na klar: Anonymität verunsichert! Und kommst du irgendwann hier raus, kannst du nur Typen beschreiben.

Ein Griff zum Telefonhörer, ein paar Worte gemurmelt, und nur wenige Minuten später klopfte ein kleiner, kugelköpfiger Unterfeldwebel mit schütterem Oberlippenbärtchen, um Lenz mit mürrischem Gesicht hinauszuwinken.

Sollte er sich verabschieden? Oder schickte sich das an einem solchen Ort nicht?

Lenz beschloss, auf jede Grußformel zu verzichten. Er erhob sich, als hätte er in der vergangenen Stunde einem leeren Schreibtisch gegenübergesessen, und folgte dem eiligen Kugelkopf durchs Treppenhaus und die Zellenflure in seine Zelle zurück. Die beiden Riegel schnappten, zweimal der Schlüssel herumgedreht und er war wieder mit sich allein.

Stille umfing ihn, ihm wurde kalt. Am Abend zuvor, aus bulgarischen Gefängnissen zurücktransportiert, hatte er in dieser Zelle für kurze Zeit aufgeatmet. Welch ein Luxus! Etwa dreieinhalb mal zweieinhalb Meter Raum, hell gestrichene Ölsockelwände, Linoleumfußboden, Neonröhre an der Decke! Links von der Tür ein sauberes Spülklosett, gleich daneben ein Waschbecken mit fließend kaltem und warmem Wasser, zwischen den beiden Holzpritschen mit jeweils drei aufeinander gestapelten Matratzenteilen und zwei Stoffdecken ein schmaler Gang zum

Anf- und Abgehen. In Bulgarien war den Untersuchungshäftlingen nicht so viel »Komfort« zugebilligt worden.

Noch immer die Hände auf dem Rücken, trat er an die fenstergroße Mauer aus Glasziegelsteinen. Was für eine Schikane! Nirgendwohin darf dein Blick schweifen; kein Stückchen Himmel, kein anderes Zellenfenster sollst du zu sehen bekommen. Klappe zu, Affe tot; hier bist du eingesperrt wie der Maikäfer in der Zigarrenkiste.

Über den Glasziegelsteinen befand sich eine ins Mauerwerk eingelassene Belüftungsklappe. Lenz hatte sie die ganze Nacht und auch den Vormittag über offen gelassen, so sehr hatte es ihn nach frischer Luft gedürstet. Jetzt schloss er sie.

Unterhalb der Glasziegelsteine, hinter einem engmaschigen Gitter, war ein Heizkörper angebracht. Davor standen ein schmales Tischchen und zwei Hocker, alles mit gelbem Kunststoff bezogen. Er setzte sich auf einen der Hocker, stützte die Ellenbogen auf den Tisch und das Kinn in die Hände und blieb lange so sitzen. Bis er es irgendwann nicht mehr aushielt, aufsprang und erneut in der Zelle auf und ab zu laufen begann. Acht kurze Schritte hin, acht kurze Schritte zurück; vom Tischchen unterhalb der Glasziegelsteine bis zur Tür und von der Tür zurück zum Tischchen.

2. Zwölf Uhr mittags

Sie waren am Abend losgefahren. Nachmittags hatte Lenz, um Zeit und Nervosität totzuschlagen, im Fernsehen noch die Eröffnung der Münchener Olympiade mitverfolgt, nach dem Abendessen hatten sie die Tür hinter sich abgeschlossen. Das hatte wehgetan, denn es hatte für immer sein sollen. Die Kinder aber waren stolz. So spät am Abend gingen sie noch auf eine so weite Reise? Sie hatten gelacht und gestrahlt.

Auf dem Ostbahnhof wartete schon der Expresszug. Die Familie Lenz, die so dicht an der Grenze nach WestBerlin wohnte, dass der eine oder andere westliche Schornstein zum Greifen nah erschien, trat eine Reise durch halb Europa an – nur um auf die andere Seite dieser Grenze zu gelangen? Ein Umweg, über den sie sich zuvor oft lustig gemacht hatten, der ihnen aber nun ein wenig unheimlich vorkam. Immer wieder mussten sie einander Mut machend zulächeln.

Durchs sommerlich warme, im Abendrot dämmernde Berlin, das mitternächtliche Dresden, das frühmorgendliche Prag und das schon am Vormittag schwülheiße Budapest ging es und danach lange an der lehmig braunen Donau entlang. Bis sie endlich Bukarest erreicht hatten. Hier, in dieser staubig-trockenen, ihnen mal grau und trübe und mal licht und warm erscheinenden Stadt hatten sie mehrere Stunden Aufenthalt; Zeit, die sie nutzten, um durch viele ärmlich wirkende, zumeist jedoch sehr belebte Straßen und über bemitleidenswert karge Marktplätze zu spazieren, den Kindern Eis und Limonade zu kaufen und vor der Weiterfahrt im Bahnhofsrestaurant etwas Warmes zu essen. Am

Abend bestiegen sie dann den Zug nach Burgas; eine zweite Nachtfahrt lag vor ihnen.

In Russe kontrollierten erst rumänische, dann bulgarische Grenzbeamte ihre Papiere. Auf die Frage »Wohin?« machte Lenz beide Male nur Schwimmbewegungen. Es wurde gelacht: Ja, Sommer, Sonne, Strand – Ferien! Und natürlich wurden Silke und Micha gestreichelt, die, aus dem Schlaf geweckt, eher mürrische Gesichter machten. Ihre Begeisterung über die weite Reise war längst verflogen.

Bei der zweiten Kontrolle, als die bulgarischen Grenzbeamten ihre Papiere durchblätterten, kam Lenz der erste Verdacht: Ließen diese beiden Laurel-und-Hardy-Typen sich nicht etwas zu viel Zeit? Studierten sie ihre Gesichter nicht viel aufmerksamer als notwendig? Wiederholten sie ihre Namen nicht ein paar Mal zu oft?

Er beruhigte sich damit, dass ja noch nichts passiert war. Sie machten Ferien an der Schwarzmeerküste; wohin sie am Ende weiterreisen würden, stand ihnen nicht ins Gesicht geschrieben. Sie wussten ja selbst noch nicht, ob sie tun würden, was sie vorhatten.

Zwölf Uhr mittags waren sie in Burgas. Highnoon am Schwarzen Meer! Silke und Micha, die sich für Berge und Landschaften längst nicht mehr interessiert hatten, jetzt standen sie wieder am offenen Fenster und hielten mit ungeduldigen Augen nach Franziska Ausschau; freuten sich auf ihre Tante Fränze, die sie am Bahnhof abholen wollte. Doch die sonnenüberfluteten Bahnsteige waren leer. Kein anderer Zug war eingetroffen oder stand zur Abfahrt bereit; niemand wartete auf irgendwen.

»Da stimmt was nicht.« In Hannah schlug Angst hoch und auch Lenz verspürte Beklemmung. Dieses ungute Gefühl, das ihn seit Russe nicht mehr verlassen hatte – hatte er sich also doch nicht getäuscht, war es kein Zufall, dass sie, seit der Zug das letzte Mal gehalten hatte, die einzigen Fahrgäste in diesem Waggon waren? Er ergriff die Koffer und Hannah nahm die Taschen, und so liefen sie, die Kinder in ihrer Mitte, dem Ausstieg zu. Hastig drückte er den Türriegel herunter – doch die Tür ließ sich nicht öffnen.

»Was ist?« In Hannahs Gesicht stand das blanke Entsetzen und auch die Kinder blickten verstört.

»Die Tür klemmt! Weiter nichts.« Er hastete den Gang zurück, auf den linken Ausstieg zu – und da stand es schon, ihr Empfangskomitee: ein etwa vierzigjähriger, grau melierter, schönheitspreisverdächtiger Bilderbuchbulgare und sein im Dienstrang sicher zwei, drei Stufen niedriger einzuschätzender, schon etwas älterer, ziemlich fetter und deshalb stark schwitzender Begleiter.

»Manfred?«, fragte der Bilderbuchbulgare freundlich.

Lenz konnte nur nicken. Woher kannte der seinen Namen? Und wieso sprach er ihn mit dem Vornamen an?

»Bitte, kommen Sie mit.« Der schöne Bulgare, der lange Zeit in Deutschland gelebt haben musste, so akzentfrei war sein Deutsch, nahm Lenz die Koffer ab, sein fetter Assistent schnappte sich Hannahs Taschen.

»Was soll denn das? Was wollen Sie von uns?« Mehr brachte Lenz nicht heraus.

»Sie möchten bitte mitkommen. Und Ihre Familie auch.«

»Aber wieso denn? Wer sind Sie überhaupt?«

»Keine Fragen!«

Zwei Worte, ganz sachlich ausgesprochen, auf Lenz wirkten sie wie ein Schuss. Seine letzte, ohnehin nur schwache Hoffnung, diese beiden könnten von Fränze geschickt worden sein, löste sich in nichts auf.

»Weshalb gehen wir mit denen mit? Wo bringen die uns hin?« Hannah, an der einen Hand Silke, an der anderen Micha, wurde immer bleicher.

Lenz schüttelte nur den Kopf. Er wusste ja auch nicht mehr. Und hätten sie denn etwa weglaufen sollen?

Sie wurden zu einem Kleinbus gebracht, der vor dem Bahnhof parkte, und der Bilderbuchbulgare befahl ihnen einzusteigen. Silke, die Große, bald Neunjährige, nun ahnte sie etwas. »Ich will da nicht rein«, protestierte sie laut. »Wir dürfen doch gar nicht weg. Wir müssen doch auf Tante Fränze warten.« Micha, erst fünf, blickte nur scheu in die Runde.

Es vergingen nur wenige Minuten, in denen Lenz versuchte, seine Gedanken zu ordnen und gleichzeitig die noch immer aufgeregte Silke zu beruhigen, da wurde er schon wieder herausgewunken aus diesem Zwölfsitzer. Er verabschiedete sich nicht, dachte, es ginge allein darum, etwas aufklären zu müssen; ein Missverständnis vielleicht. Deutsche Touristen namens Manfred gab es sicher viele, konnte es sich denn trotz Franziskas Abwesenheit nicht auch um eine Verwechslung handeln? Sie waren ja noch über zweihundert Kilometer von der bulgarisch-türkischen Grenze entfernt, wie konnte man sie da bereits verhaften? Erst als er in dem PKW Platz genommen hatte, der neben dem Bus bereitstand, und gleich darauf der Motor angelassen wurde, begriff er. Er wollte aufbegehren, sich gegen die Trennung von Hannah und den Kindern wehren, sah dann aber ein, dass er damit nichts ändern konnte, und drehte sich nur noch schweigend nach ihnen um.

Silkes weit aufgerissene Augen! »Mein Papi!«, gellte ihre Stimme über den Bahnhofsvorplatz. »Wo bringen die meinen Papi hin?« Micha, der sich an Hannah festklammerte, begriff noch immer nichts, kuckte nur und kuckte. Hannah hob die Hand, als wollte sie irgendetwas abwehren oder ihn festhalten, doch da fuhr der PKW schon an und die Gesichter im Bus wurden kleiner und kleiner und verblassten schließlich ganz.

Es wurde nur eine kurze Fahrt. Ein paar sonnendurchflutete alte Gassen, einmal eine salzig-warme Brise vom nahen Meer, die durchs offene Fenster wehte, dann hielt der Wagen in einem von mehreren niedrigen, hell gestrichenen Gebäuden umsäumten Hof. Lenz wurde befohlen auszusteigen, und die drei Männer, die ihn begleiteten, führten ihn in eines der Gebäude. Eine schwere Tür fiel hinter ihm zu und noch eine.

In einem kleinen, an ein Wachbüro erinnernden Raum musste er Portemonnaie und Papiere, Gürtel, Uhr und Schnürsenkel abliefern. Er stellte Fragen, man deutete ihm an, dass man kein Deutsch verstand. Er wollte weiterfragen, verkniff es sich aber: Wozu sich lächerlich machen?

Als er alles abgeliefert und einen Zettel unterschrieben hatte, auf dem in bulgarischer Schrift seine beschlagnahmten Habseligkeiten aufgezählt waren, führte ihn ein uniformierter Beamter einen langen, feuchtwarmen, nur schwach beleuchteten, muffig stinkenden Kellergang hinunter. Es schnürte Lenz die Kehle zu, nur wie mechanisch ging er mit. Alles in ihm strebte zurück, ans Licht, an die Luft, raus aus diesen Katakomben. »Ich will einen Rechtsanwalt sprechen«, verlangte er mit heiserer Stimme. »Haben Sie verstanden? Einen Rechts-an-walt!« Der Uniformierte, ein gemütlich in sich hinein lächelnder, schon etwas älterer Schwejk mit Äuglein wie Holunderbeeren, nickte nur freundlich. Lenz aber wusste noch nicht, dass Nicken in Bulgarien nichts anderes als Nein bedeutete und dieser Schwejk damit wohl nur ausdrücken wollte, dass er kein Deutsch verstand. »Sofort!«, fügte er in nachdrücklichem Tonfall hinzu und erntete erneut ein freundliches Kopfnicken.

Da nahm ihm die Angst die Luft. Um Zeit zu gewinnen, bat er, auf die Toilette geführt zu werden.

Das Wort »Toilette« verstand der bulgarische Schwejk. Er führte Lenz in einen übel stinkenden Raum mit Löchern zum Hineinscheißen in den Fliesen – den Lenz von Freunden angekündigten berühmt-berüchtigten bulgarischen Hockklos – und einer geteerten Pissrinne, an die Lenz sich schließlich stellte, die Augen schloss und gegen die Lähmung ankämpfte, die ihn erfasst hatte. Er verspürte keinen Harndrang; es war eine alberne Flucht vor der Wirklichkeit, die er da angetreten hatte. Als könnte er mit diesen zwei Minuten Atempause irgendetwas abwenden.

Wieder versuchte er, seine Gedanken zu ordnen: Wieso hatte man sie jetzt schon verhaftet? Wo war Fränze? Und wie sollte nun alles weitergehen? Verdammt noch mal, er musste einen Anwalt sprechen! Irgendwann musste doch mal jemand kommen, der Deutsch konnte. Vielleicht dieser Bilderbuchbulgare ... Doch was, wenn die keinen Anwalt riefen? Sollte er verlangen, die Botschaft sprechen zu dürfen? Aber welche? An die westdeutsche würden ihn die Bulgaren kaum vermitteln und was durfte er denn von irgendwelchen DDR-Behörden erwarten? Und Hannah und die Kinder, was sollte inzwischen aus ihnen werden, wo würde man sie hinbringen? Etwa auch in ein Gefängnis?

Der Schwejk hinter ihm ahnte, wie ihm zumute war. Begütigend redete er auf ihn ein. Lenz hatte in der Schule Russisch gelernt und Bulgarisch war eine verwandte Sprache, dennoch verstand er nur ein einziges Wort: »Tualet« – Toilette. Wollte der ihm sagen, dass er nicht ewig auf der Toilette bleiben konnte?

Weiter ging es den Kellergang hinab, bis das unebene, an mittelalterliche Verliese erinnernde Mauerwerk sich nach links und rechts öffnete und schwere, graue Zellentüren sichtbar wurden. Der Schwejk stieß einen Schlüssel in das Schloss einer der Türen und zog einen mächtigen Riegel zurück. Knarzend öffnete sich die Tür und im trüben Dämmerlicht einer nur schwach funzelnden, über der Zellentür angebrachten Glühbirne starrten drei kahlköpfige und bis auf ihre schmutzigen Unterhosen nackte Männer Lenz entgegen. Der Schwejk wies hinein, Lenz machte zwei, drei Schritte – und die Tür fiel hinter ihm zu. Er hörte, wie der Riegel vor die Tür geschoben wurde, hörte den Schlüssel im Schloss und konnte sich vor Entsetzen kaum rühren. Wo war er hier? Das war doch kein Gefängnis, das war ein Ort der Verdammnis. Hausten hier unten so gemeingefährliche Verbrecher, dass man sie wie Tiere halten musste?

Er wagte nicht, sich den drei ihm irr erscheinenden Gestalten zu nähern, lehnte sich nur an das grob verputzte Mauerwerk und sah sie an. Die drei jedoch traten auf ihn zu, gaben ihm nacheinander die Hand, lächelten freundlich und zeigten auf die beiden Matratzen, das einzige Mobiliar in diesem fensterlosen Verlies.

Er sollte sich hinsetzen? Vorsichtig folgte Lenz der Einladung und sie hockten sich neben ihn und stellten sich ihm vor. Aufatmend erfuhr er, dass man ihn nicht mit irgendwelchen Psychopathen zusammengesperrt hatte. Kahl geschoren waren die drei, weil das in bulgarischen Gefängnissen aus hygienischen Gründen so üblich war, in Unterhose liefen sie herum, weil ein Mehr an Kleidung in dieser schwülheißen, muffigen Zellenhitze nicht auszuhalten war. Durch das kleine Belüftungsloch unterhalb der Zellendecke drang längst nicht genügend Sauerstoff in diese völlig überbelegte Zweierzelle.

Immer noch freundlich lächelnd bedeuteten sie ihm, dass es das Beste sei, wenn er ihrem Beispiel folgte. Er nickte, zog aber erst mal nur das Hemd aus.

Die beiden älteren Männer, erfuhr Lenz dann, waren Bulgaren. Nentscho, der an einen hakennasigen Hollywood-Piraten erinnerte, hatte ein volkseigenes Restaurant geleitet, wie er dem Neuankömmling in gebrochenem Deutsch verständlich machte. »Restaurant Perla, du wissen? Schön Restaurant, groß Restaurant!« In Untersuchungshaft saß er, weil die staatliche Aufsichtsbehörde dahinter gekommen war, dass der stolze Nentscho in seinem schönen, großen Restaurant mehr in die eigene Tasche als in die des Staates gewirtschaftet hatte. Seinen schweigsamen, bartstoppeligen, düster blickenden Landsmann Stojan mit den weit hervorstehenden Rippen hatte eine Dreiecksgeschichte hierher gebracht: zwei Männer, eine Frau. Zum Schluss, so Nentscho, hätten beide Männer zum Messer gegriffen. Nun liege der andere schon seit Wochen im Krankenhaus, und erst wenn er verhandlungsfähig sei, würden beide Nebenbuhler vor Gericht gestellt.

Der dritte Kahlkopf war ein kindergesichtiger junger Tscheche. Er hieß Josef, wollte aber nur Pepek gerufen werden. »Wie von Mutter.«

Auch Pepek verstand drei Wörter Deutsch. So schaffte er es, mit Händen und Füßen und vielen Grimassen Lenz seine Geschichte zu erzählen. Er hatte eines Nachts über die bulgarisch-türkische Grenze kriechen wollen und war dabei festgenommen worden. Sein Ziel war die Mutter in München, die dort auf ihn wartete; der Vater, bei dem Pepek nach der Trennung der Eltern geblieben war, lebte nicht mehr. Mit der Hand einen Flieger aufsteigen lassend, deutete Pepek an, dass seine Mutter irgendwann, als er noch ganz klein war, von ihm fortgeflogen sei. Gleich darauf ließ er mit derselben Hand Tränen aus seinen Augen perlen, um deutlich zu machen, wie sehr seine Mutter seither darunter litt, von ihm getrennt zu sein. Doch er lachte dabei, als glaubte er weder seiner Mutter noch sich selbst.

Pepek schwärmte von den Beatles, *Coca-Cola* und *Bravo*-Heften und vermutete, dass es ähnliche Interessen und Wünsche waren, die Lenz in diese Zelle geführt hatten. Lenz musste ihm lebhaft widersprechen. Wusste er denn, was dieser fröhliche Bursche mit der runden Nase und den neugierigen Augen und die beiden neben ihm auf den Matratzen hockenden Bulgaren weitererzählten? Stand ja in jedem billigen Krimi, dass Häftlinge gern versuchten, sich bei denen, die sie festhielten, mit allen möglichen Informationen freizukaufen. »Meine Frau, die Kinder und ich, wir waren ja gerade erst angekommen«, beteuerte er. »Keine Grenze weit und breit, keine Flucht! Es muss sich um einen Irrtum handeln.«

Die drei machten verständnisvolle Gesichter: Ein Irrtum! Natürlich! Wer war denn so dumm, sich gleich nach seiner Verhaftung schuldig zu bekennen?

Pepek schien gern über sich selbst zu sprechen. Nur an seiner eigenen Ungeschicklichkeit habe es gelegen, dass seine Flucht misslungen war, bekannte er in einer seltsamen Mischung aus Trauer und Stolz. Er, Pepek Ružicka von der Prager Kleinseite, wo ja bekanntlich die klügeren Prager lebten, hätte eben pfiffiger vorgehen müssen. Wie hatte er nur einfach loskriechen können! Als ob des Nachts alles möglich sei! Und das auch noch ausgerechnet dort, wo alle drei Meter ein Grenzer stand. Nein, nein, nein, niemand trug Schuld an seinem Unglück, nur er selbst. Doch wollte er daraus lernen, das nächste Mal fingen sie ihn nicht.

Inzwischen hatte auch Lenz sich bis auf die Unterhose ausgezogen und Hose und Hemd, Schuhe und Strümpfe an das Kopfende der beiden Matratzen gelegt, die den Fußboden des schmalen Raumes fast zur Gänze bedeckten. Dort lagen auch die Kleider seiner drei Mithäftlinge; woanders wäre kein Platz dafür gewesen. Der Schweiß rann an ihm herab, er atmete schwer, und hin und wieder nickte er, zum Zeichen dafür, dass er Nentscho oder Pepek verstanden hatte. In Wahrheit war in ihm alles taub. Er hörte zu und wusste, dass es pure Wirklichkeit war, dass er hier unten, in diesem stickigen Loch, zwischen diesen drei ihm noch vor wenigen Minuten völlig unbekannten Männern saß, dennoch war ihm, als spielte er nur eine Rolle in einem schlecht ausgedachten, völlig unlogischen Theaterstück und beobachtete sich dabei selbst.

Als es nichts mehr zu erzählen gab, legte Pepek sich quer vor die Tür, weil unter der Zellentür ein klein wenig kühlere, wenn auch nicht frischere Luft in die unerträglich heiße Zelle drang. Dabei drückte er den Mund an den Spalt unter der Tür, als sauge er an einer Wasserpfeife, und zwinkerte Lenz ein ums andere Mal listig zu, als wollte er ihm anraten, es ihm gleichzutun.

Gleich hinter Pepeks Kopf, links neben der Tür, stand ein grüner Plastikeimer mit Deckel: ihr Urinal. Stojan hatte bereits hineingeschifft und Nentscho ebenfalls und irgendwann würde auch er, Lenz, sich nicht mehr genieren. Rechts von der Tür, zu Pepeks Füßen, in möglichst weiter Entfernung vom Pinkeleimer, war die Wasserkaraffe abgestellt. Ebenfalls aus grünem Plastikmaterial, höher als der Eimer und sehr bauchig. Trank einer von den dreien daraus, legte er sich die Karaffe quer über den Arm und hob den Ellenbogen an, bis das Wasser aus der Öffnung sprudelte. Auf diese Weise musste er den Mund nicht an die Öffnung legen.

Lenz trank nicht von dem Wasser, obwohl ihm vor Hitze und

Durst die Zunge am Gaumen klebte und sein Verstand ihm sagte, dass er trinken musste; er beobachtete nur alles wie gelähmt.

Irgendwann später, als Lenz schon längst nicht mehr wusste, ob der Schweiß, der da an ihm herabrann, mehr von der Hitze oder seiner Angst um Hannah und die Kinder verursacht war, kam der piratengesichtige Nentscho von seiner Matratze gekrochen, kniete sich vor ihm hin und öffnete mit geheimnisvollem Lächeln die rechte Hand. Ein paar Apfelkerne und zuvor durchgekaute und getrocknete Brotkügelchen lagen darin. Als Lenz nicht begriff, was er damit sollte, legte Nentscho einen Finger an den Mund, lächelte noch geheimnisvoller und klappte eine Matratze hoch. Ein in die schon ein wenig morschen Dielen geritztes Mühlespiel wurde sichtbar; Apfelkerne und Brotkügelchen ersetzten die schwarzen und weißen Steine.

Nentscho: »Besser als immer nur denke!«

Er sollte mit ihm Mühle spielen? Jetzt? In dieser Situation? Lenz wollte abwehren, doch der Bulgare wartete erst gar keine Antwort ab, legte ihm die Brotkügelchen in die Hand und setzte den ersten Apfelkern. Und da spielte er, Manfred Lenz, der nicht wusste, wo man seine Frau und seine Kinder hingebracht hatte, keine Stunde nach seiner Verhaftung nackt bis auf die Unterhose in einem dreckigen, stinkigen, schwülheißen Verlies, wie es der Graf von Monte Christo vor seiner Flucht auch nicht schlechter kennen gelernt haben konnte, mit einem anderen Nackten Mühle. Und ein ebenfalls nackter eifersüchtiger Messerstecher sah ihnen zu, während ein nackter Beatles-Fan, der keinen Vater mehr hatte und zur Mutter wollte, die ihn einst im Stich gelassen hatte, damit beschäftigt war, unter einem Türspalt hindurch ein wenig kühlere Luft anzusaugen.

Er verlor jedes Spiel und war froh, als Stojan sich endlich erbarmte und sich zu dem von seinem schwachen Gegner gelangweilten Nentscho setzte. Nun durfte er so tun, als studiere er die klugen Spielzüge der beiden Bulgaren, um von ihnen zu lernen, während er sich insgeheim fragte, weshalb er denn jetzt nicht einfach losheulte. Weil er erwachsen war? Sich als Mann erweisen musste? Weil er sich nicht in Selbstmitleid ergehen durfte, sondern zuallererst an Hannah und die Kinder zu denken hatte?

Er sah zu und horchte in sich hinein und musste plötzlich daran denken, wie Kalle Kemnitz und er als Kinder in den Müggelbergen Eidechsen gefangen hatten. Für seinen Küchenzoo. Jedes Mal, wenn er eine davon in der Hand hielt, konnte er fühlen, wie das kleine Herz vor Aufregung raste. Nun hatte eine solch riesige Hand die Kinder, Hannah und ihn ergriffen, schlugen ihre Herzen nicht weniger ängstlich …

Bilder drängten sich ihm auf, die er nicht aushalten konnte; er schlug die Hände vors Gesicht und überließ sich seinen Gefühlen.

In der Nacht schlief Lenz nur wenige Minuten. Zurück aus diesem kurzen wirren, fieberhaften Schlaf, stieg Übelkeit in ihm hoch, so eng war es zu viert auf zwei Matratzen, so schweißdurchtränkt dünsteten sie vor sich hin, so sehr stank es nach Urin, weil Pepek den Deckel nicht richtig auf den Eimer gelegt hatte. Es juckte ihn plötzlich überall, und er vermutete Flöhe oder Läuse in den Matratzen und begriff, weshalb so rigorose Maßnahmen wie das Scheren von Glatzen hier notwendig waren.

Hellwach starrte er zu der Glühbirne über der Tür hoch, die auch in der Nacht nicht ausgeschaltet wurde, lauschte er auf Stojans röchelnden Atem und Nentschos lautes Schnarchen und hielt sich an dem kurzen Gespräch fest, das er am Abend, als sie zum Waschen und zur Toilette geführt wurden, mit dem holunderbeeräugigen Schwejk geführt hatte. Wo seine Frau und seine Kinder hingekommen wären, hatte er wissen wollen, und wie lange er noch hier bleiben musste.

Auf die erste Frage hatte der müde blinzelnde Schließer zur Antwort mal wieder nur genickt, die zweite hatte er mit »Sofia« und »Morgen« beantwortet. Das Letzte hatte er sogar auf Deutsch gesagt.

Er hatte noch zweimal nachgefragt, um sicherzugehen, den Mann nicht falsch verstanden zu haben, die Antwort jedoch blieb die Gleiche. Da hatte er zum ersten Mal ein bisschen aufgeatmet. Überall war es besser als hier. Und ganz bestimmt würde er in Sofia erfahren, wo man Hannah, Silke und Micha hingebracht hatte. Jetzt, in der Nacht, den Blick auf die funzelnde Glühbirne gerichtet, rief er sich diese Waschraumszene gebetsmühlenartig immer wieder vor Augen, wie um sich selbst zu bestätigen, dass er den Mann nicht falsch verstanden hatte. Bis er mit einem Mal aufschreckte: Hatte da nicht eben eine Frau geschrien? Aber ja doch, schon wieder! In einer der Nachbarzellen musste eine Frau sein, sie schrie sehr laut – und sie schrie auf Deutsch! »Ich will hier raus!«, tönte es durch den Zellengang. »Ich will hier raus!« Und dann noch einmal, laut aufschluchzend: »Ihr Verbrecher! Lasst mich doch raus!« Und Fäuste polterten gegen eine Zellentür.

Pepek öffnete nur ein Auge. »Jede Nacht.«

Jede Nacht? Die Frau schrie jede Nacht? Dann konnte sie nicht Hannah sein, deren Stimme Lenz ja auch sofort erkannt hätte. Aber wer sagte ihm denn, dass diese Frau nicht Franziska war? Hätte er ihre Stimme ebenfalls gleich erkannt? Und Fränze hatte ja schon seit Tagen im Land sein wollen. Hastig fragte er Pepek, ob er die Frau schon mal gesehen habe. »Vielleicht am Vormittag, während der Freistunde, von der du mir erzählt hast?

Eine große blonde Frau, Mitte dreißig, die Haare kurz geschnitten, fast schon Igel?«

Pepek jedoch hatte die Frau noch nicht gesehen, grinste nur und legte beide Hände auf seine Brust. Ob diese Blonde einen großen Busen hatte?

Lenz antwortete nicht, starrte nur wieder zu der Glühbirne hoch. Wenn diese Deutsche schon länger hier festgehalten wurde, wie konnte er darauf vertrauen, nach nur einem Tag und einer Nacht von hier fortzukommen? Wusste er denn, was der Schwejk verstanden hatte, als er ihn fragte?

Wieder schrie die Frau und diesmal hörte Lenz ihren sächsischen Dialekt heraus. Also war es nicht Fränze; es war eine Frau, die aus ähnlichen Gründen einsaß wie Pepek und er und die genau wie Pepek schon seit vielen Tagen nicht aus diesem Schwitzkasten herausgekommen war. Wie dumm von ihm, diesem Schwejk zu vertrauen; vielleicht hatte der ihn nur beruhigen wollen.

Es stürzte wieder alles über Lenz zusammen, er atmete hastiger und schloss die Augen. Die Frau aber schrie noch öfter. Sie schrie und schrie, sie wolle hier raus, es sei ja alles nur ein Irrtum.

»Irrtum«, flüsterte Pepek das deutsche Wort vor sich hin, das er nur wenige Stunden zuvor schon einmal gehört hatte. Und dann kicherte er leise: »Irrtum! Irrtum – Irrtum! Alles Irrtum!«

Lenz ging dann aber doch auf Transport. Zusammen mit einem anderen Deutschen, einem langen, dürren Kerl mit ironisch blinzelnden Augen hinter der schon arg verbogenen Nickelbrille, fuhren sie ihn gleich nach der Morgensuppe, die er nicht hinunterbekommen hatte, so fremdartig hatte sie gerochen, zum Bahnhof zurück. Zwei der Männer vom Wachpersonal bestiegen mit ihnen ein reserviertes Abteil und befahlen ihnen, nicht miteinander zu reden.

Es war ein Bummelzug, der sie nach Sofia bringen sollte. Endlos lange bewegte er sich durch die sonnige Landschaft, an jedem Bahnhof hielt er. Neugierig sahen die Fahrgäste durch die Abteilfenster zu den beiden Eskortierten hin und Lenz lächelte ihnen öfter mal zu. Sicher hielten all diese verwittert aussehenden bulgarischen Bauern, alten Muttchen und jungen Frauen, die Kinder, abgeschabte Koffer, Körbe oder Säcke mit sich herumschleppten und oft nur von einem Ort in den nächsten wollten, den Langen und ihn für zwei ganz hart gesottene Verbrecher. Gut, dass die Polizei sie endlich gefasst hatte!

Auch der Lange lächelte freundlich, und einmal versuchte er, Lenz trotz des Redeverbots etwas zuzuflüstern. Wie sie da gleich auffuhren, ihre beiden uniformierten Bewacher, die sich auf der Bahn einen ruhigen Tag machen wollten. »Nix blabla, nix blabla!«, empörte sich der Chef der beiden, ein dickwampiger Polizeihauptmann mit schlauem Bauerngesicht, der unentwegt kuckte, als würde er ihnen all ihre Untaten und Fluchtpläne bereits vom Gesicht ablesen. Es beleidigte ihn offensichtlich, dass seine Anordnung nicht respektiert wurde. Der andere, klein, spitznasig und misstrauisch, stieß ins gleiche Horn; wollte sich bei seinem Vorgesetzten wohl beliebt machen, indem er ständig irgendwelche Drohungen vor sich hin murmelte, ganz egal, ob die beiden, an die sie adressiert waren, ihn verstanden oder nicht.

Später schafften die beiden Gefangenen es aber dennoch, ein Gespräch anzuknüpfen, wenn auch auf sehr kuriose Weise. Der Lange begann damit. Erst summte und sang er eine Zeit lang verträumt *Am Brunnen vor dem Tore* vor sich hin, als wollte er damit seine Langeweile bekämpfen, dann begann er, der Melodie einen eigenen, an Lenz gerichteten Text zu unterlegen: »Mein

Name ist Detlef Dettmers, ich komme aus Berlin …« Die beiden Beamten, die kein Wort verstanden, blickten sich an, als fragten sie sich, ob dieses Gesumme und Gesinge auch unter »Redeverbot« fiel, zuckten dann aber die Achseln: Sollte er ruhig singen, dieser lange Kerl, wenn es ihm Spaß machte.

Mutig geworden gestaltete der Lange weitere Volkslieder neu und Lenz antwortete auf gleiche Weise. Ihre Begleiter staunten ein bisschen über diese beiden sangesfreudigen Deutschen, anscheinend aber gefiel ihnen ihr Geträller. Von Lied zu Lied lächelten sie milder, wiegten schon mal im Takt die Köpfe oder wippten lustig mit den Füßen.

Bald stellten Lenz und dieser Detlef Dettmers neben ihrer Berliner Herkunft noch weitere Gemeinsamkeiten fest: Dettmers war in der Pankower Johannes-R.-Becher-Straße aufgewachsen, die früher Breite Straße geheißen hatte und in der es eine Entbindungsstation namens Maria Heimsuchung gab, in deren Register auch ein Manfred Lenz verzeichnet war; Dettmers war Philosophiestudent und hatte ein paar Semester in Leipzig »abgerissen« und auch Lenz hatte dort studiert. Belustigt über ihre »komische Oper« und die festgestellten Gemeinsamkeiten grinsten sie einander zu – was für ein Zufall, dass sie ausgerechnet hier zusammentreffen mussten! – und »unterhielten« sich weiter: Der lange Student hatte mit einem gemieteten Motorboot in die Türkei verschwinden wollen, ein bulgarisches Zollboot hatte ihn aufgebracht. Er litt nicht sehr darunter, nahm das Ganze als Abenteuer, hatte weder Frau noch Kind, war gespannt darauf, wie alles weiterging. Fünf Tage hatte er in Burgas zugebracht; fünf Tage, in denen er von nichts anderem als einem frisch gezapften kalten Bier in einem kühlen, abendlichen Biergarten geträumt habe. »Am besten irgendwo am Wannsee.«

Bis in die Sofioter Effektenkammer, in der sie ihre Zivilkleidung ablegen mussten und ausgewaschene blaue Schlosseranzüge als Gefangenenkleidung bekamen, trällerten sie einander ihre Botschaften und Geschichten zu, dann wurden sie in verschiedene Zellen eingewiesen und Lenz, wie es schien, drei Tage lang von aller Welt vergessen. Keine einzige Vernehmung, keine Information über den Verbleib von Hannah und den Kindern. Dafür drei Tage und Nächte Mutlosigkeit und Gewissensqualen und immer wieder Herzbeklemmung und Schweißausbrüche und endloses Gequatsche mit Stepan, dem bulligen jungen Sofioter Meisterboxer, der in den Westen hatte fliehen wollen, um Profi zu werden, und den die Schließer trotz seiner vereitelten Fluchtabsichten verehrten wie einen jungen Gott; drei Tage und Nächte das wehleidige Gesicht von Sefik, dem großäugigen jungen Türken, der – schon wieder ein eifersüchtiger Messerheld! – den Liebhaber seiner Frau erstochen hatte und aus Angst vor der Strafverfolgung nach Bulgarien geflohen war. Von morgens bis abends beteuerte er, kein Türke, sondern nur türkischer Jugoslawe zu sein. In der Türkei stehe auf seine Tat die Todesstrafe; würde man ihn nach Jugoslawien ausliefern, bestünde Hoffnung auf lebenslänglich.

Stepan, der ein wenig Türkisch verstand, übersetzte Lenz Sefiks Worte in ein Hände-und-Füße-Deutsch-Russisch-Bulgarisch, glaubte aber nicht, dass dem jungen Türken noch zu helfen war. »Spricht wie Istanbul«, flüsterte er Lenz einmal zu.

Sefik war gleich nach seiner Ankunft in Sofia eine Glatze geschoren worden, Stepan hatte sein rabenschwarzes, dichtes, leicht lockiges Haar behalten dürfen. Wegen seiner Landesmeisterwürden, wie er vermutete. Lenz befürchtete, ebenfalls bald unter Schere und Rasierapparat zu geraten; als man ihn zum »Friseur« führte, erhielt er aber nur eine Nassrasur. Eine Schonbehandlung, die auch seine beiden Mitgefangenen verwunderte.

War Lenz ebenfalls eine bekannte Persönlichkeit? Wollte er ihnen das nur nicht verraten?

Es war wieder nur eine Zweierzelle, in der sie zu dritt lagen, und sie war noch ein wenig schmaler und kürzer als die in Burgas. Doch waren sie hier in keinem muffig-feuchten Kellerverlies untergebracht, sondern im ersten Stock eines Neubaus mitten in der Stadt. So war es zwar heiß und stickig, aber nicht ganz so schwül in dem engen Raum, obwohl es wiederum kein Fenster gab. Eine Luftklappe über der Tür sollte den Luftaustausch besorgen. Hinter der Tür lag ein Flur mit zugehängten Fenstern zur Straße hin; abends wurden die Fenster kurz geöffnet, um Frischluft in den Flur und durch die Luftklappe auch in die Zellen dringen zu lassen. Gleich über der Luftklappe funzelte auch hier bei Tag und Nacht eine schwache Glühbirne.

Die beiden Matratzen, von denen sie nicht runterkamen, weil es keinerlei Möglichkeit gab, die Beine zu vertreten, bedeckten ein etwa vierzig Zentimeter hohes, knapp zwei Meter breites und ebenso langes Holzpodest. Es füllte die Zelle in ihrer ganzen Breite aus; allein zwischen Podest und Tür blieb ein schmaler Streifen Holzfußboden frei. Links neben der Tür stand der Pinkeleimer, rechts die große, grüne, bauchige Plastikkaraffe mit Wasser.

Eine Karnickelbucht! Nur wenn sie in den Waschraum oder zur Toilette geführt wurden oder es zur zwanzigminütigen Freistunde aufs Dach des fünfstöckigen Untersuchungsgefängnisses ging, machte es einen Sinn, sich von den Matratzen zu erheben. Wie siamesische Drillinge lagen sie von morgens bis abends und auch in der Nacht nebeneinander.

Gab es etwas zu essen – morgens graues, bröckliges Brot für den ganzen Tag, mittags eine dünne, rötliche Suppe, in der stets nur sehr wenig, aber dafür umso fetteres Fleisch schwamm –, stellten sie die Füße auf den schmalen Streifen Fußboden und kauten und löffelten, und Sefik schmatzte so gierig, als wollte er sich selbst beweisen, dass er noch am Leben war. Musste einer von ihnen wegen größerer Geschäfte tagsüber aufs Klo, klopfte er an die Zellentür. Hatte man Glück, war einer der schläfrig-phlegmatischen Schließer gerade im Flur unterwegs und man wurde von ihm und einem seiner Kollegen zur Toilette geführt. Wieder ein Hockklo, wieder eine, diesmal stark nach Desinfektionsmittel stinkende Pissrinne. Hatte man Pech und wurde nicht gehört, blieb man mit sich und seiner Not allein. Das brachte Lenz einmal dazu, laut zu werden. Wütend hämmerte er gegen die Tür – »Tualet! Tualet!« –, bis die Schließer zu dritt herangestürmt kamen, die Tür aufrissen, ihn in die Zelle zurückstießen und zornig beschimpften. Zur Toilette brachten sie ihn an diesem Tag nicht.

Außerhalb der Zellen, gleich neben den Türen, waren kleine Fächer in die Wand eingelassen. In denen lag, was die Untersuchungsgefangenen an Besitz bei sich haben durften: Zahnbürste, Zahncreme, Seife, Zigaretten und – falls notwendig – die Brille. An den Zigaretten bedienten sich die Schließer nach Lust und Laune; wurden sie darauf angesprochen, lachten sie oder wurden böse. Sie klauten auch in der Effektenkammer. Und klauten sie nicht, ließen sie sich beschenken. Wer sich bei ihnen einschmeichelte, wurde ein wenig kulanter behandelt.

Drei Tage, die nicht vergehen wollten, drei Nächte, in denen Lenz keinen Schlaf fand. Und schlief er doch für kurze Zeit ein, träumte er von Hannah und den Kindern, erlebte mit ihnen die furchtbarsten Situationen, wollte ihnen helfen und konnte es nicht. Dann schrak er auf, sein Puls jagte, die Stirn war heiß. Nur gut, dass es Stepan gab. Der Sofioter Meisterboxer nahm seine Götterrolle hin wie ein ihm zustehendes Geschenk, spielte aber nicht den Star, zu dem die Schließer ihn machten, sondern sah es als seine Aufgabe an, seinen beiden ausländischen Mitgefangenen ein guter Gastgeber zu sein. Immer wieder versuchte er, sie aufzurichten. Nichts wird so heiß gegessen, wie es gekocht wird, diesen Spruch kannte man auch in Bulgarien. Und tatsächlich, Stepans Solidarität tröstete. Ob das nun die süßen bulgarischen Kekse waren, die Stepans Mutter über die Schließer in die Zelle schickte, seine Zigaretten oder die Zahncreme, die Lenz sich in Ermangelung einer Zahnbürste auf den Zeigefinger schmierte – was Stepan gehörte, gehörte auch Lenz. Ein Glücksfall für ihn, der wie ein nackter Mann hier eingeliefert worden war.

Von Stepan erfuhr Lenz, dass Nicken in Bulgarien Nein und Kopfschütteln Ja bedeute und dass Boxen der Sport sei, der am meisten zur Lebenstüchtigkeit erziehe. Einfach, weil man damit Reaktionsschnelligkeit trainiere. Als er erwischt wurde, sei er ja schon so gut wie in der Türkei gewesen, beteuerte Stepan immer wieder. Wäre er nur ein wenig schneller gelaufen, würde er jetzt um Dollars kämpfen. Allein seine verfluchte Trainingsfaulheit sei schuld daran, dass er jetzt hier einsaß.

Worte, die Lenz an Pepek erinnerten. Stimmte denn mit ihm, Lenz, etwas nicht? Stepan und Pepek gaben sich selbst die Schuld an ihrer Inhaftierung, er aber, Manfred Lenz, hielt sich nach wie vor für unschuldig. Reagierte er nur deshalb so, weil er Angst vor dem hatte, was nun auf Hannah, die Kinder und ihn zukommen würde? War es die Scham, seinen Kindern einen solchen Schmerz angetan zu haben, die ihn davor zurückscheuen ließ, sich die Wahrheit einzugestehen? – Aber Pepek und Stepan waren beim Grenzübertritt festgenommen worden, auf frischer Tat, wie es so schön hieß; Hannah, die Kinder und er hatten die Grenze noch nicht einmal von fern gesehen. Was hätte da nicht noch alles geschehen können! Ohne Leiche kein Mord – ohne Grenze keine Flucht! Durfte man sie denn für etwas bestrafen, was sie noch gar nicht getan hatten?

Am Nachmittag des vierten Tages wurde Lenz dann endlich zur Vernehmung geholt.

Es geschah wie nebenbei. Der Schließer mit dem schiefen Gesicht, der sich so oft von Stepan Zigaretten schenken ließ, stand in der Tür, scherzte unterwürfig mit dem Meisterboxer und winkte schließlich Lenz heraus: »Chef!«

Alle Vernehmer wurden »Chef« gerufen. In den Tagen zuvor hatte Lenz immer wieder darum gebeten, ihn doch endlich zu seinem »Chef« zu bringen, und dazu Handbewegungen gemacht, die »Sprechen« bedeuten sollten. Doch hatte er dafür nur unwillige Blicke geerntet. Wann die Vernehmer die Untersuchungsgefangenen zu sich bestellten, bestimmten ganz allein sie. Und waren sie, die Schließer, etwa dazu da, die Wünsche der Häftlinge weiterzuvermitteln?

Lenz hätte froh sein müssen, dass die Zeit der Ungewissheit vorüber war. Durch die Plötzlichkeit jedoch, mit der er gerufen wurde, fühlte er sich nicht erlöst, sondern überrumpelt. Auf seiner Matratze liegend, hatte er sich immer wieder aufgesagt, was er auf all die Fragen, die man ihm stellen würde, antworten wollte – in diesem Augenblick war alles weg.

Das Schiefgesicht führte ihn in einen kleinen, mit allerlei Möbeln voll gestellten Büroraum. Das Büro einer altmodischen Spedition hätte so aussehen können. Überall Akten, hinter Glas ein bisschen privater Nippes, auf dem Fußboden ein schon ziemlich abgetretener, bunter Teppich, hinter dem Schreibtisch ein hoch gewachsener, dunkelhaariger Mann, der seine Zigarette in einer Zigarettenspitze stecken hatte. Mit der einen Hand wedelte er das Schiefgesicht fort, mit der anderen wies er Lenz an, auf dem sehr weit von ihm entfernt stehenden Hocker Platz zu nehmen. Danach blätterte er genüsslich rauchend in einer Akte.

Gelegenheit für Lenz, ihn zu studieren. Er registrierte einen abgetragenen braunen Straßenanzug, der bewies, dass sein Träger auf Äußerlichkeiten nicht viel Wert legte, ein paar intelligente Augen und einen dichten Schnurrbart, an dem ab und zu gekratzt wurde, weshalb immer ein paar Härchen hoch standen, was dem schmalen Kopf etwas Katerhaftes verlieh. Auf fünfunddreißig bis vierzig schätzte er sein Gegenüber; es machte auf ihn einen ganz vernünftigen Eindruck.

Er sei Untersuchungsrichter der bulgarischen Staatssicherheit und habe in Berlin studiert, begann der Chef das Gespräch, nachdem er die Akte ein bisschen von sich fortgeschoben hatte, also könnten sie Deutsch miteinander reden. Zuerst müssten sie allerdings die Personalien aufnehmen.

Höflich befragte er Lenz nach seinen Daten und trug jede Antwort bestätigend nickend, als habe er das alles schon vorher gewusst, in ein umfangreiches Formular ein. Als er damit fertig war, lehnte er sich zufrieden seufzend in seinen Stuhl zurück, musterte Lenz lange und wollte schließlich wissen, ob er irgendwelche Beschwerden vorzubringen habe. Jetzt sei dazu Gelegenheit.

»Ich möchte wissen, wo meine Frau und meine Kinder sind.«

»Die sind gut untergebracht. Es ist ihnen nichts passiert.«

»Und wo?«

»In einem Hotel. Erst in Burgas, jetzt in Sofia. Morgen werden sie nach Berlin zurückgebracht.«

Neuigkeiten, die Lenz erst verarbeiten musste. »Und was passiert dort mit ihnen?«

»Das ist nicht unsere Sache.« Der große, schlanke, gemütliche

Kater drückte seine Zigarette aus, stand auf, trat ans Fenster und streckte sich. Es sah aus, als ermüdeten ihn all diese unerfreulichen Alltagsgeschäfte. Als er sich Lenz wieder zuwandte, blickte er fast ein wenig unwillig. »Manfrede! – Ich darf doch Manfrede zu Ihnen sagen? Ich weiß, in Berlin hängt man immer ein e an den Namen, Fritze, Paule, Karle …«

»Bei Manfred sagt man nur Manne.«

»Also schön: Manne! Sie haben sich da was eingebrockt – nun müssen Sie es auch auslöffeln, Sie und Ihre ganze Familie!«

»Aber was wird uns denn überhaupt vorgeworfen? Wir waren ja gerade erst angekommen.«

»Wissen Sie das wirklich nicht?« Der Kater lächelte traurig, wanderte hinter seinen Schreibtisch zurück, schob sich eine neue Zigarette in die Spitze und begann mit dem Verhör. Anfangs interessierten ihn nur Einzelheiten – wo die Reisepapiere erstanden, wann und wo den Zug bestiegen, wie lange Aufenthalt in Bukarest –, später warf er Lenz vor, mit der Absicht in die Volksrepublik Bulgarien eingereist zu sein, die bulgarische Gastfreundschaft zur Flucht in den kapitalistischen Westen zu missbrauchen.

Nein, antwortete Lenz, nein, seine Frau, die Kinder und er hätten nur Ferien machen wollen, weiter nichts.

»Ach, Manne! Wozu lügen? Wir haben Beweise.«

»Und welche?«

»Die westdeutschen Pässe. Mit Ihren Fotos drin, ausgestellt auf Ihre Namen.«

Wenn sie die Pässe hatten, hatten sie auch Franziska und wussten von ihren Plänen. Doch was bewies das schon? Hatte man Hannah, die Kinder und ihn etwa an der Grenze festgenommen? Lenz rückte auf seinem Hocker vor und gab zu, dass seine Frau und er mit dem Gedanken gespielt hätten, über Bulgarien in die Türkei auszureisen. »Meine Schwägerin wollte uns dabei helfen. Aber entschieden – endgültig entschieden – war noch nichts. Die Pässe wurden ja schon vor Wochen ausgestellt. Als wir in Burgas ankamen, hatten wir alle Fluchtabsichten längst aufgegeben.«

Keine hundertprozentige Lüge. Erst in Sosopol, dem Ferienort, für den sie die Reise gebucht hatten, wollten sie sich endgültig entscheiden – nachdem sie sich die von Fränze mitgebrachten Pässe angesehen hatten. So weit war es aber überhaupt nicht gekommen. Also: Keine Leiche, kein Mord!

»Na, das können Sie dann ja alles Ihren Behörden erzählen.« Mit eher gleichgültigem Gesicht machte er sich Notizen, dieser freundliche Vernehmer, und da wagte Lenz die Frage nach Fränze. »Was ist denn mit meiner Schwägerin geschehen?«

»Sie meinen Franziska Möller?«

»Ja.«

»Wir haben sie verhaftet. Gleich bei der Einreise. Sie wird ebenfalls zur Rechenschaft gezogen.«

»Hier – oder in Berlin?«

»Das werden unsere Gerichte entscheiden.«

Wenn sie Fränze bereits bei der Einreise verhaftet hatten, mussten sie an der Grenze schon auf sie gewartet haben ... Oder sie hatte die Pässe nicht gut genug versteckt, sie waren gefunden und ihr Plan aus ihr herausgekitzelt worden ...

Der Kater schnippte die Asche von seiner Zigarette. »Weshalb haben Sie denn, wie Sie sagen, von Ihrem Plan Abstand genommen? Hatten Sie noch rechtzeitig erkannt, in einem sozialistischen Land besser aufgehoben zu sein?«

Nein, einen solchen Schmus brachte Lenz nicht über die Lippen, egal, ob er sich damit schadete oder nicht. »Wir hatten Angst bekommen. Wegen der Kinder.« Verdammt noch mal!

Man konnte sie doch nicht verurteilen für eine Tat, die sie noch gar nicht begangen hatten. Sie hätten es sich doch tatsächlich noch anders überlegen können.

»Manne, Manne, Manne! Gestatten Sie, dass ich mich wundere. Wie kommt es, dass ausgerechnet einer wie Sie seinem Land den Rücken kehren wollte? Sie haben doch Karriere gemacht, haben studiert, sind ins Ausland geschickt worden ... Indien, Indonesien, Nordafrika. Wer kommt da schon hin? Was hatten denn gerade Sie für Gründe, Ihre Heimat zu verlassen?«

Eine Frage, die Lenz so beantworten musste, wie es zwischen Hannah und ihm verabredet war. Er erzählte, wie seine Frau als Sechzehnjährige mit Vater und Stiefmutter von Frankfurt am Main nach OstBerlin gezogen war, damals noch in der Hoffnung, dass sie, falls es ihr dort nicht gefiel, jeden Tag zu ihren älteren Geschwistern in den Westen heimkehren konnte. Wie dann über Nacht die Mauer gebaut worden war und Jahre später ihr Bruder starb und sie nicht zur Beerdigung fahren durfte. Wie aber ihre Eltern, inzwischen Rentner, fahren durften und nicht wieder in die DDR zurückkehrten und sie von da an als einziges Familienmitglied im Ostteil des Landes lebte. »Na ja, und da wollte ihre Schwester eben helfen.«

Neugieriges Stirnrunzeln. »Wieso ist denn Ihr Schwiegervater aus der Bundesrepublik in die DDR übergesiedelt?«

Eine Frage, die Lenz erwartet hatte. »Nicht ganz freiwillig«, antwortete er nur. »Eine Korruptionsgeschichte.«

»Und als er zurückkehrte, war die Sache verjährt?«

»Ja.«

Stoff zum Nachdenken. Trommelnde Finger auf der Schreibtischplatte. »Ihre Frau kann ich verstehen«, kam es dann. »Auch bei uns heißt es, Blut ist dicker als Wasser. Aber was ist mit Ihnen, Manne? Haben Sie keine Familie?«

»Nein.«

»Sie haben niemanden mehr?«

»Nein.« Wozu sollte er diesem menschenfreundlichen Vernehmer von Robert erzählen; kann ein Bruder für den anderen leben?

»Also wollten Sie nur Ihrer Frau zuliebe die DDR verlassen?«

»Nein. Da gab es mehrere Gründe. Letztendlich aber hatten wir von unserem Vorhaben Abstand genommen.« Er musste vorsichtig sein, durfte nicht zu viel sagen; was er hier antwortete, würden sie ihm zu Hause vorhalten.

Der Kater sah ihn lange an, dann brachte er mal wieder sein Schnurrbärtchen durcheinander. »Sie haben ein ehrliches Gesicht, Manne. Wieso lässt einer wie Sie sich auf falsche Pässe ein?«

»Es waren echte Pässe, keine Fälschungen.« Lenz musste grinsen.

Auch der Schnurrbart zog sich in die Breite. »Was an Ihrem Fall echt und wahr ist und was nicht, darüber werden andere entscheiden.«

Wie lange er denn noch hier bleiben müsse, wollte Lenz da nur noch wissen.

»Eine Woche, zwei oder drei – wer weiß? Auf jeden Fall werden wir uns in dieser Zeit noch ein paar Mal sehen.«

Lenz empfand diese Worte nicht als Drohung, sondern als Versprechen.

3. Stimmen

Sechs Uhr Wecken, zweiundzwanzig Uhr Nachtruhe. Beides wurde durch ein Klingelzeichen angekündigt. Dreimal am Tag ging die Klappe: »Schüssel!« Dann reichte Lenz die blaue Plastikschüssel raus, setzte sich an seinen Tisch und aß, was man ihm in die Schüssel getan hatte. Das waren morgens nach wie vor Klappstullen mit Marmelade oder Pflaumenmus; Brote, die so trocken waren, dass sie ohne den unangenehm duftenden Muckefuck gar nicht runterzubekommen waren. Hatte er sie endlich verdrückt, kippte er den Rest Morgenlorke weg und begann mit seiner Gymnastik: Liegestütze und Kniebeugen und davon jeden Tag mehr.

Jeden zweiten Tag bekam er vor oder nach dem Frühstück Trockenrasierer und Handspiegel in die Zelle gereicht. Nie zuvor hatte er sich so gründlich rasiert; jede Minute, die er mit einer Beschäftigung verbrachte, verkürzte den Tag.

Nach dem Rasieren oder gleich nach der Gymnastik startete er den ersten seiner Zellenmarathonläufe. Gut zwei Stunden lang acht kurze Schritte hin, acht kurze Schritte her. Nach dem Mittagessen – Eintopf oder Kartoffeln mit Soße und Fleisch und wenig Gemüse – neue Kniebeugen, neue Liegestütze. Danach Start zum nächsten Marathonlauf. Oft lief er in seiner Zelle auf und ab, bis er das Gefühl hatte, sich selbst entgegenzukommen. Zwischendurch holten sie ihn zur Freistunde. Dann rannte er zwanzig bis dreißig Minuten in einem mit Maschendraht nach oben hin abgesicherten Zementkäfig im Kreis, ebenfalls ganz mit sich allein, aber wenigstens an der frischen Luft.

Einmal in der Woche wurde die Unterwäsche gewechselt und

er durfte unter die Dusche. Karg bemessene Wasserspiele für einen einzelnen Herrn und dennoch jedes Mal ein Grund zur Freude.

Abends gab es Margarinebrote und noch mal eine Portion Muckefuck. Nur mittwochs, da startete das Fest der Feste, da wurden am Abend auf dem doppelstöckigen Wagen mit den Schmatzrädern kein Ersatzkaffee, sondern Pfefferminztee und zu den Broten ein Scheibchen graue Teewurst oder ein Stückchen magerer Käse herangekarrt. Manchmal, sehr selten, gab es dazu auch noch einen Plastikbecher mit Kraut oder Möhrengeschnipsel. Damit die Gefangenen keinen Skorbut bekamen. Lenz freute sich jedes Mal schon am Morgen auf dieses abendliche Festessen und staunte dabei mal wieder über sich selbst: So wenig braucht der Mensch, um für kurze Zeit so etwas wie ein Glücksgefühl zu verspüren? Als eines Mittwochs die Bescherung ausblieb, war er so enttäuscht, dass es zu einer Geruchshalluzination kam: Er roch Pfefferminztee, obwohl nur Muckefuck zu ihm hoch stank.

Nach dem Abendbrot: der dritte Marathonlauf.

Bewegte Lenz sich nicht, saß er auf dem Hocker. Auf der Pritsche, auf der er jeden Morgen die Matratzen zusammenlegen und das Bettzeug obendrauf tun musste, durfte er weder liegen noch sitzen. Nicht mal die Beine durfte er drauflegen, wenn er auf dem Hocker saß. Auch durfte er sich beim Sitzen nicht anlehnen. Weil er es dennoch hin und wieder tat, bemerkte er bald, dass es unter dem Wachpersonal unterschiedlich strenge Dienstauffassungen gab. Es gab Schließer, die über sein Vergehen gegen die Verwahrraumordnung hinwegsahen – Faulheit oder Menschlichkeit, das war hier die Frage –, andere rissen sofort die Klappe auf und schissen ihn lautstark zusammen, wieder andere kamen mit wutverzerrtem Gesicht in die Zelle gestürmt und drohten ihm alle möglichen Strafen an.

Wie die Zeit verging, konnte er nur am Stand der Sonne überprüfen, die ab dem frühen Vormittag über die Zellenwand kroch und ein zweites, sehr diffuses Gitter in den Raum zauberte. Schien keine Sonne, drang nur wenig Licht durch die Glasziegelsteine, dann musste er sich auf seine innere Uhr verlassen, die ihn anfangs oft narrte. Aber er hatte ja längst begriffen: Desorientierung, Isolation und Langeweile, das waren die drei Foltermethoden, mit denen sie ihre Gefangenen zum Sprechen bringen wollten. Dass Untersuchungshäftlinge wie Unschuldige zu behandeln waren, interessierte nicht. Die sozialistischen Gesetzeshüter nahmen ihre eigenen Gesetze nicht ernst, erwarteten aber von allen anderen, dass sie sie respektierten. Absurdes Theater auf höchstem Niveau.

Das Klingelzeichen zur Nachtruhe empfand Lenz jedes Mal als Erlösung. Wieder ein Tag geschafft! Auch wenn er nicht wusste, wie viele Tage insgesamt er auf diese Weise hinter sich zu bringen hatte, die imaginäre Zahl X war um einen Tag geschrumpft. Kaum jedoch war das Licht ausgeschaltet, ging es wieder an – und so quälten sie ihn die ganze Nacht hindurch: An – aus! An – aus! An – aus! Alle vier, fünf Minuten wurde das Licht angeschaltet und durch den Spion in die Zelle gespäht, um nachzuschauen, ob sich der Untersuchungshäftling Lenz inzwischen auch nichts angetan hatte, oder um ihn noch ein bisschen zu zermürben. War dann sein Gesicht nicht zu sehen oder lagen die Hände nicht vorschriftsmäßig auf der Bettdecke, ging die Klappe, und er wurde angebellt, sich gefälligst an die Verwahrraumordnung zu halten. Er war aber ein Seiten- und kein Rückenschläfer, es fiel ihm schwer, auch im Schlaf an die Verwahrraumordnung zu denken, und so konnte er immer nur in Intervallen schlafen.

Anderen Gefangenen ging es anscheinend nicht anders und so vertrieben sie sich durch unentwegtes Klopfen an den Wänden oder Heizungsrohren die Zeit. Eine Selbstbeschäftigungstherapie, die Lenz' Schlafbereitschaft nicht gerade förderte. Er versuchte auch gar nicht mitzuverfolgen, was da für Knastgespräche geführt wurden, obwohl es sich um ein sehr einfaches, leicht zu entschlüsselndes Morsesystem handelte. Einmal klopfen stand für a, zweimal klopfen für b, dreimal klopfen für c und immer so weiter; Gespräche, die auch jeder Stasi-Mann mühelos mitverfolgen konnte. Dennoch ging es in den Abend- und Nachtstunden oft stundenlang: tak, taktak, taktaktaktaktak.

Der Rhythmus der Klopfzeichen, die ihn aufforderten, sich ebenfalls zu melden, erinnerte Lenz an Filme über den Zweiten Weltkrieg. Immer dann, wenn wahrheitssuchende Deutsche, den Kopf unter der Bettdecke, Radio London eingestellt hatten, war es zu hören gewesen, dieses Bumbumbumbum. Er aber war ein schlechter Untersuchungsgefangener, spielte nicht mit, meldete sich nicht. Seine Nachbarn in den Zellen neben, unter und über ihm mussten die 102 für nicht belegt halten. Es interessierte ihn einfach nicht, wer da in den Nachbarzellen saß. Konnte ja auch ein Stasi-Mann darunter sein, der hoffte, auf diese Weise aus ihm herauszubekommen, was er während der Vernehmung nicht hatte sagen wollen. Und wenn nicht, wozu sollte er einem anderen Gefangenen irgendwelche Unschuldsbeteuerungen zumorsen?

Der Besuch beim Haftrichter hatte nichts gebracht. Sein Argument, dass Hannah und er die Tat, die ihnen zur Last gelegt wurde, ja noch gar nicht begangen haben konnten, zweihundert Kilometer vom Tatort entfernt, hatte der grauhaarige Endfünfziger mit den dicken Tränensäcken unter den Augen locker weggewischt: »Auch Vorbereitungen zum illegalen Grenzübertritt sind strafbar.« Also: keine Hafthinderungsgründe, da eine zu erwartende Strafe erkennbar sei.

Ähnlich der noch recht jugendlich wirkende Haftarzt in der Stasi-Uniform unter dem weißen Kittel. Er befragte Lenz nach Vorerkrankungen, ließ sich die Zunge zeigen, horchte ihn ab, kuckte ihm unter die Vorhaut und klopfte ihm mit dem Reflexhämmerchen aufs Knie. Danach durfte der U-Häftling Lenz unterschreiben, dass er gesund war; eine Art Blankoscheck für alles Weitere.

Nein, kein Beistand von irgendeiner Seite her; du bist und bleibst hier drin und alle finden das gut so. Also nimm es hin und vertreib dir die Zeit, indem du kleine Filme in deinem Kopf ablaufen lässt: Szenen aus deiner Kindheit, aus Kinofilmen und Theaterstücken, die du mal gesehen, aus Romanen, die du gelesen hast. Oder denk dir selbst was aus. Ein Talent, das Lenz schon als Kind ausgezeichnet hatte. Als Siebenjähriger war er mal von einem PKW angefahren worden, als Neun- oder Zehnjähriger gegen einen Briefkasten gerannt, als Zwölfjähriger mit dem Fahrrad gegen einen parkenden Lkw gerast; alles nur, weil er mal wieder gesponnen hatte. Wie hatten Robert und Wolfgang, seine beiden großen Brüder, oft über ihn gespottet! Jetzt war er dankbar für diese Fluchtmöglichkeit; einen anderen Weg heraus aus diesen Mauern gab es ja nicht.

Doch natürlich schoben sich immer wieder Hannahs, Silkes und Michas Gesichter in diese Filme; Einblendungen, wie von einer höheren Regie veranlasst. Dann war es das Beste, sich auf den Boden zu werfen, um mit weiteren dreißig, vierzig, fünfzig Liegestützen jede Anwandlung von Selbstmitleid in sich zu ersticken. Nur hielt die Wirkung nie lange vor, ganz egal, welche Rekorde er aufstellte.

Dass er nicht wusste, wo Hannah und die Kinder sich befanden, war die schlimmste Marter. Hannah, davon war Lenz jeden Tag mehr überzeugt, war inzwischen sicher auch längst verhaftet; er traute der Stasi die Großzügigkeit, sie allein der Kinder wegen auf freiem Fuß zu lassen, nicht zu. Wenn Hannah aber auch verhaftet war, wo waren dann Silke und Micha? – Da gab es nur zwei Möglichkeiten: entweder bei Robert und Reni oder in einem Kinderheim. Aber der Bruder und seine Frau waren berufstätig, sie konnten die Kinder nicht nehmen …

Oft verlangte es Lenz in solchen Momenten mit aller Macht nach einer Zigarette. Es war mehr als nur lächerlich, er wusste, dass er keine finden würde; dennoch blickte er sich um, als müsste irgendwo eine bisher nur übersehene angebrochene Packung liegen.

Eine Kunst, in der Einzelhaft nicht durchzudrehen!

Erwachte Lenz morgens und stellte er fest, dass er doch für längere Zeit eingeschlafen und von keinem Alptraum gequält worden war, erfüllte ihn Genugtuung. Schlafen bedeutete, der Stasi Zeit abgetrotzt zu haben. In manchen Nächten aber bekam er kein Auge zu. Dann lag er bis zum frühen Morgen wach und sah, wie Silke und Micha in ihrem Zimmer miteinander spielten, wie er Micha in den Kindergarten und Silly zur Schule brachte, wie Hannah und er mit ihnen Ausflüge machten und Silke und Micha im Freibad Grünau auf seinem Rücken mit ins Tiefe hinausschwammen. Sie konnten noch nicht schwimmen, hatten Angst, aber immer wieder ließen sie sich von ihm auf den breiten Fluss hinaustragen, so viel Vertrauen hatten sie zu ihm … Hatten Hannah und er dieses Urvertrauen der Kinder zu ihren Eltern verraten? Hatten sie Silke und Micha gegenüber egoistisch gehandelt, leichtfertig oder ganz einfach nur dumm?

Welche Erlösung, wenn nach solchen Nächten das erste Tageslicht durch die Glasziegelsteine drang!

Schlief Lenz ein und träumte, so gerieten Hannah, Silke und Micha in diesen Träumen immer wieder in Gefahr, und er konnte ihnen nicht helfen, musste hilflos mit ansehen, wie sie durch einen kahlen, steinigen Irrgarten liefen und nicht herausfanden oder in einem grauen, endlosen Meer, ihn rufend und die Arme nach ihm ausstreckend, immer weiter von ihm forttrieben.

Schaffte er es, die Gesichter von Hannah, Silke und Micha für kurze Zeit zu verdrängen, quälte ihn die Frage, wie er sich nun verhalten sollte. Aussagen oder nicht? Die Hoffnung auf einen Rechtsanwalt konnte er sich abschminken; er war nicht in Amerika. Aber durfte er denn aussagen, solange er nicht wusste, ob und was Hannah inzwischen gestanden hatte? Er musste doch wenigstens wissen, ob sie bei ihrer Absprache geblieben war …

Ein doppelter Witz, dieses »Sie sind hier nicht in Amerika«. Wie oft hatte der kleine Manni Lenz sich, wenn er allein sein wollte, in Mutters Abstellkammer zurückgezogen, die er sein »Amerika« nannte, ohne zu wissen, wo dieser weit entfernte Kontinent denn überhaupt lag und wie er aussah. In seinem Amerika hatte er sich frei gefühlt von allem, was ihn bedrängte, hatte er träumen und sich als sein eigener Herr fühlen dürfen. Nun hatte dieses Stasi-Männchen mit dem Klassensprechergesicht gesagt, er sei hier nicht in Amerika; wenn der wüsste, wie Recht er damit hatte!

Es widerstrebte Lenz, vor diesem Staatsdiener klein beigeben zu müssen, doch machte er sich nichts vor: Auf die Dauer würde er die Aussageverweigerung nicht durchhalten. Er stand einem Staatsapparat gegenüber, der sich nicht scheute, ein halbes Volk einzusperren, nur um es einem gesellschaftlichen Experiment zu unterziehen – weshalb sollte dieser Apparat mit einem Manfred Lenz zimperlich umgehen? Redete er nicht, würden sie ihn in seinem eigenen Saft schmoren lassen, bis er darin ersoffen war. Wenn er es also irgendwann doch tun musste, weshalb nicht gleich? Wozu sich erst foltern lassen?

An manchen Tagen bedauerte Lenz es, kein wirklich aktiver Feind dieses Staates zu sein. Wer einer Idee nachlebte, hatte es im Gefängnis leichter, fühlte er sich durch seine Märtyrerrolle doch sicher oft noch gestärkt. Er, Lenz, konnte sich auf nichts als seine Ablehnung des Bestehenden berufen, ihm half kein »Kriegsziel«, keine Philosophie und kein Gott, er musste selbst mit allem fertig werden.

Wollte er sich Luft machen, entwarf er Verteidigungsreden. Ein rhetorisches Meisterwerk löste das andere ab. Sprach er dabei laut vor sich hin, dauerte es nie lange und die Klappe ging und ihm wurde befohlen, still zu sein. Ob er denn die Verwahrraumordnung noch immer nicht kapiert habe? Sprach er danach leise weiter, beobachteten sie ihn durch den Spion. Dann juckte es ihn, dem, der da zu ihm hereinlinste, einen Vogel zu zeigen. Sie sollten nicht um seinen Verstand fürchten, sondern um ihren.

Einmal, von Wut und Übermut erfasst, lehnte er sich gegen dieses ständige Im-Visier-Sein auf und verschwand einfach mal von dem Präsentierteller, auf dem er sich sogar beim Pinkeln und seinen vergeblichen Scheißversuchen befand, indem er sich links von der Tür an die Wand presste, der einzige tote Winkel in dieser Zelle. Wie da sofort die Riegel krachten und der Schlüssel ins Schloss fuhr und der Falke, ein noch sehr junger, schnabelnasiger Unteroffizier mit eng zusammenstehenden Späheraugen, ihm mit vor Empörung geschwollenem Hals Arrest, Essensentzug und andere unangenehme Zusatzstrafen androhte. »Sie sind hier nicht im Kindergarten. Hier wird nicht Verstecken gespielt.«

Er aber freute sich noch lange über diesen »Scherz«. Endlich war mal wieder was passiert!

Es war diese ewige Ruhe und Einsamkeit, die die Zeit so unerträglich langsam verrinnen ließ. Dieses vollkommene Nichts. Kein Baum, kein Strauch, kein Stern, kein Himmel. Immer nur die beigefarbenen Wände und dazu die Schritte der Wachposten, die von Zelle zu Zelle schlenderten; immer nur der Wagen mit den schmatzenden Gummirädern, der zu allen Essenszeiten und auch dazwischen hin und wieder durch den Flur geschoben wurde.

Oft stellte Lenz sich an die offene Lüftungsklappe und versuchte, irgendwelche Geräusche von draußen mitzubekommen. Doch nichts, kein Getschilpe von Vögeln, kein Taubengurren, keine Verkehrsgeräusche. Nur an den Wochenenden das Glockenläuten von einer nicht sehr weit entfernten Kirche her. Als er es das erste Mal hörte, hatte er sich eine Beerdigung, Hochzeit oder Kindtaufe vorgestellt und aus einem, ihm selbst nicht ganz begreiflichen Grund waren ihm die Tränen gekommen. Das passierte ihm nun nicht mehr, hörte er jedoch den ersten Glockenschlag, stellte sich noch immer Beklommenheit ein. Und verstummten die Glocken wieder, empfand er seine Einsamkeit noch stärker.

Eines sonnigen Vormittags verirrte sich eine Wespe durch die Lüftungsklappe in seine Zelle. Er freute sich über diesen Besuch, ihm war, als wäre das Leben selbst zu ihm zurückgekehrt. Als sie auf dem warmen Sonnenflecken an der Wand ausruhte, studierte er sie aus allernächster Nähe, sprach sogar zu ihr, und es war ihm egal, ob er dabei beobachtet wurde oder nicht. Später kroch das Insekt in den länglichen Milchglaskasten an der Decke, in dem die Neonröhre untergebracht war, und fand nicht wieder heraus. Da schob er die Pritsche unter den Glaskasten, stellte den Tisch obendrauf und bestieg den Berg. Ein wackliges Unterfangen, und hätte in diesem Moment ein Wachposten durch den Spion geschaut, hätte er ganz sicher einen Suizidversuch vermutet. Ohne Werkzeug jedoch war der Glaskasten nicht von der Decke zu bekommen und so konnte er die kleine Zellennachbarin nicht retten.

Jeden Gedanken daran, wie ihre Flucht denn überhaupt herausgekommen war, versuchte er zu unterdrücken. Ließ sich ja doch nichts rückwärts drehen ... Dennoch füllte das Gegrübel darüber einen wesentlichen Teil seiner Zeit aus: Konnte sie jemand verraten haben? Aber nein, Hannah und er hatten niemandem von ihrem Vorhaben erzählt und Franziska hatte doch ganz sicher ebenfalls den Mund gehalten. Und dass die bulgarischen Grenzer rein zufällig auf die Pässe gestoßen waren, erschien ihm nun eher unwahrscheinlich. Fränze war weder dumm noch leichtsinnig, sie würde sie schon gut genug versteckt haben in ihrem voll bepackten Wagen.

Waren Hannah und er vielleicht abgehört worden? Mit einer Wanze? Zwar hatten sie am Telefon nicht über ihre Pläne geredet, doch im Wohnzimmer, abends, wenn die Kinder schliefen oder Fränze zu Besuch war ... Einmal, als im Wohnzimmer der Schlüssel verschwunden war, daran würde ganz bestimmt auch Hannah jetzt oft denken, waren sie sogar misstrauisch geworden, hatten dann aber alle Bedenken beiseite geschoben: Nur keine Spökenkiekerei!

Oder fehlte ihm nur Phantasie? Zwar hatten Hannah und er mit niemandem über ihre Pläne und Absichten gesprochen, doch hatten sie nicht öfter mal das Maul aufgerissen und gesagt, wie und was sie dachten? Wenn das nun weitergemeldet worden war? Nicht jeder gute Kollege musste ein wahrhaft guter Kollege, nicht jeder Freund ein Freund sein. Worte wie »Der redet immer negativ« oder »Die hat zu viele Westkontakte« reichten ja schon, um sie als unzuverlässig abzustempeln und eine Observierung anzuordnen. Und waren sie beobachtet worden, wie hätten die Spitzel nicht bemerken sollen, dass Hannah und Manfred Lenz sich in den letzten Monaten sehr verändert hatten, stiller, nachdenklicher, vielleicht sogar »verdächtig« geworden waren?

Um diese Gedanken, die ihn ja nicht weiterbrachten, loszuwerden, sang Lenz manchmal leise vor sich hin. Es tat gut, seine eigene Stimme zu hören, und es lenkte ab, da er sich an viele Texte erst wieder erinnern musste.

Andere Stimmen, abgesehen von den Befehlstönen des Wachpersonals, bekam er nur selten zu hören. Einmal, es war mitten in der Nacht, hörte er einen noch sehr jungen, weinerlich klingenden Häftling seinen Vernehmer verlangen. »Er hat mir doch versprochen, dass er mich diese Woche holt«, rief er, dass es durch alle Türen drang. Ein Wachposten antwortete: »Ja, ja! Ich sag Bescheid.« Er musste es aber doch nicht getan haben, denn der Häftling klopfte und rief, bis Schritte durch den Flur hallten, Riegel klirrten und eine Tür aufgeschlossen wurde. Bald darauf waren erneut Schritte zu hören, und der junge Mann heulte und protestierte noch jämmerlicher, bis seine Stimme leiser und leiser wurde und irgendwann nicht mehr zu hören war. Ein andermal, gegen Morgen, musste einer eingeliefert worden sein, der von der ersten Sekunde an Krach schlug. Erst trommelte er mit den Fäusten gegen die Tür, dann musste er mit dem Hocker oder Tisch dagegen geschlagen haben. Wieder kamen mehrere Stiefel den Flur entlanggehastet, wurde eine Tür aufgeschlossen und der wütend Schreiende irgendwohin abtransportiert.

Wurde, wer so aufbegehrte, in eine Arrest- oder Beruhigungszelle gesperrt? In seiner Phantasie verlegte Lenz diese Zelle in den Keller; Verwahrräume mit Gummiwänden!

Jeden Freitagabend huschte eine Art Wischkommando durch den Flur. Dann stand Lenz die ganze Zeit über an der Tür und lauschte. Es mussten alles weibliche Häftlinge sein, die da einmal die Woche wie die Heinzelmännchen in den Flur gelaufen kamen, die Scheuerlappen schwangen und genauso rasch wieder verschwanden. Als er sie das erste Mal hörte, wisperten zwei von ihnen vor seiner Zellentür miteinander, und er versuchte, etwas von ihrem Gespräch aufzufangen. Wenn nun Hannah, wie er vermutete, auch längst verhaftet war, vielleicht war sie unter diesen Frauen?

Er bemühte sich, ihre Stimme herauszuhören, doch nein, es waren fremde Frauen, die sich da schnell etwas zuflüsterten, bevor sie vor der Nachbarzelle weiterwischten.

In der Woche darauf, als erneut eine der Frauen vor seiner Tür angelangt war, wagte er es, ihr leise »Guten Abend!« zu wünschen. Da hielt die Frau für eine Sekunde im Wischen inne. Doch sie antwortete nicht, fuhrwerkte nur weiter vor seiner Tür herum; wie ihm schien aber nun viel langsamer, sanfter, tröstender. Sicher stand ein Wachposten in der Nähe, deshalb konnte sie nicht reden. Er aber, Lenz, tat ihr Leid, deshalb diese plötzliche Ruhe in ihren Bewegungen …

In der Sofioter Karnickelbucht hatte Lenz jeden Abend Stimmen gehört. Immer wenn draußen die Dämmerung einsetzte, waren sie durch die Lüftungsklappe gedrungen, diese lauten, fröhlichen Kinderstimmen. Die Jungen und Mädchen aus der Umgebung mussten die Straße vor dem Untersuchungsgefängnis zu ihrem Spielplatz erkoren haben. Oft johlten sie laut, lachten oder schimpften miteinander. Als er diese Stimmen das erste Mal hörte, hatte er sie kaum aushalten können: Silly! Micha! Alles, nur jetzt keine Kinderstimmen! Er war aufgesprungen und die anderthalb Schritte zwischen Wasserkaraffe und Pinkeleimer hin und her gewandert. Ein großer Schritt, auf dem Absatz kehrtgemacht, wieder ein Schritt, auf dem Absatz kehrtgemacht ...

Später jedoch, vor allem nachdem Stepan in eine andere, sicher angenehmere Zelle verlegt worden und er mit Sefik, dem jungen Türken, mit dem er kaum ein Wort wechseln konnte, allein geblieben war, wartete er jedes Mal auf die Kinderstimmen – weil sie ihn an seine Kindheit erinnerten.

Auf der anderen Seite der Prenzlauer Allee, gleich gegenüber Mutters Kneipe, hatte es einen Komplex aus gelben Backsteinbauten gegeben. In der Ruine hinter diesen Häusern, die den Krieg heil überstanden hatten, hatten sie als Kinder Höhlen gebaut und Mutproben abgelegt, und er hatte lange nicht gewusst, dass hinter den vergitterten Kellerfenstern der gelben Häuser politische Gefangene saßen. Anfangs war in diesem Komplex die russische Stadtkommandantur untergebracht, später die Volkspolizei. Beide Hausherren nutzten die Zellen zum selben Zweck. Der kleine Manni aber war fast jeden Tag ahnungslos daran vorübergegangen, bis die großen Jungen ihn eines warmen Sommermorgens über die Gitter an den Fenstern aufklärten. Natürlich hatte er ihnen zuerst nicht glauben wollen: Wie konnte das denn sein, er lag in seinem Bett oder spielte auf der Straße und nur wenige Meter von ihm entfernt hockten magere, ganz bestimmt stoppelbärtige Männer in ihren Zellen, bekamen nur Wasser und Brot und sehnten sich in die Freiheit zurück? Jetzt war er selbst so ein stoppelbärtiger Gefangener, bekam nur Suppe und Brot und hörte spielende Kinder auf der Straße, wie die Männer und Frauen damals ihre Rufe, ihr Lachen, ihr Gejohle gehört haben mussten. Wiederholte sich denn alles, blieb niemand verschont?

Er bedauerte sehr, dass Stepan nicht mehr da war. Mit Stepan hätte er, wenn auch nur radebrechend, über die Kinder da draußen reden können; Sefik konnte er nur Zeichen geben: »Da! Die Kinder sind wieder da!« Und der junge Türke, der längst mitbekommen hatte, wie sehr ihn die Kinderstimmen bewegten, nickte dann jedes Mal und verhielt sich noch stiller als sonst.

Auf seine Weise war auch Sefik ein guter Zellenkamerad. Verständlich, dass einer in seiner Lage die meiste Zeit über in sich gekehrt blieb. Eines Nachts jedoch kam es zu einer makabren Szene. Da riss der junge Türke, der lieber ein Jugoslawe sein wollte, plötzlich die Augen auf, bis mehr Weiß als Braun darin zu sehen war, fuchtelte mit der Hand vor seinem Gesicht herum und stieß mehrere unartikulierte Schreie aus.

»Was ist denn los?«, fragte Lenz besorgt. »Tut dir was weh? Hast du geträumt?«

Sefik jedoch antwortete nicht, fuhr sich nur weiter mit der Hand übers Gesicht, bis Lenz endlich begriff: Der junge Türke wollte andeuten, dass er nichts mehr sah – also urplötzlich erblindet war; eine Idee, die er in dieser Nacht ausgebrütet haben musste.

»Das klappt nicht.« Beinahe hätte er laut aufgelacht. »Das nehmen sie dir nicht ab.«

Sefik aber spielte weiter den Erblindeten, wies zur Tür und rief immer wieder: »Chef! Chef! Chef!« Lenz blieb gar nichts anderes übrig, als zu klopfen. Doch es war Nacht, wenn sie nicht gerade ihre Runden drehten, dösten die Schließer in irgendwelchen Wachräumen. So musste er lange klopfen, bevor sich die ersten zornigen Schritte näherten. Der Schlüssel rasselte im

Schloss, die Tür flog auf und zwei Lenz noch nicht bekannte uniformierte Dickwänste starrten mit vom Schlaf verquollenen Augen zu ihnen hinein. Er wies nur still auf Sefik, der seine Rolle nun noch intensiver spielte. Wie von fürchterlichen Schmerzen gequält wälzte sich der junge Türke über die Matratzen, schrie und stöhnte und fuhr sich immer wieder mit beiden Händen in die Augen, als wollte er sich jeden Augapfel einzeln herausreißen.

Hoffte er, ins Krankenhaus gebracht zu werden, um von dort fliehen zu können? Glaubte er, ein Blinder würde nicht in die Türkei ausgeliefert oder dort nicht ganz so streng bestraft? Der junge Bursche, der erzogen worden war, für seine Ehre zum Messer zu greifen, dauerte Lenz, so lächerlich diese Theatervorstellung auch war. Die beiden fetten Schließer jedoch, nun endgültig wach, brachen in schallendes Gelächter aus und schlugen sich vor Vergnügen gegenseitig auf die Schultern.

Aber auch das beeindruckte Sefik nicht. An der Wand entlang tastete er sich auf die Tür zu und redete auf Türkisch auf die beiden Männer ein. Offensichtlich flehte er sie an, ihm seine Erblindung zu glauben. Er jammerte und klagte, bis einer der beiden Fettwänste die Geduld verlor, ärgerlich vortrat und ihn auf die Matratze zurückstieß. Gleich darauf flog die Tür zu und die beiden Gefangenen waren wieder allein.

Er weinte und keuchte noch lange in dieser Nacht, der unglückliche Sefik. Glaubte wohl, seine Rolle noch ein bisschen weiterspielen zu müssen. Vielleicht genierte ihn dieser hilflose Griff nach dem Strohhalm aber auch. Lenz sagte nichts und fragte nichts. Erst tags darauf, gegen Mittag, als Sefik seinen hoffnungslosen Versuch, mit dieser Schauspielerei irgendetwas für sich zu bewirken, endlich aufgegeben hatte, sprach er ihn vorsichtig an: »Ich versteh deine Angst. Musst dich nicht schämen.«

Der junge Türke antwortete nichts, starrte nur stumm in sich hinein.

Noch zweimal hatte der Kater mit der Zigarettenspitze Lenz vorführen lassen, Vernehmungen aber fanden nicht mehr statt in dem kleinen, mit so viel Nippes angefüllten Raum. Sie plauderten nur noch miteinander, der bulgarische Untersuchungsrichter und sein deutscher Untersuchungsgefangener.

Einen Tag nach dem letzten Gespräch war Lenz dann auf Transport gegangen. Als einer von sechzig, siebzig deutschen Gefangenen durfte er in einen der beiden bereitstehenden Busse steigen, die sie zum Flugplatz brachten; ein Rücktransport, den er, hätte es sich um eine Filmszene gehandelt, als unglaubwürdig empfunden hätte.

Auf dem Flugplatz stand eine vom Ministerium für Staatssicherheit gecharterte *Interflug*-Maschine; zwischen jeweils zwei glatzköpfige Staatsverräter, die in die Heimat zurückexpediert werden mussten, zwängte sich ein extra aus Berlin eingeflogener Stasi-Mann in betont ferienhafter Zivilkleidung in die Dreierreihe. Lenz' Nachbar, ein etwa gleichaltriges, hellblondes Blassgesicht in blauer Hose und grüner Blousonjacke, wusste nicht, wo er hinschauen sollte; Lenz, der einzige Häftling, dem keine Glatze geschoren worden war, irritierte ihn. Hatte die Tatsache, dass da einer seine Haarpracht behalten durfte, irgendwas zu bedeuten?

Eine Frage, die auch Lenz bewegte. Neunzehn Tage hatte er in bulgarischen Haftanstalten zugebracht; genügend Zeit, um ein so auffälliges Versehen zu korrigieren, wenn es sich um eines gehandelt hätte. Er war nicht unglücklich darüber, dieser rigorosen hygienischen Maßnahme, die aus jedem harmlosen Burschen einen gefährlich oder irre dreinblickenden Gewalttäter machte, entkommen zu sein, die Gründe dafür jedoch hätten ihn interessiert. Hatte er diese Verschonung einzig und allein der Sympathie seines Vernehmers zu verdanken?

Aufgabe der Stasi-Männer war es, jeden Kontakt zwischen den heimzutransportierenden Landeskindern zu verhindern. Ein striktes Sprech- und Berührungsverbot war verhängt worden. Nur Blicke konnten die größtenteils noch sehr jungen Männer miteinander wechseln, sich zugrinsen oder durch Mienenspiel zu verstehen geben, wie froh sie waren, den Sofioter Karnickelbuchten entkommen zu sein. Es ging nach Hause, wo sie hoffentlich angenehmere und geräumigere Gefängniszellen erwarteten.

Frauen waren keine an Bord. Eine Tatsache, über die Lenz sich Gedanken machte. Waren die weiblichen Grenzverletzerinnen, die ja nicht alle wegen mitreisender Kinder eine bevorzugte Behandlung genossen haben dürften, in extra Frauentransporten oder mit Linienmaschinen ausgeflogen worden? Vielleicht, weil man sie für weniger gefährlich hielt?

Drei Reihen vor Lenz, ebenfalls auf einem Fensterplatz, saß Detlef Dettmers. Als Lenz das Flugzeug betrat, hatte er dem langen Studenten mit der verbogenen Nickelbrille, dem die blanke Glatze etwas kindlich Freches verlieh, kurz zugelächelt, und der noch im Zug nach Sofia so lustige Pankower hatte traurig zurückgelächelt: Nein, hier würden sie keine komischen Opern aufführen können; von jetzt ab wurde es ernst.

Auch der junge Bursche, der mit Lenz, nur durch den Stasi-Blondschopf von ihm getrennt, in derselben Reihe saß, lächelte hin und wieder. Offensichtlich fand er diesen Rücktransport der Glatzköpfe erheiternd. Lenz erging es nicht anders: War denn jeder dritte ostdeutsche Bulgarien-Tourist ein potenzieller Republikflüchtling? War Ferienzeit gleich Flüchtlingszeit? Wurde im

Sommer alle paar Wochen eine solche Chartermaschine benötigt?

In einiger Entfernung von der *Interflug*-Maschine parkten die Flieger anderer Fluggesellschaften. *Swissair-*, *Air France-* und *Lufthansa*-Symbole waren zu erkennen. Hatten die Passagiere dieser Maschinen sie vielleicht beim Einsteigen beobachtet und sich über diese vielen Glatzköpfe gewundert? Und wie wäre es denn, wenn er, Lenz, jetzt in eine dieser Maschinen umsteigen dürfte, um nach Zürich, Paris oder München mitzufliegen anstatt in den Berliner Knast? Nein, keine sehr angenehme Vorstellung! Solange Hannah, Silke und Micha nicht bei ihm waren, wollte er nirgendwohin. Kurz nach dem Start, als unter ihnen nur noch grellweiße Wolken zu sehen waren, wagte Lenz, das Sprechverbot zu missachten. Wie lange der Flug denn dauern werde, fragte er den Stasi-Blondschopf.

Keine Antwort. Nur ein strafender Blick.

Er hakte nach: »Sind Sie denn heute Morgen nicht mit derselben Maschine gekommen?«

»Seien Sie endlich still!«

»Ich dachte, das Redeverbot gilt nur zwischen Gefangenen.«

Andere Stasi-Männer wurden aufmerksam, unwillige Blicke trafen Lenz. Da legte er nur noch achselzuckend den Kopf zurück und spürte wieder diesem verschwommenen Gefühl nach, das ihn beherrschte, seit sie ihn aus der Zelle geholt und ihm Hose und Hemd, Schnürsenkel, Uhr und Gürtel zurückgegeben hatten. Wie würde alles weitergehen? Auf was durfte er hoffen? Würde er irgendwann Hannah sprechen dürfen? Würde es eine Gelegenheit geben, die Kinder zu sehen? – Nein! Er durfte nicht zu viel erwarten, sie waren ausgeschert und somit als Feinde erkannt worden. Aber vielleicht würde man ja wenigstens in Hannahs Fall – der Kinder wegen – Milde walten lassen …

Als die Maschine in Schönefeld landete, dunkelte es bereits. Sie rollte weiter, bis sie weit außerhalb des üblichen Flugbetriebes zum Stillstand kam. Dort warteten bereits mehrere fensterlose, grün gespritzte *Barkas*-Kleintransporter. Einzeln wurden sie aus der Maschine gewinkt und, nachdem sie ihren Namen genannt hatten, auf die verschiedenen fahrbaren Blechhütten mit den jeweils vier oder fünf beängstigend engen Zellenverschlägen verteilt. Lenz, mit seinen Einsachtzig kein Riese, aber auch kein Zwerg, musste die Knie anziehen und die Arme anwinkeln und die ganze Zeit über nach vorn gebeugt sitzen, um überhaupt in diesen winzigen Transportkäfig hineinzupassen. Links stieß er mit dem Ellenbogen an die Außenwand, rechts an die Tür, die man hinter ihm verriegelt hatte; ein schmales Brett war sein Sitz, um ihn nichts als Dunkelheit.

Beklemmung überkam ihn. Schon nach wenigen Minuten hatte er das Gefühl, zu wenig Luft zu bekommen. Gab es denn hier überhaupt eine Luftzufuhr? Und was, wenn die mit diesem Gefährt einen Unfall bauten? Wie sollte er dann hier rauskommen?

Er musste daran denken, wie er im Jahr zuvor, von einer Dienstreise heimkehrend, in Schönefeld gelandet war. Sechs Wochen Indien lagen hinter ihm, Bombay, Delhi, Madras und jede Menge andere Städte hatte er kennen gelernt und bei der Heimkehr, in der Zigarettenpackung, seine sich vom Mund abgesparten Dollar ins Land geschmuggelt, um sie nicht in Ostmark umtauschen zu müssen. Ein Devisenvergehen, typischer Fehltritt aller Dienstreisenden; nicht einmal die überzeugtesten Parteimitglieder waren davor gefeit, auf diese Weise straffällig zu werden. Er aber hatte ein schlechtes Gewissen und deshalb die Zoll- und Passkontrolle, als geübte Blicke ihn in behördengerechte Teile zerlegten – Augenfarbe, Haarfarbe, Körpergröße,

Ohrläppchen, besondere Kennzeichen –, als abenteuerlich empfunden. Wie lächerlich erschien ihm nun seine damalige Angst, wie banal.

Der *Barkas* rumpelte über Landstraßen hinweg, bis das Pflaster besser wurde und der Verkehrslärm, der in Lenz' engen, dunklen Käfig drang, anzeigte, dass sie die Innenstadt erreicht hatten. Als der Wagen dann endlich hielt, die Seitentür zurückgezogen und ein Verschlag nach dem anderen entriegelt wurde, war das in einer geräumigen, in gleißend helles Neonlicht getauchten Garage. Einzeln und in so großen Abständen, dass keiner der Häftlinge einen anderen zu Gesicht bekam, durften sie in dieses grelle Licht hinaustreten. Mehrere uniformierte Stasi-Leute nahmen sie in Empfang. Dabei wurde kaum gesprochen, nur gedrängelt: »Komm Se, komm Se, komm Se!« Was hier geschah, war so selbstverständlich, da lohnte kein hämisches Grinsen, keine Schadenfreude, keine Neugier und kein Zorn; es ging alles seinen oft erprobten realsozialistischen Gang.

Sie trieben Lenz ein paar Stufen hoch in einen ebenfalls hell erleuchteten Neubauflur hinein. Links und rechts waren Türen. Lenz wurde in einen Raum geschoben, der an eine Sanitätsstube erinnerte, er musste seine Personalien angeben und sich nackt ausziehen, in den Mund, unter die Vorhaut, unter die Fußsohlen und Achselhöhlen schauen und den After abtasten lassen. Als man keinerlei Schmuggelgut fand, begann man, Fragen über seinen Gesundheitszustand zu stellen. Er beantwortete sie, so gut er konnte, und hatte danach seinerseits eine Frage: Wo er sich denn hier überhaupt befand? Wie sie ihn da anschauten, die Männer in den grauen Uniformen mit den rot umränderten Achselklappen, fast so, als wunderten sie sich darüber, dass einer wie er überhaupt selbsttätig denken, geschweige denn reden konnte. »Das wer'n Se schon noch erfahrn.«

In einem anderen Raum musste er Gürtel, Uhr und Schnürsenkel abgeben; nur Taschentuch und Kamm durfte er behalten. Gleich darauf ging es durch eine Gittertür, die schwer hinter ihnen zufiel, und der Marsmann, dem er bei dieser Gelegenheit das erste Mal begegnete, öffnete eine der vielen Zellen rechts und links eines langen Flures. Lenz bekam gerade noch das rote Licht am anderen Ende des Flures mit und dass er sich noch immer in einer Art Hochparterre befand, dann stand er bereits in seiner Zelle. Der Marsmann sagte noch, dass Pfeifen, Singen und lautes Reden verboten sei und er noch einmal wiederkommen würde, um ihm Geschirr, Bettwäsche und Häftlingskleidung zu bringen. »Damit Se Ihre Sachen schonen.« Abendessen gebe es nicht mehr, dazu sei es jetzt schon zu spät.

Der Schlüssel rasselte, die beiden Riegel klirrten, und Lenz blickte sich um in dieser etwa sieben Quadratmeter großen Zelle, die ihm, gemessen an seinen bulgarischen Erfahrungen, im ersten Augenblick als wahres Luxusquartier erschien. Nur wenig später probierte er das Spülklosett aus. Es funktionierte und beinahe hätte er gestrahlt: Was für eine tolle Erfindung! Als Nächstes untersuchte er das Glasziegelfenster, entdeckte die hölzerne Lüftungsklappe und öffnete sie.

Berliner Luft! Sie schmeckte vertraut, er war zu Hause. Aber wo war er? Wo überall in der Stadt hatte die Stasi ihre Gefängnisse?

4. Wer ist wer?

Sein neunundzwanzigster Geburtstag: wecken, waschen, Schüssel rausreichen, Liegestütze, Kniebeugen, rasieren.

Es war der Knurrhahn, der Lenz an diesem Tag den elektrischen Rasierapparat mitsamt dem kleinen Handspiegel in die Zelle reichte, ein rotgesichtiger, hagerer Unterfeldwebel mit röhrender Stimme, der dabei wie immer erst lange in die Zelle spähte, als hoffte er, irgendwas Verbotenes darin zu entdecken. Hier bin ich König, besagte sein Gesichtsausdruck. Ich sehe alles. Wenn du aus der Reihe tanzt, mach ich dir Feuer unterm Hintern. Ich steh auf der richtigen Seite, du auf der falschen. Benimm dich danach.

Lenz juckte es dann jedes Mal, eine spöttische Bemerkung zu machen. Sie trugen ja Armeeuniform, all diese Wachposten, Wärter, Schließer und Läufer vom VEB Schild-und-Schwert-der-Partei, so wie vor Jahren auch er, Lenz, mal eine getragen hatte. Nur zierten ihre Achselklappen rote Streifen, der Flieger Lenz hatte blaue getragen. Was, wenn er den Knurrhahn einfach mal mit »Genosse« anredete?

An diesem Morgen war Lenz nicht nach Spott zumute. Da blickte er nur lange in den Spiegel. Ein hagerer, blasser Mann mit viel zu langen Haaren und zu großen Augen blickte ihm daraus entgegen. Dass sein Haar inzwischen gewachsen war – kein Wunder! Doch wovon war es so dunkel geworden? Lag es allein daran, dass er so lange nicht in die Sonne gekommen war?

Die Klappe ging, der Knurrhahn streckte die Hand in die Zelle, und Lenz übergab ihm die Rasierutensilien, damit sie in die nächste Zelle weitergereicht werden konnten. Gleich darauf startete er seinen ersten Marathonlauf.

Sicher würde Hannah heute viel an ihn denken, doch würde sie den Manne vor sich sehen, den sie in Erinnerung hatte, nicht den, der ihm soeben aus dem Handspiegel entgegengeblickt hatte. Und die Kinder? Vielleicht würden sie ihn, dürften sie auf Besuch kommen, nicht einmal mehr wiedererkennen.

Acht kurze Schritte hin, acht zurück. Was sollte er mit diesem Tag beginnen? Resümee ziehen? Sich die Rechnung präsentieren? Soll und Haben nach neunundzwanzig Jahren? Danke! Lieber nicht! Da konnte nur ein dickes Minuszeichen unter dem Strich stehen: Alles falsch gemacht, liebes Geburtstagskind, oder wärst du sonst hier?

Mittags gab es Königsberger Klopse. Nicht schlecht, aber auch nicht gut. Nach dem Mittagessen jedoch – eine Überraschung: Der Falke kam, um ihn zum Friseur zu führen! Ein Geburtstagsgeschenk des Hauses? Egal, jede Abwechslung war ein Geschenk!

Der Friseur, ein schmaler, schon etwas älterer, trockenhäutiger Mann mit heller Brille, der seine Arbeit im Duschraum verrichtete, trug Uniform unter dem weißen Kittel, war also kein Häftling. Das hätte auch nicht gepasst zum Sicherheitssystem der Allgewaltigen dieses Gefängnisses. Brauchst du gar nicht erst versuchen, ein Gespräch anzuknüpfen; der Rüffel ist abzusehen.

Zurück in der Zelle verkündete Lenz dem Falken, bevor der ihn wieder einschließen konnte, dass er Abführtabletten benötigte. »Seit ich hier bin, hab ich keinen Stuhlgang.«

»Warum ham Se 'n das nich gleich gesagt? Sie war'n doch eben beim Sani.«

Der Friseur war auch der Sanitäter? Darauf hätte einer kommen sollen. »Das nächste Mal bin ich klüger. Die Tabletten aber brauche ich dringend.«

»Ich sag Bescheid.« Die Tür flog zu, der Schlüssel, die Riegel.

Lenz tastete sein offenbar sehr kurz geschnittenes Haar ab und setzte zu einem zweiten Geburtstagsmarathon an. Schon nach wenigen Schritten wurde erneut die Zellentür geöffnet: Der Tempelaffe, ein junger Feldwebel, der sich wie ein Priester bewegte und auch so sprach, als verkünde er stets und ständig Gottes Wort, winkte zur Freistunde. Es ging in eine der drei mal fünf Meter großen, oben offenen, jedoch mit Maschendraht überzogenen Freiluftzellen, die sich an der Rückseite des Gefängnisses befanden. Auch dieser Maschendraht, das hatte Lenz inzwischen begriffen, hatte keine andere Funktion, als psychischen Druck auszuüben. Die Mauern, die die Häftlinge hier umgaben, waren ja drei Meter hoch; wer wollte an diesen glatten Wänden emporklettern? Oder befürchtete man etwa, ein Hubschrauber könnte herangeschwirrt kommen, um ihn oder einen der anderen Gefangenen zu befreien? Das würde schon der Wachposten mit der Maschinenpistole verhindern, der da auf dem eisernen Laufsteg über den Freiluftzellen auf und ab patrouillierte und auf so kurze Entfernung ja wohl treffen würde. Nein, dieser Psycho-Maschendraht sollte nur eines bewirken: dass die Untersuchungsgefangenen auch hier keinen Fleck ungefilterten Himmels zu sehen bekamen! Das Gefühl des totalen Ausgeliefertseins, keine Sekunde sollte es sie verlassen.

Auch im Nachbarkäfig drehte einer seine Runden. Laufschritte drangen zu Lenz hin. Ach, wie gern hätte er mal mit jemandem gesprochen! Aber natürlich, die Verwahrraumregeln, sie galten auch hier. So packte er nur seine zu große Hose fester und setzte sich ebenfalls in Trab. Einmal am Tag so richtig außer

Atem kommen, auch in der Hoffnung, den Darm anzuregen, wozu sonst sollte dieser Menschenzwinger gut sein?

Er wurde immer schneller, bis er wie ein Brummkreisel in dem Zementstall herumjagte. An diesem schönen, leicht dunstigen Frühherbsttag jedoch blieben ihm nur etwa zehn Minuten Freiluftveranstaltung, dann wurde er schon wieder geholt. Er wollte protestieren, bemerkte aber bald, dass es nicht in seine Zelle zurückging, und lief nur noch neugierig hinter dem Tempelaffen her. Wo ging's denn hin? Zu einem Geburtstagsempfang? Eine Art unruhiger Freude stieg in ihm auf und er schämte sich dafür. Diese Freude aber war nicht zu unterdrücken: Es passierte mal wieder etwas mit ihm; er würde mal wieder einen anderen Raum, ein paar andere Möbel zu sehen bekommen; nach all den Selbstgesprächen, Träumen und Spinnereien in der Zelle würde sich ihm wieder ein Gesicht zuwenden …

Er hoffte das – und warnte sich: Vorsicht, Freundchen! Diese Freude haben sie doch eingeplant, die Genossen Stasi-Psychologen. Genauso wie das gleißend helle Licht beim Empfang, das dich verstören sollte, die zu große Hose, die Puschen, die Desorientierung, die Anonymität der Bewacher und Vernehmer, das elend lange Schmorenlassen in deiner Zelle und der Maschendraht über der Freizelle. Ohne Hintergedanken passiert bei denen nichts; sie wissen, dass du heute Geburtstag hast, wollen dich auf dem falschen Fuß erwischen, mal in dich hineinpieken, sehen, ob du schon gar bist.

Im Treppenhaus war plötzlich ein weiteres, noch sehr fernes Schlüsselscharren zu hören. Sofort führte der Tempelaffe Lenz in den Zellengang im ersten Stock und schob ihn in einen offensichtlich für solche Fälle unverhoffter Begegnungen frei gehaltenen Verwahrraum. Zwei, drei Minuten musste er warten, dann ging es noch eine Treppe höher und in den Vernehmertrakt mit dem roten Teppich hinein. Jetzt aber konnte er sich denken, dass in diesem Augenblick hinter jeder der Türen rechts und links von ihm vernommen, geleugnet, zugegeben, Reue bekannt oder Mut aufgebracht wurde. Und er? Wie sollte er sich denn nun verhalten?

Der Tempelaffe führte ihn vor die Tür, vor der er schon einmal gestanden hatte, und auch der Vernehmer, der ihn erwartete, war derselbe. Nur trug der Klassensprecher diesmal Leutnantsuniform. Grinsend wartete er ab, bis Lenz auf dem Häftlingshocker Platz genommen hatte, dann fragte er, als hätten sie sich nur etwa zwei Tage nicht gesehen: »Na? Wie geht's denn so?«

»Den Umständen entsprechend – gut!«

»Freut einen zu hören!«

Ich glaub dir nicht, sollte das heißen. Ich weiß, wie beschissen dir zumute ist und wie sehr du dich darüber freust, dass endlich wieder Notiz von dir genommen wird. Lenz wandte den Blick ab. Mit Worten zu lügen war einfach, die Augen mitlügen zu lassen viel schwerer.

Auf dem Tisch vor dem Schreibtisch lag eine bereits geöffnete, aber noch volle Packung Zigaretten, Marke *Kabinett*. Rauchte der Klassensprecher? Oder hatte er die Stäbchen seinetwegen dort hingelegt?

»Haben Sie irgendwelche Beschwerden?«

Das hatte ihn der Sofioter Chef auch gefragt. Lernten sie diese Hotelportiersfragen in der Ausbildung?

»Ja.«

»Und welche?«

»Ich hätt gern was zu lesen. Sie werden doch eine Bibliothek im Haus haben.«

Ein belustigtes Lachen war die Antwort. »Na, wissen Sie! Sie kooperieren nicht mit uns und sind so unbescheiden, zur Belohnung auch noch Lektüre zu verlangen?«

Lenz blickte wieder die Zigaretten an. Jetzt eine rauchen, das würde Mut machen.

»Sonst noch Wünsche?«

»Mein Stuhlgang lässt mich im Stich. Ob das an der einseitigen Ernährung liegt, weiß ich nicht. Mangelnde Bewegung kann es nicht sein.«

Auch keine Antwort, wie der Genosse Leutnant sie sich vorgestellt hatte. Schweigend studierte er Lenz, bis der sich entschloss, ihm einen seiner eventuellen Trümpfe aus der Hand zu nehmen: »Übrigens, ich hab heut Geburtstag. Wenn Sie wollen, dürfen Sie mir gratulieren.«

»Dazu hab ich ja vielleicht nächstes Jahr noch Zeit.«

Ein Punkt für den Leutnant. Er machte ein zufriedenes Gesicht und schob die Zigaretten etwas näher in Lenz' Richtung. »Möchten Sie eine?«

»Wenn das keine Bestechung sein soll – gerne.« Lenz lächelte, damit klar wurde, dass er nur scherzen wollte, rückte auf seinem Stuhl etwas vor und nahm die Packung betont ungierig in die Hand. »Sie auch?«

»Danke! Ich rauche nicht.«

»Also haben Sie die Packung meinetwegen da hingelegt? Vielleicht, um mit mir Geburtstag zu feiern?«

»Sagen wir mal so: um die Stimmung etwas zu entkrampfen.«

Lenz zündete sich die Zigarette mit den ebenfalls bereitliegenden Zündhölzern an, nahm ein paar tiefe Züge und nickte verständnisvoll. »Sie haben Recht, diese Qualmerei ist eine Selbstverstümmelung. Irgendwann, in besseren Zeiten, werd ich auch damit aufhören.«

»Das kann aber lange dauern.«

»Was lange währt, wird meistens gut.« Wieder ein Lächeln. Er war ja auch für Entkrampfen, hatte er doch längst eingesehen, dass es hier kein Gespräch von Gleich zu Gleich gab. Hier galt kein Fairplay, sein Gegenüber hatte Blei in den Handschuhen und er, Manfred Lenz, war bereits k.o. gegangen. Der Mensch will reden und redet sich, sitzt er nur lange genug in seinem Schweigestall, um Kopf und Kragen. Er sagte sich das – und plauderte schon weiter: »Falls Sie mir noch ein zweites Geburtstagsgeschenk machen wollen, sagen Sie mir doch einfach mal, wo ich mich hier befinde.«

»Fragen werden auch an Geburtstagen zuallererst von den Häftlingen beantwortet. Erweisen Sie sich als kooperativ und wir sind gern zu der einen oder anderen Auskunft bereit.«

»Lassen Sie mich einen Rechtsanwalt kontaktieren, und ich sage Ihnen alles, was Sie wissen wollen.«

»Einen Rechtsanwalt sehen Sie, wenn wir unsere Ermittlungen beendet haben. Ich dachte, das hätten wir bereits hinter uns.«

»Dann haben Sie sich geirrt. Soll ich die Zigarette wieder ausmachen?«

»Machen Sie damit, was Sie wollen.« Ruckartig stand er auf, der junge Leutnant in der akkurat sitzenden Uniform mit den beiden goldenen Sternen auf den silbergeflochtenen Achselstücken, trat ans Fenster und blickte hinaus. Es war deutlich: Er musste sich zusammennehmen, um keine Ungeduld zu verraten, hatte also doch nicht so viel Zeit, wie er vorgab.

»Seien Sie doch vernünftig! Ihre Frau hat ja längst alles gestanden. Wollen Sie hier etwa den abgebrühten Widerständler spielen?«

Schweigen. Lenz rauchte, der Leutnant stand am Fenster und

wartete, bis Lenz es mit einem Mal nicht länger aushielt. »Meine Frau«, brach es aus ihm heraus. »Wo ist sie überhaupt? Vielleicht sagen Sie mir wenigstens das.«

»Was denken Sie denn, wo sie ist? Bei uns natürlich.«

Lenz hatte keine andere Auskunft erwartet. »Und unsere Kinder?«

»Langsam! Langsam! Darüber sprechen wir, wenn Sie sich als kooperativ erwiesen haben. Aber es ist gut, dass Sie nach ihnen fragen. Sie sollten viel öfter an Ihre Kinder denken. Sie wollen sie doch irgendwann mal wiedersehen, oder?«

Sollte das eine Drohung sein? »Können Sie diese Bemerkung etwas näher erläutern?« Lenz' Stimme klang belegt.

»Eltern, die nicht fähig sind, ihre Kinder zu erziehen, wird manchmal das Sorgerecht entzogen. Davon müssten Sie doch eigentlich schon gehört haben.«

Was für ein schlechter Scherz! Hannah und er nicht fähig ... Der wollte ihm doch nur Angst machen, ihn in Sorge und Ungewissheit halten ...

Der Leutnant setzte sich wieder. »Was schauen Sie denn so? Ist doch klar, Eltern, die politisch nicht gefestigt sind, darf man doch keine Kinder anvertrauen. Wie sollen Leute wie Sie Ihre Kinder denn zu aufrechten Staatsbürgern erziehen? Denken Sie etwa, Sie haben Ihrer Erziehungspflicht Genüge getan, wenn Sie ihnen beibringen, wie man sich die Nase putzt?«

Lenz starrte ihn nur an. Das war kein Scherz, der meinte das ernst ...

»Meine Aufgabe ist es, Ihnen klar zu machen, was Sie mit Ihrer Haltung heraufbeschwören.« Verdrossen blickte der Leutnant auf den Kugelschreiber in seinen Händen. »Ihre Aussageverweigerung macht ja auch gar keinen Sinn. Die Beweislage reicht aus, Sie vor Gericht zu stellen. Außerdem hat Ihre Frau längst alles gestanden. Die ist klüger als Sie, die weiß, dass man schwimmen muss, wenn man ins Meer gefallen ist.«

So stand es in jedem zweiten Kriminalroman: Ihr Mittäter hat bereits gestanden, stimmen doch auch Sie uns milde. Dachte dieses Milchgesicht etwa, das würde klappen, ihm erst Angst machen und danach einen solch simplen Trick auffahren?

»Sie glauben mir nicht? Bitte schön! Hier!« Der Leutnant blätterte eine Akte auf und schob sie vor Lenz hin: Hannahs Unterschrift unter einem mehrseitigen handschriftlichen Protokoll; und das auf jeder einzelnen Seite! Bevor Lenz überfliegen konnte, was Hannah da unterschrieben hatte, zog der Leutnant die Akte wieder zurück. »Sehen Sie jetzt ein, dass ich Ihnen keine Luftnummer vorführe?«

Wenn Hannah bereits ausgesagt hatte – egal, was sie zugegeben hatte und was nicht –, machte es keinen Sinn, weiter auf einem Rechtsanwalt zu bestehen. Dann musste er ihre Aussagen, so wie sie sie miteinander abgesprochen hatten, bestätigen; alles andere würde ihre Lage nur erschweren. Lenz straffte sich. »Also gut! Ich sehe ein, dass ich mich hier in einem rechtsfreien Raum befinde und auf kein rechtsstaatliches Verfahren hoffen darf. Was wollen Sie wissen?«

»Erstens: Was Sie einzusehen haben und was nicht, darüber reden wir später. Zweitens: Wir haben Sie nicht gebeten, uns Arbeit zu machen. Drittens: Wir wollen alles wissen.«

Ja, gab Lenz da zu, sie hätten eine Flucht geplant, ja, sie wollten mit aus Westdeutschland nach Bulgarien gebrachten Pässen in die Türkei und von dort nach Frankfurt am Main weiterreisen. Schließlich sei seine Frau ja mal von dort gekommen. Nun wollte sie in ihre Heimat, zu ihrer Familie zurück; er könne daran beim besten Willen nichts Verwerfliches erkennen. Es hätte aber auch ohne ihre Verhaftung gar kein Fluchtversuch stattgefunden, denn auf der langen Fahrt nach Burgas hätten seine Frau und er immer wieder über ihr Vorhaben gesprochen und es schließlich aufgegeben. Einfach, weil sie Angst bekommen hätten. Nur noch Ferien hätten sie in Bulgarien machen wollen; etwas anderes könne er beim besten Willen nicht aussagen.

Der Leutnant schrieb eifrig mit, machte dann aber ein enttäuschtes Gesicht. »Die Geschichte kennen wir schon. Damit hatte Ihre Frau es auch versucht.«

»Na und?«, erregte sich Lenz. »Ist doch ganz egal, ob Sie uns glauben oder nicht. Weisen Sie uns den ›Fluchtversuch‹ doch bitte schön erst mal nach. Haben Sie uns an der Grenze festgenommen? Woher wollen Sie wissen, wie wir letztendlich entschieden hätten?«

»Unwichtig, wo und wann Sie was entschieden haben. Hat Ihnen der Haftrichter das nicht bereits gesagt? Jede Vorbereitung und jeder Versuch, eine Straftat zu begehen, sind strafbar. Als Sie sich mit Ihren erschlichenen Reisedokumenten zum Bahnhof begaben, hatten Sie bereits den zweiten Schritt zu viel getan.«

»Wer hat denn hier was ›erschlichen‹?«

»Sie natürlich! Sie hatten doch gar nicht vor, am Schwarzen Meer Urlaub zu machen, wie Sie auf dem Reisebüro angaben. Sie hatten sich die Reisepapiere unter Vorspiegelung falscher Tatsachen erschlichen.«

Ein Weilchen starrte Lenz den Leutnant nur an, dann schüttelte er den Kopf. »Und damit hatten wir uns bereits strafbar gemacht? Egal, wie viele Kilometer von der Grenze entfernt wir noch waren? Egal, wie wir uns später entschieden haben?«

»So ist es.«

»Und wenn wir von dieser Flucht nur geträumt hätten, würde man uns das wohl auch noch vorwerfen!«

Der Leutnant grinste. »Wir wissen, dass die Geschichte von

der Aufgabe all ihrer Fluchtabsichten Ihr ›Rettungsanker‹ sein sollte. Ihre Frau hat das längst zugegeben. Also verplempern wir damit nicht unsere Zeit!«

Das war kein bloßes Auf-den-Busch-Geklopfe, das Wort vom Rettungsanker konnte er nur von Hannah haben. Ein Beweis dafür, dass sie tatsächlich zugegeben hatte, dass sie, falls Fränzes Pässe ihren Erwartungen entsprachen, nicht heimkehren wollten ... Lenz zog noch mal an der längst zur Kleinstkippe geschrumpften Zigarette, dann drückte er sie im Aschenbecher aus und gab ebenfalls zu, dass sie keinen Moment lang von ihren Fluchtplänen Abstand genommen hatten. »Wir sahen keine andere Möglichkeit. Hätte es eine legale Ausreisemöglichkeit gegeben, wäre eine solche Reise nicht notwendig geworden.«

»Sie geben also zu, bewusst gegen die Gesetze der Deutschen Demokratischen Republik verstoßen zu haben?«

Lenz holte tief Luft. »Wenn ein Staat Gesetze erlässt, die mit den allgemeinen Menschenrechten nicht übereinstimmen, ist ein solcher Verstoß meines Erachtens kein Verbrechen.« Den Satz hatte er sich während eines seiner Marathonläufe zurechtgelegt, endlich konnte er ihn anbringen.

»Das heißt auf Deutsch, Sie negieren die sozialistische Gesetzlichkeit?«

»Nein. Ich bezog mich allein auf die nicht gegebenen Ausreisemöglichkeiten.« Er musste vorsichtig sein, durfte nicht zu sehr auf Konfrontationskurs gehen; er sprach ja auch für Hannah und die Kinder.

Der Leutnant machte sich Notizen. Lenz sah ihm zu, bis Wut in ihm aufstieg. »Wissen Sie jetzt genug, um mir sagen zu können, wo meine Kinder sich befinden?«

»Sie sind in einem Kinderheim. Es geht ihnen gut.«

Lenz spürte, wie sich alles in ihm zusammenzog.

Der Klassensprecher fuhr fort: »Wir hatten die Kinder zu Ihrem Bruder gebracht. Ihre Schwägerin und er konnten sie leider nicht behalten, sind ja beide berufstätig.«

»Auf welche Weise haben Sie sie denn aus Bulgarien zurückgeholt?«

»Mit der *Interflug*.«

»Und wie … ich meine, wie haben Silke und Michael das alles überstanden?«

»Interessiert Sie das wirklich?«

Vorsicht! Nicht aufregen, Manne! Das ist doch wieder nur so ein Psychotrick. Der Genosse Leutnant »bearbeitet« dich, will dein Selbstwertgefühl auf null runterschrauben. »Bei Gelegenheit können Sie's mir ja mal mitteilen.«

»Es war schlimm. Ihre Kinder haben sehr geweint, und besonders Ihre Tochter hat sich heftig gewehrt, als wir sie von Ihrer Frau trennen mussten.«

»Was ist ihnen denn gesagt worden? Dass wir verreisen müssen oder so etwas?«

»Das hätten sie nach alldem, was sie miterlebt haben, nicht geglaubt. Tut mir Leid, Ihnen keine bessere Auskunft geben zu können.« Der Leutnant wies auf die Zigaretten. »Wenn Sie wollen, rauchen Sie ruhig noch eine.«

»Danke!«

Er griff zu, seine Hände zitterten. Der Leutnant hatte es gesehen. »Von Ihrer Frau wissen wir auch, wen Sie alles über Ihre Fluchtabsichten informiert haben. Wollen wir das mal miteinander vergleichen? Damit wir sehen, ob Sie bereit sind, von nun an ehrlich auszusagen.«

Gut, dass er diesen billigen Trick aus der Kiste geholt hatte! Lenz zwang ein Lächeln auf seine Lippen. »Wenn Sie mir sagen, wer uns denunziert hat, denunziere ich vielleicht auch ein paar Leutchen.«

Er brauste nicht auf, der Klassensprecher, grinste nur. »Sie möchten wissen, wie wir Ihnen auf die Schliche kamen? Na ja, an Ihren Pässen lag es nicht, so viel kann ich Ihnen verraten. Die waren schon recht ordentlich gestaltet; glaube nicht, dass unseren bulgarischen Genossen etwas aufgefallen wäre … Ansonsten nur so viel: Wir arbeiten schnell, sicher und zuverlässig, Ihre Pläne waren uns von Anfang an bekannt.«

Das konnte eine dreiste Lüge sein, nach dem Motto: »Wir vom VEB Schild-und-Schwert-der-Partei sind unfehlbar.« Viel wahrscheinlicher aber war, dass der Leutnant nicht log. Es passte zu dieser Truppe von Menschenhirten, sie an der langen Leine bis nach Burgas reisen zu lassen und erst dann zuzuschlagen. Doch verdammt noch mal, wie hatten sie es herausbekommen?

Der Leutnant ahnte, was in Lenz vorging. »Zermartern Sie sich nicht den Kopf. Sie werden es nie herausfinden.«

»Und weshalb haben Sie uns nicht gleich verhaftet? Wozu diese lange Reise?«

»Wir mussten doch sehen, wie weit Ihre kriminelle Energie reicht, wollten niemanden belästigen, der vielleicht noch rechtzeitig zur Einsicht gekommen wäre.«

»Und wie viel …« Lenz musste schlucken. »Ich meine, mit welcher Strafe müssen wir rechnen?«

»Ich bin nicht der Richter.«

»Aber Sie haben Erfahrung.«

»Beweisen Sie uns, dass Sie bereit sind, an der Aufklärung dieses Anschlags auf unsere Republik mitzuarbeiten, dann wird man das vielleicht anerkennen.«

»Anschlag? Von was für einem ›Anschlag‹ reden Sie?«

»Jede Aktion gegen die Sicherheit unserer Republik ist ein Anschlag auf sie.«

»Aber wir haben doch niemandes Sicherheit beeinträchtigt.«

»Selbstverständlich haben Sie das getan. Wer gegen unsere Grenzen vorgeht, beeinträchtigt die Sicherheit unseres Staates. Das liegt doch auf der Hand.«

»Und die Staatsfeinde, zu denen meine Frau und ich Verbindung aufgenommen haben sollen? Wen meinen Sie damit?«

»Wer hat Ihnen denn die Pässe besorgt?«

Sollte er jetzt lachen? Franziska war die staatsfeindliche Verbindung? Die linke Fränze, die alles ablehnte, was mit Kapitalismus zu tun hatte? Die allerdings auch alles hasste, was mit staatlich verkündeten Heilslehren zu tun hatte ... »Ach so! Und dann meinen Sie mit der uns vorgeworfenen Gruppenbildung wohl meine Frau, meine Kinder und mich?«

»Sie sind lernfähig.«

Welche Arroganz in diesem Gesicht! Der freute sich über dieses Wortgeplänkel, schämte sich nicht; der wusste nicht mal, dass er hier das Unrecht vertrat. »Aber was tun wir Ihnen denn an, wenn wir weggehen? Bricht ohne uns hier alles zusammen?«

»Sind Sie wirklich so naiv? Sie und Ihre Frau wären für den Gegner doch lustig sprudelnde Quellen gewesen. Sie wissen das noch nicht, aber wir überprüfen gerade, ob wir gegen Sie und Ihre Frau auch wegen Spionage ermitteln sollen.«

Das war zu dick. Hannah und Manfred Lenz – Agenten eines imperialistischen Geheimdienstes? »Sie wollen mich auf den Arm nehmen.«

»Nein, das will ich nicht. Für solche Späße haben wir gar keine Zeit.« Der Leutnant nahm das Strafgesetzbuch vom Schrank und schlug es auf. »Paragraph 97: ›Wer Nachrichten oder Gegenstände, die geheim zu halten sind, für eine fremde Macht, einen

Geheimdienst oder sonstige ausländische Organisationen sammelt, wird mit einer Freiheitsstrafe von nicht unter fünf Jahren bestraft.‹ Dazu Ihre anderen Delikte … Sollten Sie also auch wegen Spionage belangt werden – zehn Jahre kommen da gut und gerne zusammen.«

War das wieder so ein Psychotrick? Die reine Angstmache? »Was für ›geheim zu haltende‹ Nachrichten oder Gegenstände sollen wir denn gesammelt haben?«

Eine Frage, über die der Klassensprecher nur lachen konnte. »Sie wollen rausfinden, was wir wissen? Anders herum wird ein Schuh daraus: Sie packen aus und wir vergleichen. Wie schon gesagt, es geht auch darum, herauszufinden, ob Sie die Wahrheit sagen.«

»Dann muss ich Ihnen leider meine Mitarbeit aufkündigen. Weder meine Frau noch ich haben je etwas gesammelt, weder Briefmarken noch Nachrichten.«

»Ihre Frau und Sie haben jahrelang in zwei der wichtigsten Außenhandelsunternehmen unserer Republik gearbeitet.«

»Was hat das denn mit Spionage zu tun? Außerdem hatte ich dort längst gekündigt.«

»Ja. Vor einem halben Jahr. Und inzwischen haben Sie alles vergessen?« Der Leutnant winkte ungeduldig ab. »Menschenskind, wir befinden uns mitten im Klassenkampf! ›Wer – wen?‹ heißt die große Frage der Zeit. Sollen wir uns da von den feindlich-negativen Kräften im Westen unsere Leute abziehen und sie drüben in aller Ruhe abschöpfen lassen?«

Wenn Gott will, macht er aus 'nem Fliederstrauch 'ne Kanone! »Aber meine Frau und ich, wir hätten uns nicht abschöpfen lassen. Das ist nicht unser Niveau.«

»Die Bewertung Ihrer Person und Ihrer Handlungen müssen Sie schon uns überlassen. Fakt ist, dass Sie im Westen von einem

Geheimdienst zum anderen geschleppt worden wären; die Amerikaner, Engländer, Franzosen, die Westdeutschen, vor allen Schreibtischen hätten sie gestanden. Und dann hätten sie ausgepackt, glauben Sie mir das. Weil Sie sich drüben sicher gefühlt hätten, um sich wichtig zu tun, irgendwelcher Vorteile wegen oder weil man Ihnen angedroht hätte, Sie ansonsten postwendend zurückzuschicken.«

»Aber was hätten wir denn verraten können? Die Größe der Dienstreiseformulare? Irgendwelche Herstellungspreise? Munkeleien über innerbetriebliche Liebschaften?«

»Man hätte Sie nach den Strukturen und Plänen Ihrer Betriebe ausgefragt.«

»Was wir wissen, steht jeden Tag im *Neuen Deutschland.*«

»Sind Sie sich da so sicher?«

Ein Roman von Kafka! Einer der versponnenen Kriminalfilme von Hitchcock! Der Gedanke wird zur Tat, die Schwester zur staatsfeindlichen Verbindung, die Familie zur Gruppenbildung, wer nicht mit geschlossenen Augen die Straße fegt, ist ein Spion. Lenz wünschte sich in seine Zelle zurück. Nur eine Frage hatte er noch: »Meine Frau – werd ich sie irgendwann sprechen dürfen?«

»Wenn die Vernehmungen abgeschlossen sind, warum nicht? Auch wenn die westliche Propaganda das nicht wahrhaben will: Wir sind keine Unmenschen, wir schützen nur unseren Staat.«

Als Lenz an diesem Tag in seine Zelle zurückgebracht wurde, war es bereits finster hinter den Glasziegelsteinen. Das helle Neonlicht, das jede Ecke des Raumes ausleuchtete, erschien ihm greller, die nackten Wände, die ihn umgaben, kälter als sonst. Er rührte die während seiner Abwesenheit auf dem Tisch abgestellten Klappstullen nicht an, kippte auch nicht, wie an vielen Abenden zuvor, als Erstes den Muckefuck weg, sondern stürzte sich gleich in einen seiner Zellenmarathons. Das waren nun aber keine acht Schritte mehr, das waren nur noch fünf. Bemerkte er, dass er beobachtet wurde, baute er sich in herausfordernder Haltung vor der Tür auf. Auch in der Nacht, auf seiner Pritsche, beruhigte er sich nicht.

Sie wussten noch nicht, ob sie Hannah und ihn auch wegen Agententätigkeit anklagen sollten; sie ermittelten noch! Das konnte einer ihrer Tricks sein, ein Einschüchterungsversuch, aber was, wenn nicht? Dann sahen sie die Kinder erst wieder, wenn sie längst erwachsen waren ... Zehn Jahre oder noch mehr, vielleicht sogar zwanzig, würden sie ihnen aufdrücken, die Genossen Staatsschützer. Weshalb sollten sie denn kleinlich sein? Sie rächten sich an denen, die sie verlassen wollten. Wie ein böswilliger, von seiner großen Liebe verschmähter Ehepartner schlugen sie zu: Du liebst mich nicht mehr, also mach ich dich kaputt ...

Ein Witz fiel ihm ein, einer, über den er mal herzlich gelacht hatte: Honecker veranstaltet für das diplomatische Korps eine Wildschweinjagd. Doch die Genossen Treiber spüren kein Wildschwein auf. Da setzt Honecker Stasi-Leute ein, die dann auch bald einen an den Läufen gefesselten Hasen heranschleppen. Was das solle, fragt er. Antwort: Nach intensivem Verhör habe der Hase gestanden, ein Wildschwein zu sein.

Jetzt konnte er über diesen Witz nicht mehr lachen, er war Wahrheit geworden: Wer Wildschwein war und wer Hase, wer Spion war und wer nicht, bestimmte ganz allein die Stasi.

Sie hatten keine Chance! Die würden sie bestrafen, wie sie wollten; keiner, der ihnen dreinreden, niemand, der Hannah und ihm helfen konnte. Deshalb hatte er am Schluss der Vernehmung auch dieses Protokoll unterzeichnet, zehn oder zwölf

DIN-A4-Seiten, alle vom Leutnant mit der Hand geschrieben. Wenn ihm vom vielen Mitschreiben seine Pfote wehtat, hatte er sie neben dem Schreibtisch ausgeschüttelt. Er aber hatte dieses Scheißprotokoll unterschrieben, obwohl vieles, was sich im Gespräch ganz harmlos angehört hatte, im Stasi-Deutsch zum kriminellen Tatbestand wurde. Nur anfangs hatte er dagegen protestiert, dass ihm Worte in den Mund gelegt wurden, die er gar nicht gesagt hatte. Später hatte er es aufgegeben, um jede zweite, dritte Formulierung, die ja an der Sachlage nichts änderte, zu feilschen. Sollten sie seine Aussagen doch manipulieren, sollten sie ihn zu einem mit kriminellen Energien aufgeladenen Ungetüm aufblasen, was bedeutete das schon gegen die Androhung, die Behörden könnten ihnen die Kinder wegnehmen ... Vielleicht ja nur ein Versuch, ihn endgültig zu demoralisieren, aber was, wenn nicht? Was könnten Hannah und er gegen dieses Kidnapping unternehmen? Wo könnten sie Einspruch erheben? Wer kontrollierte die Kontrolleure?

Die Riegel, der Schlüssel, der Marsmann stand in der Tür. »Is was?«

»Nein, danke! Mir geht's bestens.«

Er ging noch nicht, der junge Mann mit den Vulkanen und Vulkänchen im Gesicht, die inzwischen so reif waren, dass Lenz bei jeder Gesichtsbewegung des Feldwebels befürchtete, sie würden eruptieren. »Sie haben ja gar nichts gegessen.« Er wies auf die Margarinebrote, die sich inzwischen vor Trockenheit bogen.

Sollte Lenz ihn anschreien, wer nicht scheißen könne, könne auch nicht ewig fressen? Sollte er ihm verraten, dass es in diesem Haus Dinge gab, die einem jeden Hunger nahmen? Aber wozu den Hund schlagen, wenn das Herrchen einen gebissen hatte? »Danke der Nachfrage! Kein Appetit.«

»Na, vielleicht kommt der ja noch.« Ein letzter, musternder

Blick, dann flog die Tür wieder zu, der Schlüssel, der obere Riegel, der untere. Lenz blickte noch einen Moment lang die Tür an, dann legte er sich wieder hin.

Hinter den Glasziegelsteinen dämmerte der Morgen herauf und Lenz hatte mal wieder keine einzige Sekunde geschlafen. Immer wieder war er diese erste wirkliche Vernehmung durchgegangen, immer wieder hatte er an die Kinder denken müssen. In welches Heim man sie gesteckt hatte, hatte der Leutnant ihm nicht sagen wollen. Auch über Franziskas Schicksal kein Wort. Ein eher gutes Zeichen? Vielleicht! Hätten die Bulgaren Fränze ausgeliefert, säße sie jetzt aller Wahrscheinlichkeit nach auch hier ein. Und das hätte ihm dieser Triumphator auf der Seite des Fortschritts doch ganz sicher nicht vorenthalten …

Von Spionage war in dem Protokoll noch keine Rede, so weit waren sie noch nicht. Dafür war ihm der Leutnant am Schluss der Vernehmung mal wieder psychologisch gekommen: Straftäter seien gewissermaßen charakterlich vorprogrammiert, ob er, Lenz, als junger Bursche nicht mal irgendwas angestellt habe, das ihn mit dem Gesetz in Konflikt brachte, auch wenn er damals heil aus der Sache herausgekommen sei? Ja? Na bitte! Das sei Veranlagung, es habe einfach so kommen müssen.

Er hatte gegen dieses Gequatsche ankämpfen müssen. Was für eine Milchmädchen-Psychologie! Der Leutnant aber hatte gesagt, dass er mit ihm noch Gespräche über seine Jugend führen werde; es gehe ihnen darum, sich ein Bild von Hannah und ihm zu machen. »Wer ist wer, verstehen Sie? Ihre Tat ist das eine, der Mensch, der dahinter steckt, das andere.«

Nicht dumm, dieses Verfahren! Sie wollten herausbekommen, was das für welche waren, die das Risiko einer Flucht auf sich nahmen. Was unterschied Hannah und Manfred Lenz von den vielen anderen? Was hat sie geprägt, was stieß sie ab? Jede Auskunft konnte nützlich sein, um andere Fluchtwillige rechtzeitig zu enttarnen. Vielleicht aber wollte man auf diese Weise auch herausfinden, ob man sie noch umbiegen konnte. Oder ob sie endgültig für den Sozialismus verloren waren ...

5. Zum Ersten Ehestandsschoppen

Die Prenzlauer Allee war sehr breit. In der Mitte fuhr die Straßenbahn, auf den Fahrbahnen rechts und links rasten Autos, zuckelten Pferdefuhrwerke oder marschierten Demonstrationszüge vorüber; immer in Richtung Lustgarten. Junge Männer und Frauen in blauen Hemden, am linken Ärmel das Abzeichen mit der aufgehenden Sonne und den drei Buchstaben FDJ, hielten Friedenstauben, rote Fahnen, Leisten mit Pappbildern von bärtigen Männern oder Transparente mit fordernden Losungen in den Händen. Sie winkten mit Fähnchen oder roten Papiernelken, riefen Parolen, ließen Fanfaren und Schalmeien erklingen und sangen hoffnungsvolle Lieder.

Manni und seine Freunde gaben sich jedes Mal alle Mühe, eine Papiernelke zu erjagen. Und stets schauten sie dem Zug nach, bis er ihren Blicken entschwunden war.

Gleich gegenüber von Mutters Eckkneipe, auf der anderen Seite der Prenzlauer Allee, erstreckte sich eine weitläufige Grünanlage – der Nordmarkplatz. Links davon lagen mehrere gelbe Backsteingebäude – die russische Stadtkommandantur. Nur wenige Schritte weiter: das Bezirksamt! Wiederum ein gelber Backsteinkomplex mit vielen vom Krieg nur wenig beschädigten Gebäuden, dazu ein Ruinengelände, das den Kindern des Viertels als Abenteuerspielplatz diente.

Zum Bezirksamt gehörte auch das Standesamt, das Mutters ersten Mann, der die Kneipe an der Prenzlauer Allee in der Hoffnung auf eine glückliche Zukunft einst pachtete, auf die Idee brachte, sie mit Bier, Schnaps und Bockwürsten *Zum Ersten Ehestandsschoppen* zu taufen. Doch nur selten verlief sich eines der frisch getrauten Ehepaare samt Gefolge vor Lisa Lenz' Theke. Die Kundschaft kam aus der Gegend: kleine Gewerbetreibende, Nachkriegsschieber, Nachbarn, auch mal zwei oder drei Trümmerfrauen, die ihre trockenen Brote mit Sprudel besser hinunterbekamen; Frauen, die Trainingshosen unter ihren Röcken und Kleidern trugen, sich mit Kopftüchern gegen den Staub schützten und oft die ihnen viel zu weiten Joppen ihrer im Krieg gefallenen Männer abtrugen; Frauen, die immer grau aussahen. Manni beobachtete sie oft bei der Arbeit, sah zu, wie sie mit krummen Rücken die Spitzhacken schwangen oder mit spitzen Hämmern die aus dem Schutt geklaubten und in langen Reihen von einer Frau zur anderen weitergereichten Mauersteine vom Mörtel befreiten und aufstapelten. Nicht mehr verwendbare Steine und aller übrige Schutt wurden in Kipploren geschaufelt, die von kleinen Lokomotiven durch die ganze Stadt gezogen wurden. Bis hin zum Friedrichshain, wo ein riesiger Schuttberg entstand; der Mont Klamott, wie die Leute sagten.

Auch diese Trümmerbahn war interessant. Wie ein Spinnennetz zogen ihre Gleise sich durch die Stadt, überall hörten Manni und seine Freunde das gellende Pfeifen der kleinen Loks, und auf den Straßen und Plätzen stießen sie immer wieder auf rot umrandete weiße Blechdreiecke mit draufgemalter schwarzer Lokomotive, die einen unbeschränkten Bahnübergang ankündigten. An den Kreuzungen schwenkten Frauen rote Fähnchen, um vor dem herannahenden Zug zu warnen; kam eine Weiche, sprang der Heizer aus der Lok, flitzte voraus und stellte den Hebel um. Nur der Lokführer blieb an Bord. Wie ein Kapitän. Doch scheuchte er die Kinder von den Schienen, war er kein Kapitän, dann schimpfte und drohte er wie ein Schulhausmeister.

Arbeiteten die Frauen nicht, gehörten die Loren den Kindern. Sie krochen hinein, kippten einander aus oder schoben sich gegenseitig über die Gleise. Dabei verunglückte immer wieder mal ein Junge oder Mädchen, weshalb diese Spiele streng untersagt waren. Was sie aber erst recht spannend machte.

Hinter dem Bezirksamt lagen rechts der Fuhrpark der Straßenreinigung und links, im Schatten eines riesigen Gasometers, das Stadtkrankenhaus: ein hohes, lang gestrecktes, rotes Backsteingebäude, das vor dem Krieg als Obdachlosenasyl zu trauriger Berühmtheit gelangt war. Die *Palme* war es genannt worden, weil im Eingangsbereich eine Topfpalme die heruntergekommenen Gestalten begrüßte, die Abend für Abend auf ein trockenes, warmes Plätzchen hofften. Stets kam ein großer Teil von ihnen vergeblich durch die ganze Stadt gewandert; selbst das größte Asyl konnte nicht all diese in Not geratenen Männer und Frauen aufnehmen. Wer Glück hatte und hineingelangte, bekam einen Teller Suppe und ein Stück Brot. Von den Abgewiesenen aber trieb es so manchen in den *Ersten Ehestandsschoppen,* weil die Mutter anfangs den Fehler gemacht hatte, dem einen oder der anderen aus Mitleid ein Bier zu spendieren. Sie hatte es bald wieder sein lassen, weil zu viel Elend ihr die Gäste vergraulte und sie ja im Hauptberuf Geschäftsfrau und nicht von der Heilsarmee war. Einige »sture Hunde« jedoch kamen immer wieder. Bis es unter den Nazis plötzlich keine Obdachlosen mehr gab und ins Reich heimgeholte Österreicher, Polen, Tschechen, Ungarn und Rumänen in der *Palme* einquartiert wurden. Doch die blieben nicht lange, wurden bald »gebraucht« und im Krieg zogen Flüchtlinge, Ausgebombte und Seuchenkranke in die *Palme.*

Manni war von alldem nur erzählt worden. Dass er dennoch so vieles, was sich vor seiner Geburt um und im *Ersten Ehestandsschoppen* abgespielt hatte, wie miterlebt vor sich sah, hatte mit seiner Phantasie zu tun. Er war ein Tagträumer, konnte sich alles vorstellen und liebte es, im Kopf auf die Reise zu gehen. In seinen Tagträumen machte er es sich oft schön, flog er auf dem Rücken eines Wunderpferdes in ferne Länder, waren sein Bruder Wolfgang und er die tollsten Fußballspieler der ganzen Stadt, wohnten die Mutter, Tante Lucie, Robert, Wolfgang und er in einem wunderschönen Haus mit herrlichem Garten, erfand er sich eine glückliche Welt mit freundlichen Leuten. Die nächtlichen Träume hingegen, über die er keine Gewalt hatte, ängstigten ihn. Da wälzten sich alle paar Nächte von den Fenstern her weiche, aufgeplusterte Wände auf ihn zu, die ihn zu ersticken drohten, stürzte er in endlose Abgründe, verfolgten ihn unheimliche grüne Männer durch finstere Straßen.

Mutters Kneipe passte in Mannis Wunschträume nicht hinein, deshalb mochte er sie nicht. Diese vielen Menschen, die so gern rauchten und tranken und so furchtbar laut waren! Sie lachten laut und stritten laut, schimpften laut und weinten laut. Und als er noch ganz klein war, nahmen sie ihn auf den Arm, hauchten ihn mit ihrem Bier- und Schnapsatem an und redeten wirr auf ihn ein. Und ganz besonders freundliche Gäste gaben ihm Schnapsneigen zu trinken und freuten sich, wenn er davon immer lustiger wurde. Weshalb die nicht ganz so laute Kundschaft tuschelte, dass Lisa Lenz' Manni bestimmt einmal verblöden würde.

Manchmal kamen auch Männer in olivgrünen Uniformen in Mutters Kneipe. Sie kamen direkt aus den backsteingelben Häusern gleich gegenüber der Straße und redeten in einer fremden Sprache. Die Mutter nannte sie »Russen«. Saß Manni im Sommer auf den Stufen vor der Ladentür oder im Winter hinter dem kleinen Kanonenofen gleich neben dem Stammtisch, dann packten diese Russen ihn unter den Armen und warfen ihn vor lauter Begeisterung über seine hellen blonden Haare in die Luft. Anfangs lief er jedes Mal fort, wenn er sie kommen sah, später blieb er sitzen. Weshalb sollte er so fröhliche Leute fürchten? Später, als seine Haare längst nicht mehr so blond waren, erfuhr er dann, dass es diese Russen waren, gegen die sein Vater in den Krieg ziehen musste und in deren Land er gefallen war. Da wusste er dann aber auch schon, dass es vor allem die Frauen waren, die sich vor den russischen Soldaten fürchten mussten, und dass in den Kellern der gelben Häuser gleich gegenüber Gefangene hausten; Männer und Frauen, die irgendwer als Nazis denunziert hatte und die von hier aus in irgendwelche Lager oder gleich nach Sibirien transportiert wurden.

Kamen die Russen zur Mutter, verlangten sie Wodka. Hatte die Mutter keinen, tranken sie auch braunen Schnaps. Einmal jedoch hatte die Mutter überhaupt keinen Schnaps anzubieten, was so kurz nach dem Krieg immer wieder mal vorkam. Da wiesen die fröhlichen Russen mit bösen Gesichtern auf die Flaschen in den wimpelgeschmückten, rotbraun gestrichenen und mit allerlei Weinranken und Frauenbrüsten verzierten Regalaufbauten hinter der Theke. Diese Flaschen waren mit Tee oder Wasser gefüllt; gänzlich leere Flaschen machten sich nicht so gut. Die Mutter wollte den Männern in den Uniformen den Unterschied klar machen, doch entweder verstanden sie sie nicht oder sie glaubten ihr nicht. Wütend stürzten sie hinter die Theke, bedienten sich selbst und spien mit vor Ekel verzogenen Gesichtern gleich wieder aus, was sie getrunken hatten. Fremde Schimpfwörter wurden geschrien und dann demolierten die Männer in den olivgrünen Uniformen voller Lust an ihrer Wut die ganze Kneipe. Tische und Stühle gingen zu Bruch, alle Flaschen wurden aus den Regalen gefegt. Die wenigen anwesenden Gäste suchten panikartig das Weite, er aber, Manni, stand mitten in der Gaststube und staunte über den Zirkus, der da um ihn herum veranstaltet wurde. Die Russen waren seine Freunde, um ihn machten sie einen Bogen, also würden sie auch seiner Mutter nichts tun. Denn das würden sie ja wohl wissen: Wer seiner Mutter etwas antat, tat ihm etwas zuleide.

Die Russen griffen auch tatsächlich niemanden an. Sie wollten nur zerstören, irgendeinen Zorn loswerden, der sich schon zu lange in ihnen angestaut hatte. Zum Schluss ging die Mutter einfach dazwischen und schimpfte sie aus, als wären sie nur unartige Kinder.

Die Gäste empfanden Manni als unfreundliches Kind. Er sehe sie an, als seien sie unwillkommen, beschwerten sie sich bei der Mutter und hatten damit nicht Unrecht. Bereits der Säugling drehte jedes Mal den Kopf weg, wenn einer von ihnen an seinen Wagen trat, schon der Zweijährige betrachtete alle Fremden nur mit unwirschem Gesichtsausdruck. Die Mutter verteidigte ihn damit, dass er nun mal ein Kriegskind sei. Wie hätten denn mitten im Krieg freundliche Kinder zur Welt kommen sollen?

Manni war im September 1943 zur Welt gekommen; zwei Monate später hatten die großen, verheerenden Luftangriffe begonnen. Am Ende des Krieges war er erst anderthalb Jahre alt und so konnte er sich später an diese Zeit nicht erinnern. Doch natürlich hatten ihn diese ersten Monate seines Lebens geprägt. Wie sollte er denn nicht den schrillen Schrei der Frau Leberecht gehört haben, die ein halbes Jahr nach seiner Geburt im dritten Stock aus dem Fenster gesprungen und nur wenige Meter von seinem Bett entfernt aufs Straßenpflaster geschlagen war? Erst war ihr Mann gefallen, nun auch der Sohn; das hatte die magere, stets traurig blickende Frau, die sich so oft über seinen Kinderwagen gebeugt haben soll, nicht ausgehalten. Die Mutter, so hieß es, sei in jener Nacht in sein Zimmer gekommen und da habe er wach gelegen und sie mit großen Augen angeschaut.

Vielleicht hatte er aber auch die Ängste der kleinen Frau Rosenzweig gespürt, die Nacht für Nacht an ihrer Wohnungstür vorüber in den Keller geschlichen war, um ihrem genauso kleinen jüdischen Mann, dem Schneidermeister Max Rosenzweig, Essen hinunterzubringen und die Nachttöpfe auszutauschen. Zwar lebten die Schneidersleute in »privilegierter Mischehe«, als Schutz jedoch empfanden sie das nicht. Gab es nicht andere, denen alle »Privilegien« nichts genutzt hatten? Maxe Rosenzweig wollte kein Risiko eingehen, und hätte im Nachhinein etwa wer sagen wollen, er hätte übervorsichtig gehandelt?

Niemand wusste von dem kleinen Schneidermeister hinter den Kohlen, dem Holz und all dem Kellergerümpel; der kleine Manni in seinem Kinderbett direkt über dem Hauskeller aber hatte es vielleicht geahnt. Ganz bestimmt jedoch hatte er das Geheul der Alarmsirenen mitbekommen, das die Menschen zwei-, dreimal am Tag und genauso oft in der Nacht in die Luftschutzkeller trieb. Auch die panikartige Furcht, die die Mutter und Tante Lucie jedes Mal ergriff, wenn sie mit Robert und Wolfgang an der Hand und ihm auf dem Arm zum Luftschutzkeller ins Bezirksamt hinüberliefen, weil sie dem Hauskeller nicht trauten, konnte ihm nicht verborgen geblieben sein. Genauso wenig wie das Gehetze und Gekeuche der Menschen, die ebenfalls dort Zuflucht suchten. Wer zu spät kam, erhielt keinen Einlass mehr, weil der in der Gegend als einigermaßen sicher geltende Keller dann überfüllt war von dem Klappstuhlgeschwader, das auch aus weiter entfernten Straßen herbeigelaufen war. Wem das passierte, der musste wieder zurückhasten, in den ungeliebten Hauskeller, während es über seinem Kopf vielleicht schon pfiff, dröhnte und krachte.

Später die tagelangen Straßenkämpfe, all die Schüsse und Schreie, die von der Straße in den Keller hinunterdrangen, in den die Menschen sich auch jetzt wieder geflüchtet hatten; wie sollte das alles spurlos an dem Anderthalbjährigen vorübergegangen sein?

Die meisten Gäste verstanden Mannis Ablehnung nicht und wollten sie nicht hinnehmen. Weil kein Mann im Haus war, versuchten sie, ihn zu erziehen. Das Ergebnis war, dass er all diese Stammtischler, von denen die Kriegerwitwe Lisa Lenz sich einige nur mit Macht vom Halse halten konnte, bald immer weniger mochte und es lieber gesehen hätte, wenn sie nicht mehr gekommen wären. Die Mutter tadelte ihn dafür: »Als Wirtin bist du Apothekerin, lebst von den Krankheiten der Leute, also musst du wenigstens freundlich zu ihnen sein.«

Einer dieser Männer, zu denen die Mutter freundlich sein musste, der stets hohe Rechnungen hinterlassende Textilvertreter Benno Huschke, wurde Mannis Lieblingsfeind. Bel Ami wurde er genannt, dieser »schöne Mann« mit dem glatt nach hinten gestriegelten, ewig nach Pomade duftenden Haar, der es auf irgendeine Weise geschafft hatte, in all den sechs langen Kriegsjahren nie Soldat werden zu müssen. Während der allergrößte Teil der Männer im wehrdienstfähigen Alter irgendwo in den europäischen oder nordafrikanischen Schützengräben lag, um Führer, Volk und Vaterland und vor allem die eigene Haut zu verteidigen, vertrat Bel Ami sie bei ihren Frauen. Schäkerte Bel Ami mit der Mutter, weinte der kleine Manni; der schon ein wenig größere drängte den stets gut gekleideten Mann einfach beiseite. Dem machten diese Eifersuchtsszenen Spaß, immer wieder forderte er Manni heraus, bis der vor Wut schrie und die Mutter ihn mal wieder damit verteidigen musste, dass er ein Kriegskind war.

Mit in diese Zeit gehörten die Igelitfenster, die kaum Licht in den *Ersten Ehestandsschoppen* ließen, aber einziger Ersatz für die in den Bombennächten herausgesprungenen Fensterscheiben waren. Aus dem gleichen weißgelben, stinkenden Material waren die Schuhe. Im Winter froren Robert, Wolfgang und Manni darin, ganz egal, wie viele Socken sie übereinander gezogen hatten, im Sommer glitschten sie im eigenen Fußschweiß aus, weil keine Luft in diese Botten drang. Mit in diese Zeit gehörten die Stromsperren, wenn alles bei Kerzenschein in Mutters Kneipe saß, weil den Kraftwerken mal wieder die Kohlen ausgegangen waren, und die drei Jungen ebenfalls bei Kerzenschein essen, waschen, Zähne putzen und aufs Klo gehen mussten. Mit in diese Zeit gehörten die vielen armseligen Schrebergärten, die kurz nach dem Krieg auf dem Nordmarkplatz angelegt worden waren. Auf mit allerlei Schrott eingezäunten Beeten sollten Kürbisse, Gurken, Sonnenblumen, Tomaten, Bohnen, Zuckererbsen, Kohlrabi, Kohl, Rüben, Möhren und Kartoffeln heranwachsen oder waren kleine Tabakplantagen angelegt. Wer kein solches Grundstück besaß, bewirtschaftete einen Dachgarten oder Balkon oder graste die Bahndämme und Friedhöfe ab. Egal, was man fand, Löwenzahn oder andere Kräuter, alles wurde gerupft und zu Suppe verarbeitet.

Zum Glück war der Stadtbezirk Prenzlauer Berg im Krieg nur wenig zerstört worden. In anderen Stadtteilen sah es schlimmer aus. In der Frankfurter Allee zum Beispiel, wo es Manni und seine Freunde öfter hinzog. Dort waren bis zum Horizont nichts als Ruinen zu sehen. Männer und Frauen mit quietschenden Handwagen oder vollen Rucksäcken, die Kartoffeln oder Holz gehamstert oder Reisig gesammelt hatten, verschwanden in den Kellern der nach Katzenpisse und Mörtelstaub riechenden Ruinen. Auf einigen Trümmerbergen waren mit Blumen geschmückte Kreuze aufgestellt. Also lagen da noch Tote drunter? Ein Gedanke, der die Jungen schaudern ließ.

Betrachteten sie aber Häuser, die nur zur Hälfte eingestürzt waren, mussten sie oft lachen. Die wie mit einem großen Messer in der Mitte durchgeschnittenen Räume erinnerten an Theaterkulissen; eine Bühne über der anderen. Tapetenbezogene Wände, an denen noch Bilder hingen, Möbel, Küchen- und Badezimmereinrichtungen waren zu sehen. Und fast immer lebten noch Menschen in diesen Wohnungen, bewegten sich wie Schauspieler auf der Bühne. Nie aber hatten Manni und seine Freunde das Glück, mal einen von ihnen auf dem Klo sitzen zu sehen.

Standen nur noch die Außenmauern, erinnerten die leeren Fensterhöhlen an tote Augen. Blicklos starrten sie auf die Kinder herab. Stiegen Manni und seine Freunde hinein in eine solche Ruine, suchten sie Verwertbares für die Höhle, die sie sich auf dem Ruinengelände zwischen dem Bezirksamt und der russischen Stadtkommandantur gebaut hatten. Dort wuchsen bereits Büsche, Birken, Beifuß, Disteln, Gräser und Moos auf dem Schutt, gab es Vogelnester zu entdecken und war alles voller Insekten. Ein wahres Abenteuerparadies. Sie hatten aus den Ruinen geborgene Matratzen in ihre aus Mauersteinen hochgezogene und mit einem großen Blech abgedeckte Höhle geschleppt und planten jedes Frühjahr, dort auch noch einen Garten anzulegen. Jedes Stück Mobiliar, jede alte Lampe erschien ihnen verwertbar.

Ihre Mütter schimpften auf das Spielen in den Ruinen, verboten es und erklärten ihnen auch, warum: Weil überall noch Munitionsreste und Sprengkörper herumlagen, die jeden Augenblick in die Luft gehen konnten, und weil noch immer Leichen unter dem Schutt gefunden wurden. Außerdem stürzten oft Mauern ein. Manni und seinen Freunden rieselte es kalt über den Rücken, dachten sie an die Warnungen ihrer Mütter, die Ruinen aber hatten eine magnetische Anziehungskraft. Immer wieder galt es, neue, geheimnisvolle Kellergänge zu entdecken, und es machte so viel Spaß, in ihrer selbst gebauten Höhle zu hocken und kleine, mit trockenem Laub gefüllte Tabakspfeifen zu schmoken.

Einmal allerdings wurden sie dabei aufgestört. Ein russischer Wachposten kam und legte die Waffe auf sie an. Sie waren nicht dumm, wussten, dass der »Iwan« nur Spaß machte, aber was für ein Vergnügen war es, angstgehetzt davonzulaufen und danach noch tagelang von diesem glücklich überstandenen, lebensgefährlichen Abenteuer zu schwärmen.

Mannis reiche Phantasie sorgte dafür, dass er auch ansonsten kein Held war. Im Gegenteil, solange er noch nicht zur Schule ging, fürchtete er so ziemlich alles, was er sich nicht erklären konnte, was unangenehm aussah oder stank. Das begann schon mit dem riesigen Keller unter dem *Ersten Ehestandsschoppen*, der aus drei großen hintereinander liegenden Räumen bestand. Hob man hinter der Theke die Luke hoch, gelangte man über eine steile Stiege in den »ersten Keller«. Dort standen Unmengen von spinnwebenüberzogenen leeren Schnaps-, Wein- und Bierflaschen und in einer riesigen Holzkiste lagerten die Einkellerungskartoffeln. Weißlich gelbe Finger wuchsen aus ihnen wie aus einem Grab empor. Schickte die Mutter Manni Kartoffeln holen, wehrte er sich dagegen: »Im Keller stinkt's nach Rattenscheiße.« Die Mutter schimpfte dann: »Bist doch ein Junge!«

Der Raum dahinter war der Bierkeller. In dem roch es sehr säuerlich, denn hier standen die Bier- und Sprudelfässer, die bei jeder neuen Lieferung durch die eiserne Luke von der Straße aus an langen Seilen mit Haken dran über ein schiefes Brett in die Kellerräume hinabgelassen wurden. Unten landeten sie auf einem mit Sand gefüllten Sack. Brachten die sehr großen und kräftigen Bierkutscher in ihren weißen Jacken, den messingbeschilderten *Schultheiß*-Mützen auf dem Kopf und den Lederschürzen vor den zumeist mächtigen Bäuchen eine neue Lieferung, mussten die Fässer an die Zapfanlage gerollt werden. Eine Aufgabe, die Manni gern übernahm. Nur aufrichten konnte er die schweren Holzfässer nicht, das mussten die großen Brüder oder die Mutter besorgen.

Bevor sie dann zur nächsten Kneipe fuhren, tranken die Bierkutscher erst noch ein von der Mutter spendiertes Bier und unterhielten sich mit ihr. Über die Zeiten redeten sie, über die nächste Lieferung, über Mutters Aussichten, ihr Kriegerwitwendasein bald an den nächsten besten Nagel zu hängen, was die Mutter aber, wie sie immer wieder lachend bekundete, so schnell gar nicht wollte.

Sie scherzten gern, diese Männer, und die Mutter scherzte mit. Manni besuchte währenddessen ihre Gäule, große, schwere, mit Messingketten geschmückte und mit ledernen Scheuklappen versehene Hannoveraner, die entweder gerade getränkt wurden oder ihren Fressgummieimer umgehängt hatten. Sie ließen sich von ihm die Nüstern kraulen, und er war stolz auf sich, weil er überzeugt davon war, dass sie ihn mochten.

Der dritte Keller war für Holz und Kohlen. Beides mussten Lisa Lenz' Söhne, wenn es durch die Luke angeliefert worden war, an der Wand aufstapeln. Auf dem wuchtigen Hauklotz wurden die großen Holzklötze zu Kleinholz geschlagen. Erst war das Roberts, dann Wolfgangs und danach Mannis Aufgabe.

Hinter dem dritten hatte sich lange Zeit noch ein vierter Kellerraum befunden, der irgendwann zugemauert worden war. Was Mannis Phantasie lange beschäftigte. Sollte in diesem zugemauerten Raum denn gar nichts mehr sein? Das konnte er sich nicht vorstellen. Ein Raum, den niemand betreten konnte und in dem nichts war, hatte keinen Sinn. Also versteckten die Erwachsenen in diesem Raum etwas? Er konnte sich denken, was. Oder besser: wen! Mutters ersten Mann! In einem Eisbärenfell lief er hinter der Mauer hin und her und hatte furchtbaren Hunger.

Wie er darauf gekommen war? Im Hinterzimmer hing ein großes Foto, auf dem Mutters erster Mann abgebildet war, jener dicke und glatzköpfige Georg John, der Roberts und Wolfgangs Vater war. Er trug unter der Nase ein kleines Bärtchen, blickte aber nicht streng, sondern eher stillvergnügt. Und im Rahmen des großen Fotos steckte noch ein kleines, da kuckte der Dicke mit der Glatze fröhlich aus einem Eisbärenfell heraus, in dem er, wie die Mutter erzählt hatte, nur deshalb steckte, damit Kinder sich mit dem Eisbären fotografieren lassen konnten.

Kein Mann, vor dem Manni sich hätte fürchten müssen, wäre Roberts und Wolfgangs Vater noch am Leben gewesen. Nur dass er, Manni, dann erst gar nicht zur Welt gekommen wäre, verwunderte und ängstigte ihn. Außerdem empfand er es als unheimlich, dass dieser Dicke schon so lange tot sein sollte. Das konnte doch nicht sein, dass jemand plötzlich weg war. Und so stand er oft im dritten Keller und starrte die spinnwebenüberzogene Wand an, hinter der dieser vierte, unheimliche Raum lag. Selbst als er bereits wusste, dass der Keller dahinter der Familie Quandt gehörte, die ihn von der Hauskellerseite aus betreten konnte, blieb dieses Gänsehautgefühl.

Kurz vor Mannis sechstem Geburtstag wurde in die Lenz'schen Keller eingebrochen. Die Einbrecher drangen durch die Straßenluke bis in den Kartoffelkeller und unter die Luke zur Gaststätte vor. Die aber war mehrfach verriegelt, die bekamen sie nicht auf. Und da pflegten sie aus Ärger über die vergebliche Liebesmüh eine alte Sitte der Berliner Ganoven und schissen ihnen in den Keller. Und als Wolfgang am nächsten Morgen voller Begeisterung darüber, in einen Kriminalfall hineingeraten zu sein, die Stiege hinunterstürzte, rutschte er in dem Haufen aus und saß drin. Darüber hatten sie noch lachen müssen, als Wolfie längst gestorben war und die Erinnerung an ihn sie ansonsten nur traurig stimmte.

Die beiden Einbrecher, so vermutete die Mutter, waren zwei Stammgäste, die sich danach lange nicht blicken ließen: Onkel Murkel und der bucklige Kurt. Gerade diese beiden aber mochte Manni. Onkel Murkel war immer gut gelaunt, hatte eine rote Erdbeernase und fuhr mit seiner Nuckelpinne Kuchen aus. Für eine Großbäckerei. Oft brachte er seinem Freund Manni die entzweigegangenen Reste mit. Der bucklige Kurt wusste jede Menge verrückte Geschichten zu erzählen; in der Stadt passierte nichts, ohne dass er davon erfuhr, irgendwie daran beteiligt war oder einen Bekannten hatte, der ganz tief in der Sache drinsteckte. Er war bekannt dafür, schon öfter wegen Einbruchs gesessen zu haben. Aber das waren Einbrüche bei irgendwelchen fremden Leuten; jetzt sollte er in der Kneipe, in der er Stammgast war, eingebrochen haben. Es verletzte Manni, dass ausgerechnet diese beiden verdächtigt wurden und sie ihnen, wenn sie es waren, obendrein auch noch in den Keller geschissen hatten.

Weil die Mutter den beiden ihre Tat nicht nachweisen konnte, machte sie ihnen keine Vorwürfe, sondern bediente sie, als sie wiederkamen, wie zuvor. Manni jedoch sah ganz deutlich, dass Onkel Murkel und der bucklige Kurt ihre Lustigkeit nur spielten, und blickte sie so strafend an, dass die beiden sofort wussten, was im *Ersten Ehestandsschoppen* vermutet wurde. Wie aber hätten sie das wissen können, wären sie nicht die Einbrecher gewesen?

Außer dem ersten und dem dritten Keller fürchtete Manni besonders die Toiletten. Es waren ja nicht ihre eigenen Toiletten, es waren die der Gäste. Andere Toiletten aber gab es nicht und so musste auch er auf die Gästeklos.

Besonders das Männerklo war ihm verhasst. Da gab es vorn eine teerige, ekelhaft stinkende Pissrinne und hinten, in einem abgeteilten Raum, die Kloschüssel. Wie oft saß er hinten, hörte vorne die Männer reden und pinkeln und vor Erleichterung ächzen und der Gestank nach Urin und Desinfektionsmittel verschlug ihm den Atem. Trotzdem wartete er geduldig. Er wollte nicht an den Männern vorbei, die da, in ihre Alkoholfahnen gewickelt, so lautstarke Gespräche führten. Drängte es einen von ihnen nach hinten, schrie er: »Besetzt!« So kam es vor, dass er, wenn an der Pissrinne viel Betrieb war, manchmal längere Zeit nicht dahinten rauskam, die Gäste sich beschwerten und die Mutter ihn befreien kommen musste. Deshalb bevorzugte er für die großen Geschäfte bald lieber das Damenklo. Da gab es keine Pissrinne, da stank es nicht so sehr, da musste er nur die weißen, rot befleckten Binden fürchten, die manchmal unter seinem Hintern herumschwammen und die Mutter so aufregten, weil sie ihr immer wieder das Klo verstopften. Diese Binden sahen aus wie große, weiße, frisch geschlachtete Ratten. Er war sich nicht sicher, ob die Biester nicht doch lebten und zubeißen konnten, wenn sie wollten.

Einmal sah ihn eine ältere Frau aus dem Damenklo kommen. Sie fühlte sich von dem Knirps im Schlafanzug halb vergewaltigt und beschwerte sich bei der Mutter. Da wollte Manni eine Zeit lang gar nicht mehr aufs Klo gehen, verdrückte einfach, was aus ihm herausdrängte. Und dann passierte es, dass er mitten im schönsten Ruinenabenteuer plötzlich musste und die anderen Kinder seinen Elefantenschiss bestaunten.

Auch um Onkel Karl machte Manni lieber einen Bogen. Weil Onkel Karl sich einfach nicht damit abfinden wollte, einen bettnässenden Neffen zu haben. Die Mutter entschuldigte ihren Jüngsten mal wieder mit dem Kriegskind. Onkel Karl, richtig Friedrich Karl Buch, der mit Mutters jüngerer Schwester Grit verheiratet war und jedes Mal mit einem *Opel Olympia* vor dem *Ersten Ehestandsschoppen* vorgefahren kam, war da strenger. War es wieder mal passiert, drohte er Manni, ihn mitsamt dem nassen Laken als Kühlerfigur über den Alexanderplatz zu fahren. Damit alle Welt von seiner Schande erfuhr. »Ein Junge, der bald zur Schule kommt und noch nicht stubenrein ist, der ist doch eine Blamage für die ganze Familie.«

Die Mutter sagte, Onkel Karl scherze nur; Manni war sich da nicht so sicher.

Tante Grit fürchtete Manni nicht, die liebte er. Weil sie eine so junge, hübsche und immer gut angezogene Tante war, die toll roch und selber keine Kinder hatte, er also total konkurrenzlos war.

Die Mutter war längst nicht so schön wie Tante Grit. Ihre ein wenig vorstehenden Zähne verhinderten jede Ebenmäßigkeit. Doch sie hatte sehr volles dunkelblondes Haar und milde, stets freundlich lächelnde Augen und neidete ihrer Schwester nicht, dass sie eine solche Filmprinzessin war. Versuchte Tante Grit, sie zu überreden, doch auch mal einen Lippenstift zu benutzen, lachte sie nur: »Nee, danke! Ich komm auch so mit mir zurecht.«

Auch Tante Lucie, Schwester von Mutters erstem Mann und deshalb eigentlich nur Roberts und Wolfgangs Tante, war lange nicht so schön wie Tante Grit, und wenn sie nach irgendwas roch, dann nach dem, was sie gerade gekocht hatte. Für Manni auch ein sehr angenehmer Duft. Alte Jungfer, spotteten die Männer in der Kneipe über Tante Lucie, weil sie nie geheiratet hatte und sehr fromm war und auch so aussah. Dennoch liebte Manni sie ebenfalls sehr, wenn auch auf eine ganz andere Weise als Tante Grit. Tante Lucie gehörte zu ihm wie die Mutter, Robert und Wolfgang; sie lebte bei ihnen, solange er denken konnte. Als er noch ganz klein war, war sie es, die sich um ihn gekümmert hatte. Die Mutter musste ja hinter der Theke stehen. Tante Lucie erledigte all das, wozu die Mutter keine Zeit fand. Nur hinter der Theke stand sie nicht gern. Sie mochte die Männer nicht, die ihre Qualitäten nicht erkannten.

Ja, alles, was unangenehm stank, fürchtete Manni. Gute Düfte aber mochte er. Oft zog er in der Raumerstraße von Laden zu Laden und roch mal hier, mal dort hinein. Da gab es die beiden Fleischereien, die einander Konkurrenz machten, den Blumenladen mit den beiden Bernhardinerhunden, die Seifenhandlung der Witwe Krause, Wilkes Lebensmittelladen, den Schuster Schmiedepfennig und – als Höhepunkt – die Zoohandlung an der Prenzlauer Allee. Es waren überall andere Düfte, die den Besucher empfingen, er aber mochte sie alle. Er sei ein Nasenmensch, hatte die Mutter mal gesagt, und er wollte das auch sein. Bis er eines Tages fand, dass es noch besser war, ein Augenmensch zu sein. Etwas Schönes zu sehen, erschien ihm noch begehrenswerter, als dieses Schöne nur zu riechen. Das traf besonders auf die Zoohandlung zu, aus der er manchmal gar nicht herauszubekommen war. Dort gab es bunte Vögel, bizarr geformte und in allen Farben schillernde Zierfische und riesige grünbraune Eidechsen zu bestaunen. Und jedes Jahr im Mai jede Menge Maikäfer. Natürlich war es besser, sie selbst zu fangen, indem man sie auf dem Nordmarkplatz von den Bäumen schüttelte; wenn es dort aber zu wenige gab, mussten Gekaufte her. Alle Kinder in der Straße trugen ihre mit Löchern versehenen Zigarrenkisten mit etwas Grün darin spazieren und dann wurde getauscht: Bäcker gegen Schornsteinfeger, Müller gegen König, zwei Normale gegen einen langen, dünnen Riesenmaikäfer. Und zum Schluss durften sie dann alle fortfliegen, damit sie auch ja nächstes Jahr wiederkamen.

Am liebsten jedoch – das aber verriet Manni keinem – hielt er sich in seiner eigenen Welt auf; eine Welt, zu der weder die Mutter noch Tante Lucie oder die beiden Brüder Zugang hatten; sein Fluchtpunkt, wenn ihn die andere, wirkliche Welt mal wieder enttäuscht hatte.

Da war zuallererst die kleine Wohnung im ersten Stock der Raumerstraße 24. In der schliefen die drei Brüder, während die beiden Frauen aus Sorge vor Einbrechern im Hinterzimmer der Gaststätte ihre Betten aufgestellt hatten. Oft war Manni ganz allein da oben. Dann stand er im Herbst oder Winter, wenn es früh dunkel wurde, auf dem kleinen Balkon und genoss die geheimnisvolle Welt um sich herum. Blickte er nach rechts, konnte er die erleuchtete Straßenbahn durch die Prenzlauer Allee fahren sehen, blickte er nach links, sah er die bläulich funzelnden Gaslaternen der Raumerstraße immer kleiner werden, bis sie in Höhe des Helmholtzplatzes nur noch Glühwürmchen waren. Im Winter wurde er dabei manchmal zum Eiszapfen, weil er so lange auf den Laternenanzünder gewartet hatte, der mit dem Fahrrad herangefahren kam, um mit seiner langen Hakenstange den Leuchtstrumpf im Laternenhäuschen zum Brennen zu bringen. Lag dann Schnee, glänzte der unter dem Lichtschein der Laternen bläulich; das gab der ganzen Straße etwas Verzaubertes. In solchen Momenten konnte Manni sich überhaupt nicht von der Stelle rühren, dann lauschte er auf das Knirschen des Schnees unter den Schritten der Passanten, beobachtete, wie die Liebespaare unter den Laternen mit den Füßen trampelten, sah Leute nach Hause kommen oder fortgehen und war froh, dass er irgendwie dazugehörte.

Seine zweite eigene Welt war sein »Amerika«. So hatte er die schmale Gerümpelkammer im langen Flur zwischen Gaststätte und Küche getauft. Zwischen der Herren- und der Damentoilette lag sie, war voll gestellt mit all dem Zeug, das niemand mehr brauchte, das man aber auch nicht wegwerfen wollte, und er konnte sie von innen abschließen. Ein Billardtisch, der früher mal im Hinterzimmer seinen Platz hatte, befand sich darin – seitlich hochgekippt und an die Wand gerückt, ragten seine vier Beine weit in den engen Raum –, alte Schränke, Kisten, Kartons, Teppiche und Lampen. Darunter eine reich verzierte Petroleumlampe aus grüner Keramik, sehr groß und irgendwie märchenhaft in ihrem Aussehen, die er aber nie anzünden durfte.

In seinem Amerika konnte er herrlich tagträumen, in Wunderwelten entfliehen, Abenteuer bestehen und Sieger bleiben. Hier redete ihm keine Realität hinein, gab es keine zerstörten Häuser, im Krieg gebliebene Väter und keine Gäste, die ihm die Mutter nahmen; hier war die Welt, wie er sie sich wünschte.

Mannis dritte eigene Welt war Paulchens Opa. Das kleine, rotbäckige Paulchen mit dem Struwwelkopf, ein Jahr jünger als Manni, wohnte gleich über der Bäckerei Lörke. Seine Eltern waren im Krieg umgekommen, deshalb wuchs er bei seinen Großeltern auf. Paulchens Opa aber, ein schon sehr alter, kleiner Mann mit frischer, ebenfalls rötlich brauner Hautfarbe, arbeitete als Kutscher. Mit zwei Pferden vor seinem Transportwagen kutschierte er Schotter, Schutt und andere Lasten durch die Stadt und ließ Paulchen manchmal mitfahren. War es mal wieder so weit, durfte auch Manni zusteigen, zur Probe die Peitsche schwingen oder an der Bremskurbel drehen und am Abend, wenn sie im Stall an der Stargarder Straße angelangt waren, Liese und Lotte die Futterkisten bringen.

Besonders spannend war es, wenn Laubenpieper dem Fuhrwerk nachliefen; immer in der Hoffnung, dass eines von den beiden Pferden mal den Schweif hob, um ein paar Äpfel aufs Straßenpflaster fallen zu lassen. War es passiert, stürzten sie sich drauf, mit Müllschippe und Eimer. Manche griffen auch, um schneller als die anderen zu sein, mit bloßen Händen zu, und öfter gab es Streit, der bis zur Prügelei ausartete. Dann schmunzelte Paulchens Opa, bis er selber wie ein Pferdeapfel aussah, und murrte vergnügt: »Eijentlich jehören de Äppel ja der Firma.«

Nein, von Mannis eigenen Welten wusste der Rest der Familie nichts. Und das war gut so. Die anderen hatten ja auch ihre Geheimnisse.

In den Märchen, die Robert Manni manchmal vorlas, ging es oft um drei Brüder. Und fast immer wurden die beiden großen Brüder als klug und stark beschrieben, und der jüngste war ein kleiner Dummer, der aber trotzdem das Glück auf seiner Seite hatte. Manni war von Anfang an überzeugt davon, der Dümmste aller kleinen Dummen zu sein und die herrlichsten großen, starken, klugen Brüder zu haben. Ob er aber auch so viel Glück wie die kleinen Dummen im Märchen haben würde, die ja, wie er schon bald erkannte, in Wahrheit gar nicht dumm, sondern auf eine andere Weise sogar noch klüger als ihre älteren Brüder waren? Das bezweifelte er, der sich manchmal recht ungeschickt anstellte und dafür von seinen beiden großen Brüdern gehänselt wurde, doch sehr.

Dass Robert und Wolfgang nur seine Halbbrüder waren, weil sie zwar dieselbe Mutter, nicht aber denselben Vater hatten, war Manni früh erzählt worden. Es hatte ihm nie viel ausgemacht. Seine großen Brüder waren seine großen Brüder. Erst später, als Wolfie schon nicht mehr lebte und Robert früh geheiratet hatte und ausgezogen war und der sieben-, acht-, neunjährige Manni lernte, Stimmungen wahrzunehmen und kritische Blicke zu deuten, erfasste ihn manchmal das Gefühl, in Wahrheit schon immer unwillkommen gewesen zu sein. Das galt nicht für die Mutter, die ihm, weil sie so wenig Zeit für ihn hatte, immer wieder Geld zusteckte, damit er ins Kino gehen oder sich etwas Schönes kaufen konnte, und die ihn auch sonst eher verwöhnte; und das galt nicht für Tante Lucie, die viel zu fromm und gutmütig war, um einem Kind irgendetwas vorzuwerfen. Doch es galt für fast alle anderen Verwandten und Bekannten und besonders für Onkel Karl und Tante Grit, die Robert und Wolfgangs Vater so gemocht hatten und nicht verstehen konnten, weshalb die Lisa sich diesen »Dollbregen Lenz« zugelegt hatte, nachdem sie mit dem sanften, lustigen, wenn auch leider viel zu schwachen Georg doch so glücklich gewesen war. Und dann hatte sie von diesem Lenz auch noch ein Kind bekommen. Mitten im Krieg! Das hatte doch nun wirklich nicht sein müssen!

Die Mutter hatte nicht viel Zeit zum Erzählen und Fotos gab es vom Vater nur zwei. Auf beiden stand der Maurer Lenz vor irgendeinem halb fertigen Bau, einmal in Arbeitskleidung, mit weit hoch gekrempelten Hemdsärmeln, einmal in Jacke und gebügelter Hose, aber jedes Mal mit einer Flasche Bier in der Hand. Ein sympathischer Mann? Manni wusste es nicht. Der Mann, der sein Vater sein sollte, grinste in die Kamera wie seine Kollegen auch. Dafür, dass er sein Vater war, sprachen allein die große, kräftige Figur und die Arme. Auch Manni war groß und kräftig für sein Alter und sie hatten tatsächlich sehr ähnlich geformte Arme.

Erst viel später, als all die unbeantworteten Fragen ihn in Unruhe versetzten und die Mutter, die ihm als Einzige hätte Auskunft geben können, nicht mehr lebte, versuchte er, über Robert und Tante Grit mehr über seinen Vater zu erfahren. Doch das Bild blieb unvollständig. Da war die Geschichte von dem sechzehnjährigen Dienstmädchen Martha, das im Jahre 1907 von ihren schlesischen Eltern nach Berlin geschickt worden war, um dort in Stellung zu gehen. Prompt wurde die gute Katholikin schwanger – vom Herrn des Hauses, Sohn des Hauses oder irgendeinem Gast des Hauses – und gab den kleinen Herbert ins katholische Waisenhaus. Dort, in dem großen, grauen Haus mit den vielen traurig dreinblickenden Kindern, wie Manni sich dieses Waisenhaus vorstellte, wuchs der Vater auf. Sicher wurde er oft geschlagen, sicher weinte er viel. Endlich erwachsen und Maurer geworden, zog der Junggeselle Lenz von einer Schlummermutter zur anderen, bis er, mit dreißig, die verwitwete Kneipenbesitzerin Lisa John kennen lernte, die zwei Kinder durchzubringen hatte. Vielleicht hatte die Mutter Mitleid mit dem »Waisenjungen«, vielleicht liebte sie ihn wirklich; so genau wusste das nicht einmal Tante Grit.

Von den traurigen Liedern, die sein Vater so gemocht haben soll, hatte die Mutter Manni mal eines vorgesungen. »Mamatschi, schenk mir ein Pferdchen«, begann dieses Lied von einem kleinen Jungen, der seine Mutter um ein Pferdchen bittet und alle möglichen Ersatzpferde geschenkt bekommt. »Mamatschi, solche Pferdchen mag ich nicht«, lautete der Refrain. Eines Tages aber stehen richtige Pferde vor dem Haus – die Pferde des Leichenwagens, der die Mutter abholen kommt: »Mamatschi, solche Pferdchen mag ich nicht ...«

Ein unsäglich kitschiges Lied, das der Vater sicher nur deshalb so liebte, weil er nie eine wirkliche Mutter hatte; Manni mochte es, weil es was mit seinem Vater zu tun hatte.

Jene »böse Oma« namens Martha, die seinen Vater im Waisenhaus abgegeben hatte, lernte Manni nie kennen, obwohl sie ihn immer wieder mal sehen wollte. Dann schlich »die Alte« um den *Ersten Ehestandsschoppen* und versuchte, ihn auf der Straße zu erwischen. Die Mutter jedoch war auf der Hut, zog ihren Jüngsten jedes Mal schnell in die Gaststätte und ließ ihn erst wieder laufen, wenn die Schwiegermutter nicht mehr zu sehen war. Sie nahm dieser Martha übel, dass sie sich nie um ihren Sohn gekümmert hatte. »Wer nicht Mutter ist, wird nicht Großmutter«, sagte sie streng und fügte jedes Mal wie zur Entschuldigung hinzu, dass sie ja Verständnis dafür habe, dass das junge, hilflose, streng katholisch erzogene Ding ihr Kind damals weggegeben hatte. »Als Dienstmädchen mit unehelichem Kind hätte sie ja nie wieder eine Stellung bekommen.« Dass jene Martha sich aber auch später, als sie längst verheiratet war und zwei Töchter hatte, nicht um ihren Sohn gekümmert hatte, konnte sie ihr nicht verzeihen. »So etwas tut man nicht. Da lässt man sich auch von seinem Mann nicht dreinreden. Das ist schlimmer als Mord.«

Nachdem der Vater das letzte Mal Fronturlaub bekommen hatte, galt er lange nur als vermisst. Nach dem Krieg aber hätte die Mutter gern Gewissheit gehabt, ob er noch lebte. Das sprach sich herum und so tauchte eines Tages eine »Pendlerin« im *Ersten Ehestandsschoppen* auf. Für ein paar Mark banden diese »weisen Frauen« den Ehering der noch unsicheren Kriegerwitwen an einen Faden und ließen ihn über einem Foto des Vermissten schweben. Bewegte der Ring sich, durfte man hoffen. Die Mutter hielt von diesem Humbug nichts und schob die düster wirkende Frau, als die einfach nicht gehen wollte, am Ende zur Tür hinaus. Ihrer Meinung nach bewegte der Ring sich zu oft; erleichterte Frauen seien nun mal großzügiger als niedergedrückte.

Die von der Mutter gewünschte Gewissheit erlangten sie erst im Frühsommer 1949, an einem sehr sonnigen Tag. Manni, noch keine sechs Jahre alt, saß auf seinem Lieblingsplatz, der steinernen Stufe vor der Ladentür, und beobachtete gerade die Straßenbahnschienen. Er hatte ein Steinchen auf die Schienen gelegt und wartete darauf, dass die nächste Straßenbahn darüber hinwegrumpelte. Wenn er Glück hatte, würde sie entgleisen. Der Mann, der da auf ihn zukam, ging an Krücken; unter dem graugrünen Soldatenmantel war ein Holzbein zu sehen. Er blickte Manni nur kurz an, dann hinkte er zur Mutter hinein.

Später wurde Manni hinzugerufen und erfuhr, dass dieser Mann, ein Kriegskamerad des Vaters, dabei gewesen war, als der Vater fiel. Mit großen Augen sah er zu, wie genüsslich dieser graugesichtige Mann das Bier trank, das die Mutter ihm hingestellt, und wie vorsichtig er an der Zigarre zog, die sie ihm dazugelegt hatte. Die Mutter zerknüllte währenddessen ein Taschentuch in ihren Händen und ließ sich Geschichten vom Vater erzählen – was für ein toller Kamerad er gewesen war, wie oft er von ihr und seinem Sohn gesprochen und wie sehr er den Krieg gehasst hatte. Sie weinte erst, als der Mann mit dem Holzbein gegangen war. Und er, Manni, weinte dann auch. Das Gefühl, etwas Großes verloren zu haben, bewegte ihn, wenn er auch noch nicht so ganz genau wusste, was diese Nachricht für ihn bedeutete. Seither aber versuchte er öfter, sich seinen Vater vorzustellen, und irgendwann gelang ihm das auch.

Einmal war es ein schöner Traum. Da stand eines Nachts ein großer Mann im Soldatenmantel vor seinem Bett und lachte. »Ich bin dein Vater«, sagte der Mann. »Ich bin gar nicht tot.« Das zweite Mal war es eine Erzählung der Mutter, die er vor sich sah. Da lag der Vater während seines letzten Fronturlaubs mit seinem erst drei Monate alten Sohn auf der Couch und der griff mit seinen Babyhändchen nach den glänzenden Knöpfen der Uniformjacke. Der Vater warf ihn in die Luft und fing ihn wieder auf und er kreischte jedes Mal vor Begeisterung. Das dritte

Mal begegnete ihm der Vater wieder in einem Traum, diesmal jedoch in einem, der Manni sehr erschreckte: Da standen der Vater und zwei andere Fahnenflüchtige in einer weiten, grauen Ebene, ein Offizier befahl seinen Soldaten zu feuern und heiß drang die Kugel in sein, Mannis, Herz. Er schreckte auf, alles an ihm flog und zitterte und er konnte sich lange nicht beruhigen. Der Traum war wie Wirklichkeit gewesen; er hatte die Kugel tatsächlich gespürt.

Zu dieser Zeit war er schon zehn oder elf Jahre alt und vielleicht hatte irgendein Kinofilm dermaßen in ihm nachgewirkt. Der Vater konnte nicht so ums Leben gekommen sein, er war ja nicht geflohen, sondern in einem Ort namens Kriwyje Osecki, etwa dreißig Kilometer nordwestlich der Stadt Newel gefallen und noch nach seinem Tod zum Obergefreiten befördert worden; Deserteure hätte man doch nicht noch ausgezeichnet.

Nachdem der Mann mit dem Holzbein bei der Mutter gewesen war, konnte sie den Vater für tot erklären lassen, und nun fragten sich nicht nur die Bierkutscher, wer denn ihr Dritter werden würde. In den *Ersten Ehestandsschoppen* gehörte nach Meinung aller Stammgäste und Nachbarn schließlich ein Mann. Auch brauchten die drei Söhne einen Vater. Also würde die Lisa gut daran tun, bald wieder zu heiraten. Als es jedoch so weit war und tatsächlich ein Dritter bei Lisa Lenz angeklopft hatte und willkommen geheißen worden war, waren Gäste, Söhne, Verwandt-, Bekannt- und Nachbarschaft entsetzt: Wie hatte die Lisa nur ausgerechnet auf den Willi Meisel reinfallen können? Dieser Rangierer vom Betriebsbahnhof Rummelsburg war doch eine Null; ein Mann, an dem nichts, aber auch wirklich gar nichts war. Zwar trug er seine kurzen weißen Haare sorgsam gescheitelt, zwar zierte seine Oberlippe ein kurz gestutztes Bärtchen, als hätten zwei dicke Albino-Fliegen sich darauf niedergelassen, ein

Clark Gable war er deswegen aber nicht. Der Kerl, der schon auf die sechzig zuging, war ja nicht nur viel zu alt für die Lisa, der war ein ausgemachtes Kuckucksei. Suchte nur ein gemachtes Nest. Sah die Lisa das denn nicht?

Niemand wusste, was die Mutter an diesem Willi Meisel fand, der nun schon seit einigen Monaten Abend für Abend an ihrer Theke stand, immer in der dunkelblauen Reichsbahneruniform mit dem goldenen Adler auf Brust und Mütze. Irgendwie aber musste er es verstanden haben, die Mutter für sich einzunehmen, dieser »Schnurrbart-Meisel« mit den ewig unsicher blickenden, wasserhellen Augen, von dem später erzählt wurde, seine erste, schlimm nervenkranke Frau hätte sich seinetwegen mit Seife vergiftet. Er gab sich ja auch sehr fürsorglich, der »Onkel Willi«. Speckseiten schleppte er an, Eier, Mehl, Dauerwürste und – extra für Manni – auch mal eine Rolle Drops. Alles Dinge, die es sonst kaum gab und die auf dem schwarzen Markt erst einmal bezahlt sein wollten. Schnurrbart-Meisel hatte sie natürlich nicht bezahlt, aber Schnurrbart-Meisel war Rangierer. Da gab es Gelegenheiten. Ein Griff in diesen Waggon, einer in jenen; was nicht essbar war, wurde getauscht. Und galt Klauen und Schieben in dieser Zeit etwa als ehrenrührig? Im Gegenteil, je mehr einer klaute und je geschickter er schob, desto tüchtiger war er. Ehrenrührig war nur – jedenfalls nach Ansicht der Familie, der Freunde und Bekannten –, die Frau zu umwerben, obwohl man in Wahrheit doch nur die Kneipe im Auge hatte.

Willi Meisel ließ sich durch diese Antipathie nicht stören, und Heiligabend 1949 wagte er zum ersten Mal, sich den drei Jungen zu nähern. Als Weihnachtsmann. Die Mutter hielt die Bescherung wohl für eine gute Gelegenheit, eventuelle Widerstände zu brechen. Im mit dem Futter nach außen gekehrten Mantel und

Pappmaske vor dem Gesicht trat er vor die drei Jungen, der Weihnachtsmann »Buffke«, wie Wolfgang den zukünftigen neuen Vater nur nannte, und musste schon bald erkennen, dass der siebzehnjährige Robert durch nichts mehr zu gewinnen war und der dreizehnjährige Wolfgang ihn so vehement ablehnte, dass es besser war, ihn in Ruhe zu lassen. Blieb nur Manni, an den er sich halten konnte; der kleine Manni, der immer erst mal vertraute, wenn ihm jemand freundlich entgegenkam, und dem es egal war, wer ihm die Geschenke überreichte, wenn es nur möglichst viele waren.

Die Mutter bemerkte die Kälte ihrer beiden Großen und ärgerte sich. »Wer weiterlebt, der lebt nun mal«, sagte sie, nachdem Schnurrbart-Meisel wieder verschwunden war. »Oder wollt ihr, dass ich, wenn ihr aus dem Haus seid, bis ans Ende meiner Tage allein bin?«

Die Söhne jedoch blieben bei ihrer Abneigung, während die Mutter daran festhielt, dass ihr ein neuer Mann zustand. Doch es dauerte nicht lange und sie musste erkennen, dass alle, die ihr abgeraten hatten, im Recht waren. Kaum war das große Kneipenhochzeitsfest mit Lampions, Girlanden und Musikern vorüber, entpuppte er sich, der frisch gebackene »Herr Wirt«. Nachmittag für Nachmittag legte er sich im Hinterzimmer zu einem zweistündigen Schläfchen auf die Couch, während die Mutter die Gäste bediente. Kam er endlich wieder zum Vorschein, stand er nur hinter der Theke, zapfte Bier und ließ die Mutter weiterrennen. Dabei wurde er, ein eigentlich eher schlanker Typ, mit der Zeit immer speckiger. Schon bald zierten ihn ein feister Nacken, Hamsterbäckchen und Spitzbauch. Der Mutter aber fehlte Tante Lucie, die das junge Glück nicht hatte stören wollen und nach Köpenick gezogen war, um dort die Kinder ihrer jüngeren Schwester zu betreuen. Was bedeutete, dass die Mutter, die nun auch den Haushalt zu versorgen hatte, an sieben Stellen zugleich sein musste.

Es stand fest: Die Mutter war ein Unglücksvogel, das Pech verfolgte sie von frühester Jugend an. Ihr Vater war im Ersten Weltkrieg gefallen, ihr zweiter Mann im Zweiten. Ihre Mutter war früh gestorben, ihr erster Mann ebenfalls, der mittlere Sohn gerade mal vierzehn geworden. Nun hatte sie einen dritten Mann, der sie hereingelegt hatte, wie man nur eine Frau hereinlegen konnte.

In den Büchern, die Manni später las, gab es so schöne Dinge wie wahre Liebe, Glück und Freundschaft; die Mutter, so seine feste Überzeugung, hatte von all dem nichts erlebt. Und wenn doch, dann immer nur für kurze Zeit. Aber sie musste davon geträumt haben. Wenn sie, was nur sehr selten vorkam, mit ihm im *Corso* am Gesundbrunnen irgendeine rührselige Liebesschnulze oder einen immergrünen Heimatfilm gesehen hatte, wie entspannt sie danach nach Hause fuhr! Wie albern sie kichern konnte, wenn sie versuchte, Sonja Ziemanns liebesschmachtende Blicke nachzuahmen. Es gab aber nur wenige Momente, in denen Manni die Mutter so heiter erlebte, und hatte sie mal eine gute Zeit, wurde sie schon bald dafür bestraft, wie in jener Silvesternacht 1949. Da war die Mutter so lustig und voller Übermut mit allen Gästen auf die Straße hinausgelaufen, um zuzusehen, wie das neue Jahr mit Schwärmern, Kanonenschlägen, Funkenregen und Leuchträdern begrüßt wurde. Sie hielt ihn, den Sechsjährigen, der Otto Grüns viel zu großen Zylinder auf dem Kopf trug, an der Hand und flüsterte ihm leise zu: »1950 – das klingt gut! Bestimmt wird es ein schönes Jahr!«

Es wurde das Jahr, in dem Onkel Willi kam und Wolfgang starb.

Den Säugling Manni hatte vor allem Robert am Hals gehabt. Auf fast allen Fotos aus jener Zeit sitzt er auf Roberts Schoß oder er reitet auf seinen Schultern. Von dem Tag an aber, an dem der Älteste der drei Söhne der Lisa Lenz am Kurfürstendamm eine Lehre als Koch antrat, lief Manni hinter Wolfgang her. Wolfie, der so gut Fußball spielen konnte, den die Kinder in der Straße als Persönlichkeit respektierten und mit dem er über fast alles reden konnte, wurde sein bewunderter Held. Andere Kinder protestierten dagegen, die Kleidung ihrer älteren Geschwister auftragen zu müssen, Manni blähte sich vor Stolz, wenn er endlich in Wolfgangs Klamotten hineinpasste. Nahm der große Bruder ihn mit auf den Exer, wie der ehemalige Exerzierplatz an der Schönhauser Allee noch immer genannt wurde und auf dem es so viele Fußballplätze gab, dann war er Wolfies Keule, sein Sportbeutelträger und Adjutant. Und weil er immer und bei allem an des Bruders Seite war, glaubte er lange, mitschuldig an dessen frühem Tod zu sein.

Es passierte an einem Tag, auf den Wolfgang sich sehr gefreut hatte. Sein Verein, der SC Nordring, spielte gegen den BC Pankow, und der Jugendtrainer des berühmtesten Berliner Vereins Hertha BSC wollte kommen, um ihn sich mal anzuschauen, galt er doch als großes Talent, der Wolfgang John. Am Vormittag jenes Tages gab es wie immer Schulspeisung – war ja noch lange nicht gesichert, dass jedes Kind einmal am Tag »einen warmen Löffel in den Bauch bekam« – und diesmal wurde Erbsensuppe ausgeteilt. Doch die Erbsen waren steinhart, viele Kinder, auch Manni, kippten ihr Essen in die Schulklosetts, obwohl das natürlich verboten war, weil es die Abflüsse verstopfte. Der große Bruder, ansonsten keine solche Schlingpflanze wie der Erstklässler Manni, dachte nur an das nachmittägliche Fußballspiel und den Hertha-Trainer und löffelte seine Suppe aus.

In der Endphase des Spiels, Nordring führte und musste sich gegen die wild angreifenden Pankower verteidigen, geschah es dann: Der Bruder wollte einen scharf getretenen Ball mit der Brust stoppen und bekam ihn vor den Bauch. Wolfie, der sich auf dem Schlackeplatz wälzt, die Jungen in den rotweißen Trikots, die um Wolfie einen Kreis bilden, die drei Trainer, die ihn mit besorgten Mienen untersuchen, dazu er selbst, wie er voller Angst neben dem Bruder niederkniet – ein Bild, das Manni nie vergessen sollte. Wolfgang aber spielte seinen Schmerz herunter, sagte, es gehe ihm schon wieder besser. Erst auf dem Heimweg, als sie miteinander allein waren, verstellte er sich nicht mehr. Da setzte er sich immer öfter auf den Rinnstein, um zu verschnaufen – und verlangte von Manni, der Mutter nichts von der ganzen Sache zu erzählen: »Sonst schimpft se nur wieder.«

Die Mutter hatte schon oft über Wolfies Fußballspielerei geschimpft – die Schuhe gingen dauernd kaputt, Sport sei Mord und immer so weiter –, Manni konnte den großen Bruder gut verstehen, doch war ihm nicht wohl bei dem Gedanken, was da von ihm verlangt wurde.

»Wenn du Mutter auch nur ein Sterbenswörtchen sagst, nehme ich dich nie wieder mit«, drohte der Bruder. »Da kannste betteln, biste schwarz wirst.« Und er musste ihm schwören, den Mund zu halten. Großes chinesisches Paprikaschoten-Ehrenwort, eine von Wolfgang erfundene, Manni seit jeher sehr beeindruckende Formel. Klar, dass er gehorchte! Was Wolfie befahl, galt mehr als alle zehn Gebote zusammen. Aber dass es dem Bruder von Minute zu Minute schlechter ging, konnten sie der Mutter nicht verbergen. Sie machte sich Sorgen, ein Arzt wurde geholt. Er erfuhr von den harten Erbsen und glaubte Bescheid zu wissen: »Eine Verstopfung! Da hilft nur Rizinusöl.«

Doch das eklige Zeug half nicht, im Gegenteil, die Schmerzen wurden schlimmer und so mussten sie zwei Tage später mit der Wahrheit herausrücken. Ein Taxi wurde gerufen und die Mutter brachte den Bruder nach Weißensee, ins Krankenhaus. Dort arbeitete Dr. Kruse, ein Freund von Tante Grit und Onkel Karl, der wollte ihn mal gründlich untersuchen.

Als das Taxi abfuhr, stand Manni auf dem Balkon im ersten Stock und winkte dem Bruder nach; Wolfgang, auf dem Rücksitz des schwarzen Autos, winkte durch die Heckscheibe noch lange zu ihm hoch.

Am Freitag darauf wurde der Bruder operiert; Sonntagabend erfuhren sie von seinem Tod. Manni wollte den Erwachsenen zunächst nicht glauben. Am Nachmittag hatten die Mutter und er Wolfie doch noch besucht und er hatte dem Bruder die Fußballresultate mitgebracht – und jetzt sollte er tot sein wie der dicke Georg im Eisbärenfell und nie wieder zu ihm zurückkehren? So etwas durfte es doch gar nicht geben! Die Mutter, Tante Grit und Tante Lucie, die extra gekommen war, um der Mutter beizustehen, weinten aber so sehr, dass er ihnen endlich glauben musste. Er begann zu toben und um sich zu schlagen und Tante Lucie musste ihm Beruhigungstropfen geben. Er solle jetzt schlafen, sagte sie, Wolfgang gehe es doch gut, dort, wo er jetzt war.

So dumm aber war er nicht mehr. Weshalb weinten die drei Frauen denn, wenn es Wolfie im Himmel besser ging als auf der Erde? Und selbst wenn es stimmte, der Bruder hätte trotzdem nicht in den Himmel gewollt, er wollte Fußball spielen und sich mit seiner Freundin Moni treffen ... Manni heulte weiter, bekam Fieber, musste tagelang im Bett bleiben und starrte, wenn er wach wurde, unentwegt zur Zimmerdecke hoch.

So erfuhr er eines Tages, als die Erwachsenen glaubten, er schlafe, was über Wolfgangs Tod erzählt wurde. Die harten Erbsen, hörte er sie reden, hätten Wolfies Magenwand so sehr gespannt, dass sein Magen durch den Aufprall des scharf getretenen Balls einen Riss bekam. Wäre der Bruder gleich nach dem Unfall ins Krankenhaus gebracht worden, hätte man ihn noch retten können; nach den zwei Tagen Rizinusöl sei es für alles zu spät gewesen, der Mageninhalt sei in die Blutbahn gedrungen und habe den Bruder vergiftet.

Er musste sich auf die Lippen beißen, um sich nicht zu verraten. Also war er, ganz allein er, schuld an Wolfies Tod? Hätte er nicht den Mund gehalten, würde der Bruder jetzt noch leben ... Erst Jahre später, als er schon fast erwachsen war, erfuhr er, dass es so nicht gewesen sein konnte; Magenwände waren wie aus Gummi, die rissen nicht. Es musste sich bei dem Unfall des Bruders um einen Milzabriss gehandelt haben, der innere Blutungen zur Folge hatte; eine Verletzung, die nur sehr schwer zu erkennen und noch schwerer zu behandeln war.

Der siebenjährige Manni wusste das noch nicht. Die schlimmen Schuldgefühle setzten ihm zu, das Fieber wurde stärker, und eines sonnigen Nachmittags sah er den Bruder auf einer Wolke sitzen und mit einem Spiegel Signale geben; so wie Wolfie und sein Freund Hotte sich oft quer über den Hof Botschaften zugemorst hatten. Der Bruder wollte, dass er ihn auf dem Friedhof besuchen kam; die Erwachsenen hatten ihn ja zur Beerdigung nicht mitgenommen. Wie gehetzt stand er auf, zog sich an, stahl der Mutter ein paar Groschen für die Straßenbahnfahrt aus der Kasse und fuhr nach Weißensee. Nicht nur das Krankenhaus, auch der Friedhof, auf dem Wolfgang neben seinem Vater beerdigt worden war, lag in diesem grünen Bezirk. Er kannte sich dort aus, war oft genug mit der Mutter dort gewesen, wusste ganz genau, wo der dicke Georg sein Grab hatte.

Als er dann vor dem noch frischen Grabhügel mit den vielen Kränzen und schon halb verwelkten Blumen stand, wurde ihm mit einem Mal ganz kalt. Er sah zum Himmel auf, als müsste der Bruder jeden Augenblick dort erscheinen, und fing an zu heulen: Er hatte Wolfie keine Blumen mitgebracht; wenn man ein Grab besuchte, musste man doch Blumen mitbringen! Immer noch heulend rannte er vom Friedhof und quer über die Straße; dort hatte er Gärten gesehen.

Wie er über den Zaun gekommen war, daran erinnerte er sich später nicht, er sah sich nur mitten in einem Beet knien und Blumen ausreißen, bis eine harte Hand ihn am Hemdkragen packte. Ein Mann stand hinter ihm, vierschrötig und sonnenverbrannt und mit Bierfahne. Der zornige Kleingärtner merkte schnell, dass Manni Fieber hatte, erschrak, fragte ihn aus und rief die Polizei. Die brachte ihn im Streifenwagen in den *Ersten Ehestandsschoppen* zurück. Fieberglühend, verheult und verrotzt stand er vor der schreckbleichen Mutter, die geglaubt hatte, er läge in seinem Bett. Erst schimpfte sie ihn furchtbar aus, dann beruhigte sie sich langsam und versprach, bald mal mit ihm zu Wolfgang zu fahren; er solle nur erst wieder ganz gesund werden.

Drei Tage später machte sie ihr Versprechen wahr. Im Taxi fuhren sie zum Friedhof, legten Blumen auf Wolfies Grab und sahen lange auf all die Kränze und nun schon gänzlich verwelkten Blumen nieder. Er fragte die Mutter, wo der Bruder denn jetzt sei, und natürlich sagte sie: »Im Himmel.« Er fragte, wie lange man tot sei, und sie sagte: »Ewig.« Das aber konnte er sich nicht vorstellen. Ewig? Wie lange war denn das? Da sagte die Mutter, die Ewigkeit reiche bis ans Ende der Welt – und das gebe es gar nicht. Eine Antwort, die er noch weniger verstehen konnte. Und nun sprach er die Frage aus, die ihn so sehr beschäftigte: Ob er denn schuld sei an Wolfgangs Tod, weil er doch so lange niemand von dem Unfall erzählt hatte.

Eine Frage, die die Mutter zum Weinen brachte. »Aber du bist doch noch viel zu klein, um an irgendetwas schuld sein zu können!«

»Und wer ist dann schuld?«, fragte er. »Der liebe Gott?« Irgendwer musste doch schuld sein. Und hatte Else Golden, eine von Mutters Stammgästen, bei der Feier nach der Beerdigung denn nicht gesagt: »Der Mensch kommt um – und der liebe Jott, der kiekt nur dumm!«

Lange antwortete die Mutter nicht, dann wurde sie auf einmal böse: »Es gibt keinen Gott. Jedenfalls ist es mir sehr viel lieber, wenn es keinen gibt. Gäbe es einen, wäre der ja ein ganz furchtbar grausamer Kerl. Der hätte ja immer alles mit angesehen, all die Kriege und das viele Leid, und nie hätte er irgendwas geändert, obwohl er es doch schließlich gekonnt hätte – als Gott!«

Das Letzte hatte so zornig und höhnisch geklungen, dass Manni nicht mehr wagte, den Mund aufzumachen. Und die Mutter, selbst erschrocken über ihre Worte, schwieg ebenfalls. Erst als sie wieder im Taxi saßen und den *Ersten Ehestandsschoppen* schon sehen konnten, sagte sie wieder etwas. Da sagte sie: »Du wirst mir nicht Fußball spielen. Hast du gehört? Du nicht!«

6. Drei taube Nüsse

Der Wind hatte ein groschengroßes Birkenblatt in die Freizelle geweht, schon etwas gelb, aber wie zart und ebenmäßig geformt und gegliedert war es, wie schön das Muster der Blattadern, die sich im sanften Bogen von der Mittelrippe fortbewegten ... Wie lange hatte Lenz ein solches Blatt nicht mehr so aufmerksam betrachtet? Es erschien ihm wie ein Gruß aus einer anderen, freundlicheren Welt.

Er nahm das Blatt mit in die Zelle, legte es so auf den Tisch, dass er es mit der Hand vor Blicken durch den Spion schützen konnte – es war verboten, irgendetwas von draußen mit in die Zelle zu nehmen –, und stellte sich einen Waldspaziergang vor: Hannah, Micha, Silke und er, wie sie im April vor vier Jahren, als es an einigen Tagen bereits bis zu dreißig Grad heiß wurde, von Schmetterlingshorst nach Marienlust wanderten; immer am Langen See entlang. Blendend weiße Segel, kleine Paddelboote, Ausflugsdampfer begleiteten sie. Später stiegen sie zum Müggelturm hoch. Alles mit Micha im Sportwagen, Decken und jede Menge Proviant in den Taschen. Noch später lagen sie im Wald, die Kinder gingen auf Entdeckungsreise und Hannah und er sahen zu den Wipfeln der trockenen märkischen Kiefern hoch. Um sie herum summte und brummte es, ein Kuckuck hörte nicht auf zu rufen und sie freuten sich über den viel zu frühen, herrlichen Sommertag. Später zeigte er den Kindern, wie man Moospolster ausbettete, ohne sie zu zerstören. Das hatte er als Junge oft getan, damals, als er noch stolzer Besitzer eines Küchenzoos war. Hannah sagte, dass sie den kleinen Manni gern gekannt hätte, und er lachte und erwiderte: »Lieber nicht ...«

Ein Geräusch schreckte ihn auf. Er verbarg das Birkenblatt in der Hosentasche, stellte sich an die Tür und lauschte.

Die Nachbarzelle wurde geöffnet und gleich darauf wieder geschlossen. Danach waren Schritte zu hören, die lauten des Läufers, der den Häftling führte, die leise schlurfenden des Häftlings in seinen Filzpantoffeln. Einen Moment später war wieder alles still.

Dieser undurchschaubare Rhythmus der Vernehmungen! Holen sie dich heute oder holen sie dich nicht? Wartest du vergeblich, zieht der Tag sich endlos lange hin; wirst du geholt, geschieht das fast immer unerwartet. Aber du, hörst du nur den ersten Riegel krachen, bist schon voller blöder Vorfreude: Es geht weiter! Und der Leutnant weiß, dass du noch immer auf Abwechslung lauerst und bei jedem Schritt im Flur zusammenzuckst und zu hoffen beginnst und wie enttäuscht du bist, wenn eine der anderen Zellentüren geöffnet wird … Hat er ja alles in der Ausbildung gelernt, der Genosse Klassensprecher, der irgendwo aus dem Süden der Republik kommen muss, wie du inzwischen heraushören konntest, dort sein Abitur machte und sicher bald darauf von der Stasi angeworben wurde. Ob er wohl erst lange überredet werden musste oder mit fliegenden Fahnen bei denen eintrat?

Sie hatten sich inzwischen schon öfter gegenübergesessen, der Untersuchungshäftling Lenz und sein Vernehmer. Lenz hatte ausgesagt, was der Leutnant wissen wollte, und der Leutnant hatte sich Notizen gemacht und dabei immer wieder seine offensichtlich sehr zarte Schreibhand ausgeschüttelt. Dabei hatte aber nicht nur der Leutnant Lenz, sondern auch Lenz den Leutnant »vernommen«.

Der Leutnant wollte wissen, wie Lenz auf diesen Hocker hier kam; Lenz interessierte es von Mal zu Mal mehr, wie sein Gegenüber hinter diesen Schreibtisch kam und was er insgeheim über das von ihm vernommene Ehepaar Lenz dachte.

Kamen dem Leutnant denn nicht manchmal Zweifel an der Sache, die er hier vertrat? War für ihn die vorbehaltlose Anerkennung der unantastbaren Autorität der Parteiführung als absolute und unfehlbare Quelle von Wahrheit und Moral tatsächlich die einzig mögliche und vernünftige Denkweise? Oder war er in Wahrheit gar kein so übler Kerl, sondern nur auf falsche Mentoren hereingefallen? Im Großen und Ganzen allerdings musste seine politische Einstellung stimmen; auch Verwandte und Bekannte, Freundin oder Ehefrau, alle mussten sie den Lackmustest bestanden haben, sonst säße er nicht auf diesem Stuhl.

Wenn dem Leutnant aber Zweifel kamen, auf welche Weise verdrängte er sie? Mit dem starken Wunsch, aufzusteigen? Solche treuen Söhne ihres Staates hatte es ja zu allen Zeiten gegeben; junge Ehrgeizlinge, die unbedingt dazugehören wollten. Und ging alles zu Bruch, auch kein Schaden, hatte man doch immer nur Befehle befolgt, nie eigene Entscheidungen getroffen oder gar Urteile gefällt. Das berühmte kleine Rädchen im Getriebe!

Lenz setzte sich wieder, nahm das Birkenblatt aus der Hosentasche und betrachtete es lange. Danach schob er es zwischen zwei Matratzenteile, damit es nicht entdeckt werden konnte, falls ein Schließer die Zelle betrat, und fischte einen der beiden Holzsplitter aus der Hosentasche, die er sich von der Pritsche gerissen hatte, um sie als Zahnstocher und Nagelreiniger benutzen zu können. Zur Unterscheidung war der für die Nägel ein wenig kürzer. Er begann mit einer gründlichen, wenn auch eigentlich unnötigen Nagelreinigung. Dabei kam ihm in den Sinn, dass es an der Zeit war, für den Leutnant einen Namen zu finden. Ein Dienstgrad war viel zu unpersönlich und ein Spitzname für einen so intensiven Gesprächspartner auf die Dauer zu wenig.

Er überlegte alle zehn Finger lang, dann hatte er den passenden Namen gefunden: Knut! Knut war der richtige Name für solch einen Eliteschüler. Bisschen altmodisch, bisschen betulich, aber nett. Tanzte nie aus der Reihe, spielte mit, egal was gespielt wurde; »Leutnant Knut«, das gefiel ihm.

Als dann am Nachmittag der Tempelaffe doch noch kam, um Lenz zur Vernehmung zu holen, steckte unter dessen Hemd das Birkenblatt. Er wollte endlich mal einen Talisman haben. Und tatsächlich, auf seiner nackten Brust erschien ihm das unerlaubte, kühle Blatt als wirksames Stärkungsmittel.

Er spielte mal wieder mit dem Kugelschreiber, der Genosse Leutnant in seinem heute taubenblauen Anzug, lutschte einen Bonbon, grinste Lenz entgegen und wusste nicht, dass er seit wenigen Stunden Knut hieß. Wie immer während der letzten Vernehmungen rückte Lenz seinen Hocker dicht vor den Häftlingstisch und blickte sich nach den ansonsten immer schon bereitliegenden Zigaretten um.

»Wollen Sie auch einen?« Der Leutnant hielt ihm die Tüte mit den Bonbons hin.

»Danke! Lieber nicht! Ist mir zu ungesund.« Wo waren denn die Zigaretten? Hatte »Knut« sie vergessen? Und wenn ja, war das Absicht? Wollte er ihn mal wieder nervös machen? Oder gar demütigen? Sollte er bitte, bitte machen?

»Wie geht's?«

»Danke der Nachfrage!«

»Dann können wir ja anfangen.«

»Bitte.«

Es ging noch immer um die Fluchtgründe. Der Leutnant und seine Vorgesetzten wollten nicht begreifen, weshalb dieser Manfred Lenz, dem doch in der DDR alle Entwicklungschancen geboten worden waren, seine Heimat verlassen wollte. Die Volkshochschule habe er besuchen, ein Studium aufnehmen, sogar ins westliche Ausland reisen dürfen. »Finden Sie nicht, dass Sie undankbar sind?«

»Nein. Wieso denn? Hab nicht bemerkt, dass mir was geschenkt wurde.«

»Tja, manche Menschen sind eben blind!« Ein Weilchen sah der Leutnant Lenz nur nachdenklich an, dann wollte er plötzlich wissen, weshalb Lenz seine Dienstreisen denn nicht genutzt hatte, um im westlichen Ausland zu bleiben. Er hätte sich doch völlig gefahrlos von der westdeutschen Botschaft in Jakarta oder Neu-Delhi einen bundesdeutschen Pass ausstellen lassen und damit in die Bundesrepublik ausreisen können.

»Und meine Familie? Wie hätte ich die nachholen sollen?« Lenz sagte nicht, dass er zu jener Zeit nicht einmal im Traum an eine Flucht gedacht hatte.

»Große Liebe, was?« Der Leutnant machte ein spöttisches Gesicht.

Lenz zuckte die Achseln. »So was soll's geben.«

Wieder sah der Leutnant ihn an, dann schüttelte er den Kopf. »Wenn ich mir Ihren Werdegang ansehe und die kriminelle Energie betrachte, die Sie aufbrachten, um von uns wegzukommen, wirkt Ihre Flucht geradezu lächerlich. Wie geht das Sprichwort? Wenn es dem Elefanten zu gut geht, tanzt er auf dem Eis.«

Der hätte lieber Zigaretten bereitlegen sollen, als ihm mit solchen Weisheiten zu kommen.

»Wissen Sie, was ich vermute? Sie wollten uns nur Ihrer Frau zuliebe verlassen.«

»Das muss keine falsche Schlussfolgerung sein.« So lautete ihre Absprache: Wenn sie wider Erwarten doch gefasst werden sollten, wollten sie aussagen, dass keinerlei politische Motive hinter ihren Fluchtabsichten steckten, sondern allein der Wunsch nach Familienzusammenführung. Doch ob Hannah sich noch daran hielt? Vielleicht hatte sie ja längst die Wahrheit gesagt.

»Also tatsächlich: die große Liebe! Nur hat Ihre Frau leider anderes erzählt.«

Das mit den Zigaretten war wohl doch Absicht, er wollte ihn heute mal wieder zwiebeln, dieser Knut.

»Sie waren doch oft zur Leipziger Messe. Man weiß ja, wie es da so zugeht zwischen Männlein und Weiblein.«

»Könnten Sie ein wenig deutlicher werden?«

»Bitte schön: Ihre Frau hat so einige Zweifel an Ihrer ›großen Liebe‹ geäußert. Und erst recht an Ihrer Treue.«

Lenz musste lächeln. »Nennt man so etwas psychologische Kriegsführung?«

»Sie glauben mir nicht?«

»Nicht, solange meine Frau diese Äußerung in meiner Gegenwart nicht wiederholt hat.«

»Denken Sie etwa, wir wollen Sie und Ihre Frau gegeneinander ausspielen?«

»Der Verdacht liegt nahe.«

»Sie trauen uns ja allerhand zu.« Er machte ein überhebliches Gesicht, der Genosse Leutnant, zog die Schublade auf und warf eine angebrochene Packung Zigaretten auf den Tisch. »Hab ganz vergessen, dass Sie Raucher sind.«

So wird man es ihnen beigebracht haben, den Genossen Vernehmern: Behandle den zu Vernehmenden mal freundlich und großzügig, mal brause über die geringste Kleinigkeit auf; sei mal der mitfühlende Mitmensch, mal der strenge Untersuchungsrichter. Sie wissen, dass du jedes Wort, das hier gesprochen wird, in deiner Zelle tausendmal wiederholst, und rechnen damit, dass sich auch die kleinste, wie nebenbei hingestreute Bemerkung in deinem Kopf festsetzt und irgendwann Zweifel auftauchen: Kann es denn nicht doch sein, dass Hannah dir zutraut, in Leipzig den Don Juan gespielt zu haben?

Knut machte sich Notizen, schrieb und schrieb, obwohl sie noch gar nicht viel miteinander geredet hatten, bis er mit einem Mal mitten in seiner Schreiberei aufsah: »Wissen Sie eigentlich, wie viele Medaillen wir auf der Münchner Olympiade geholt haben?«

Woher hätte Lenz das wissen sollen? Er bekam keine Zeitung, hörte keinen Rundfunk, durfte keinen Besuch empfangen. Und glaubte der Leutnant etwa, in seiner jetzigen Situation würde ihn das interessieren?

»Zwanzigmal Gold, dreiundzwanzigmal Silber, dreiundzwanzigmal Bronze. Drittbestes Land der Welt – wir, die kleine DDR, gleich nach der Sowjetunion und den USA.«

Ein Test? Wollte der Leutnant sehen, ob ihn diese Nachricht freute, um daraus seine Schlüsse zu ziehen? »Und die Bundesrepublik, wie viele Medaillen hat die geholt?«, fragte Lenz.

»Nicht so viele.«

»Aber doch sicher auch nicht wenig, oder?«

Keine Antwort! Der Genosse Knut machte nur weiter Notizen, bis er sich endlich laut aufseufzend zurücklehnte und wieder die Rolle des Verwunderten spielte: Na ja, sei es, wie es sei, er jedenfalls könne nicht verstehen, dass jemand allein einer Frau zuliebe alle Brücken hinter sich abbrechen wollte. Sicherlich, die DDR sei kein Schlaraffenland, man müsse zupacken, wolle man sich einen gewissen Wohlstand schaffen, aber das sei ja schließlich überall so. Andererseits jedoch gebe es in der DDR keinerlei Ausbeutung und keine ungewisse Zukunft für den, der arbeiten wolle. In der Ellenbogengesellschaft des Westens, das bestätigten ja selbst westliche Gesellschaftskritiker, versuche doch jeder, den anderen beiseite zu drücken, nur um selbst vorwärts zu kommen. Das sei ja schon ein richtiger Krieg jeder gegen jeden, der sich da in der Bundesrepublik abspiele. Ob er, Lenz, sich ein solches Leben denn wünsche, ob er wolle, dass die Welt in diesem Stadium stehen bleibe? »Haben Sie im Studium denn nicht gelernt, dass der Mensch im Kapitalismus nur nützliches Werkzeug der Produktionsmittelbesitzer ist und bloß deshalb ernährt wird, damit man ihn weiter ausbeuten kann? Wir hingegen schaffen eine Welt, in der der Mensch gestalterische Kraft ist, wir bauen ein wahrhaft demokratisches und sozialistisches Deutschland auf. Ist daran mitzuarbeiten denn keine lohnende Sache?«

Vorsicht, Manne! Das ist wieder mal so ein Abgeklopfe. Wer ist wer? Sie sind noch nicht zufrieden mit dem, was sie bisher über dich in Erfahrung gebracht haben.

»Sie schweigen?«

Lenz schwieg. Es gab für alles eine Grenze; über die eine hatte die Stasi ihn nicht gelassen, über die andere ließ er die Stasi nicht. Er war doch kein Automat, oben steckst du ein paar Zigaretten rein, unten plappert er los.

»Also finden Sie alles wunderbar bei uns? Die Frage ist nur: Weshalb wollten Sie dann weg?«

Lenz wollte weiter schweigen, aber dann juckte es ihn doch, den Mund aufzumachen. »Vielleicht bin ich das blöde Känguru, das aus dem Zoo hüpft und damit alles aufgibt – Fressen, Ruhe, Geborgenheit –, nur weil es eine ferne Ahnung von Australien hat.«

»Zoo! Aha!« Der Leutnant notierte das Wort. »Sie haben sich bei uns also ›gefangen‹ gefühlt?«

Siehste, Lenz, so leicht verrät man sich! »Sagen wir mal so: eingeengt.«

»Und was hat Sie ›eingeengt‹?«

Eigentlich fast alles, hätte er sagen müssen. Doch dann hätte er ja gleich zugeben können, dass Hannah und ihn nicht nur Familienzusammenführungsgründe bewegt hatten. »Manche Vorschriften haben mir nicht zugesagt.«

»Na, dann erläutern Sie diese ›Vorschriften‹ doch mal näher.«

»Die Vorschriften, welche Bücher ich lesen, welche Musik ich hören, welche Filme ich sehen darf; die Vorschriften, welche Moralvorstellungen ich zu befolgen habe. Ich fände es schön, hin und wieder auch einfach mal nur ich selbst sein zu dürfen.«

»Ich bin ich und alles andere interessiert mich nicht?«

»Was ist so schlimm daran, wenn einer selber denken will?«

Der Leutnant machte sich erst mal nur Notizen, dann empörte er sich: »Wo haben Sie die letzten Jahre denn gelebt? Bei uns gibt es ein ehernes, unumstößliches Gesetz; es lautet: Im Mittelpunkt von allem steht der Mensch. Wir freuen uns über jeden, der ›selber denken‹ will, aber wir wehren uns gegen alle, die sich von feindlich-negativen Kräften manipulieren lassen und uns deren Parolen als Selberdenken verkaufen wollen.« Er warf seinen Kugelschreiber aufs Papier. »Menschenskind, kapieren Sie denn nicht: Sie wollten in ein Land fliehen, in dem alles einen Warencharakter hat, sogar der Mensch. Sie wollten ins Land der Arbeitslosigkeit, der Drogen und der Kriminalität und faseln hier etwas von irgendwelchen Vorschriften, die Sie an Ihrer Selbstverwirklichung hindern. Merken Sie denn nicht, wie lächerlich Sie sich damit machen?«

Ja, der Mensch steht bei euch im Mittelpunkt – im Mittelpunkt eurer Überwachung! Wäre es anders, säße ich jetzt nicht vor dir und rauchte deine Zigaretten, dann säße meine Frau nicht in einem eurer Verwahrräume, wären unsere Kinder nicht im Kinderheim. Ich sage dir das nicht, weil ich noch nicht weiß, was für meine Frau, meine Kinder und mich das Beste ist, aber vielleicht kannst du ja in meinem negativ-dekadenten Gesicht lesen, lieber Genosse Knut.

Der Leutnant konnte nicht in Lenz' Gesicht lesen. »Wäre interessant zu wissen, was Sie gerade gedacht haben,« sagte er.

Lenz zog an seiner Zigarette. »So ›interessant‹ ist das nicht.«

Pause. Überlegte der Leutnant, wie er weiter verfahren sollte? Nein, er blickte auf seine Armbanduhr und seufzte. »Also gut, machen wir Schluss für heute. Oder haben Sie noch irgendwas auf dem Herzen?«

»Nur meine ewig wiederkehrende Frage nach den Kindern. Ist es Ihnen inzwischen gelungen, sie zusammenzubringen?«

Silke und Micha waren nicht im selben Heim. Es waren keine Plätze frei. Micha hatten sie in einem Pankower Heim untergebracht, Silke in einem in Prenzlauer Berg. Der Leutnant hatte versprochen, sich um eine Zusammenführung zu bemühen, bisher jedoch war ihm das nicht gelungen.

»Tut mir Leid. Zurzeit sieht man keine Möglichkeit. Schließlich können wir kein anderes Kind aus seiner gewohnten Umgebung reißen.«

Das konnten sie nicht. Wenn sie auch sonst vieles konnten, das konnten sie nicht!

»Vergessen Sie nicht, dass es Ihre Schuld ist, dass Ihre Kinder nicht bei ihren Eltern sind.«

Ein unnötiger Hinweis. Lenz antwortete nichts darauf, der Griff zum Hörer, die Vernehmung war beendet.

Sie wollten herausfinden, wer er war und was er dachte – eine Chance, ihnen den reumütigen Sünder vorzuspielen? Nach dem Motto: Ich war auf dem falschen Weg, bitte, führt mich auf den Pfad der Tugend zurück?

Nein! Es gab keinen Weg zurück. Was Hannah und er getan hatten, hatte sie bereits zu Staatsfeinden gemacht. Verräter blieb Verräter, nie wieder würde man ihnen eine wirkliche Chance geben, sie stets an diesen Fehltritt erinnern ... Und, verdammt noch mal, sie wollten ja auch gar nicht zurück! Welch Furcht erregender Gedanke – alles wieder von vorn ... Wenn nur die Kinder nicht wären! Jeder Tag Trennung brannte im Herzen, machte unsicher und verletzlich ...

Die Riegel, der Schlüssel, die Zellentür flog auf und der grauhaarige Friseur und Sanitäter betrat die Zelle. Um ihm neue Abführtabletten zu bringen. Bis jetzt hatten noch keine gewirkt.

Lenz ließ sich die Pillen in die Hand zählen, spülte sie mit Wasser runter und versuchte ein Lächeln. »Hoffentlich lassen die mich nicht auch im Stich.« Nie hätte er sich vorstellen können, dass ein Mensch, der aß und trank, wochenlang keinen Stuhl haben könnte. Wo blieb denn das ganze Zeug, das er in sich hineinstopfte? Wie viele Kilometer musste er noch laufen, um endlich mal wieder scheißen zu können?

Der Graue würdigte ihn keiner Antwort. Die Tür flog zu, der Schlüssel, die Riegel. Und da überkam es Lenz mit einem Mal, dieses jämmerliche Gefühl der Reue. Wie eine alles hinwegspülende Flutwelle brach es sich Bahn: Wären sie doch nur zu Hause geblieben in ihrer gemütlichen Drei-Zimmer-Neubauwohnung! Hätten sie doch nur einfach weiter die Klappe gehalten und mitgemacht, dann müssten jetzt die Kinder nicht leiden, sie würden einen sonnigen Herbst erleben und dürften sich auf eine schöne Weihnachtszeit freuen.

Hätte, wäre, könnte! Die berühmten drei tauben Nüsse. Er hatte alles falsch gemacht, hatte schon immer alles falsch gemacht; er, Manfred Lenz, war ein Versager.

7. Cia – Cia – Cia – Cio

Mutters Gäste! Manni ging ihnen auch später lieber aus dem Weg. Und gelang ihm das nicht, weil Schnurrbart-Meisel mal wieder Skat spielte und er der Mutter helfen musste, hielt er sich für sein Opfertum schadlos, indem er sie beobachtete. Dann stand er hinter der Theke, zapfte Bier oder spülte Gläser und ließ die Augen wandern. Dass viele der Gäste seine Blicke nicht mochten, sich sogar manchmal bei der Mutter über ihn beschwerten, kümmerte ihn nicht. Er wohnte hier, sie waren nur zu Besuch; sollten sie doch gehen, wenn es ihnen hier nicht gefiel.

Sein Lieblingsfeind Nr. 2 – gleich nach dem Frauenliebling Bel Ami kam er – war der dicke Schuhladenbesitzer Bessel. Der Bessel war so fett, dass er schon kein Doppelkinn mehr hatte; sprach er, bebten seine wabbligen Hängebacken wie zwei mit Wasser gefüllte Luftballons. Die Mutter wusste zu erzählen, dass der Friedrich Bessel zu Hitlers Zeiten ein wichtiger Parteibonze gewesen war, »der liebe Gott vom Prenzlauer Berg«. Jetzt lebte er mit einer hübschen, kleinen Frau zusammen, die seinen Schuhladen führte und Manni schon deshalb Leid tat, weil sie zu allen Leuten freundlich war und einen solchen, ewig schweinigelnden Stammtischklucker nicht verdient hatte. Den Bessel ärgerte es furchtbar, wenn Manni mal vergaß zu grüßen oder nicht laut genug gegrüßt hatte. Dann pfiff er ihn an den Stammtisch zurück und ließ ihn den Gruß wiederholen. Bis es klappte. Und zum Schluss drohte er ihm: »Wenn du meiner wärst!«

Kein Wunder, dass ausgerechnet Schnurrbart-Meisel und der

Bessel sich so gut verstanden. Immer steckten sie die Köpfe zusammen, flüsterten sich was zu und grinsten über irgendwas. Und dienstags, wenn Schließtag war, machten sie ihre Privatkneipe auf. Dann hockten sie gemütlich am Stammtisch und kloppten Skat. Meistens zusammen mit Else Golden, die immer in Männerkleidung herumlief, mit einer Freundin »verheiratet« war und von Schiebereien lebte. Keine Feindin von Manni, aber eine besonders interessante Persönlichkeit.

Die Golden war etwa so alt wie die Mutter, Mitte vierzig, trug eine teure Goldrandbrille, schob gern ihr kleines, energisches Kinn vor und hatte eine ewig gerötete Stupsnase. Sie trank viel und scherzte oft, betrachtete sich als Mutters beste Freundin und handelte mit allem, was ihr unter die Finger kam. Darunter schwarzgebrannter Schnaps, Schokolade, Uhren, Schlipse, englische Heilsalbe, französischer Parfümersatz und amerikanische Zigaretten. »Scheiß aufs Leben, es scheißt ja auch auf dich« lautete ihr Lieblingsspruch. War die Golden betrunken, saß sie am Stammtisch und heulte oder warf volle Biergläser nach ihrer besten Freundin, weil die ihr dann nichts mehr ausschenken wollte. In solchen Fällen musste die Mutter Erna anrufen. Erna Weinlich, groß, kräftig, breitschultrig, mit straffem Gesicht und langem, hinten zum Knoten zusammengestecktem rabenschwarzem Haar, war Else Goldens Frau, blieb aber lieber zu Hause und putzte, wusch und kochte, anstatt mit den Kerlen in der Kneipe herumzuklucken.

Auf dem Heimweg unter den Fittichen der resoluten Erna war die betrunkene Else mal schwer gestürzt, seither ging sie am Stock. Dennoch tanzte sie, wenn sie lustig war, mit den anwesenden Frauen oder Männern gern durch die ganze Gaststube. »Cia – cia – cia – cio«, sang sie dazu, »Schieber steh'n am Bahnhof Zoo! Ami, Stella, Orient, das sind die Marken, die jeder

Schieber kennt.« Oder sie wurde sinnlich, presste sich beim Tanzen mit dem Unterleib an diejenige oder denjenigen, mit dem sie gerade tanzte, und flötete im Walzertakt: »Schieben rein, schieben rein, schieb'n lang-sam rein, aber schieb'n immer rein …« Woher hätte ein Knirps wie Manni denn wissen sollen, was da wo reingeschoben werden sollte? Man vertröstete ihn grinsend auf später: »Lass mal, Herzchen, das lernste auch noch – irgendwann, wenn alles an dir ganz groß ist.«

Eine ganz andere Stammtischlerin war Trude Wohlgemuth, die »tragische Trude«, wie hinter ihrem Rücken geflüstert wurde. Ihr Mann war im Krieg gefallen, ihr Sohn im KZ ermordet worden, die Tochter während eines Luftangriffs in einem Luftschutzkeller an der Frankfurter Allee verbrannt. Oft saß sie mit fahlem Gesicht zwischen den anderen Gästen und gab sich Mühe, mitzureden, mitzutrinken, mitzulachen. Irgendwann, mitten im Gespräch, war sie aber plötzlich »weg«, dann starrte sie nur noch stumm in ihr Bier- oder Schnapsglas, ganz egal, ob die anderen am Tisch sich gerade heftig stritten oder Schunkellieder sangen. Nie hatte Manni die tragische Trude weinen sehen, und nur der Mutter hatte sie erzählt, wie es sie vor der Einsamkeit in ihrer Wohnung graute. Irgendwann Mitte der fünfziger Jahre war die tragische Trude dann plötzlich nicht mehr gekommen, und niemand wusste, was aus ihr geworden war; einige Stammgäste vermuteten, sie hätte wieder geheiratet, andere, dass sie sich das Leben genommen hatte.

Zu den Stammtischlern zählte auch das von der Mutter so getaufte »Trio Sorrento«. Es bestand aus dem stets sehr höflichen und zurückhaltenden, früh kahl gewordenen Kürschnermeister Otto Grün, der in der Raumerstraße eine Etagenwerkstatt besaß, seiner Frau, einer kleinen, kugelrunden Brünetten mit Puppenaugen, und ihrem Geliebten, dem Elektromeister Herrmann

Holms. Halb aus Spaß, halb überzeugt davon, dass ihr nicht viel dazu fehlte, nannte sich die ständig neue Pelzmäntel tragende Kürschnermeistersgattin »die göttliche Margot«.

Der ganze Kiez wusste, dass der oft auf Mutters Klavier herumhämmernde Herrmann dem kahlköpfigen Otto seine Margot zwar nicht weggenommen hatte, er ihm die Göttliche aber auch nicht zur alleinigen Freude überlassen wollte. Und der in Wahrheit längst bankrotte Kürschnermeister, der seine Frau nicht verlieren wollte, finanzierte diese Liaison, indem er immer wieder alle Rechnungen übernahm. So wurde er bei der Mutter zum König der Anschreiber, und irgendwann stand eine solche Latte von Zahlen in ihrem Anschreibebuch, dass klar war, dass diese Schulden überhaupt nicht mehr zu bezahlen waren. Schnurrbart-Meisel schimpfte deshalb mit ihr, sie solle dem impotenten Kerl und seiner Bagage nicht immer das Geld nachschmeißen, sonst würden sie bald Pleite gehen. Die Mutter aber mochte nun mal den stillen Otto, und so schrieb sie weiter an und bekam als Dank dafür zuerst einen Muff und danach einen Pelzmantel geschenkt.

Nicht zum Stammtisch, aber unzweifelhaft mit zu den schillerndsten Persönlichkeiten, die im *Ersten Ehestandsschoppen* verkehrten, gehörte die kleine, dicke, stets sehr bunt gekleidete Lola Lola. Lola Lola, die sich und ihre Lebensauffassung aus den zwanziger Jahren in das Berlin der Nachkriegszeit hinübergerettet hatte; Lola Lola, die sich in der Welt der Revuetheater auskannte wie Manni sich in der der Maikäfer; Lola Lola, die nur alle halbe Jahr mal kam, aber wenn sie kam, dafür sorgte, dass die Stimmung schon nach wenigen Minuten Wellen schlug. Jeder durfte sie mal drücken, jedem vermittelte sie den Eindruck, dass das Leben lustig und schön, interessant und spannend war. Erzählte sie von ihrer großen Zeit als Revuegirl, lauschte sogar Else Golden, und tanzte sie mit Bel Ami zwischen allen Tischen hindurch, trat auch die göttliche Margot beiseite.

Im Gegensatz zur Golden war Lola Lola wirklich so etwas wie Mutters Freundin. Als ganz junge Frauen, als die fesche Lola noch Friedel Kupsch hieß, hatten sie eine Zeit lang als Serviererinnen zusammengearbeitet; bei *Rabandt* unterm Funkturm; zu seligen Zeiten, wie sie beide gern schwärmten. Eines Nachts jedoch beendete die Mutter diese Freundschaft. Einem Gast war Geld gestohlen worden und er verdächtigte Lola Lola. Die Mutter verteidigte die Freundin, der Gast nannte Lola Lola eine Nutte, die ihm beim Tanzen nur deshalb an den Hosenschlitz gefasst habe, um ihm mit der anderen Hand einen Fünfzigmarkschein aus der Jackentasche zu fingern. Die Polizei wurde gerufen und Lola Lola von der Mutter auf der Damentoilette einer Leibesvisitation unterzogen. Und obwohl die Mutter an Lola Lolas Unschuld glaubte, nahm sie den Polizeiauftrag ernst, um sich und allen anderen zu beweisen, dass ihre Freundin zwar ein bunter, vielleicht sogar leichtsinniger Vogel, aber deshalb noch lange keine Diebin war. Doch dann fiel der Fünfzigmarkschein aus Lola Lolas Schlüpfer und die enttäuschte Mutter machte der Freundin die bittersten Vorwürfe. Die gab sich nicht minder empört. Von ihrer Lisa hätte sie eine solche Polizeiaktion nicht erwartet, schrie sie beleidigt. Bis auf die Straße, wo der Polizeiwagen wartete, in dem Lola Lola davongefahren wurde, stritten die beiden Frauen miteinander und von da an kam Lola Lola nicht mehr in den *Ersten Ehestandsschoppen*.

Dass Lola Lola die Bretter, die die Welt bedeuteten, längst mit dem Laufsteg der Straße vertauscht hatte, wurde nur gemunkelt; dass Püppi Heinemann auf den Strich ging, wusste der ganze Prenzlauer Berg. Dennoch galt diese Püppi als durch und durch ehrliche Haut. »Wenn du der hundert Mark anvertraust, gibt sie dir zweihundert zurück – nur damit sie nicht in einen falschen Verdacht gerät«, sagte die Mutter von der noch sehr jungen, hellblonden Frau mit dem auffallend bleichen Gesicht, das, wenn sie zur »Arbeit« ging, stets voller Schminke war. In den »Arbeitspausen«, wenn sie bei der Mutter einen Schnaps trank, war diese Schminke oft verwischt. Das gab ihr etwas Clowneskes. Lachen aber sah Manni diese Püppi nie, nicht mal, wenn sie ihm einen Streifen englischer Schokolade oder einen amerikanischen Kaugummi zusteckte. Dafür kam sie aber oft sehr zerschunden oder mit einem Veilchen im Gesicht in den *Ersten Ehestandsschoppen.* »Da hat so 'n mieser Onkel wohl wieder mal nicht bezahlen wollen«, schimpfte die Mutter dann und sofort war Manni auf diesen miesen Onkel genauso böse wie die Mutter. Hätte er gewusst, wer dieser »Onkel« war, hätte er ihm einen Streich gespielt.

Einmal sahen Manni und seine Freunde Püppi Heinemann die Abteilung G des Krankenhauses Nordmarkstraße betreten, und die großen Jungen erklärten ihm, dass dort die Huren auf Geschlechtskrankheiten untersucht wurden. Würde ein »G« in ihr »Bäckerbuch« eingetragen, hätten sie einen Tripper und müssten dort bleiben, bis sie wieder gesund waren. Grund genug für Manni, an diesem Tag die flachen Bauten der Abteilung G hinter dem eigentlichen Krankenhaus nicht aus den Augen zu lassen. Erst als er die junge, blasse, blonde Frau wieder herauskommen sah, lief er froh und erleichtert nach Hause.

Es gab viele Gäste, die Mannis Interesse erweckten, wenn er mit unschuldigem Gesicht, aber sehr neugierigen Augen hinter der Theke stand, um der Mutter zu helfen. Da war ja auch noch Arno von der Müllabfuhr, der eine so große und fleischige Nase hatte, dass sie ihm wie eine Gurke über die Oberlippe hing, und der so gern das Lied vom Tröpfchen aus dem kleinen Henkeltöpfchen sang: »Oh, Susanna, wie ist das Leben doch so schön!«; da war Heinz der Stotterer, ein Straßenreiniger, der wirkte wie aus alten Brettern zusammengenagelt und wegen einer Verschüttung im Krieg schlimm stotterte und deshalb soff wie ein Loch; da war der rotgesichtige Fleischermeister Möckel, der gleich nebenan seinen Laden hatte und eine verhuschte Frau, eine bildhübsche Tochter, ein rabaukenhaftes, sommersprossiges Jungen-Zwillingspaar und eine steinalte Mutter befehligte. Da war Emilchen der Schweiger, der nie etwas sagte, sondern immer nur qualmte und trank und nickte und mit allem einverstanden war; da waren die Brikett-Anna, eine dünne, blonde Frau mit Muskeln an den Armen, der eine Kohlenhandlung und ein sehr fleißiger, magerer Mann gehörten, der vom vielen Kohlenschleppen abends immer viel zu müde war, um noch in die Kneipe zu gehen, und die Kippen-Marie, eine große, dicke Frau mit schmalen, ewig geröteten Augen, die immer die Zigarettenkippen aus den Aschenbechern nahm, den Tabak rauspolkte und sich neue Zigaretten daraus drehte; und da war der Hemden-Rudi, ein großer, dünner Mann mit Höckernase, der fast jeden Abend kam und stets und ständig allen Leuten Hemden verkaufen wollte, von denen keiner wusste, woher er sie hatte.

In unterschiedlicher Besetzung saßen sie Abend für Abend am Stammtisch, über dem ein großer Lötkolben mit einem Schild hing. *Komm, lass uns noch einen verlöten!*, stand auf diesem Schild, und so verlöteten sie, was in sie hineinging, und nebenbei redeten und redeten sie und einer war immer klüger als der andere. Als Neun- oder Zehnjähriger begann Manni sich das erste Mal dafür zu interessieren, was da palavert wurde, und von da an setzte er sich, wenn die Mutter ihn von der Theke gescheucht hatte, damit er endlich ins Bett ging, öfter mal dazu und tat, als wollte er nur noch das Malzbier austrinken, das er sich zuvor gezapft hatte.

Anfangs wunderten sich die Stammgäste über dieses Küken in ihrer Runde; solange aber nicht alle Stühle besetzt waren und er sein Malzbier nicht aushatte, konnten sie dem Sohn des Hauses, der da mit verträumtem Blick an seinem Glas nippelte, nicht den Stuhl unter dem Hintern wegziehen. So lernte er sie mit der Zeit immer besser kennen, all diese Männer und Frauen, die Krieg und Terror auf irgendeine Weise überlebt hatten und dieses Überleben im *Ersten Ehestandsschoppen* diskutierten und feierten. Machte ja auch Spaß, was er am Stammtisch zu hören bekam, mit dem zu vergleichen, was er aus der Schule, dem Radio, den Kinowochenschauen oder aus der Zeitung wusste.

Zwei von den Stammgästen schloss er dabei in sein Herz. Das waren Onkel Ziesche, Mutters Steuerberater mit dem steifen Hals, der schon auf die siebzig zuging und eine so blanke Glatze hatte, dass man sich drin spiegeln konnte, und der jüdische Schneidermeister Maxe Rosenzweig, der Laden und Wohnung gleich nebenan hatte und trotz seiner schlimmen Kellerjahre sehr komisch sein konnte.

Onkel Ziesche trug immer denselben tadellos gebügelten grauen Anzug und eine dazu passende taubenblaue Weste und fiel zuallererst durch seine vornehme Freundlichkeit auf. Fing er aber an zu reden, wurde er zum Studienrat und erheiterte seine Zuhörer durch immer witzigere Pointen. Manni war überzeugt davon, dass Onkel Ziesche wirklich vieles besser wusste als die anderen Stammgäste.

Maxe Rosenzweig genoss bei der Mutter viele Privilegien. Was sie anderen Gästen abschlug, Maxe genehmigte sie es. Alle anderen Gäste mussten brav durch die Ladentür kommen, Maxe, der ja auf dem Treppenflur gleich gegenüber wohnte, durfte an der Hintertür klingeln; für andere Gäste war dienstags Schließtag, Maxe durfte sich zu den Skatbrüdern setzen und kiebitzen. Und das, obwohl er nie mitspielte. Er kuckte nur zu, ärgerte sich über die Fehler, die gemacht wurden, stöhnte auf, griff sich an den Kopf. Was Schnurrbart-Meisel, den Bessel und die Golden jedes Mal ganz verrückt machte. Schimpften sie den Schneidermeister dann aus und Manni war in der Nähe, wurden Maxe Rosenzweig und er zu Verbündeten. Dann grinste der kleine Mann ihm zu, als wollte er sagen: Soll'n se meckern, die Quasselköppe, wir kucken trotzdem. Und Manni grinste zurück. Er verstand den kleinen Maxe: Als ob ein Skatspiel eine so ernste Angelegenheit war!

Oft versuchte Manni sich vorzustellen, wie das gewesen sein musste: drei Jahre im finsteren Keller. Es gelang ihm nicht. Eines aber kapierte er sofort: dass der kleine Schneidermeister noch immer Angst hatte. Als Maxe Rosenzweigs Frau gestorben war, jene treue Hete, die Nacht für Nacht zu ihm in den Keller runtergeschlichen war, um ihm Essen zu bringen und Waschzeug und den Nachttopf auszutauschen, dauerte es nicht lange und eine neue kleine Frau Rosenzweig stand bei Maxe in der Küche, half im Laden und legte sich zu ihm ins Bett. Die Mutter nahm ihm das sehr übel. »Das hat die Hete nicht verdient«, warf sie ihm eines Tages vor. Da senkte der kleine Herr Rosenzweig nur den Kopf und sagte leise: »Allein hab ich Angst, Lisa.« Das konnte die Mutter dann verstehen, und Manni, der das Gespräch zufällig mit angehört hatte, auch.

Die Mutter wunderte sich oft darüber, dass es dem kleinen Schneidermeister offensichtlich gar nichts ausmachte, neben dem Nazi Bessel am Stammtisch zu sitzen, ihm beim Skat über die Schulter zu kucken und ihm hin und wieder zuzuprosten. Der ehemalige liebe Gott vom Prenzlauer Berg hätte den »Juden

Rosenzweig« nur wenige Jahre zuvor, hätte er ihn entdeckt, doch ganz sicher ins KZ und damit in den sicheren Tod transportieren lassen.

Maxe Rosenzweig aber wollte über die Vergangenheit nicht reden. Ging es in den Stammtischgesprächen um den Krieg oder die Nazizeit, schwieg er, bis man sich wieder einem anderen Thema zuwandte. So auch an jenem Dienstagabend, an dem Else Golden sagte, sie glaube nicht an Hitlers Massenvergasungen. »Wer macht denn so was? Und wie soll das denn keiner gemerkt haben? Hab ich denn all die Jahre auf 'm Mond gelebt?«

Schnurrbart-Meisel und Freund Bessel nickten nur still dazu, Maxe Rosenzweig aber kuckte, als interessierten ihn allein die Karten, die der Bessel gerade aufgenommen hatte. Da verlor die Golden die Geduld und bat ihn, doch auch mal was zu solchem Quatsch zu sagen, und alle blickten ihn an.

Da wurde er ganz blass, und Manni sah ihm an, dass er nun am liebsten gegangen wäre. Weil er das aber nicht fertig brachte, zuckte er nur die Achseln. »Wat soll ick 'n sagen? War ja nich dabei.«

Die Golden nickte nur, als hätte sie genau diese Antwort erwartet, die Mutter aber, die gerade eine neue Lage Bier gebracht hatte, ärgerte sich mal wieder über ihre »beste Freundin«. »Komisch!«, schimpfte sie die Skatrunde aus. »Den dümmsten Märchen der Nazis habt ihr geglaubt. Wenn euch aber was nicht in den Kram passt, helfen keine Fotos in den Zeitungen und keine Filmberichte im Kino, dann gab's das eben einfach nicht.«

Sie wollte noch etwas sagen, brachte vor Zorn aber kein Wort mehr heraus und lief in die Küche. Manni stürzte ihr nach und sah zu, wie sie die heißen Bockwürste aus dem Wasser nahm. Als sie ihn bemerkte, schimpfte sie: »Mir kommt der Kaffee hoch, wenn ich solches Zeug höre. Und Maxe traut sich nicht mal, zu widersprechen ... Dabei haben se ihm doch die halbe Familie umgebracht. Das wird man doch wohl wenigstens mal sagen dürfen.«

Die Mutter, das wurde Manni später klar, interessierte sich eigentlich nicht für Politik; sie hatte genug anderes im Kopf. Hätte sie einen Mann gehabt, der sich mit all dem auseinander gesetzt hätte, hätte sie es ganz sicher dem überlassen, gegen Else Goldens Geschwätz zu Felde zu ziehen. Schnurrbart-Meisel aber hatte keine Meinung, außer die, dass man zusehen musste, wo man blieb, und das immer und ewig und zu allen Zeiten. »Politik macht nicht satt«, das war einer seiner Lieblingssprüche. Also blieb der Mutter gar nichts anderes übrig, als selbst den Mund aufzumachen, wenn ihr etwas gegen den Strich ging.

An jenem Dienstagabend in der Küche fragte Manni die Mutter das erste Mal, ob sein Vater auch ein Nazi gewesen sei; so einer wie der Bessel vielleicht. Er hoffte sehr, dass sie nein sagen würde, und er durfte erlöst aufatmen, als sie laut auflachte: »Um Himmels willen! Wenn der Herbert ein Nazi gewesen wäre, hätt es dich nie gegeben.«

Erst war er erleichtert, später aber, als er im Bett lag, war er nicht mehr ganz so froh: Nein, geheiratet hätte die Mutter so einen Bessel nicht, aber Bier und Schnaps schenkte sie ihm aus. Weil sie eine Wirtin war und sie von ihren Gästen lebten. Also durfte er, Manni, wenn er erwachsen war, niemals die Kneipe übernehmen. Es kamen ja nicht nur Onkel Ziesches und Maxe Rosenzweigs zu ihnen; und die Bessels, Bel Amis und Else Goldens wollte er nicht bedienen.

Auch dass die Stadt geteilt war, weckte Mannis Neugier. So was gab's ja nicht überall. Zwar lebte er im Ostteil der Stadt, dem ärmeren Berlin, wie es allgemein hieß, einen Nachteil aber sah er darin nicht, denn stieg er in die S-Bahn, war er schon nach zwei Stationen am Gesundbrunnen, dem westlichen Einkaufsparadies der Ostler vom Prenzlauer Berg. Dort gab es Geschäfte und Verkaufsstände, die feilboten, was es in seinem Stadtteil nicht gab: Apfelsinen, Bananen, Sahnebonbons, Schokolade, Kaugummi, Ölsardinen, Räucherfisch, Schinken, die verschiedensten Käsesorten.

Da die Mutter zum Einkaufen nie Zeit hatte, schickte sie Manni. Er verknotete das Westgeld, das die Mutter immer wieder mal einnahm, fest ins Taschentuch – Ostlern war es verboten, Westgeld zu besitzen – und fuhr los. Das mit dem Taschentuch war der simpelste Trick der Welt, doch war er überzeugt davon, dass die Volkspolizisten, sollten sie ihn kontrollieren, das verbotene Geld auf jeden Fall finden würden. Wozu da eine Tasche an die Unterhose nähen?

Die S-Bahn-Fahrt von Ost nach West glich der Reise durch einen Zaubertunnel. Er blieb in der gleichen Stadt und fuhr doch in eine ganz andere Welt. Besonders im Herbst oder Winter, wenn es früh dunkel wurde, erschien Manni der Westteil der Stadt wie ein ewiger, bunter Weihnachtsmarkt. Leuchteten die Petroleumfunzeln, Sturmlaternen und Talglichter, die an den kleinen, oftmals Ruinen vorgelagerten Verkaufsbuden der ersten Nachkriegsjahre schaukelten, auch nur schwach, so glänzte, was sie beleuchteten, umso heller. Und natürlich roch hier alles viel besser als im Osten. Die Verkäufer und Verkäuferinnen in ihren weißen Kitteln, im Winter Filzstiefel an den Füßen, Mützen und Ohrenschützer auf und mit dampfendem Atem ihre Waren anpreisend, bewachten ja Schätze. Schon allein die abenteuerlichen Bilder auf den Ölsardinenbüchsen – mal ein bärtiger, Pfeife rauchender Seemann mit Südwester drauf, mal ein sturmbewegter Fischkutter – konnten Manni zum Träumen bringen.

Wer einkaufen wollte, musste aber rechnen können. Mutters Westgeld reichte ja nicht. So kam es, dass Manni im *Ersten Ehestandsschoppen* bald als Umrechnungsexperte galt. Wie viel Ostmark musste man über den Schalter der Wechselstube am Gesundbrunnen schieben, um zwanzig Westmark zu bekommen? Wie viel Westmark brauchte man für hundert Ostmark? Er hatte das in null Komma null Sekunden heraus, und dabei war das nicht einfach, denn der Kurs schwankte. Mal war eine Westmark fünf Ostmark wert, mal vier, mal vier Mark dreißig. Für seine Rechenkünste lobte ihn sogar Herr Bessel: »Jawohl, rechnen muss man können, alles andere ist Humbug.« Und Onkel Ziesche sprach voller Hochachtung von all den großen Genies, die in der Schule keine Leuchten waren, die Menschheit durch ihren praktischen Verstand aber weit vorangebracht hätten.

Später imponierten Manni nicht mehr die Ölsardinenbüchsen, da interessierte er sich mehr für Kaugummi und Kreppsohlen, Boogie-Woogie und Rock'n'Roll, *Coca-Cola* und Niethosen und vor allem für die vielen verschiedenen Filme, die in den westlichen Kinos liefen. Er war ja schon früh zum Kinogänger geworden. Die Mutter hängte Woche für Woche die Kinoplakate der *Helmholtz-Lichtspiele* ins Fenster, dafür entlohnte sie der Besitzer dieses langen, schmalen Handtuchs am Helmholtzplatz mit Freikarten. Die Mutter und Schnurrbart-Meisel jedoch hatten gar keine Zeit, ins Kino zu gehen, also musste Manni den Lohn für die Reklame absitzen und wurde so zum Stammkunden. Er war aber ein sehr anspruchsloser Freikartenabsitzer, denn nie setzte er sich auf einen Klappsitz. Auch wenn das Kino nur zur Hälfte gefüllt war, bevorzugte er es, sich auf die dicke Holzverkleidung der Zentralheizung zu legen. Und da lag er dann drei- bis viermal die Woche; den übrigen Kinobesuchern hätte etwas gefehlt, hätten sie ihn nicht da liegen gesehen.

Auf dieser im Winter so angenehm warmen »Ofenbank« sah er all die politisch unverfänglichen Lustspielfilme der Nazizeit, die auch nach dem Krieg noch abgedudelt wurden, begutachtete er die ersten *Defa*-Filme und Unmengen von russischen Propagandastreifen. Darunter viele Kriegsfilme, die oft sehr gemischte Gefühle in ihm wachriefen. Zwar litt er mit den positiven Leinwandhelden, die fiesen Gegner jedoch, die ein ums andere Mal besiegt oder in die Flucht geschlagen werden mussten, waren stets irgendwelche finster aussehenden Turbanträger oder deutsche Soldaten. Solche wie sein Vater also. Er schämte sich für die bornierten, meist glatzköpfigen und monokelbewehrten deutschen Offiziere in diesen Filmen, erschrak über die dumpfen Gesichter der deutschen Soldaten und war jedes Mal froh, wenn – um das »andere Deutschland« zu zeigen – ein nachdenklicher deutscher Überläufer in dem Film vorkam.

In den westlichen Kinos traf er die alten *Ufa*-Stars wieder; älter geworden, jedoch in ähnlichen Rollen. Bald aber interessierten sie ihn nicht mehr. Im Westen gab es ja auch jede Menge amerikanische, französische, italienische und englische Filme. Egal ob Wildwestromantik, Krimis, neorealistische Kunstwerke oder Lustspiele, Manni ließ sich vorflimmern, was angeboten wurde. Mal saß er in irgendeiner Flohkiste auf dem Notsitz und sah nur Eierköpfe, mal fläzte er sich in einen der samtbezogenen Kurfürstendamm-Kinositze. Westkino war kein teures Vergnügen. Filme, die als »besonders wertvoll« galten, wurden Ostlern nach einem Umtauschkurs von 1:1 – eine Ostmark gleich eine Westmark – angeboten, und auch für andere Filme zahlten Ostler nur den halben Eintrittspreis und Kinder auch davon nur die Hälfte. So kostete Manni ein Kinobesuch nie mehr als eine Ostmark oder fünfundzwanzig Westpfennige.

Von der Mutter immer wieder mal mit einer Westmark beschenkt, besuchte er an manchen Tagen gleich zwei oder drei Vorstellungen.

Hatte ein Film ihn berührt, ganz egal ob östlicher oder westlicher Prägung, sprang er durch den Tag, als hätte er soeben die Welt neu entdeckt; hatte er eine Niete gezogen, rückte er sich den Streifen zurecht, indem er sich ausmalte, wie der Film hätte sein müssen. Dieses Zurechtrücken von unbefriedigenden Filmen wurde eine Leidenschaft von ihm. Zwar machte es viel Spaß, die Leute von der Leinwand, egal ob fesche sowjetische Offiziere, *Ufa*-Bonvivants, aufrechte Arbeiterhelden oder schnell ziehende Cowboys, gegen Mutters ewig nur trinkende, schweinigelnde oder politisierende Stammtischler auszuspielen; wahre Menschen aber, das begriff er früh, waren diese Leinwandhelden nicht. Wahre Menschen tauchten nur in sehr wenigen Filmen auf; ansonsten saßen sie in Mutters Kneipe, liefen in den Straßen herum oder unterrichteten Kinder. Wenn er Filme drehen würde, das stand fest, wären das nur solche, in denen die Wirklichkeit gezeigt wurde. So wie er es aus manchen italienischen Filmen kannte. Es musste doch viel spannender sein, die Wirklichkeit zu zeigen, als immer nur irgendwelche lustigen, schönen oder abenteuerlichen Geschichten zu erfinden, die sowieso stets und ständig gut ausgingen.

Die Wirklichkeit und die Wahrheit, die hinter allem steckte, waren es, die ihn, je älter er wurde, immer neugieriger machten: War denn, was am Stammtisch geredet wurde, immer die Wahrheit? Sagten die Lehrer und Lehrerinnen in der Schule immer die Wahrheit? Stand in der Zeitung ständig nur die Wahrheit? Wo lag im Streit Ost gegen West und West gegen Ost die Wahrheit? In den Wochenschauen vor den Hauptfilmen wurde stets viel über die jeweils andere Seite berichtet, aber war das immer die Wahrheit? Er wohnte im Osten und wusste, dass vieles, was im Westen über den Osten gesagt wurde, furchtbar übertrieben war oder gar nicht stimmte und umgekehrt genauso. War für beide Seiten denn immer nur das die Wahrheit, was der anderen Seite schadete?

Am S-Bahnhof Gesundbrunnen wurde oft die *Tarantel* verteilt, eine böswillige, westliche Spottzeitschrift, im Osten antworteten die Karikaturisten des *Eulenspiegel.* Jede Seite gab der anderen Zunder. Manni sah alles, las alles, hörte alles, nahm alles in sich auf und machte sich über alles seine Gedanken. Seinem Naturell nach war er für Versöhnung; alles, was irgendwie einvernehmlich geschah, fand seinen Beifall. Es hatte ja nicht nur die Mutter Angst vor einem neuen Krieg Ost gegen West, auch er fürchtete, dass eines Tages wieder geschossen und gebombt werden könnte. Diese Furcht war immer dann besonders groß, wenn Robert Geburtstag hatte. Dann erzählte die Mutter jedes Mal, dass genau an dem Tag, an dem Robert dreizehn wurde, in einer fernen Stadt in Japan mit einer einzigen Bombe über zweihunderttausend Menschen getötet worden waren. Die Bombe hätten die Amerikaner abgeworfen, um Japan zum Frieden zu zwingen. Aber durfte man denn Menschen auf so grausame Weise zum Frieden zwingen? Was, wenn eine solche Bombe auf Berlin abgeworfen worden wäre?, fragte sich die Mutter. Dann hätte es mindestens eine Million Tote gegeben, und ganz sicher hätten die Amerikaner das auch getan, wenn der Krieg noch lange fortgedauert hätte.

Die Mutter wollte nicht, dass auch Robert eines Tages in einen Krieg ziehen musste, in dem er fallen konnte, wie einst ihr Vater und ihr zweiter Mann in Kriegen gefallen waren. Schnurrbart-Meisel jedoch sagte, wenn ein neuer Krieg kommen sollte, würde er kommen. Da könne man gar nichts gegen tun, weil es zu allen Zeiten Kriege gegeben habe und es auch weiterhin welche geben werde. So sei nun mal der Lauf der Welt. Und na klar würden die neu erfundenen Waffen immer schrecklicher; wozu sonst sollte man neue erfinden?

Das war der Mutter kein Trost und half auch dem großen Bruder nicht, den der Gedanke, Soldat werden zu müssen, ebenfalls zutiefst erschreckte. Er aber, Manni, spann die Sorgen der Mutter fort und hörte genau zu und sah genau hin, wenn irgendwo neuer Streit in der Luft lag. Und bei einem, von dem die Mutter sagte, dass er ein Kriegskind war, musste das vielleicht auch so sein.

Der Tag, an dem die DDR gegründet wurde. Manni ging gerade die fünfte Woche zur Schule, allen Kindern wurde ein Bonbon in die Hand gedrückt und gesagt, sie dürften sich freuen, ein neuer Staat sei geboren, ein Staat des Friedens und der Völkerfreundschaft; der Name dieses Staates: *Deutsche Demokratische Republik*. Ein langer Name, wie Manni fand; ein verlogener Name, wie es am Stammtisch hieß.

Es gab die ersten Wahlen und tags darauf viel Gelächter: 99,7 Prozent Ja-Stimmen für die von der SED beherrschte Einheitsliste der Nationalen Front? So frech hätte nicht mal der Hitler beschissen, sagte der Fleischermeister Möckel.

Ein Jahr später wurde noch lauter gelacht: Da gab es nicht genügend Kartoffeln, und die SED-Propaganda behauptete, der amerikanische Klassenfeind habe aus Flugzeugen Kartoffelkäfer auf die ostdeutschen Kartoffelfelder abgeworfen, um die junge DDR zu schädigen. Onkel Ziesche: »Schade, dass es keine Käfer gibt, die Lügen fressen.«

Ein weiteres Jahr später wurde es bunt in der zerstörten Stadt, da fanden im Ostsektor die Weltfestspiele der Jugend und

Studenten statt. Alle Straßen waren mit Papiergrün und Girlanden, Fähnchen und Transparenten geschmückt wie sonst nur zum 1. Mai, überall gab es Festplätze, wehten Fahnen im Wind, waren Blumenkübel aufgestellt. Riesige Porträts von Marx, Engels, Lenin, Stalin, Mao Tse-Tung, Ulbricht, Pieck, Grotewohl und anderen »Heiligen« wurden durch die Straßen getragen, auf dem Nordmarkplatz wurden Volkstänze aufgeführt und im Hinterzimmer vom *Ersten Ehestandsschoppen* lagen Strohsäcke für ausländische Studenten bereit. Es gab Bockwürste und saure Gurken und viel Gesang. »Bau auf, bau auf, Freie Deutsche Jugend, bau auf!« wurde gesungen, auch dass »im August in Berlin die Rosen blüh'n« und immer wieder »Go Ami, Ami, go home, spalte für den Frieden dein Atom«. In nicht so friedlichen Liedern hieß es, dem Feind sollten die Klauen gebrochen werden, und wer sich dem Neuen entgegenstelle, gehöre zerschmettert. »Adenauer in den Vogelbauer« lautete ein oft skandierter Schlachtruf, und ein anderer: »Wir sind für Pieck und Grotewohl, von Bonn haben wir die Nase voll.«

Es wurden Stoffpuppen mitgeführt, die Adenauer im Vogelbauer zeigten, gegen die Hungerregierung in Bonn wurde protestiert und gegen die imperialistischen Aggressoren, die mit unvorstellbarer Brutalität gegen das friedliebende Volk in Korea vorgingen. Manche FDJler liefen oder fuhren auf Wunsch ihrer Führung auch in den Westen hinüber, um Flugblätter zu verteilen und Plakate zu kleben; wurden sie festgenommen, protestierte die »friedliche Welt« laut.

Wieder ein Jahr später entdeckte die Mutter in der Zeitung ein Foto: marschierende FDJler mit Kleinkalibergewehren. Darunter auch Mädchen. »Da haben wir's!«, schimpfte sie. »Erst heißt es: Wer je wieder eine Waffe in die Hand nimmt, dem soll die Hand abfaulen, dann: Der Friede muss bewaffnet sein.«

Bel Ami, an diesem Nachmittag einziger Stammgast, zog den Kopf ein. »Biste stille, Lisa! Oder willste, dass dein Sohn in der Schule erzählt, wie du hier das Volk verhetzt?«

Manni, der mit am Stammtisch saß, war empört: Niemals hätte er in der Schule erzählt, was in der Gaststube geredet wurde. Er war doch nicht blöd, wusste beide Welten sorgfältig voneinander zu trennen. In der Schule, so hatte die Mutter mal zu ihm gesagt, erfährst du, wie alles zu sein hat, im wirklichen Leben, wie alles ist.

Eine Einstellung, die Manni ziemlich klug fand. Wenn nur die Schule genauso viel Spaß gemacht hätte wie seine Beobachtungen der Wirklichkeit! In der Schule hatte er ja nur Ärger. Das fing schon mit der Einschulungsfeier an. Da hatte er bereits nach einer halben Stunde wieder gehen wollen, weil er glaubte, bei einer so langweiligen Veranstaltung nicht dabeibleiben zu müssen. Mit dem ersten Probefeueralarm ging's weiter. Den nahm er als Einziger ernst, weshalb er in Panik davonstürzte und sich dabei die Gemüsesuppe, die er gerade aus seinem Kochgeschirr gelöffelt hatte, über die Hose kippte; natürlich sehr zur Freude aller anderen, so viel klügeren Kinder. Wozu aber veranstalteten die Lehrer ein solches Theater, wenn es nicht ernst war? Dann, noch in der ersten Klasse, verdarb er es sich mit der Religionslehrerin, dem sehr frommen, sehr hageren Fräulein Knauer, die zu allen Jahreszeiten einen Tropfen an der langen, spitzen, rötlichen Nase hängen hatte. Beugte sie sich über einen Schüler, tropfte es dem sich ängstlich Wegduckenden aufs Heft, auf den Kopf oder ins Gesicht. Keiner in der Klasse wagte, dagegen zu protestieren. Er aber rief einmal voller Entsetzen: »Sie haben mir ja schon wieder ins Heft getropft.«

»Was habe ich getan, du Satanskopp?«

»Sie haben getropft.«

Die Klasse bog sich vor Lachen, Fräulein Knauer aber leugnete ihr Nasenleiden und vergaß ihm die Beschwerde nie.

In der vierten Klasse hing eines Tages ein Spruch im Klassenzimmer: *Die Lehre von Marx ist allmächtig, weil sie wahr ist.* Während die anderen über den Satz nur lästerten – »Kalle ist groß, Kalle ist mächtig, wenn er auf 'n Stuhl steigt, ein Meter sechzig« –, fragte Manni Frau Zeisig, zu jener Zeit ihre Klassenlehrerin, woher man denn wisse, dass diese Lehre wahr sei. Er verlangte nach einem Beweis und wurde gerügt: Wenn er erst älter sei, werde er diesen Satz schon verstehen. Der Spruch sei nämlich für die größeren Kinder bestimmt, die auch manchmal in dieser Klasse unterrichtet würden und sich die Wahrheit dieser Worte längst zu Herzen genommen hätten.

Auf so leichte Weise aber war Manni nicht zufrieden zu stellen, und so quälte er die Zeisig mit weiteren Fragen, bis er begriffen hatte, dass sie diesen Spruch selbst nicht verstand. Erst danach gab er sich zufrieden. Die kleine, pummelige Lehrerin aber fühlte sich von ihm bloßgestellt und hatte ihn fortan ebenfalls auf dem Kieker. Und da er öfter etwas vergessen oder die Hausarbeiten nicht gemacht hatte, hagelte es Tadel und schlechte Noten und einmal schimpfte sie ihn »kleinbürgerliches Individuum«.

Da wollte er natürlich herausfinden, was das denn für einer war: ein Kleinbürger. Und Indidum? Oder Invidurum? Was sollte das denn nun wieder sein? Wie günstig, dass an diesem Nachmittag Robert zu Besuch kam, Robert, der längst seine Renate geheiratet hatte und von ihnen fortgezogen war.

Robert ließ sich die ganze Geschichte erzählen und erklärte ihm dann, dass die Zeisig damit wohl ausdrücken wollte, dass er, Manfred Lenz, aus einer rückständigen Familie kam. Kleinbürger, das seien Leute, die eine Kneipe, Bäckerei oder Fleischerei besäßen oder in irgendeinem Büro arbeiteten. Und nach Ansicht der jetzt herrschenden Arbeiterklasse sei man als Kleinbürger nun mal nicht besonders fortschrittlich, sondern das genaue Gegenteil davon, nämlich eng im Denken, ein bisschen beschränkt und ziemlich spießig. Das Wort »Individuum« aber sei nur einfach eine abfällige Bezeichnung für irgendeinen einzelnen Menschen.

Eine Erklärung, die Manni sehr nachdenklich stimmte, und so erzählte er auch der Mutter und Onkel Ziesche, als was die Zeisig ihn bezeichnet hatte. Die Mutter wurde sogleich sehr zornig. »Die soll mir noch mal vor die Theke kommen, da werd ich ihr mal klar machen, was für 'n armseliges Individuum sie ist.« Onkel Ziesche aber lachte nur und sagte, so sei das nun mal heute, in dem beliebten Wort »Proletarier« stecke eben auch ein kleiner Arier.

Das begriff Manni nicht, Onkel Ziesche musste es ihm erklären. Er kapierte es dennoch nicht und Onkel Ziesche tröstete ihn: »Mach dir keine Sorgen, Manni. Es gibt nichts Dümmeres, als auf seine Herkunft stolz zu sein. Egal, ob einer aus dem Adel, dem Großbürgertum oder dem Proletariat kommt, sich seiner Religion oder seiner Hautfarbe rühmt, von Bedeutung ist nur, was für ein Mensch man ist, nicht, aus welcher Kiste man kommt.«

Das verstand Manni schon eher, eine Frage aber musste er noch loswerden. »Und Lehrer?«, fragte er. »Sind die auch Arbeiter?«

Onkel Ziesche lachte. »Nee! Ich weiß ja nicht, was deine Frau Zeisig vorher gemacht hat, als Lehrerin aber ist sie keine Arbeiterin mehr.«

»Und was ist sie dann?«

Da kuckte Onkel Ziesche erst nur verblüfft, dann strahlte er:

»Hast Recht, Manni, als Lehrerin ist sie natürlich selbst 'ne Kleinbürgerin.«

Manni strahlte mit: »Und auch 'n Indi…, Indivendrium?«

Onkel Ziesche: »Aber freilich! Jeder Mensch ist ein Individuum, ob ihm das nun gefällt oder nicht.«

»Dann kann ich zu ihr also auch kleinbürgerliches Indi…, Indidium sagen?«

Das aber wollte die Mutter nicht. »Verkneif dir das lieber«, bat sie ihn. »Vielleicht kommt diese tolle Pädagogin ja doch aus der Arbeiterklasse und dann verklagt sie dich wegen übler Nachrede.«

Kam sie aber nicht, die Hildegard Zeisig, denn Else Golden holte Erkundigungen ein und erfuhr, dass die Zeisig vor dem Krieg Sparkassenangestellte gewesen und erst nach dem Krieg zur Neulehrerin ausgebildet worden war, also tatsächlich selbst aus dem Kleinbürgertum kam.

»Und trotzdem erzählt se den Kindern so einen Stuss?« Die Mutter konnte sich gar nicht beruhigen und schimpfte noch ein paar Tage später am Stammtisch über die Zeisig. Gleich wurde viel von der guten, alten Kaiserzeit geschwärmt, als in der Schule noch Zucht und Ordnung herrschten, und so mancher dachte dabei wohl auch an eine Zeit, die noch nicht ganz so weit zurücklag.

Es passte vielen Eltern nicht, dass nun die Zeisigs ihre Kinder unterrichteten. Sie befürchteten, dass aus ihren Kindern lauter kleine Kommunisten wurden, und schlugen in ihrer privaten Erziehung einen strikten Gegenkurs ein. Die umworbenen Kinder standen zwischen den Fronten und nutzten ihre privilegierte Rolle aus, indem sie Elternhaus und Schule gegeneinander ausspielten. »Mein Vater hat gesagt, dass Sie keine Ahnung haben.« – »Die Zeisig sagt, du denkst re-ak-tio-när.«

Manni war einer von denen, die oft Mitleid mit den Lehrern hatten, hatte die Mutter ihm doch erklärt: »Die müssen solches Zeug reden, sonst werden se entlassen.« Wie aber sollte er dieses Mitleid zum Ausdruck bringen? Er tat es, indem er viel fragte. Was die Zeisig mit der Zeit immer wütender machte, die Klasse aber freute.

In der fünften Klasse blieb Manni sitzen. Er hatte ein halbes Jahr lang keine Schularbeiten gemacht. Aus berechtigten Gründen, wie er fand. Diese berechtigten Gründe hatten mit Onkel Willi zu tun, wie er noch immer zu Schnurrbart-Meisel sagte, weil er sich zu »Papa« nicht durchringen konnte. Der Stiefvater hatte von Jahr zu Jahr mehr bewiesen, dass er ein taubes Herz hatte. Er konnte dafür nichts, wie die Mutter behauptete, diese Taubheit aber machte das Zusammenleben mit ihm schwer. Die Mutter rannte und schuftete, Onkel Willi markierte den Wirt. Dienstags, wenn Schließtag war, reinigte die Mutter die Zapfanlage, putzte die Kneipe, lief einkaufen und saß am Abend über den Papieren; Abrechnungen, Lieferscheine, Steuermeldungen. Onkel Willi hatte für so etwas »kein Talent«. Viel lieber spielte er Skat und erwartete auch noch, dass die Mutter ihn und seine Skatbrüder bediente. Kam es aus irgendwelchen Gründen mal nicht zur Skatrunde, zog er durch andere Kneipen und gab dort den kompetenten Fachkollegen. Das ärgerte die Mutter jedes Mal sehr, und dann schickte sie Manni los, Onkel Willi zu suchen und von der Konkurrenztheke loszueisen. Ein Auftrag, den Manni hasste, weil Onkel Willi ja doch nicht auf ihn hörte und, wenn er schon etwas benebelt war, ganz besonders kleine, böse, stockfischartige Augen hatte.

Oft rätselte die Mutter darüber, weshalb Onkel Willi so ein verhärtetes Herz hatte. Hatte er eine schlimme Jugend hinter sich? Hatte das Leben ihn hart geklopft? Oder war er von Natur aus ein so liebloser Knochen? Wenn Manni Geburtstag hatte und die Mutter ihn bat, sich auch bei Onkel Willi zu bedanken, obwohl er doch wusste, dass die Geschenke nur von der Mutter kamen, näherte er sich Onkel Willi immer nur sehr vorsichtig, sagte danke und küsste ihn, weil sich das nun mal so gehörte, auf die Wange. Dann bekam Onkel Willi feuchte Augen, und einen halben Tag lang dachte Manni, dass er vielleicht doch noch nicht so ganz taub auf dem Herzen war. Bis wieder irgendwas passierte, das alle Hoffnungen zunichte machte.

Besonders schlimm war, dass Onkel Willi sich erst einen Rohrstock und danach auch noch einen Siebenstriemen besorgt hatte. Nur, um damit zu drohen, wie er die Mutter getröstet hatte. Mit dem Rohrstock aber schlug er schon mal zu, wenn Manni irgendwas »Ungehöriges« angestellt hatte; nur der Siebenstriemen blieb Drohwerkzeug. Wohl weil Onkel Willi wusste, dass die Mutter es ihm nie verziehen hätte, hätte er ihn doch einmal zum Einsatz gebracht.

Als nicht viel weniger bedrückend empfand Manni Onkel Willis Körperlichkeit. Wenn er sich an manchen Dienstagabenden in der Küche in die Schüssel stellte und von Kopf bis Fuß abseifte und danach noch lange nackt durch die Stube schritt, schien er stolz auf seinen nackten Körper und sein altes, bräunliches Gebammel zu sein. Die Mutter sah diesen »Parademarsch« auch nicht gern, konnte ihn Onkel Willi aber nicht verbieten, schließlich war ja nichts Unnatürliches dabei.

Manni spürte, dass hinter diesem Stolz noch etwas anderes steckte; etwas, das ihn verstörte, verletzte, anekelte. Es hatte mit dem zu tun, was er öfter nachts zu hören bekam.

Seit Robert nicht mehr bei ihnen wohnte, schlief er auf der Couch im Hinterzimmer. In der Wohnung im ersten Stock hatte die Mutter ihn nicht lassen wollen, weil dort oben ja niemand auf ihn Acht geben konnte und er ihr mit der Zeit zu »selbstständig« geworden war; was nichts anderes bedeutete, als dass er da oben machte, was er wollte. Im Hinterzimmer, in dem ja auch die Mutter und Onkel Willi schliefen, gab es aber ein neues Problem: Hier konnte er oft erst nach Mitternacht einschlafen. Der Lärm aus der Kneipe drang bis zu ihm hin und ließ ihn immer munterer werden. Deshalb las er, bis der letzte Gast gegangen war. Lesen liebte er inzwischen ja noch mehr als Kinobesuche. Seine Bücher entführten ihn in andere Welten und ließen ihn allen Kneipenlärm überhören. Nur wenn es lauten Streit oder eine Schlägerei gab, legte er sein Buch beiseite, stieg auf einen Stuhl und spähte durchs Kuckloch. Im oberen Teil der Tür waren zwei Glasscheiben eingelassen, die waren genauso rotbraun gestrichen wie die gesamte Tür, in der rechten Scheibe jedoch war ein winziges Stück Farbe weggekratzt, damit die Mutter, wenn sie mal im Hinterzimmer zu tun hatte, Gaststube und Kasse im Auge behalten konnte. Von der Gaststube aus war dieses Kuckloch nicht zu entdecken, legte man jedoch im Hinterzimmer das Auge dicht an die Scheibe, konnte man die ganze Kneipe überblicken. Wie sich die Betrunkenen da manchmal durch den ganzen Raum prügelten, wie Tische und Stühle zu Bruch gingen und hin und wieder sogar Blut spritzte. Manni auf seinem Stuhl überkam dann jedes Mal Angst vor diesen Männern, die nicht mehr wussten, was sie taten. Die Mutter erklärte sich solche Brutalität damit, dass alle diese Männer vom Krieg verdorben worden seien, aber konnte das stimmen? Es gab doch auch Männer, die aus dem Krieg heimgekommen und ganz anders waren, Heinz der Stotterer zum Beispiel oder Emilchen der Schweiger.

Meistens war die Schlägerei erst dann beendet, wenn die Mutter zwischen die Kampfhähne trat und sie so lange anschrie, bis sie sich endlich beruhigt hatten. Hatte sie damit keinen Erfolg, rief sie die Polizei. Onkel Willi mischte sich nie ein.

War endlich der letzte Gast gegangen, war es stets schon halb eins. Dann mussten die Mutter und Onkel Willi noch Kasse machen, und kamen sie danach ins Hinterzimmer und brannte noch immer die kleine Lampe über seiner Couch, schimpfte die Mutter mit Manni. Deshalb knipste er das Licht immer rechtzeitig aus und stellte sich schlafend. Das aber tat er nicht gern, denn dann begannen die Mutter und Onkel Willi manchmal schon nach kurzer Zeit miteinander zu tuscheln, und Onkel Willi ließ der Mutter keine Ruhe, bis irgendwann die Betten knarrten, die Mutter laut stöhnte und Onkel Willi immer heftiger zu ächzen begann. Geräusche, die Manni nicht ertragen konnte. Erst warf er sich auf seiner Couch hin und her, um auf sich aufmerksam zu machen, dann fragte er irgendwann laut: »Was ist denn?«, nur damit sie kapierten, dass er noch wach war, und endlich aufhörten. Es musste der Mutter doch wehtun, was die beiden da miteinander veranstalteten, weshalb stöhnte sie sonst so laut?

Hatte er sich gemeldet, war für kurze Zeit Ruhe. Bis Onkel Willi irgendwann glaubte, jetzt wäre er eingeschlafen. Dann wälzte er sich erneut über die Mutter. Wehrte sie Onkel Willi dann ab, weil sie ahnte, dass Manni immer noch nicht schlief, wurde Onkel Willi zornig und hielt ihr, um ihre Proteste zu ersticken, den Mund zu. Da musste Manni dann das Licht anknipsen und mit doof verstelltem Gesicht »Muss ich schon zur Schule?« fragen. Eine Frage, die wie ein banger Aufschrei klang und endgültig für Ruhe sorgte.

Einmal jedoch, und das war der Grund für Mannis Hausaufgabenstreik, war alles ganz anders. Da musste Onkel Willi der Mutter schon beim Kassemachen gesagt haben, dass er mit ihr schlafen wollte. Es war deutlich zu hören, wie sie vor der Tür

»Heute nicht!« sagte. Es war ein scharfes, eindeutiges »Heute nicht!«, sie musste bereits die Geduld mit Onkel Willi verloren haben. Onkel Willi aber nahm diese Absage an sein Verlangen nicht ernst. Angetrunken blaffte er sie an: »Du machst, was ich sage, und damit basta!«

»Für was hältst du mich denn?«, rief die Mutter, als sie die Kassette mit den Tageseinnahmen unter ihr Bett geschoben hatte und sich wieder aufrichten wollte. »Für 'n Nuttchen?«

Onkel Willi stieß sie mit dem Fuß auf den Boden zurück. »Ich werd dir zeigen, wer hier was zu sagen hat!«

»Du trittst mich?« Wieder wollte die Mutter hoch, doch ein neuer, schwerer Tritt in die Seite ließ sie zusammenbrechen und laut aufstöhnen.

Da hielt Manni es auf seiner Couch nicht länger aus. Er sprang auf und wollte Onkel Willi von der Mutter fortzerren; mit einer fahrigen Bewegung stieß Onkel Willi ihn zurück, er schlug mit dem Kopf gegen das Büfett und blieb liegen. Und Onkel Willi trat immer weiter mit dem Fuß gegen die am Boden liegende Mutter.

»Ruf die Polizei«, stöhnte sie.

Er rappelte sich auf und lief zum Fenster. Sein Kopf schmerzte und brummte, doch er schaffte es, die Jalousie hochzubekommen, das Fenster zu öffnen und laut nach der Polizei zu rufen.

Sofort ließ Onkel Willi von der Mutter ab, packte ihn und schlug ihm das Buch, in dem er gerade las, auf den Kopf. Immer wieder schlug er damit zu. Den Kopf unter den Armen verborgen ließ Manni die Schläge auf sich niederprasseln, bis die Mutter Onkel Willi von ihm fortzerrte, dann warf er sich auf die Couch und heulte, und die Mutter setzte sich zu ihm, streichelte ihn und weinte auch. Er roch, dass sie ebenfalls getrunken hatte, und schämte sich noch mehr.

Von jenem Tag an konnte Manni die Mutter nicht mehr verstehen: Weshalb lebte sie nur mit diesem Mann zusammen? Sie konnte doch auch allein leben, hatte es oft genug bewiesen. Als ihr erster Mann gestorben war, führte sie die Gaststätte mit Tante Lucie allein weiter, bezahlte die Schulden, die dem dicken Georg so viel Angst gemacht hatten, brachte ihre beiden Söhne über den Krieg und später auch noch den dritten. Immer hatte sie gekämpft, immer hatte sie sich als tapfer erwiesen; wie konnte sie sich von diesem Schnurrbart-Meisel nur so viel gefallen lassen, weshalb schmiss sie ihn nicht einfach raus?

Er war so verstört, dass er zu nichts mehr Lust hatte, erst recht nicht auf Schularbeiten. Es hagelte Eintragungen ins Klassenbuch und schlechte Noten, die Lehrer schickten Briefe an die Mutter; Manni war der Meinung, das geschah ihr recht. Zwar versprach er ihr, wenn sie mit traurigen Augen auf ihn einredete, sich zu bessern, sah er sie jedoch danach neben Onkel Willi an der Theke stehen, war das vergessen. Entweder Onkel Willi oder er.

In dieser Zeit blieb er an schulfreien Tagen oft lange im Bett und sah zu, wie es hinter den Jalousien heller und heller wurde. Drangen Wortfetzen von der Straße zu ihm herein – zwei oder drei Frauen, die gerade vom Spaziergang, Einkaufen oder aus der Kirche kamen –, dann fürchtete er sich davor, dass sie auch über die Mutter, Onkel Willi und ihn reden könnten. Es musste ja in der ganzen Straße zu hören gewesen sein, wie er nach der Polizei gerufen hatte.

Manchmal stand er dann überhaupt nicht auf, blieb liegen und las. Kam dann irgendwann die Mutter, weil sie sich über ihn wunderte, blickte er sie nicht an. In ihrer Hilflosigkeit schimpfte sie: »Du liest zu viel.« Doch das war nicht ernst gemeint. Sie wollte ja, dass er viel las, weil man so am leichtesten lerne, wie sie sagte. Sogar die dicken Tarzan-Romane hatte sie ihm empfohlen, und da es die nur im Westen gab, sie also teures Westgeld kosteten, half sie ihm beim Sparen. Als junges Mädchen hatte sie diese Romane verschlungen; kein Trotzköpfchen, kein Nesthäkchen, der Dschungel war ihre Welt gewesen. Und jetzt? Jetzt ließ sie sich von einem Schnurrbart-Meisel mit den Füßen treten.

Nein, nicht die Mutter und schon gar nicht Onkel Willi oder die Lehrer waren in jener Zeit Mannis Erzieher – die Bücher, die er las, waren es! Er las ja nicht nur Tarzan-Romane, er prüfte alles, was ihm in die Finger fiel. Bücher, die zu schwer für ihn waren, gab es nicht; es gab nur solche, die ihn interessierten, und solche, die ihn nicht interessierten.

Als ihm seine Bettkluckerei endlich zu blöd wurde, zog er sich auf die Straße zurück. Und Kalle Kemnitz, sein bester Freund und Mitsitzenbleiber, begleitete ihn auf Schritt und Tritt.

Der schmale, dunkelhaarige, ewig blasse Kalle wohnte in der Dunckerstraße, in einer Wohnung im dritten Hinterhof. Seine verwitwete Mutter war so arm, dass jedes ihrer vier Kinder nur ein paar Schuhe besaß, weshalb sie im Winter, wenn die Schuhe beim Schuster waren, nicht zur Schule gehen konnten. Wofür Manni Kalle und seine Geschwister oft beneidete.

Vom ersten Schultag an steckten Manni und Kalle zusammen. Da hätten sich zwei gesucht und gefunden, sagte Kalles Mutter oft und lachte über sie.

Gab es rings um die Prenzlauer Allee eine Laubenkolonie, in der sie nicht Äpfel, Birnen, Pflaumen oder Eier geklaut hatten? Gab es bis hoch zum Brandenburger Tor eine Seitenstraße, die sie nicht abgewandert hatten? Sogar in die Museen zog es sie, und so standen sie eines Tages in dem für Deutsche Geschichte und besichtigten Schrumpfköpfe aus dem KZ, Lampenschirme aus Menschenhaut und eine Guillotine, auf der Widerstandskämpfer der Nazizeit ihr Leben gelassen hatten. Niemand hatte sie dazu angehalten, sich das anzusehen; diese Dinge wurden ausgestellt und interessierten sie. Es wurde ja immerzu über diese Zeit geredet, und hatten ihre Väter etwa nicht für diesen furchtbaren Hitler in den Krieg gemusst und waren nicht wieder heimgekehrt?

Nicht weit von der Museumsinsel, an der Monbijou-Brücke, wollten sie mal nach Hamburg abhauen, Schiffsjungen werden, die weite Welt bereisen. Als blinde Passagiere auf einer Spreezille wollten sie die Reise starten, zwei Mark fünfzig für ihren Lebensunterhalt hatten sie in der Tasche. Sie wollten weg, weil es doch irgendwo ein interessanteres Leben geben musste als das, das sie führten. Sie wurden entdeckt und nach Hause geschickt.

An anderen Tagen fuhren sie mit dem Doppelstockbus, erste Reihe oben, durch die Stadt. Von ihrem Thron aus hatten sie den besten Überblick; das Fußvolk auf den Straßen war nur zu ihrem Amüsement da. Manchmal schwänzten sie auch die Schule und fuhren zu den weit nordöstlich gelegenen, ehemaligen Kiesgruben nach Buch raus. In diesen Gruben wuchsen längst Büsche und kleine Bäume, hier konnten sie Höhlen bauen und für ein paar Stunden Tom Sawyer und Huckleberry Finn sein.

Nur wenige hundert Meter weiter bahnte sich zwischen Wiesen und Feldern die Panke ihren Weg in die Stadt. Dort fingen sie Frösche und transportierten sie im Einweckglas heim. Manni besaß ja lange Zeit einen Zoo. Auf dem breiten Küchenfensterbrett war er aufgebaut, eine Schlange gehörte dazu, zwei Feuersalamander, jede Menge Eidechsen, Frösche, weiße Mäuse und Zierfische. Rieke, die Ringelnatter, hatte immer Kohldampf. Also mussten Frösche her, denen sie lieber keine Namen gaben, damit sie ihnen nicht allzu Leid taten, wenn sie sie an Rieke verfütterten. Doch natürlich war die Panke in Wahrheit gar nicht die Panke, sondern der Mississippi, und die Frösche waren Piranhas, obwohl die im Mississippi ja gar nicht vorkamen.

Einmal schafften Kalle und Manni es, eine ganze Woche lang schon morgens nach Buch rauszufahren. Wozu denn noch zur Schule gehen, da sie sich ja sowieso bald nach Hamburg durchschlagen und als Schiffsjungen nach Süd- oder Nordamerika schippern würden? In dieser Woche strichen sie oft über die Wiesen und Felder rings um die Kiesgrube, fanden jede Menge verrostete Patronenhülsen und an einem sehr verregneten Tag einen rostzerfressenen deutschen Stahlhelm.

Waren die Löcher darin etwa Einschüsse? Waren hier Soldaten ums Leben gekommen?

Natürlich kam die Schulschwänzerei raus, und die Mutter wusste gleich, wer wen verführt hatte. Onkel Willi griff zu seinem Rohrstock, und die Mutter hielt Manni eine Standpauke und fragte, ob er denn wieder sitzen bleiben, sein ganzes Leben in der fünften Klasse verbringen wolle?

Er antwortete nur frech: »Na und? Wenn es mir in der Fünften doch so gut gefällt.«

Beliebtester Spielplatz der Kinder aus der Umgebung aber blieb die Ruine am Bezirksamt. Dort trafen sie sich zu sechst, siebt oder acht, rauchten, tranken Schnaps, tauschten Comics, bestanden Mutproben und erkundeten finstere Kellergänge. Wurden die Pförtner vom Bezirksamt auf sie aufmerksam, mussten sie flitzen. Schon nach einer halben Stunde aber waren sie wieder da. Wurde den Pförtnern die Sache dann zu dumm, riefen sie die Pupe – die Polizei –, die kurz darauf kam, das Gelände durchkämmte und ihre Höhle zerstörte.

Einmal wurde auf der Flucht vor der Polizei ein Junge aus einer anderen Straße vom Auto überfahren und starb. Das ging im ganzen Kiez herum, und die Eltern ermahnten ihre Kinder noch eindringlicher, nicht in den Ruinen zu spielen. Sie gingen trotzdem wieder hin; erst jetzt war das Ganze zum wirklichen Abenteuer geworden.

Fanden Straßenschlachten zwischen verfeindeten Cliquen statt, flogen Steine, wurden Knüppel geschwungen und Gefangene gemacht. Dazu brauchte man Mut, den Manni nicht immer hatte. Jedes Jahr im Mai wurde Flieder geklaut und am S-Bahnhof Prenzlauer Allee verkauft; der Strauß für einen Fünfziger. Dazu brauchte es nicht sehr viel Mut, da musste man nur Acht geben, dass nicht gerade die Pupe in der Nähe war.

Vor der größten aller Mutproben, im Gänsemarsch vom S-Bahnhof Prenzlauer Allee zum Bahnhof Greifswalder Straße zu laufen, immer dicht neben den S-Bahn-Schienen her, fürchtete Manni sich seltsamerweise nicht. Dabei war doch gerade das sehr gefährlich. Kam ihnen eine Bahn aus Richtung Greifswalder Straße entgegen, hätten sie die Waggons mit den Händen berühren können. Und war eine S-Bahn vorübergefahren, hieß es, schnell zu sein, denn ganz sicher hatte der Fahrer sie gesehen und benachrichtigte auf dem Bahnhof Prenzlauer Allee die Aufsicht. Schoben zwei Beamte dort Dienst, musste jeden Augenblick einer angelaufen kommen, um sie von der Bahnanlage zu vertreiben; war nur ein Beamter in der Bahnhofsaufsicht, rief er die Pupe an. Die brauchte dann zwar ein bisschen länger, dafür kamen die Polizisten aber immer gleich zu zweit oder dritt.

Oft hockten sie in ihrer Höhle und überlegten, wie sie zu Geld kommen konnten. Dann fiel ihnen, wenn nicht gerade Mai war, immer nur eines ein: Buntmetall. Alle Ruinen der Umgebung wurden abgesucht und die gut getarnte Tagesausbeute – Kupferkabel, Bleirohre, Messinghähne, Zinkbleche, Eisenlegierungen –

auf Fahrrädern in den Westen hinübergeschafft und auf dem nächsten Schrottplatz verscherbelt. Später, als es immer weniger Buntmetall gab – sie waren ja nicht die einzigen Trümmerasseln –, fuhren sie auf ihren Rädern nicht mehr in die Ruinen, sondern in die Neubauviertel, um die gusseisernen Roste aus den frisch aufgestellten Öfen zu klauen. Damit radelten sie dann, einzeln und in großen Abständen, über die Sektorengrenze an der Bernauer Straße. Einer allein fiel nicht so auf, und wurde er erwischt, waren die anderen gewarnt.

In der Bernauer Straße gehörten die Häuser auf der linken Straßenseite noch zum Osten, der Bürgersteig davor aber war schon Westen; streckte also einer den Kopf aus dem Fenster, war der im Westen, sein Hintern aber befand sich noch im Osten. Ein Bild, über das sie oft lachen mussten.

Hätten Volkspolizisten sie angehalten, hätten sie mit ehrlichem Gesicht beteuert, den Ofenrost in einem Laden gekauft zu haben, um ihn der Tante Frieda oder dem Onkel Otto in den Häusern auf der linken Straßenseite zu bringen. Denen sei der alte nämlich geklaut worden und sollten sie im Winter denn frieren? Doch nie wurde einer von ihnen angehalten und so gelangten sie jedes Mal ungefährdet auf dem Schrottplatz Ecke Wolliner an. Dort empfingen sie mehrere Schrottgebirge und jede Menge Konkurrenten, die ihre mühselig aus den Ruinen gezogene Ausbeute auf kleinen Handwagen herantransportiert hatten. Mit ihren neuwertigen Ofenrosten fielen sie natürlich auf, aber nicht ein einziges Mal fragte der Schrotthändler, woher sie die denn hätten. Waren sie ein paar Mal wie die fliegenden Kuriere hin- und hergependelt – mehr als ein in Zeitungspapier verpacktes Ofenrost auf dem Gepäckträger wäre aufgefallen –, fühlten sie sich, nachdem sie das erhaltene Westgeld in der nächsten Wechselstube in Ostmark umgerubelt hatten, wie die Millionäre.

Der dicke Gerd war es dann, der davon redete, es sich künftig noch leichter zu machen, im Dunkeln was vom Schrottplatz zu klauen und das Zeug zwei Tage später einem anderen Schrotthändler – oder auch demselben, wie sollte der sein Gerümpel denn wiedererkennen? – ein zweites, drittes oder auch viertes Mal zu verkaufen. Sie fanden aber bald heraus, dass alle Schrottplätze nach Toresschluss von Hunden oder alten Männern bewacht wurden, und ließen den Plan entmutigt fallen.

Als sie dann doch einmal an der Grenze erwischt wurden, war es nicht mit Ofenrosten, sondern mit mehreren Stapeln Comics, die sie sich unter die Hemden geschoben hatten.

Es war an einem schönen, warmen Sommertag. Sie hatten einen Fahrradausflug nach Neukölln gemacht, in eine Laubenkolonie an der Sonnenallee. Das war auch im Westteil der Stadt, aber eher südlich. In einer der Lauben nahe dem Bahndamm wohnte seit neuestem der Fleischermeister Möckel mit seiner hübschen Tochter Moni, den Zwillingen Hans und Helmut, seiner verhuschten Frau und seiner steinalten Mutter. Möckels waren eines Nachts »abgehauen«. In der Raumerstraße wurde gemunkelt, sie hätten fliehen müssen, weil die Hygienekontrolle in ihren Würsten Rattenfleisch entdeckt hätte. Die Mutter wusste es besser. »Quatsch!«, hatte sie gesagt. »Der Möckel ist weg, weil sie ihn im Osten nicht leben ließen. Wer hier 'n Laden hat, ist doch gleich 'n Kapitalist, ganz egal, wie arm oder reich er wirklich ist. Und das Mädel wollte doch zur Oberschule, um später mal studieren zu können. Als Fleischermeisterstochter, die zur Kirche geht anstatt zur FDJ, durfte die Moni das hier ja nicht.«

Jetzt hatte der Herr Möckel keine Fleischerei mehr, jetzt arbeitete er in einer Wurstfabrik. Hans und Helmut aber sagten, dass es nur eine Frage der Zeit sei, bis ihr Vater wieder eine eigene Fleischerei aufmachen würde. Und zum Abschied spielten sie die reichen Westler und schenkten ihnen alle ihre schon ausgelesenen *Micky-Maus-*, *Tarzan-*, *Supermann-* und *Phantom*-Hefte. Mit denen wurden sie dann an der Grenze erwischt. Ihre »Tantengeschenke« wurden von den Volkspolizisten einbehalten und ihre Eltern erhielten polizeiliche Verwarnungen. Es sei ihre Pflicht, ihre Söhne zu aufrechten, sozialistischen Persönlichkeiten zu erziehen, stand in dem Papier.

Da war die Mutter gleich wieder in Sorge. Ein Junge, der keine Schularbeiten machte, eine ganze Woche die Schule schwänzte und nun auch noch mit der Polizei in Konflikt kam – was sollte aus dem bloß mal werden! Ein Verbrecher vielleicht? Und was, wenn ihr wegen dieser Comic-Sache die Konzession entzogen wurde? Die da oben lauerten doch nur darauf, ihr die Kneipe wegzunehmen. Es sollte doch alles verstaatlicht werden, in der Zeitung hatte es gerade erst wieder gestanden.

Manni versprach Besserung, in Wirklichkeit aber bewegte ihn etwas ganz anderes: Die Möckels waren ja nicht die Ersten, die bei »Nacht und Nebel« in den Westen gegangen waren. Zuerst war die Familie Bohm verschwunden. Bohms hatten im Hinterhaus gewohnt, und der lange Alf Bohm, älter als Manni, hatte ihn oft in sein Zimmer hochgeholt, um ihm seine elektrische Eisenbahn vorzuführen. Eines Tages hieß es, Bohms seien ins Rheinland »abgetaucht«, und darüber war er lange sehr traurig, denn er hatte Alf sehr gemocht. Dann stand eines Tages die Wohnung der Familie Uhlenbusch leer. Hansi Uhlenbuschs bulliger, quadratschädeliger Vater war bei der Volkspolizei gewesen und nie hatte man ihn im Haus ohne seine blaue Uniform und die hohen schwarzen, stets blitzblank gewichsten Paradestiefel gesehen. Ein Mann, der für Recht und Ordnung stand. Und nun war er weg, und Manni hatte Hansi, der mit ihm in eine Klasse ging und in allem ein Ebenbild seines Vaters war, am Abend zuvor noch aus dem Lebensmittelladen der Wilkes kommen sehen und ihn angesprochen. Hansi aber hatte nur stumm die Augen aufgerissen und war schnell weitergegangen. Sicher hatte er da schon gewusst, was seine Eltern vorhatten, und sein Vater hatte ihm eingeschärft, mit niemandem darüber zu reden. Nicht viel später war Johnny Kleppinger »verblüht«, wie die Mutter das nannte. Gerade achtzehn geworden, kam er eines Tages einfach nicht mehr nach Hause. Seine Eltern sorgten sich sehr, bis der Briefträger endlich einen Brief von Johnny brachte, in dem er ihnen mitteilte, in Hamburg gelandet zu sein und nach Australien auswandern zu wollen.

Am Stammtisch wurde gewitzelt: »Und auch der Onkel Hektor wohnt nun schon im andern Sektor.« Es wurde von Flüchtlingen erzählt, die zuvor alles, was sie nicht mitnehmen konnten, in aller Seelenruhe verkauft hatten, von bitterbösen Abschiedsbriefen an Ulbricht, Pieck oder Grotewohl und von aus Wut und Trotz voll geschissenen Matratzen, die hinterlassen worden waren.

Für Manni war das alles nur schwer zu verstehen. Weshalb die Möckels, Bohms und Uhlenbuschs nicht umgezogen waren, wie es sich gehörte, mit einem Möbelwagen und der Hilfe aller Kinder aus dem Haus, das begriff er schon. Aber war es hier, wo er lebte, denn wirklich so schlimm, dass so viele nicht bleiben wollten? Es hatten doch nicht alle eine Fleischerei und eine Tochter, die zur Oberschule wollte. Gingen so viele weg, weil es ihnen woanders besser gefiel als in der Raumerstraße? Vielleicht wegen dem Westgeld, den vollen Schaufenstern, den besseren Filmen oder den schicken Klamotten?

Oder war es ihnen tatsächlich nur um das gegangen, was Onkel Ziesche »Freiheit« nannte?

8. Der Tag X

Jener Tag, an dem Manni glaubte, dass wieder Krieg war!
Am Nachmittag zuvor waren Kalle Kemnitz und er beim Friseur gewesen. Aus einem ganz besonderen Grund: Sie wollten einem noch sehr jungen, unsicheren Lehrer, der die Angewohnheit hatte, sie bei Unaufmerksamkeit an den Haaren aus der Bank zu ziehen, mal so richtig eins auswischen. Die Sache klappte auch, am Morgen dieses 17. Juni 1953 kamen fast alle Jungen mit einem sehr kurz geschorenen Igel in die Klasse. Natürlich wollte Lehrer Bremser, ein langer, dürrer Kerl mit glatt gescheiteltem Haar und Adlernase, sofort wissen, wer die Klasse zu dieser Sabotage an seinen pädagogischen Mitteln angestiftet hatte, und alle bemühten sich, Manni nicht zu verraten. Nach und nach schielten sie aber doch zu ihm hin, und der Bremser, ehemaliger Feinmechaniker und damit im Gegensatz zur Zeisig tatsächlich der Arbeiterklasse entstammend, ließ den reaktionären Kleinbürgersohn mal wieder nachsitzen. Begründung: Er hätte seine Aufgaben nicht ordentlich genug gemacht. Für Manni ein Klacks; er war ein geübter Nachsitzer. An diesem Tag jedoch hatte er erst eine halbe Stunde aus dem Lesebuch abgeschrieben, da kam der Bremser schon wieder ins Klassenzimmer gestürzt und schickte ihn nach Hause. »Geh! Kannst verschwinden! Aber reiß dich künftig zusammen. Ich lass nicht zu, dass du die Klasse am Lernen hinderst. Ein fauler Apfel verdirbt den ganzen Korb, das war schon immer so.«

Der verwunderte faule Apfel packte seine Sachen zusammen und ging. Kaum jedoch zockelte er über den Schulhof, überholte ihn der Bremser, und Manni sah, wie der Lehrer sein Parteiabzeichen vom Jackenaufschlag nahm, jenen »Bonbon«, auf den er doch so stolz war und über den er ihnen einmal eine volle Schulstunde lang erklärt hatte, dass die beiden darauf abgebildeten Hände den Handschlag von Wilhelm Pieck und Otto Grotewohl symbolisierten und dass mit der Vereinigung der beiden Arbeiterparteien ein alter Wunschtraum der Arbeiterklasse in Erfüllung gegangen sei. Dass allerdings die eine Partei die andere geschluckt hatte und deshalb viele Sozialdemokraten, die sich nicht schlucken lassen wollten, eingesperrt worden oder in den Westen gegangen waren, wie am Stammtisch erzählt wurde, hatte er ihnen nicht gesagt.

Vor dem Schultor erwartete ihn der aufgeregte Kalle, der doch mit Mannis vorzeitiger Entlassung aus dem Klassenzimmer gar nicht gerechnet haben konnte. »Weißte schon, was los ist?«, bestürmte er ihn. »Auf 'm Alex is Krieg. Im Radio haben se's gesagt.«

Krieg? Auf dem Alexanderplatz? Das wollte Manni nicht glauben. Aber keine Frage, dass sie sich ankucken mussten, was da los war. Gleich liefen sie zur Straßenbahnhaltestelle an der Prenzlauer Allee. Zum Glück lag sie weit genug vom *Ersten Ehestandsschoppen* entfernt; so konnte die Mutter sie nicht sehen, falls sie gerade mal vor die Tür trat. Die Straßenbahn kam und sie stiegen ein, bereits an der Jostystraße aber ging es nicht mehr weiter: Männer in Arbeitskleidung standen auf den Gleisen. »Wir streiken«, riefen sie in die Waggons hinein. »Alles aussteigen, Herrschaften!«

Ein Tumult entstand. Einige Fahrgäste stiegen aus, andere jedoch blieben drin und protestierten. Die Streikenden verteidigten sich, es ginge um mehr als nur darum, irgendwo pünktlich anzukommen, und Manni und Kalle, die mit zu den Ersten gehört hatten, die ausgestiegen waren, sahen das sofort ein. Mit vor Aufregung klopfenden Herzen liefen sie in Richtung Alexanderplatz weiter. Dicke Rauchschwaden begrüßten sie dort. Ein Zeitungskiosk brannte und auch aus einem der Fenster des Berolina-Hauses drang dichter Qualm. Erschrocken blieben sie stehen und blickten zu all den Männern, Frauen, Kindern und Jugendlichen hin, die da so aufgeregt durcheinander liefen und offensichtlich immer mehr wurden. Einem schwarzen PKW, der versuchte, im Schritttempo den Platz zu überqueren, wurden Beulen in die Karosserie geschlagen, ein Mann im blauen Arbeitsanzug war auf einen Fahnenmast geklettert, um die dort im Wind wehende rote Fahne herunterzuholen, ein mürrisch dreinblickender Alter und ein noch sehr junger, pausbäckiger Bursche bewachten die Aktion. Als der auf dem Fahnenmast die rote Fahne endlich erreicht hatte, zerriss er das schon sehr morsche Tuch mit hoch erhobenen Händen in der Luft. Seine beiden Begleiter klatschten Beifall, andere fielen mit ein und irgendwo wurde geschrien: »Freie Wahlen! Wir-woll'n-freie-Wahlen!«

»Mensch!«, staunte Kalle nur. »Mensch!« Dann waren sie schon Teil der Menge, die unter der S-Bahn-Überführung hindurchdrängte, um in Richtung Rotes Rathaus weiterzumarschieren. Einige der Männer und Frauen vor, neben und hinter ihnen hakten sich unter, ein junges Mädchen hatte sich eine Polizistenmütze auf den Kopf gesetzt, die sie irgendeinem Vopo weggenommen haben musste. Der Pausbäckige schrie: »Leute-reiht-euch-ein! Wir-woll'n-keine-Sklaven-sein.«

Nein, das war kein Krieg! Im Gegenteil, Manni war es, als wäre die ganze Stadt in eine Art Freudentaumel gefallen, und Kalle und er taumelten mit, weil sie ja irgendwie dazugehörten. Wo sie auch vorüberkamen, an Betrieben, Läden, Verwaltungsstellen, Wohnungen, überall hingen Männer und Frauen in den Fenstern, kuckten, riefen und winkten ihnen zu. An den Mauern dieser Gebäude aber hingen noch immer die roten, weiß beschrifteten Transparente mit Losungen wie *Vorwärts zum Aufbau des Sozialismus; Erst mehr arbeiten, dann besser leben; Gegen die Bonner Marionettenregierung; Für die Erstürmung der Wissenschaften*; Sprüche, die, wie Onkel Ziesche gern sagte, bei Kohlenmangel warm halten sollten.

Ein Vierteljahr zuvor hatten Kalle und Manni Ähnliches erlebt. Da war Stalin gestorben und durch die Stalinallee war ein Trauerzug gezogen. Neugierig wie sie waren, hatten sie sich den angesehen, denn der Bremser und die Zeisig hatten ihnen doch erzählt, dass Stalin der Vater aller Werktätigen und beste Freund des deutschen Volkes gewesen sei und außerdem auch noch der Befreier der gesamten Menschheit. Auch ein genialer Feldherr und großer Wissenschaftler, der schon als Schulkind immer nur Einser gehabt hätte, sollte er gewesen sein. Stalins Tod, so der Bremser, sei ein unermesslich großer Verlust für die gesamte fortschrittliche Menschheit, seine Frau und er hätten sofort einen Trauerflor über ihr Stalin-Bild gehängt.

An Mutters Stammtisch war natürlich ganz anders geredet worden. Da hatte die Golden nur böse gesagt: »Na, endlich – der Oberverbrecher ist tot!«, und eine Lage Bier und Schnaps für den gesamten Stammtisch geschmissen, um auf die freudige Nachricht anzustoßen. Onkel Ziesche hatte sich zwar nicht gefreut – »Stirbt ein Diktator, stirbt damit noch lange nicht die Diktatur«, hatte er nur gesagt –, aber dann doch mitgetrunken und über die Stalin-Witze, die erzählt wurden, gelacht und sogar selber welche erzählt. Das hatte Manni verletzt. Egal, ob dieser schnauzbärtige Stalin, von dem überall in der Stadt riesige Bilder hingen, nun ein Befreier der Menschheit war oder ein Verbrecher, wenn ein Mensch gestorben war, durfte man sich doch nicht freuen.

Die Mutter hatte ihm seine Empörung angesehen. »Das ist immer so in der Politik, wenn die einen weinen, jubeln die anderen. Aber wirkliche Freude ist das nicht. Nur Schadenfreude.«

Die halbe Stadt sei auf den Beinen gewesen, hatte der Bremser am Morgen danach stolz verkündet und den Trauerzug eine riesige Demonstration der Liebe genannt. War heute, an diesem 17. Juni, vielleicht die andere Hälfte unterwegs, jene, die bei Stalins Tod Schadenfreude empfunden hatte?

Wir wollen unsere Ausbeuter zurück, hatte jemand mit Kreide an eine Hauswand geschrieben, gleich daneben wurde eine Schaufensterscheibe eingeschlagen. Ein magerer, gelbgesichtiger Alter wollte die Plünderer aufhalten. »Das nicht!«, schrie er. »Solche sind wir doch nicht!« Mehrere jüngere Männer stießen ihn zur Seite, und er musste hilflos mit ansehen, wie das Schaufenster ausgeräumt wurde.

Es ging über den Marx-Engels-Platz in die breite Straße Unter den Linden hinein. Aus der Friedrichstraße kam einer im grauen Anzug. Er blutete im Gesicht, seine Jacke war zerfetzt. Hastig blickte er sich um. Eine Frau im blauen Kostüm und mit Hut auf dem Kopf kam ihm nachgelaufen. »Steck es doch wenigstens in die Tasche!«, flehte sie den Mann an. Doch er schüttelte nur den Kopf und wurde, wie aus Trotz, etwas langsamer.

Manni sah den beiden nach, bis sie in der Menge verschwunden waren. Der Mann im grauen Anzug war also nicht wie der Bremser, wollte sein Parteiabzeichen nicht abnehmen? War er nur mutiger oder steckte noch anderes dahinter?

Als sie vor dem Brandenburger Tor angekommen waren, staute sich die Menge; die rote Fahne, die sonst auf dem Tor flatterte, war bereits durch eine schwarz-rot-goldene ersetzt. Einige der Männer und Frauen hoben zu singen an, andere stimmten mit ein. »Deutschland, Deutschland, über ahalles, über alles in der Welt«, sangen sie. Ein Lied, das auch die Hitlerleute oft gesungen hatten, wie Manni aus vielen Filmen wusste. Ihm wurde ein wenig unheimlich zumute. Andere Demonstranten sangen »Brüder, zur Sonne, zur Freiheit«, ein Lied, das er aus der Schule kannte und das in den Filmen von den Nazigegnern gesungen wurde. Wie passte das alles zusammen?

»Kuck mal da!« Kalle stieß ihn an.

In der Wilhelmstraße brannte ein Auto. Auch Transparente und Losungen waren in Flammen aufgegangen. »Wir woll'n freie Menschen sein!«, tönte es herüber und: »Es hat keinen Zweck, der Spitzbart muss weg!« Woanders wurde gerufen: »Lasst die politischen Gefangenen frei!« und »Nehmt die Normenerhöhung zurück!«. Wieder woanders: »Freie Wahlen! Wir woll'n freie Wahlen!«

Ein kleiner Mann mit Hut auf dem Kopf, der bisher nur still zugehört hatte, konnte da nicht länger nur tatenlos zusehen. Er flüsterte mit den beiden Männern rechts und links von ihm, sie nickten und der eine von ihnen nahm den Kleinen mit Hilfe des anderen auf seine Schultern. Kaum oben, schwenkte der Kleine seinen Hut, um die Umstehenden auf sich aufmerksam zu machen, und rief laut, die Normenerhöhung sei ja längst zurückgenommen. Die Partei habe erkannt, einen Fehler gemacht zu haben. Sinnlose Zerstörungswut und die Vernichtung von Volkseigentum jedoch brächten niemanden weiter. Jetzt komme es einzig und allein darauf an, vernünftig und überlegt zu handeln und Arbeiterausschüsse zu wählen, um auf breiter demokratischer Grundlage die Interessenvertretungen in den Betrieben abzusichern. Freie Wahlen könne es erst danach geben.

Eine Rede, die Manni nur teilweise verstand, einige der Umstehenden jedoch kuckten, als fänden sie gar nicht so dumm, was der Redner da gesagt hatte. Andere drängten auf ihn zu, zerrten ihn aufs Pflaster zurück und rissen ihm sein Parteiabzeichen ab: »Lügner! Euch geht's doch nur darum, Zeit zu gewinnen.« Der Kleine wollte widersprechen, ein alter Mann mit faltendurchzogenem Gesicht unterbrach ihn streng: »Das soll uns dein Ulbricht selber sagen.« Der Kleine mit dem Hut wurde durch die Reihen gestoßen, während seine beiden Nebenmänner versuchten, ihn so gut es ging vor Püffen und Schlägen zu schützen, bis sie irgendwann mit ihm in der Menge verschwunden waren. Gleich darauf drängte alles durchs Brandenburger Tor.

Manni blieb stehen, wurde angerempelt, gestoßen und beschimpft. »Hau ab, Krümel, sonst wirste noch zertreten.«

»Was ist denn?« Kalle wollte mitlaufen, mitsingen. Er glühte vor Begeisterung.

»Rüber geh ich nicht«, sagte Manni und wunderte sich über sich selbst. Er fuhr doch sonst so gern in den Westen rüber, was hinderte ihn also, da mitzulaufen?

»Und wohin willste?«

Eine Gruppe Jugendlicher, die sich auf Fahrrädern durch die Menschenmassen drängten, nahm Manni die Entscheidung ab. Es waren Jungen in Niethosen und mit Bürstenhaarschnitt, die nach links in die Wilhelmstraße hineinfuhren. Ohne sich erst lange zu besinnen, lief er hinter ihnen her. In dieser Gegend kannte er sich aus. Jedes Mal, wenn er was zum Anziehen brauchte, fuhr die Mutter mit ihm hierher. Eine Bekannte von ihr arbeitete in einem Textilgeschäft an der Leipziger Straße; kam neue Ware, legte sie immer etwas zurück, was man sonst nirgends bekam.

Der verwirrte Kalle hielt sich dicht an Manni, aber auch andere Menschen drängten in die Wilhelmstraße. Bis es nach einigen hundert Metern vor einem riesigen, an einen Bunker erinnernden Gebäude erneut einen Stau gab. Alle Zugänge dieses Gebäudes waren mit eisernen Gittern versperrt, seltsamerweise aber stand vor einem dieser Gitter ein Tisch, als hätte ihn jemand dort vergessen. Steine flogen gegen den Gebäudeklotz, ging eine Fensterscheibe zu Bruch, prasselte lauter Beifall los. Es war die Machtzentrale des an diesem Tag bis in seine Fugen erschütterten Staates, vor der sie in jenem Augenblick standen, das ehemalige, noch unter den Nazis erbaute Reichsluftfahrtministerium und jetzige Haus der Ministerien. Erst sehr viel später wurde Manni das bewusst, und nie konnte der Erwachsene dieses Gebäude betreten, ohne daran denken zu müssen, was an jenem Tag hier geschah.

Nicht lange und ein Mann in zerschlissener Arbeitskleidung trug eine aus dem Pflaster gerissenen Holztafel vorüber, die ankündigte, dass nicht weit von hier die Grenze nach WestBerlin verlief. Er schwenkte die schwere Tafel wie eine Siegestrophäe und der Beifall brauste noch heftiger los. Da konnte eine junge Frau mit aufgelösten Haaren, die ganz offensichtlich nicht zu den Demonstranten gehörte und schon ein paar Mal ganz giftig gekuckt hatte, ihre Wut nicht länger zügeln. »Ihr seid doch alles Lumpen«, schrie sie mit schriller Stimme. »Achtgroschenjungs! Bezahlte Kreaturen! Wisst ihr denn nicht, dass ihr gegen eure eigenen Leute vorgeht?«

Sofort drängte ein langer, dünner Mann mit bleichem Vogelgesicht auf sie los. »Wat redeste denn da? Ick hab fünf Jahre KZ hinter mir. Denkste, dafür« – er wies auf die Gitter – »will ick jekämpft hab'n? Denkste, für die Bonzen sind meine Jenossen Hitlers Henkern zum Opfer jefall'n? Unsre Leute! Dit da sind doch schon längst nich mehr unsre Leute, dit sind Stalins Leute!« Er wollte noch mehr sagen, wurde aber von einem immer lauter werdenden Rasseln, Dröhnen und Klirren abgelenkt, das schon bald jeden anderen Laut erstickte. Panzer! Vom Spittelmarkt her kamen sie herangefahren, vorneweg ein Panzerspähwagen, voll besetzt mit russischen Soldaten, wie die vielen Stahlhelme verrieten, die über die Seitenwände herausragten, rechts und links je ein Maschinengewehr. Gleich dahinter die lange Reihe der graugrünen stählernen Kolosse.

Kalle nahm nur still Mannis Hand und Manni hielt sich an Kalle fest. Kam er da heran, der Krieg? Sah es so aus, wenn ein Krieg begann? Aber vielleicht wollten die Russen mit diesen Gewehren ja gar nicht schießen, vielleicht wollten sie den Leuten nur Angst machen …

Die meisten Erwachsenen hatten diese Hoffnung nicht. Einige stürzten in Richtung Potsdamer Platz davon, andere flohen zum Brandenburger Tor zurück. Nur wenige traten vor, ballten zornig die Fäuste und riefen: »Pfui! Russen weg! Das ist unsere Sache!«

»Nicht!«, warnte da ein knorriger Mann mit kurz gestutztem Schnauzer. »Lasst die Russen in Ruhe! Wenn wir uns mit denen anlegen, ist's gleich zappenduster.«

»Legen wir uns nicht mit ihnen an, geht die Sonne auch nicht auf«, antwortete einer mit Schirmmütze traurig. »Solange die bei uns stationiert sind, wird sich ja doch nichts ändern.«

»Komm!« Manni zog Kalle am Ärmel, und dann nahmen auch sie die Beine in die Hand und liefen in Richtung Potsdamer Platz davon, wo sich bereits eine größere Menschenmenge versammelt hatte. Dicht gedrängt standen Männer, Frauen, Kinder und Jugendliche und starrten mit empörten, neugierigen und ängstlichen Gesichtern den Panzern entgegen. Die schwarzen Kordanzüge der Zimmerleute, weiße Maurerdrilliche, blaue Arbeitsjacken waren darunter zu entdecken, aber auch Trenchcoats, Sakkos und gelbe Nickis mit bunten Bildern drauf. Die Brettertafel, die in Deutsch, Englisch, Französisch und Russisch die

Grenze nach WestBerlin ankündigte, war auch hier schon aus dem Pflaster gerissen worden und auf WestBerliner Seite standen viele Schaulustige; Gruppen und Grüppchen von Männern und Frauen, die sich nicht herüberwagten.

Mit wütenden Pfiffen und lautem Protestgeschrei wurden die Panzer empfangen und gleich darauf die ersten Steine aus dem Pflaster geklaubt und gegen die rasselnden Ungetüme geschleudert.

»Ick will hier weg.« Kalle hatte das noch nicht ganz heraus, da huschte er schon wie eine von Hunden gejagte Katze auf ein im Krieg zerbombtes Haus zu, um sich hinter einer niedrigen Mauer zu verbergen. Manni flitzte ebenfalls los, kniete sich neben ihn hin und beobachtete über die Mauer hinweg, was weiter geschah.

Ein Panzer mit der Nummer 93 kam auf die Menschenmenge zugefahren, ein hagerer Mann in Maurerjacke aber wich nicht zurück, prügelte nur von der Seite her wie wild mit einer Eisenstange auf das stählerne Ungetüm ein; fast so, als wollte er einen Drachen erschlagen. Mehr als ein mattes Klicken war aber nicht zu hören. Wütend warf der Mann die Eisenstange weg und bückte sich nach Steinen, andere eilten ihm zu Hilfe, bald wurde der Panzer aus allen Richtungen bombardiert.

Der Panzer aber hielt nicht inne, im Gegenteil, er wurde immer lebendiger. Die Raupenketten klirrten laut, und scheppernd drehte sich der Turm, um die Steine werfenden Männer mit dem Geschützrohr zu bedrohen. Da ließen einige fallen, was sie gerade in den Händen hielten, und liefen fort, andere jedoch wichen nur langsam zurück. Bis es irgendwo laut krachte und auch die Wagemutigsten davonstürzten.

»Sie schießen!«, schrie Kalle und hastig wollte er hinter den Fliehenden her. Manni hatte Mühe, ihn festzuhalten. Sie durften jetzt nicht weglaufen, sie würden ja direkt vor den Panzer mit dem sich ständig drehenden Geschützrohr rennen. Doch dann wollte Kalle auf einmal gar nicht mehr weg. Mit weit aufgerissenen Augen sah er zu einem Mann hin, der Haken schlagend vor einem der Panzer herlief. Der Panzer war sehr beweglich und folgte dem Flüchtenden überallhin, bis der Mann endlich aufgab und sich mit dem Rücken an eine Hauswand presste. Der Panzer aber stoppte nicht, sondern fuhr auf den Mann zu, als wollte er ihn mit seinem Geschützrohr zerquetschen. Erst wenige Zentimeter vor ihm drehte er ab.

Der Mann rutschte an der Hauswand herunter und schlug die Hände vors Gesicht.

Das sah nun doch nach Krieg aus, das musste auch Manni zugeben.

»Ick will nach Hause.« Kalle liefen die Tränen übers Gesicht und Manni hätte am liebsten mitgeheult. Er wollte auch nach Hause. Aber wie sollten sie denn hier wegkommen? Es wurde ja schon wieder geschossen. Tacktacktacktack machte es, immer wieder Tacktacktacktack. Waren das Maschinenpistolen? Erneut linste er über die Mauer. Mit normalen Gewehren konnte man nicht so schnell schießen, das wusste er aus vielen russischen Kriegsfilmen. Was er dann beobachtete, erschreckte ihn noch mehr: Es waren nicht die russischen Soldaten, die schossen – es waren mit Maschinenpistolen bewaffnete Volkspolizisten. Sie verfolgten die fliehenden Menschen, blieben hin und wieder stehen und schossen.

Er wollte schreien, dass sie damit aufhören sollten – wie leicht konnten sie jemanden treffen! –, als mit einem Mal eine Lautsprecherstimme über den Platz dröhnte. Es klang, als hätte sich der liebe Gott persönlich zu Wort gemeldet, um die dummen Menschen zur Ordnung zu rufen. »Lasst das Schießen sein«, hallte es laut. »Ihr werdet eines Tages dafür zur Verantwortung gezogen.« Und gleich darauf noch einmal und immer wieder: »Lasst das Schießen sein! Ihr werdet eines Tages dafür zur Verantwortung gezogen.«

Stand der Lautsprecher im Westen? Manni wurde ein bisschen größer, konnte jedoch keinen Lautsprecherwagen entdecken. Er sah nur überall fliehende Menschen. Einige liefen in Richtung Grenze, andere versuchten sich vor den Schüssen zu retten, indem sie in die Ruinen flüchteten. Wieder andere ließen sich einfach nur fallen, um nicht getroffen zu werden. – Oder waren sie etwa schon getroffen worden?

Er spürte, wie ihm übel wurde, und er sah Kalle sich die Hosen runterzerren und hinhocken. Kaum hatte Kalle die Hosen wieder hoch, drangen Qualmwolken über den Platz. Ein ähnlicher Geruch wie der, der über dem Alexanderplatz hing, umfing sie. Sie blickten sich um und sahen aus einem der Ruinenfenster Flammen schlagen. »Weg!«, schrie Manni und stürzte schon hinter der Mauer hervor, einem russischen Offizier mit rotem Stern an der Mütze direkt in die Arme. »Wohin?«, schrie der verdutzt.

»Nach Hause!«, schrie Manni zurück. »Ick will zu meine Mutter.«

»Mutter?«, fragte der Offizier und hielt auch Kalle fest, der erst gar nicht versucht hatte, ihm auszuweichen.

»Mutter!«, schluchzte Kalle.

Da schüttelte der Offizier den Kopf: »Nix gutt! Nix gutt!«, und dann führte er sie, in jeder Hand einen Hemdkragen, mit sich fort, bis er ihnen in einer etwas ruhigeren Seitenstraße den Befehl gab, sofort nach Hause zu laufen.

»Zu Mamotschka, verstehen?«

Nie zuvor hatten Manni und Kalle einen Befehl so gut verstanden; nie zuvor waren sie so schnell durch die Straßen gerannt.

Wie lange Manni an jenem Nachmittag hinter der Litfaßsäule gestanden und zum *Ersten Ehestandsschoppen* hinübergeblickt hatte? Eine halbe Stunde mindestens. Er traute sich einfach nicht hinein. Zwar war die Mutter es gewohnt, dass er manchmal nachsitzen musste, weshalb sie sich ganz bestimmt nicht gleich Sorgen gemacht hatte, irgendwann aber musste sie unruhig geworden und zur Schule gelaufen sein und hatte ihn dort nirgends finden können. Und dabei wusste sie doch sicher, was am Alex und am Potsdamer Platz los war, und kannte seine Vorliebe für Stadtwanderungen; wie sollte sie da keinen Schreck bekommen haben?

Endlich, nach vielen unbekannten Gästen, kam der bucklige Kurt aus der Gaststätte und Manni konnte einen Zipfel von sich sehen lassen. Und richtig gehofft, der kleine, verwachsene Mann in seinem schon sehr abgetragenen Anzug entdeckte ihn, kam um die Litfaßsäule herum und starrte ihn mit seinen vom vielen Trinken bereits ganz glasigen Augen an. »Da biste ja endlich. Mach ma hinne, dass de reinkommst. Deine Mutter sitzt wie auf glühenden Kohlen.«

Den Kopf zwischen den Schultern, betrat Manni die Gaststube – und sofort verstummte aller Lärm, und die Mutter kam wie ein aufgeregter Vogel um die Theke herumgeflattert, um ihm die fällige Ohrfeige zu versetzen. Mit glühendem Gesicht lief er ins Hinterzimmer und warf sich auf die Couch.

Die Mutter kam ihm nach. »Wo warst du?« Ihre Stimme klang hart, sie war noch immer sehr aufgeregt.

Stockend erzählte Manni ihr alles und da hätte sie ihm am liebsten noch eine runtergehauen. Weil ihr dazu aber nun die

Wut fehlte, weinte sie nur, und er schämte sich mal wieder so sehr, dass er am liebsten mitgeheult hätte. Er wusste ja, dass die Mutter in solchen Augenblicken immer an Wolfgang dachte.

Als dann die Mutter kopfschüttelnd und seufzend wieder gegangen war, hockte er sich vors Radio und kurbelte die Skalenanzeige rauf und runter, um mal hier, mal dort in die Nachrichten hineinzuhören. Er wusste, wo die Westsender und wo die Ostsender lagen, und war ein geübter Radiohörer.

Da – der RIAS! Erst Paukenschläge, dann »Hier spricht der RIAS Berlin, eine freie Stimme der freien Welt«. Es gab Reportagen von den Geschehnissen des Tages und die jeweiligen Reporter sprachen sehr aufgeregt. Manchmal waren im Hintergrund Schüsse zu hören. Von achtzehn Millionen unfreier, verängstigter und verelendeter Menschen in der Ostzone, die heute zum ersten Mal aufbegehrt hätten, um sich von der SED-Diktatur zu befreien, berichteten die Reporter, von der nun schon seit Jahren andauernden sowjetischen Fremdherrschaft und der aussichtslosen Situation ihrer politischen Gegner, die in russischen Bergwerken Zwangsarbeit leisten mussten, bis sie irgendwann zu Tode erschöpft zusammenbrachen.

Ob das stimmte, was da gesagt wurde? In der Schule wurde der RIAS nur Lügensender genannt. Aber so etwas durfte doch eigentlich niemand erfinden! Andererseits: Weder die Mutter noch Robert, Onkel Willi oder all die anderen Leute, die er kannte, waren verängstigt und verelendet. Oder hatte er es nur noch nicht bemerkt? Vielleicht, weil ihm die Erwachsenen nicht alles sagten?

Die Sender im Osten verlasen unaufhörlich eine Erklärung, die besagte, dass über OstBerlin der Ausnahmezustand verhängt sei. Alle Demonstrationen, Versammlungen, Kundgebungen und sonstige Menschenansammlungen von mehr als drei Personen seien verboten; von neun Uhr abends bis fünf Uhr früh dürfe niemand auf die Straße. Wer gegen diesen Befehl verstoße, werde nach Kriegsgesetzen bestraft.

Also doch: Krieg! Manni stürzte ans Fenster und sah hinaus. Auf der Straße aber war alles ruhig, obwohl es noch längst nicht neun war.

Weil er wissen wollte, was denn nun wirklich los war, hielt er es nicht länger im Hinterzimmer aus. Obwohl die meisten Gäste seine wenig triumphale Heimkehr miterlebt hatten und ihn noch immer empört oder neugierig anblickten, setzte er sich an den Stammtisch, trank sein Malzbier und hörte zu.

Arno von der Müllabfuhr: »Redet, was ihr wollt! Arbeiter können doch nicht gegen sich selbst streiken ... Da stecken andere dahinter. Wenn ihr mich fragt: Das Ganze hat der Westen angezettelt.«

Der Hemden-Rudi: »Quatsch mit Soße! Die Leute sind unzufrieden, das ist es! Willste was kaufen, gehste in 'n Laden, hörste: Ham wa nich. Fragste, warum nicht, sagen se: Is nich im Plan! Sagste: Wird aber gebraucht, zucken se die Achseln: Was geht's uns an, was die Leute brauchen, sind wir etwa für die Leute da?«

Otto Grün: »Früher hieß es ›Akkord ist Mord‹, jetzt treiben sie die Leute an mit ihrer Hennicke-Methode! Aktivist sollst du werden, aber verdienen sollst du nichts. Alles nur für die Ehre. Und dann verlangen sie auch noch, dass die Leute sich für ihre ›gute Sache‹ begeistern.«

Die Brikett-Anna: »Se woll'n Nüsse mit 'm Hintern knacken. Aber se werden sich noch wundern – erstens, weil die Dinger auf diese Weise nicht zu knacken sind, und zweitens, weil ihre Nüsse unangenehm duften, sollt'n se se am Ende doch noch aufbekommen.«

Alles keine neuen Sprüche. Manni wollte schon wieder ans Radio zurück, als Herrmann Holms auf einmal über die vielen Flüchtlinge zu reden begann, die Tag für Tag in den Westen verschwänden. »Jeden Monat Zigtausende! Kein Wunder, dass der Adenauer sagt, wer nicht an Leib und Seele gefährdet ist, soll lieber bleiben. Wo sollen die da drüben denn hin mit all den Leuten?«

Die göttliche Margot: »Die olle Indianerfratze hat gut reden, sitzt am warmen Ofen und predigt anderen, wie se sich bei Frost zu verhalten haben.«

Ein Thema, das Manni interessierte. Es verschwanden ja wirklich immer mehr Leute. Und viele flüchteten längst nicht mehr bei »Nacht und Nebel« wie noch die Bohms, die Möckels, Johnny Kleppinger oder die Uhlenbuschs. Er hatte gesehen, wie sie am Bahnhof Zoo aus der S-Bahn stiegen. Sie hatten Gepäck dabei und waren viel zu warm angezogen, weil sie so viele Klamotten wie möglich mitnehmen wollten. Manche kuckten erleichtert, wenn sie es so problemlos geschafft hatten, andere eher misstrauisch und ängstlich.

Heinz der Stotterer, der meistens schwieg, weil er das Gespräch nicht aufhalten wollte: »Der M-Mensch ist schon i-immer d-dahin g-gegangen, wo d-die g-größten B-Birnen wachsen. D-das kann man d-doch n-niemandem ü-übel nehmen.«

Er erntete dafür beifälliges Kopfnicken, nur Onkel Ziesche sagte: »Na ja, manche gehen nicht wegen der Birnen weg, sondern allein wegen dem Klima.« Und ein wenig später, als alle noch über diese Worte nachdachten, fügte er hinzu: »Mich interessiert vor allem, als was unsere Oberbirnenzüchter uns die heutigen Vorgänge morgen verkaufen wollen. Eine Konterrevolution, vom Volk selbst in Gang gesetzt, widerspricht all ihren Theorien.«

»Walter!«, schimpfte die Mutter. »Red doch nicht immer so! Bringst uns noch alle in Teufels Küche.«

»Liebe Lisa«, Onkel Ziesche lächelte mokant-traurig, »zwölf Jahre lang waren wir das Volk der braunen Lurche – eine Nation ohne Rückgrat. Wenn die Stiefel sich näherten – husch, husch unter den nächsten Stein. Nichts sehen, nichts hören, nichts wissen!« Er hob den Zeigefinger. »Das darf uns nicht wieder passieren.«

Worte, die die Mutter nur noch mehr ängstigten, weshalb sie, als in diesem Moment die Tür geöffnet wurde, zutiefst erschrak. Es waren aber nur Else Golden und der dicke Bessel, die nacheinander die Gaststube betraten.

Der vor Aufregung schweißtriefende Herr Bessel bestellte sich mit Handzeichen bei Onkel Willi, der die ganze Zeit über nur hinter der Theke gestanden und mit eher uninteressiertem Gesicht zugehört hatte, ein Bier, dann setzte er sich neben den Hemden-Rudi und berichtete stolz, er komme direktemang von der Warschauer Brücke. Dort seien zwei Zöllnerinnen, die bekannt dafür waren, die Einkaufstaschen der Ostler, die aus dem Westen kamen, immer besonders streng kontrolliert zu haben, von der Brücke auf die S-Bahn-Gleise geworfen worden. Ob sie noch lebten, wisse er nicht. Sagte es, trank von dem Bier, das Onkel Willi ihm gebracht hatte, keuchte noch ein bisschen und erzählte danach voller Genugtuung weiter, die Straßen seien inzwischen voller weggeworfener Schwimmkorken. »Wer die alle auflesen will, braucht 'n LKW.«

Mit »Schwimmkorken« meinte der Bessel Parteiabzeichen. Er nannte sie so, weil er der Meinung war, dass alle, die solch ein Abzeichen trugen, immer oben schwammen, und vergaß dabei nur, dass er zwölf Jahre lang auch einen, nur eben andersfarbigen Schwimmkorken getragen hatte.

Bessels Ankunft war für Onkel Willi ein Grund, sich ebenfalls am Stammtisch niederzulassen. »Tja«, sagte er zufrieden. »Se konnten's ja nicht abwarten, in Ulbrichts Verein einzutreten. Nu hab'n se ihr Schlamassel.«

Manni war schon aus Prinzip gegen alles, was der Bessel oder Onkel Willi sagte, diesmal aber wusste er es wirklich besser: Der Bremser hatte sein Parteiabzeichen nur eingesteckt, nicht weggeworfen, und der Mann, der blutend aus der Friedrichstraße gekommen war, hatte seines nicht mal abmachen wollen. Auch der mit dem Hut, der vor dem Brandenburger Tor eine Rede gehalten hatte, hatte seines nicht freiwillig hergegeben. Also gab es »sone und solche«, wie die Mutter immer sagte; wer alle über einen Kamm scherte, machte es sich zu einfach. Außerdem, auch wenn der Bremser der größte Feind aller Kneipiersöhne war, er konnte ihn gut verstehen; er hätte sich auch nicht nur wegen eines Abzeichens verprügeln oder gar von einer Brücke werfen lassen wollen.

Else Golden, immer in Gefahr, wegen Schwarzhandels erwischt zu werden und für vier, fünf Jahre hinter Zuchthausgittern zu verschwinden, hatte noch Aufregenderes zu berichten. Gerade von drüben gekommen sei sie – und da hatte sie natürlich, ohne dass sie es extra erwähnen musste, irgendwelche Waren oder Westgeld bei sich –, als sie plötzlich mitten in »sone Krawalldemonstration« hineingeriet. Volkspolizisten lösten die Menge auf, und ein paar besonders erregte »Krawallmacher« wurden abgeführt und sie, die nur zufällig dort vorbeigekommen war und sich nicht mehr rechtzeitig verdrücken konnte, beinahe auch. Zum Glück sei sie an einen Vopo geraten, der sie für eine Schachtel *Golddollar* laufen ließ. »Es lebe der korrupte Beamte!« Sie hielt ihr Schnapsglas hoch und alle stießen mit ihr an und konnten sich mal wieder nur über ihr tolles Elschen wundern.

Manni sah, wie auch die Mutter sich einen Schnaps einschenkte. Und das diesmal nicht aus der Trickflasche mit dem Wasser, aus der sie sonst immer trank, weil sie ja an manchen Tagen zwanzigmal zu einem »Schlückchen« eingeladen wurde und diese Einladungen nicht abschlagen durfte, wollte sie niemanden beleidigen. Sie trank aus einer echten Flasche, und das tat sie nur, wenn ihr danach zumute war.

Still zog er sich ins Hinterzimmer zurück, kurbelte am Radio und hörte mal hier, mal dort einem der aufgeregten Reporter zu, bis es kurz vor neun war und er mitbekam, wie die Mutter den schweren Rollladen runterließ. Also war inzwischen auch der letzte Gast gegangen. Gleich legte er sich ins Fenster und schaute dem Bessel, der Brikett-Anna und dem Hemden-Rudi nach, wie sie langsam die Straße hinunterwackelten.

Die Mutter kam zu ihm. »Willste dich nicht endlich ausziehen und waschen?«, fragte sie streng. Sie hatte ihm den Kummer, den er ihr bereitet hatte, noch nicht vergessen.

Erst blickte er sie nur an, dann fragte er leise, ob das jetzt Krieg sei.

Sie erschrak, zog ihn an sich und fuhr ihm durchs Haar. »Wie kommst du denn auf so was? Natürlich nicht! Krieg ist was ganz anderes. Das hier ist doch nur so 'n bisschen Stänkerei.«

»Aber im Radio haben se von Kriegsgesetzen gesprochen.«

Da schüttelte sie mal wieder über ihn den Kopf. »Ist nicht gut, dass du dir immer solche Sachen anhörst. Kriegst alles in den falschen Hals.« Da ihm diese Antwort aber nicht genügte, fügte sie noch hinzu: »Kriegsgesetze bedeuten noch lange nicht, dass Krieg ist. Schon morgen wird alles wieder sein, wie es war. Die in der Regierung sind doch nicht blöd. Sie werden rückgängig machen, was sie verbockt haben, und die Leute werden wieder zur Arbeit gehen. Wir müssen ja alle Geld verdienen.«

Er nickte, weil er auf solch beruhigende Worte gehofft hatte, und sie lächelte ihm zu, als sei alles, was an diesem Tag passiert war, nur ein Spiel unter Erwachsenen.

Wenige Tage später wurde am Stammtisch erzählt, dass es zu mehreren Erschießungen von Aufständischen gekommen sei und die Regierung es allein den russischen Panzern zu verdanken habe, dass sie noch an der Macht sei.

Onkel Ziesche: »Ein schöner Widersinn! Die Befreier der Arbeiterklasse müssen sich durch fremdes Militär von denen befreien lassen, die sie befreien wollen.«

In der Schule jedoch hieß es, bei den Streiks habe es sich einzig und allein um eine von den Imperialisten angezettelte Aktion gegen den Sozialismus gehandelt. Der allergrößte Teil der Demonstranten sei nämlich aus dem Westen gekommen, um den von den Feinden des Sozialismus seit langem geplanten Tag X zu starten. Einige teilweise fehlerhafte, inzwischen aber längst korrigierte Regierungsentscheidungen hätten diese Ganoven dazu benutzt, um ein paar Dümmlinge, die nicht wussten, wo ihre wahre Heimat war, auf ihre Seite hinüberzuziehen.

Onkel Ziesche, den immer sehr interessierte, was in der Schule erzählt wurde, ärgerte sich über diesen »Wunschtraum«: »So ist's richtig! Das eigene Volk wird ja noch gebraucht, also muss ihm eingehämmert werden, dass nicht wahr sein kann, was nicht wahr sein darf ... Nein, nein, ihr wart es nicht, die sich gegen uns erhoben haben, es war mal wieder die berühmte Rotte fremder Bösewichter!« Traurig sah er Manni an. »Aber was regen wir uns auf? Soll'n se uns doch ruhig für dumm verkaufen, vielleicht sind wir's ja auch ...«

9. Bruder Fischherz

Ein schöner Herbst in diesem Jahr! An manchen Tagen um die Mittagszeit drang die Sonne so diffus grell durch die Glasziegelsteine, dass Lenz an die Berichte von Leuten denken musste, die schon mal gestorben sein wollten. Beim Übergang vom Leben in den Tod, am Ende eines langen, dunklen Tunnels, wollten sie ein solches Licht gesehen haben. Befand er, Manfred Lenz, sich denn nicht auch in einem Tunnel; wenn auch in einem, in dem es nicht vorwärts ging und nicht zurück?

Oft starrte er dieses Grellweiß an und dachte daran, dass irgendwo dahinter, in eben diesem Augenblick, Straßenbahnen durch die sonnenüberflutete Stadt rumpelten, Litfaßsäulen mit Plakaten beklebt wurden, in den Parks Kinder spielten. Er sah junge Paare durch einen Herbstwald spazieren, vor Kinos anstehen, sich in Cafés treffen oder ihre Kinder aus dem Kindergarten abholen … Das Leben ging weiter, auch ohne Hannah und Manfred Lenz. Das Leben brauchte Hannah und Manfred Lenz nicht; nur sie, sie brauchten das Leben. Und Silke und Micha. Und Silke und Micha brauchten sie.

Der Leutnant ließ ihn mal wieder längere Zeit schmoren. Aber das beunruhigte Lenz nicht mehr. Er wusste inzwischen, dass er sich das Leben nur selbst schwer machte, wenn er auf jede Vernehmung wie ein Verdurstender auf einen Tropfen Wasser lauerte. Er konnte nichts tun, die Stasi führte hier Regie; Warten kann man lernen. Irgendwann würden sie ihn ja doch wieder holen müssen. Er war hier im Untersuchungsgefängnis, nicht im Strafvollzug; sie brauchten ihre Verwahrräume für neue Staatsverräter.

Als er das nächste Mal geholt wurde, war es sehr spät am Abend; es war schon lange finster hinter den Glasziegelsteinen. Doch war es ein glücklicher Abend: Er hatte seit Wochen zum ersten Mal Stuhlgang gehabt; die letzte starke Dosis Abführtabletten hatte geholfen. Was für eine Erleichterung! Als der Kugelkopf in der Tür stand, lächelte er ihn freundlich an. »Guten Abend!«

»Weshalb erstatten Sie keine Meldung?«, blaffte der nur.

»Hundertzwo-Zwo.« Lenz lächelte weiter. Die Kugelbirne hatte ja keine Ahnung, wie dankbar ein Mensch auch für die allerselbstverständlichsten Dinge sein konnte.

»Raustreten.«

Neugierig geworden trat Lenz vor seine Zelle. Eine Vernehmung um diese Zeit? In wenigen Minuten war Nachtruhe. Aber natürlich, er hatte ja schon des Öfteren nachts Schlüsselrasseln, Riegelklirren und schlurfende Pantoffelschritte gehört; jetzt hatte es also auch ihn mal erwischt.

Das Treppenhaus, der Vernehmerflur mit dem roten Teppich, die vertraute Tür. Er durfte eintreten – und fuhr zurück: Knut war nicht allein, ein schon etwas älterer, schwammig wirkender blonder Kerl mit farblosen, wässrig wirkenden Fischaugen und wulstigen Lippen, der an die freundlich-hinterhältigen Gestapobeamten aus *Defa*-Filmen erinnerte, saß neben dem Schreibtisch, rauchte eine Zigarette und blickte ihm interessiert entgegen. Beide trugen sie legere Freizeitkleidung, beide lächelten sie entspannt.

»Guten Abend!« Der Leutnant wies auf den Hocker. Lenz zögerte nur kurz, dann rückte er den Hocker wie immer während der letzten Vernehmungen vor den Häftlingstisch. Vorsicht!, schoss es ihm dabei durch den Kopf. Wenn die dich dermaßen anstrahlen, kann das vieles bedeuten, nur nichts Gutes ... Oder etwa doch? Vielleicht haben sie ja doch gute Nachrichten und wollen Hannah und dich freilassen … Dann siehst du schon morgen die Kinder wieder … Diese Hoffnung, sie war so plötzlich in ihm aufgeflackert, dass ihn ein Schwindelgefühl erfasste. Natürlich wollten sie die Kinder wiederhaben, lieber jetzt als gleich, aber sie durften doch nicht in ihr altes Leben zurück; dann würde ja alles von vorn beginnen. Hannah und er, sie wollten Silke und Micha an die Hand nehmen und ausreisen dürfen.

»Überrascht, was?« Der Schwammige hatte wirklich Fischaugen; kalt und starr war der Blick, während er Lenz seine Zigarettenpackung hinhielt. *Duett*, die teuerste und beste und bis vor kurzem auch Lenz' Marke. Er griff sich eine, bekam Feuer gereicht und zog zweimal dran. »Ja«, sagte er und lächelte ebenfalls.

Gleich strahlten die beiden wieder. Offensichtlich hatten sie sich vorgenommen, sehr, sehr freundlich zu ihm zu sein.

»Wir haben uns Gedanken über Sie gemacht.« Der Schwammige tippte drei-, viermal auf die Papiere, die vor ihm lagen; sicher Knuts handschriftliche Protokolle der bisherigen Vernehmungen. »Sie sind kein Feind unserer Gesellschaft. Sie sind nur irregeleitet. Vielleicht durch westliche Propaganda, vielleicht durch die Familie Ihrer Frau. Sie sind«, er nickte dem Leutnant zu, wie um eine Bestätigung zu erbitten, »schlimmstenfalls ein Abweichler, aber kein Gegner des Sozialismus.«

Nanu, worauf zielte das denn ab? Was sollte diese Lobhudelei? Lenz ermahnte sich, ruhig zu bleiben, abzuwarten. Sie würden ihm ihre Absichten schon noch offenbaren. Doch konnte er nicht verhindern, dass die kühne Hoffnung, Hannah und er könnten schon bald freigelassen werden, immer stärker Besitz von ihm ergriff.

»Wie ist denn eigentlich Ihr Verhältnis zur Arbeiterklasse?«

Der Schwammige fuhr sich mit dem Daumennagel über die wulstigen Lippen.

Da musste Lenz nicht lügen. »Im Kabelwerk hat's mir besser gefallen als im Außenhandel. Da war nicht so viel Eitelkeit.«

Der Schwammige nickte, als hätte er genau diese Antwort erwartet. »In Ihrer Wohnung haben wir sehr viele interessante Bücher gefunden. Fast die gesamte Weltliteratur. Alle Achtung!« Wieder sah er den Leutnant an, dieser Mensch mit Fischaugen, der sich durch die Art und Weise, wie er das Gespräch führte, als höherer Dienstgrad zu erkennen gab. »Was würden Sie dazu sagen, wenn wir Ihnen noch mal eine Chance gäben?«

Also doch! Seine Vermutung hatte nicht getrogen, sie hatten irgendwas Besonderes mit ihm vor. »Was für eine Chance denn?« Lenz bekam einen trockenen Hals.

»Die Chance, wieder gutzumachen.«

»Und wie soll das aussehen?«

»Wir nennen so etwas reparierendes Handeln.« Schon wieder fuhr er sich mit dem Daumennagel über die Lippen, dieser Bruder Fischherz. »Krummes muss wieder gerade gebogen werden.«

Lenz wartete; rauchte und wartete. Innerlich aber kribbelte es ihm im Blut. Scheiß dich endlich aus, Mann!

»Denken Sie doch mal daran, welchen Schaden Ihre Frau und Sie uns zugefügt haben. Bei Ihrer Frau, nun ja, da verwundert es nicht. Im Westen aufgewachsen, hat sie viel Falsches gelernt. Sie aber sind ein Kind unserer Gesellschaft, wir haben Sie von frühester Jugend an gefördert und unterstützt, Sie müssten wissen, was richtig und was falsch ist. Wenn Ihnen also daran gelegen ist, dass wir Ihnen wieder vertrauen, beweisen Sie uns, dass wir uns auf Sie verlassen können.«

»Was für ›Beweise‹ müssten das denn sein?«

»Sie könnten sich nützlich machen.«

»Und wie?«

»Na, zum Beispiel, indem Sie Menschenleben retten.«

Das hatte der Leutnant gesagt. Der Schwammige wiegte dazu nur den Kopf, als könnte er sich diese Möglichkeit durchaus vorstellen; Rollenspiel für zwei Stasi-Offiziere!

»Menschenleben retten? Im Knast? Wie denn das?«

Lenz bekam eine zweite Zigarette angeboten, obwohl er die erste doch gerade erst ausgedrückt hatte.

»Ganz einfach«, sagte der Schwammige. »Bei uns sitzen ja nicht nur Verirrte ein, wir beherbergen auch Agenten, Terroristen, Provokateure; Menschen, die unseren friedlichen Staat bedrohen. Gewissenlose Verbrecher! Sie könnten uns helfen, solche Anschläge gegen den Weltfrieden aufzudecken.«

Da hatte Lenz begriffen: Sie wollten ihn zum Spitzel machen! Er sollte mit ihnen zusammenarbeiten, sollte werden wie sie. Enttäuscht wandte er den Blick ab. Wie kamen diese beiden Aquariumbewohner nur dazu, ihm so etwas anzutragen? Womit hatte er das verdient? Schätzten sie ihn so ein, wirkte er so »formbar«?

»Beweisen Sie uns, dass Sie fortan wieder ein aufrichtiger, zuverlässiger Bürger unserer Republik sein wollen«, fuhr der Schwammige fort. »Beweisen Sie uns, dass Sie dazugelernt haben in diesen Tagen, und wir reichen Ihnen die Hand, um Ihnen wieder auf die Füße zu helfen.«

Ruhig, Manne! Begehre nicht gleich auf. Nutze die Gelegenheit und vernimm deine Vernehmer; schau mal nach, was sie sonst noch so auf Lager haben. »Und wie könnte das vonstatten gehen?«

»Wir könnten Sie mit jemandem zusammenlegen, der kein Vertrauen zu uns hat. Jemand, der von einem gefährlichen Anschlag auf unsere Republik weiß, es uns aber nicht sagt. Sie haben ein offenes Gesicht, vielleicht fasst so ein Verstockter oder Überängstlicher zu Ihnen Vertrauen. Damit hätte sich dann auch das Thema Einzelhaft für Sie erledigt.«

»Sie wollen mich zum Zellenspitzel machen?«

Der Schwammige verzog das Gesicht. »Es gibt für alles die verschiedensten Ausdrücke, solche und andere. Sie sollten aber wissen: Die Maßnahmen, die wir zur Abwehr von Angriffen auf unsere humanistische Gesellschaftsordnung treffen, haben nichts mit der Bespitzelung fortschrittlicher Kräfte gemein, wie sie im Kapitalismus an der Tagesordnung sind.« Der Daumen, die Lippe, ein Blick zu Knut. »Vielleicht haben wir uns nicht klar genug ausgedrückt: Sie sollen nicht *für* uns arbeiten – wir bieten Ihnen die partnerschaftliche Zusammenarbeit an. Wir setzen auf Ihre Anständigkeit. Wer einen Fehler gemacht hat und daraus lernt, hat alle Chancen, wieder ein vollwertiges Mitglied der sozialistischen Gemeinschaft zu werden. Wir geben niemanden auf. Außerdem – Vertrauen gegen Vertrauen! – sage ich Ihnen ganz ehrlich, dass wir auf Leute wie Sie angewiesen sind. Ist doch eine alte Geschichte: Derjenige, mit dem man Tag für Tag von morgens bis abends in einem Verwahrraum zusammenhockt, wird einem mit der Zeit immer vertrauter. Ob man will oder nicht, irgendwann erzählt man diesem zweiten Ich sein Leben. Sie könnten wirklich und wahrhaftig helfen! Bedenken Sie das!«

Knut: »Wer zu uns gehören will, muss sich zu unserer Verfassung bekennen. Darin ist festgehalten, dass jeder Bürger für den Schutz des Staates mitverantwortlich ist. Häftlinge sind davon nicht ausgenommen.«

Der Schwammige: »Richtig! Und außerdem: Wer eine Bedrohung abwehren will, muss den Feind im Auge behalten – und dazu notwendigerweise auch nachrichtendienstliche Mittel einsetzen. Oder glauben Sie, der Feind ist in dieser Hinsicht zimperlich? Also: Was wir Ihnen anbieten, ist eine ehrenvolle Aufgabe. Schließlich ist unsere Politik identisch mit den Grundinteressen aller friedliebenden Menschen. Ausdrücke wie ›Spitzel‹ oder ›Denunziant‹ müssen Sie vergessen.«

Lenz blickte sie an, seine beiden Gegenüber, und freute sich: Sie konnten ihn einsperren, konnten ihn tage-, wochen-, monatelang in Einzelhaft schmoren lassen, sie konnten ihm Hannah und die Kinder nehmen und über die weitere Zukunft der Familie Lenz bestimmen, zweierlei aber konnten sie nicht: Sie konnten ihn nicht zum Idioten und nicht zum Schmutzfinken machen. Da war ihre Macht am Ende. Wie befriedigte und bestärkte ihn dieses Gefühl, wie hob es sein Selbstbewusstsein.

»Und was hätten meine Frau, meine Kinder und ich davon, wenn ich Ihr Mitarbeiter würde? Ich meine – ganz konkret!«

Wie überrascht sie da aufblickten, seine beiden potenziellen Geschäftspartner. »Nun«, mühte sich schließlich der Schwammige um eine Antwort, »falls bei Ihnen die ehrliche Bereitschaft vorliegt, uns bei unserer schwierigen Arbeit zu helfen – wenn wir also eine Entwicklung zum Positiven sehen –, würde sich an der Einschätzung Ihres Falles sicher einiges ändern. Zunächst einmal könnten wir Ihnen gewisse Hafterleichterungen gewähren: Bücher, Zeitungen, Einkaufsmöglichkeiten, ein Wiedersehen mit Ihrer Frau, Briefe an die Kinder ... Na ja, und wenn dann später auch das Gericht anerkennt, dass Sie wieder zu sich gefunden haben, *könnte* sich das auch auf das Strafmaß auswirken. Versprechen allerdings können wir Ihnen in dieser Hinsicht nichts, Sie wissen ja selbst, welcher schwerwiegenden Vergehen gegen die sozialistische Gesetzlichkeit Sie sich schuldig gemacht haben.«

Auf gut Deutsch: Genügt dir meine Frohbotschaft nicht, mach ich eine Drohbotschaft daraus.

»Entscheiden Sie nicht gleich. Denken Sie über alles gründlich nach. Es wäre schade, wenn Sie diese Chance nicht nutzten. Jeden Tag machen wir Ihnen kein solches Angebot.« Er erhob sich schwer, der Genosse Fischherz, öffnete die Tür zum Nebenzimmer, sah Lenz noch einmal ernst und nachdrücklich an und nickte ihm danach zu wie einem alten Freund. »Unsere sowjetischen Genossen sagen, seinem Schicksal entkommt man nicht einmal zu Pferde. Wir sind da nicht so hart, wir sagen: Jeder macht mal einen Fehler. Wenn er daraus lernt – gut! Wenn nicht ... Tja, ist eben jeder seines Glückes eigener Schmied!« Noch ein Lächeln und ein Gutenachtgruß, dann schloss er die Tür hinter sich und der Leutnant und sein Untersuchungshäftling waren mal wieder mit sich allein.

Und jetzt konnte und wollte Lenz nicht weiter den Unentschiedenen spielen. Mit leiser, aber fester Stimme sagte er, dass er sich für das gezeigte Vertrauen bedanke, nur leider, bei all seiner sonstigen kriminellen Veranlagung, ein gar so mieser Bursche sei er denn doch nicht. Einen ehrlichen, kleinen Einbruch würde er ja vielleicht noch übernehmen, zum Kundschafter an der unsichtbaren Front tauge er nicht. Er sagte das, obwohl er vermutete, dass der Schwammige sich noch längst nicht aus ihrem Gespräch ausgeschaltet hatte, sondern im Nebenzimmer saß und, wie sicher schon oft zuvor, per Tastendruck mit anhörte, was Knut und er miteinander besprachen. Er sagte es, weil dieses Angebot ihn verletzt hatte, sagte es auch, weil er so enttäuscht war. Was hatte er sich da nur eingeredet – vorzeitige Haftentlassung ...

Der Leutnant wirkte nicht überrascht. »Überlegen Sie sich das lieber noch einmal. Wir haben Zeit. Niemand erwartet, dass Sie sich sofort entscheiden.«

»Da gibt's nichts zu überlegen.«

»Wirklich nicht?«

Knut sah ihm einen Moment lang in die Augen – und dann lächelte er plötzlich, als wollte er ihm zu verstehen geben, dass er mit einer solchen Absage gerechnet hatte.

»Gehen eigentlich viele auf solche Angebote ein?«, fragte der verwunderte Lenz.

Da musste er wieder den Empörten herauskehren, der Knut. »Was soll denn das? Sind jetzt Sie hier der Vernehmer?«

»Interessiert mich nur ... Aus rein menschlichen Erwägungen. Wer's einmal tut, ist sicher für alle Zeiten gewonnen ...«

»Wie Sie mir eben mitgeteilt haben, sind Sie vor solchen Anfechtungen ja gefeit.«

Nein! Niemand in seiner Lage war vor solchen Anfechtungen gefeit. Da machte er sich nichts vor. Aber wer ein solches Angebot annahm, konnte der sich danach noch im Spiegel ansehen?

Der Leutnant musterte ihn ein Weilchen, dann fragte er barsch: »Haben Sie sonst noch was auf dem Herzen?«

»Die Kinder! Wie geht's meinen Kindern? Haben Sie was Neues gehört?«

»Gut geht's ihnen. Was denn sonst? Sie wissen doch selbst am besten, dass in unseren Kinderheimen niemandem ein Haar gekrümmt wird.«

»Und wie geht's meiner Frau?«

»Auch gut!«

»Haben Sie ihr auch ein solches Angebot gemacht?«

Schweigen. »Haben Sie sonst noch Fragen?«

»Meine Schwägerin – ist sie immer noch in Sofia?«

Eine Frage, die Lenz schon lange bewegte, er hatte nur noch nicht gewagt, sie dem Leutnant zu stellen. War ja klar, dass der nicht verpflichtet war, solche Auskünfte zu erteilen; vielleicht durfte er es ja auch gar nicht.

Ein kurzes Zögern, dann schüttelte Knut den Kopf. »Nein! Sie ist dort zur Bewährung verurteilt und inzwischen in die BRD abgeschoben worden.«

Endlich mal eine gute Nachricht! Franziska wieder in Frankfurt? Dann hatte sie sicher längst Himmel und Hölle in Bewegung gesetzt, um etwas über ihr Schicksal in Erfahrung zu bringen; dann war da jemand, der sich von draußen für sie einsetzte, ganz egal, was möglich war und was nicht.

»In Ihrem Gesicht spiegelt sich Freude wider. Haben Sie ein so gutes Verhältnis zueinander?«

»Ja.« Das musste sie ärgern, die Genossen Tschekisten, dass ihre bulgarischen Brüder ihnen die westdeutsche Bürgerin nicht ausgeliefert hatten. In Sofia aber würde man nicht lange abgewogen haben: Auf der einen Seite jede Menge harte D-Mark, durch freundlich gestimmte westdeutsche Touristen ins Land gebracht, auf der anderen die ostdeutschen Klassenbrüder, die gern alle ihre Feinde in die Hände bekommen wollten; kein Wunder, dass dem sozialistischen Bruder das eigene Hemd näher war als die Jacke seines ostdeutschen Verwandten.

»Noch was?«

Lenz nickte. »Eine alte Bitte.«

»Und die wäre?«

»Auch wenn ich mir das nicht verdient habe, ein Buch oder mal 'ne Zeitung wäre schön – Rosa Luxemburg und Karl Liebknecht sollen ja auch Lesestoff auf die Zelle bekommen haben.«

»Stilisieren Sie sich nicht zum Märtyrer. Wann wir Hafterleichterung gewähren und wann nicht, bestimmen ganz allein wir.«

»Ich klopfe ja nur an.«

»Klopfen Sie ruhig weiter.« Ein Grinsen, der Griff zum Telefon und der Untersuchungshäftling Lenz wurde in seinen Verwahrraum zurückgebracht.

10. Straßen

Das letzte Weihnachtsfest mit der Mutter. Am Heiligabend-Vormittag war Manni wie jedes Jahr zum Gesundbrunnen gefahren, um einzukaufen, was sie zum Fest noch brauchten – Apfelsinen, Nüsse, Schokolade, Marzipan –, den Rest des Tages brachte er damit zu, sich auf den Abend zu freuen. Heiligabend war ja »Muttertag«, da schloss die Mutter schon um vier und baute gemeinsam mit ihm den Gabentisch auf, um fünf war Bescherung, und um sechs gingen die Mutter und er in die Küche, um die Ente in die Bratröhre zu schieben und den Kartoffelsalat zu machen. Mit viel Hering. So, wie er ihn liebte.

Die Wartezeit verkürzte er sich mit Lesen; als er aus seinem Buch wieder auftauchte, hatten die letzten Gäste das Lokal bereits verlassen, und es war so weit, zuerst die Bescherung, dann die Küche. Onkel Willi blieb wie immer am Stammtisch sitzen, las die Zeitung, trank Bier und Schnaps.

Pünktlich zum Abendbrot standen dann der Bruder und Reni mit ihrem Töchterchen Kati vor der Tür. Die Bescherung feierte Roberts kleine Familie jedes Mal bei seinen Schwiegereltern, am Abend kamen sie in den *Ersten Ehestandsschoppen,* um ihre Geschenke abzuholen und auch hier noch ein bisschen zu sitzen. Roberts Renate aber sah all die Fehler, die ihre Schwiegermutter bei der Erziehung ihres Jüngsten machte, und konnte nicht darüber hinwegsehen. Und an ihrem letzten Heiligabend hatte Manni der Mutter eine Brotschneidemaschine geschenkt; ein Prunkstück mit hölzerner Handkurbel am gelb lackierten Metall und ein nicht gerade billiges Geschenk. Er empfand dieses praktische Gerät als große Überraschung und hatte sich schon lange vorher darauf gefreut, es der Mutter überreichen zu dürfen. Und die Mutter hatte sich dann auch tatsächlich sehr bedankt und herzlich über ihn lachen müssen. Roberts Reni jedoch ärgerte dieses teure Geschenk. Es sei nicht gut für Kinder, so viel Geld zu besitzen, sagte sie. Mit Tränen in den Augen sprang er auf, lief ins Hinterzimmer, schlug die Tür hinter sich zu und warf sich auf die Couch: Reni hatte ihm seinen Muttertag verdorben! Er war ja nicht dumm, hatte sofort begriffen, dass die Schwägerin in Wahrheit nicht mit ihm, sondern mit der Mutter haderte, die ihm, weil sie so wenig Zeit für ihn hatte, immer wieder Geld zusteckte. Anders hätte er ein solch teures Geschenk ja nie zusammensparen können. Das Schlimmste an diesem Vorwurf aber war, dass er insgeheim spürte, dass Reni Recht hatte. Und die Mutter, das ahnte er, würde das auch wissen.

Kaum waren Robert, Reni und Kati gegangen, kam die Mutter zu ihm. Er solle das nicht so tragisch nehmen, sagte sie, Reni komme aus einer Flüchtlingsfamilie, ihre Eltern hätten durch den Krieg alles verloren, müssten ganz von vorn beginnen. »Da ist es schwer, mit anzusehen, wenn es anderswo vielleicht ein bisschen zu viel gibt.«

Sie reagierte mal wieder »großmütig«, wie erst wenige Wochen zuvor, als in der Herrentoilette Bleirohre geklaut worden waren, sie zur Polizei bestellt wurde, um die Täter wiederzuerkennen, und sie keinen der Männer, die sich vor ihr aufbauen mussten, identifizierte. Und das, obwohl doch einer von ihnen an jenem Abend lange in der Gaststube gesessen hatte. »Er hatte so traurige Augen«, erklärte sie, als er sich darüber wunderte, »wer weiß, was der arme Kerl hinter sich hat.«

Worte, die ihn stolz gemacht hatten. An diesem Abend aber konnte er nicht stolz auf die Mutter sein. Die Verletzung saß zu tief. Und weil er noch immer so beleidigt war, bemerkte er nur wie nebenbei, dass es ihr nicht gut ging. Schlimme Schmerzen mussten sie gequält haben, Schweißtropfen perlten ihr von der Stirn, immer wieder presste sie die Hand auf den Bauch.

Während der beiden Weihnachtsfeiertage wurden die Schmerzen dann immer unerträglicher, und so schickte sie ihn, kaum hatten die Läden wieder geöffnet, zum Gesundbrunnen, um ihr Tabletten zu besorgen. Die Ostpillen würden ihr ja doch nicht helfen, sagte sie.

Aber auch die Westpillen halfen nicht. Die Mutter lief von einem Arzt zum anderen, jeder verschrieb ihr andere Medikamente; ging es ihr mal besser, dann immer nur für drei Tage.

Im Sommer, als sie, wie fast immer in den letzten Jahren, in Bestensee draußen Ferien machten, waren ihre Wangen dann schon sehr eingefallen. Müde schleppte sie sich durch die Tage. Doch sah er zu ihr hoch, lächelte sie. »Was willste machen – auch die beste Krankheit taugt nichts!« Dennoch sammelten sie gemeinsam Pilze, ließ sie sich von ihm auf den See hinausrudern, unternahmen sie Waldspaziergänge. Sie genoss die Stille und den Duft der Tannennadeln und war stolz auf ihn, wenn er, bäuchlings auf dem Bootssteg liegend, mit dem Kescher einen Krebs nach dem anderen aus dem Wasser hievte.

»So ein Leben lasse ich mir gefallen«, sagte sie eines Abends, als sie Unmengen von Krebsen gegessen hatten, die Grillen zirpten und die Frösche quakten und Onkel Willi noch immer auf dem Bootssteg saß und angelte. Gleich fragte er sie voller Hoffnung, ob es ihr denn nun schon ein bisschen besser gehe, und sie sagte: »Ja. Ein bisschen.« Doch sah er ihr an, dass sie log, und kaum waren sie zurück aus den Ferien, musste er sie ins Krankenhaus bringen. Nach Weißensee. In dasselbe Krankenhaus, in dem sechs Jahre zuvor Wolfgang gestorben war.

Es war ein Augusttag, die Sonne schien, die Menschen in der Straßenbahn hatten heitere Gesichter und auch die Mutter lächelte unentwegt. »Ist doch kein Drama, sich mal im Krankenhaus von Kopf bis Fuß untersuchen zu lassen. Danach wissen wir wenigstens, was ich habe. Sie werden mich richtig behandeln und es geht wieder aufwärts.«

Manni nickte, doch konnte er einfach nicht verstehen, weshalb sie sich ausgerechnet in dem Krankenhaus untersuchen lassen wollte, aus dem schon der Bruder nicht zurückgekommen war. Was nützte es ihnen denn, dass Tante Grit die Ärzte dort kannte?

Danach saß er ewig lange in dem hellen Flur mit den vielen Türen und den weiß gestrichenen Bänken. Erst zusammen mit der Mutter, später allein. Oft stand er auf, ging im Flur spazieren und studierte die Gesichter der Männer und Frauen, die ebenfalls darauf warteten, in eines der Zimmer hinter den Türen gerufen zu werden. In der Mitte des Flures hing eine große, runde Uhr mit einem weißen Zifferblatt und schwarzen Zeigern; je öfter er zu ihr hochblickte, desto langsamer rückten die Zeiger vor.

Es dauerte fast zwei Stunden, bis auch er in den Raum voller Geräte, Instrumente und weißer Tücher gerufen wurde, in dem die Mutter verschwunden war. In Rock und Bluse saß sie auf einer Untersuchungsliege und sagte noch immer lächelnd: »Du musst allein nach Hause fahren, die werden hier ohne mich nicht fertig.« Und sie gab ihm einen Zettel mit, auf dem all die Dinge standen, die sie im Krankenhaus benötigte.

Ob die Mutter geahnt hatte, dass sie nicht wieder heimkehren würde? Manni befürchtete es von der ersten Sekunde an. Die ganze Straßenbahnfahrt über heulte er und später die halbe Nacht, nur im *Ersten Ehestandsschoppen* sah ihn niemand weinen. Das brachte er nicht fertig; die Gäste hatten mit seiner Angst nichts zu tun.

In den folgenden Wochen besuchte er die Mutter fast jeden Tag, brachte ihr, was sie brauchte, und sah, wie sie immer mehr verfiel. Erst lag sie mit einer anderen Patientin zusammen in einem sehr schmalen Zweierzimmer, dann schob man sie in ein Einzelzimmer. Ein schlechtes Zeichen, wie die Gäste flüsterten, nachdem Else Golden die Mutter dort besucht hatte. An seinem Geburtstag, er wurde dreizehn, tat die Mutter dann noch einmal, was sie all die letzten Jahre über getan hatte, wenn sie ihn darüber hinwegtrösten wollte, dass sie keine Zeit für ihn hatte: Sie schenkte ihm Geld. Fünfzig Mark. »Kauf dir was Schönes«, flüsterte sie. Ihr Lächeln aber blieb an jenem Tag sehr blass. Was soll nur aus dir werden?, fragten ihre Augen.

Auf den Tag eine Woche später, zwei Wochen bevor sie einundfünfzig geworden wäre, starb sie dann. Es war ein Freitag. Am Donnerstagabend hatte er noch mal an ihrem Bett gesessen. Robert, Reni und Tante Grit waren mit ihm hingefahren und hatten ihm vorsichtig beigebracht, dass er sich verabschieden sollte. Die Mutter war schon nicht mehr bei Bewusstsein; doch als er sich über sie warf und nach ihr rief, öffnete sie für einen Moment noch mal die Augen und flüsterte matt: »Manni!« Richtig angesehen hatte sie ihn aber nicht mehr.

Er weinte den ganzen Nachhauseweg über, weinte noch im Bett und schlief erst gegen Morgen ein. Wenig später klingelte das Telefon. Onkel Willi ging hin und nahm den Hörer ab. Erst hörte er nur still zu, dann murmelte er etwas Unverständliches und legte sich wieder hin. Manni wusste dennoch, was passiert war. Er lag da und starrte wie betäubt zur Zimmerdecke hoch. Als er dann aufstand, um zur Schule zu gehen, sagte Onkel Willi ihm, dass die Mutter gestorben sei und er nicht zur Schule müsse, wenn er nicht wolle. Er ging trotzdem. Was hätte er denn sonst tun sollen? Bei Onkel Willi bleiben, der selber hilflos war?

In der Schule verriet er sich nicht. Wie und mit wem hätte er denn darüber reden sollen? Und am Nachmittag ließ er sich durch die Straßen treiben. Ohne Kalle. An diesem Tag hätte jeder gestört. Hände in den Taschen, die Schultern hochgezogen, trieb es ihn an Schaufenstern vorüber, vor denen er manchmal stehen blieb, obwohl er nicht hineinsah, an fremden Menschen vorbei, die er beneidete, weil er sie für nicht so allein gelassen hielt, durch Parkanlagen, in denen Jungen und Mädchen spielten, die ganz sicher nur wenig später mit ihrer Mutter und vielleicht auch ihrem Vater und jeder Menge Geschwister am Abendbrottisch sitzen würden. Allen ging es besser als ihm, davon war er überzeugt.

Auch an den Tagen danach lief er durch die Straßen; durch solche, die ihm vertraut waren, und andere, in denen er noch nie zuvor gewesen war. Kreuz und quer durch den Prenzlauer Berg zog er, rund um den Alexanderplatz und mitten durch den West-Berliner Wedding. Er fuhr mit der S-Bahn zum Kurfürstendamm, nach Kreuzberg und Neukölln und zog auch dort durch die Straßen. Und regnete es und wurde er nass, fand er das nur passend.

Die Erwachsenen in seiner Umgebung begriffen nicht, dass er nun niemanden mehr hatte. Da war ja Onkel Willi, da waren Tante Grit und Onkel Karl, da war Robert. Aber was sollte er von einem Onkel Willi haben? Was von Tante Grit und Onkel Karl, die nur alle vierzehn Tage mal eine Stunde Zeit für ihn hatten? Was von dem Bruder, der gerade dabei war, sich ein eigenes kleines Familienglück aufzubauen? Nein, Manni spürte es überdeutlich, von nun an war er auf sich selbst gestellt. Und damit begann er sich zu beobachten: Manni allein in der Stadt!

Manni ohne jemanden, der ihn liebt und braucht! Wird er es schaffen? Und was passiert mit ihm, wenn er es nicht schafft?

Sein Kopf war voller Wolken, und betrat er den *Ersten Ehestandsschoppen,* machte er ein steinernes Gesicht. Nur wenn er den Bruder traf oder mit Maxe Rosenzweig allein war, konnte er heulen.

Robert sagte ihm, dass er keine Angst haben müsse, er sei ja da, und der kleine Schneidermeister winkte ihn öfter in seine Werkstatt, ließ ihn auf dem großen Bügeltisch Platz nehmen und zusehen, wie die Nähmaschine ratterte, und tröstete ihn dabei mit Worten wie: »Ein Mensch kann ungeheuer viel aushalten. Du auch!«

Worte, die Mut machen sollten. Und Mut machten.

Der Tag der Beerdigung! Gesichter, die Manni anblickten; eine Zeremonie, die ihn verstörte.

Maxe Rosenzweig war nicht mit auf den Friedhof gekommen. Er hatte sich dafür bei Onkel Willi entschuldigt, sagte, für Tote gebe es nur Totes, er hasse Leichenbegängnisse, und scherzte verlegen, deshalb werde er eines Tages wahrscheinlich auch seine eigene Beisetzung boykottieren. Aber der übrige Stammtisch und der Gesangsverein, der donnerstags im *Ersten Ehestandsschoppen* tagte, waren da, und bis auf Tante Lucie, die zwei Jahre zuvor gestorben war, waren auch alle Verwandten erschienen. In der total überfüllten kleinen Kapelle saßen und standen sie beieinander, all diese Männer und Frauen, die die Mutter gekannt hatten, und nicht wenige von ihnen blickten anstatt des Sarges Manni an: Ein Junge, der über den Tod seiner Mutter nicht weinen konnte? Mit dem stimmte doch was nicht!

Er starrte wütend zurück: Weshalb zogen die denn alle so betroffene Fratzen? So nahe hatte die Mutter den meisten von ihnen doch gar nicht gestanden. Und weshalb kuckten sie denn ihn an und nicht den Sarg?

Er trug den graugrünen Anzug, den Tante Grit ihm gekauft hatte, und fühlte sich fremd in seiner Haut. Dieser so reich verzierte Holzkasten da vorn, diese ganze Zeremonie, was hatte das alles denn mit der Mutter zu tun? Und wie konnte der Pfarrer, dieser fahlgesichtige Dicke mit dem frommen Gesicht, denn sagen, die Mutter hätte ihr Leben lang auf Gott vertraut? In Wahrheit hatte die Mutter doch mit Gott gehadert, über seine Ungerechtigkeit geschimpft und über seine Bösartigkeit gespottet. Dass der das hier nicht sagen wollte, war ja klar, aber wozu musste er den Leuten denn Märchen auftischen?

Else Golden saß wie ein braves Kind neben ihrer einen Kopf größeren und so viel kräftigeren Erna und schluchzte bei jedem zweiten, dritten Wort des Pfarrers laut auf. Ihre Erna schien das übertrieben zu finden, sie machte ein so stures Gesicht, als geniere sie sich für diese Heulerei. Der dicke Bessel starrte nur trübe in sich hinein; vielleicht dachte er jetzt an seinen eigenen Tod und brauchte einen Schnaps. Die göttliche Margot hockte wie verloren zwischen ihren beiden Männern, nur ihre kleinen flinken Augen schienen noch zu leben. Passte es ihr nicht, dass heute mal nicht sie im Mittelpunkt stand? Ihr Otto wirkte sehr blass, sehr still, sehr klein; ihr Herrmann dachte offensichtlich gerade über etwas Wichtiges nach. Bel Ami hatte sich mal wieder sehr in Schale geworfen, war ganz sicher der Schönste aller Trauergäste; Onkel Ziesche stand irgendwo im Hintergrund, so als wollte er eigentlich gar nicht richtig dazugehören.

Der große Bruder saß gleich neben Manni. Blickte Manni ihn an, nickte Robert ihm zu: Brauchst keine Angst zu haben, ich bin ja da! Aber wie war Robert wirklich zumute? War es leichter, die Mutter zu verlieren, wenn man schon verheiratet war und selbst ein Kind hatte? – Sah Manni zu den Stammgästen hin, konnte er sich vorstellen, was sie gerade dachten oder empfanden, bei Robert und Reni, Tante Grit und Onkel Karl gelang ihm das nicht. Kannte er die Stammgäste besser als die eigene Verwandtschaft?

Auch was Onkel Willi dachte, war nicht zu erraten, so stur blickte der Stiefvater den Sarg an. Aber war es passend oder unpassend, dass er an diesem Tag den schwarzen Mantel mit dem Samtkragen trug, den er auch zur Hochzeit angehabt hatte?

Als der Sarg nach draußen getragen wurde, regnete es. Es war nur ein leichter Nieselregen, der da vom grauen Himmel auf die Trauergemeinde herabtropfte, Else Golden aber nickte zufrieden: »Und der Himmel weint dazu!«

Manni ging zwischen Robert und Tante Grit, an den Kränzen in Roberts, Onkel Willis und Onkel Karls Händen hingen Schlaufen mit Aufschriften: *Unserer lieben Mutter, Deine Söhne Robert und Manfred; Meiner lieben Frau; Der geliebten Schwester und Schwägerin.* Auf anderen Kränzen stand *Unserer guten Lisa, Der freundlichen Wirtin* und *Zu Dank verpflichtet.*

Beim Hinunterlassen in die Grube wackelte der Sarg, die Gurte knarrten. Die Trauergäste zückten ihre Taschentücher, Onkel Willi kratzte sich nervös das Schnurrbärtchen, der Pfarrer sprach ein Gebet. Danach sang der Gesangsverein das *Heideröslein,* Mutters Lieblingslied. Als das Lied zu Ende war, traten nacheinander alle vor, nahmen Erde in die Hand und warfen sie auf den Sarg, der nun so tief unten stand. Manni musste als Dritter vortreten, nach Onkel Willi und Robert. Einige Wassertropfen waren ihm in den Kragen gelaufen, ihn fröstelte, er beeilte sich. Die Erde in seiner Hand erschien ihm seltsam gleichgültig; feucht und fett prasselte sie auf den Sarg. Er erschrak, trat zurück und senkte den Kopf. Tante Grit streichelte ihm die Schulter. »Deine Mutter ist hier ja nicht allein.«

Ja, die Mutter war nicht allein. Sie war in dem Grab beigesetzt worden, in dem auch Wolfgang lag. So ruhte sie nun zwischen ihrem ersten Mann, von dem ein schon sehr verwittertes Holzkreuz verkündete, dass hier *unvergessen Georg John* lag, *1903–1938*, und ihrem *lieben Jungen Wolfgang, 1936–1950*, wie auf dem Steinkreuz zu lesen war. Er aber, Manni, er war nun allein.

Als die Zeremonie beendet war, begannen die Beileidsbezeugungen. Manni ließ sich die Hand drücken, auf die Schulter klopfen und von weinenden Frauen umarmen, danach gingen die einen in Richtung Straßenbahn davon, während die anderen in die Taxis stiegen, die vor dem Friedhof warteten. Als auch sie im Taxi saßen, eröffnete ihm Onkel Willi, dass es zu Hause eine große Trauerfeier geben werde und er dabeizubleiben habe. Das gehöre sich nun mal so.

Manni gehorchte keine halbe Stunde, dann hielt er die Bockwurst und Kartoffelsalat mampfende und von Bier zu Bier und Schnaps zu Schnaps immer lauter und lustiger werdende Runde nicht länger aus. Obwohl Onkel Willi ihn beobachtete, stand er auf und lief zu Tante Grit und Onkel Karl in die Schönhauser Allee. Dort saßen auch Robert und Reni bei Kaffee und Kuchen. Es hatte bereits Erbschaftsstreitigkeiten gegeben, man leichenschmauste getrennt. Die Familie war der Meinung, dass Robert, der ausgebildete Koch, den *Ersten Ehestandsschoppen* übernehmen sollte – immerhin war es sein Vater, der die Kneipe einst pachtete –, Onkel Willi jedoch meinte, auch einen Anspruch darauf zu haben. So stand fest, dass es zu einem Prozess kommen würde: die beiden Söhne gegen den Stiefvater.

An diesem Nachmittag wurde viel über Mannis Zukunft geredet und am Ende beschlossen, dass der Bruder die Vormundschaft über ihn beantragen sollte. Bei Onkel Willi, so die einhellige Meinung, durfte er nicht bleiben.

Er war damit einverstanden, ahnte aber schon, dass das nicht gut gehen würde. Wo man nicht gebraucht wird, stört man; und wozu hätten Robert, Reni und Kati ihn denn brauchen sollen?

Zweieinhalb Monate dauerte es, dann war die Vormundschaft entschieden und Manni durfte zu Robert, Reni und Kati ziehen. So lange musste er bei Onkel Willi bleiben.

Mit viel Genugtuung sah er, dass der Stiefvater den *Ersten Ehestandsschoppen* nicht allein führen konnte. Weder war er so tüchtig wie die Mutter noch hatte er ihren praktischen Verstand. Onkel Ziesche zog die Stirn kraus, wenn er die Bücher studierte. Weil Onkel Willi aber nicht ganz dumm war, hielt er schon bald nach einer neuen Frau Ausschau, die ihm den Laden führte. Als Wirt vom *Ersten Ehestandsschoppen* war er ja eine gute Partie. Es stellte sich auch bald die erste vor: Gertrud Schipprowski, »Tante Trude«, eine kleine, dickliche Frau, die gleich am ersten Abend in Mutters Bett zog. Grund genug für Manni, sich in den ersten Stock zu verdrücken. Er fragte erst gar nicht, ob er das durfte. Nur zu den Mahlzeiten ließ er sich noch blicken. Doch nicht lange, und die etwas naive, wenn auch sehr fleißige Trude, die versucht hatte, seine Sympathie zu gewinnen, zog wieder aus. Sie hatte Forderungen an Onkel Willi gestellt, die er nicht erfüllen wollte. Eine neue »Tante« zog ein: Frieda Klose, noch keine vierzig, ganz hübsch, ganz nett, ganz flott, aber ein Eisberg. Hohe Augenbögen, eine zu kleine, spitze Nase, über Stirn, Augen und Mund eine Spannung, als sei jeder Muskel ihres Gesichts verhärtet.

Frieda Klose warb nicht um Manni, Frieda Klose wollte nur

eines: Gastwirtin werden, Chefin im eigenen Haus. Onkel Willi, der kaum fassen konnte, dass eine so junge Frau sich zu ihm alten Knacker ins Bett legte, stand vor ihr stramm.

Kurz vor Weihnachten war es dann so weit, Manni durfte weg von Onkel Willi, und es traf ein, was er vorausgesehen hatte: Es ging nicht gut. Bei der Mutter war er in ungesunder Freiheit aufgewachsen, wie Reni oft sagte, in des Bruders Familie sollte er sich umstellen, anpassen, von Grund auf ändern. Das schaffte er nicht. Wer vom Frosch zum Prinzen werden sollte, musste geküsst werden; doch war da etwa jemand, der ihn küsste?

Kleinigkeiten wurden zu unüberwindlichen Hürden: Bei der Mutter hatte er bis in die Nacht hinein lesen dürfen, bei Robert und Reni hatte er um zehn das Licht auszumachen, egal, ob er schon müde war oder nicht. Dann lag er auf der Küchencouch, auf der ihm abends das Bett gemacht wurde, dachte an die tausend Dinge, die er zu verarbeiten hatte, und wurde immer wacher. Überzeugt davon, dass Lesen besser war, als immer nur zu grübeln, las er heimlich, wurde kontrolliert und es gab wieder Ärger. Pflichten wie Mülleimerrunterbringen kannte er bisher nicht. Auf der Treppe murrte er, das wurde gehört und dann darüber diskutiert, bis er sich endlich schämte. Auf der Herrentoilette im *Ersten Ehestandsschoppen* war es kein Drama, wenn beim Pinkeln mal der Strahl verrutschte, in Renis Bad war es eine Katastrophe. Und so ging es weiter; es gab nichts, was an ihm stimmte.

Hinzu kam, dass ihm das Theater genommen war. Das Deutsche Theater, zwei Jahre zuvor für sich entdeckt, war ja nun seine große Liebe.

Während eines Schulklassenbesuchs von *Nathan der Weise* war es mit ihm passiert; schon allein das Äußere hatte ihn zutiefst beeindruckt: der mit rotem Damast ausgeschlagene Theatersaal, der rote Samtvorhang, der riesige Kronleuchter, die stuck- und goldverzierten Ränge hoch über dem Parkett … Sie hatten im obersten Rang gesessen, er konnte auf alles herabblicken und hatte sofort gespürt, dass das hier etwas ganz anderes war als Kino. Die Leute bewegten sich feierlicher und erschienen ihm aufgeregter; alles atmete Besonderheit. Dann ging der Vorhang auf, und er sah das Bühnenbild: eine angedeutete orientalische Landschaft, Sonnenglast, hellblauer Himmel, farbig aufeinander abgestimmte Kostüme. Ein Sultan kam in dem Stück vor, seine Schwester, ein Tempelherr mit Schwert, Nathans Tochter Recha, seine Haushälterin Daja, ein Mönch, ein Patriarch, ein Derwisch und der alte Jude Nathan selbst, der wirklich ein Weiser war, wie er mit jedem Schritt, jeder Handbewegung, jedem Lächeln bewies.

Über der Rangbrüstung hängend, sog er alles in sich auf, das Spiel der Schauspieler, die Reaktion des Publikums, jedes Wort, das gesprochen wurde. Im Unterricht hatten sie die Ringparabel durchgenommen; eine Geschichte, die er sofort begriffen hatte: Alle Religionen waren gleich; ein jeder sollte glauben, was er wollte; es kam nur darauf an, ein Mensch zu sein. Jetzt aber, mitten im Stück, die Worte des Patriarchen: »Der Jude wird verbrannt – tut nichts, der Jude wird verbrannt!« Worte, die ihn erschütterten. Sollte dieser Lessing vor zweihundert Jahren schon geahnt haben, was später millionenfache Wirklichkeit werden sollte?

Er sah Maxe Rosenzweig vor sich, auf seine Art ja auch ein Nathan, und es jagte ihm einen Schauer über den Rücken. Nicht mal das versöhnliche Ende erlöste ihn aus seiner Verkrampfung. Zwar waren da auf einmal alle irgendwie miteinander verwandt, die Christen und die Mohammedaner, der Jude Nathan jedoch gehörte nicht dazu. Weil er nur Rechas Adoptivvater war? Oder was sonst hatte der Dichter Lessing damit sagen wollen?

Als er an jenem Abend zur Mutter heimkehrte, lag er lange mit weit offenen Augen im Bett. Alles in ihm war in Aufruhr. Nun stand es endgültig fest: Er wollte Schauspieler werden! Im Theater steckte viel Wahrheit, das hatte er an diesem ersten Theaterabend erkannt – und fand es mit jedem weiteren bestätigt. Denn von nun an war er immer öfter in die Schumannstraße gepilgert und hatte alle möglichen Stücke gesehen. Der Zauber dort, auch wenn er längst nicht alles verstand, was auf der Bühne gesagt und getan wurde, nahm ihn stets aufs Neue gefangen.

Nur *ein* Verlust in dieser Zeit der vielen Verluste, doch ein wichtiger, und dazu einer, den er nicht mal auszusprechen wagte. Robert und Reni hatten nicht das Geld, ihn einmal in der Woche ins Theater gehen zu lassen. Und hätten sie es gehabt, hätten sie ihm nicht erlaubt, nachts allein durch die Stadt zu wandern.

Den ersten Heiligabend ohne die Mutter verbrachte Manni in Renis Familie; eine Großfamilie, die zusammenhielt. Lauter Tanten und Großtanten. Zu Weihnachten kamen sie alle nach Berlin, in die Wohnung von Renis Eltern. Sogar aus Amsterdam kamen sie angereist.

Er saß zwischen all den fremden, sich lustig gebenden Menschen und versuchte, ein freundliches Gesicht zu machen. Es gelang ihm nicht; er fürchtete die Bescherung. Und richtig, als das Licht gelöscht war, nur noch die Kerzen am Tannenbaum brannten und ein Weihnachtslied nach dem anderen gesungen wurde, hielt er es nicht länger aus. Tränenüberströmt lief er in die Küche.

Das kleine holländische Mädchen kam und brachte ihm Schokolade; es dachte, er sei mit seinen Geschenken nicht zufrieden. Und auch Robert kam in die Küche. Doch wie hätte ihn der Bruder trösten sollen? Er fühlte sich so elend und allein gelassen, da konnten Worte nicht helfen.

Erst viel später an diesem Abend schaffte er es, sich zusammenzunehmen. Er saß mit am Tisch, spielte Karten und war sogar ein wenig stolz auf sich, wusste er doch, was er leistete. Auf dem Heimweg traf ihn ein neuer Schlag: Er hatte vergessen, sich für die Geschenke zu bedanken, und musste sich Renis Vorwürfe anhören.

Als er in dieser Nacht auf dem Küchensofa lag, wünschte er sich weit fort, in eine andere Welt oder ganz und gar weg. Hätte ein vergifteter Apfel auf dem Küchentisch gelegen, er hätte wenigstens mal dran gerochen.

Am ersten Feiertag besuchte er Tante Grit. Sie sah ihm an, was mit ihm los war, und versuchte, an seine Vernunft zu appellieren. Auch wenn er das jetzt noch nicht so ganz verstehen könne und es sich bestimmt ganz furchtbar anhöre, müsse er doch froh sein, dass alles so gekommen sei. Was hätte denn aus ihm mal werden sollen, wäre er weiter in solch ungesunden Verhältnissen aufgewachsen?

Er ahnte mal wieder, dass alle, die so etwas sagten, Recht hatten. Als Halbwüchsiger im *Ersten Ehestandsschoppen*, als Halbwüchsiger die Taschen voller Ost- und Westgeld, als Halbwüchsiger im Clinch mit Onkel Willi, wie hätte das enden sollen? Sie hatten Recht, alle hatten sie Recht – und doch hätten sie es nicht sagen dürfen; nicht zu ihm, nicht in dieser Zeit.

Bei jeder sich ihm bietenden Gelegenheit zog er wieder durch die Straßen. Eigentlich fühlte er sich nur noch dort zu Hause.

Den Prozess um den *Ersten Ehestandsschoppen* gewann Onkel Willi. Der Staat hatte kein Interesse daran, dass junge Leute sich selbstständig machten. Einzige Auflage: Der Stiefvater musste seinen Stiefsöhnen monatlich je einhundert Mark Auslösung zahlen. Mannis Geld kam auf ein Konto, wurden größere Anschaffungen für ihn nötig, wurden sie davon getätigt.

Blieb die Frage, wie es mit ihm weitergehen sollte. Bei Robert und Reni konnte er nicht bleiben, das wusste er selbst. So war er einverstanden, als sie ihm nach einem Jahr vorschlugen, in ein Kinderheim zu gehen. Wenn ihm etwas helfen könne, dann sei das die Gemeinschaftserziehung,

Er nickte nur zu allem; irgendwo musste er ja hin.

11. Götter und Eichhörnchen

Es war ein kalter, grauer, schneegrießliger Januarvormittag, an dem Manne in das Kinderheim Königsheide einzog. Ihn fror, er hatte Angst vor dem, was ihn erwartete. Hinter dem schmiedeeisernen Eingangstor mit den eingearbeiteten beiden Eichhörnchen, dem Wappentier des Heimes, kamen der Schwägerin und ihm mehrere kleine Kinder entgegen. Sie trugen hellgraue oder hellbraune, samtartige Velveton-Anzüge, die über den Knöcheln zugeknöpft wurden, und einige dazu noch ein Emblem auf der linken Brustseite; ebenfalls ein Eichhörnchen, knallrot auf weißem Grund. Reni meinte, dass die aber lustig aussähen; Manne verzog keine Miene. An diesem Tag konnte ihn nichts erheitern.

Auf dem Jugendamt hatte man ihm gesagt, dass bis zu sechshundert Kinder in dem Heim lebten, vom Säugling bis zum Fast-Erwachsenen. Er hatte sich das nicht vorstellen können. Jetzt konnte er es sich vorstellen. Das weitläufige Gelände hinter dem Tor umfasste ja gleich mehrere, offensichtlich erst wenige Jahre zuvor erbaute, sehr helle und mit reliefartigen Motiven aus dem sozialistischen Kinderleben geschmückte Häuser; ein breiter Hauptweg teilte die in einen Kiefernwald hineingebaute Anlage, ein hoher Maschendrahtzaun umschloss sie.

Er kam dann in die Große-Jungen-Gruppe von Haus 3. Die stellvertretende Hausleiterin Uschi Kalinowski, eine noch junge Frau mit meerblauen Augen und roten Apfelbäckchen, nahm ihn in Empfang und Reni verabschiedete sich. »Kommst uns bald mal besuchen, nicht wahr?«

Die Jungen, denen er vorgestellt wurde, hielten ihn auf den

ersten Blick für einen neuen Erzieher, so erwachsen sah er aus in dem Fischgrätenanzug, den er auf Renis Anraten hin angezogen hatte. Alle waren sie in seinem Alter, alle wussten sie, wie einem Neuen zumute war. Sie halfen ihm, sich in seinem schmalen, einem Militärspind ähnelnden Schrank einzurichten, und vom ersten Tag an war er für sie »der Manne«. Er war erleichtert, nicht unter lauter Ganoven gefallen zu sein, und erzählte bereitwillig, woher, wie alt und weswegen.

Kriegswaisen lebten in dem Heim, Flüchtlingskinder aus dem deutschen Osten, die auf den Trecks ihre Eltern verloren hatten, Kinder von Eltern, denen man das Erziehungsrecht abgesprochen hatte, Kinder von Eltern, die sich unter Zurücklassung von jeglichem Ballast in den Westen abgesetzt hatten. Dazu Kinder von in- und ausländischen Diplomaten, die keine Zeit hatten, sich um ihren Nachwuchs zu kümmern, und Kinder von Kommunisten, die im internationalen Klassenkampf standen. Spätwaisen wie Manfred Lenz oder Kinder, mit denen ihre Eltern nicht mehr fertig geworden waren, waren die Ausnahme.

»Das größte Kinderheim Europas« wurde die Königsheide genannt, eine Republik der Kinder sollte sie sein. Sie war aber keine Republik, sie war ein Gottesstaat. Der Obergott hieß Walter Reiser und hatte es gern, wenn man ihn Papa Reiser rief. Eine sehr sympathische, beeindruckende Figur. Etwa fünfzig, groß, schlank, volles, graues, locker zurückgekämmtes Haar, sehr ausgeprägte, regelmäßige Gesichtszüge, angenehm sonore Stimme. Er war Kommunist von Jugend an, der Papa Reiser, und ein erfahrener Klassenkämpfer. Er trug nur hellgraue Anzüge und war nie ohne Krawatte unterwegs. Sahen die Jungen und Mädchen ihn von weitem, gingen sie aufrechter; wer vor ihm stand, nahm unbewusst Haltung an. Selbst die älteren Jugendlichen, die schon im Berufsleben standen, jeden Morgen das Heim verließen und sich so schnell von nichts und niemandem etwas sagen ließen, gaben sich bei ihm nicht mehr ganz so lässig. Viele große und kleine Mädchen schwärmten ihn an, kleine Jungen krochen ihm gern auf den Schoß.

Heimleiter Reiser wollte Förster sein, zarte, noch formbare Pflänzchen zu großen, festen, klassenbewussten Bäumen heranziehen. Eine Aufgabe, die ihm nach zwölf Jahren Hitler als dringend notwendig erschien, obwohl doch jeder wusste, dass er eigentlich zu Höherem berufen war. War aber die Jugend, so seine oft wiederholte Mahnung, nicht die einzige Hoffnung auf Zukunft? Alles hing davon ab, dass sie die Stafette übernahm. Dafür kämpfte er, dafür opferte er sich. Ein großer Mann, der nicht ernten, sondern säen wollte.

Ganz so groß war er dann aber doch nicht; Manne bemerkte es bald. Einige Sechzehn-, Siebzehnjährige hatten keinen übertriebenen Respekt vor Papa Reiser, machten, was sie wollten, und kamen, stellte er sie zur Rede, sogar ihm frech. Dann zürnte der mächtige Mann, ihm fielen die langen, grauen Haare in die Stirn, die Augen flackerten, seine Stimme überschlug sich, er raste vor Empörung und packte den Uneinsichtigen auch schon mal an den Schultern, um ihn kräftig durchzuschütteln. Papa Reiser war ein Erwachsener wie alle anderen auch.

Der Tagesablauf war militärisch geregelt. Sechs Uhr fünfzehn Wecken, der Größe nach antreten und Meldung erstatten. Gleich darauf Frühsport, Gymnastik oder Geländelauf, ganz egal, ob es draußen regnete, hagelte oder schneite. Nach dem Frühsport Waschen, Schrankbau, Bettenbau. War alles erledigt, wurde erneut im Flur angetreten und im Gänsemarsch zum Frühstück marschiert. Das musste schweigend geschehen und, schaffte eine Gruppe das nicht, wurde geübt: Schweigemarsch vom Tor zur

Schule und zurück. Immer hin und her, bis schon vor Frust kein Wort mehr fiel.

Anfangs lachte Manne über diese Spielchen; nachdem er ein paar Mal der ganzen Gruppe zum Marschieren verholfen hatte, lachte er nicht mehr.

Hatten alle ihre Suppe und die Marmeladenbrote intus, ging's in die Gruppe zurück. Die Dienste mussten erledigt werden: Zimmerdienst, Waschraumdienst, Mülldienst, Flurdienst. Die Hauptdienstzeit war vor dem Schlafengehen, da wurde gefegt, das Linoleum eingewachst und, schon im langen, weißen Nachthemd, mit dem schweren Bohnerbesen durch alle Räume geflitzt; es wurden die Waschbecken, der Duschraum, die Badewanne und die ungeliebten Klos mit *Ata* gescheuert und der Müll runtergebracht. Morgens waren nur kleinere Auffrischungen nötig; man war das Vorzeigeheim, ausländische Delegationen sollten den richtigen Eindruck von sozialistischer Ordnung und Sauberkeit bekommen.

War alles getan und von den Erziehern abgesegnet, ging's zur Schule. Dort standen schon die Pioniere vom Dienst. Was nicht in die Schule gehörte, durfte nicht mitgenommen werden. Für die Kleinen hieß das, kein Spielzeug im Ranzen mit sich herumzuschleppen, für die Großen, sich nicht mit westlicher Schundliteratur erwischen zu lassen. Es missfiel Papa Reiser und seinen Neben- und Untergöttern, dass es auch hier Jungen und Mädchen gab, die, zu Besuch bei der Westtante, sich dort ungeniert die Produkte des Klassenfeindes aufschwatzen ließen. Wurde ein solcher Fall entdeckt, wurde der Helfershelfer des Klassenfeindes gebrandmarkt. Noch krimineller allerdings war es, wenn dieser Helfershelfer den Comic oder Schundroman im Heim zugesteckt bekommen hatte. Dann wurde gnadenlos aufgedeckt und der Weg, den das Corpus Delicti genommen hatte, von Sünder zu

Sünder bis zur Westtante zurückverfolgt. Als Buße wurden auferlegt: Ausgangsverbot, Urlaubsverbot oder – das Grausamste – die Bestrafung der gesamten Gruppe; zwanzig Jungen oder Mädchen, die keinen Ausgang oder keinen Urlaub erhielten, nicht mit ins Kino und auch an anderen Vergnügungen nicht teilnehmen durften.

Vom Ich zum Wir lautete eine der Parolen, die im Schulgebäude ausgehängt waren. Und immer wieder hieß es im Unterricht: »Ihr müsst mehr lernen als die Schüler im Westen, fleißiger sein. Nur so können wir im Klassenkampf bestehen. Warum ist uns die Bourgeoisie denn zurzeit auf vielen Gebieten noch überlegen? Weil die Bürgersöhnchen und Bürgertöchter eine bessere Bildung erfahren haben als die Arbeiterkinder. Wie unsere Wirtschaft funktioniert und wir morgen leben, wird aber auch vom Bildungsstand der Bevölkerung mitbestimmt.«

Ein Versuch, sie anzufeuern, der misslang. Es war in der Heimschule wie in allen anderen Schulen: Wer Lust am Lernen hatte oder leicht kapierte, war ein guter Schüler; wer keine Lust hatte oder schwer kapierte, ein schlechter. Manne machten nur Deutsch und Geschichte Spaß.

Nach der Schule oder auf Ausflügen fanden hin und wieder Geländeübungen statt; eine Art vormilitärischer Ausbildung mit Kompass und Karte. Während einer dieser Übungen wurde Manne Lenz ein Kleinkalibergewehr in die Hand gedrückt. Als er verdutzt aufblickte, hieß es, was er denn habe, vor den Imperialisten müsse man nun mal auf der Hut sein.

Jeden Sonnabendnachmittag war Hausappell. Alle Dienste mussten tipptopp erledigt sein und die Gruppe im Flur der Größe nach antreten. Betrat der Hausleiter den Flur, rief der Gruppenpionier vom Dienst: »Achtung! Stillgestanden!«, und erstattete Meldung: »Gruppe vollzählig angetreten!«, oder auch mal:

»Gruppe bis auf zwei Jungen vollzählig angetreten. Jürgen Frühwerth liegt auf der Krankenstation, Andreas Schulz ist zu Dreharbeiten bei der *Defa.*« Die Filmgesellschaft *Defa* liebte es, sich ihre jugendlichen Hauptdarsteller aus dem Heim zu holen; hier fand man jede Menge sehr ausgeprägte Gesichter.

Bevor dann der Kontrollgang angetreten wurde, hieß es »Rührt euch!«, und dann durften sie etwas lockerer stehen und das jedes Mal wie ein Damoklesschwert über ihnen hängende Urteil abwarten. Hatte einer seinen Dienst nicht ordentlich genug erledigt, verschwand der Hausleiter mitsamt seinem Gefolge von Dienst habenden Pionieren in die nächste Gruppe, und alle mussten im Flur ausharren, bis der Schlamp seine Arbeit noch einmal ausgeführt und ein zweiter, manchmal auch dritter Kontrollgang die strengen Richter zufrieden gestellt hatte. Notfalls wurden Ausgangs- oder Urlaubssperren verhängt.

Es gab Pioniere vom Dienst, die waren schärfer als alle Erzieher und fanden mit sicherem Gespür jede Schmutzecke. Der Hass, der ihnen dafür von allen Seiten entgegenschlug, störte sie nicht. Manch einer war ansonsten ein ganz netter Kerl, erst die Funktion machte ihn zum Schnüffelhund; andere waren ganz einfach nur Idioten, die sich bei den für sie zuständigen Göttern anbiedern wollten.

Aber natürlich: Alle erteilten Strafen waren »in Wahrheit« nur Maßnahmen zur Stärkung des Kollektivbewusstseins. Offiziell gab es überhaupt keine »Strafen«, sondern nur sozialistische Erziehungsmaßnahmen. Das Gleiche galt für die zahlreichen Verbote.

Verboten war, sich ohne zu fragen von der Gruppe zu entfernen oder über den Rasen zu gehen – bei Nichtbeachtung des Rasenverbots fünfzig Pfennig Taschengeldentzug, was bei nur zwei Mark vierzig im Monat richtig wehtat. Verboten war, beim Essen zu reden oder beim Sitzen einen Buckel zu machen, nicht die Wahrheit zu sagen, die Anordnungen der Erzieher und Erzieherinnen nicht zu befolgen oder gar zu rauchen. Wurde man bei Letzterem erwischt, etwa in der kleinen Schonung gleich neben dem Wirtschaftsgebäude, war das gesamte Taschengeld futsch. Verboten war, sich vor Exerzierübungen zu drücken, beim Fahnenappell zu lachen oder im Tagesraum herumzutoben. Verboten war, im Klubraum des Hauses, der nur zu bestimmten Anlässen geöffnet wurde, am Radio zu drehen – es könnte ja versehentlich ein Westsender eingestellt werden –, die Mittagsruhe nicht einzuhalten oder sich vor der gemeinsamen Erledigung der Schulaufgaben zu drücken. Den Jungen war verboten, sich in den Räumen der Mädchen, den Mädchen, sich in den Räumen der Jungen aufzuhalten. Es war verboten, über das Essen zu meckern oder irgendeinen Ratschluss der Götter infrage zu stellen, es war verboten, es war verboten. Nicht verboten werden konnte den Jungen und Mädchen, sich über all diese Verbote ihre Gedanken zu machen.

Es hätten schlimme anderthalb Jahre für Manne Lenz werden können, hätte er nicht bald jede Menge Freunde gefunden; Jungen, mit denen er reden und immer wieder gemeinsam etwas anstellen konnte; Jungen, die oft ein weit schlimmeres Schicksal hinter sich hatten als er, wie zum Beispiel Picasso oder Bäumchen.

Der lange, bilderbuchblonde Picasso hieß eigentlich Peter Barsch und war schon sechzehn, hockte aber noch immer in der siebten Klasse, weil ihm das Lernen schwer fiel. Picasso wurde er genannt, weil er so ein guter Zeichner war. Russische Soldaten hatten das Flüchtlingskind aus einem zuvor von ihnen beschossenen Treck gezogen – als einzigen Überlebenden. Seinen Namen hatten ihm irgendwelche Leute gegeben – »Barsch« vielleicht, weil er so einen breiten Mund hatte; sein Alter geschätzt und einen Geburtstag bestimmt hatten Ärzte. Bäumchen hieß richtig Kurt Mandelbaum und war ein jüdischer Junge, dessen Eltern kurz nach seiner Geburt von den Nazis abgeholt und umgebracht worden waren. Eine verwitwete nichtjüdische Freundin der Mutter hatte das Baby zuvor zu sich genommen, als ihr eigenes Kind ausgegeben und bei sich behalten, bis sie vor drei Jahren starb. Bäumchen, klein, rundlich und schwarzhaarig, verehrte diese »Tante« wie einen Engel. In seinem Schrank hatte er eine Zigarrenkiste voller Fotos von ihr; eine eher unhübsche Frau mit einem großen Leberfleck am Kinn lächelte dem Betrachter entgegen. Für Bäumchen war sie die schönste Frau der Welt.

Zur »Heimprominenz« gehörte auch Pierre Manson, Franzose und Sohn eines verwitweten, international aktiven Kommunisten und ehemaligen Résistance-Kämpfers. Pierre schlief in Mannes Zimmer und seine Pubertät machte ihm schwer zu schaffen. Ständig fummelte er an seinem »Ügo« herum, als würde ihn das Ding piesacken; unter der Dusche wuschen er und Harry Löwe sich ihre »Ügos« über Kreuz, weil das aufregend war und mehr Spaß machte. Als Frau Lauffer, die ältliche, magere, großnasige Erzieherin der Gruppe, ihnen an einem Leseabend Kapitel aus dem *Schwejk* vortrug und sie alle in ihren weißen Nachthemden im Halbkreis vor ihr saßen, hatte Pierre, in der zweiten Reihe sitzend, mit einem Mal einen Ständer. Steil ragte sein »Ügo« unter dem Nachthemd in die Höhe. Er machte alle darauf aufmerksam und dann ließ er ihn wippen. Natürlich wieherten sie sofort los und Frau Lauffer freute sich, dachte die ehemalige Schauspielerin vom Deutschen Theater doch, so gut käme ihr Schwejk-Vortrag bei ihnen an.

Ebenfalls zur Prominenz gehörte das Budapester Brüderpaar, dessen Eltern in der ungarischen Botschaft arbeiteten, die beiden Schwestern aus dem Iran, deren Eltern im Widerstand gegen das Schahregime standen und ihre Kinder nach OstBerlin in Sicherheit gebracht hatten, und der junge Hesse aus Hanau, dessen Eltern – Mitglieder der im Westen verbotenen KPD – ihrem Sohn eine klassenkämpferische Erziehung angedeihen lassen wollten. Alle diese Vorzeigeexoten litten darunter, dass sie immer wieder irgendwelche Reporter durch das Heim führen mussten.

Mannes bester Freund aber wurde Ete Kern.

Ete war in dem Augenblick aus dem Tagesraum gekommen, als dem frisch eingelieferten Manfred Lenz gerade das Haus gezeigt wurde. Er war der erste Junge, mit dem er bekannt gemacht wurde. »Das ist der Erich, unser bester Schachspieler«, sagte die Kalinowski. »Vor kurzem ist er sogar in die Berliner Jugendauswahl berufen worden.«

Ete Kern sah gar nicht aus wie ein Schachspieler. Eher wie ein Leichtathlet. Nur mittelgroß war er, sehr breitschultrig und schmalhüftig. Sein blondes Haar war lockig, die hellen blauen Augen blickten ewig zur Seite, als wollte er nicht verraten, welche Gedanken ihn gerade beschäftigten. Die Nase stand ihm ein wenig schief im Gesicht, so als hätte er auch mal geboxt.

Sie begrüßten sich, trafen an diesem Tag aber nicht mehr zusammen. Begegneten sie sich jedoch an den folgenden Tagen, lächelten sie einander jedes Mal zu: Hallo! Wir kennen uns doch schon!

Beim Frühsport fiel Ete auf, weil er, ein guter Sportler, immer wieder deutlich zeigte, wie wenig Lust er auf solch morgendliches Treiben verspürte. Ansonsten verhielt er sich eher zurückhaltend.

Eines Nachmittags hatte Ete dann Kaffeedienst – jeden Nachmittag zur Kaffeezeit mussten zwei aus jeder Gruppe zwei Tabletts mit Marmeladenbrötchen aus der Küche holen – und sein Partner war aus irgendeinem Grund ausgefallen. Der junge Herr Boy, der gemeinsam mit Frau Lauffer die Gruppe leitete, fragte, wer einspringen wolle. Manne meldete sich und so zogen sie zum ersten Mal gemeinsam los.

Zuerst schwiegen sie beide verlegen, spürten wohl, dass sich da etwas Besonderes anbahnte. Als sie jedoch nebeneinander auf der Steintreppe zum Speisesaal saßen und ein Brötchen nach dem anderen verdrückten – es war üblich, dass der Kaffeedienst ohne Rücksicht auf die anderen erst mal alles wegfraß, was er verdrücken konnte –, kamen sie miteinander ins Gespräch: Wo kommst du her? Hast du niemanden mehr? Was magst du am meisten? Was hältst du vom Heim, von den Erziehern, von Papa Reiser? Welches Mädchen gefällt dir am besten?

Ete war am Alexanderplatz aufgewachsen, sein Vater war im Krieg geblieben, die Mutter gestorben, als er zwölf war. Er hatte zwei verheiratete Schwestern, eine lebte im Westen, die andere im Osten, aufnehmen konnten sie ihn beide nicht; die eine hatte drei Kinder und nur eine Zweizimmerwohnung, die andere lebte mit Mann und Kind in einer Einzimmerwohnung. Das Heim betrachtete Ete eher neutral, manches gefiel ihm, vieles aber auch nicht. Papa Reiser war aus seiner Sicht ein bloßer Angeber. »Läuft rum wie einer vom Film, kuckt aber immer über alle hinweg. Da ist mir der Boy lieber. Mit dem kann man wenigstens reden.«

Schwierig war die Mädchenfrage. Da hatte Ete einen ganz besonderen Geschmack – er schwärmte von einem Mädchen aus Haus 1, das von allen Jungen wegen ihres ziemlich großen Kopfes nur H_2O KOP_2 genannt wurde. Manne wusste, dass es bei einem Mädchen nicht nur auf das hübsche Gesicht oder die tolle

Figur ankam, sondern auch auf den Charakter. Theoretisch gefiel ihm diese Einstellung ja auch, aber praktisch? Was konnte er dafür, dass es ihn eher zu den Hübschen hinzog?

Ete dachte da ganz anders. »Im Kern gut« mussten sie sein, die Menschen, mit denen er etwas anfangen konnte; die hübsche Hülle interessierte ihn nicht. Und so liebte er sein Fräulein Wasserkopf wirklich und litt darunter, denn das Mädchen mit dem großen Kopf glaubte ihm seine Liebe nicht, sondern vermutete, er wolle sie nur verspotten. Irgendwer musste ihr endlich mal sagen, dass das nicht stimmte; ob Manne vielleicht bereit war, diesen Freundschaftsdienst zu übernehmen? Ein Handschlag und die Sache war besiegelt.

Vielleicht hatte Manne Lenz es nur Ete Kerns Freundschaft zu verdanken, dass er schon nach kurzer Zeit zur Clique um Pierre, Harry Löwe, Picasso, Bäumchen und Ete gehörte, vielleicht aber auch seiner Bereitschaft, bei jedem Streich dabei zu sein.

Er war noch nicht lange im Heim, da ließen sie sich eines Nachts an der Regenrinne herab und schlichen ins Haus 1 hinüber, in die Große-Mädchen-Gruppe. Die Mädchen hatten wie immer ihren Flur besonders sorgfältig gebohnert. Wortlos und ohne zu kichern rieben sie sich ihre Schuhsohlen mit der aus der Schule mitgenommenen Kreide ein und marschierten danach – leise, leise, leise – minutenlang in dem blitzsauberen Flur auf und ab. Immer an den Türen vorbei, hinter denen die Mädchen schliefen. Als sie ihr Werk beendet hatten, sah der Linoleumfußboden aus, als wären zwanzig Fußballmannschaften darüber hinweggeschritten. Bei der Rückkehr ins Haus 3, die Regenrinne hoch, wurden sie dann erwischt: Hausleiter Johann Taube, fünfundvierzig, hager, dünne Lippen, bisschen sehr vorstehende Zähne, Topfschnittfrisur, riesige, wächsern wirkende Ohren, hatte sie schon erwartet. Gleich ließ er sie der Größe nach antreten und im Laufschritt in die Heizung abrücken; Kohlen schippen, die ganze Nacht: »Was wirkt am besten gegen Schlaflosigkeit? Ehrliche Arbeit!«

Ein andermal bestraften sie Witt-witt, einen schmalen, blassen Jungen, der irgendwann einmal SED-Funktionär werden wollte und sich in allem, was die richtige politische Linie betraf, schon jetzt sehr ehrgeizig und überzeugt zeigte, indem sie etwas Braunes auf die Klinke der Tür schmierten, durch die er gleich kommen musste. Der Junge, der sie zuvor als Pionier vom Dienst böse schikaniert hatte, griff in dieses Braune und dachte wohl erst, dass es Schuhwichse war, die da jemand in dünner, unauffälliger Schicht auf die Türklinke gerieben hatte. Kaum hatte er daran gerochen, wusste er, dass er sich geirrt hatte. In Panik stürzte er in den Waschraum und wusch sich eine halbe Stunde lang die Hände. Sie dachten, Witt-witt würde sich vielleicht schämen, in Scheiße gegriffen zu haben, und deshalb keine Meldung erstatten, doch da hatten sie sich geirrt. Die gedemütigte Hand anklagend erhoben, marschierte Witt-witt in Taubes Büro. Wie aber hätten die beiden Detektive herausfinden sollen, wer der Übeltäter war? Konnte man denn mit labortechnischen Mitteln nachweisen, dass diese Scheiße einen französischen Akzent hatte?

Wieder ein anderes Mal ging es mit einem zum Dietrich gebogenen Draht in den Klubraum des Hauses und von dort durchs ausgehebelte Schiebefenster in das Wirtschaftszimmer mit den Bonbontüten. Doch natürlich interessierten sie nicht die Bonbons; die wurden nur mitgenommen, damit der Einbruch einen Sinn hatte. Der Nervenkitzel war die Verlockung. Wäre herausgekommen, wer die Einbrecher waren, wären sie wohl allesamt aus dem Heim geflogen und jeder in ein anderes, nicht so vorzeigbares eingewiesen worden. Aber Taube tappte mal wieder im Dunkeln. Selbst wenn er die Polizei gerufen hätte, wie hätte man die Täter finden sollen? Als Profis hatten sie natürlich Handschuhe getragen.

Noch krimineller war der Einbruch ins Erzieherzimmer, den Ete und Manne in eigener Regie unternahmen, um mal in aller Ruhe ihre Akten lesen zu können. »Manfred ist sehr groß und kräftig, die Mädchen schauen schon nach ihm«, hatte die Lauffer über ihn eingetragen. Manne hatte noch gar nicht bemerkt, dass er solchen Eindruck auf Mädchen machte; jetzt hatte er es schriftlich. Nur schade, dass er es nirgendwo herumzeigen konnte. Aber immerhin: Mal kucken, wer da so alles kuckte!

Ete freute sich nicht über das, was er zu lesen bekam. Da stand irgendwas von Verschlossenheit und Unaufrichtigkeit, passt sich nicht der Gemeinschaft an, steht außerhalb des Kollektivs. Die Lauffer war ja ganz nett, aber Ahnung hatte sie keine.

Dieser Einbruch ins Allerheiligste blieb zum Glück gänzlich unbemerkt, so sauber hatten die Gangster gearbeitet. Ein harmloser nächtlicher Ausflug ins sommerlich brühwarme Planschbecken des Heimes hingegen hatte unangenehme Folgen. Sie wurden von Herrn Boy, der Nachtwache hatte, entdeckt und gleich dem Hausgott Taube gemeldet. Zur Strafe mussten sie im Flur antreten und dort zu sechst die halbe Nacht lang stehen bleiben. Bis ihnen die Beine wegknickten.

In der Königsheide gab es einen Heimrat der Kinder und einen Heimratsvorsitzenden – Papa Reisers Apostel –, es gab einen Hausrat und einen Hausratsvorsitzenden und in jeder Gruppe einen Gruppenrat und einen Gruppenratsvorsitzenden. Tagte der Heimrat, der Hausrat oder der Gruppenrat, hagelte es Kritik und

Selbstkritik; keine Tagesordnung, auf der die Forderung nach politischer Bildung nicht ganz oben stand.

Alte Kommunisten kamen ins Heim und erzählten vom Widerstand gegen die Nazis, während einer Ferienreise nach Thüringen besuchten sie das KZ Buchenwald. Vorträge wurden gehalten, Filme gezeigt, Lesezirkel abgehalten, antifaschistische Lieder einstudiert, in der Bibliothek Bücher mit erzieherischem Wert verliehen. Stand ein 1. Mai bevor, wurden Exerzierübungen angesetzt. Damit man sich nicht blamierte, wenn man im Marschblock über den Marx-Engels-Platz marschierte.

Immer den breiten Hauptweg entlang ging es, von der Schule bis zum Eichhörnchen-Tor und wieder zurück. Die Trommler trommelten, die jungen Kehlen schrien heraus, was sie an Liedern der internationalen Arbeiterbewegung einstudiert hatten: »Avanti popolo, alla riscossa, bandiera rossa, trionferá!«, die *Warschawianka, Der kleine Trompeter, Die Partisanen vom Amur,* »Bella ciao, Bella ciao, Bella ciao, ciao, ciao!« und immer wieder »Wir sind die junge Garde des Pro – leta – riats«.

Am Tag der Tage wurde vorneweg ein riesiges Transparent mit der Aufschrift *Kinderheim Königsheide* getragen, dahinter eine ellenlange Losung: *Es lebe der 1. Mai, der internationale Kampftag der Werktätigen der ganzen Welt für Frieden, nationale Unabhängigkeit, Demokratie und Sozialismus.* Drei Reihen dahinter, ein wenig kleiner: *Junge Pioniere und Schüler! Lernt besser! Seid bereit für Frieden und Völkerfreundschaft!*

An den Losungen hatte Picasso lange gepinselt, der Heimrat hatte sie unter denen, die von der Partei vorgegeben waren, ausgewählt. Selber welche zu erfinden war nicht erlaubt. Hinter den Losungen her marschierten erst die Fahnen – dann die Wimpelträger. Alle hoch gestimmt in ihrer Pionierkluft mit den gerade erst neu ausgegebenen hellen Shorts, weißen Hemden und blauen Halstüchern. Eine Stimmung, die auch auf Manne überschlug, wenngleich er sich darüber lustig machte und den Wimpel, den man ihm in die Hand gedrückt hatte, öfter mal unwürdig schwenkte. In den Jahren zuvor, in seiner alten Schule, hatte er sich immer geweigert, eine Fahne oder einen Wimpel zu tragen; mit so einem Ding in der Hand konnte man sich schwerlich verdrücken. Als Heimzögling war das was anderes, da konnte er sowieso nirgendwohin verschwinden; alle gemeinsam waren sie hergefahren, alle gemeinsam würden sie ins Heim zurückkehren.

Zwischen Pierre und Witt-witt marschierte er während seiner ersten Maidemonstration mit dem Heim. Eine Lautsprecherstimme verkündete die großen Erfolge der Werktätigen und begrüßte immer wieder die Genossen aus Partei und Regierung, die in zumeist hellen, schulterwattierten Anzügen auf der Tribüne standen und weihevoll winkten. Als sie unter ihnen vorbeimarschierten, brach Witt-witt in Hochrufe aus und alle anderen fielen mit ein. Hatte in diesem Augenblick nicht jeder von ihnen das Gefühl, dass die Augen von Walter Ulbricht, Wilhelm Pieck und Otto Grotewohl direkt auf ihn gerichtet waren? Kaum waren die Hochrufe verstummt, verdammte der eingeübte Sprechchor den imperialistischen Feind im Westen als Kriegstreiber und Ausbeuter. Ein Parolengewitter, für das Manne sich schämte. Was wohl die Mutter dazu gesagt hätte! Oder Onkel Ziesche!

Vor und hinter dem Kinderheim marschierten Bergarbeiter, Männer und Frauen aus den verschiedenen Industriebetrieben, Bauarbeiter, Volkspolizisten, LPG-Mitglieder, Krankenschwestern, Ärzte, Sportler, FDJler. Traktoristen führten ihre Traktoren vor, Turner bildeten menschliche Pyramiden, kurz berockte junge Frauen in Rhönrädern rollten an der Tribüne vorüber. Jede Gruppe wurde über Lautsprecher begrüßt, als wären siegreiche römische Legionen heimgekehrt; die so freundlich Aufgenommenen winkten mit roten Nelken, Halstüchern und Hüten zurück.

Fünf Jahre zuvor war auf eben diesem Platz noch »Der Spitzbart muss weg!« gerufen worden, jetzt wurde der »Spitzbart« als größter Friedenskämpfer Deutschlands gefeiert. Waren die, die dem Ulbricht so lautstark zujubelten, etwa die Gleichen, die ihn damals weghaben wollten?

Manne wurde ein komisches Gefühl nicht los, das sich ein paar Tage später, als Pierre ihm ein Foto überreichte, auf dem zu sehen war, wie er im Marschblock mitmarschierte, noch verstärkte. Verwandte von Pierre, zu Besuch in Berlin, hatten es gemacht und ihm einen Abzug für seinen auf dem Foto so fröhlich lächelnden Freund mitgegeben. Die Mutter hatte nicht gewollt, dass ihr Manni bei diesen neuen »Marschierern und Trompetern« mitmachte, er aber hatte sich darüber hinweggesetzt. Weil die Mutter tot war und er lebte. Weshalb sollte er denn immer der Benachteiligte sein? Ging die Gruppe am Nachmittag irgendwohin – Kino, Fußballspiel, Jugendtheater –, hieß es stets: »Nur die Jungen Pioniere!« Selbst am Tag des Kindes, an jedem 1. Juni, feierlicher Höhepunkt im Heim, wenn zuvor Tänze einstudiert worden waren, Spiele stattfanden und Bonbons und Luftballons verteilt wurden, wurden die wenigen Nicht-Pioniere zwar nicht ausgeschlossen, aber doch wie ungebetene Gäste behandelt. Wie hätte die Mutter denn ahnen sollen, dass er sich jemals in einer solchen Zwickmühle befinden würde? Mit einem schlechten Gefühl in der Brust hatte er sich zusammen mit vielen kleinen Kindern und ein paar anderen Spätüberzeugten im großen Speisesaal feierlich zum Thälmann-Pionier weihen lassen. Das blaue Pioniertuch war ihm überreicht worden, er hatte die Bedeutung jeder der drei Tuchecken aufsagen müssen, dann wurde es ihm umgeknüpft. »Seid bereit!«, lautete der Pioniergruß, die Antwort: »Immer bereit!«

Er war nicht blöd, er wusste, was da passiert war: Sie hatten Manne Lenz die Wurst hingehalten und Manne Lenz hatte Männchen gemacht. Doch hätte er als Einziger in der Gruppe auf die Wurst verzichten sollen? Trägst du ihr Halstuch, ihr Hemd, ihre Abzeichen, sind sie zufrieden mit dir und du bleibst nicht allein. Deshalb musst du ihnen noch lange nicht alles glauben.

Und er glaubte ihnen ja auch nicht alles. Das Beobachten und Sich-Gedanken-Machen, das er in Mutters Kneipe gelernt hatte, er setzte es auch hier fort. Die Frau Lauffer zum Beispiel. Wie gern erzählte sie, sie habe allein aus humanistischer Überzeugung im Heim angefangen. Nur weil sie jungen Menschen helfen wollte, den richtigen Weg zu finden, habe sie die Schauspielerei aufgegeben. Wie aber vertrug sich dieser Wunsch mit dem, was sie hier erlebte? Wie konnte sie sich mit Schwejk über das Militär lustig machen und gleichzeitig Kinder wie Soldaten strammstehen lassen?

Der junge Herr Boy war ja ein netter Kerl, doch ging es ihm vor allem darum, Zwischenfälle zu vermeiden. Alles musste klappen, damit er nach Dienstschluss beruhigt zu Frau und Kind nach Hause hasten konnte. Durfte man denn zur Kindererziehung wie ins Büro eilen?

Und Hausgott Taube? Der war überhaupt kein »Erzieher«; der war nur Funktionär. Beim Nachtappell blieb er einmal vor Mannes Bett stehen, sah ihn aufmerksam an und fragte plötzlich: »Was ist Mut?«

»Mut ist, wenn man vor etwas Angst hat und es trotzdem tut.« Das war es, was der Taube hören wollte; für Manne kein Problem, ihm diesen Gefallen zu tun.

»Ist das alles?«

»Es muss sich um eine sinnvolle, der Menschheit nützende Tat handeln.«

»Richtig!« Die weit auseinander stehenden Zähne wurden sichtbar, die riesigen Ohren hoben sich. »Und wer oder was ist der Staat?«

»Der Staat sind wir alle.«

»Kannst du uns das näher erläutern?«

»Der Staat sind wir alle, weil wir geschaffen haben, was uns gehört.«

»Glaubst du das auch – oder sagst du das nur, weil du weißt, dass ich das hören will?«

Pierre, Harry Löwe, Pampel, Bäumchen und Witt-witt, aufrecht saßen sie in ihren Betten und starrten Manne an. Was würde er antworten?

»Ich glaube es.«

»Also arbeiten die Menschen in unserem Land, um dem Staat zu nützen?«

»Auch.«

»Aha! Und warum noch?«

»Na, damit se Miete zahlen, Lebensmittel kaufen und in die Ferien fahren können.«

»Und was ist für den Menschen bedeutsamer – der eigene Nutzen oder der des gesamten Volkes?«

»Der des gesamten Volkes natürlich! Geht's allen gut, geht's ja auch dem Einzelnen gut.«

»Bravo!« Ein aufmerksamer Blick in die Runde. »Na, vielleicht werdet ihr eines Tages ja doch noch brauchbare Mitglieder unserer sozialistischen Gesellschaft.«

Sie nickten erlöst, weil sie dachten, damit hätten sie den Appell hinter sich, Johann Taube aber war noch nicht fertig. In aller

Ruhe kontrollierte er ihre Schränke, schimpfte mit Bäumchen, in dessen Schrank es wieder mal wie bei einer französischen Nutte aussehe – »außen hui, drunter pfui!« –, und spazierte danach von Bett zu Bett, um einem nach dem anderen ins Gesicht zu sehen und jeden mindestens einen der von Walter Ulbricht persönlich verfassten zehn Punkte der neuen, sozialistischen Moral aufsagen zu lassen. Zehn Mal »Du sollst«.

Pierre, der den Vergleich mit der französischen Nutte nicht so gut fand – es hätte ja auch eine deutsche sein können, oder waren die überall pfui? –, kam als Erster dran, obwohl Witt-witt natürlich alle zehn Punkte in zehn Sekunden hätte herunterrattern können. »Du sollst dich stets für die internationale Solidarität der Arbeiterklasse und aller Werktätigen sowie für die unverbrüchliche Verbundenheit aller sozialistischer Länder einsetzen«, deklamierte er mit beleidigtem Gesicht.

Harry, ein groß gewachsener Junge, der in seiner Freizeit an einem Kriminalroman schrieb: »Du sollst dein Vaterland lieben … und … und … und stets bereit sein, deine ganze Kraft und Fähigkeit für die Verteidigung der Arbeiter- und Bauernmacht einzusetzen.«

Pampel, der sich selbst ins Heim eingeliefert hatte, weil er mit seinen Eltern nicht mehr klargekommen war: »Du sollst helfen, die Ausbeutung des Menschen durch den Menschen zu beseitigen.«

Bäumchen: »Du sollst gute Taten für den Sozialismus vollbringen … und … äh, äh …«

Taube winkte ab und nahm endlich Witt-witt ran. Der wusste, dass die guten Taten für den Sozialismus zu einem besseren Leben aller Werktätigen führten, und durfte auch gleich noch die Gebote 5 bis 9 aufsagen, in denen es um gegenseitige Hilfe, kameradschaftliche Zusammenarbeit, den Schutz des Volkseigentums, sozialistische Arbeitsdisziplin, Kindererziehung und Sauberkeit in der Familie ging.

Gebot Nr. 10 blieb Manne Lenz vorbehalten: »Du sollst Solidarität mit den um ihre nationale Befreiung kämpfenden und den ihre nationale Unabhängigkeit verteidigenden Völkern üben.« Er wusste den Text nicht wörtlich, sinngemäß aber stimmte, was er sagte.

Taube war zufrieden. »Das, meine Herren, die Sie noch keine Damen neben sich liegen haben dürfen, steckt dahinter, wenn wir von *unserem* Staat reden. Wir sind nämlich nicht irgendein Staat, in dem es Regierende und Regierte gibt, bei uns regiert mit, wer sich für uns einsetzt.«

Sie nickten mal wieder und Manne musste an den Konfirmandenunterricht in seiner alten Schule denken. War der Sozialismus vielleicht so etwas wie eine neue Religion? Wollte Walter Ulbricht ein zweiter Moses werden?

Hausleiter Taube sagte noch, dass diese zehn Punkte für jeden galten, angefangen beim Schulkind in der ersten Klasse, endend erst beim obersten Staatsfunktionär, dann war der Appell beendet. Drei Monate später wurde Johann Taube aus dem Heimdienst entlassen. Dass er bei den Jungen nach dem Duschen gern die Schwänze kontrolliert hatte, um nachzuschauen, ob sie sich die gewaschen hatten, war akzeptiert worden; körperliche Reinlichkeit fiel unter Sauberkeit und Ordnung, keiner sollte außen hui und drunter pfui sein. Und mit schwulen Anwandlungen war bei einem, dessen Frau ewig schwanger war, nicht zu rechnen. Doch dann hatte der Herr über Haus 3 eines Abends auch mal in der Große-Mädchen-Gruppe nachschauen wollen, wie es mit hui und pfui bestellt war, und die abgebrühte Barbara hatte ihn erst brav gewähren lassen und danach eiskalt angezeigt. Und nicht genug, dass Frau Taube daraufhin fast eine Sturzgeburt erlitten hätte, auch Taubes Stellvertreterin Uschi Kalinowski fühlte sich betrogen, tobte, schrie und weinte und gestand eine langjährige tiefe Zuneigung und feste Bindung zu Johann Taube.

Da flog nicht nur der schlimme Johann raus, da flog die romantische Uschi gleich hinterher. Beide hatten sie Ulbrichts neuntes Gebot nicht beachtet: Du sollst sauber und anständig leben und deine Familie achten.

In seinem letzten Königsheider Jahr gehörte Manne Lenz einer Jugendgruppe an; alles Lehrlinge, Mittel- und Oberschüler. Da ging es dann nicht mehr so militärisch zu, weil sie ja am Morgen alle zu unterschiedlichen Zeiten aus dem Heim mussten und die Lehrlinge erst am Abend wieder eintrudelten. Sie hatten mehr Freiheit und fühlten sich nicht mehr voll dazugehörig.

Auch Manne hatte nach der Schule eine Lehre machen wollen. Möglichst rasch Geld verdienen, möglichst schnell selbstständig sein! Wegen seiner guten Aufsätze aber schlug seine Klassenlehrerin ihm vor, doch wenigstens die mittlere Reife zu erlangen. Da er nicht wusste, welchen Beruf er hätte erlernen sollen – wie und wo hätte er denn seine Träume vom Theater verwirklichen können? –, ließ er sich überreden und wanderte schon bald jeden Morgen zusammen mit drei anderen Jungen und zwei Mädchen bis in die Baumschulenweger Kiefernholzstraße. Am Krematorium vorüber führte der knapp dreißigminütige Fußweg – und damit auf dem Heimweg öfter mal durch Beerdigungsgesellschaften und seltsame Gerüche hindurch – und über den Britzer Kanal hinweg. Ein paar hundert Meter weiter blinkte dann schon die rote Backsteinschule in der Ferne und die Zigaretten mussten ausgemacht werden.

Natürlich wurden die sechs aus dem Heim an dieser Schule als Exoten angesehen. Es war die Zeit der Musikboxen, Bluejeans, Bikinis, Kofferradios und Hawaiihemden; in ihren an den Knöcheln zugeknöpften grauen oder braunen Velveton-Anzügen wirkten sie auf ihre Mitschüler wie Heimkehrer von einer Marsexpedition. Für Manne, der diese Uniform hasste, eine Tragödie. Er kratzte alles Geld zusammen, das er nur irgendwie bekommen konnte, und kaufte sich eine schwarze Popelinhose. Die trug er ab, Tag für Tag, zwei Jahre lang, sommers wie winters, wenn ihm unter dem dünnen Stoff der Hintern abfror. Zweites Kleidungsstück war das dezent karierte taubenblaue Sakko, das er sich zur Jugendweihe aussuchen durfte, drittes – jedenfalls in Herbst, Winter und Frühjahr – ein mächtiger Mohairschal aus einem der grenznahen WestBerliner Läden.

Aus der Sicht der größtenteils sehr behütet aufgewachsenen Baumschulenweger Jugendlichen haftete den sechs Königsheidern etwas Wildwestartiges, Unberechenbares, nach Meinung der gleichaltrigen Mädchen fast schon Gefährliches an. Und der dunkelblonde, gern spöttisch grinsende Manne, größter und kräftigster der Königsheider Jungen, schien ihnen eine Art wilder Manne aus dem Busch zu sein.

Manne gefiel an der Schule vor allem die neu gewonnene Bewegungsfreiheit und an der Jugendgruppe, dass Ete Kern und er sich ein Zweierzimmer teilen durften. Zwei Freunde, zwei Betten, zwei Schränke, ein Bücherbord und Etes Kofferradio, mit dem sie heimlich Westsender und damit Rockmusik hören konnten, bis es ihnen aus eben diesen Gründen weggenommen wurde. Dazu jede Nacht lange Diskussionen: Manne, der Idealist und Romantiker, der die Wahrheit und im Leben einen Sinn suchte; Ete, der allein davon träumte, seine Kfz-Mechanikerlehre zu beenden, zu heiraten, Kinder zu haben und ein zufriedenes Leben zu führen. Manne sah Segelschiffe am Horizont und wollte wissen, wohin sie fuhren; Ete verkroch sich lieber in irgendeine gemütliche Höhle. Manne zauberte exotische Landschaften in ihr kleines Zimmer, Ete entwarf eine Wärmestube. Manne stieß alle Fenster auf, Ete schloss sie lieber. Oft stritten sie bis aufs Messer.

Manne: »So kann man doch nicht leben. So vegetiert ein Hausschwein.«

Ete: »Was soll ich mit deinen Spinnereien? Bin kein Goethe, kein Einstein und kein Caruso. Schlicht und einfach und im Kern gut, das ist schön!«

Auch über ihren Mädchengeschmack konnten sie sich nach wie vor nicht einigen. Manne hatte mit H_2O KOP_2 gesprochen, ein paar Wochen war Ete mit ihr gegangen, dann hatte sie mit ihm Schluss gemacht. Sie mit ihm! Fräulein Wasserkopf mit dem besten Schachspieler des Heimes, Berliner Jugendauswahl sogar, im 100-Meter-Sprint 10,9! Und Ete trauerte ihr immer noch nach! Nein, mit den Mädchen, die Ete gefielen, konnte Manne nichts anfangen. Umgekehrt genauso: »Du und deine Märchenfeen! Wenn die aufs Klo gehen, stinkt's auch.«

Wie hielten sie es nur so lange miteinander aus? Wie konnte ihre Freundschaft unter diesen Umständen immer noch wachsen? Sie wussten es beide nicht. Nach jeder durchdiskutierten Nacht waren sie tags darauf wieder die allerbesten Freunde. Streiche zu fünft, sechst oder siebt waren nun nicht mehr ihre Sache. Was sie jetzt des Nachts unternahmen, waren Ausbruchsversuche aus der Enge ihrer Welt; die funktionierten nur zu zweit. Praktischerweise schliefen sie ja nun im Erdgeschoss. Oft, wenn die Nachtwache die erste Runde gemacht hatte, griffen sie zu einem alten, leider nur selten funktionierenden Trick: Sie formten aus Bettzeug und Kissen zwei schlafend unter der Bettdecke zusammengeringelte Gestalten, kleideten sich an, stiegen durchs Fenster, zogen es von außen an den Rahmen heran, liefen zur Schonung, kletterten über den Zaun – und waren weg.

Anfangs ging es nur bis Baumschulenweg. Die belebte Baumschulenstraße rauf und runter, den dicken Mohairschal um den Hals, Etes Kofferradio im Arm: Heute Nacht muss was passieren! Es passierte nichts. Auf dem Rückweg, wenn sie bei Vollmond ihre Schatten an der Friedhofsmauer sahen, trösteten sie sich: Was hatten sie für Schultern, was waren sie für Kerle.

Als ein Weilchen alles gut gegangen war, zogen sie größere Kreise. Da stiegen sie in Schöneweide in die S-Bahn, fuhren nach Treptow und liefen über die Schlesische Brücke nach WestBerlin hinüber. Die vielen Kinos rund ums Schlesische Tor zogen sie an. Nachtvorstellung in der bunten Neonröhrenstadt. *Die Geliebte eines Arztes, Die Verführten, Die Saat der Gewalt* hießen die Filme, die sie sich ansahen. Letzterer war ein realistischer amerikanischer Film über Jugendprobleme. Titelmusik *Rock around the clock*. Ein Film wie ein Tritt in den Bauch: New Yorker Slums, Jugendliche, die brutal den Aufstand probten, ein Lehrer, der sich um diese Jugendlichen bemühte. Der Film erschütterte sie, über den redeten sie wochenlang. Und noch länger sangen sie den Titelsong: »One, two, three o'clock, four o'clock, rock! Five, six, seven o'clock, eight o'clock, rock!«

Manchmal stießen sie während dieser Ausflüge auf andere Jungen aus dem Heim. Dann gab es jedes Mal ein lautes Hallo und viel Gelächter. Einmal jedoch traf Manne seinen Baumschulenweger Musiklehrer. Er hatte mit ihnen das *Solidaritätslied, Die Thälmann-Brigade* und *Du hast ja ein Ziel vor den Augen* einstudiert. Nun hatten sie sich vor den Augen. Besuche in WestBerlin, besonders in WestBerliner Kinos, waren nicht erwünscht. Das galt für die Schüler und erst recht für die Lehrer. Der ewig blasse Mylius lächelte nur stumm, in seinen Augen stand zu lesen: »Nicht wahr, ich hab Sie nicht gesehen und Sie haben mich nicht gesehen?«

Tags darauf, in der Schule, lächelte Manne genauso stumm zurück: »Ich hab noch nie jemanden gesehen, der nicht gesehen werden wollte.«

Klappte ihr Bettentrick nicht, war das auch nicht tragisch; es wusste ja niemand, wo sie waren. Zweimal flogen sie im Sommer auf. Beim ersten Mal erzählten sie, sie hätten vor Hitze nicht schlafen können und sich mal wieder im Planschbecken abgekühlt. Eine Ausrede, die glaubhaft wirkte, waren jene nächtlichen Badespäße – Jungen und Mädchen, was da alles passieren konnte! – doch strengstens untersagt. Gegen eine Nachtfahrt in den Westen allerdings war solch ein verbotenes Planschvergnügen nur ein Schneckenschiss. Strafe: vier Wochen Ausgangssperre. Ein Witz! Sie mussten ja zur Schule und in die Werkstatt; wer wollte kontrollieren, ob sie immer pünktlich heimkamen? Und galt die Ausgangssperre denn etwa auch nachts?

Beim zweiten Mal gaben sie an, es hätte sie in die nahen Laubenkolonien gezogen, Kirschen futtern. Dafür war noch am ehesten Verständnis zu erwarten. Die Schrebergärtner ernteten jedes Jahr Unmengen Obst, fürs Heim waren nur schwer genügend Vitamine zu beschaffen. Weshalb spendeten die Laubenpieper den armen Heimkindern denn nicht mal ein paar Körbe Gesundheit? Eindeutig eine Racheaktion zweier Zu-kurz-Gekommener; dafür gab's nur zwei Wochen Ausgangssperre.

Als sie mal im Winter erwischt wurden, gaben sie an, sie hätten wegen Vollmond nicht schlafen können und für die Vorschulkinder einen Schneemann gebaut. Um sie am Morgen damit zu überraschen. Herr Boy, der Nachtwache hatte, glaubte ihnen natürlich nicht und so zogen sie mitten in der kalten Winternacht los und präsentierten ihm ihr Werk. Aus lauter Jux und

Übermut hatten sie nach dem Kinobesuch vor den Gruppenräumen der Kleinen ja tatsächlich noch einen Schneemann gebaut.

Es war Ete, der diese Kinobesuche finanzierte. Von seinen achtzig Mark Lehrlingsgeld. Mannes zwanzig Mark monatliches Taschengeld gingen für Hemden und Strümpfe drauf. Er konnte doch nicht in den Achselklappen-Heimhemden und mit den ausgeleierten Heimstrümpfen an den Füßen zur Schule gehen.

Das mit den Klamotten war ein allgemeines Problem. Was nützte es ihnen denn, dass sie sich anlässlich der Jugendweihe jeder für sechshundert Mark einkleiden durften? Da waren ja die Erzieher mitmarschiert und hatten dafür gesorgt, dass jeder Junge mit einem onkelhaften Anzug oder einer Kombination aus Sakko und Hose und jedes Mädchen mit einem tantenhaften Kleid oder Kostüm zurückkam. Außerdem wurde das Geld für einen Sommermantel, Schuhe, Unterwäsche und einen Sommerschal ausgegeben; Partei und Regierung wollten sich ihrer Staatskonfirmanden nicht schämen müssen. Dass die so reich Beschenkten in dieser Kledage nachts nicht über den Zaun klettern konnten, interessierte nicht. Ordentlich sollten sie aussehen, als sie in der großen Aula der Nachbarschule mit aufmunternden Trompetensignalen, Arbeiterliedern, klassenkämpferischer Lyrik und festlichen Reden aus der Kindheit entlassen wurden. Für Manne war das einzig Gute an diesem Tag, dass Robert und Reni und Tante Grit gekommen waren und ein paar Geldscheine mitgebracht hatten. Ein bitter nötiger warmer Regen, der auf dem ausgetrockneten Boden, auf den er fiel, nur leider allzu rasch verdunstete.

Onkel Karl allerdings war nicht gekommen. Er hatte sich dieses »pseudosakrale Brimborium« nicht antun wollen. »Der Kommunismus mag für primitive Völker wie Chinesen, Russen und Balkanesen ja ganz gut sein«, hatte er mal zu Manne gesagt, »zivilisierte wie uns stößt er in die Urzeit zurück.« Und weil Onkel Karl so strikt gegen den Kommunismus war, war er auch gegen die Jugendweihe. Nur weil er gehört hatte, dass man im Berufsleben Nachteile haben könnte, wenn man nicht daran teilnahm, hatte er Manne zugeraten, sich den »roten Schlips« umbinden zu lassen. »Gibt dir ja keiner was dafür, wenn du den Widerstandskämpfer spielst.«

Manne hatte auch gar keine Lust, den Widerstandskämpfer zu spielen. Wozu denn? Alles in allem ging's ihm doch gut. Er bekam zu essen, wurde gekleidet, hatte Freunde. Was ihm fehlte, waren Zuneigung und Zärtlichkeit; es war mal wieder niemand da, der ihn küsste. Doch wen hätte er dafür verantwortlich machen sollen? Erzieher konnten keine Eltern ersetzen und mit Fremden schmuste man nicht herum.

Was Manne fehlte, konnte er nur in einer Richtung suchen – bei den Mädchen. Zum Glück gab's davon in der Königsheide nicht gerade wenig.

Manne suchte viel und wurde oft fündig. Jedoch immer nur für kurze Zeit. Deutete eins der Mädchen aus dem Heim an, dass er ihr gefiel, und war sie einigermaßen sein Typ, war er sofort bereit, sich in sie zu verlieben. Konnte er nicht so mit ihr reden, wie er sich das vorgestellt hatte, erlosch die Liebe schnell. Zwar war er groß wie ein Mann, aber frühreif war er nicht. Er wollte Händchen halten, küssen und reden, reden, reden; in allem anderen war er eher ein Spätzünder. Weil er aber dermaßen suchte und mit vielen Mädchen gesehen wurde, galt er als großer Weiberheld. Eine Rolle, die er sich nicht ausgesucht, gegen die er aber auch nichts einzuwenden hatte; war ja vielleicht ganz gut, wenn niemand merkte, dass er in Wahrheit eher ein Schüchterling war.

Da war die Sache mit Mieze, die mit einem zwei Jahre älteren, blond gelockten Elektrikerlehrling aus einer anderen Gruppe ging. In der Heimschule hatte sie neben Manne gesessen, und er hatte von ihr geträumt, nie aber hatte er gewagt, ihr zu gestehen, wie sehr sie ihm gefiel. Im Ferienlager in Thüringen, auf einer Nachtwanderung, als ihr Lockenprinz nicht dabei war, weil er in Berlin arbeiten musste, hatte er es dann endlich gewagt, ihre Hand zu nehmen. Und sie hatte sie ihm gelassen! Wie war er da glücklich gewesen, obwohl die ganze lange Nachtwanderung über nichts weiter passierte, sie nicht mal miteinander sprachen und Mieze auf keine andere Weise ihre Zuneigung erkennen ließ. – Mieze mit den Katzenaugen hatte ihn für wert befunden, ihre Hand halten zu dürfen! Da konnte er ihr doch nicht ganz und gar unsympathisch sein; hatte er vielleicht doch eine Chance?

Am nächsten Morgen hatte sie ihn angelacht wie einen Kumpel. Der Lockenprinz war unbesiegbar.

Lila, eines der beiden Mädchen aus dem Iran, war noch frei. Sie hatte glänzende schwarze Haare und große braune Augen und schickte ihm Fotos und kleine Geschenke. Er traf sich mit ihr, wanderte mit ihr durchs Heimgelände, wurde mit ihr gesehen, und Lilas Freundinnen meinten, dass sie gut zusammenpassten. Nur fanden sie leider kein Gesprächsthema. Zwar sprach Lila perfekt Deutsch, irgendwie jedoch redeten sie immer aneinander vorbei. Was sie interessierte, interessierte ihn nicht, und umgekehrt. So gab er ihr eines Tages alle Fotos und Geschenke zurück und Lila soll tagelang geheult haben und ihre Freundinnen warfen ihm böse Blicke zu.

Die blonde Monika, die zufälligerweise immer dann aus der Tür von Haus 3 trat, wenn er aus der Schule kam, war ja ganz nett, aber sie war erst dreizehn und er schon fünfzehn. Die

»Schauspielerin« hingegen, ein Mädchen, das nicht besonders hübsch war, aber immer lachte, wenn man sie traf, und so herrlich freche Sprüche drauf hatte, war schon siebzehn. Da hatte ein Fünfzehnjähriger keine Chance.

Dörte von der Krankenstation hatte ein Jungengesicht und musste ihm, als er mit Fieber dort eingewiesen worden war, jeden Tag Penicillin-Einheiten in den Hintern spritzen. Gleich war er in sie verliebt, und er gefiel ihr auch, aber er war ja immer noch erst fünfzehn und sie schon achtzehn oder neunzehn. Was hätte sie mit so einem Riesenbaby anfangen sollen?

Eine große, ihn sehr verwirrende Liebesgeschichte erlebte Manne mit der schwarzen Lore aus der Baumschulenweger Nachbarklasse. Es begann in den Kartoffelferien; eine Woche Kartoffelnlesen im Oderbruch. Die beiden neunten Klassen schliefen auf Strohsäcken im ehemaligen Tanzsaal einer Dorfkneipe und zogen Morgen für Morgen auf den neblig trüben, oft von Nieselregen durchtränkten Herbstacker hinaus, um die Kartoffeln aus der feuchten Erde zu klauben und die vollen Kiepen auf den Pferdewagen der LPG zu entladen, der dort unermüdlich seine Runden zog. Für jede Kiepe gab es eine Papiermarke, jede Marke war zwanzig Pfennige wert. Das schwarzhaarige Mädchen mit dem Pferdeschwanz, den modernen Dreiviertelhosen und den lustig blitzenden Augen war ihm schon auf dem Schulhof aufgefallen; gleich beim ersten Abendessen saß sie ihm gegenüber und blickte ihn unentwegt an. Er fühlte sich nicht sehr wohl während dieses Kartoffeleinsatzes, trug er doch wieder seine Heimklamotten, weil er sich seine schwarze Popelinhose und das Sakko nicht verderben wollte, und wurde rot. Da lachte sie ihn an und schickte gleich nach dem Abendessen eine Freundin – mit der Botschaft, dass sie sich gern einmal mit ihm treffen wollte. Am besten noch an diesem Abend. Ob er auch wollte?

Was für eine Frage! Diese Lore war das hübscheste Mädchen der ganzen Schule, sogar ein Schwuler hätte sich mit ihr treffen wollen.

Sie kam dann auch sehr pünktlich und stundenlang wanderten sie über dunkle Feldwege und durch finstere Wälder, und er war so beeindruckt davon, dass sie sich für ihn interessierte, dass er quatschte und quatschte und nicht mal wagte, ihre Hand zu nehmen. Sie war dann auch schon bald nicht mehr ganz bei der Sache und unterbrach seinen Redestrom, indem sie ihn fragte, ob er nicht friere.

»Nee!« Er nahm die Frage ernst. »Und du?«

»Ja, es ist hundekalt. Sogar in meiner Hosentasche. Fass mal rein.«

Sie trug schwarze Cordjeans, die hatten tatsächlich Taschen. Er griff hinein, spürte ihren warmen Schenkel und einen Strumpfhalter und zuckte erschrocken zurück.

»Was ist denn? Haste vor irgendwas Angst?«

Er schüttelte nur stumm den Kopf, und dann nahm er tapfer ihre Hand und quasselte weiter über alles Mögliche. Als er verstummte, begann sie vor Langeweile über ihre Mutter zu schimpfen. Sie lasse ihr keinerlei Freiheit, meckere nur ständig an ihr herum. Da machte er seinen größten Fehler. »Na ja«, sagte er, »wenn man keine Mutter mehr hat, ist das aber auch kein Vergnügen.«

Nein, das war kein wilder Manne, der da mit der schwarzen Lore durch die Finsternis zog. Zwar spielte sie bis zum Ende mit und verabredete sich für den nächsten Tag mit ihm, als er aber am Abend darauf frierend in der Dunkelheit stand, schickte sie nur ihre Freundin: »Lore kann heute nicht.«

Wütend auf sich selbst stand er noch eine Weile auf dem LPG-Hof herum, auf dem es nach Mist und faulen Kartoffeln stank, als auf einmal ein Mädchen aus Lores Klasse vorbeikam, die große, hagere Dorothea, an der vor allem die hoch toupierte Frisur auffiel und die schon seit längerem ein Auge auf ihn geworfen hatte, ihm aber nicht sehr gefiel. Zwei, drei Worte und schon zog er mit ihr über die Felder, fragte sie, ob sie Hosentaschen habe und ob es darin warm sei, und küsste sie heftig. Sie küsste zurück, ein Motorrad kam vorbeigeknattert, der Lichtkegel des Scheinwerfers erfasste sie. Thea wollte sich von ihm lösen, er küsste weiter. Was gingen sie die Bauern an, die hier nachts durch die Gegend tuckerten?

Der Bauer auf dem Motorrad aber war kein Bauer, sondern der Biologielehrer Koschwitz, der zu seinem allergrößten Ärger nur den knutschenden Romeo, nicht aber die knutschende Julia erkannt hatte. Noch am gleichen Abend leuchtete er mit seiner Taschenlampe alle Strohsäcke ab, bis er den Romeo gefunden hatte. Zu dritt standen die Lehrer um ihn herum, und der Koschwitz versuchte aus ihm herauszubekommen, wer denn die Julia war. Doch natürlich: Ein Kavalier genießt und schweigt. Für Klassenlehrer Neubert und Deutschlehrer Bachner – von den Schülern wegen seines stalingemäßen Schnauzers und dem vollen, nach hinten zurückgekämmten Haar nur Wissarionowitsch genannt – war Mannes Schweigen eine Selbstverständlichkeit, für »Kotzwitz« eine Unverschämtheit. Tagelang hackte er auf diesem Vorfall herum und machte Manne Lenz damit endgültig zum Weiberhelden. So wurde er auch für Lore wieder interessant. Erneut saßen sie beim Abendbrot einander gegenüber, sie spitzbübisch lächelnd, ganz das lustige, nette, aber auch freche Mädchen, er grinsend, breitschultrig, hochgekrempelte Hemdsärmel, jeder Zoll ein Mann; viel zu schade für die Schule. Die Freundin kam, eine Verabredung für Berlin wurde getroffen. Und auch Thea, die glaubte, nur weil er sie so liebte, hätte er sie nicht verraten, schickte ihre Freundin; Manne wusste überhaupt nicht, was sie von ihm wollte.

Auf der Fahrt zurück nach Berlin hielt er den Kopf aus dem Zugfenster, aus dem Nachbarfenster blickte Lore in die vorbeifliegende Landschaft. Der Dreck aus der Lokomotive flog ihnen in die Gesichter, doch sie hielten aus, sahen sich an, strahlten sich an. Danach: das erste Treffen in Berlin. Da lief er wieder stundenlang nur Händchen haltend und quasselnd neben ihr her, obwohl es doch am Britzer Kanal so herrlich dunkel und menschenleer war. Nicht ein einziges Mal versuchte er, sie zu küssen oder irgendetwas anderes Männliches zu tun. Lores nächster Freund, ein zwanzigjähriger Baumschulenweger Malergeselle mit rotem Kraushaar und schwarzer Lederjacke, kicherte jedes Mal nur belustigt, wenn Manne an ihm vorüberging. Dem blieb nichts weiter übrig, als sich an die Stirn zu tippen: Malergeselle! Da stand er doch drüber. In Wahrheit war er zutiefst verunsichert: Was war das nur, das ihn bei einem Mädchen, das ihm nichts bedeutete, zum stürmischen Knutscher und bei einem Mädchen, das ihm etwas bedeutete, zum schüchternen Heinrich machte? Oft stand er im Dunkeln auf der Straße und starrte zu Lores erleuchtetem Fenster hoch; es war seine Schuld, dass sie bei diesem Pinselschwinger gelandet war.

Der Liebeskummer hielt an, bis eine Neue ins Heim kam, ein Mädchen mit einem Schicksal, wie Picasso es hinter sich hatte. Ihr erfundener Name: Ellen Herz, ihr Rufname: Ella.

Ella sah aus, als wäre sie im Dschungel aufgewachsen – langhaarig, braunhäutig, schmales, kantiges Gesicht –, und benahm sich auch so. Wer ihr zu nahe kam, bekam irgendetwas an den Kopf: eine Teetasse, ein Marmeladenbrötchen oder einen Stein. Sie hatte mehrere Pflegeeltern hinter sich und war jedes Mal schon innerhalb der Garantiefrist, wie sie das nannte, ins Heim zurückgeschickt worden. Nun hatte man sie in dem Brandenburger Heim, in dem sie zuletzt war, auch nicht mehr haben wollen. Ella entdeckte Manne und Manne entdeckte Ella und zwei hatten sich gefunden. Es wurde keine große Liebesgeschichte, dafür war Ella nicht das richtige Mädchen, doch es wurde eine dicke Freundschaft. Mit Ella konnte Manne reden, sie dachte viel über die Welt nach; fragte sich, wozu alles so sein musste, wie es war, und warum es nicht anders war. Aber natürlich kam es auch zu Zärtlichkeiten zwischen ihnen; das gehörte einfach dazu.

Eines Nachts in Mannes zweitem Sommer in der Königsheide passierte es dann: Er lag allein in dem Zweierzimmer, Ete war offiziell bei seiner Ost-, inoffiziell aber bei seiner West-Schwester zu Besuch. Es war eine sehr warme Nacht, das Fenster stand offen, Wolken zogen über den Mond, Nachtvögel riefen. Er lag da und konnte nicht einschlafen. Ihm ging so vieles im Kopf herum, er hätte so gern noch mit jemandem gesprochen.

Die Nacht dauerte an, und er wurde immer wacher, wälzte sich hin und her und starrte am Ende doch wieder zum Fenster hinaus. Bis es ihn auf einmal überkam: Ella! Er musste zu Ella! Mit Ella konnte er reden. Ruck, zuck hatte er die Hose übers Nachthemd gezogen und den Pullover drüber, und schon war er aus dem Fenster und lief zum Haus 1 hinüber. Ein paar Erdbröckchen in Höhe des ersten Stocks an das richtige Fenster geworfen und gleich winkte sie ihn zu sich; zwei, drei, vier Klammergriffe an der Regenrinne und er saß auf ihrem Bett.

Die Mädchen, die außer Ella in dem Zimmer schliefen, hatten nichts mitbekommen, klebten an ihren Matratzen, wie es sich gehörte. Es war ein Sechserzimmer und Ella hatte seine Erdbröckchen nur gehört, weil ihr Bett direkt neben dem Fenster stand. »Was ist los?«, flüsterte sie. »Langweilig«, lautete seine Antwort, und er wollte gerade beginnen, ihr zu erzählen, was ihm so alles eingefallen war, allein in seinem Zweierzimmer, als mit einem Mal das Licht aufflammte und drei Erzieher im Zimmer standen. Die Mädchen in den anderen Betten schreckten hoch, er wollte aus dem Fenster, einer der drei Erzieher aber war schneller und packte ihn am Pullover.

Der Hintergrund dieser überraschenden Festnahme: Seit Tagen war vor dem Haus 1 ein Spanner beobachtet worden; über den Zaun hinweg hatte er den Mädchen mit einem Fernglas in die Fenster gespäht. Die Heimleitung wollte diesen Kerl endlich mal erwischen, also hatten drei Erzieher sich auf die Lauer gelegt und schon geglaubt, sie hätten das Ferkel. Eine herbe Enttäuschung. Aber immerhin: Sie hatten ein anderes Ferkel. Was hatte der Lenz aus Haus 3 denn mitten in der Nacht bei den Mädchen von Haus 1 zu suchen? Überzeugt davon, ihn gerade noch rechtzeitig erwischt zu haben, bevor Ella und er sich für alle Zeiten unglücklich machen konnten, wurde er ins Heimleiterbüro abgeführt, und es kam zu dem einzigen Gespräch, das Papa Reiser und Manfred Lenz innerhalb von Mannes anderthalb Königsheider Jahren führten.

Ob Kinder denn schon Kinder haben sollten? Der aus dem Schlaf gerissene Heimleiter blätterte missmutig in Mannes Akte. Ob Mädchen nicht auch einfach nur gute Kameraden sein konnten? Ob er, Manfred Lenz, Mädchen etwa nicht als Menschen achtete?

Es war wie jedes Mal, wenn etwas Ähnliches passiert war: Man wollte, dass die Jungen und Mädchen bis zur Volljährigkeit im Heim blieben, und fürchtete insgeheim die Folgen dieses Experiments; jede pubertäre Unruhe war etwas Schandbares und auch romantische Gefühle waren nicht erlaubt.

Manne gab keine Antwort. Hätte einer, der so sprach, ihm denn geglaubt, dass er mit Ella nur reden wollte? Außerdem:

Was konnte ihm schon groß passieren? Es würde den üblichen Zusammenschiss vor der Heimvollversammlung und ein paar Wochen Ausgangssperre geben, mehr nicht.

Ein Irrtum! Papa Reiser hielt den großen Jungen, den er gar nicht kannte, offenbar für schlimm gefährdet. So eröffnete er ihm noch in dieser Nacht, dass er dafür sorgen wolle, dass er in ein anderes Heim kam, eines, in dem es keine Mädchen gab.

Manne zuckte nur die Achseln, innerlich aber war ihm flau zumute. Ein anderes Heim? Das hieß nicht nur weg von Ella, das hieß vor allem weg von Ete. Doch bat er nicht, bleiben zu dürfen, er wusste sofort: Er hatte vom Apfel genascht, also musste er raus aus Gott Reisers Paradies.

Papa Reiser sagte noch, dass man ein Heim in der Nähe suchen werde, damit er nicht die Schule wechseln musste – »Wir stoßen niemanden zurück, werden also auch dir noch eine Chance geben!« –, dann entließ er ihn.

Als Ete aus dem Urlaub zurückkehrte und von der Sache erfuhr, zuckte er nur die Achseln: »Egal, wo se dich hinstecken, irgendwann komm ick nach.«

Worte, die Manne niemandem sonst abgenommen hätte; Ete aber war Ete, der sagte nichts, was er nicht ernst meinte.

12. Kein Wunschkonzert

Bücher! Sie haben ihm Bücher bewilligt! Kommentarlos hatte der Graue, der also nicht nur Friseur und Sanitäter, sondern auch Bibliothekar war, sie Lenz durch die Klappe gereicht: zwei in abwaschbare Folie eingeschlagene und mit UHA-Stempeln versehene Schätze, die ganz offensichtlich schon durch viele Hände gegangen waren.

Verhalte dich positiv und sie belohnen dich! Aber er hatte ihre Offerte doch abgelehnt; war das ihr Dankeschön dafür, dass er »rückhaltlos« gestanden hatte?

Der Siebenhundert-Seiten-Wälzer von einem ihm unbekannten russischen Autor erzählte vom Staudammbau in Sibirien – stalinistische Erbauungsliteratur aus den fünfziger Jahren; das andere, schmalere Büchlein, eine satirische Rittergeschichte, stammte aus der Feder eines ihm ebenfalls unbekannten italienischen Autors. Der Graue hatte ihm beide Titel einfach in die Hände gedrückt; keine Frage nach eventuellen Wünschen, keinerlei Auswahlmöglichkeit.

Was folgte, war eine Lesewoche. Lenz las, bis ihm vom vielen Sitzen auf dem harten Hocker der Hintern wehtat. Dann sprang er auf, lief ein paar Mal hin und her, setzte sich wieder und las weiter. Oft las er auch im Stehen. Den sowjetischen Wälzer verschlang er zweimal, den Italiener dreimal. Seine ausgehungerten Augen stürzten sich geradezu auf die Buchstaben. Endlich war seine Phantasie nicht mehr nur auf eigene Hervorbringungen angewiesen, endlich durfte er mal raus aus seiner Haut.

In dem Sibirien-Roman ging es um junge Helden, die geformt, und reaktionäre Gegner des Sowjetsystems, die in die

Schranken gewiesen werden mussten; die italienische Satire, die Geschichte eines weißen Ritters, der allerhand widersinnige Abenteuer zu überstehen hat, eine vergnügliche Donquichoterie, war der reinste Lesespaß. Hätte Lenz je gedacht, dass er in seiner Zelle einmal laut lachen würde?

Als die Woche vorüber war, bekam er neue Lektüre hereingereicht. Er hatte schon darauf gewartet, hatte an der Tür lauschend den kleinen, doppelstöckigen Handwagen mit den vielen Büchern drauf von Zelle zu Zelle fahren hören. Es war derselbe Wagen, mit dem morgens, mittags und abends das Essen gebracht wurde; der, dessen Gummiräder auf dem linoleumbelegten Flurboden so schön schmatzten.

»Bitte was Dickes!« Egal, was er las, wenn es nur viele Seiten hatte. Eine Woche war lang.

»Das woll'n alle.« Er bekam einen dicken Schmöker und wiederum ein eher schmales Bändchen in die Zelle gereicht. Den dicken Schmöker – *Die drei Musketiere* – hatte er als Junge schon öfter gelesen, er schaffte es nur noch einmal, mit d'Artagnan, Athos, Aramis und Porthos gegen die Feinde der Königin zu kämpfen. Das schmale Bändchen, Kurzgeschichten von Konstantin Paustowski, las er viermal.

Und so ging es weiter: Jede Woche zwei Bücher; ein dickes, ein dünnes. Der einzige Grund, eines davon zurückzuweisen, war die Behauptung, es schon einmal hereingereicht bekommen zu haben. Dazu musste er schnell sein, die Bücher in die Hand nehmen und mit flinkem Blick erkennen, was da der kommenden Woche ihren Stempel aufdrücken sollte. Nieten wie Sachbücher über das Leben der Insekten in der norddeutschen Tiefebene oder Anleitungen für den pfiffigen Heimwerker mussten sofort in den Lostopf zurückgeworfen, Hauptgewinne, Werke der Weltliteratur, durften dankbar ans Herz gedrückt werden. Der

Graue überprüfte das nicht; es war ihm egal, was seine Kundschaft las, wenn es nur seitenmäßig einigermaßen gerecht zuging.

Totale Nieten und große Hauptgewinne jedoch waren selten; es kam nur hin und wieder vor, dass Lenz Werke von Autoren des sozialistischen Realismus zu lesen bekam. Doch sogar dafür war er dankbar, weil sie ihm seine Situation sehr erleichterten. Da wusste er doch gleich wieder, wo er war und weshalb er wegwollte. Revolutionäre, die ihre siegreiche Revolution verteidigten, seien Reaktionäre, hieß es. Was waren dann aber Autoren, die gar keine Revolution verteidigten, sondern nur ein System, das ihnen von ein paar bürokratisch-diktatorischen Alleswissern übergestülpt worden war?

Manchmal allerdings entdeckte er Autoren für sich – sowjetische, ostdeutsche, polnische, tschechische, ungarische –, die ihm in den Jahren zuvor entgangen waren, weil sie in den Zeitungen und Zeitschriften eher stiefmütterlich behandelt wurden; leise Schreiber, die auf vorsichtige Weise ihr Leiden an der Gegenwart zum Thema gemacht hatten. Fand er einen Satz, der ihn ermutigte, unterstrich er ihn. Mit dem Daumennagel.

Der helle, klare, freundliche Altweibersommer ging vorüber, ein hässlicher Herbst folgte. Doch was ging Manfred Lenz das Wetter an? In seinem Verwahrraum Nr. 102 erlebte er seine eigenen Hochs und Tiefs. Und an einem stürmischen Regenabend, als unentwegt der Wind durch die geschlossene Lüftungsklappe pfiff, ging für ihn sogar die helle Sonne auf – denn da wurde ihm zu seinen Büchern, er konnte es kaum fassen, auch noch eine Tageszeitung in die Zelle gereicht. Und es war nicht das *Neue Deutschland*, das kaum erträgliche SED-Zentralorgan, über das er sich natürlich auch gefreut hätte, sondern die bei aller Linientreue nicht ganz so hölzern gestaltete *Berliner Zeitung*. Das zerknitterte Blatt musste zuvor schon in vielen anderen Zellen gewesen sein und sollte noch weitergereicht werden, er aber ließ sich nicht drängen, sooft auch der Marsmann durch die Klappe linste: »Sind Se immer noch nich fertig?«

Drei Monate war es her, seit er das letzte Mal eine Zeitung in den Händen gehalten hatte; Lenz las jeden Satz, jede Zeile bis hin zum Impressum. Ein anderer Schließer hätte das kaum mitgemacht, der Marsmann jedoch schien Verständnis zu haben. Als er das Blatt endlich zurückerhielt, schüttelte er nur den Kopf. Lenz aber saß auf seinem Hocker, den Rücken trotz aller Verbote an die Wand gelehnt, und starrte zur Neonröhre hoch: Theaterpremieren, neue Filme, neu eingeweihte Bauten, übererfüllte Pläne, die Politik der Bonner Ultras, die Freundschaft zu den Brudervölkern der Sowjetunion – wie fern war sie ihm plötzlich, die Welt da draußen. Brauchte er ihn denn wirklich, all diesen Lärm, der da gemacht wurde? War es nicht möglich, als Eremit zu leben, solange man eine Bibliothek um sich hatte?

Nein! War nicht möglich. Jedenfalls nicht auf Dauer. Er brauchte Hannah, brauchte die Kinder, brauchte das Leben.

Er bekam auch am nächsten Tag die Zeitung. Und tags darauf, und von nun an fast immer, und auch diese Vergünstigung blieb nicht die letzte Hafterleichterung. Eines Nachmittags – er hielt gerade einen naturkundlichen Reisebericht über Sibirien in der Hand, den er nicht rasch genug als solchen erkannt hatte –, mitten hinein in den späten Frühling an den Flüssen Ob, Jenissei und Lena mit all den nun endlich wieder sprießenden und blühenden Pflanzen und der neu erwachten Tierwelt, hielt der Wagen mit den schmatzenden Gummireifen zu einer eher unüblichen Zeit vor seiner Zellentür, die Klappe wurde geöffnet, und der Graue linste durch seine randlose Brille zu ihm herein: »Sie haben Einkaufserlaubnis.«

Er musste sich dieses Glück erst erklären lassen und erfuhr, dass eine Einkaufskarte für ihn angelegt worden war; was bedeutete, dass er von nun an jeden Monat im Wert von dreißig Mark Tabak, Obst und Tee- oder Kaffeemarken kaufen durfte und der Einkaufswagen wöchentlich kommen würde.

Was für eine Bescherung! Lenz erstand ein Päckchen Tabak, ein Zigarettendrehmaschinchen, Zigarettenpapier, sieben Teemarken und ein Kilo Birnen. Die Birnen wollte er sich einteilen, jeden Tag eine, wegen der Vitamine; er fraß sie innerhalb von zwei Stunden weg.

Für die Teemarken bekam er jeden Nachmittag ein Kännchen schwarzen Tee in die Zelle gereicht. Hätte er die doppelt so teuren Kaffeemarken gewählt, hätten die dreißig Mark nicht für einen Monat Tabak gelangt. Tabak, Zigarettenpapier und Tee, das war der Luxus, den er sich fortan gönnen wollte.

Vom Leutnant erfuhr Lenz, dass Robert es war, der jeden Monat die sechzig Mark für Hannah und ihn überwies. Auch richtete Knut ihm bei dieser Gelegenheit zum ersten Mal Grüße von Hannah aus. Noch eine Hafterleichterung? Oder weshalb hatte er das zuvor nie getan?

Lenz ließ zurückgrüßen, obwohl er sich dabei ein wenig lächerlich vorkam – ein Leutnant der Stasi als Postillon d'Amour! Aber wenn er nun nachmittags an seinem Tischchen saß, eine gute Stunde lang an seinen zwei Tassen Tee trank und den billigen, stinkenden Knaster rauchte, den er mit seinem Maschinchen zur Zigarette gerollt hatte, hatte er oft kein gar so schlechtes Gefühl mehr: Wenn Hannah und er einander grüßen durften, bedeutete das nicht, dass sie einander wieder näher gerückt waren?

Doch das vierfache Glück war nicht von Dauer. Eines Nachmittags, Lenz war gerade von der Freistunde zurück, verweigerte der Graue ihm weitere Bücher; öffnete nur die Klappe, nahm die ausgelesenen Titel entgegen, sagte: »Sie erhalten keine Bücher mehr«, und schloss die Klappe wieder.

Immer hatte Lenz sich zusammennehmen können, nie war er durchgedreht, wie es manchmal aus anderen Zellen zu ihm drang, in diesem Augenblick jedoch kam es über ihn: Was denn, wieder diese ewige Einzelhaft, ohne wenigstens für Stunden daraus entfliehen zu können? Das konnte er sich, nachdem er Bücher gehabt hatte, nicht mehr vorstellen. Wütend trommelte er mit den Fäusten gegen die Tür, heulend schlug er mit dem Kopf gegen die Wand. Diese Verbrecher! Sie wollten ihn fertig machen. Erst: Sieh her, wie großzügig wir sind, dann: Wir machen mit dir, was wir wollen, halten uns an keine Regel! Und er war auf sie reingefallen, hatte sich daran gewöhnt, den Tag aufzuteilen in Gymnastik, Lesen, Freistunde, Zellenmarathon, Zigaretten und Nachmittagstee. So war die Zeit schneller vergangen, so hatte er die Gedanken an Hannah, Silke und Micha besser verdrängen können. Jetzt war er wieder mit sich allein; eine endlos lange, eintönige Woche lag vor ihm. Wie sollte er die überstehen?

Der Knurrhahn öffnete die Klappe. »Reißen Se sich zusammen, Mann!«

Wie gern hätte Lenz ihm in die über sein unmännliches Verhalten so ehrlich empörte Fratze gespuckt. »Ich möchte meinen Vernehmer sprechen.«

»Hab'n Se 'ne Aussage zu machen?«

»Ja.« Weshalb denn nicht? Er würde die Aussage machen, dass er sich eine solche Behandlung nicht länger gefallen lassen wollte; würde dem Genossen Leutnant, der so überzeugt davon war, einer guten Sache zu dienen, ins Gesicht schreien, dass das hier Psychoterror war; würde ihn daran erinnern, dass er immer noch Untersuchungshäftling war und eine entsprechende Behandlung verlangte. Doch so laut diese Worte auch in ihm schrien, er wusste schon, dass er nichts dergleichen tun würde. Wozu sich auslachen lassen? Er würde den Leutnant, sollte man ihn tatsächlich zu ihm bringen, nur fragen, weshalb er keine Bücher mehr bekam; er wollte wenigstens herausbekommen, was dahinter steckte.

Es wurde Abend und Lenz hatte auch die Zeitung nicht bekommen. Natürlich: Leseverbot war Leseverbot! Aber da war alles schon ganz kalt in ihm: Nein, auf diese Weise kriegten sie ihn nicht klein! Er konnte auch hart sein; sollten sie ihre Psycho-Foltermethoden nur weiter an ihm ausprobieren, dann machte er von nun an eben dreimal am Tag Liegestütze, lief wieder öfter Marathon, sah Kopfkino und schrieb eigene Romane.

Tags darauf, am frühen Nachmittag, wurde er tatsächlich geholt. Das war ihm eine so prompte Reaktion, dass er ganz überrascht war. Verwirrt starrte er den Falken an, der seine Späheraugen wie jedes Mal, wenn er die Zelle betrat, erst lange durch den Raum gleiten ließ, bevor er ihn hinausbefahl. Diesmal aber fügte der Falke noch einen Satz hinzu: »Und zieh'n Se sich was über.«

»Wozu denn? Ist beim Leutnant nicht geheizt?«

Ein strenger Blick. »Sie hab'n Besuch.«

Besuch? Er hatte Besuch? Also ging es nicht zum Leutnant? Hastig zog Lenz sich den grünen Armeepullover über, den er für die Freistunde bekommen hatte, und schlüpfte in die blaue Jacke der Volkspolizei. Wer konnte ihn denn besuchen kommen? Und weshalb musste er sich dafür extra etwas überziehen?

Die letzte Frage war schnell beantwortet: Es ging außer Haus. Lenz und nach ihm andere Untersuchungshäftlinge wurden in die Gefangenenschleuse geführt, durch die sie einst hier eingeliefert worden waren – nur brannte dort diesmal kein so gleißend grelles Licht –, und sie mussten einen jener *Barkas*-Wagen mit den abgeteilten Verschlägen besteigen. Danach ging es durch die Stadt, einem unbekannten Ziel entgegen.

Beim Einsteigen hatte Lenz gesehen, dass der Gefangenentransporter als Fischlieferwagen getarnt war; *Frische Fische* stand da in schwungvollen Buchstaben an die Karosserie gepinselt. Hatte die Stasi so viel Humor – oder war sie so ängstlich? Wer, um Himmels willen, hätte es gewagt, einen Stasi-Transport zu überfallen? Und wohin hätten die befreiten Häftlinge denn fliehen sollen, in diesem ummauerten und mit Selbstschussanlagen gespickten Land? Oder sollte ganz einfach nur niemand wissen, dass solche Gefangenentransporte stattfanden? Vielleicht, weil es in der DDR gar keine politischen Gefangenen gab?

Den Untersuchungshäftlingen war wieder Rede-, Sing- und Pfeifverbot erteilt worden, und natürlich hatte man sie in so großen Abständen einsteigen lassen, dass keiner der frischen Fische einen seiner Mitfische zu Gesicht bekam. Lenz hatte auch nicht damit gerechnet, rechnete mit gar nichts, war noch immer verwirrt, nahm den Lärm des Straßenverkehrs, der zu ihm hereindrang, nur undeutlich wahr: Wer außer Robert könnte dieser Besuch sein? Und wenn es der Bruder war, hieß das nicht, dass er endlich Näheres über die Kinder erfuhr? Ein Gedanke, der ihn beglückte und erschreckte: Wenn er nun Schlimmes zu hören bekam, wie sollte er damit fertig werden?

Bereits nach kurzer Zeit hielt der Wagen und als Dritter durfte Lenz seinen Verschlag verlassen. Er wurde über den Hof eines sehr alten, düster wirkenden Gefängnisbaus geführt und danach durch mehrere nur schwach beleuchtete Gänge mit kahlen, kalten, ewig nicht mehr gestrichenen grünlichen Wänden. Schwere

Eisentüren fielen hinter ihm zu, ein drei Stockwerke hohes Zellenhaus empfing ihn. Zu den einzelnen Zellentrakts führten steile Eisenstiegen, vor den Zellentüren zogen sich schmale, ebenfalls eiserne Laufstege entlang, die in der Luft zu hängen schienen und an denen sich eine Art Reling befand. Alles sehr düster wirkend, sehr einschüchternd; ein Knast, wie Lenz ihn aus Hans Falladas *Wer einmal aus dem Blechnapf frisst* kannte. Doch schien hier nichts mehr in Betrieb zu sein, die meisten Zellentüren standen offen und auch Gefangene waren keine zu sehen oder zu hören.

Lenz wurde in eine der Zellen im ersten Stock geführt und blieb gleich neben der Tür stehen. Es mussten mindestens zwei *Barkas*-Wagen unterwegs gewesen sein, so oft klappten die Zellentüren, rasselte der Schlüssel in diesem äußerst hellhörigen Zellenhaus. Erst als nichts mehr zu erlauschen war, blickte er sich um. Ein Anblick, der ihm den Atem nahm: Die Wände, ehemals blassgrün gestrichen, waren schmutzverschmiert und über und über inschriftenverziert, das Holz der Pritsche, auf der keine Matratze lag, war fast schwarz, so sehr war es im Lauf der Jahre nachgedunkelt. Das kleine, vergitterte Fenster hatte man so hoch unter der Decke angebracht, dass auf den Hocker steigen musste, wer es öffnen wollte; als er den an der Wand befestigten Klapptisch aufklappen wollte, quietschte er so laut in den Scharnieren, als wollte er um Hilfe schreien. Die Klospülung funktionierte nicht, das Handwaschbecken war braun vom Wasserstein, die Wand darunter und hinter dem Klobecken von weißschwarzen Schimmelflecken überzogen. Neben der Zellentür gab es eine an einen Klingelzug erinnernde »Fahne«, die der Häftling werfen konnte, wenn er aus irgendeinem Grund mit dem Schließer sprechen wollte; eine Möglichkeit, die den Gefangenen im modernen Stasibau nicht eingeräumt wurde.

Es war aber nicht allein die Schäbigkeit dieser Zelle, die Lenz so entsetzte. Ihn erschütterte vor allem die feuchte Kälte, die von ihr ausging, und der Geruch, den sie verströmte. Es stank, als würden die Wände Angst ausschwitzen – all die Angst, die dieser alte Knastbau in den vielen Jahren seines Bestehens in sich aufgenommen hatte. Generationen von Häftlingen hatten hier ihre Tage zugebracht, das Klo benutzt, ihre Träume geträumt; immer wieder neue Gefangene waren in diesem schmalen, düsteren Raum auf und ab geschritten und hatten zu dem kleinen Fenster hochgeschaut … *Jürgen B., 17.10.61* stand da über dem Klapptisch. Was hatte er getan, dieser Jürgen B., nur zwei Monate nach dem Mauerbau? Hatte er einen Fluchtversuch unternommen? Gleich darüber: *Hannes A., 5.3.68*. Das war noch vor dem Ende des Prager Frühlings … Daneben *Rudolf W., 7.6.64*. Und immer so weiter: Daten über Daten und dazwischen Sprüche, Flüche und gezeichnete Masturbationshilfen. Jedoch kein einziges Datum aus der Zeit vor 1961. Also war die Zelle im Jahr des Mauerbaus das letzte Mal gestrichen worden? Wenn sie aber vor elf Jahren nicht gestrichen worden wäre, welche Inschriften hätte er dann noch entdecken können? Wer saß hier unterm Kaiser, wer in den Zwanzigern, wer unter Hitler, wer in den ersten Nachkriegsjahren, wer in den Fünfzigern? Wer, weshalb und wie lange?

Ein entsetzlicher Gedanke, hier bleiben zu müssen, vielleicht sogar über Monate oder Jahre hinweg! Und doch, irgendwann hätte auch er, Manfred Lenz, sich an dieses Loch gewöhnt, es sich darin »gemütlich« gemacht und eine Inschrift in die Wand geritzt …

Vom Hof her kam ein Geräusch. Es klang, als hätte jemand eine Kreissäge in Gang gesetzt. Also waren doch Gefangene hier? Vielleicht nur noch wenige, die den Gefängnisbetrieb aufrechterhielten, damit die Stasi hier ihre Besuchstermine abhalten konnte?

Die Zelle neben ihm wurde geöffnet, und gleich war Lenz wieder an der Tür und hörte, wie auf dem eisernen Laufsteg laut widerhallende Schritte sich entfernten. Also hatten sie den ersten Fisch geholt. Als danach nichts weiter zu hören war, ging er zur Pritsche, riss einen Splitter aus dem Holz und begann unterhalb des Gitterfensters vier Buchstaben in die hier schon sehr abgeblätterte Farbe zu ritzen: *S + M + H + M, 10.11.72*. Das Datum von übermorgen; Silkes neunter Geburtstag. Ein Tag, vor dem er sich fürchtete; ein Tag, an dem die Familie Lenz beisammen sein müsste. Es war richtig, dass er sie alle vier hier verewigte; sie »saßen« ja auch zu viert.

Weitere Zellentüren wurden geöffnet, Gefangene fortgeführt und zurückgebracht. Lenz stand nur noch da und lauschte. Wann würden sie ihn endlich holen? Inzwischen musste ja schon über eine Stunde vergangen sein.

Das kleine Gitterfenster hoch unter der Zellendecke verriet, dass es draußen langsam dunkel wurde. Seine Unruhe wuchs, er begann wieder auf und ab zu laufen. Als er schon glaubte, die Warterei nicht länger aushalten zu können, wurde es laut in der Halle. In rascher Abfolge wurde eine Tür nach der anderen geöffnet – und nicht wieder geschlossen.

Was sollte das denn bedeuten? Das klang ja, als würden sie bereits wieder zurückgebracht.

Auch Lenz' Zelle wurde geöffnet. »Raustreten!«

Er blieb mitten im Raum stehen. »Aber ich bin ja noch gar nicht geholt worden. Es sollte doch Besuch für mich da sein.«

»Nicht mein Problem. Raustreten!«

Er folgte dem Stasi-Mann, es ging in den Hof und in den Fischlieferwagen. Sie steckten ihn in eines ihrer Gefangenen-

Schließfächer, der Wagen rumpelte durch die Straßen, er aber war noch immer wie betäubt. Was war passiert? Eine reine Schikanemaßnahme? Eine besondere Variante aus ihrer Kiste mit den Psychotricks? Keine Bücher mehr, keine Zeitung, Besuch ohne Besucher – sollte ihn das mürbe machen? Doch wofür? Er hatte doch längst alles gestanden. Tippten sie noch immer auf Spionage? Wollten sie ihn für neue Vernehmungen weich kochen? Oder hofften sie weiter, ihn als Spitzel gewinnen zu können? Aber wie sollte das funktionieren, mit solchen Methoden konnte man doch niemanden anwerben?

»Ich will meinen Vernehmer sprechen«, verlangte er erneut, als der Marsmann ihn in die 102 zurückgeführt hatte.

»Woll'n Se 'ne Aussage machen?«

»Ja.«

Der Marsmann nickte. »Melde ich weiter.«

Als er gegangen war, blickte Lenz sich in seiner Zelle um – und schämte sich: Wie war er froh, zurück zu sein in seinem ordentlichen, sauberen, trockenen Neubau-Verwahrraum! Nur: Warum gab es hier keine Inschriften an den Wänden? War der Respekt so groß, die Kontrolle so gut?

Der Leutnant ließ Lenz warten. Ein Teil des bösen Spiels, das man mit ihm trieb? Siehst du, wir brauchen dich nicht, bist ein ganz und gar unwichtiges Persönchen. Aber was sollte das Ganze für einen Sinn haben? Er hatte doch ausgesagt. Steckte da tatsächlich die Spionagegeschichte dahinter; Manfred Lenz, der amerikanisch-britisch-französisch-westdeutsche Agent?

Es war zum Lachen, aber auch zum Fürchten: Vielleicht war er ja wirklich ein Spion. Er wusste eine ganze Menge, kannte viele private Schwächen der führenden Mitarbeiter im Außenhandel; wäre er böswillig, hätte er dem »Sozialismus« schaden können. Und weshalb hätte er das aus Sicht der Stasi denn nicht tun sollen? Wer nicht für sie ist, ist gegen sie, und weshalb sollte, wer gegen sie ist, denn Charakter haben?

An guten Tagen brachte Lenz es fertig, trotz aller Ängste so etwas wie Stolz zu entwickeln. Wer in einer zerbrochenen Welt heil bleibt, ist ein Dummkopf oder ein Lump; das hatte Heinrich Heine gesagt. Dass Hannah und er jetzt hier saßen, war das nicht ein Zeichen dafür, dass sie weder das eine noch das andere waren?

An schlechten Tagen nahm ihm die Furcht jeden Schlaf. Zehn, fünfzehn, zwanzig Jahre hinter Gittern? Das würde für Hannah und ihn so etwas wie einen frühen Tod bedeuten und für die Kinder eine geraubte Jugend. Wie in der ersten Zeit seiner Haft entwarf er Verteidigungs- und Anklagereden, obwohl er doch längst wusste, dass das ein einziges Schattenfechten war.

Silkes Geburtstag feierte er, indem er sich einen halben Tag lang nur an Erlebnisse mit der Tochter erinnerte: Wie er sich einmal von seiner Jahresendprämie einen Anorak kaufen wollte, keinen fand, der ihm gefiel, und aus lauter Verzweiflung einen Pullover erstand. Er hatte Silke vom Kindergarten abgeholt und mitgenommen und auf dem Heimweg hatten sie immerzu das Lied vom spannenlangen Hansel und der nudeldicken Dirn gesungen, und Silly hatte gestrahlt, weil ja Winter war und es früh dunkel wurde und sie mit ihrem Papi noch immer durch die Stadt lief. Wie Silly dann fünf wurde und am Abend ihres Geburtstages, schon im Bett, zufrieden aufseufzte: »Schöner kann der Geburtstag von Walter Ulbricht auch nicht gewesen sein!« Im Kindergarten hatten sie ein *Bummi*-Heft vorgelesen bekommen: *Teddy Bummi besucht Walter Ulbricht zum Geburtstag.* Eine große, bunte Zeichnung war drin: Bummi vor Kakao und Kuchen auf Ulbrichts Schoß, der Genosse Staatsratsvorsitzender und Erster Sekretär der Sozialistischen Einheitspartei Deutschlands lächelte gütig. Hannah und er mussten lachen über diese Art von Personenkult im Kindergarten, entsetzt waren sie aber auch; Silke jedoch strahlte glücklich und das so ganz von innen heraus mit ihren großen blauen Hannah-Augen … Heute würde sie wohl kaum gestrahlt und gelacht haben; heute hatte sie geweint, dessen war er sich sicher.

Am Abend dieses Tages wurde er dann geholt. Er hatte schon fast damit gerechnet; der Leutnant versuchte ja immer wieder, ihn auf dem falschen Fuß zu erwischen.

»Sie möchten eine Aussage machen?«

»Nein.« Lenz gab sich betont sachlich. »Das mit der Aussage habe ich nur gesagt, um eine Gelegenheit zu bekommen, eine Beschwerde vorzubringen.«

Da grinste er belustigt, der Knut. »Dann haben Sie ja gelogen?«

»Wenn ich die Wahrheit gesagt hätte, hätte man mich kaum zu Ihnen gebracht.«

Der Leutnant grinste weiter. »Und worüber wollen Sie sich beschweren?«

Er befinde sich nun schon den dritten Monat in Einzelhaft, Lenz gab sich Mühe, seine Erregung zu zügeln, da hätte er doch gern mal gewusst, wozu diese übervorsichtige Maßnahme eigentlich gut sein soll. Und wenn er schon so gefährlich sei, dass man ihn unbedingt in Einzelhaft halten musste, obwohl er sich doch längst geständig gezeigt hatte, wozu dann diese schikanösen Spielchen mit der Leseerlaubnis, wozu solch dumme Scherze wie vorgetäuschte Besuchstermine?

Er erwartete eine heftige Reaktion, vielleicht sogar den kommentarlosen, sofortigen Rücktransport in seine Zelle, der Leutnant aber blieb ruhig: Jede Leseerlaubnis bedeute nun mal eine großzügig gestattete Hafterleichterung; eine Vergünstigung, die dem Untersuchungshäftling Lenz leider nicht mehr gewährt werden könne, da er gegen die Anstaltsordnung verstoßen habe, die nun mal besage, dass es den Inhaftierten nicht gestattet sei, in den ihnen zur Verfügung gestellten Büchern Eintragungen oder Unterstreichungen vorzunehmen. »Wenn das nun jeder machen wollte? Wie dann wohl die Bücher aussehen würden? Das müssten Sie als Freund der Literatur doch eigentlich verstehen können.«

»Womit sollte ich denn etwas unterstrichen haben?«

»Mit dem Fingernagel.«

Sollte er es ableugnen? Wie wollte man denn nachweisen, dass diese Unterstreichungen sein Werk waren? – Aber nein, du Blödkopf, sie brauchen dir nichts nachzuweisen; es genügt, wenn sie es festgestellt haben, egal wie und wann. Also gesteh deine Schande ein; es geht ihnen ja gar nicht um die Sachbeschädigung, ihr Problem ist, dass die Bücher von Zelle zu Zelle weitergereicht werden und die Häftlinge auf diese Weise einander Mut machen können.

»Begreifen Sie nun, weshalb wir so grausam handeln mussten?«

»In der Zeitung hatte ich nichts unterstrichen. Darin standen keine geistreichen Bemerkungen.«

»Wenn einem die Leseerlaubnis entzogen wird, kriegt man natürlich auch keine Zeitung mehr. Das liegt doch auf der Hand.« Der Leutnant überhörte Lenz' Spitze. Lässig öffnete er das Schreibtischschubfach, um Lenz die übliche angebrochene Packung Zigaretten zuzuschieben.

Lenz zündete sich eine an. Und der geplatzte Besuchstermin? Was sollte dieses Laientheater denn für einen Sinn gehabt haben? Womit hatte er sich eine solche Behandlung verdient?

Knut machte sich Notizen und sagte danach mit so ehrlichem Gesicht, dass Lenz geneigt war, ihm zu glauben, bei dieser Sache müsse es sich um einen Irrtum gehandelt haben. Er jedenfalls wisse nichts davon. Auf jeden Fall habe keine Absicht dahinter gesteckt. Wozu hätten sie sich denn die Mühe machen sollen, einen Untersuchungshäftling für nichts und wieder nichts von einem Gefängnis ins andere und wieder zurück zu transportieren? Um ihn zu verunsichern? »Ich bitte Sie! Da gäbe es – gesetzt den Fall, wir würden so etwas in Erwägung ziehen – doch ganz andere, viel wirksamere Methoden.«

Später sollte Lenz erfahren, dass es tatsächlich Robert war, der an jenem Tag lange in dem alten Gefängnisgemäuer auf ihn gewartet hatte und unverrichteter Dinge wieder nach Hause geschickt worden war. Weshalb man sie nicht zueinander gelassen hatte, erklärte der Bruder sich damit, dass es an diesem Tag schon sehr spät geworden war und man offensichtlich irgendeinen Zeitplan einhalten wollte. Nicht sehr menschlich das Ganze, aber passend zu all den anderen Vorgängen rund um diese Untersuchungshaftanstalt.

Was nun aber die Einzelhaft betreffe, fuhr der Leutnant fort, gebe es erst recht keinen Grund zur Beschwerde. Das sei alles im Rahmen der Gesetze. Und wie wolle Lenz denn wissen, ob er nicht schon bald mit anderen Gefangenen zusammengelegt wurde?

»Manchmal geht so etwas schneller als gedacht.«

War das eine Ankündigung? Oder gar ein Versprechen?

Der Leutnant breitete fröhlich beide Arme aus. »Sehen Sie, alle Ihre Vorwürfe haben sich in nichts aufgelöst. Wenn Sie ehrlich sind, müssen Sie zugeben, dass es Ihnen in Anbetracht der Umstände, in die Sie sich gebracht haben, bei uns noch ziemlich gut geht.«

»Es geht niemandem gut, dem man die Freiheit und seine Kinder genommen hat.«

»Freiheit! Noch nie Friedrich Engels gelesen?«

Lenz kannte den Merksatz, nach dem die wahre Freiheit nichts als Einsicht in die Notwendigkeit war. Seine Gegenthese: Zuallererst musste die Notwendigkeit ein Einsehen in die Freiheit haben, dann konnte man über alles andere reden. Er sagte das nicht, offenbar konnte der Leutnant ihm diese Antwort aber vom Gesicht ablesen. Er lehnte sich in seinen Stuhl zurück und blickte Lenz lange an. »Sie bilden sich wohl immer noch ein, in der BRD die wahre Freiheit zu finden? Fragen Sie sich eigentlich nicht, ob das ›Freiheit‹ ist, wenn in einer Gesellschaft allein das Recht des Stärkeren gilt und jeder sich prostituieren muss, weil allein der Besitz von Geld gesellschaftliches Ansehen verleiht?«

Sollte er mit diesem Vertreter eines Staates, der allein auf Unmündigkeit und Unterordnung setzte und an seiner Grenze die heimtückischsten Selbstschussautomaten aufgebaut hatte, nur damit seine Bürger ihm nicht davonliefen, jetzt etwa über Freiheit diskutieren? – Lenz konzentrierte sich ganz und gar auf seine Zigarette.

Der Leutnant fuhr fort: »Alle, die so gern von ihrer individuellen Freiheit schwafeln – womit sie in Wahrheit ja nur die Befriedigung ihrer übersteigerten Konsumbedürfnisse meinen –, übersehen allzu leicht, dass in der westlichen Welt Jahr für Jahr Millionen Menschen die individuelle Freiheit haben, an Hunger und nicht behandelten Krankheiten zu Grunde zu gehen. Der Preis für diese Art von ›Freiheit‹ ist die Kappung jedweder sozialen Gerechtigkeit.«

»Aber den Verlust jedweder individuellen Freiheit als Preis für ein bisschen mehr soziale Gerechtigkeit akzeptieren Sie?«

Verflucht! Nun hatte er doch wieder den Mund aufgemacht.

Der Leutnant verzog das Gesicht. »Der allergrößte Teil unserer Menschen ist froh, auf eine so genannte ›freiheitliche‹ Gesellschaftsordnung, in der der Mensch des Menschen Feind ist, verzichten zu dürfen.«

Auch das noch: unsere Menschen! Die perfekte Besitzergreifung: Ihr, liebe Staatsbürger, gehört uns, wir umarmen euch schützend und halten euch an der Kette, damit ihr in eurer kindlichen Unvernunft nicht direktemang ins Unglück rennt …

Knut: »Warum widersprechen Sie mir nicht? Sagen Sie mir doch, was Sie denken. Oder fehlt Ihnen dazu der Mut?«

Lenz zog an seiner Zigarette. »Das bringt ja nichts.«

»Wieso denn? Vielleicht lernen Sie hier noch was. Mit Ihrem Gerede von den bürgerlichen Freiheiten verbrämen Sie doch nur Ihre pessimistischen Positionen. Das Leben ist nun mal kein Wunschkonzert. Ihnen fehlt jede ideologische Festigkeit. Und das verwechseln Sie auch noch mit eigenem Denken … Nazis, die ungehindert ihren braunen Geschäften nachgehen können, Drogen, die jungen Leuten das Leben kosten, die überall anzutreffende Kriminalität, der Konsumterror – all diese Auswüchse der kapitalistischen Gesellschaft sind Produkte ihrer Art von ›Freiheit‹. Ich kann beim besten Willen nicht verstehen, weshalb ein intelligenter Mensch das nicht sehen will.«

Sollte er ihm jetzt etwa beipflichten? – Nein, bloß keine Verbrüderung nur wegen ein paar gemeinsamen Abneigungen.

Der Leutnant steckte sich einen seiner Bonbons in den Mund und lutschte darauf herum, bis er plötzlich einen Zeitungsausschnitt aus seiner Schublade zog.

»Sie sind doch ein großer Verehrer von Heinrich Mann. Jedenfalls haben Sie seine Werke im Regal. Wie kommt es, dass ein Heinrich Mann bei uns als gleichrangig mit seinem Bruder

Thomas gilt, im Westen aber kaum bekannt ist und von vielen Großkritikern eher gering geschätzt wird?«

Lenz blickte nur kurz auf den zusammengefalteten Zeitungsausschnitt. Worauf zielte er denn jetzt ab, der Knut? Hatte dieser Genosse Schönschwätzer noch nie etwas von den nicht wenigen DDR-Autoren gehört, die im eigenen Land nicht einmal gedruckt und deshalb auch von keiner Kritik gewürdigt werden konnten?

Der Leutnant schob den Zeitungsausschnitt über den Tisch. »Lesen Sie doch mal.«

Ein Artikel aus einer westdeutschen Zeitung. Der Rezensent schrieb, das Werk des älteren der Brüder Mann habe, im Gegensatz zu dem des jüngeren, heutigen Lesern kaum mehr etwas zu sagen. Solle also die DDR das Erbe dieses Schriftstellers, das sie nach dem Krieg so voller Begeisterung an sich gerissen habe, ruhig weiterverwalten.

Knut: »Der das geschrieben hat, ist ebenfalls aus seiner sozialistischen Heimat geflohen. Würden Sie diese Sätze unterschreiben?«

Lenz, verwundert: »Haben Sie das extra für mich ausgeschnitten?«

»Nein, aber ich dachte, es würde Sie vielleicht interessieren. Dieser Schreiber da, das ist ja nicht nur eine Stimme von vielen, das ist der Großmeister der westdeutschen Literaturkritik, der Hunderte seiner Kollegen beeinflusst. – Menschenskind! Das sieht doch ein Blinder, dass das keine Literaturkritik mehr ist. Das hat Methode ... Von denen drüben trennen uns Welten! Wollen Sie wirklich zu den ewig Gestrigen gehören? Unser Ziel ist es, eine humane Welt aufzubauen, eine Welt, wie sie auch einem Heinrich Mann vorschwebte, eine Welt ohne Untertanen und Herrscherwillkür.«

Jetzt hatte der Leutnant Pathos in der Stimme, die dunklen Knopfaugen blitzten.

Kein Zweifel, Manne, die Stasi kämpft um dich! Sie wollen herausfinden, ob du nicht trotz allem noch irgendwie zu ihnen gehörst. Aber warum?

Der Leutnant zog den Artikel wieder zurück, legte ihn in die Schublade und griff nach dem Telefonhörer. »Denken Sie mal ein bisschen über alles nach. Vielleicht geht Ihnen ja doch noch ein Licht auf.«

13. In der Silvesternacht

Insel der Jugend hieß es, das kleine Eiland mitten in der Spree, auf das der Königsheider Nachtwanderer Manfred Lenz verbannt wurde. Die hohe, bogenförmige stählerne Abteibrücke, die es mit dem Festland verband, war bereits im Ersten Weltkrieg errichtet worden. Dreißig Jungen, alle zwischen vierzehn und achtzehn Jahre alt, überquerten sie täglich; morgens, wenn sie zur Arbeit gingen und Manne Lenz als Einziger sich auf den Weg zur Schule machte, am späten Nachmittag, wenn die anderen Jungen von der Arbeit heimkehrten und der Schüler Lenz längst die Schularbeiten erledigt hatte, auf seinem Bett lag und las.

War es Herbst, kräuselte sich die Spree, als wäre sie aus Selterswasser, in strengen Wintern trug sie Eisschollen, im Frühjahr blinkte und glitzerte sie unternehmungslustig, im Hochsommer blühte sie giftgrün. Die Jungen aus dem Jugendwohnheim sprangen trotzdem rein. Oder sie schipperten mit ihrem selbst gebauten Paddelboot, der *Mistbiene*, an den Badestränden entlang, um nach Mädchen Ausschau zu halten. Hatte einer eine Zutrauliche erwischt, paddelte er sie stolz zur Liebesinsel hinüber, der nur wenige Quadratmeter großen, mit Bäumen, Sträuchern und wilden Gräsern bewachsenen Nachbarinsel, um nach seiner Rückkehr die wildesten Storys über seine Eroberung zu erzählen.

Sie prahlten mit ihren jungen braunen Körpern, spielten Volleyball und Fußball, Tischtennis und Skat, ließen das Kofferradio dudeln und träumten von der Zeit, in der sie keine Insulaner mehr sein würden, Unmengen Geld verdienten und jeder einen tollen Schlitten fuhr; ganz klar, wer ein tolles Auto besaß, hatte auch eine tolle Frau.

Direkt gegenüber ihrer Insel, gleich neben der Abteibrücke, lagen zwei Ausflugs- und Tanzlokale: *Zenner* – für die reifere Jugend – und *Plänterwald* mit *Fred Ries und seiner Combo* – für die wirklich Jungen. Es verging kein Wochenende, an dem sie nicht dort antrabten, die fein gemachten Robinsons und Freitags von der Insel, die jedes Glas Bier, jede Schachtel Zigaretten im Kopf mitrechnen mussten, damit sie am Ende für sich und ihre erhoffte Eroberung auch bezahlen konnten. Kostengünstiger war es, sich im Sommer unter den tollkühnsten Verrenkungen von der Dampferanlegestelle der Weißen Flotte ins Wasser zu stürzen und von dem Kaffee trinkenden Publikum dafür Beifall zu ernten. Das waren ja nicht nur alles alte Kaffeetanten, die über sie staunten, auch viele Sonntagsschönheiten tranken dort ihre Brause. Darf ich bitten oder wollen wir erst tanzen, witzelten sie, hatte irgendeine Spreeprinzessin ihre Aufmerksamkeit erregt.

Auch auf der Insel, in dem hufeisenförmig angelegten, einstöckigen Gebäude, das auf den ersten Blick an einen Landgasthof erinnerte, weshalb immer wieder mal Ausflügler nachfragten, ob sie hier etwas zu trinken bekommen könnten, lebten vor allem Kriegswaisen und Flüchtlingskinder. Es waren aber auch Jungen darunter, die aus dem Jugendstrafvollzug entlassen worden waren und sich unter Heimleiter Seeler bewähren sollten. Diplomatenkinder oder Sprösslinge internationaler Widerstandskämpfer kamen hier nicht vor; die Insel war kein Vorzeigeheim, empfing keine Delegationen, beeindruckte keine Journalisten.

Manne hatte damit gerechnet, dass all die Lehrlinge und ungelernten Arbeiter, die hier lebten, den einzigen Noch-immer-Schüler Lenz skeptisch beäugen würden: Hielt der sich eventuell für was Besseres, nur weil er noch zur Schule ging und jede Menge dicke Bücher las?

Er hielt sich für nichts Besseres, im Gegenteil, er beneidete die Jungen, die bereits Geld verdienten. Das merkten sie ihm an, und weil er sich für sie und ihre Schicksale interessierte, akzeptierten sie ihn.

Es war Pinkerton, der von Papa Reiser den Auftrag erhalten hatte, Manne Lenz auf der Insel abzuliefern; ausgerechnet der Pionierleiter »Pinkerton«, ein schmales Männchen im ewig blauen Hemd, der Manne mal geraten hatte, im Falle einer Bewerbung nicht den kleinbürgerlichen Beruf der Mutter, sondern den des aus der Arbeiterklasse stammenden Vaters anzugeben. Nun durfte er ihn mit weisen Ermahnungen ins weitere Leben verabschieden. Er setzte mal wieder einen seiner Lenin-Blicke auf und sprach von jenem schönen, großen, guten Vertrauen, das nur durch Taten zu erwerben sei, das aber, hatte man es sich einmal erworben, auch einen Manfred Lenz zum wahren »Mitmenschen«, ja, eines Tages vielleicht sogar zum Genossen seiner Genossen machen konnte. Und bevor er ging, schüttelte er Manne die Hand, als sei der ein Soldat, den er in den Einsatz schickte.

Heimleiter Seeler hatte Pinkertons letzte Worte noch mitbekommen und, wie es Manne schien, spöttisch dazu gegrinst. Das hatte ihn hoffen lassen, dass es auf der Insel in mancherlei Hinsicht etwas lockerer zugehen könnte. Kaum aber saß er dem knorrig wirkenden, mittelgroßen Mann mit der knollenartigen Himmelfahrtsnase und den wachen grauen Augen im Heimleiterbüro gegenüber, wurde er enttäuscht. Der ehemalige Polizeimajor Werner Seeler, der zuletzt in Jena oder Gera seinen Dienst versehen hatte, hatte den Parteiauftrag erhalten, die Klein-Chikagoer Junggangster, die da so nahe der Grenze zwischen Ost und West aufwuchsen, zu klassenbewussten Jugendlichen umzuformen. Vor zwei Jahren, so erzählte er Manne bereits während dieses ersten Gesprächs, habe er die Heimleitung übernommen – von einem total überforderten Vorgänger, der froh war, die Flucht ergreifen zu dürfen. Einen Revolver habe er anfangs in seinem Schreibtisch liegen haben müssen, denn damals hätten einige Jugendliche noch versucht, mit Gewalt gegen ihn vorzugehen. Inzwischen habe er einen nach dem anderen zur Räson gebracht. Jetzt herrsche Ruhe und Frieden im Heim, alle gingen einer geregelten Arbeit nach und leisteten noch dazu jede Menge freiwillige Aufbaustunden. Klar, dass er sich diese neu geschaffene Ordnung von niemandem durcheinander bringen lassen würde, auch von einem Manfred Lenz nicht! Er sei sich aber sicher – und nun hob sich die Himmelfahrtsnase und der Mund ging in die Breite –, dass jeder, der nicht dumm war, im Lauf der Zeit schon erkennen würde, was gut für ihn sei und was nicht. Und Mädchen, haha, Mädchen gebe es auf der Insel nun mal nicht, deshalb würden sie auch niemanden nicht in Verwirrung bringen können.

Seelers Erziehungsideal: Pflichterfüllung, Treue, Pünktlichkeit, Sauberkeit und Fleiß. Seine Haupterziehungsmittel: harte Arbeit und gute Worte. Nichts machte ihm mehr Freude, als seine Jungen arbeiten zu sehen. »Arbeit schafft den Menschen«, scherzte er gern, das zweideutige »schafft« dabei besonders betonend; lernen sei ja auch gut, aber arbeiten, mit seinen eigenen Händen arbeiten, noch viel besser. So dauerte es nicht lange und auch Manne zog in seiner Freizeit in den Plänterwald hinaus, um zusammen mit den anderen Insulanern in vielen freiwilligen Arbeitsstunden für die Kinder der Umgebung einen Spielplatz anzulegen oder Gärtnerarbeit zu verrichten. Er tat es nicht mal ungern; war ja kein schlechtes Gefühl, mal so richtig gearbeitet zu haben. Außerdem lernte er auf diese Weise die anderen Jungen besser kennen.

Zu seinen engsten Freunden zählte bald Eddie Gerhardt. Der groß gewachsene, aber eher schmale Achtzehnjährige mit dem immer sehr sorgfältig gescheitelten Haar und den hellen blauen Augen war eine Kriegswaise und bei Onkel, Tante und Cousine aufgewachsen. Bis er zu alt für die Cousine war. In der Schule war er nie richtig mitgekommen, deshalb hatte er keinen Beruf erlernt. Doch besaß Eddie goldene Hände, und so hatte man ihm im Heim die Stelle des Hausmeisters anvertraut und er war auch nach seiner Volljährigkeit auf der Insel geblieben. Eddie reparierte, was anfiel, tischlerte Betten und Aquariumschränke, befeuerte im Winter die Kohlenheizung und erledigte mit seinem kleinen Handwagen die täglichen Lebensmitteleinkäufe. Er wirkte aber oft ein wenig linkisch und wusste das, was ihn misstrauisch machte. Den Mädchen allerdings gefiel dieses Linkische, und so war Eddie nie solo und das wiederum gefiel Manne.

Ein anderer enger Freund wurde Hans Gottlieb, der als Autolackierer arbeitete, diesen Beruf aber ebenfalls nicht erlernt hatte. Hanne trug seine wüste Mähne zum Staubwedel geschnitten und eine andere Hose als eine echte *Levis* kam ihm nicht auf den Hintern. Er hatte ein Jahr Jugendstrafvollzug hinter sich, weil er bei einem Einbruch in einen Bahnhofskiosk mitgemacht hatte, kannte jede Menge Knastlieder und schämte sich seines Ausrutschers nicht. »Wer nischt erlebt, sammelt keine Erfahrungen.« Hannes Vater, ein Architekt, war in den Westen gegangen und später in die USA ausgewandert; seine Mutter, Hauptbuchhalterin in einem großen Werkzeugmaschinenbetrieb und linientreue Parteiaktivistin, hatte sich gleich nach der Flucht ihres Mannes scheiden lassen und lebte seither nur noch für ihren Beruf und ihre Partei. Besuchte Hanne sie, nahm er Manne manchmal mit. Frau Gottlieb, eine gut aussehende, noch ziemlich junge Frau mit neugierigen Augen, lachte dann jedes Mal herzlich: »Hanne und Manne! Das klingt so richtig nach Zille-Milieu.«

Hanne jedoch lachte nie, wenn er bei seiner Mutter war. Er steckte nur ein, was er kriegen konnte – Geld, was zum Futtern, frische Wäsche, ein neues Kleidungsstück –, und verschwand wieder. Sprach er mit seiner Mutter, hatte er einen Ton drauf, dass Manne jedes Mal zusammenzuckte. Es war deutlich: Hanne konnte seiner Mutter nicht verzeihen, dass sie nicht mit dem Vater mitgegangen war. Und noch schlimmer: Er konnte sich nicht verzeihen, dass er, aus Liebe zur Mutter, seinen von ihm so bewunderten Vater im Stich gelassen hatte. Nur um seiner Mutter und sich selbst eins auszuwischen, baute er immer wieder Mist; sie sollten nicht glücklich werden ohne den Vater.

Mit Jo Jo war Manne nicht befreundet, doch hatte Jo Jo eine so schlimme Geschichte hinter sich, dass er seine Aufmerksamkeit erregte. Jo Jos Mutter, eine Widerstandskämpferin, hatte ihn im KZ entbunden; er war ihr weggenommen und in ein Kinderheim der Nazis gegeben worden. Nach dem Krieg wurde seine Mutter dann gesucht, und man fand heraus, dass sie bald nach seiner Geburt gestorben oder umgebracht worden war; Lungentuberkulose, wie es auf dem Totenschein hieß, konnte in einem KZ ja alles bedeuten. Das alles war schon bedrückend genug, Jo Jo aber setzte etwas anderes noch viel mehr zu, nämlich dass ihm in einem seiner früheren Heime gesagt worden war, dass er noch großes Glück gehabt hätte, viele andere im KZ geborene Kinder seien gleich nach ihrer Geburt umgebracht oder zu Versuchszwecken missbraucht worden. Mit diesen Bildern vor seinen Augen wurde Jo Jo nicht fertig; sie machten ihn unleidlich und bissig. Es gab nichts Schönes auf der Welt, alles war schlecht oder lächerlich; kein Wunder, dass die meisten Insulaner ihm lieber aus dem Weg gingen.

Auch Lampe gehörte nicht zu Mannes Freundeskreis; dennoch redete er gern mit ihm. Peter Lampe hatte wahr gemacht, wovon die meisten anderen nur träumten: Er war in den Westen abgehauen, zu seiner letzten ihm verbliebenen Tante, und im Heim hatte man nie wieder etwas von ihm gehört, bis ein gutes Jahr nach seiner Flucht plötzlich Erwin auftauchte: Erwin Pietras aus Saarbrücken, blond, sommersprossig, untersetzt, höflich; Erwin mit der hellen Sommerjeans, um die ihn alle beneideten. Erwin bestellte Grüße von Lampe und berichtete, dass Lampe sich im Westen unglücklich fühle und gern zurückkommen würde, wenn er wegen seiner Republikflucht nicht ins Gefängnis musste. Seeler setzte alle Hebel in Bewegung, um eine Bewährungsstrafe für Lampe auszuhandeln, und eines Tages war Lampe wieder da. In Westklamotten und mit James-Dean-Frisur stand er vor ihnen und ließ sich bestaunen. In Saarbrücken hatte er gelebt? Mensch, das lag ja fast am anderen Ende der Welt!

Erwin mit der hellen Jeans, Werkzeugmacher von Beruf, Spätwaise wie Lampe und neugierig auf den Osten, blieb dann ebenfalls im Heim und zog für ein Jahr zu Manne ins Zweierzimmer; wirkliche Freunde allerdings wurden sie nicht.

Onkel Karl lästerte gern, alle, die aus dem Westen in den Osten gekommen waren, hätten keine Achselhaare mehr, so oft hätte ihnen der über diesen Zuwachs erfreute Oststaat hilfreich unter die Arme gegriffen. Lampe und Erwin bezahlten diese Hilfe mit Fusseln am Mund. Immer wieder, im Heim und vor Journalisten, in Betrieben und Schulen, mussten sie über ihre Erfahrungen in der Bundesrepublik berichten – von der hohen Arbeitslosigkeit dort, von verbrecherisch niedrigen Löhnen und unverschämt überteuerten Preisen. Und am Abend, in ihrem

Zimmer, quetschte Manne Erwin über die westdeutsche »Ellenbogengesellschaft« aus. Er würde auch nicht gern für so einen kapitalistischen Fettarsch schuften, beruhigte er den über seine Neugier besorgten Erwin. Wozu denn? Nur damit der immer reicher würde? Dann schon lieber die Engpässe im Osten als die Ausbeutung im Westen.

Richtig berühmt wurden Lampe und Erwin, als eines Tages das *Neue Deutschland* ins Heim kam. Lampe musste erzählen, Erwin musste erzählen. Lampe wurde als gebranntes Kind vorgestellt, Erwin war der junge, bewusst lebende Westdeutsche, der sich für die Seite des Fortschritts entschieden hatte. Heimleiter Seeler, auf diese Weise doch noch mit zwei Vorzeige-Insulanern gesegnet, strahlte.

Der Einzige, der es wagte, laut über Erwin und Lampe zu spotten, war Hanne Gottlieb. Lampe war für ihn der Playboy mit den nervösen Füßen, der nicht wusste, wo er hingehörte, und der vielleicht schon in einem halben Jahr wieder in den Westen abdampfen würde; Erwin hielt er für einen falschen Fuffziger.

Manne war anderer Ansicht; es gab keinen Grund, den beiden Ex-Westlern derart misstrauisch zu begegnen. In Lampes Fall sollte er Recht behalten; was Erwin betraf, hatte Hanne den richtigen Riecher.

Ein Freudentag für Manne, als dann endlich auch Ete Kern auf die Insel zog. Nur ein paar Monate hatte es gedauert, dann hatte Ete sein Versprechen wahr gemacht und in der Königsheide so viel Mist gebaut, dass sie ihn ebenfalls rausschmissen. Leider hatte das Jugendamt ihn zuerst in ein Weißenseeer Jugendwohnheim gesteckt. Dort hatte Manne ihn jede Woche besucht, so wie Ete jede Woche einmal auf der Insel angetanzt war. Gemeinsam hatten sie die Heimleiter bearbeitet: Die fortschrittlichsten, klassenbewusstesten Heimzöglinge wollten sie werden, wenn sie nur endlich wieder zusammen sein durften. Eines wunderschönen Augusttages war es dann endlich so weit: Sie durften mal wieder ein Zweierzimmer beziehen! Das war noch in dem Jahr, bevor Erwin kam. Sie tapezierten ihr Zimmer und ließen sich von Eddie Betten tischlern, die mit Decken drüber tagsüber zu Sofas gemacht werden konnten, teilten ihre Zigaretten miteinander und gingen nur gemeinsam fort. Und natürlich begannen auch die nächtlichen Diskussionen wieder: Wie konnte Ete nur so fest am Boden kleben? Weshalb war Manne nur so ein versponnener Luftballon?

Nein, keine schlechte Zeit, diese zweieinhalb Jahre auf der Insel. Er war ja wer, der Manfred Lenz, führte die Bibliothek, schrieb lustige, die Heimbewohner auf die Schippe nehmende Gedichte und hängte sie zusammen mit Hanne Gottliebs satirischen Zeichnungen im Speisesaal auf. Er gab den ehemaligen Sonderschülern, die nicht ewig Hilfsarbeiter bleiben wollten, Unterricht im Lesen, Schreiben und Rechnen und war über anderthalb Jahre hinweg Heimratsvorsitzender. Tagsüber färbte er seine Hemden rot oder schwarz, weil ihm andere Farben nicht mehr auf die Haut kommen sollten, in den Nächten verleibte er sich die gesamte Weltliteratur ein. Er hatte Kumpels und er hatte Ete Kern.

Keine schlechte Zeit – wenn da nicht dieser Werner Seeler, sein Parteiauftrag und sein Verständnis von sozialistischer Erziehung gewesen wäre! Jeden Monat ein Heimabend, manchmal auch zwei. In der warmen Jahreszeit fanden sie in dem hufeisenförmigen, mit Blumen und Rasen umgebenen, kiesbestreuten Hof statt, in der kalten im Speisesaal. Über die katastrophalen Lebensverhältnisse im Westen wurden sie informiert und über die infamen Kriegspläne der amerikanischen Monopolkapitalisten. Aber keine Bange, so der ehemalige Polizeimajor Seeler, die westdeutsche Arbeiterschaft werde sich das nicht lange gefallen lassen. Auch im Westen wachse eine revolutionäre Basis heran. Noch würden zwar die vollen Schaufenster im Westen so manchen täuschen, bis spätestens Ende 1961 aber werde die DDR-Wirtschaft die Bundesrepublik überholt haben. Was nichts anderes als die Überlegenheit des Sozialismus bedeute, denn der Wettbewerb zwischen den Systemen werde auf dem Gebiet der Wirtschaft entschieden.

Genauso gern sprach Seeler über Nikita Chruschtschow, den Partei- und Staatschef der Sowjetunion, der vor der UN-Vollversammlung mit seinem Schuh aufs Rednerpult gehämmert hatte. Chruschtschow, der »schlaue Bauer«, gefiel ihm; er war überzeugt davon, dass »Nikita« allen westlichen Politikern an Raffinesse überlegen war. Was Seeler allerdings nicht zur Kenntnis nahm, war, dass Chruschtschow auch mit Stalin abgerechnet und ihm schwere Verbrechen, politische und militärische Fehler und einen von ihm selbst inszenierten, maßlos übersteigerten Personenkult nachgewiesen hatte. Eine Abrechnung, die im Westen in aller Munde war, von der im Osten aber niemand etwas wissen wollte, hatten doch nur wenige Jahre zuvor noch alle Volkskammerabgeordneten bei der bloßen Erwähnung von Stalins Namen aufstehen und klatschen müssen. Die Jungen von der Insel, im nahen Westen nicht weniger zu Hause als im Osten, hatten jedoch davon gehört, und einmal fragte Hanne Gottlieb, ob das denn wirklich alles nur Westlügen seien, was da über Stalin verbreitet wurde. Eine Frage, die Seeler sogleich auf hundert brachte: »Du redest nur nach, was der Westen dir vorgekaut hat. Zuerst muss doch mal festgestellt werden, dass der Genosse Stalin sich bedeutende Verdienste beim Aufbau des Sozialismus erworben hat. Der Personenkult um ihn, der war natürlich falsch, der hätte nicht sein müssen. Und natürlich hat er hin und wieder Fehler gemacht, hat im Krieg den Feind unterschätzt. Aber wer macht denn keine Fehler? Auch das größte Genie ist nicht fehlerlos. Ansonsten jedoch: Alles Lügen! Ohne Stalin gäb's heute keine Sowjetunion mehr, und was das für den Weltfrieden bedeuten würde, kann sich jeder an einer Hand ausrechnen.«

Ein weiteres Lieblingsthema von Seeler war die Nationale Volksarmee. Sprach er über »unsre Jungs in Waffen«, steigerte er sich ins Schwärmen hinein. Keine Frage, dass man der Bundeswehr der westdeutschen Imperialisten in allen Belangen überlegen war. »Warum, wollt ihr wissen? Einfach, weil unsere Soldaten für ihre eigenen Interessen kämpfen und nicht für die des Kapitals.«

Zog er am 1. Mai mit ihnen zum Marx-Engels-Platz, um sich die Parade der Armee anzuschauen, erklärte er ihnen die verschiedenen, vorgeführten Waffen, als hätte er selbst an ihrer Entwicklung mitgearbeitet, und begrüßte jedes Mal mit ganz besonders lautem Beifall die neuen Langrohre, »weil der Westen so etwas ganz gewiss noch nicht hat«. Auf dem Rückweg resümierte er dann gemütlich, das sei mal wieder eine sehr schöne, beeindruckende Warnung für all jene Unbelehrbaren gewesen, die den Weltfrieden stören wollten.

Als Manne mal sagte, der Westen könne doch gar keinen Krieg wollen, weil bei einem Atomkrieg ja alle draufgehen würden, rechnete Seeler ihm vor, wie viele alte Nazis in der Bundesrepublik wieder in Amt und Würden seien. »Die haben schon mal bewiesen, wozu sie fähig sind; das hätte sich damals auch kein gesunder Menschenverstand träumen lassen. Noch mal sind wir nicht so blind.«

Worte, die in Manne ein tiefes Unbehagen erzeugten. Waren denn nicht erst wenige Jahre zuvor die letzten Kriegsgefangenen heimgekehrt? Wie konnte man da in Ost und West schon wieder von neuen Armeen schwärmen?

Eine noch tiefer gehende Abneigung aber erfüllte ihn, wenn er beobachtete, was Seeler unter »Selbsterziehung« von Jugendlichen verstand. Immer wenn der Heimleiter glaubte, dass es gar nicht anders ging, gab er Martin Kossak einen Wink, und dann wurde der zu Erziehende eines Abends von Kossak und seinen Hilfssheriffs in den Waschraum geführt und die »Erziehungsmaßnahme« fand statt.

Es funktionierte jedes Mal wie ein Magnetismus; kaum wurde ein Delinquent abgeführt, fanden sich auch die notwendigen Mitschläger und jede Menge begeisterte Gaffer ein. Manche Schläger erschraken, wenn sie das erste Mal zuschlugen, wollten aber unbedingt mal ausprobieren, wie das war, an einem anderen so richtig die Wut auslassen zu dürfen. Der eine oder andere tat es danach nie wieder, den meisten aber fiel es beim zweiten oder dritten Mal schon sehr viel leichter. Viele Gaffer zitterten vor Angst, es könnte auch sie einmal treffen, aber erregt wie sie waren, konnten sie keinen Blick abwenden.

Der hellblonde, schon früh männlich wirkende Martin Kossak war eigentlich kein übler Kerl. Zwar immer stramm, aber gemütlich; einer, der schon mit siebzehn am liebsten Stumpen rauchte und gern den handfesten Sohn der Arbeiterklasse spielte.

Kossak schlug nicht aus Hass, er schlug wie ein Büttel, mit dem ruhigen Gewissen, Recht und Ordnung zu vertreten. Und so war es auch nicht Kossak, gegen den sich der Zorn der Jugendlichen richtete, die mit diesen Methoden nicht einverstanden waren. Die Verantwortung für diese Art von Lynchjustiz trug Seeler, der sich stets in seiner Wohnung über den Speisesaal aufhielt, wenn im Waschraum das Blut spritzte. Und sein Mittäter war Leon Gutfreund, neben Seeler einziger Erzieher im Heim.

Gutfreund hatte nur tagsüber Dienst, konnte also abends gar nicht greifbar sein, erzählt man ihm aber am nächsten Tag von dem Vorfall, machte der dickliche ehemalige Sportlehrer ein ungläubiges Gesicht. »Das kommt doch überall mal vor, dass sich welche kloppen. Was ihr da wieder alles reinlegt!«

Gutfreunds Erziehungsmethode basierte auf Freundlichkeit. Er wollte seinem Namen Ehre machen und tatsächlich ein guter Freund der Jugendlichen sein. Oft erzählte er aus seiner Jugend, an warmen Sommerabenden spielte er Akkordeon und sang ihnen alte Schlager vor: »Wo sind die Frauen so schön? Nicht weit vom Knie …«

Niemand, der mit Leon Gutfreund nicht auskam. Was die »Erziehungsmaßnahmen« betraf, hielt er sich jedoch zurück: Werner Seeler war der Chef, in seine Arbeit redete er ihm nicht rein. Und die drei, vier Jugendlichen, die sich ernsthaft gegen diese Art von Gruppenerziehung auflehnten, wagten nicht, sich dem Mob in den Weg zu stellen.

Was aber hatten die Delinquenten getan, um auf diese Art und Weise »erzogen« zu werden? Hänschen Knoll hatte in einen fremden Schrank gelangt, um sich ein paar Mark auszuleihen. Er hatte auch zuvor schon das eine oder andere Mal geklaut, der kleine, pummelige Kerl, den niemand ernst nahm, weil er auch mit fünfzehn noch hin und wieder einnässte. Auch hatte er die Köchin, Frau Silberschmitt, als sie ihn beim Boulettenklauen erwischte, mit Schimpfwörtern belegt, wie sie die weißhaarige Frau noch nie zuvor in ihrem Leben zu hören bekommen hatte. Erst Kameradendiebstahl, jetzt eine alte Frau zutiefst verletzt – gab es furchtbarere Verbrechen?

Der lange Pit Eisenmut war zwei Nächte fortgeblieben, kam

zurück und sah keinen Grund, sich bei irgendwem für irgendwas zu entschuldigen.

Jo Jo hatte während eines Heimfestes die dicke Christa aus dem Mädchenwohnheim Oberspree, das die Jungen zu jeder Heimfete auf die Insel einluden, betrunken gemacht und in sein Zimmer abgeschleppt. Als Christa mitbekam, was der selbst nicht mehr nüchterne Jo Jo mit ihr vorhatte, schrie sie laut um Hilfe. Im Speisesaal, wo der Schwof stattfand, wurde man aufmerksam, alles stürzte in die Schlafräume und Jo Jo in seiner Panik hetzte über die Abteibrücke und immer weiter in Richtung Schlesisches Tor; wollte sich also ganz offensichtlich in den Westen absetzen. Kossak und seine Leute jagten ihm nach, holten ihn kurz vor der Grenze ein und schleppten ihn im Triumphzug auf die Insel zurück, wo die Fete längst beendet war. Sie zerrten Jo Jo, der zuvor immer einer von Kossaks eifrigsten Helfern gewesen war, die Treppe hoch und schlugen ihm mit den Fäusten auf die Finger, wenn er sich am Treppengeländer festklammern wollte. Im Waschraum heulte Jo Jo, aber niemand hatte Mitleid, vor allem jene nicht, die noch eine Rechnung mit ihm zu begleichen hatten.

Ein Wunder, dass Manne nie im Waschraum landete. Manche Jungen hätten ihm, dem Bücherwurm und Nachhilfelehrer, gern gezeigt, dass auch sie etwas konnten. Und an Bestrafungsgründen hätte es nicht gefehlt. Es blieb rätselhaft, weshalb Seeler ihn nicht zur Erziehung freigab.

Und abseits von harter Arbeit, guten Worten und Waschraum? Die Welt außerhalb des Heimes?

Robert war mit Reni und Kati an der DDR-Botschaft in Nordkorea – man hatte dort einen Koch gesucht, er hatte sich beworben und war delegiert worden –, Tante Grit und Onkel Karl hatten sich selbstständig gemacht. In WestBerlin. Sie mussten viel arbeiten und hatten nie Zeit, wollten Manne aber dennoch einen Halt geben; jeden Donnerstagabend durfte er sie besuchen. Dann fuhr er mit der S-Bahn zur Schönhauser Allee und wartete vor dem Haus, bis Tante Grit kam. Sie war noch immer eine gut aussehende Frau, trug nur Westkleidung und verstand sich zu schminken. Saß er bei ihr im Wohnzimmer, stand eine 50er-Blechdose *Astor Filter* auf dem kleinen Tisch mit der Glasplatte – Onkel Karls Lieblingszigarette – und manchmal gab's ein Gläschen Sekt: *Henkell trocken*. Auch von drüben.

Onkel Karl und Tante Grit machten es wie zigtausend andere auch, lebten im Osten, verdienten im Westen. Damit niemand ihre Grenzgängerei mitbekam, fuhren sie morgens mit der S-Bahn zwei Stationen bis zum Bahnhof Wedding, stiegen dort in ihren Firmen-PKW und fuhren weiter in ihr Kreuzberger Farbengeschäft, dem auch eine kleine Fabrik angeschlossen war. Bei einem Umtauschkurs von 1:4 waren die ohnehin niedrigen Lebenshaltungskosten im Osten für sie nur ein Klacks; kein Problem, die aufgenommenen Westkredite abzuzahlen.

In den Ostzeitungen wurden die Grenzgänger als Parasiten beschimpft; Onkel Karl verteidigte sich gegen diese »Verleumdungen«: »Haben wir die Verhältnisse gemacht? Sind wir schuld am Krieg, der uns unsere Jugend genommen hat? Auf andere Art und Weise wäre unsereins doch nie zu einem Geschäft gekommen. Die sollen sich nur nicht aufregen, hab mir alles selbst erarbeitet.« Er nannte die DDR ein nicht lebensfähiges, künstliches Gebilde, und sprach er über die Zukunft, benutzte er oft sein Lieblingswort »Wenn's mal anders kommt ...«.

Onkel Karl war überzeugt davon, dass es irgendwann anders kommen und keine DDR mehr geben würde. Deshalb, so seine stete Warnung, solle man sich nie allzu sehr mit »dem Regime«

einlassen, sondern immer schön die alte Soldatenregel beherzigen: »Viel sehen und möglichst wenig gesehen werden«.

Onkel Karl, das wusste Manne von der Mutter, war immer gegen die Nazis gewesen, jetzt war er nicht nur gegen die Kommunisten, sondern gegen alles, was irgendwie links war. Er mochte nicht einmal den sozialdemokratischen WestBerliner Bürgermeister Brandt, der doch im Osten als Frontstadtchef und ganz reaktionärer kalter Krieger bezeichnet wurde. Onkel Karl wäre gern für Adenauer gewesen, konnte nur leider nicht über seinen Schatten springen, da Adenauer doch so gegen alles Ostdeutsche und besonders gegen Berlin war und nicht mal das Wörtchen »Pankow« richtig aussprechen konnte, sondern immer nur »Pankoff« sagte, als lebte man hier schon mitten im tiefsten Russland.

Alles in allem, so empfand Manne von Besuch zu Besuch stärker, war Onkel Karl nur für sich selbst und seine Interessen. Das gefiel ihm nicht, und vielleicht wünschte er deshalb nicht, dass es jemals in Onkel Karls Sinne »anders kam«. Er sah das ganze Ost-West-Problem mehr unter sportlichem Aspekt: Der Zufall hatte ihn, Manfred Lenz, in die OstBerliner Mannschaft geweht – wie konnte er dafür sein, dass die WestBerliner Truppe gewann? Da aber der Gesundbrunnen, der Kudamm und der Wannsee auch zu seiner Welt gehörten, durfte auch der eigene Verein in diesem Bruderkampf nicht siegen. Also drückte er beiden Mannschaften die Daumen und hätte es am liebsten gesehen, wenn nur eine einzige Berliner Mannschaft auf den Platz gelaufen wäre. Wenn es dazu aber erst »anders kommen« musste, dann bitte nicht nach Onkel Karls Regeln, die auf einen 10:0-Sieg des Westens hinausliefen.

Ansonsten hatte Manne, wenn er in seiner Freizeit das Heim verließ, vor allem zwei Ziele: erstens, sich irgendwo ein paar

Mark zu verdienen, zweitens, ins nahe Kreuzberg hinüberzuwandern, um diese paar Mark für Klamotten und Kinobesuche auszugeben. Zwar stand ihm jedes Jahr ein bestimmter Betrag Kleidergeld zur Verfügung, aber wollte er nicht wie Emmes von der Parkbank herumlaufen, musste er selber sehen, wie er was Anständiges auf den Hintern bekam. Deshalb gab es keine großen Ferien, in denen er nicht mehrere Wochen lang den Transportarbeiter oder Hilfslageristen spielte, und dazu noch die unzähligen Sonntage oder Sonnabendnächte, in denen er entweder am Fließband der Schöneweider Brauerei beidhändig Bügelverschlussflaschen zudrückte, bis seine Daumen auf Rübengröße angeschwollen waren, oder in denen er in der Bahnanlage der Großmarkthalle am Alexanderplatz Obst- und Gemüsewaggons entlud. Seeler erlaubte solche Einsätze. Arbeit schafft den Menschen! Was er nicht erlaubte, war, sich beim Klassenfeind anzustellen. Aber auch dort wurden öfter Aushilfskräfte benötigt – und einen Waggon Kohlen entladen brachte vierzig Westmark. Zu zweit schaffte man den in einer Nacht. Das waren zwanzig Westfleppen für jeden, umgerubelt achtzig Ostmark. Manne Lenz und Ete Kern aber rubelten nicht um; für zwanzig Westmark bekamen sie eine neue Jeans, zwei Hemden oder ein paar Schuhe.

Im Heim erzählten sie in solchen Fällen, sie hätten mal wieder in der Großmarkthalle geschuftet. Und das, obwohl ihnen noch die Briketts in den Augenwinkeln hingen, wenn sie am Morgen todmüde ins Heim gewankt kamen. Muttchen, die siebzigjährige, sehr kleine, aber wieselflinke Nachtwache mit dem faltenreichen Gesicht, die noch arbeitete, um sich und ihre vierundneunzigjährige Mutter durchzubringen, war viel zu pfiffig, um ihnen das zu glauben. Doch sie verriet sie nicht, schüttelte jedes Mal nur streng den Kopf, wenn sie ihr in die Arme liefen. Sie war wirklich ein »Muttchen«, schmierte den Jungen Zugsalbe auf den Hintern, wenn einer ein Furunkel hatte, kochte Grippekranken Kräutertees und meldete Zuspätkommende nur, wenn sie es zu arg übertrieben. Dass Muttchen noch bei ihrer Mutter lebte, war für die elternlosen Jungen eine Sensation; dafür, dass sie sie nicht erziehen wollte, aber immer für sie da war, liebten sie die alte Frau.

Weil Manne nur wenig für die Schule tat, dafür aber viel arbeitete, konnte er sich immer seine Jeans leisten, dazu bunte Söckchen und weiße Mokassins und die geliebte *Porsche*-Jacke aus blauem Kord. Alles aus den Läden des Klassenfeinds. Auch andere handelten auf solche Weise »politisch unklug«, Seeler jedoch konnte gegen diese »westliche Dekadenz« und »bewusste Irreführung unserer Jugend« nichts machen. Rigorose Maßnahmen hätten seine Jungen dem Gegner ja nur noch tiefer in die Arme getrieben. Er konnte nur immer wieder über die »Eiterbeule« WestBerlin klagen, die da so tief mitten im Fleisch der kräftigen, jungen, gerade erst aufblühenden DDR steckte, ihnen mangelndes politisches Bewusstsein vorwerfen und sie mit beleidigtem Gesicht fragen, ob sie sich nicht schämten, als wandelnde Werbesäulen für die kapitalistische Wirtschaft herumzulaufen.

Um seine Reden abzukürzen, gaben sie sich einsichtig; den Klassenfeind mieden sie aber trotzdem nicht.

Der Westen war bunt, der Westen machte Spaß. Wie Manne und Ete sich einmal in ihre besten Anzüge schmissen, sich zum weißen Hemd eine propellergroße, bunt karierte Fliege umbanden und mit der S-Bahn, in der sie auffielen wie zwei Pinguine in der Wüste, in die Deutschlandhalle zur Schlagerparade rüberfuhren! Werner Müller und das RIAS-Tanzorchester, Bill Ramsey, Chris Howland, die Blue Diamonds und wie sie alle hießen, die aus Film, Funk und Fernsehen beliebten Schlagerstars des

Westens. »Souvenirs, Souvenirs, aus Paris und Cannes«, trällerten sie auf dem Heimweg und »Kleines Fraulein aus Berlin, hab nur dich, nur dich im Sinn«. Viel fehlte nicht und sie wären auf die Insel zurückgesteppt wie Gene Kelly in *Ein Amerikaner in Paris* durch den Regen.

Ein andermal dampften sie zu viert zum Kudamm ab: Ete Kern, Hanne Gottlieb, Eddie Gerhardt und Manne Lenz. In der Joachimsthaler Straße gab's einen Westernsaloon namens *Smoky*, an den Wänden Filmplakate von *Zwölf Uhr mittags* bis *Weites Land*, auf den Barhockern echte Ledersättel mit Steigbügeln. Getanzt wurde nach der Musikbox. Die Mädchen waren sehr geschminkt und rochen meilenweit nach Parfüms und Cremes und der Abend – oder besser die Nacht – wurde sauteuer. Musste ja alles 4:1 bezahlt werden. Trotzdem kehrten sie am Morgen darauf in bester Stimmung ins Heim zurück und versuchten Muttchen glauben zu machen, sie hätten alle vier bis zum frühen Morgen Obst- und Gemüsewaggons entladen. Aber Muttchen wollte sich nicht für dumm verkaufen lassen, sie trug sie ins Buch der Verspätungen ein und Seeler bestrafte alle vier mit vier Wochen Ausgangssperre. Tage, in denen sie an den Abenden im Heim bleiben mussten und sich in gemeinsame Phantasieträume flüchteten. Irgendwann, das stand fest, würden sie an der Insel vorgefahren kommen, im roten Kabriolett, weißen Anzug an und rote Weste, jeder eine tolle Braut im Arm. Und dann würden sie den miesepetrigen Seeler und seine Funktionärsparolen auslachen. Vielleicht würden sie aber auch, waren sie erst mal hier raus, Matrosen werden, auf einem Frachtschiff anheuern: Bombay, Singapur, Rio, Havanna ...

Manchmal phantasierte aber auch nur einer: Manne Lenz. Dann lauschte das halbe Heim den Wildwestgeschichten, die er erzählte; Romane, die er vor ihren Augen erfand, Storys, in denen es von harten Burschen und tollen Ladys nur so wimmelte. Wer wollte, durfte darin mitspielen, und natürlich wollte jeder einmal der ganz harte, schnell ziehende Westernheld gewesen sein. Ihr Gelächter und Gejohle erfüllte die ganze Insel; Ausflügler, die am Heim vorüberspazierten, mussten denken: Was für eine glückliche Jugend!

Ein wirkliches Abenteuer erlebten Eddie Gerhardt und Manne Lenz in Mannes letzter Silvesternacht als Insulaner. In dieser Nacht war er im Heim geblieben. Wo hätte er denn sonst hin sollen? Robert und Reni waren in Korea und Tante Grit und Onkel Karl bei irgendwelchen Freunden zu Besuch. Im Heim aber sah es düster aus. Keine Feier, keine Stimmung! Nicht mal Ete war da; der feierte offiziell mal wieder bei seiner Ostschwester, inoffiziell aber bei der im Westen. Von den Jungen, mit denen etwas anzufangen war, hingen nur Hanne Gottlieb, der nicht mit Mutters Genossen Silvester feiern wollte, und natürlich Eddie im Heim herum. Sie hatten ihr Geld zusammengelegt, sich was zu trinken geholt und Eddies Kofferradio angeschmissen, und nun tanzten sie miteinander: mal Hanne mit Manne, mal Eddie mit Hanne, mal Manne mit Eddie.

In Seelers Wohnung über dem Speisesaal, die außer Martin Kossak kein anderer Insulaner je betreten hatte, brannte Licht. Er feierte mit seiner Frau, einer üppigen, sommersprossigen Blondine, die im Bezirksamt arbeitete und sich nur selten ins Heimleben einmischte. In den anderen Zimmern wurde Skat oder Mensch-ärgere-dich-nicht gespielt.

Die drei Tänzer gaben sich lustig, waren es aber nicht. Eine Stunde vor Mitternacht erreichte der Frust dann seinen Höhepunkt: Wie lange wollten sie hier denn noch die Schwulen spielen? Panikartig brachen sie auf, um mit der Straßenbahn nach

Oberspree rauszufahren, hin zu dem ebenfalls direkt an der Spree gelegenen Mädchenwohnheim, mit dem sie so viel verband. Aus Spaß nannten sie das Mädchenheim hin und wieder Tripperburg; es wohnten dort aber keine geschlechtskranken Püppi Heinemanns, sondern mehrere gleich alte Mädchen, die ähnliche Schicksale hinter sich hatten wie die Jungen von der Insel.

Veranstaltete die Insel ein Heimfest, luden die Jungen die Mädchen dazu ein, veranstalteten die Mädchen ein Heimfest, luden sie die Jungen ein. Viele Insulaner waren schon mal mit einem der Mädchen aus Oberspree gegangen, Manne hatte es in gut zwei Jahren auf drei Freundschaften gebracht. Alles harmlose Knutschvergnügen, nur einmal war es mehr, da war er in Corinna verliebt, das leicht südländisch wirkende Mädchen mit dem langen braunen Haar, das zuvor mit Eddie gegangen war, aber früh heiraten wollte und sich für einen bereits selbstständigen Gärtnergesellen entschieden hatte, der keine Heimkarriere verarbeiten musste.

Was die drei Frustrierten in jener Silvesternacht vorhatten? Ein bisschen tanzen, ein bisschen lustig sein. Die Mädchen würden doch sicher feiern, vielleicht fehlten ihnen ein paar Tänzer. In dem villenähnlichen Gebäude direkt an der Spree aber war alles still. Keine große Feier, nur das Licht der Nachtwache, die sich im Speisesaal niedergelassen hatte, funzelte trübe vor sich hin. Zornig darüber, dass ihnen nichts Besseres eingefallen war, als in diese Einöde hinauszufahren, stritten sie miteinander, bis Hanne Gottlieb sich wutentbrannt in die Dunkelheit verdrückte und die beiden Zurückgebliebenen, nun erst recht am Boden, in eines der nahe gelegenen Bootshäuser einbrachen. Hier hatten sie im Sommer Kanus gesehen; wäre doch gelacht, wenn sie keines davon flott machen könnten!

Sie fanden dann auch mehrere aufgebockte Kanus, zerrten

und schoben eines davon ins Wasser und paddelten schon kurz darauf wie weiland Winnetou und Old Shatterhand spreeabwärts zur Insel zurück. Und das mitten in der sternenglitzernden, mondhellen Silvesternacht. In einem Achtsitzer. Unter Brücken hindurch. An Feuerwehr und Wasserpolizei, dem hell erleuchteten Kraftwerk Klingenberg und vielen winterfest gemachten Bootsschuppen vorüber. Dazu in der Ferne das nun einsetzende Feuerwerk ... Und niemand, der sie bemerkte! Alles Glück der Welt mussten sie in jener Nacht für sich gepachtet haben. – Nein, es war kein Verbrechen, sich ein Kanu auszuleihen, um endlich etwas zu erleben in dieser für sie bisher so trist und trostlos verlaufenen Nacht; es war ein Verbrechen, sich in einer solchen Nacht zu langweilen.

Kurz vor der Insel zogen sie das Kanu an Land und verbargen es in einem Heuschober.

Bedenken kamen ihnen erst am Neujahrsnachmittag: Wenn sie nun mit dem Kanu erwischt worden wären? Wer hätte ihnen geglaubt, dass sie es nur ausleihen wollten? Und hatten sie während ihrer nächtlichen Fahrt nicht kurz darüber gesprochen, dass sie es ja mit Steinen beladen versenken könnten, um es später, wenn Gras über die Sache gewachsen war, wieder herauszuholen?

Sie hatten es nicht getan, aber vielleicht nur, weil sie zu müde dazu waren.

14. Lonesome Rider

Wenn es in Manfred Lenz' Insulanerjahren unter seinen Erziehern und Lehrern einen gab, der ihn nachhaltig beeindruckte, ja, den er sogar ein wenig verehrte, so war das Wissarionowitsch, jener Lehrer, der trotz seines Spitznamens so gar kein Stalin war und auch kein Seeler, sondern viel eher eine Mischung aus Marx und Brecht, Falstaff und Don Juan.

Der Name Wissarionowitsch traf aber bald auch rein äußerlich nicht mehr zu. Eines Tages kam er in die Schule, der erst sechsundzwanzigjährige Georg Bachner, und da waren die Stalin-Tolle und der Stalin-Schnäuzer weg und das dichte braune Haar zum widerborstigen Igelschnitt und der Schnäuzer kurz gestutzt. Über die verdutzten Blicke seiner Schüler freute er sich und als Antwort auf ihr Wieso und Weshalb zitierte er Brecht: die Geschichte vom Herrn Keuner, der erbleichte, als man ihm sagte, er habe sich gar nicht verändert.

Wissarionowitschs Deutschunterricht – ein Fest! Wurde der *Faust* behandelt, sprang er in die eine Ecke und war Mephisto, in der anderen war er Faust. Er war der Riccault de la Mariniere in der *Minna,* er gab den tragischen Revoluzzer Fiesco. Wer den Deutschunterricht ansonsten hasste, Wissarionowitschs Vorträgen lauschte er gebannt.

Nie hatte Wissarionowitsch irgendwelche Aufzeichnungen auf dem Tisch liegen; er hatte seine Dichter, ihre Daten, Romane, Gedichte und Stücke im Kopf, lebte seinen Lehrstoff. Und immer wieder stellte er seine eigene Meinung infrage oder trug ihnen zwei einander entgegengesetzte Standpunkte vor und wollte wissen, welchem sie zuneigten. Ihre Antworten nahm er ernst, prüfte sie gemeinsam mit der Klasse, und wurden sie verworfen, war allen klar, weshalb. Sein einziger Fehler: Blankes Desinteresse, Faulheit oder dümmliche Antworten konnte er nicht ertragen. Das empfand er als Sabotage an seinem Unterricht, dann rastete er aus und schrie so laut, dass die Wände des altehrwürdigen Backsteinbaus erzitterten. Manne erhielt einmal von ihm einen Eintrag ins Klassenbuch, zusammengefasst in einem einzigen Satz ein Lob für gute Leistungen im Aufsatz und ein Tadel für mangelnden Fleiß in Grammatik. Beides empfand er als gerecht und irgendwie als originelle Zusammenstellung.

Die meisten Lehrer und Lehrerinnen mochten es nicht, wenn unbequeme Fragen gestellt wurden, Wissarionowitsch ermunterte geradezu zur Kritik. Als er während ihres ersten Kartoffeleinsatzes von dem arbeitsunlustigen Benno Kirsch gefragt wurde, wozu ein solcher Einsatz denn überhaupt nötig sei, die Schüler im Westen müssten doch auch nicht in den Morast hinaus, da hielt er ihnen einen langen Vortrag über patriotische Erziehung. Alles mit sehr ernstem Gesicht. Parteifunktionäre in *Defa*-Filmen redeten so. Als der dreckstarrende Benno daraufhin wütend entgegnete, dass das doch nichts als Phrasen seien, in Wahrheit schafften die Bauern es nur nicht, die Knollen aus der Erde zu holen, weil sie nach Plan arbeiteten und nicht nach Notwendigkeit, nickte er breit grinsend: »Richtig! Das ist der Hauptgrund. Alles andere ist nur Dialektik. Gut, dass Sie das erkannt haben.«

Ein anderes Mal diskutierte Wissarionowitsch mit ihnen den immer wieder verlangten, viel gepriesenen Fortschritt. Wenn Fortschritt bedeute, aus Fehlern zu lernen, dann sei das keine schlechte Sache, sagte er, aber die Fehler müssten erst einmal erkannt und zugegeben werden. Daraufhin meldete Manne sich und sagte, in der Theorie klinge das ja ganz gut, in der Praxis aber kenne er niemanden, der bereit sei, irgendwelche Fehler zuzugeben. Er dachte dabei an Papa Reiser und seine Nebengötter, an den Seeler und so manchen von Wissarionowitschs Kollegen.

Seeler hätte auf diese Feststellung mit einer langen, weitschweifigen, der eigentlichen Frage ausweichenden Tirade geantwortet, Wissarionowitsch sagte nur: »Tja, da haben Sie leider Recht. Und weil das so ist, tun wir uns so schwer mit unseren Ideen. Was aber nicht heißen muss, dass unsere Ideen falsch sind.«

Wieder ein anderes Mal, während eines sehr lebhaften Streitgesprächs, sagte Manne ironisch, er verstehe so viel Dialektik nicht, er sei ja nur ein kleinbürgerliches Individuum. Da wurde Wissarionowitsch zornig. »Nicht, wo einer herkommt, ist wichtig«, wies er ihn zurecht, »sondern, wo er hin will. Lassen Sie sich das von niemandem ausreden.«

Wissarionowitsch war ein Lehrer, wie ihn sich der liebe Gott – an den der Kommunist und Atheist Bachner natürlich nicht glaubte – bei der Erschaffung der Welt erträumt haben mochte, und damit eine Ausnahmeerscheinung. Manne Lenz hatte das Glück, Jahre später noch einmal von ihm unterrichtet zu werden.

Der Berufswunsch!

»Irgendwas mit Büchern. Vielleicht Buchhändler. Oder Bibliothekar.«

»Wird zurzeit nicht benötigt. Wir brauchen Maurer, Dreher, Mechaniker.«

Maurer war der Vater schon. Das musste sich ja nicht vererben. Und Dreher? Den ganzen Tag an der Maschine stehen, Werkstück einspannen, Werkstück ausspannen? Dann schon lieber Mechaniker.

»Also gut!« Der Glatzkopf von der Berufslenkung machte ein

Gesicht, als habe er soeben eingewilligt, Manne Lenz zu heiraten. »Funk- und Fernsehmechaniker. Beim Deutschen Fernsehfunk in Adlershof. Eine sehr schöne Sache! Aber natürlich nur, wenn se dich nehmen und auch behalten.«

Wie wurde er auf der Insel beneidet! Fernsehen, das war die Zukunft! Und was er in diesem Job so nebenbei noch alles verdienen konnte! Die Fernsehfritzen machten doch alle ihre schnelle Mark.

Manne blieb skeptisch. Er war kein Herrmann Holms, der sich in alles, was elektrisch war, hineinverkriechen konnte wie in einen süßen Brei; war überhaupt kein Fummlertyp. Doch was blieb ihm anderes übrig? Er musste nehmen, was man ihm anbot. Und so stellte er sich in Adlershof vor, bestand die Aufnahmeprüfung und zuckelte danach ein halbes Jahr lang jeden Morgen mit der S-Bahn zur Lehrwerkstatt nach Königs Wusterhausen hinaus. Und jedes Mal, kurz bevor die Bahn ihre Endstation erreicht hatte und hohe Sendemasten ihn grüßten, verließ ihn der Mut. Schon da?

Die Sendemasten gehörten zum Deutschlandsender und unterhalb der Masten lag sie, die Ausbildungswerkstatt des Deutschen Fernsehfunks. Dort wurde gesägt und gefeilt – »Säge, Feile, Schwanz benutzt der brave Mann stets ganz!« –, gelötet und gelötet und – für Manne Höhepunkt aller Schikanen – schon nach vier Monaten der erste Kabelbaum gebunden.

Gab er sich Mühe? Ja! Aber nur die erste Zeit. Beim Hammerfeilen! War zwar auch idiotisch, aber da konnte er seine Wut wenigstens in Körperkraft umsetzen. Als dann alle anderen sich freuten, dass der grobe Teil der Ausbildung endlich hinter ihnen lag und es an die etwas diffizileren Arbeiten ging, verlor er die letzte Lust. Er war kein Mechaniker und niemals wollte er einer werden. Wozu drei Lehrjahre vergeuden? Er sagte das seinen

Ausbildern, und sie erklärten sich einverstanden damit, dass er die Lehre beendete. Seeler hingegen war entsetzt. »Menschenskind! Einfach hinschmeißen! Man lernt doch erst mal aus. Was man hat, das hat man. Und ein Beruf ist doch schließlich ein Beruf!« Auch Corinna, zu jener Zeit noch mit ihm zusammen, war enttäuscht. »Das wirste später mal bereuen. Mit einem Lehrabschluss in der Tasche ist man doch wenigstens wer.«

Er hatte es besser gewusst und nie bereut. Ein Beruf, zu dem man nicht berufen ist, kann nur eine Qual, vielleicht sogar ein Verbrechen an sich selbst sein. Was nützen dir die leckersten Speisen auf dem Teller, wenn dir von ihrem Genuss regelmäßig schlecht wird? Bist du wer, nur weil du irgendeinen erlernten Beruf hast?

Seeler wollte ihn trotzdem nicht fallen lassen und versuchte, ihn beim Staatlichen Rundfunkkomitee unterzubringen. Als Presseauswerter. Irgendwer hatte ihm von dieser Ausbildungsmöglichkeit erzählt und der Lenz las doch so gern; vielleicht war das ja was für ihn.

Manne fand, dass sich das gut anhörte, den ganzen Tag nur Zeitung lesen und wichtige Artikel ausschneiden. Hatte er sich nicht schon in Mutters Kneipe regelmäßig die Zeitung geschnappt? Vielleicht war das ja tatsächlich der Beruf der Berufe für ihn. So fuhr Seeler mit ihm nach Schöneweide, er stellte sich vor – und wurde abgelehnt. Und auf der Rückfahrt warf Seeler ihm Dummheit vor. Wie hatte er nur in seinen Westklamotten dort antanzen können! Im Staatlichen Rundfunkkomitee! Seine Jeans, die blaue *Porsche*-Jacke; da hätten die doch gleich gesehen, wes Geistes Kind er war.

Manne war nicht weniger empört. Weshalb hatte der Seeler ihm denn nicht gesagt, dass er sich zu maskieren hatte? Und was hätte er denn schon groß davon gehabt, sich in dieses »Komitee«

zu mogeln? Irgendwann hätten die ja doch gemerkt, wer er wirklich war. Wer ihn nicht in der Originalverpackung wollte, bekam ihn eben gar nicht. Punkt!

Er fing dann im VEB OLW an, in der Omnibus- und Lastkraftwagenreparaturwerkstatt, eine Firma, dicht an der Grenze nach WestBerlin, in der bereits vier Fünftel der Insulaner arbeiteten: Manne Lenz, der Hilfsexpedient; Manne Lenz, Richard Dieks rechte Hand. Und siehe da, er fühlte sich in den riesigen, nach Benzin und Öl stinkenden Reparaturhallen nahe dem Treptower Flutgraben nicht unwohl. Zwar verlangte seine Expedienten-Tätigkeit mehr körperlichen als geistigen Einsatz, doch wollte er hier ja nicht sein Leben verbringen.

LKWs mit ausgebauten Motoren und Getrieben, Kühlern, Batterien, Anhängerkupplungen und defekten Kleinteilen kamen auf den Hof gefahren, er und Pius – Richard Dieks unzuverlässige linke Hand – luden alles ab, hängten an jedes Teil eine Reparaturmarke und transportierten den ganzen Klumpatsch in die Waschanlage. Irgendwann kamen die Teile dann sauber gewaschen und repariert zurück und wurden zum Abtransport verladen. Während der Arbeit konnte man sich was erzählen, flachsen oder Witze reißen oder den Damen vom Büro nachpfeifen. »He, Olga, deine Strumpfnaht sitzt schief. Soll ich sie dir mal grade rücken?«

Hier bekam er mal andere Luft zu atmen und er lernte neue Leute kennen. Das gefiel ihm, und so dauerte es nicht lange und er war so etwas wie der Zauberlehrling der Expedition, fuhrwerkte überall herum, wusste über alles Bescheid und ließ sich von Richard Diek – dem Kopf des Ganzen – dafür loben.

War mal eine Flaute, verdrückte er sich in einen der zur Reparatur bereitstehenden Doppelstockbusse, Oberdeck, und rauchte zwei oder drei. Wer ihm dabei Gesellschaft leistete? Ete Kern, der hier seine Lehre machte. Der Länge nach in die Sitzbänke geflätzt, führten sie ihre nächtlichen Diskussionen fort. Doch hatte Manne seine Ansprüche in letzter Zeit etwas heruntergeschraubt. Wenn man seine Talente nicht in einen Beruf einbringen konnte, welche Chancen boten sich einem dann? Hatte er deshalb zwei Jahre Schule angehängt, um hier den Hilfsexpedienten zu spielen? Und noch viel schlimmer: Wenn er sich in dieser Rolle nicht mal unwohl fühlte, bedeutete das nicht, dass all seine hochtrabenden Pläne nur Spinnereien waren?

Dass Manne sich in Dieks Expedition nicht unwohl fühlte, lag zum größten Teil an Richard Diek selbst. Der sehr kleine, sich stets korrekt gebende Sechzigjährige mit dem strengem Mittelscheitel im grauen Haar, der als junger Mann an der rechten Hand zwei Finger verloren hatte, mit dieser Hand aber sehr geschickt umgehen konnte und das jedem beweisen wollte, war noch einer vom »alten Schlag«; immer pünktlich, immer zuverlässig, immer korrekt. In seinem Büro hing ein Spruch an der Wand:

Arbeit und Fleiß, das sind die Flügel.
Sie führen über Berg und Hügel.

Manne klebte mal einen neuen Text drüber:

Arbeit und Fleiß, das sind die Hügel.
Kommste nicht rüber, setzt es Prügel.

Richard allerdings – er durfte ihn schon bald beim Vornamen nennen – hatte darüber nicht lachen können. Er hatte nur traurig gekuckt und gesagt: »Wenn das in fünf Minuten nicht weg ist, brauchste nicht mehr wiederzukommen.«

Seit dreißig Jahren, seit Richard Diek Leiter der Expedition war, lebten er und seine Frau Lilo in einer Werkswohnung gleich über den Reparaturhallen. Kinder hatten sie keine, obwohl sie sich, laut Richard, immer welche gewünscht hatten. Mit einem Tandem hatten sie weite Fahrten durch Deutschland und die Nachbarländer gemacht, um sich über diese Lebensenttäuschung hinwegzutrösten. Anfangs hatte Manne sich das ältliche, kleine Ehepaar schlecht auf einem Tandem vorstellen können, eines Tages aber brachte Richard ein verblichenes Schwarzweißfoto mit: Da standen Little Richard und Little Lilo neben ihrem riesigen Gefährt am Rhein, im Hintergrund der Loreley-Felsen, und strahlten stolz gegen die Sonne an.

Noch lieber als von diesen Fahrten erzählte Richard von Südamerika. Als junger, noch zehnfingriger Techniker hatte er dorthin auswandern wollen, nachdem er im Auftrag der Firma, für die er damals arbeitete, in Argentinien gewesen war. Ein Foto zeigte ihn mitten in der Pampa: Da saß der noch ganz junge Richard hoch droben auf einem riesigen Pferd und lächelte wie ein Kind, das zum ersten Mal Pony reiten durfte. Ein ganz anderer Richard war das; ein Richard, der außer Arbeit und Fleiß noch andere Flügel kannte; nur der Poposcheitel war schon derselbe.

»Warum biste denn nicht gleich dageblieben?«

Achselzucken. »Wollte noch mal zurück, um mich von meinen Eltern zu verabschieden – tja, und da hab ich dann meine Lilo kennen gelernt ...«

Eine Geschichte, die Manne erschütterte. Was für eine märchenhafte Weggabelung: Gehst du nach links, wirst du dein Leben lang die sonnige Weite Südamerikas genießen; gehst du nach rechts, wirst du nach einem Unfall zwei Finger verlieren, bis zur Rente in einer kleinen, verstaubten Expedition hocken und einen furchtbaren Zweiten Weltkrieg miterleben – und hast noch Glück, dass du der fehlenden zwei Finger wegen nicht Soldat werden musst!

Politisch setzte Richard auf Neutralität. »Im Westen ist's nicht besser und nicht schlechter«, sagte er immer, »nur bunter.« Und: »Im Kapitalismus verliert der Mensch alles Rückenmark.« Den Sozialismus setzte er gleich mit Schlamperei. »Später kommen, Pause überziehen, früher gehen, das ist sozialistische Arbeitsmoral. Im Kapitalismus würde man so was feuern.«

Fragte Manne ihn, ob er dieses Feuern denn gut fand, druckste er herum: »Eigentlich nicht!«

»Und uneigentlich?«

»Uneigentlich doch!«

Sie führten diese Gespräche stets abends, kurz vor Feierabend, wenn alle Arbeit getan war und sie sich in Richards Büro gegenübersaßen, der kleine Richard an seinem großen, der große Manne an seinem kleinen Schreibtisch.

»Und verliert man im Sozialismus denn kein Rückenmark?«

»Ja, aber doch nur, wenn man will! Wer keine Karriere machen will, braucht sich auch nicht zu krümmen.«

War Richard, der doch ganz sicher mehr konnte als eine kleine Expedition leiten, deshalb dreißig Jahre lang in dieser kleinen Miefbude stecken geblieben? Weil er sich nicht krümmen wollte? Nicht im Kapitalismus, nicht im Nationalsozialismus, nicht im DDR-Sozialismus? An den fehlenden zwei Fingern konnte es nicht gelegen haben.

»Und wer siegt eines Tages? Der Kapitalismus – oder der Sozialismus?«

»Der Sozialismus.«

»Trotz der Schlamperei?«

»Der Sozialismus *muss* siegen. Sogar die Neger in Afrika begreifen den. Und warum? Weil er gut für sie ist. Nazis hätten die nie werden können. Eben weil se Neger sind. Das Gleiche gilt für alle anderen Menschen, denen es bisher nur schlecht ging. Sie sind in der Mehrheit, sie werden durchsetzen, was gut für sie ist.«

Er war überzeugt von seiner Weitsicht, der Richard Diek. »Die Sozialisten können so viele Fehler machen, wie sie wollen, auf Dauer hat der Kapitalismus, wenn er sich nicht gewaltig ändert, keine Chance.« Sagte es und zählte an seinen acht Fingern auf, wie viele Länder seit seiner Jugend schon sozialistisch geworden waren. Seine beiden Hände reichten dafür nicht aus, und er fühlte sich bestätigt: »Das geht so weiter. Kannste Gift drauf nehmen.«

Es war eine Sensation, als Richard eines Tages nicht zur Arbeit kam. Einer, der im Werk wohnte, einer, der dreißig Jahre lang, abgesehen von seinen Urlaubsreisen, keinen einzigen Tag gefehlt hatte, einer, der es ablehnte, jemals krank zu werden – was konnte der für einen Grund haben zu fehlen? Gegen Mittag eilte die Nachricht dann durch alle Hallen: Richards Frau war gestorben. Niemand, der nicht bestürzt war; die kleine, immer freundliche Lilo Diek hatten alle gekannt und alle gemocht. Auch Manne, der Richard an diesem Tag vertrat, erschrak und rechnete damit, mindestens drei, vier Tage, wenn nicht sogar eine ganze Woche lang Richards Bücher führen zu müssen. Diek jedoch war schon am nächsten Tag wieder da und kuckte alle mit rot umränderten Augen an, als nehme er ihnen übel, dass sie noch lebten und seine Lilo ihn verlassen hatte. Erst viele Wochen später konnte er über den Tod seiner Frau reden. »Sie ist einfach nicht mehr aufgewacht, eingeschlafen und nicht mehr aufgewacht ...«

Auch Pius, Mannes Vorgänger als rechte Hand Richard Dieks, der wegen seiner vielen »sozialistischen« Fehlzeiten von Richard zum dritten Mann in der Expedition degradiert worden war und später als Kohlenschipper in der Heizung eingesetzt wurde, sorgte dafür, dass es in der Expedition nie langweilig wurde. Der lange, hellblonde Einundzwanzigjährige mit dem Pfiffikusgesicht, der mit wirklichem Namen Burkhard Pabst hieß, war in allen Hallen, allen Büroetagen und in sämtlichen Treptower Kneipen und Tanzlokalen bekannt; ein bunter Hund, der zu allen freundlich war und dennoch auf eine gewisse, unbeabsichtigte Weise immer quer lag. Oft kam er nicht zur Arbeit, weil er im Westen Blut spenden oder Kohlen schippen war – beides für harte Westmark. Tanzte er dann am nächsten Tag an und entschuldigte sich mit irgendeiner Krankheit, grinste er dabei so heftig, dass jeder wusste, Pius hielt Lügen für blöd. Wer rechnen konnte, musste ihn doch verstehen.

Bei Pius konnte man sich nur auf seine Unzuverlässigkeit verlassen. Das sagte er selbst und darauf war er nicht wenig stolz. Warf Manne ihm vor, dass er seinetwegen die doppelte Arbeit leisten musste, verstand er ihn nicht. »Na und? Dann machst eben morgen du blau und ick schinder für dich mit.«

»Und wenn du morgen auch nicht kommst, steht Richard allein da.«

Ein Grinsen: »Dann wird eben woanders einer für ihn abgezogen.«

Brauchte Pius mal ein bisschen mehr Zeit für sich, klopfte er sich mit einem Löffel eine Stunde lang auf den Unterarm, bis eine prächtige Beule entstanden war, er eine Sehnenscheidenentzündung simulieren und sich für mindestens eine Woche krankschreiben lassen konnte. Nach Richard Diek: Sozialismus pur.

Das letzte Jahr auf der Insel – ein langer, unschöner Abschied. Er hatte sich verändert, der Manfred Lenz, war sich oft selbst nicht mehr sympathisch; spielte den Abgeklärten, den nichts mehr erschüttern konnte, stilisierte sich zum Lonesome Rider und trug nur noch Schwarz: schwarze Kordhosen, schwarzes Hemd, schwarzes Sakko.

Das letzte Heimfest, das er mit organisierte, wurde zur großen Manne-Lenz-Show: Manne in der Rolle des amerikanischen Reporters beim Rock-'n'-Roll-Festival in der Carnegie Hall, Manne in einem, von ihm selbst geschriebenen Kartenhai-Sketch, in dem er als ewiger Verlierer alle Lacher für sich hatte, Hanne Gottlieb und er mit dem satirisch umgetexteten Song *Ich tanze mit dir in den Himmel hinein*: »Ich möchte so gern mal Rockefeller sein.« Manne mit Hut und Mantel, Manne im Hawaiihemd, Manne mit der bunten Fliege.

Teil der Show war eine Quizveranstaltung. Wer gewann die warmen Socken? Manne Lenz. Alle Mädchen klatschten, die feuerrote Monika aber sagte böse: »Der müsste mal so richtig auf die Fresse fliegen.« Er vergaß es nicht. Diese Monika war erst seit kurzem in Oberspree, kannte ihn gar nicht – wieso wünschte sie ihm das? Glaubte sie etwa, dass er noch nie auf die Fresse gefallen war? Spielte er seine Rolle so gut?

Er ahnte, dass viele Jungen im Heim inzwischen nicht sehr viel anders dachten: Heimratsvorsitzender, Nachhilfelehrer, Bibliothekar, Dichter, Wandzeitungsredakteur – es war zu viel, was er machte. Und das Schlimmste daran war: Er tat das alles ja nur noch sehr lustlos, sehnte sich weg aus dem Heim, träumte von irgendetwas anderem, wusste nur nicht, worauf er hoffen durfte.

Hanne Gottlieb war inzwischen auf dem Weg zum Existenzialisten, nannte sich selbst einen »Exi« und zitierte ständig Albert Camus, der gesagt haben sollte, es komme nur darauf an, jeden Tag keinen Selbstmord zu begehen. Hanne: »*Das* ist es! Nur daran glaube ich noch, an nichts anderes.« Weitere neue Sprüche von ihm lauteten: »Der Mensch ist nichts anderes als das, wozu er sich macht« und »Wir wollen die Freiheit um der Freiheit willen«. Ein paar Monate lang ließ Manne sich beeindrucken, dann erschien ihm der ganze Existenzialistenkram als heiße Luft. Er brauchte was anderes. Aber was?

Seeler beobachtete ihn und konnte mit seiner Entwicklung nicht zufrieden sein. Er suchte einen Schuldigen – und fand ihn. In Ete Kern! Seit er Ete auf ihre gemeinsamen Bitten hin ins Heim geholt hatte, war Seeler immer mehr zu der Überzeugung gelangt, damit einen Fehler begangen zu haben. Die enge Freundschaft der beiden, so sein Verdacht, verhindere ihr Einfügen in die Gemeinschaft. Erst hatte Ete das Zweierzimmer räumen müssen, damit der Westflüchtling Erwin Pietras dort einziehen konnte, nach einem weiteren Jahr entschied Seeler: »Einer von euch beiden muss gehen. Ihr beeinflusst euch gegenseitig zum Negativen.« Und er verfügte, dass Erich Kern zu gehen hatte, da Manfred Lenz seiner Meinung nach derjenige sei, um den es sich mehr zu kämpfen lohne.

Eine Klassifizierung, die Manne wütend machte und gegen die er ankämpfte. Wurde denn nicht immer wieder gesagt, dass alle Menschen gleich seien? Wie konnte der Seeler da so eine Bewertung vornehmen? Die Guten ins Töpfchen, die Schlechten ins Kröpfchen, was? Unzählige Male diskutierte er mit Seeler, gab Versprechungen ab und drohte mit dem völligen Untergang seinerseits, falls Etes Rausschmiss nicht rückgängig gemacht würde. Sogar die Möglichkeit einer Flucht in den Westen ließ er durchblicken.

Seeler horchte auf, nahm ihm diese Drohung aber aus irgendeinem Grund nicht ab. So zog Ete eines Tages mal wieder um, nach Pankow, ins nächste Heim, ans andere Ende der Stadt, und Manne zeigte Seeler fortan seine ganze Verachtung. Er warf alles hin – Bibliothek, Nachhilfeunterricht, Heimrat, Wandzeitung –, fühlte sich nur noch als Gast auf der Insel, kam und ging, wann er wollte, zählte die Tage bis zu seiner Volljährigkeit.

Kurz vor seinem achtzehnten Geburtstag schlief er dann zum ersten Mal mit einem Mädchen. Eddies Cousine. Keine Liebe; sie gefiel ihm nicht mal besonders. Es gehörte nur irgendwie mit hinein in diese Zeit, musste einfach sein mit fast achtzehn. Danach hatte er furchtbare Angst, diese Evi könnte schwanger von ihm sein. An dem Tag, an dem er erfuhr, dass sie nicht schwanger war, wäre er vor Glück am liebsten von der Abteibrücke gesprungen.

Den Geburtstag feierte er dann so heftig, als hätte er im Lotto gewonnen – und provozierte damit seinen Rausschmiss, obwohl Seeler Robert doch zugesichert hatte, dass er bis zu dessen Heimkehr aus Korea im Heim bleiben durfte.

In Alberts, des ehemaligen Meisterboxers Kneipe in Oberspree hatte Manne sie ausgehalten, die Jungen von der Insel und die Mädchen aus dem Mädchenwohnheim, die mit ihm feiern wollten, hatte getrunken und getanzt und angegeben wie ein Wald voller Affen, bis es plötzlich über ihn kam und das Unglück seinen Lauf nahm. Heimlich hatte er gezahlt und war einfach abgehauen von seiner Fete, war in die S-Bahn gestiegen und, weil er so berauscht war, auf seiner warmen, gemütlichen Holzbank eingeschlafen und erst in Bernau wieder aufgewacht. Weit außerhalb der Stadt. Und die letzte S-Bahn in Richtung Innenstadt war auch schon weg. Wütend auf sich selbst, aber nun wieder völlig klar im Kopf, wollte er auf dem kalten, zugigen, finsteren Bahnsteig warten, bis er mit der ersten Bahn zurückfahren konnte. Doch der Bahnhof wurde über Nacht geschlossen, und die Bahnpolizisten, die da ihre Runde drehten, befahlen ihm, den Bahnsteig zu verlassen. Das aber durfte er nicht, weil Albert ihm, als er die Rechnung bezahlte, nur das Geld für die eine

Fahrkarte gelassen hatte. Und wie sollte er denn am Morgen ohne gültige Fahrkarte am Kontrollhäuschen vorbeikommen?

In seiner Verzweiflung tat er, als wollte er den Bahnsteig verlassen, wartete aber nur darauf, dass die beiden Polizisten ihren Inspektionsgang fortsetzten, und versteckte sich hinter dem Stationsvorsteherhäuschen. Die beiden mussten so etwas schon geahnt haben, ein nicht sehr lustiges Versteckspiel begann, bis sie ihn endlich gefunden hatten und an den Armen vom Bahnsteig führten. Er verbrachte die Nacht in der Wartehalle und musste am frühen Morgen vor dem Fahrkartenschalter Bitte-Bitte machen. Zu seiner großen Erleichterung jedoch war die noch morgenmüde Frau hinter dem Schalter sehr nett und schenkte ihm die fünfzig Pfennig für die Heimfahrt.

Wie hatte er sich über diese Frau gefreut, die ganze Heimfahrt lang! Auf der Insel aber war die Hölle los. Seeler hatte ihn schon im Westen gesehen, tobte und schrie und nannte ihn ein schlechtes Beispiel für die anderen und einen Hochstapler, der der Welt etwas vorspiele, was er gar nicht sei. Und als er sich ein wenig beruhigt hatte, empfahl er ihm, sich eine Wohnung zu suchen. Er sei ja nun achtzehn, und er, Werner Seeler, hätte es nicht nötig, sich länger mit ihm rumzuärgern. Sollte er doch vor die Hunde gehen, wenn er unbedingt wollte.

Das war's, damit hatte er bekommen, was er unbewusst wollte. Er fühlte sich von Seelers Worten nicht im Mindesten beleidigt, sondern fuhr schon am nächsten Tag zum Prenzlauer Berg, um sich von dem für ihn zuständigen Wohnungsamt eine Bleibe zuweisen zu lassen. Und in seiner letzten Nacht im Heim, mal wieder angetrunken, so feucht hatten sie Abschied gefeiert, stellte er sich im ersten Stock ans Fenster und pinkelte im hohen Bogen in den Hof hinunter. Auf die Blumenbeete und den Kiesweg. Wie um alles aus sich herauszuschiffen.

15. Die halbe Stadt

Heiligabend 1961. Zurück im Prenzlauer Berg, Dunckerstraße 12, dritter Hinterhof, Parterre rechts. Stück Pappe an der Tür: Manfred Lenz. Hinter der Tür Zimmer und Küche, das Klo im Treppenhaus, die Spülung zugefroren. Ein Schicksal, das in diesem kalten Winter auch die Wasserleitung immer wieder mal erfuhr. Brauchte Lenz Wasser, klingelte er mit einem Eimer in der Hand im Vorderhaus. Dort funktionierte die Wasserleitung noch. Stand der Eimer eine Nacht in seiner Küche, musste er die Eisklumpen mit dem Schraubenzieher herauspicken, in eine Kasserolle legen und auf dem Gasherd auftauen. Ein Eskimoleben!

In der Stube fütterte er den Ofen, bis er bullerte, einen Meter vom Ofen entfernt war alles eiskalt. Es stand auch nicht viel drin in dem mittelgroßen Raum, den er sich mit einer blassen Blumentapete und vielen mit Reißzwecken an die Wände gehefteten Theaterfotos verschönt hatte, nur ein alter Schrank mit Vitrine – für Bücher –, eine schon sehr gebrauchte Couch, ein Couchtisch, kein Stuhl.

Den Schrank hatte er sich liefern lassen, die Couch auf Anzeige hin gekauft und mit Eddie quer durch die Stadt getragen. Wenn sie nicht mehr konnten, hatten sie sich zur Belustigung der Passanten mitten auf dem Bürgersteig auf die Couch gesetzt und erst mal eine geraucht. Die erste Nacht hatte er dann auf der blanken Couch geschlafen, ohne Bettzeug, in Kleidern, allein mit dem Mantel zugedeckt. Zuvor aber war er spazieren gewesen, bis weit nach Mitternacht. Die ganze Prenzlauer Allee war er hochgewandert, bis hin zum Alexanderplatz und wieder zurück; so wie er auch jetzt noch jeden Abend lange durch die Straßen lief.

Es war alles wieder wie in jenen Tagen nach Mutters Tod, er musste sich selbst am Kragen packen, um nicht Schiss vor dem eigenen Mut zu bekommen. Und das konnte er noch immer am besten, wenn er lief.

Weil seine Wohnung nur wenige hundert Meter vom ehemaligen *Ersten Ehestandsschoppen* entfernt lag – ein *Schuh-Express* war in die Räume eingezogen –, wanderte er oft durch sehr vertraute Straßen. An erleuchteten Schaufenstern und spärlichen Lichtreklamen vorüber oder an der im Mondlicht schwarz glitzernden Spree entlang. Betrat er eine der umliegenden Kneipen, stieß er nicht selten auf bekannte Gesichter. Nur Mutters Stammtischler, die fand er nicht mehr; von einigen hieß es, sie seien gestorben, von anderen, sie seien fortgezogen.

Es trieb ihn aber auch durch Stadtteile, die er nicht so gut kannte. Die Stadt war groß, es gab viel abzulatschen für einen, der nicht stillsitzen konnte. Und dabei stand ihm doch nur noch die halbe Stadt zur Verfügung – vier Monate zuvor war die Mauer gebaut worden. In den Wedding, nach Kreuzberg und Charlottenburg kam er nicht mehr. Nur der Rundfunk verband ihn noch mit der anderen Hälfte der Stadt; der West-Rundfunk, der immer wieder darüber informierte, wie die Abschottung der einen Stadthälfte von der anderen vor sich gegangen war und wie die Lage sich jetzt darstellte.

Am 13. August morgens gegen ein Uhr hatten Volkspolizisten, Kampfgruppenmänner und Volksarmisten damit begonnen, die Grenze abzuriegeln. Alle Haupt- und Nebenstraßen, die von Ost nach West führten, waren gesperrt, alle Grenzbahnhöfe geschlossen und die entsprechenden U- und S-Bahn-Linien unterbrochen worden. Ein radikaler Schnitt mitten durch eine lebendige Stadt; eine »erfolgreiche Operation«, von der noch immer niemand wusste, wie sie am Ende ausgehen würde.

Kamen keine Nachrichten, wurde öfter ein mit russischem Akzent gesungener Schlager gespielt; er begann mit der Frage: »Meint ihr, die Russen wollen Krieg?« Natürlich lautete die Antwort: Nein. Dennoch hätte es Krieg geben können in den ersten Wochen nach dem 13. August. Immer wieder Drohungen der einen Seite gegen die andere, immer wieder der Hinweis auf die Stärke des eigenen Militärs. Und im Oktober hatten sie sich dann am Checkpoint Charlie gegenübergestanden, je zehn amerikanische und zehn russische Panzer. Sechzehn Stunden lang hatten sie die Rohre aufeinander gerichtet, geladen mit scharfer Munition. Die Welt hielt den Atem an. Eine Floskel, aber sie traf zu. Ein Dritter Weltkrieg wurde befürchtet, ein Atomkrieg sogar, ein Krieg, der alles vernichten konnte; ein weltweites Hiroshima.

Die Amerikaner aber blieben auf ihrer Seite der Grenze; nur WestBerlin wollten sie verteidigen, OstBerlin gehörte nicht zu ihrem Hoheitsbereich. Und es war gut, dass sie nicht die Befreier spielten wollten; alles war gut, was einen Dritten Weltkrieg verhinderte.

An jenem Sonntag, den 13., an dem es passierte, war Lenz nicht in der Stadt gewesen. Es war Ferienzeit, die Jungen von der Insel zelteten am Greifswalder Bodden. Tagsüber lagen sie in ihren Sandburgen oder tummelten sich in der Ostsee, abends gingen sie tanzen. Sie lernten Mädchen kennen und erlebten Liebschaften, alles, wie es sich gehörte. Hanne Gottlieb war es dann, der ihnen die Ferienstimmung verdarb, als er an jenem sonnenstrahlenden Sonntagvormittag an seinem kleinen Transistorradio drehte und plötzlich wie von der Tarantel gestochen hochfuhr:

»Diese Misthunde! Sie haben die Grenze abgeriegelt. Jetzt kann ich meinen Vater nicht mehr besuchen.«

Sie lagen in ihrer Sandburg, blinzelten in die grelle Sonne und wussten überhaupt nicht, worum es ging. Und als Hanne ihnen alles erklärt hatte, rissen sie nur blöde Witze: Eine Stadt war keine Torte, die konnte man doch nicht einfach in der Mitte durchteilen. Und meinte Hanne denn wirklich, sein Vater würde ihn irgendwann nach Amerika holen? Der hatte dort doch längst drei neue Kinder fabriziert.

Eine Woche später standen sie an der Schlesischen Brücke, beobachteten die Mannschaftswagen der »bewaffneten Organe« – Volksarmisten und die in Blaumänner gekleideten, meist schon recht dickbäuchigen Kampfgruppler mit ihren Kalaschnikows auf den Rücken, die immer neuen Stacheldraht ausrollten – und spotteten weiter: Dieser mickrige Zaun sollte 'ne »Mauer« sein? Damit sollten Kriegstreiber aufgehalten werden? Ein einziger amerikanischer Panzer und der ganze antifaschistische Schutzwall war platt wie 'ne Flunder.

Nein, noch hatten sie keine Angst! So blöd konnte doch niemand sein, einen Krieg zu beginnen, nur weil die OstBerliner nicht mehr in den Westen und die WestBerliner nicht mehr in den Osten durften.

Allein Ete Kern hatte Bedenken.

»Die haben schon wegen 'ner ganz anderen Kacke 'n Krieg begonnen.«

»Aber da gab's noch keine Atombomben.«

Ein Atomkrieg war unvorstellbar. Den konnte keiner gewinnen, der würde den Untergang der Welt bedeuten, also würde es ihn nicht geben. Und ein Krieg der Supermächte würde doch in jedem Fall ein Atomkrieg werden, oder etwa nicht? Doch dann krochen sie immer öfter in ihre Koffer- und Transistorradios und bekamen mit, wie in Ost und West gegeneinander polemisiert und gehetzt wurde, und wurden immer unsicherer. Was, wenn es nun doch bald losging? War dann alles zu Ende? Gute Nacht, Marie, außer Spesen nichts gewesen?

Kein Tag, an dem es sie nicht zur Schlesischen Brücke oder zu anderen Grenzübergängen zog. Sie beobachteten, wie die Stacheldrahtverhaue mit Betonpfeilern abgestützt wurden, wie Spanische Reiter aufgestellt und Betonschwellen ausgelegt wurden und erörterten immer wieder dieselbe Frage: Wann sie wohl, wenn es keinen Krieg gab, in ihre zweite Heimat, die Kinos und Läden rund ums Schlesische Tor, zurückdurften. Noch vor Weihnachten, in einem Jahr, in zwei Jahren?

Sie spürten, dass sie Geschichte miterlebten, und fanden die Aufregung um sie herum trotz aller Besorgnis auch irgendwie spannend. Andererseits begriffen sie von Tag zu Tag deutlicher, gegen wen diese Mauer sich tatsächlich richtete und dass in der Hauptsache sie es waren, denen etwas genommen wurde. Ja, und dann kam für Manne Lenz zu dem allgemeinen Verlust bald noch ein sehr privater hinzu.

Es war während einer ihrer heimlichen Pausen im Oberdeck eines zur Reparatur bereitstehenden Doppelstockbusses, als Ete ihm verriet, dass er nicht länger bleiben wolle. Nur den Gesellenbrief würde er noch in Empfang nehmen, dann sei er weg, in den Westen hinüber. Ob er, Manne, sein bester Freund, nicht mitkommen wolle?

»Und wie willste rüberkommen?«, fragte er erst mal nur ganz überrascht. Es wurden ja inzwischen sogar schon die Einstiegsschächte ins Kanalisationssystem durch Polizeistreifen überwacht.

Ete grinste nur und deutete mit dem Kopf auf das Dach des Betriebsgebäudes, das direkt an den Flutgraben grenzte, der schon zu WestBerlin gehörte. »Ganz einfach, abends einschließen lassen, Seil um den Schornstein und ab in die Brühe!«

Auf ähnliche Weise waren schon viele abgehauen. Allein in der ersten Woche nach der Grenzabriegelung etwa zwanzig Leute, wurde gemunkelt. Sie waren aus den nur notdürftig mit Brettern vernagelten Fenstern in den Flutgraben hinuntergesprungen und die paar Meter in den Westen hinübergeschwommen. Manche sollten von drüben sogar noch gewinkt haben. Jetzt aber wurden diese Fenster zugemauert; sie konnten die Maurer von ihrem Bus aus beobachten. Sie pfiffen vor sich hin, die Männer in den hellen Arbeitsjacken, machten viele Zigarettenpausen und schienen auch sonst ganz vergnügt zu sein, obwohl sie doch von Grenzern bewacht wurden.

Manne: »Wenn sie die Fenster zumauern, werden sie auch alle Aufgänge zum Dach verschließen.«

Ete: »Na und? Solange sie die Regenrinnen nicht abreißen, kommen wir auf jeden Fall da hoch. Oder biste etwa nicht mehr in Übung?«

Der Freund rechnete damit, dass sie das Unternehmen zu zweit in Angriff nahmen; zwar hatte er gefragt, doch glaubte er zu wissen, welche Antwort er bekommen würde.

Manne zögerte. Ging er in den Westen, nahm er Partei gegen den Osten; blieb er, nahm er für nichts und niemanden Partei. Er gehörte ja hierher, war hier aufgewachsen. Und wie sollte er denn Partei für den Westen nehmen? Es hatte ihm nicht gefallen, wie die Zeitungen dort über die hohen Flüchtlingszahlen jubelten, damals, als die Grenze noch offen war; »Abstimmung mit den Füßen« hatten sie die Völkerwanderung von Ost nach West genannt … Richtig erschrocken war er, als sie in der Wochenschau die überfüllten Notaufnahmelager zeigten; zum Schluss waren ja jeden Tag fast zweitausend Leute abgehauen, mit Koffern und Kindern, mit all ihrem Können und ihrer Arbeitskraft. Darunter viele dringend benötigte Ärzte, Ingenieure und Wissenschaftler. Insgesamt sollten es nun schon drei Millionen sein, die auf diese Weise die Seiten gewechselt hatten.

»Komm doch mit!«, bat Ete, der nun langsam etwas ahnte. »Meine Schwester hilft uns weiter. Die ersten Tage können wir bei ihr auf dem Dachboden schlafen, später gehen wir dann nach Hamburg oder Düsseldorf. Da wollteste doch immer schon mal hin.«

Wie gern hätte Manne Etes Angebot angenommen! Ete hatte sich einen solchen Freundschaftsbeweis verdient, und würde er denn jemals wieder einen Freund wie Ete finden? Zu seiner eigenen Verwunderung jedoch schüttelte er den Kopf. Er wollte nicht weg, konnte es einfach nicht. Er fand da drüben vieles nicht sympathisch. Da gab es ja immer noch die alten Nazi-Richter – nicht einem einzigen von ihnen war nach dem Krieg der Prozess gemacht worden –, da gab es noch die alten Lehrer und jede Menge Politiker, die unter Hitler schon dabei waren. Es gab die Treffen der alten SS-Kameraden und die heimwehkranken Landsmannschaften der Sudetendeutschen und Schlesier, die sich nicht damit abfinden wollten, ihre Heimat verloren zu haben. So manches an dieser Bundesrepublik machte ihm Angst. Wozu also weggehen? In dem Staat, in dem er lebte, gefiel ihm vieles nicht – mit dem auf der anderen Seite ging's ihm nicht anders.

Er sagte das, obwohl er wusste, dass Ete ihn nicht verstehen würde. Für Ete war die Sache klar: Hier ließ man ihn nicht leben, wie er wollte, also ging er weg. Drüben war zwar auch nicht alles perfekt, aber dort hatte er wenigstens seine Freiheit, stand ihm die ganze Welt offen. Weshalb einer hier ausharren wollte, begriff er nicht.

Onkel Ziesche hatte mal gesagt, es gebe Probleme, über die

nur die nicht den Verstand verlieren, die keinen haben; in den Tagen nach diesem Gespräch mit Ete hatte Manne manchmal das Gefühl, seinen längst verloren zu haben. Ihn schmerzte, dass Ete wegwollte – gleichzeitig aber drückte er dem Freund die Daumen und bewunderte ihn: Wie ruhig und gelassen Ete die letzten beiden Wochen Lehrzeit absolvierte, während doch die Grenze zum Westen immer dichter ausgebaut wurde, sodass die geplante Flucht immer größere Risiken barg! Tag für Tag sahen sie gemeinsam nach, ob die Regenrinne noch da war. Würden die Grenzer, die das Gebäude bewachten, die einfach vergessen? Hatten sie sich nie an Regenrinnen in Mädchenzimmer hochgehangelt?

Am letzten Augusttag war es dann so weit: Ete bekam seinen Gesellenbrief. Nach der Feier trafen sie sich am Werktor und wanderten durch den sommerlich grünen Treptower Park, um bei *Zenner* im Garten ihr Abschiedsbier zu trinken. Sie wussten beide nicht, was für Gesichter sie machen sollten. Ete sagte nur, dass er am Abend seine wichtigsten Sachen zusammenpacken und sich tags darauf mit seinem Seil im Werk einschließen lassen wolle. Er habe sich schon einen Bus ausgekuckt; der Motor sei ausgebaut, die Motorhaube habe er so präpariert, dass er darunter verschwinden und sie von innen zuhaken könne. Kurz nach Mitternacht wollte er sein Glück versuchen.

Manne, mit traurigem Spott: »Haste eigentlich keine Angst, dass ich dich längst verraten haben könnte?«

Ete: »Nee.«

Sie kannten sich seit vier Jahren, zwei davon hatten sie in einem gemeinsamen Zimmer zugebracht; sie wussten mehr voneinander als die meisten Brüder.

Nachdenklich lächelten sie einander zu und schwiegen. Was hätten sie denn jetzt noch sagen sollen? Es gab nichts mehr zu bereden. Als sie sich dann trennten, gaben sie sich nur die Hand – »Mach's gut!« – und fragten sich wohl beide, ob sie sich jemals wiedersehen würden. Doch blickten sie sich dabei nicht an. Nahmen sie einer dem anderen übel, dass auf diese Weise ihre Freundschaft zu Ende ging?

Dass Etes Flucht gelungen war, erfuhr Manne von Seeler. Der Pankower Heimleiter hatte auf der Insel angerufen; er wusste ja, dass der Kern noch immer Kontakt zur Insel hatte. In Pankow vermutete man, dass auch auf der Insel Jungen verschwunden waren. Seeler aber konnte stolz berichten, dass er noch alle Küken im Nest hatte. Er war auch nicht sehr zornig über Etes Flucht, der Pädagoge Werner Seeler, hatte diese Tat ihm doch bewiesen, dass er auf das richtige Pferd gesetzt hatte, als er entschied, Manfred Lenz im Heim zu behalten und nicht Erich Kern. Er lobte sich für diese Weitsicht, und Manne bedauerte heftig, nicht doch mit Ete mitgegangen zu sein.

Natürlich wollte Seeler wissen, ob er denn nichts von dem Fluchtplan seines besten Freundes gewusst hatte. Mannes Antwort: Ete sei ein wirklicher Freund gewesen; wie hätte er ihn da zum Mitwisser machen dürfen?

»Dann weißt du also nicht, wie, wann und wo er unsere Republik verlassen hat?«

»Nein. Da gibt's tausend Wege.«

»So? Welche tausend kennst du denn?«

»Gar keinen. Aber es hauen doch jeden Tag welche ab. Also muss es viele Wege geben.«

Ein Genuss, dem Seeler diese Wahrheit unter die Knollennase zu reiben! Seeler, der sich, seit es die Mauer gab, für einen Sieger der Geschichte hielt; Seeler, der nicht zugeben wollte, aus welch traurigen Gründen dieser »Schutzwall« notwendig geworden war; ein paar Kratzer in seinem Lack konnten nicht schaden.

Ein prüfender Blick. »Dann hast du also auch vom Flutgraben noch nie etwas gehört?«

»Doch – natürlich! Da sind ja schon jede Menge abgehauen. Wird jedenfalls erzählt. Aber da gibt's wohl kein Rüberkommen mehr. Ist ja inzwischen alles zugemauert worden.«

Ärgerlich runzelte Seeler seine Polizeimajorsstirn. »Dann will ich dir mal sagen, wie er's gemacht hat, dein lieber Freund Erich. Er ist die Regenrinne hochgeklettert, hat ein Seil am Schornstein festgebunden und sich daran heruntergelassen. Und beinahe wäre er dabei in den Tod gestürzt – weil der Schornstein nämlich schon ein bisschen mürbe war. Und wäre das passiert, wäre jeder, der von der Sache wusste, mitschuldig geworden.«

Sagte es und starrte ihm ins Gesicht.

Manne hielt sie dennoch durch, diese Das-hat-doch-alles-nichts-mit-mir-zu-tun-Miene. »Seine Sache, wenn er solche Scheiße baut!«

Sie führten das Gespräch vor der Tür zum Heimleiterbüro, standen da und sahen sich an, und es kostete Manne viel Kraft, Seelers forschenden Blick auszuhalten. Doch dann kam der Heimleiter ihm plötzlich zu Hilfe, indem er die Tür öffnete und ihn vor seinen Schreibtisch schob. »Setz dich!« – Polizeitaktik: Wo Drohungen nicht halfen, brachte vielleicht Freundlichkeit den verstockten Angeklagten zum Reden. Er bot ihm eine Zigarette an, der große Kriminalist Seeler, und begann danach ganz lässig über falsche und echte Freundschaften zu referieren; ein sich die ganze Zigarettenlänge hinziehender Vortrag, der am Ende in die Frage mündete, ob er, Manfred Lenz, denn mitgegangen wäre, falls sein Freund Ete ihn gefragt hätte.

Diese Frage konnte er ehrlichen Herzens verneinen.

»Und warum nicht?«

Da musste er vorsichtig sein. Er wollte dem Seeler keine Freude bereiten. So zuckte er nur die Achseln und antwortete mit uninteressiertem Gesicht: »Was soll ich denn da?«

Eine Reaktion, die Seeler nicht zufrieden stellte, ihn aber auch nicht zusätzlich reizte, weshalb er es aufgab, weiter in ihn zu dringen.

Am Abend jedoch, auf der wegen Etes Flucht eilig anberaumten Heimversammlung, zog er erneut vom Leder: Im Westen gebe es doch tatsächlich Leute, die behaupteten, der antifaschistische Schutzwall sei gebaut worden, um die Menschen in der DDR einzusperren. Das sei ja nun die allerdummdreisteste Lüge. In Wahrheit, das wisse jeder, der seine Sinne noch einigermaßen beisammen habe, habe das Volk der DDR mit dieser Maßnahme gegen Menschenhändler, Speckjäger, Abwerber, Spione und Saboteure nichts anderes getan, als eine offene Wunde zu schließen, und damit einen drohenden Krieg verhindert. Die Truppen der Nato hätten ja schon bereitgestanden, um mit klingendem Spiel durchs Brandenburger Tor zu marschieren und sich die Errungenschaften des Volkes der DDR einzuverleiben. Nur die tatkräftige Entschlossenheit der Werktätigen der DDR habe das verhindert.

»Also: Letztendlich hat unser Staat nicht anders gehandelt, als jeder treusorgende Familienvater es tun würde, der seine Wohnungstür zu lange offen stehen gelassen hat. Nachdem die Diebe ihn und seine Familie mehrfach beraubt und bedroht haben, hat er beschlossen, die Tür von nun an abzuschließen.«

Er machte eine Pause, blickte einem nach dem anderen ins Gesicht und fuhr, noch immer ohne auf Ete zu sprechen zu kommen, in seiner Aufklärungsrede fort. Im Heim höre er öfter das Wort »Mauer«. Da würden einige also den Hetzjargon der Feinde übernehmen; ein Zeichen dafür, dass sie nicht ganz klar im Kopf seien. Man dürfe doch nicht übersehen, dass auf der anderen Seite die Faschisten stünden; schon allein deshalb sei nur die Bezeichnung »antifaschistischer Schutzwall« korrekt.

Alle warteten darauf, dass er endlich auf Ete zu sprechen kam; als es so weit war, schwoll ihm der Kopf an. Er geißelte »den Kern« als unzuverlässiges Subjekt, spießbürgerlichen Dummkopf und eiskalten Verräter. »Hab immer gewusst, wie er einzuschätzen war. So leicht macht mir keiner was vor. Andere aber sind auf ihn hereingefallen und ihm sogar noch im Verrat treu geblieben.«

Alle wussten, wer damit gemeint war. Blicke wurden gewechselt, der eine oder andere grinste Manne zu. Und Hanne Gottlieb stieß ihn an und flüsterte: »Bin auch bald weg. Kommste mit?«

Das war, in dieser Situation, so komisch, dass er laut lachen musste. Seeler bezog seine Heiterkeit auf sich, krauste Stirn und Nase und polterte noch heftiger los. »Wer solch einen Verrat an unseren Werktätigen auch noch lustig findet, hat offensichtlich ganz und gar nichts begriffen. Aber da soll sich niemand falsche Hoffnungen machen: Wir sind es, die siegen werden! Weil wir die Interessen des Volkes vertreten. Der antifaschistische Schutzwall, das war ja nur der erste Schritt. Schon bald werden sie noch dümmer aus ihrer *Persil*-gewaschenen Wäsche kucken, die Herren Revanchisten und Möchtegern-Eroberer.«

Es wurde langweilig, die Ersten blickten ungeduldig. Seeler bemerkte es und wechselte die Tonart. Leutselig verkündete er, dass die, die auf der richtigen Seite stünden, schon bald mitbekommen würden, dass es nun, »da uns der Kapitalist nicht mehr unsere besten Fachleute abwerben kann«, rasch aufwärts gehen werde. Und, nein, man werde zu keinerlei Strafmaßnahmen greifen, sondern großzügig sein und all den Grenzgängern und Währungsgewinnlern, »die nun bei uns anklopfen müssen«, Arbeit und Brot geben. »Sie werden schon noch einsehen, dass sie nur Verführte waren, Dummgehaltene, Hereingefallene. Und haben sie das endlich begriffen, werden wir ihnen nichts mehr vorwerfen. Sollen sie mithelfen beim Aufbau des Sozialismus, sollen sie dazugehören zur großen Schar derjenigen, die eines Tages von sich sagen dürfen, dem Fortschritt der Menschheit gedient zu haben.«

Wie seine Augen aufleuchteten, als er das sagte! Keine Frage: Der Seeler war überzeugt von dem, was er ihnen eintrichtern wollte. Aber empfand er denn gar keine Trauer über die vielen Weggegangenen? Weil sie ja nur Verräter waren, Dummköpfe? Gestern hast du noch mit ihnen gelacht, heute sind sie schon Feinde, Verbrecher; nicht schade drum? Manne sah Peter Lampe an, der in letzter Zeit sehr still geworden war. Weil er wiedergekommen war, war er kein Subjekt, Dummkopf, Verbrecher und Verräter mehr. Was, wenn Ete eines Tages beim Seeler vor der Tür stand? Würde auch ihm eine zweite Chance geboten? Würde der Seeler zugeben, sich in Ete geirrt zu haben?

Aber nein, Ete würde nicht wiederkommen; Ete war kein Peter Lampe; Ete wusste, was er wollte.

Tags darauf gab es auch im Werk eine Versammlung. Nicht wegen Ete Kern. Hätte die Werkleitung wegen jedem Republikflüchtling eine Versammlung abhalten wollen, wäre die letzten drei Wochen über niemand mehr zum Arbeiten gekommen. Es sollte eine große, kämpferische Auseinandersetzung mit dem Klassenfeind werden; Thema: *Wie wir alle gemeinsam zur Stärkung des Schutzes unserer Staatsgrenze beitragen können.* Auf der Bühne im Speisesaal stand ein mit rotem Fahnentuch geschmückter Tisch, auf dem Tisch ein Rednerpult, bedeckt mit einem blauen Fahnentuch. Hinter dem Tisch saßen die Genossen Funktionäre und Verantwortungsträger. In der Mitte, breit, wuchtig und glattgesichtig, Franz Natopil, seit Jahren Werkleiter, gerecht, geachtet und gefürchtet, links neben ihm, hager und wie immer mal misstrauisch, mal kumpelhaft in die Runde schauend, Edwin Koslowski, der Parteisekretär. Rechts von Natopil, dick und gemütlich, Willi Witeczek, der Kaderleiter, der stolz darauf war, den Namen jedes einzelnen Kollegen zu kennen, und der für alle nur der Willi sein wollte; außen links Matthias Brenner, FDJ-Sekretär, keine fünfundzwanzig Jahre alt, blass und mädchengesichtig, außen rechts Jochen Knolle von der Gewerkschaftsleitung, hager und trotzdem rundnasig, Typ ältlicher Junggeselle.

Alle fünf machten sie, dem Thema des Tages angemessen, ernste Gesichter, im Saal aber wurde geraucht, geflachst und gelacht, und der Zauberlehrling aus der Expedition, zwischen Richard Diek, Pius und noch ein paar anderen sitzend, machte auch ein vergnügtes Gesicht: Das würde heute mal wieder lustig werden.

Als Erster sprach Natopil, und natürlich fiel er gleich zu Anfang über den westdeutschen Revanchismus her, geißelte er mit markigen Worten den bornierten Militarismus der Bonner Ultras und verkündete selbstsicher, dass die DDR, jetzt, da sie sich von allen feindlichen Einflüssen abgeschottet habe, das kapitalistische Deutschland in wenigen Jahren ökonomisch überholt haben würde. Seeler und er, im letzten Jahr hatten sie solche Worte nicht mehr in den Mund genommen, jetzt schienen sie wieder aktuell zu sein.

»Liebe Genossinnen und Genossen«, fuhr Natopil nach dieser Pflichtübung mit seinem leicht mecklenburgischen Akzent fort, »liebe Kollegen und Kolleginnen! Was muss nun unser Beitrag sein im Kampf gegen den westdeutschen Imperialismus und zur Sicherung unserer Staatsgrenze?«

»Die Planerfüllung«, murmelte Pius und alles um ihn herum kicherte.

»Die Planerfüllung!«, bestätigte Natopil und rückte wie immer an seiner Krawatte herum, als würde er sich das Hemd am liebsten gleich bis zur Brust aufreißen, weil er schon wusste, dass er bald wieder ganz furchtbar schwitzen würde in diesem von Menschen überfüllten, zigarettenqualmdurchwaberten Raum. Zwar sei man im ersten Halbjahr mit viel kämpferischem Engagement und breitem Ideenreichtum an die Verwirklichung des Planzieles gegangen und liege deshalb insgesamt im Bereich des Erwarteten, doch dürfe das nicht darüber hinwegtäuschen, dass es um einige Bereiche eher schlecht bestellt sei. Das Jahresende sei nicht mehr fern; wolle man im sozialistischen Wettbewerb bestehen, müsse sich in diesen Bereichen noch allerhand ändern.

Er hatte sich angeschlichen, nun würde er zum Angriff übergehen. Spannend an seiner Rede war nur, welche Abteilung als Erstes ihr Fett abbekommen würde. Natopil entschied sich für den Getriebebau: Die Arbeitszeitauslastung sei zu gering, das Bummelantenunwesen nehme zu.

Pius: »So werden die nie 'ne sozialistische Brigade.«

Natopil: »Liebe Kolleginnen und Kollegen vom Getriebebau, ich frage mich ernstlich, wie ihr auf diese Weise im Kampf um den Titel ›Sozialistische Brigade‹ bestehen wollt. Wie wollt ihr, liebe Genossinnen und Genossen, auf diese Weise zur Stärkung unserer Republik und damit zum Schutz der Staatsgrenze beitragen?«

Albert, der Heizer: »Im Getriebebau gibt's ja gar keine Kolleginnen. Und erst recht keine Genossen und Genossinnen.«

Erneutes Gekicher! Sogar Richard Diek, der Betriebsversammlungen hasste, weil sie aus seiner Sicht nichts als teure

Amüsiervergnügen waren, huschte ein Sonnenscheinchen über das ansonsten nur missmutig verzogene Gesicht.

Natopil brachte Beispiele. In der Schwesterbrigade des Partnerbetriebes in Dresden sei man schon viel weiter, stünden die Genossen in vielen Punkten besser da. Das müsse man leider zugeben. Wozu Augenwischerei betreiben? Die Tatsachen seien nun mal leider nicht wegzuleugnen. Danach knöpfte er sich andere Abteilungen vor, lobte auch mal, um deutlich zu machen, dass unter seiner Leitung nicht alles schlecht sein konnte, und brachte in diesen Fällen immer wieder sein Lieblingswort an: »noch besser«; alles konnte »noch besser« werden. Das Transparent über der Bühne, das immer da hing, bestätigte es: *Noch besser arbeiten, noch besser lernen, noch besser leben.* Pius hatte mal drunter geschmiert: *Noch mehr fressen, noch mehr scheißen.* Nach dem Täter war ewig gefahndet worden, doch niemand hatte Pius verraten.

Auch die Jugend, so Natopil kurz vor Ende seiner kämpferischen Rede, könne vieles, ja, müsse vieles noch besser machen, wolle sie eine echte Kampfreserve der Partei sein. »Es gibt kein kämpferisches Jugendleben bei uns.« Er streckte den Arm in Richtung Flutgraben aus. »Dort steht der Feind. Unsere tapferen Grenzsoldaten und Kampfgruppenmänner halten Wacht. Ihr aber, liebe Jugendfreunde, schlaft. Ich fordere euch auf, meldet euch bei der Nationalen Volksarmee, tretet der Kampfgruppe bei, reiht euch ein bei denen, die den Fortschritt verteidigen. Wir dürfen nicht zulassen, dass aus unserer Jugendorganisation ein Geselligkeitsverein wird, zuständig allein für Tanzveranstaltungen, Ferienfahrten und Theaterbesuche.«

»Und wie soll'n wir dann den Plan erfüllen?« Erst schüttelte Pius in gespielter Besorgnis nur den Kopf, dann steckte er plötzlich zwei Finger in den Mund und pfiff so schrill und grell, dass der ganze Saal zusammenfuhr. Gleich darauf blickte er lausbübisch grinsend in die Runde: Schaut nur alle her, Pius ist auch noch da!

Auch der Genosse Natopil war erschrocken zusammengefahren, hatte sich aber gleich wieder gefasst, deutete auf Pius und fuhr den vor Scham errötenden FDJ-Sekretär Brenner erregt an: »Da! Da sitzen sie, die Störenfriede und Schmarotzer, Nichtstuer, Drückeberger und Schluderer, die uns auf unserem Weg in eine bessere Zukunft Steine in den Weg legen. Um solch schäbige Elemente müsst ihr euch kümmern, wenn ihr euren Kampfauftrag ernst nehmen wollt.«

Pius, laut: »Ick bin keen Element!«

Gelächter im Saal, Pius aber ließ sich nicht beirren: »Wer soll denn die Arbeit machen, wenn alle nur noch an der Grenze rumstehn?«

Da wurde noch lauter gelacht. Ausgerechnet Pius, der Oberbummelant, musste das sagen.

Kader-Willi tuschelte mit Brenner. Der erhob sich, schob sich das lange, sorgfältig gescheitelte Haar aus dem noch immer rot überhauchten Gesicht und übte Selbstkritik. Ja, in letzter Zeit habe die Jugendorganisation etwas die Orientierung verloren. Vielleicht, weil man in den Jahren zuvor schon so viel erreicht hatte. Eine gewisse Selbstzufriedenheit sei nicht abzuleugnen. Deshalb sei er sehr dankbar für die Kritik des Genossen Natopil, sie werde der Organisation der Jugend helfen, sich in Zukunft wieder verstärkt dem Kampf gegen den Klassenfeind zuzuwenden. In der gegenwärtigen Situation, in der es um die Bewahrung des Weltfriedens gehe, sei das natürlich von ganz besonderer Notwendigkeit. Schon morgen, das verspreche er hier und jetzt, werde der FDJ-Gruppenrat tagen, um zu beratschlagen, wie die Genossen an der Grenze am sinnvollsten unterstützt werden könnten. Sprach es und setzte sich. Kader-Willi, Natopil, Koslowski und Knolle spendeten herzlichen Beifall, im Saal fielen nur wenige ein.

Das gefiel Koslowski nicht und so ergriff nun er das Wort. Er sei sehr froh, dass der Jugendfreund Brenner das Problem beim Namen genannt habe. Man dürfe sich noch lange nicht zurücklehnen, denn noch sei der Klassenkampf nicht gewonnen, noch sei der Imperialismus nicht geschlagen, noch finde die westliche Ausbeutergesellschaft sich nicht damit ab, einer neuen, besseren und gerechteren Weltordnung Platz machen zu müssen. Dafür würden die aggressiv drohenden amerikanischen Panzer an der Staatsgrenze zur DDR ein beredtes Zeugnis ablegen. »Das Alte, so haben wir Arbeiter es in jahrzehntelangen Klassenkämpfen erfahren müssen, wird sich stets mit Zähnen und Klauen gegen das Neue und damit gegen den Lauf der Weltgeschichte wehren. Das, liebe Genossinnen und Genossen, liebe Kolleginnen und Kollegen, liebe Jugendfreunde, dürfen wir nie vergessen.«

Beifall setzte ein, einige klatschten übertrieben laut, andere nur müde.

Kader-Willi stand auf. »Liebe Kolleginnen und Kollegen, liebe Genossinnen und Genossen, liebe Jugendfreunde! Es gibt einige Unbelehrbare unter uns. Wir wissen das! Aber wir werden nicht aufgeben, um sie zu kämpfen. Wir wollen nicht, dass sie auf die verlogenen Versprechungen der Bonner Politiker hereinfallen.«

Er machte eine Pause, blickte zu Pius hin und fuhr fort, der Kollege Pabst habe zu bedenken gegeben, dass der verstärkte Grenzschutz die Planerfüllung schwieriger machen könnte. »Das, Kollege Pabst, ist eine Befürchtung, die ich nicht teile. Warum nicht? Weil ich unsere fleißigen Kolleginnen und Kollegen kenne. Da wird eben für den Kollegen, der an der Grenze seinen Dienst tut, mitgearbeitet. Jawohl! Es ist ja nur für eine Übergangszeit und der Kollege an der Grenze steht für uns alle auf Wacht – da wird dann eben mit doppelter Energie zugepackt. Wäre doch gelacht, wenn wir das nicht schaffen würden, oder?« Wieder machte er eine Pause, um den Beifall abzuwarten; als erneut keiner kam, sagte er ungeduldig: »Liebe Kolleginnen und Kollegen, der Schutz der Staatsgrenze hat nun einmal Priorität. Wenn wir uns nicht schützen, können wir nicht in Ruhe arbeiten.«

Pius, laut: »Weil so viele abhauen?«

Verärgertes Gemurmel am Tisch der Verantwortungsträger und auch Kader-Willi blickte ein Weilchen verstört. Dann aber hatte er sich gesammelt: »Ja, Kollege Pabst, leider gibt es immer noch Fehlgeleitete, die versuchen, mit allen möglichen kriminellen Mitteln und Methoden die Staatsgrenze der DDR zu durchbrechen. Sie laufen geradewegs in den menschenfeindlichen Sumpf, der sie verschlingen wird. Wir könnten sie laufen lassen, liebe Kolleginnen und Kollegen. Natürlich! Sollen sie doch in ihr Unglück rennen, wenn sie unbedingt wollen, könnten wir sagen. Aber so denken wir nicht. Nein! Weil wir Humanisten sind! Wir – wollen – unsre – Menschen – schützen! Sollen denn diejenigen unter uns, die aus Dummheit oder Naivität der westlichen Rundfunk- und Fernsehpropaganda auf den Leim gegangen sind, von gewissenlosen Subjekten um ihr Lebensglück betrogen werden? Sollen, ja, dürfen wir das zulassen? Ich sage nein, und ich weiß, die Mehrheit unseres Volkes denkt genauso.«

Schwer atmend, aber zufrieden setzte er sich. Natopil, Koslowski und Brenner klatschten ihm heftig zu, Knolle stand auf. »Liebe Kolleginnen und Kollegen! Ich will nicht viele Worte machen. Wurde ja schon alles gesagt. Ich will nur noch eines zu bedenken geben: Die Ausbeutung des Menschen durch den Menschen ist nicht beendet, wenn jeder ein Auto fährt oder einen

Fernseher besitzt – sie hat in solchen Fällen nur ein höheres Niveau erreicht. Warum? Weil sie ja gar nicht anders können, die Herren Kapitalisten, als den für sie Schuftenden ein paar Körner hinzustreuen. Schließlich gibt es uns, die sozialistische DDR. Sie sehen unser Erstarken mit Sorge. Also: Hier hast du ein Auto, hier einen Fernseher. Dass du das Krankenhaus nicht bezahlen kannst, vergisst du dann vielleicht. Dass du deine Kinder nicht studieren lassen kannst, weil dir dazu das nötige Geld fehlt, auch. Sitz nur vor dem Fernseher und erfreue dich an all dem bunten Lug und Trug, den wir dir unterjubeln! In unserer DDR – das wissen wir alle – werden auch PKWs und Fernseher hergestellt. Fernseher haben inzwischen schon viele, eines Tages wird auch jeder seinen eigenen PKW besitzen. Aber was viel wichtiger ist: Bei uns ist die Krankenversorgung gewährleistet, und jeder, der will, kann studieren.«

Breites Grinsen überall, eine leise Stimme: »Von wegen jeder, der will! Der denkt wohl, wir sind hier nur zu Besuch.«

Knolle: »Das alles solltet ihr bedenken, liebe Kolleginnen und Kollegen, wenn ihr nun darüber beratschlagt, was wir zur Sicherung unserer Staatsgrenze und zur Stärkung unseres Arbeiter- und Bauernstaates beitragen können.«

Die Funktionärsriege klatschte, ein paar im Saal fielen mit ein, danach wurde die Diskussion freigegeben. Als Erster meldete sich Meister Käding vom Getriebebau. Er begründete die Ausfallzeiten mit tatsächlichen Erkrankungen. »Ein gebrochener Arm is 'n gebrochener Arm. Den kann man nicht simuliern. Genauso wenig wie 'ne Lungenentzündung.« Das Bummelantentum betreffe in Wirklichkeit ja nur einen einzigen Kollegen: Teddy Paulek, den ehemaligen Gewichtheber und Strafgefangenen. »Wir haben nichts dagegen, entlassene Strafgefangene in unsere Brigade aufzunehmen, sehen ja ein, dass es für alle das

Beste ist, sie im Sinne unserer Gesellschaft umzuerziehen. Aber darf man uns dann nach wenigen Monaten schon vorwerfen, das Bummelantentum nehme wieder zu?«

Alles blickte zu Teddy hin, der, seitdem er nicht mehr trainierte, zum Koloss geworden war. »Wat soll denn dit?«, empörte er sich. »Ick war ja wirklich krank. Nur glaubt unsereinem ja keener.«

Meister Käding bedeutete ihm, still zu sein. »Und was Dresden betrifft: Die fertigen ja die Ersatzteile, die uns fehlen. Kein Wunder, dass se zuerst an sich denken.«

Ein Kollege vom Einkauf bestätigte das. Die Stillstandzeiten beruhten in der Tat hauptsächlich auf fehlenden Zulieferungen. Deshalb schlage er vor, dass eine Delegation der Brigade Getriebebau nach Dresden fahren solle, um den Fall mit dem Kollegen vor Ort zu klären.

Er erntete dafür viel Beifall und auch die Funktionärsriege nickte. Er werde diese Anregung aufgreifen, versprach Natopil. Schon morgen werde er mit Dresden telefonieren. Bestätigte sich, was hier gesagt worden war, werde man sich das keinen Tag länger bieten lassen. Ob es weitere Wortmeldungen gebe?

Es gab sie. Alle getadelten Abteilungen wussten Gründe dafür anzubringen, weshalb sie hinter dem Plan herhinkten; alle Gründe hatten Hand und Fuß. Die Versammlung zog sich hin, Richard Diek wurde unruhig: »Allein mit Debatten hat noch niemand den Plan erfüllt.« Am Ende wurde der Beschluss gefasst, trotz der bekannten und nicht hinwegzudiskutierenden Probleme alles Erdenkliche zu tun, um dennoch die Produktivität zu steigern und gleichzeitig an den Ursachen der Produktionshemmnisse zu arbeiten. »Fehler erkannt, Fehler behoben«, sagte Koslowski und freute sich. Jeder Schlendrian aber gehöre ausgemerzt; den könne man sich in Zeiten des verschärften Klassenkampfes, wo die Weltlage Spitz auf Knopf stehe, nicht leisten.

Pius, nun sehr leise: »Na bitte! Allet jut, allet schön, wer wird da weinen beim Auseinanderjehn?«

Es weinte niemand, alle waren zufrieden. Bald war Feierabend, man war ausgeruht, ein schöner Sommerabend lockte. Der Beifall für die Funktionärsriege und sonstigen Diskutanten wuchs von Redner zu Redner und wurde zum Schluss richtig herzlich.

Als schon alles beredet war, tuschelte Knolle noch mal mit Natopil. Der nickte, erhob sich und bat noch einmal um Aufmerksamkeit. »Liebe Kolleginnen und Kollegen, liebe Genossinnen und Genossen! Seit wir unser letztes Betriebsfest feierten, ist ein Jahr vergangen. Wir haben hart und erfolgreich gearbeitet – und wie heißt es im Gedicht? Saure Wochen, frohe Feste! Unter dieses Motto stellen wir unser diesjähriges Betriebsfest, das, wie bereits bekannt ist, am Sonnabend in vierzehn Tagen stattfinden wird. Ich wünsche mir eine rege Beteiligung und darf ankündigen, dass wir auch diesmal nicht zu sparen brauchen.«

Hallo, hallo, das war ein Beifall! Jetzt strahlten sogar die ewigen Skeptiker und es gab Zurufe hinüber zu den wenigen Frauen. Einige von ihnen kreischten und kicherten gleich los, als hätte ihnen wer unter den Rock gegriffen, andere spielten die noch Unentschlossenen, dabei wussten natürlich auch sie: Betriebsfeste waren was Besonderes; wer da nicht hinging, war selbst schuld.

Natopil lächelte und hob die Hände, als gelte es, unverdienten Dank abzuwehren. »Liebe Kolleginnen und Kollegen, liebe Genossinnen und Genossen, wir haben uns dieses schöne Fest redlich verdient. Es stimmt noch immer: So wie wir heute arbeiten, so werden wir morgen leben.«

Er nahm dann aber gar nicht teil an diesem schönen Fest, der Genosse Franz Natopil. Er hatte es vorgezogen, sich nur drei Tage nach dieser Betriebsversammlung zu den Revanchisten und Ultras in den Westen abzusetzen. So wie er heute arbeitete, so wollte er morgen wohl doch lieber nicht leben.

Über die Art und Weise von Natopils Flucht wurde nichts Näheres bekannt, doch wurde tagelang darüber diskutiert. Vermutungen wurden angestellt, Vorahnungen eingestanden, Empörung geäußert. Von einem aber waren alle überzeugt: In den Flutgraben wird er nicht gesprungen sein, der Klassenkämpfer Franz, denn nach Ete Kerns Flucht hatte er die Regenrinne abmontieren lassen.

Richard Diek sagte, für Leute dieses Kalibers gebe es andere Wege, in den Westen zu gelangen, bequemere, sicherere. Pius sprach, bis er sich wenige Wochen später auf der Flucht vor der Wehrpflicht selbst auf den Weg in den Westen machte, nur vom schäbigen Element Franz.

Heiligabend 1961. Im RIAS wurde seit dem frühen Morgen darüber geredet, dass die Deutschen noch nie zuvor in ihrer Geschichte so getrennt gewesen seien. Im Gedenken an ihre ostdeutschen Landsleute sollten die WestBerliner Kerzen in die Fenster stellen, ein Bischof sprang mit Gott über die Mauer, ein Politiker verlangte: »Macht das Tor auf!« Die West-Post verkündete stolz, nie zuvor in ihrer Geschichte so viele Pakete und Päckchen befördert zu haben wie in dieser leidvoll-schmerzlichen Vorweihnachtszeit; die allermeisten natürlich von West nach Ost – ein Beweis dafür, dass die ostdeutschen Landsleute nicht vergessen seien.

Auch Lenz hatte ein West-Päckchen bekommen. Von Tante Grit. Am 12. August war sie mit Onkel Karl zu Freunden nach Wilmersdorf gefahren – einfach nur zu Besuch, wie sie geschrieben hatte –, am Abend sei Onkel Karl dann unruhig geworden:

»Lass uns lieber hier schlafen. Hab so'n komisches Gefühl im Bauch.« So hätten sie also bei ihren Freunden im Westen übernachtet und am nächsten Morgen aus dem Radio erfahren, dass Onkel Karls Gefühl nicht getrogen hatte: Die Wohnung an der Schönhauser Allee war verloren, die kleine Farbenfabrik und das Kreuzberger Ladengeschäft waren gerettet.

Er hatte das Päckchen bei Onkel Karls Eltern abgeholt, machte seine Donnerstagsabendbesuche nun immer bei Oma und Opa Buch, holte ihnen Holz und Kohlen aus dem Keller und ließ sich Geschichten aus längst vergangenen Zeiten erzählen. Er mochte die beiden geistig noch so regen Alten, die voneinander nicht mehr viel hielten und deshalb gern über den anderen lästerten.

Ansonsten gab es niemanden, den er besuchen konnte. Robert und Reni waren noch in Korea, Ete wohnte nun schon seit vier Monaten bei seiner älteren Schwester im Wedding und hatte ihn über die OstBerliner Schwester grüßen lassen. Und Hanne Gottlieb? Der war inzwischen ebenfalls abgehauen. Über eine Friedhofsmauer an der Chausseestraße war er geklettert, zusammen mit zwei anderen Existenzialisten. Einer der drei war erwischt worden, Hanne war davongekommen. Sehr zu Seelers Ärger; damit hatte nun auch er nicht mehr alle Küken im Nest.

Lenz hatte Oma und Opa Buch versprechen müssen, das Päckchen erst Heiligabend zu öffnen, und er hielt sich dran, wollte irgendwas zum Freuen haben. Jetzt war es fünf Uhr nachmittags, Bescherungszeit, jetzt durfte er nachsehen, was drin war.

Zigaretten, Schokolade, Brühwürfel, Kaffee, ein Stück Schinken, ein weißes Oberhemd. Er steckte sich eine der Zigaretten an und inhalierte tief. Schade, dass er keine Kaffeemühle hatte, sonst hätte er sich jetzt einen Kaffee kochen können. Neuerdings schmeckte der ihm ja. Zum Trost knabberte er ein paar Bohnen, dann schlang er sich, bevor er das Päckchen in die Küche trug, den Schal um den Hals, setzte sich in der Küche an den Tisch, schnitt Schinken ab, schnitt Brot ab, legte eine Scheibe Schinken auf das trockene Brot, biss ab, kaute und biss erneut ab. Er schmeckte gut, der Schinken, schmeckte nach mehr. Schon ein bisschen besser gelaunt, pickte er mit dem Schraubenzieher Wasser aus dem Eimer, zündete den zweiflammigen Gasherd an, wartete, bis das Wasser kochte, und warf einen Brühwürfel hinein. Wie das duftete! Er hatte den *Maggi*-Geschmack schon immer gemocht. Mit der Tasse in der Hand und zwei weiteren Schinkenbroten ging er in die Stube zurück, setzte sich dicht neben dem Ofen auf die Couch, kaute und trank in kleinen Schlückchen. Als er sich satt fühlte, rauchte er die zweite von Tante Grits und Onkel Karls *Astor*.

Und nun? Was sollte er mit dem angebrochenen Abend beginnen? Lesen? Da würde er sich kaum konzentrieren können. Und ins Bett legen und am Transistorradio drehen, bis er einschlief? Was war denn an so einem Abend schon für Musik im Radio! Kotzelend würde ihm werden vor lauter »Stille Nacht« und »Oh, du Fröhliche!«.

Er trat ans Fenster, nahm die Decke ab, die er vor die Scheiben gehängt hatte, um vor Blicken und Zugluft geschützt zu sein, und hauchte ein Loch in die Eisblumen. Ein sternenklarer, eiskalter Winterabend lag über dem Hof. Das weihnachtliche Flockengeriesel aber schien trotz aller Ankündigungen ausgeblieben zu sein; nur auf der Teppichklopfstange und den Müllkästen kümmerten ein paar weiße Flecken vor sich hin. Er öffnete das Fenster, nahm einen Schluck von der beißend-frostigen Luft und sah zu den wenigen erleuchteten Wohnungen hoch. Dort, letztes Quergebäude, erster Stock, wohnte sie, die junge, blonde Frau mit dem kleinen Mädchen. Er sah sie oft, wenn sie den Kinderwagen über den Hof schob. Dann lächelte sie ihm jedes Mal freundlich zu und er lächelte zurück. Sie gefiel ihm, und er glaubte, dass er ihr sympathisch war. Manchmal träumte er sogar von ihr, malte sich aus, wie sie da oben lebte – und wie er sie besuchte. Ihr Mann passte nicht zu ihr. Groß und klotzig war der, oft betrunken und fast immer mürrisch. Bei dem hatte sie es bestimmt nicht leicht. Jetzt aber machte sie es ihm sicher schön, saß mit ihm vor dem Tannenbaum und die kleine Tochter lag in ihrem Kinderbett. Und vielleicht war ihr Mann heute mal nicht angetrunken oder mürrisch, küsste sie, streichelte sie …

Ihn fröstelte. Er schloss das Fenster, zog sich an, steckte die Zigaretten ein und verließ die Wohnung.

In den Höfen war es still. Ein paar Müllkästen quollen über, irgendwo fiepte es – Mäuse oder Ratten. Zille-Milieu, ja, das hier war Zille-Milieu, aber er mochte es, mochte die alte, fette Portiersche mit der Keifstimme, die ihre Enkelkinder so verwöhnte, mochte den alten Kohlenträger, der, obwohl schon lange in Rente, noch immer ganz krumm ging, mochte die rotzfrechen Kinder, die manchmal auf dem Hof spielten und – wenn eines seiner Fenster offen stand – neugierig zu ihm hineinspähten. Sie fanden das seltsam, dass einer wie er, der doch noch gar nicht richtig erwachsen war, allein in einer Wohnung lebte.

Vor der Haustür die nur spärlich funzelnden Laternen; irgendwo stöckelten ein paar hohe Absätze über den Asphalt; ein PKW kam langsam die Straße entlanggefahren, suchte eine bestimmte Hausnummer.

Ja, hier kannte er jede Straßenecke, jeden Pflasterstein, doch sah er dieses um die Jahrhundertwende erbaute Viertel, das den Krieg einigermaßen heil überstanden hatte, inzwischen mit anderen Augen. Nichts war mehr selbstverständlich, nicht die vielen Kneipen an den Straßenecken, die Abend für Abend so voll waren, als würde, wer hier sein Bier trank, auch noch dafür bezahlt, nicht die verblichenen, schwarzbraunen Inschriften an den Hauswänden, die an die Geschichten von Oma und Opa Buch erinnerten – *Kolonialwarenladen, Bäckerei Schütte, Sargmagazin Randow, Molkerei Streckmann, Großdestille* –, nicht der Menschenschlag, der hier lebte. Ging er in eine der Kneipen – und oft ging er nur, weil sein Klo mal wieder zugefroren war –, dauerte es kein Bier lang und er hatte eine Bekanntschaft gemacht. Dann wurden aus dem einen Anstandsbier vier oder fünf und er erfuhr mal wieder eine ganze Lebensgeschichte. Wie die von Fritze Blumenthal, einem etwa fünfzig Jahre alten Knochengestell mit Geheimratsecken bis zum Hinterkopf, der jeden Abend in einer der Kneipen hockte und jedem, der zuhören wollte, seine Story verklickerte. Zehn Jahre lang hatte er Tabakwaren und Spirituosen verkauft. Wo? Natürlich am Wedding, wo denn sonst? Schließlich sei das keine Schande, habe er sich damit doch, so seine feste Überzeugung, als guter Marxist erwiesen. Du sollst deine Arbeitskraft so teuer wie möglich verkaufen, heiße es im *Kapital*. Nichts anderes habe »der böse Grenzgänger Blumenthal« getan. »Olle Fritze, lieber junger Freund, is einer der wenigen, die den Marx richtich verstanden haben, kapiert?« Jetzt war er Pförtner in irgendeiner Poliklinik. »Auch von Krankheiten kannste leben. Darfst se bloß nich bekommen.«

Ein anderes Original war die dicke Rieke mit der behaarten Warze am Kinn, die früher hin und wieder bei der Mutter verkehrt hatte. Sie hatte in dem jungen Mann nicht den kleinen Manni wiedererkannt, und er hatte ihr nicht verraten, dass er sie kannte. Also turnte sie ihm, wenn sie angeheitert war, wieder ihre alten Übungen aus ihrer Zeit beim Arbeiterturnverein Fichte vor. »Det hab ick allet mal jekonnt«, lautete ihr Lieblingsspruch. Früher allerdings hatte sie aus Spaß geturnt, jetzt verlangte sie ein Bier dafür.

Auch der weißlockige Paule Richartz, der schon beim Kapp-Putsch dabei war und nach dem Krieg mit dem berühmten Schauspieler Heinrich George zusammen im Lager gesessen hatte, war eine besondere Nummer. Wie die müden, altershellen Augen aufzuleben begannen, wenn er jemanden gefunden hatte, der seine Lebensphilosophie noch nicht kannte, wie es ihn freute, zu einem »jungen Jesicht« reden zu dürfen. Mach dir nur keene Sorgen, so seine Erkenntnis aus »siebzich Jahren deutsche Jeschichte«, es bleibt ja doch allet, wie et is. »Wir Menschen sind Käfer, verstehste? Krabbeln hierhin, krabbeln dahin, von der Jeburt bis zum Tod. Mal fall'n wa auf 'n Rücken, denn strampeln wa 'n bisschen, bis et weiterjeht. Zum Schluss bleim wa liegen und werden wegjefegt.«

Paule war erst Sozialdemokrat, dann Kommunist, dann Nazi gewesen. »Irrtümer!«, entschuldigte er sich dafür. »Allet Irrtümer! Aber so isset eben: Erst wenn de dot bist, verstehste die Welt.«

Die spillrige Frieda Reinsch fand keine Entschuldigung für ihren großen Irrtum. Erst neunundvierzig sei sie, jammerte sie spätestens nach dem zweiten Bier, und schon eine vergessene alte Frau. Ihr Mann, das Schwein, habe schon seit Jahren 'ne Jüngere, ihre Tochter sei mitsamt Kindern und Schwiegersohn noch vor der Mauer in den Westen rübergezogen, sie aber, sie olle doofe Kuh, sei nicht mitgegangen. »Weil Justav ja trotz allem noch immer mein Mann is … und weil ick mir doch gerade erst 'nen neuen Wohnzimmerschrank jekooft hatte. Um det blöde Stücke Möbel hat 's mir Leid jetan – und nu kann ick diesen verfluchten Klumpen Holz nich mehr ankieken, ohne heulen zu müssen.« Ihre Enkelkinder! Die werde sie ja nun vielleicht niemals mehr wiedersehen.

Lenz mochte sie, all diese Fritzes, Riekes, Paules und Friedas.

Sie waren mit dem Leben nicht so gut fertig geworden wie der Schuhladenbesitzer Bessel, die Schieberin Else Golden, der Textilvertreter Bel Ami oder der Elektroladenbesitzer Herrmann Holms, litten an sich selbst und ihrer Zeit. Das machte sie sympathisch. Allzu oft aber durfte er ihnen nicht zuhören. Dann kroch ihm die Angst den Nacken hoch, eines Tages auch so ein lebendes Kneipenfossil zu sein. An diesem Abend allerdings hätte er sich gern in ihre Nähe geflüchtet. Heiligabend jedoch war Heiligabend, da machten, wie er aus eigener Erfahrung wusste, sogar die Wirte und Wirtinnen auf Familie. Also hatten alle Kneipen zu, und ihm blieb nichts anderes übrig, als langsam durch die leeren Straßen zu wandern und sich die Ohren rot frieren zu lassen. Nahm er die Hände aus den Manteltaschen, so nur, um eine von Tante Grits *Astor* zu rauchen.

Es gab einen Schlager: *Fremder in der Nacht*. War er das nicht, war er, Manfred Lenz, nicht der sprichwörtliche Fremde in der Nacht?

In der Lychener Straße hörte er plötzlich eilige Schritte hinter sich und fuhr herum. Eine junge Frau, ein bisschen schmuddelig angezogen, hielt sich dicht hinter ihm. Ganz außer Atem blickte sie sich immer wieder um. Hundert Meter hinter ihr ging ein gedrungen wirkender Mann, der offensichtlich auch gelaufen war, den Kragen seiner Joppe hatte er hoch gestellt, die Schirmmütze tief in die Stirn gezogen.

»Gehört der zu Ihnen?«

Die junge Frau schüttelte ängstlich den Kopf.

»Will der was von Ihnen?«

Die junge Frau antwortete nicht. Lenz machte noch ein paar Schritte, dann blieb er erneut stehen und blickte sich um.

Auch die Frau war stehen geblieben; der mit der Schirmmütze zündete sich unter einer Laterne eine Zigarette an.

»Kann ich Ihnen irgendwie behilflich sein? Soll ich Sie nach Hause bringen?«

»Nein.« Eilig ging sie weiter und auch der Mann setzte sich wieder in Bewegung. Als er an ihm vorüberging, blickte Lenz ihm ins Gesicht, konnte aber keinerlei Auffälligkeiten entdecken. Das war einfach nur ein ziemlich kräftiger, breitschultriger Mann um die dreißig, der da, Zigarette in der behandschuhten Hand, Augen stur auf die Frau gerichtet, durch die Straßen wanderte. Vielleicht waren sie ja alle drei nur Fremde in dieser Nacht: zwei Männer und eine Frau, die nicht wussten, wohin.

Die Frau lief über den Helmholtzplatz, der Mann blieb an ihr dran. Lenz zögerte. Sollte er ihnen folgen? Aber wieso lief die Frau ausgerechnet über einen dunklen Platz, wenn sie Angst vor dem Mann hatte? Und wieso wollte sie sich nicht helfen lassen?

Er ging nur langsam weiter und verlor die beiden bald aus den Augen. Bis er sie wenig später wieder traf. In einer Haustürnische standen sie, in enger Umarmung, die Frau stöhnte laut … Nein, der wurde keine Gewalt angetan, die hatte mit ihrem Verfolger nur gespielt. Schnell setzte er die Füße wieder rascher.

Der *Schuh-Express*! Nun war er doch wieder hier gelandet. Seit er aus dem Heim entlassen war, zog es ihn hierher. Nicht anders erging es ihm in seinen Träumen. War dann die Mutter noch am Leben, stand sie hinter der Theke und lächelte ihm zu, und nie brachte er es fertig, ihr Vorwürfe zu machen. War sie bereits tot, stand Onkel Willi an ihrem Platz und fürchtete sich vor dem groß gewordenen Manni, von dem er glaubte, er würde ihn zur Rede stellen oder gar schlagen wollen. Er aber hatte nicht vor, Onkel Willi irgendwas anzutun, blickte sich nur neugierig um. Doch es waren stets fremde Räume, die er zu sehen bekam, eingerichtet mit fremdem Mobiliar. Auch entdeckte er bei diesen

Traumwanderungen kein einziges bekanntes Gesicht unter den Gästen, und die ihm ebenfalls unbekannte Frau, die mit Onkel Willi hinter der Theke stand, war ihm gleichgültig.

Sogar von Wolfgang hatte er erst vor wenigen Tagen wieder geträumt. In diesem Traum war Robert bereits aus Korea zurück, kam zu ihm und sagte, Wolfgang lebe noch, sei gar nicht tot; es sei alles nur ein Irrtum gewesen. Und Robert wusste auch, wo der Bruder zu finden war: unter der U-Bahn-Hochführung an der Schönhauser Allee. Ja, und da stand er dann auch tatsächlich, der inzwischen fünfundzwanzigjährige Wolfgang, und erkannte ihn sofort wieder. Freudestrahlend drängelte er sich zwischen all den Menschen hindurch, die gerade die U-Bahn verließen, rief laut: »So siehst du jetzt aus!«, nahm ihn in die Arme und drückte ihn. Das war ein so heftiges, schönes Gefühl, dass er vor Erregung aufschreckte und lange brauchte, bis er sich damit abgefunden hatte, dass diese Szene ja nur geträumt war.

Nein, von außen erinnerte nichts mehr an den *Ersten Ehestandsschoppen*; ein *Schuh-Express* war keine Kneipe …

Onkel Willi, so hatte Lenz in den Nachbarkneipen erfahren, war vor zwei, drei Jahren gestorben. Bis dahin aber sei es ihm gelungen, den *Ersten Ehestandsschoppen* völlig herunterzuwirtschaften. Woran er gestorben war? Achselzucken. Auf welchem Friedhof er lag? Keine Ahnung. Für den Meisel habe sich doch nie einer richtig interessiert.

Auch Maxe Rosenzweigs Schneiderei gab es nicht mehr. Vor anderthalb Jahren war er gestorben. Heruntergelassene Rollläden, die morgens nicht mehr hochgingen, von Kindern mit Kreide bemalt, verrieten nichts von dem, was sich einmal dahinter abgespielt hatte.

Friedrich Bessel sollte weggezogen sein. Wohin wusste niemand. Auch sein Schuhladen war dicht. Und Bel Ami, Otto

Grün, Herrmann Holms und die göttliche Margot? Alles keine bekannten Größen mehr. Nur Else Golden, die kannte man noch. Sie sollte auf dem S-Bahnhof Treptower Park arbeiten. Als Zugabfertigerin. Die Zeiten für Ost-West-Schiebereien waren ja nun endgültig vorbei.

Onkel Ziesche, Heinz der Stotterer, Arno von der Müllabfuhr, Onkel Murkel, der bucklige Kurt, Hemden-Rudi, die tragische Trude, Lola Lola, Püppi Heinemann, die Kippen-Marie, die Brikett-Anna, Emilchen der Schweiger – irgendwie gab es sie alle nicht mehr. Jedenfalls nicht hier. In fünf Jahren war eine ganze Welt versunken.

Zögernden Schritts ging Lenz über die Straße. Die Haustür war offen, der Flur roch wie damals. Er schaltete das Licht ein. Einige Namensschilder auf dem stillen Portier waren neu, andere kannte er noch. Er betrat den Hof und hob den Kopf. Nur wenige Fenster waren erleuchtet; die Wohnzimmer lagen zur Straße hin und wer saß denn Heiligabend in der Küche?

Die Hände an die Augen gelegt, versuchte er, durch das verrostete Gitter zu spähen, das mal zu ihrem Küchenfenster gehört hatte. Undenkbar, dass er als kleiner Junge durch diese eng stehenden Gitterstäbe auf den Hof hinausgeschlüpft war! Dann aber, obwohl in dem finsteren Raum hinter den gardinenlosen Fensterscheiben kaum etwas zu erkennen war, wehte ihn ein beklemmendes Gefühl an: Robert, Wolfgang und er! In dieser Küche, die er nun so vor sich sah, wie er sie in Erinnerung hatte, hatten sie Bälle aus Lumpen geflickt, Zuckerstullen gebrutzelt oder vor dem Spiegel gestanden, um neue Frisuren auszuprobieren. In dieser Küche hatte der kleine Manni der Mutter an so vielen Heiligabenden geholfen, den Braten in die Röhre zu schieben, und später den Zoodirektor gespielt. War denn nichts davon zurückgeblieben?

Wieder blickte er zu den Fenstern hoch. Was wollte er hier? Sich eine Heimkehr vorgaukeln? Etwa bei Gisela klopfen, mit der er bei Fliegeralarm zusammen im Kinderwagen gelegen hatte und danach lange in dieselbe Klasse gegangen war? Oder bei Rudi, Hans und Lilli, Beate-Tomate und Lutz und wie die Kinder alle hießen, die noch hier wohnten, als er fortging? Wenn sie inzwischen nicht weggezogen waren, würden sie sich vielleicht dafür interessieren, was aus ihm geworden war.

Nein, er durfte sich nicht zum Idioten machen. Ein kurzes Stehenbleiben, eine S-Bahn-Fahrt oder zwei, drei Bier lang würde das Interesse an ihm vielleicht reichen; eine Störung am Heiligabend wäre nichts anderes als ein dummer Streich. Der Einzige, bei dem er hätte klingeln dürfen und bei dem und dessen Mutter er leichten Herzens geklingelt hätte, wenn sie nicht vor Jahren schon an die Ostseeküste gezogen wären, war Kalle Kemnitz; Kalle, der in der Dunckerstraße gewohnt hatte wie jetzt er in der Duncker wohnte, nur eben drei Häuser weiter; Kalle, der sicher ebenfalls ab und zu an ihn dachte.

Er ging auf die Straße zurück, spazierte die Prenzlauer Allee hoch, in die Dimitroffstraße rein, bis hin zur Schönhauser Allee und dort unter der Hochbahn entlang. Nicht weit von hier lag die Bernauer Straße, über die sie als Kinder die gestohlenen Ofenroste in den Westen geschmuggelt hatten; jene Straße, in der die Häuser noch zu OstBerlin, der Bürgersteig aber schon zu WestBerlin gehörte. Inzwischen war die Bernauer in ganz Deutschland berühmt. Das Westfernsehen hatte Fotos und Filmaufnahmen von Fluchtszenen gezeigt: Ein junger Soldat, der über den Stacheldraht sprang; Menschen, die sich aus dem dritten Stock ihres Hauses in ein Sprungtuch der West-Feuerwehr fallen ließen; eine alte Frau, die im ersten Stock aus dem Fenster hing und fast zerrissen wurde – aus der Wohnung heraus von zwei Männern, die sie an den Armen in den Ostteil der Stadt zurückzerren wollten, von der Straße her von Leuten aus dem Westen, die sich ins Parterrefenster gestellt hatten und sie an den Beinen festhielten.

Als diese Szenen gezeigt wurden, war er noch auf der Insel. Sie hatten sich den Bericht heimlich angesehen und danach lange nichts sagen können. Was sie da zu sehen bekommen hatten, war ja kein Hollywood-Film; das war Wirklichkeit. Und es war mitten in ihrer Stadt geschehen. Und wie waren diese Bilder denn zu verstehen? War es im Osten so schlimm, dass man sein Leben einsetzen musste, nur um rauszukommen? Ete hatte nicht damit gerechnet, dass der Schornstein, um den er sein Seil geschlungen hatte, morsch war, die Menschen in der Bernauer aber hatten gewusst, was sie riskierten. Einige von ihnen waren ja auch zu Tode gestürzt. Und was hatte die alte Frau – sie war schon siebenundsiebzig gewesen – denn davon, letztlich doch auf westlichem Gebiet gelandet zu sein? Die Aufregung hatte sie viel zu sehr mitgenommen; kurz nach ihrer Flucht war sie gestorben. Und wusste sie denn überhaupt noch, was sie tat, als sie sich aus dem Fenster hängte?

Inzwischen war der Stacheldraht fast überall einer dreieinhalb Meter hohen Betonmauer gewichen und in den Häusern auf der östlichen Seite der Bernauer Straße wohnte niemand mehr. Alle Wohnungen waren evakuiert, die Hauseingänge und Fenster zugemauert und die Dächer mit Stolperdrähten versehen. Der berühmte Riss mitten durch die Stadt. Ein Riss aber auch durch ihn, Manfred Lenz. Seit seiner Kindheit flohen die Leute; erst die Möckels, die Bohms, Uhlenbuschs und Johnny Kleppinger, später Giselas Bruder Hotte, Ete Kern, Hanne Gottlieb, Pius, Franz Natopil, Tante Grit und Onkel Karl. Aus der Königsheide hatte sich jeder Dritte, den er kannte, kaum volljährig geworden, in den Westen abgesetzt. Und das trotz – oder gerade wegen? – der so gründlichen sozialistischen Erziehung.

Und es versuchten ja noch immer einige wegzukommen. Zwar konnte niemand mehr aus irgendwelchen Fenstern in den Westen springen oder über Friedhofsmauern klettern, doch gab es andere Wege. Die einen gruben Tunnel von West nach Ost, um ihre Familienangehörigen in den Westen zu holen, andere rutschten vom Osten aus mit selbst gebauten Seilbahnen über die Mauer hinweg, wieder andere schwammen durch die Havel oder durchbrachen die Grenzanlagen mit LKWs. Wurde ein Flüchtling entdeckt und blieb er nicht stehen, schossen die Grenzsoldaten. Es hatte bereits Tote und Verletzte gegeben und trotzdem wurden Tag für Tag neue Fluchtversuche bekannt.

Was aber war es, das so viele dazu trieb, ihr Leben aufs Spiel zu setzen? War es allein der Wunsch zu leben, wie man leben wollte? Steckten, wie Seeler es sah, allein die fetteren Fleischtöpfe dahinter? Paule Richartz sagte, ein Staat, der seine Bürger mit Stacheldraht, Maschinenpistolen und Panzern zum Bleiben zwinge, habe von vornherein verloren. Das sei wie in der Ehe: »Sperrste deine Olle ein, damit se dir nich wegläuft, musste erst recht damit rechnen, bald einen anderen Herrn in deinem Bett zu finden.« Liefen also nur deshalb so viele weg, weil sie nicht eingesperrt sein wollten?

Dem RIAS traute Lenz nicht. Der Westen hatte die »Schandmauer« schlucken müssen; ohnmächtig vor Wut spie man Gift und Galle, nannte die »Sowjetzone« ein einziges KZ und die Grenzsoldaten, Kampfgruppenmänner und Volkspolizisten »Söldner Pankows«. Natürlich hatte man in vielem Recht, aber waren die Toten an der Mauer, sosehr ihr Schicksal auch erschreckte, denn tatsächlich »Freiheitskämpfer«? Selbst wenn es ihnen nicht um die Fleischtöpfe gegangen war, wenn sie tatsächlich nur nach ihrer eigenen Fasson selig werden wollten, so »kämpften« sie ja nur für ihre eigene Freiheit. Machte die Flucht Ete Kern oder Hanne Gottlieb zu Helden? War Pius ein Held, der vor der neu eingeführten Wehrpflicht in den Westen geflohen war und dort, wie es hieß, bei der Fremdenlegion gelandet war?

Hier Verteufelung, dort Heldenverehrung; war es nicht das Beste, keiner Seite zu glauben?

Ein Pärchen kam ihm entgegen, beide trugen sie kleine Geschenkpäckchen in den Händen. Das Mädchen lachte leise, der junge Mann blieb stehen und küsste sie lange. Eine hell erleuchtete U-Bahn donnerte über die Gleise, das Pärchen erschrak, lachte und lief weiter.

Lenz zündete sich eine Zigarette an und sah ihnen lange nach. Und morgen, was sollte er morgen mit sich beginnen? Im Bett bleiben, lesen, Radio hören, Zigaretten rauchen und Tante Grits Schinken verputzen? Er könnte ins Heim fahren, nachsehen, wer von den Jungen da war. Vielleicht konnten sie ja zusammen was auf die Beine stellen ... Aber nein, er würde nicht ins Heim fahren! Der Seeler sollte nicht glauben, ihm wäre über Weihnachten heulerig geworden. Er würde dort ja auch niemanden antreffen, den er wirklich sehen wollte. Peter Lampe war längst entlassen und wohnte irgendwo in Lichtenberg draußen, Erwin Pietras traf sich seit neuestem jeden dritten Tag mit einem Reporter vom *Neuen Deutschland* – in diesen Zeiten wusste einer, der von drüben kam, natürlich ganz genau, welches die richtige Seite war – und mit Eddie hatte er sich beim Tapezieren gestritten. Der lebte in einer ganz anderen Welt, hatte keine Interessen außer Bier, Mädchen und irgendwann 'ne schöne Wohnung. Da konnte ringsherum alles zusammenbrechen, Eddie Gerhardt schreinerte sich einen stabilen Tisch.

S-Bahnhof Schönhauser Allee, das Kino *Scala, Café Nord* – beliebteste Tanzgaststätte des Ostens. Natürlich war alles dunkel; keine Musik im Inneren des Restaurants, keine langen Schlangen von jungen Leuten vor der Tür, kein Türsteher, der sich als lieber Gott aufspielte.

Noch ein paar Schritte, und er stand vor der Nr. 86, einem Haus mit großen Erkern. Hier hatten bis vor vier Monaten Tante Grit und Onkel Karl gewohnt. Es brannte Licht im ersten Stock, also war die Wohnung bereits wieder vermietet. Ob aber die neuen Mieter Tante Grits und Onkel Karls Möbel übernommen hatten und dazu das Gemälde mit den beiden Männern, die eine Frau vor eine Entscheidung stellten? Eine Szene aus dem Mittelalter, die ihn als Kind sehr berührt hatte: Was verlangten die beiden Männer mit den Federhüten auf dem Kopf von der Frau? War sie mit einem der beiden verheiratet und liebte sie den anderen?

Er hatte viele Erinnerungen an diese Wohnung. Er war noch keine fünf Jahre alt gewesen, da durfte er bei Tante Grit und Onkel Karl Schallplatten auflegen. Es war eine sehr große und teure Musiktruhe; ein Wunder, dass sie ihn an die herangelassen hatten. »Ham Se nich, ham Se nich, ham Se nich 'ne Braut für mich?«, schallte es aus dem Lautsprecher, oder: »Sie ist zu dick, sie ist zu dick, sie ist zu dick für mich.« Später die Sonntagsbesuche und die kleine Feier nach Mutters Tod; noch später die Donnerstagabende: Sekt und *Astor*, ein gutes Abendessen und fünf Mark.

Es war also doch »anders gekommen«. Wenigstens für Onkel Karl und Tante Grit. Weil er mal wieder den richtigen Riecher gehabt hatte, der Karl Friedrich Buch, weil er, wie Tante Grit schrieb, schon immer ein so aufmerksamer Zeitungsleser gewesen war. In den Westzeitungen sei ja schon seit längerem orakelt worden, dass bald etwas passieren werde, um den endlosen Flüchtlingsstrom zu stoppen; das hatte Onkel Karl hellhörig gemacht. Trotzdem: Einen Tag vor dem Mauerbau in den Westen fahren und über Nacht dort bleiben, weil man ein komisches Gefühl im Bauch hatte – da gehörte was dazu, da musste man schon sehr gute Fühler am Kopf haben, damit der Bauch so reagierte. Und dann, im Westen, wer saß da auf dem Wohnungsamt hinter dem Schreibtisch, als der Republikflüchtling Buch um eine Wohnung vorstellig wurde? Der Konrad Kraus, ein lieber alter Schulfreund! Oma Buch hatte nur den Kopf geschüttelt, als sie davon erzählte: Ihr Karlchen, immer wieder fiel der Junge direktemang in den Pudding!

U-Bahnhof Vinetastraße. In dem schmalen Haus gleich gegenüber lag die Wohnung von Hanne Gottliebs Mutter. Auch bei ihr brannte Licht. Feierte sie allein Weihnachten? Wenn ja, wie war ihr jetzt zumute, der Mann in Amerika, der Sohn auf dem Weg zu ihm, sie hier allein, ihrer Partei die Treue haltend? Lenz war mal bei ihr gewesen, um nach Hanne zu fragen, hatte der zuvor so hübschen Frau gegenübergesessen und es nicht glauben wollen: Sie war dick geworden in diesen wenigen Wochen seit Hannes Flucht. Bleich und schwammig im Gesicht, hatte sie eine Zigarette nach der anderen geraucht und nur unlustig Auskunft gegeben: Ja, Hanne gehe es gut, sein Vater wolle ihm Geld schicken, gleich im neuen Jahr würde er zu ihm fliegen. Lenz hatte bald wieder gehen wollen, aber da hatte Frau Gottlieb sich plötzlich zusammengerissen, ihm Brote geschmiert und ein Bier hingestellt; sie hatte ihn bewirtet, als wäre er ihr Hanne, und ihn gefragt, wie er denn nun mit allem fertig werde. Das Leben so ganz allein sei doch sicher nicht einfach.

Er hatte ihr etwas vorgespielt. Prächtig ginge es ihm. Endlich sei er raus aus dem Heim. Arbeit, Verdienst – alles bestens! Als er sich dann endlich verabschieden durfte, drückte sie ihm Geld und Zigaretten in die Hand und er hatte sich wieder als Hannes Stellvertreter gefühlt. Sie bat ihn, bald mal wiederzukommen, damit sie ihm erzählen konnte, wie es Hanne in Amerika gefiel, und er hatte ihr versprochen, das auch wirklich zu tun, aber schon gewusst, dass er nicht wieder hingehen würde. Er wollte kein Hanne-Ersatz sein. Wenn er jetzt bei ihr klingelte, vielleicht wäre sie froh über seinen Besuch?

Aber nein, er klingelte nicht, lief nur die Berliner bis zur Bornholmer Straße zurück und bog dort ein, um in Richtung Bösebrücke weiterzuwandern – direkt auf die Grenze zu.

Wollte er mal sehen, wie weit er kam? Wollte er ein bisschen wider den Stachel löcken? Suchte er den Kitzel der Gefahr? An jenem Abend fragte er sich das nicht, lief nur immer weiter, bis Mannschaftswagen der Volkspolizei die Straße absperrten und er stehen bleiben musste. Sicher war er schon längere Zeit durch zwei, drei Ferngläser beobachtet worden: Ein durchfrorener junger Mann, etwa einsachtzig groß, im dunklen Mantel, Kragen hochgeschlagen, Hände in den Taschen, der sich in unklarer Absicht der Grenze näherte.

Was aber wäre passiert, wäre er plötzlich losgerannt, auf die Grenze zu? Hätten die Volkspolizisten, Volksarmisten oder Kampfgruppler, die an dieser Stelle die Grenze bewachten, dann auf ihn geschossen? Aber natürlich – Anruf, Warnschuss, Zielschuss –, sie hätten ihre Pflicht getan. Und hätten sie das Zielobjekt getroffen, wären sie dafür belobigt worden, mit einem Orden, einer Geldprämie oder mit Sonderurlaub … Doch er wollte ja gar nicht losrennen, stand nur da, sah vier, fünf Sekunden lang zu den Mannschaftswagen hin, dann machte er kehrt und wanderte langsam in die Dunckerstraße zurück.

Zweiter Teil *Das Glück*

1. Neckermänner

Die Klappe ging, der Graue spähte in die Zelle. »Woll'n Se nichts zu lesen?«

Er sollte wieder Bücher bekommen? Die Strafmaßnahme war beendet? Nur zögernd trat Lenz an die Tür. Der Graue reichte ihm zwei schon sehr abgegriffene Exemplare hinein, einen Wälzer und ein schmaleres Werk, blickte ihn noch mal missbilligend an, als habe die Hundertzwo-Zwo eine solch nachsichtige Behandlung eigentlich gar nicht verdient, und schloss die Klappe. Dostojewski: *Schuld und Sühne*, Gerhart Hauptmann: *Stücke*. Welch unverhofftes Geschenk!

Den Dostojewski kannte Lenz bereits, dennoch fiel er sofort über den umfangreichen Roman her, voller Vorfreude auf die vor ihm liegenden Stunden und Tage, die ihm damit so gut wie herumgebracht schienen.

An diesem Tag jedoch schaffte es nicht einmal der große Russe, ihn aus der Wirklichkeit fortzureißen. Während der letzten Vernehmung hatte der Leutnant ihn mit einer Neuigkeit überrascht. »Sie wollten doch immer einen Rechtsanwalt«, sagte er gleich nach der Begrüßung. »Jetzt haben Sie einen. Dr. Wolfgang Vogel. Den Namen schon mal gehört?«

Er hatte diesen Namen schon einmal gehört, vor Jahren, als ein Aufsehen erregender Prozess gegen einen ehemaligen KZ-Arzt stattfand. Alle Welt hatte geglaubt, dieser SS-Fischer hätte sich in den Westen abgesetzt, während der still und zurückgezogen in der DDR praktizierte; wohl weil er hoffte, seine Chance, nicht entdeckt zu werden, sei hier größer. Dr. Vogel war zu seinem Verteidiger bestellt worden, obwohl das Todesurteil sicher längst feststand. Damals war sein Name durch alle Medien gegangen. Und nun sollte ausgerechnet dieser prominente Rechtsanwalt das politisch so unbedeutende Ehepaar Lenz verteidigen?

»In anderen Zusammenhängen ist Ihnen der Name Vogel nicht untergekommen?«

»Nein! Deshalb hätt ich gern gewusst, wer ihn beauftragt hat, für uns tätig zu werden.«

»Beauftragen müssen Sie ihn.«

»Und wer hat ihn ausgewählt?«

»Ihre Schwägerin.«

Franziska? Er war skeptisch geblieben, der Leutnant aber hatte ein Blatt Papier vor ihn hingeschoben: eine Prozessvollmacht, ausgestellt auf den Namen Dr. Wolfgang Vogel. »Seien Sie beruhigt, dieser Vogel ist kein schlechter Vogel. Einen besseren Anwalt hätten Sie nicht finden können. Ihre Frau hat ihn bereits akzeptiert.«

Da hatte er dann kurzerhand unterschrieben. Wenn Franziska diesen Anwalt ausgewählt hatte, würde sie zuvor Auskünfte über ihn eingeholt haben; Hannah und er hätten ins Telefonbuch schauen müssen, um einen Anwalt ausfindig zu machen. Ob der dann aber eine Koryphäe gewesen wäre?

Dennoch: Was für eine seltsame Form der Kontaktaufnahme zwischen Anwalt und Mandant! Kein Kennenlernen, kein einziges Gespräch unter vier Augen, kein Wort über den eventuellen Prozessverlauf, nur ein Formular, das unterschrieben werden musste … Damit musste er erst einmal fertig werden; da halfen kein Dostojewski und kein Gerhart Hauptmann; das musste er still für sich und während vieler nachdenklicher Marathonläufe verdauen.

Am Abend bekam Lenz dann auch wieder die Zeitung. Die zweite Überraschung dieses Tages, die aber nicht die letzte bleiben sollte. Er hatte das Blatt noch nicht zu Ende gelesen, da stand plötzlich der Marsmann in der Tür. »Packen Se Ihre Sachen, Sie werden verlegt.«

Ein Schock! Drei Monate hatte er in dieser Zelle zugebracht, Pritsche, Tisch und Hocker, Klo- und Waschbecken, sogar die kalten Mauern, alles war irgendwie »sein« geworden, nun musste er plötzlich hier raus. »Wo geht's denn hin?«, war das Einzige, was er über die Lippen brachte.

Der Marsmann wollte erst nicht antworten, gab sich dann aber gnädig: »Nur eine Etage höher.« Und als er sah, dass der aufgeregte Lenz zu viel Zeit brauchte, um Bettwäsche und Decken, Bücher, Waschzeug und Geschirr so zusammenzupacken, dass er alles tragen konnte, half er ihm, indem er all sein Zeug in einer Decke zusammenbündelte und sie ihm in die Arme drückte.

Es ging ins Treppenhaus und ein Stockwerk höher in den Zellengang hinein. Vor der 212 blieb der Marsmann stehen, schloss auf, ließ Lenz eintreten, sagte ihm, dass er von nun an die Zwohundertzwölf-Zwo sei und sich auch so zu melden habe, und verschloss die Zelle ohne ein weiteres Wort.

Eine Viererzelle! Sie hatten ihn in eine Viererzelle verlegt! An der Wand gegenüber der Tür befanden sich zwei Glasziegelfenster, davor standen in Abständen von etwa sechzig Zentimetern vier Pritschen nebeneinander. Ein Gefangener jedoch befand sich nicht in dieser Zelle, und nur auf einer der vier Pritschen lag Bettzeug … Lenz zögerte einen Moment, dann legte er all sein Zeug auf die Pritsche ganz links. Sein Mithäftling, der gerade zur Vernehmung sein musste, für die Freistunde war es ja schon viel zu spät, hatte die ganz rechts belegt. Zwar hätte er,

Lenz, als Zwohundertzwölf-Zwo gemäß Verwahrraumordnung die Pritsche direkt daneben beziehen müssen, zwei Pritschen Abstand aber waren ihm lieber. Wusste er denn, was das für einer war, mit dem er von nun an Tag für Tag, von morgens bis abends, die Zelle teilen musste?

Noch einmal blickte er sich in dem großen Raum um, dann setzte er sich auf seine Pritsche, nahm vorsichtig eine seiner Selbstgedrehten aus der Jackentasche, zündete sie an und inhalierte tief. Weshalb war er denn so aufgeregt? Hatte er nicht rausgewollt aus der Einzelhaft? Aber wie so eine Verlegung vor sich ging! Wirst wie ein Zierfisch am Schwanz gepackt und aus deinem kleinen, dir inzwischen schon vertrauten Aquarium in dieses riesige, kalte, dir so fremde Schwimmbecken geworfen …

Er hatte die Zigarette noch nicht aufgeraucht, da klirrten die Riegel und rasselte das Schloss und ein alter Mann im viel zu großen, angeschmuddelten, weinroten Rollkragenpullover wurde in die Zelle geführt. Als er Lenz bemerkte, fuhr er erschrocken zurück. Der Läufer, der ihn gebracht hatte, ein Unteroffizier, mit dem Lenz es noch nicht zu tun bekommen hatte, ein engäugiger, blonder Bauernburschentyp, war ebenfalls verwirrt. »Meldung!«, blaffte er Lenz an.

»Zweihundertzwölf-Zwo.«

»Sind Sie eben erst hierher verlegt worden?«

Lenz juckte es zu antworten, nein, er sei durch den Kamin gekommen, doch dann nickte er nur.

Der Bauernbursche sah ihn noch einen Augenblick lang nachdenklich an, dann rasselte wieder der Schlüssel und die Riegel klirrten.

»Manfred Lenz.« Er reichte dem Alten die Hand.

»Breuning. Moritz Breuning.«

Er musste schon über sechzig sein, dieser Moritz Breuning.

Nase und Wangen waren von rötlich blauen Fasern durchzogen, unter seinen noch immer verstört blickenden Augen hingen dicke Tränensäcke, auf der Halbglatze waren die ersten Altersflecken zu erkennen.

»Unter anderen Umständen hätte ich gesagt: Sehr angenehm!« Lenz lächelte dem Alten im Rollkragenpullover freundlich zu, und der lächelte – erleichtert, dass er nicht mit einem Menschenfresser zusammengelegt worden war – ebenso freundlich zurück. Ein Mund voller Goldzähne wurde sichtbar und Lenz verspürte Antipathie: Dieses Lächeln war falsch, wirkte anbiedernd und Abstand wahrend zugleich. Ja, und dann kam sie auch schon, die zögerliche Frage: »Sind Sie … politisch?«

Beinahe hätte Lenz geantwortet: »Natürlich.« Er saß bei der Stasi ein, nicht bei der Kriminalpolizei. Doch er beherrschte sich, lächelte weiter und sagte nur: »Ja.«

»Ich nicht.« Das kam so eilfertig und selbstgefällig, als hätte Lenz gestanden, an einer todbringenden Krankheit zu leiden.

»Also sind Sie Krimineller?« Er wusste bereits, dass er mit diesem Zellennachbarn nicht klarkommen würde.

»Wo denken Sie hin?« Jetzt war er empört, der alte Mann, der in früheren Zeiten mal breiter und schwerer gewesen sein musste, wie der ihm viel zu große Pulli und die schlaffe Haut verrieten.

»Und weshalb sind Sie hier? Ein Irrtum?«

»So … kann man es nennen.«

»Sehr bedauerlich.« Lenz begann, seine Sachen zu ordnen. Die Sehnsucht nach seiner Einzelzelle wurde stärker.

Breuning sah ihm zu, zögerte, fragte dann aber doch: »Sie wollten wohl in den Westen?«

Lenz nickte nur.

»War das nicht gefährlich?«

»Nicht sehr.«

Pause. Breuning sinnierte. Dann kam der nächste Klops: »Ich kannte mal ein hohes Tier bei den Liberalen, der hat immer gesagt, wenn ich 'nen Vogel hab und der sitzt im Käfig, ist er selbst schuld, wenn er nicht fortfliegt, solange die Tür offen steht. Gegen die Tür anzufliegen, wenn sie bereits zu ist, mache nicht viel Sinn.«

»Sehr liberal, der Mann!« Lenz hatte sein bisschen Zeug verteilt, setzte sich an den kleinen, kunststoffbezogenen Tisch vor seiner Pritsche und rauchte die nächste Selbstgedrehte. Wie sollte er sich denn an sein selbst auferlegtes Tagesquantum Zigaretten halten, wenn er solche Klugscheißereien zu verarbeiten hatte?

Breuning nahm einen von den Äpfeln, die er auf dem Fenstersims gegenüber seiner Pritsche aufgereiht hatte, und setzte sich neben ihn. »Nicht, dass Sie mich missverstehen!«, sagte er, nachdem er in den Apfel gebissen hatte. »Ich hab nichts gegen Politische. Hab mich wohl nur ein bisschen missverständlich ausgedrückt ... Bin im Januar schon ein Jahr hier ... und es ist das erste Mal, dass ich mit jemandem zusammengelegt werde.« Er wischte sich die Augen. »Vielleicht haben se's ja getan, weil bald Weihnachten ist ... und sie befürchten ... übermorgen ist ja schon der erste Advent.«

Könnte dieser Breuning sich was antun? Hatten sie ihn, Lenz, mit ihm zusammengelegt, damit er ihn vor einem Suizid bewahrte? Ein Jahr Einzelhaft, das ist viel für einen alten Mann, der sicher nie zuvor in seinem Leben im Gefängnis war.

»Bin ja nicht wirklich politischer Häftling«, sagte er. »Wollte nur umziehen. Dummerweise nicht nach Frankfurt an der Oder, sondern nach Frankfurt am Main.«

Breuning, nachdenklich seinen Apfel betrachtend, nickte: »Ja, ja, für manch einen ist's schwer … Ich persönlich war aber immer sehr zufrieden, mir hat's an nichts gemangelt.«

Vermutete er, dass sie abgehört wurden, wollte er vor denen, die ihnen vielleicht zuhörten, ein Treuebekenntnis ablegen? Lenz schoss es durch den Kopf, dass dieser Breuning vielleicht wissen könnte, wo sie sich hier befanden. Vorsichtig fragte er.

»In Hohenschönhausen«, lautete die verdutzte Antwort. »Im Zentralen Untersuchungsgefängnis an der Genslerstraße. Wussten Sie das denn nicht?«

Lenz schüttelte den Kopf.

»Und zum Sprecher bringen se uns jedes Mal in die Magdalenenstraße. Das ist in Lichtenberg, wissen Sie? Da dürfen wir unsere Familienangehörigen sehen.«

In Hohenschönhausen hatten Schulfreunde von Lenz Fußball gespielt, bei Dynamo Hohenschönhausen, dem Polizeisportverein. Später hatte er medizinische Materialien und Instrumente in die Normannenstraße geliefert, die Stasi-Hauptzentrale nur ein paar Straßen weiter. Tausend Kontrollen wegen ein paar Röntgenfilmen oder Spritzenbestecken hatte er da jedes Mal zu überstehen gehabt. Zu dieser Zeit war er auch öfter an dem alten Knast in der Magdalenenstraße vorübergekommen; hätte er damals schon gewusst, dass man ihn dort einmal für nichts und wieder nichts mit einem Gefangenentransporter hinkutschieren würde, hätte er sich diese Perle des Strafvollzugs sicher genauer angesehen …

»Möchten Sie vielleicht ein Stückchen Schokolade?«, fragte Breuning.

»Haben Sie denn eins?«

Da blitzten sie wieder, die Goldzähne. »Moritz Breuning hat alles!« Er ging an das Schränkchen über seiner Pritsche, werkelte darin herum und brachte Lenz ein Stückchen in Silberpapier gewickelte Schokolade. Es war wahrhaftig nur ein Stückchen, kein Riegel. »Ich muss einteilen«, entschuldigte er sich. »So oft darf meine Frau nicht kommen. Und das Weihnachtspaket ist auch noch nicht da.«

Lenz bedankte sich und Breuning rückte ein wenig näher an ihn heran. Das vorhin sei kein Scherz gewesen, seine Verhaftung beruhe wirklich nur auf einer Art Irrtum; Auslegungssache das Ganze.

»Was haben Sie denn getan?«

Er druckste ein Weilchen herum, bis er schließlich leise fragte: »Haben Sie meinen Namen denn noch nie gehört?«

»Breuning? – Nein! Woher denn?«

Das Gesicht des Alten veränderte sich. Eitelkeit war nun darin zu entdecken, ein hohes Maß an Selbstbewusstsein, Stolz und auch ein wenig Enttäuschung darüber, dass Lenz mit seinem Namen nichts anzufangen wusste. Man habe ihn doch immer den Neckermann von Fürstenwalde genannt – »Sie wissen schon: *Neckermann macht's möglich*« –, langjähriges Mitglied bei den Liberalen sei er gewesen, mit dem Volkskammerpräsidenten Diekmann auf Du und Du habe er gestanden, Skat hätten sie zusammen gespielt.

»Und weshalb hat man Sie verhaftet?«

Eine Frage, die Breuning sofort wieder das Wasser in die Augen trieb. Mit der Tochter zusammen habe man ihn festgenommen, flüsterte er Lenz zu. Dabei habe die Helga doch nur getan, was er von ihr verlangte. Nur sei sie eben immer sehr tüchtig gewesen, sehr, sehr tüchtig, viel tüchtiger als alle anderen.

Nach einem Jahr Einzelhaft endlich mal einer, der Moritz Breuning nicht verhörte und hoffentlich voller Mitleid war, wenn er ihm seine Version des Vorgefallenen schilderte. Auf die

Idee, dass man ihm einen Spitzel, einen Wiedergutmacher, auf die Zelle gelegt haben könnte, kam er erst gar nicht. So erzählte er Lenz gleich an diesem ersten Abend seine Geschichte; mal stolz lächelnd, wenn er über seine Erfolge berichtete, mal zerknirscht und reumütig dreinblickend, wenn er bedachte, wie alles zu Ende ging.

Dieses Ende fing damit an, dass eines Sonntagvormittags unerwarteter Besuch vor der Tür der Breuning'schen Villa stand: zwei Herren in Lederjacken mit einem Hausdurchsuchungsbefehl in der Hand. Im Badezimmer fanden sie Schmuck und Gold im Wert von zweihunderttausend Ostmark, dazu etwa fünfzigtausend Westmark und zwanzigtausend US-Dollar in bar. Alles eingemauert in der Erden tief, unter teuren Fliesen verborgen, aber leider nicht ganz und gar unauffindbar. »Dachte mir immer, man muss doch was auf der hohen Kante haben. Wer weiß denn, wie's mal wird?«

Woher die Stasi von diesem Zukunftsdepot wusste? Von Breunings Geschäftspartner, dem Schmuck-, Gold- und Devisenlieferanten höchstpersönlich, der, um seine Lage zu erleichtern, nach seiner Verhaftung ausgepackt hatte.

»Danach haben se dann auch meine Bücher geprüft. Und damit ging die Sache erst richtig los. Ich, na ja, ich hatte 'ne halbe Million zu viel auf'm Konto.«

Kein verschämtes, ein stolzes Lächeln.

»Wie kann man denn in der DDR so viel Geld verdienen?«

»Durch Tüchtigkeit, junger Mann, durch Tüchtigkeit!«

»Und welche Art von ›Tüchtigkeit‹ war das?«

»Engpässe beseitigen!«

Lenz wartete ab. Er würde weiterreden, dieser Neckermann Breuning; in dieser demütigenden Lebenssituation wollte er für kurze Zeit mal wieder der sein, der er wohl mal war: der große, reiche Moritz Breuning, der clevere Breuning, der Macher und Könner Breuning.

Gebrauchte Kühlschränke und Waschmaschinen habe er aufgekauft, erklärte er dann auch schon bald mit listig-stolzem Lächeln. Er habe sie reparieren und neu spritzen lassen, also richtig schön wieder hergestellt und als neu weiterverkauft. Was nun aber eine kriminelle Tat sein sollte. »Dabei freuten die Leute sich doch! Überall hätten sie Monate, wenn nicht sogar Jahre auf so ein Gerät warten müssen, die *Breuning & Co. KG* lieferte prompt.« Weshalb er die gebrauchten Geräte denn nicht ganz einfach als gebrauchte Geräte weiterverkauft habe? »Weil sich die ganze Sache dann für mich nicht gelohnt hätte. Bin Kaufmann, muss Gewinn machen. Außerdem lieferte ich den Leuten ja fast neuwertige Geräte. Keine Reklamationen! Meine generalüberholten und sorgfältig verbesserten Geräte waren ja von höherer Qualität als die störanfälligen Blechkisten frisch ab Werk. Alles beste Handwerkerarbeit!«

Lenz starrte den Alten im Rollkragenpullover nur an, der hielt diese Sprachlosigkeit für Bewunderung und prahlte weiter: Sowjetische Offiziere hatten keine Farbfernseher in ihren Klubräumen? Kein Problem! Die *Breuning & Co. KG* half, indem sie die gewünschten Fernseher lieferte und eine entsprechend satte Rechnung über Maschendraht und Klosettbecken ausstellte. »Nun frage ich Sie, wem habe ich damit geschadet? Sollten sich die Freunde ihre langweiligen Kasernenabende doch ruhig ein bisschen gemütlicher gestalten. Und wenn se nun mal für Kultur keine Mittel hatten?«

Ein Rostocker Betriebsdirektor wünschte sich ein neues, würdig möbliertes Direktorenzimmer, Mittel waren ihm aber nur für die Möblierung des Betriebsferienheims bewilligt worden. »Bitte schön! Hier das Direktorenzimmer, besser als Honecker eins hat, und die Kosten über das Betriebsferienheim abgerechnet. In einem Wirtschaftssystem wie dem unseren muss man sich eben was einfallen lassen. Habe geholfen, wo es ging. Im Westen wäre so etwas ja gar nicht nötig gewesen. Unsere starren Gesetze sind schuld, dass unsereins in solche Situationen gerät.«

Er servierte Lenz die Argumente, die er sich im Vernehmertrakt verkneifen musste, weil er dort gezwungen war, den reuigen Sünder zu spielen; war richtig glücklich darüber, sich endlich mal ehrlichen Herzens verteidigen zu dürfen.

»Habe gut verdient. Gebe ich gerne zu. Habe aber auch viel gearbeitet und bin ein hohes Risiko eingegangen.« Er schwelgte in Erinnerungen, der Moritz Breuning: In den teuersten Pelzmänteln seien seine Töchter durch Fürstenwalde geschritten, jede habe einen *Wartburg* oder *Skoda* gefahren und an der Ostsee ein eigenes Ferienhaus besessen; von ihren tipptopp eingerichteten Fürstenwalder Häusern ganz zu schweigen. »Sie müssen wissen, meine drei Mädel liebe ich über alles. Für jede Einzelne gehe ich durchs Feuer. Nur schade, dass die Helga auch hier sitzen muss.«

Wieder weinte er. Dicke Tränen perlten ihm übers Gesicht. »Allein meine Frau, meine liebe gute Frau, die hatte von alldem nichts, benötigte nie etwas. So still, so bescheiden … Oft hatte ich nicht mal Zeit, ihr gute Nacht zu sagen. Jetzt aber kommt se und bringt mir Wurst und Obst und Schokolade, damit ich nicht ganz vom Fleisch falle.«

»Weshalb dauern Ihre Vernehmungen denn so lange?«

»Die wollen alles wissen, alles über meine Partei und meine Geschäftsfreunde. Na, und dann die Bücher! Jeden einzelnen Posten gehn se durch. Die haben ja Zeit, ich aber bin vierundsechzig …«

Lenz senkte den Blick. Er würde ihnen schon gesagt haben,

was sie wissen wollten, dieser ehemals so clevere Moritz Breuning. Seine Parteifreunde wird er denunziert und ohne Bedenken auch seine Geschäftspartner angeschwärzt haben, so sehr bedrückte ihn die Angst, nicht mehr hier rauszukommen. Viel helfen aber würde ihm das nicht; seine krummen Geschäfte konnte er damit nicht wieder geradebiegen. Das wusste er, das setzte ihm zu, das verfolgte ihn seit seiner Verhaftung; das hatte ihn zu diesem erst vierundsechzigjährigen, zittrigen Alten gemacht. Außerdem hatte er ihm ganz sicher nicht alles gesagt. Solche Geschäfte waren ohne Steuerhinterziehung nicht möglich; nur langjähriger Betrug am Staat hatte diesen Reichtum schaffen können. Wie aber sollte so einer in einer sozialistischen Republik resozialisiert werden? Er hatte ja immer noch nicht begriffen, welch miese Geschäfte er da betrieben hatte, hielt seine Schummelschiebungen für leicht entschuldbare Kavaliersdelikte, war stolz auf seine Pfiffigkeit, kapierte nicht, dass nach DDR-Gesetzen auch er ein politischer, eben ein wirtschaftspolitischer Verbrecher war. Sollte er, Lenz, mit diesem Raffke Mitleid haben? Hannah und er hatten für ihren Kühlschrank über ein Jahr gespart; was, wenn ihnen so ein *Neckermann*-Verschnitt einen auf neu getrimmten Gebrauchten verkauft hätte? Hätten sie dann nur gelacht und »tüchtiges Kerlchen« gesagt? Dieser Breuning war ein Betrüger, der saß zu Recht. Die Stasi hatte ihn mit einem Goldhamster zusammengelegt, mit einem, für den noch immer Nachkriegszeit war; Schwarzmarktsaison! Ob da eine Absicht dahinter steckte? Sehen Sie, Lenz, mit solchem Pack haben Sie sich gemein gemacht? Ist es zu viel verlangt, wenn wir Sie bitten, uns im Kampf gegen solche kapitalistischen Kröten beizustehen?

»Was meinen Sie denn, wie viel ich kriegen werde?« Ein lauernder Blick in Breunings Augen.

»Keine Ahnung! Kenn mich da nicht aus.«

»Es ist ja nur, weil ich nicht mehr der Jüngste bin. Stecken se mich in den Steinbruch, geh ich zugrunde.«

»Sie kommen doch nicht in den Steinbruch. Was soll man denn dort mit Ihnen?« Ach, Lenz! Der Kerl ist dir zum Kotzen zuwider, du aber tröstest ihn auch noch. »Ihnen kann doch gar nichts groß passieren. Sie gehen nach der Verhandlung nach Hause. Selbst wenn Sie drei Jahre kriegen, erlässt man Ihnen den Rest zur Bewährung. Sie haben die Hälfte dann ja schon hinter sich.«

»Meinen Sie?« Genau das hatte er hören wollen, der Breuning. Erleichtert holte er sich einen zweiten Apfel.

»Ich werd mal meinen Abendspaziergang machen.« Lenz hielt den Anblick des zufrieden an seinem Apfel nagenden Alten nicht länger aus, zügig begann er vor den vier Pritschen auf und ab zu wandern, von der Tür bis zum Klobecken und zurück. Eine ungewohnte Entfernung, dreizehn statt acht Schritte. Sah er dabei mal kurz zu Breuning hin, schüttelte er innerlich den Kopf: Verkauft rasierte Kakteen als Gurken, dieser Hinterhofkapitalist! Hält sich für einen großen Onkel, nur weil er ein Meister im Bescheißen ist! Lässt sich von ihm für ein Stückchen Schokolade trösten und hält das für ein seriöses Geschäft ... Wie sollte er diese Type nur über längere Zeit hinweg ertragen?

Erst am Abend, als sie sich gegenseitig gute Nacht gewünscht und auf ihre Pritschen zurückgezogen hatten, begriff Lenz, was wirklich geschehen war: Ein einziger, ihm höchst unsympathischer Mensch hatte es fertig gebracht, ihn dermaßen zu beschäftigen, dass er seine eigenen Sorgen für ein paar Stunden vergaß. Das hatte kein Buch, keine Zeitung geschafft; war das der tiefere Sinn der Gemeinschaftszelle?

Zwei Wochen blieben Lenz und Breuning miteinander allein; zwei Wochen, die für Lenz schwerer auszuhalten waren als die drei Monate Einzelhaft, die hinter ihm lagen. Ihn störte nicht nur diese Ich-Bezogenheit des Moritz Breuning – das ständige Lamentieren und Wehklagen über die Ungerechtigkeit, die ihm widerfahren war, seine ewige Angst vor dem Steinbruch, das Gejammer um die Zukunftsaussichten seiner nun ebenfalls bald vorbestraften Tochter, der allseits beliebten, tüchtigen, klugen und bildhübschen Prinzessin Helga –, schlimm waren vor allem die vielen unausweichlichen Intimitäten der Gemeinschaftshaft. Breunings Schmatzen beim Essen – hatte diesem Mann denn nie jemand beigebracht, wie man isst? Die ewig verschmierte Lesebrille – weshalb putzte er die nie? Der schmuddlige weinrote Pulli – weshalb gab er den seiner Frau nicht mal mit, wenn er schon darauf bestand, Zivilkleidung zu tragen? Der schwabblige, nackte Oberkörper beim Waschen, der kleine rote, faltige Hintern, den er Lenz jedes Mal entgegendrehte, wenn er ihn während des Duschens bat, ihm den Rücken einzuseifen. Musste Lenz pinkeln, trat er ans Klo und betätigte die Spülung, um die Pieselgeräusche damit zu übertönen; Breuning trat zwanzigmal am Tag ans Becken und ließ es rinnen, als wäre dieses Geräusch ein einziger Ohrenschmaus. Ging es um größere Geschäfte, wartete Lenz, bis es höchste Eisenbahn war, dann erledigte er die Sache schnell und öffnete danach beide Lüftungsklappen; Breuning hockte sich schon eine halbe Stunde vorher aufs Becken, furzte und furzte und jammerte unter Tränen: »Nur Luft! Bei mir kommt immer nur Luft!« Und die Lüftungsklappen durfte Lenz dann nicht öffnen; es war bereits Dezember, und Breuning befürchtete, sich zu verkühlen. Klappte es doch einmal, stöhnte und grunzte er beim Scheißen wie eine Elefantendame in den Wehen und wischte sich danach so lange und gründlich den

Hintern ab, dass dieses Geräusch Lenz ganz und gar verrückt machte.

Nachts schnarchte Breuning. Weckte Lenz ihn, hatte er für zehn Minuten Ruhe, dann wurde weiter abgeholzt. Tagsüber lebte Breuning ständig in der Furcht, etwas falsch zu machen. Legte Lenz sich, obwohl das verboten war, zum Lesen auf die Pritsche, bat er ihn, doch lieber wieder aufzustehen: »Sonst werden wir beide bestraft.«

Zweimal fügte Lenz sich, dann blieb er liegen. »Bin Untersuchungshäftling, nicht Strafgefangener. Außerdem betreffen meine Vergehen gegen die Verwahrraumordnung nicht Sie, sondern nur mich.«

Dieser Breuning war ein Zitterpudding, für den es nur zwei Arten von Menschen gab: übergeordnete und untergeordnete. Draußen hatte er seiner Meinung nach zur Kategorie 1 gezählt, hier zog er eine Schleimspur. Sogar vor dem Wachpersonal gab er sich eifrig, der ehemals so große Moritz Breuning, redete jeden nur respektvoll mit Herr und Dienstgrad an und stand bereits stramm, wenn nur durch den Spion gelinst wurde. Lenz hingegen hatte längst mitbekommen, wie weit er gehen durfte, ohne sich größeren Ärger einzufangen, lag auf seiner Pritsche und las, solange ihm danach zumute war. Klopfte einer der Schließer gegen die Tür, stand er für fünf Minuten auf; betrat der Schließer die Zelle, um ihn lauthals zusammenzuscheißen, blickte er ihn nur an, als gelte es, irgendein neuartiges, interessantes Insekt zu studieren. Die Schließer und Läufer auf dieser Etage waren nicht strenger oder freundlicher als jene, die er bisher kennen gelernt hatte; Kleinfingergroß und Bandwurm hatte er sie getauft, Blaumeise, Spartakus, Bäuerlein und Rübensau.

Hin und wieder fragte Lenz sich, ob seine Antipathie nicht ungerecht war. Was konnte Breuning dafür, dass man sie zusammengelegt hatte? Doch kam er gegen seine ablehnende Haltung nicht an. Breuning erweckte Aggressionen in ihm, die er sich nicht zugetraut hätte; Breunings ewige Angst um die eigene Gesundheit verstärkte sie noch. Jeden Abend stand er vor seinem Schränkchen und überlegte: Sollte er seinem Mithäftling Lenz einen halben Apfel, eine halbe Orange oder eine Mandarine opfern? Oder doch lieber nicht? Meistens kam er zu dem Schluss, dass es besser sei, seine Vitamine allein zu inhalieren. Und opferte er jeden dritten, vierten Abend doch etwas aus seinem Schatzkästlein, erwartete er dafür immer währende Dankbarkeit.

Lenz nahm die zögerliche Gabe dennoch an; er wollte nicht mit wackligen Zähnen und Glatze aus der Haft entlassen werden. Als Entgelt putzte er, wenn einmal die Woche die Reinigungsutensilien hereingereicht wurden, die gesamte Zelle.

Einzig wirklicher Vorteil für Lenz in dieser Zeit der ungewollten Zweisamkeit: Jeder Häftling erhielt zwei Bücher pro Woche, zwei Häftlinge erhielten vier. So musste er von nun an kein Buch zweimal lesen und sich nicht mal mit Breuning abstimmen, wer wann welches Buch las, denn Breuning las nicht, blätterte nur manchmal in einem der Bücher herum, als wunderte er sich darüber, dass so unnötiges Zeug überhaupt produziert wurde. Allerdings blieb Lenz nicht so viel Zeit zum Lesen, wie er es sich gewünscht hätte, denn war Breuning nicht zur Vernehmung, watschelte er vor seiner Nase in der Zelle auf und ab und unterbrach ihn wegen jeder Kleinigkeit, die ihm gerade einfiel. Um ihn ruhig zu stellen, schlug Lenz ihm deshalb bald vor, sich vom Arzt eine Liegeerlaubnis erteilen zu lassen. »Dann dürfen Sie auch tagsüber liegen und kein Schließer kann Ihnen etwas anhaben.«

Drei Tage lang zögerte Breuning, dann meldete er sich zum Arzt und erhielt die Liegeerlaubnis. Von nun an lag er die meiste

Zeit des Tages auf seiner Pritsche, dachte nach, seufzte und stöhnte, bis er immer wieder mal für kurze Zeit einschlief. Wurde jedoch die Zellentür geöffnet, musste auch er sich erheben und Meldung erstatten. Das verrichtete er jedes Mal so diensteifrig, dass er einmal, als Lenz gerade den Linoleumfußboden frisch gewischt hatte, neben seiner Pritsche ausrutschte, hinschlug und nicht wieder hochkam.

»Nu helfen Se ihm doch endlich auf!« Die Blaumeise, ein fahles, schmales Jüngelchen mit sehr blauen Augen, blickte Lenz böse an.

Lenz bemühte sich, den hilflosen Alten wieder auf seine Pritsche zu schaffen, Breuning jedoch stellte sich hinfälliger an, als er war, führte eine richtige Schmierenkomödie auf. Lenz musste sich das Lachen verkneifen.

»Bleiben Se bei ihm und klopfen Se, wenn's nicht besser wird.«

Die Blaumeise drückte Breuning einen Brief in die Hand, die Tür flog zu, der Schlüssel, die Riegel.

»Geht's Ihnen besser?«

Stöhnend schüttelte Breuning den Kopf, riss aber schon den Brief auf. Als er ihn überflogen hatte, blickte er noch bekümmerter. »Meine Biggi – das ist die Jüngste – will endlich heiraten. Nun will sie wissen, ob sie warten soll, bis ich dabei sein kann.«

Lenz schwieg.

»Was meinen Sie denn, was ich ihr raten soll? Sie kann doch nicht ihr halbes Leben lang auf ihren Vater warten.«

Lenz gab sich einen Stoß: »Ach was! Halbes Leben! Schreiben Sie ihr, sie soll bald heiraten. Sie können ja später eine Nachfeier machen.«

Eine Zeit lang lag Breuning nur da und dachte nach, dann erinnerte er sich seines Sturzes. »Klopfen Sie!«, bat er mit schwacher Stimme.

»Weshalb?«

»Es geht mir immer noch nicht besser. Alles tut weh … Sie hätten den Fußboden nicht so feucht wischen dürfen.«

Lenz klopfte nicht, griff nur wieder nach seinem Buch. Ein hasserfüllter Blick traf ihn; er zuckte die Achseln.

Eine Erlösung für Lenz, als Breuning und er auf die 327 verlegt wurden. Wieder eine Viererzelle die bisher nur mit einem einzigen Häftling belegt war: Hilmar Coswig, Musiklehrer von Beruf, im Erzgebirge aufgewachsen, zuletzt in Potsdam zu Hause.

Coswig hatte ungefähr Lenz' Alter, dichtes, dunkles Haar und holzschnittartige, aber nicht unebene Gesichtszüge. Er war schlank, mittelgroß und sehr ruhig. Tagsüber hatte er an einer Musikschule unterrichtet, abends als Mann am Klavier etwas hinzuverdient. Ob Lenz jemals etwas vom *Trio Nabuco* gehört hätte; die Abkürzung von Nagold-Butschinski-Coswig? Immer wieder setzte er sich an den Tisch und ließ die Finger über den gelben Kunststoffbelag gleiten, als säße er am Klavier. Trällerte er dazu ein Lied, nötigte er Lenz zum Mitsingen: »Das befreit die Seele.« Oft sangen sie, bis die Klappe ging: »Woll'n Se endlich ruhig sein!«

Dann grinsten sie nur: Ach ja! Singen, Pfeifen und lautes Reden waren verboten … Da die Wachposten ständig einander abwechselten, bekamen sie nicht mit, dass es sich bei den Three-two-seven-Singers um Wiederholungstäter handelte.

Coswig saß seit einem halben Jahr, davon die meiste Zeit in Einzelhaft. Nur für drei Wochen war mal jemand auf seine Zelle gelegt worden; ein Sachse aus Dresden, der ständig über die allzu strengen Preußen gejammert habe. Coswig hatte Frau und Kind und dachte oft voll Sehnsucht an seinen kleinen Sohn; Coswig konnte gut zuhören und nachvollziehen, wie dem Familienvater Lenz zumute war; Coswig war sympathisch. Dass Lenz und er keine Freunde wurden, lag an Coswigs merkwürdiger Fluchtgeschichte und an seinem Wunsch, nach Verbüßung seiner Strafe in die DDR entlassen zu werden.

Coswig hatte über die amerikanische Militärmission in den Westen gewollt. Ein Sergeant, mit dem er bekannt geworden war, so erzählte er, sei sein Ansprechpartner gewesen. Frau und Sohn sollten nachkommen. Eines Abends, als er Zigaretten holen wollte, sei er jedoch verhaftet worden. Direkt vor seiner Haustür. Seine Frau habe auf ihn gewartet, bis man bei ihr klingelte: Sie solle sich keine Sorgen machen, ihr Mann sei in polizeilichem Gewahrsam, sie erfahre bald mehr. Seine Frau aber habe von seinen Plänen und Verbindungen keine Ahnung gehabt, weshalb sie während ihrer Besuche aus Enttäuschung über seinen Alleingang immer öfter von Scheidung sprach. Darunter litt er; seine Familie wollte er auf gar keinen Fall verlieren.

Eine Geschichte, in der sich vieles widersprach. Woher wollte Coswig denn wissen, dass seine Frau ihm in den Westen gefolgt wäre, wenn er nicht mit ihr darüber gesprochen hatte? Und selbst wenn sie im Nachhinein eingewilligt hätte, ihm zu folgen, woher nahm er die Gewissheit, sie tatsächlich nachholen zu können? Handelte, wer seine Familie liebte, so leichtfertig? Ein solches Risiko, auf Dauer von Hannah, Silke und Micha getrennt zu sein, wäre er selbst nie eingegangen. Und dann die Story vom Zigarettenholen! Tausend Mal gehört diese Mär, in allen möglichen Varianten: Einer geht fort, um Zigaretten zu kaufen, und kehrt niemals mehr zurück! Durfte er Coswig eine solche Geschichte abnehmen?

Andererseits: Wenn Coswig ihm etwas vorgelogen hatte, weshalb hatte er sich keine bessere Story einfallen lassen? Er war doch nicht dumm.

Ja, und nun wollte er auf einmal gar nicht mehr weg, der Hilmar Coswig, geriet in Panik, weil die Frau, die er verlassen wollte, von Scheidung sprach, und setzte alles daran, möglichst wenig aufgebrummt zu bekommen, um bald wieder bei Frau und Kind in Potsdam zu sein. Weshalb hatte er denn überhaupt fliehen wollen? Nur so aus Quatsch?

Immer wieder versuchte Lenz, etwas über Coswigs Fluchtgründe herauszufinden; er erhielt nur unbefriedigende Antworten. Musik hatte er im Westen machen wollen, der Pianist vom *Trio Nabuco*. Warum denn nicht im Osten? Weil man hier zu sehr in eine Richtung gedrängt würde. In welche Richtung denn? Ein misstrauischer Blick und eine lange Rede über Musiktheorie, von der Lenz nichts verstand, beendeten das Thema.

Hielt Coswig ihn für einen Spitzel? Oder war er selbst ein Bereuer, ein Wiedergutmacher, von einem dieser Gebrüder Fischherz für ein paar Monate weniger eingekauft? War er gar ein Stasi-Mann im Fronteinsatz? Weshalb sollte es so etwas denn nicht geben? Coswig, ein Städtename, klang ja schon wie ein Deckname.

Lenz begann Coswig zu beobachten. Gab es da nicht manchmal verräterische Blicke und seltsame Zwischentöne? Rutschte ihm ab und zu eine ehrliche Bemerkung heraus? Wie lange behauptete Coswig schon zu sitzen? Sechs Monate? Das war fast doppelt so viel, wie Lenz hinter sich hatte. Aber wieso war dann der Belag in Coswigs Trinkbecher so viel heller als seiner? Bei der Einlieferung wurde nur fabrikneues Plastikgeschirr ausgegeben, also gingen sie alle mit den gleichen Voraussetzungen an den Start … Er wies mal wie nebenbei auf diesen Unterschied hin, und Coswig antwortete mit genauso harmloser Miene, dass er erst vor kurzem einen neuen Becher bekommen habe; der alte sei nicht mehr dicht gewesen. Eine einleuchtende Auskunft – aber auch Coswigs Filzlatschen sahen nicht so aus, als hätte er sie bereits seit einem halben Jahr an den Füßen …

Lenz ärgerte sein Misstrauen. Würde Coswig tatsächlich für die Stasi arbeiten, hätte er sich doch ganz sicher einen unverdächtigeren Namen und eine bessere Fluchtlegende ausgedacht. Andererseits konnte ja gerade das der Trick sein. Vielleicht sollten die Bespitzelten denken, dass einer, bei dem so auffällig alles auf Spitzeldienste hindeutete, unmöglich einer sein konnte. Wenn dem aber so war, wen bespitzelte Coswig – Breuning oder ihn? Oder war er auf sie beide angesetzt, nach dem Motto: »Erzählen Se doch mal, was Ihre beiden Mitgefangenen so reden, wenn sie der Katzenjammer überfällt.« Vielleicht glaubte man im Vernehmertrakt ja, dass sie noch lange nicht alles gestanden hatten …

Wenn Coswig ihm aber ebenfalls misstraute und deshalb nicht die ganze Wahrheit sagte, was wäre daran so ungewöhnlich? Wieso hätte Coswig ihm denn Vertrauen entgegenbringen sollen? Er kannte ihn ja nur als Zellengenossen. Vielleicht befürchtete er ja auch, dass sie abgehört wurden; in jedem Stück Mauerwerk, sogar im Kasten der Klospülung konnte eine Wanze stecken.

Aber da waren ja noch die politischen Witze, die Coswig so gern erzählte und die Lenz stutzen ließen. Einer, der befürchtete, bespitzelt zu werden, lieferte sich doch nicht derart ans Messer – es sei denn, er erzählte diese Witze im Auftrag der Stasi, um auch aus ihm, Lenz, ein paar solche Schoten herauszukitzeln … Doch wozu, verdammt noch mal, sollte die Stasi ihm auch noch staatsfeindliche Hetze anhängen? Bei all dem, was ihm vorgeworfen wurde, fiel das doch gar nicht mehr ins Gewicht. Oder zielten diese Witze allein darauf ab, Coswig sein Vertrauen gewinnen zu lassen, damit er ihm ein paar westliche Kontakte verriet, die den Spionagevorwurf erhärteten?

Einmal unterhielten sie sich über die vielen Mitläufer, die eine Diktatur erst möglich machten.

Lenz: »Es gibt Typen, die kannste vor jeden Karren spannen, sie ziehen!«

Coswig: »Gefährlicher sind die, die den Karren lenken.«

Lenz: »Wenn niemand zieht, sind die am Steuer machtlos.«

Coswig: »Aber wo landet der Karren, wenn Leute lenken, die nichts davon verstehen?«

Sprach so einer, der zu Frau und Kind nach Potsdam zurückwollte, also eine neue Chance brauchte? Lenz beschloss, dieses Gespräch lieber zu beenden.

Doch alles Misstrauen verhinderte nicht, dass zwischen Lenz und Coswig so etwas wie eine Zellenkameradschaft entstand. Sie teilten sich ihre Tabakrationen und das Salz, das Coswig vom Bandwurm erbettelt hatte, und wenn Coswig ein Päckchen von seiner Frau oder seinen Eltern bekam, war Lenz wie selbstverständlich daran beteiligt. Sie diskutierten über Literatur, Kunst und Musik, und Lenz ließ sich in Kompositionslehre unterrichten. Sie lachten gern und jagten während der Freistunde miteinander im Kreis herum; wenn sie lasen – sie hatten nun insgesamt sechs Bücher zur Verfügung –, deklamierten sie laut die interessantesten Stellen.

Breuning kam nur noch am Rande vor.

Für Lenz waren sie so etwas wie eine geistige Erholung, diese zehn Tage mit Coswig. Doch es sollte noch besser kommen – und noch verwirrender. Kurz vor Weihnachten, Coswig und Breuning waren zur Vernehmung, wurde noch ein vierter Häftling auf die 327 verlegt: Hans-Joachim Hahne, Journalist, ehemals Redakteur bei der FDJ-Zeitschrift *Junge Welt;* ein langer Kerl mit schütterem, trotz seiner Jugend bereits einer Stirnglatze weichendem Haar und pfiffigen braunen Augen. Hahne warf seine Knastutensilien auf die einzige noch freie Pritsche und stellte sich Lenz höflich vor. Seine erste Frage: »Paragraph 213?«

Lenz nickte nur.

»Und? Schon einen Anwalt?«

»Seit ein paar Wochen.«

»Wie heißt er?«

»Dr. Vogel.«

Es war offensichtlich, dass dieser Hahne gar keinen anderen Namen erwartet hatte. Zufrieden grinsend bot er Lenz eine Zigarette an – Marke *Juwel,* keine Selbstgedrehte – und klärte ihn mit genießerischer Miene darüber auf, dass er vom lieben Gott selbst verteidigt wurde. »Bist ein Glückspilz, Mann! Dein Dr. Vogel hat den Schlüssel zur Tür in der Mauer in der Hosentasche. Keiner kann dir sagen, wie lange du sitzen musst, aber eines steht fest: Wirst du durch Vogel vertreten, sitzt du irgendwann in dem berühmten Bus in Richtung Westen.«

Das kam so locker daher, dass Lenz nur verdattert schwieg. Hahne blickte ihn ein Weilchen nachdenklich an, dann fragte er wie ein Arzt, der einer Krankheit auf die Spur kommen wollte: »Wer hat denn den Vogel beauftragt, sich um deinen Fall zu kümmern?«

»Meine Schwägerin.«

»Von drüben?«

»Ja.«

»Dann ist die Sache übers Bundesinnenministerium gelaufen. Oder über das für gesamtdeutsche Fragen. Die haben den Vogel beauftragt, die bezahlen ihn.«

Was für ein seltsamer neuer Zellengenosse! Kam hereingeplatzt, wusste nicht, mit wem er es zu tun hatte, plapperte aber gleich los, als hätten sie sich schon im Kindergarten kennen gelernt. »Kannst du auch Handlesen?«

Hahne verteilte seine Utensilien in der Zelle. »Brauch deine Hand nicht. Weiß, was ich weiß. Irgendwann trifft sich dein Dr. Vogel mit einem WestBerliner Anwalt namens Stange, sie handeln die Preise und sonstigen Freikaufmodalitäten aus und dann geht's ab nach Karl-Marx-Stadt, ins Stasi-Gefängnis auf dem Kaßberg. Dort bleibste ein paar Tage, dann geht's im Ostbus an die Grenze und die frisch gebackenen Herren und Damen Bundesbürger dürfen in den Westbus umsteigen. Richtung Gießen. Ins Notaufnahmelager.«

Das klang nicht nach Phantasiegeschichte. Lenz spürte, wie die Erregung in ihm wuchs. »Und woher weißt du das alles?«

»Erzähl ich dir später.«

»Bist du auch einer von Dr. Vogels Mandanten?«

»Nee! Mich lassen die so schnell nicht rüber. Da muss ich erst noch stärkere Geschütze auffahren.«

Sollte er weiterfragen? Warum sie ihn so schnell nicht rüberlassen würden, was für stärkere Geschütze er auffahren wollte? Lenz beschloss abzuwarten. Sonst interpretierte dieser Hajo Hahne seine Neugier noch falsch und sagte gar nichts mehr.

Er musste sich nicht lange gedulden. Kaum hatte Hahne seinen Einzug beendet, saßen sie erneut einander gegenüber, rauchten eine von Lenz' Selbstgedrehten, und der lange Journalist beteuerte Lenz, ihm keinen Mist erzählt zu haben. Mit Dr. Vogel habe er das große Los gezogen. Der halbe Knast hier werde von Vogel verteidigt. In früheren Zeiten habe es zwei, drei Rechtsanwälte gegeben, die sich um die Freikäufe der politischen Gefangenen kümmerten, jetzt besitze Dr. Vogel so eine Art Monopol für diese Geschäfte und manage auch den Austausch der

Spione an der Glienicker Brücke. Doch natürlich würden solche Menschenschiebereien nicht an die große Glocke gehängt. »Hat ja keiner ein Interesse daran, dass das bekannt wird. Die im Westen nicht und unsere Funktionärsclique schon gar nicht. Tatsache aber ist, dass die auf diese Weise erzielten DM-Beträge im Wirtschaftsplan längst als feste Haushaltsposten einkalkuliert sind.« Er lachte spitzbübisch. »Biste auf de Liste, schwippste aus de Kiste; wenn nicht heute, dann eben morgen. Aber was wohl die westdeutschen Steuerzahler zu dieser Art Unterstützung einer menschenverachtenden Diktatur sagen würden? Abstimmen lassen würde ich sie darüber lieber nicht.«

Vorsichtig versuchte Lenz es noch einmal. »Solange du mir nicht sagst, woher du dein Wissen hast, glaube ich dir kein Wort.«

»Kann ich verstehen. Aber lass uns erst mal ein bisschen näher miteinander bekannt werden, dann weiß ich, wie viel ich dir sagen darf.« Sagte es und begann, als wollte er Lenz damit aber auffordern, es ihm gleichzutun, von sich zu erzählen. Seit anderthalb Jahren sitze er nun schon hier ein. Erst ein halbes Jahr Einzelhaft, danach immer wieder mit anderen Gefangenen zusammen. Inzwischen hätten »die Schweine« ihn verurteilt: fünf Jahre und sechs Monate für illegalen Grenzübertritt, staatsfeindliche Verbindungsaufnahme und Spionage.

Worte, die Lenz gleich wieder misstrauisch machten. Das waren ja Punkt für Punkt die drei Vergehen, die auch Hannah und ihm angelastet wurden. Ein Zufall – oder der Versuch, ihm einen Spitzel auf den Hals zu hetzen? Vielleicht hatte er sich in Coswig ja getäuscht, vielleicht war dieser Dr. Allwissend mit der Halbglatze der Wiedergutmacher. »Du sprichst eine deutliche Sprache. Was, wenn wir abgehört werden – oder ich ein Spitzel bin?«

»Mir doch egal! Was ich von denen halte, hab ich ihnen

längst gesagt. Von mir aus können se an der Decke 'ne Kamera einbauen und mir beim Onanieren zukucken.« Eine Vorstellung, die Hahne erheiterte. Gleich darauf wurde er wieder ernst: »Nach dem, was ich hier erlebt habe, hasse ich diese Gangster dermaßen, dass ich auf nichts mehr Rücksicht nehme.« Und er erzählte Lenz von den drei Zähnen, die man ihm im Lauf dieser anderthalb Jahre gezogen hatte, anstatt zu zahnerhaltenen Maßnahmen zu greifen, und wie man ihn, nachdem er deshalb durchgedreht war, in eine Gummidunkelzelle gesteckt hatte. »Nichts drin in diesem Loch, nur Gummiwände und schwarze Finsternis. Du kannst schreien, heulen, toben, sie holen dich da nicht raus.« Drei Tage, so Hahne, hätten sie ihn darin behalten; als sie ihn wieder herausholten, habe er nicht mehr gewusst, ob er Männchen oder Weibchen war. Andere Gefangene hätten von Schlägen, Kälte- und Stehzellen berichtet und einer gar von einer Scheinhinrichtung. »Das musste dir mal vorstellen, den haben se mit ihren Knarren in den Händen nachts aus seiner Einzelzelle geholt und mit 'ner Binde vor den Augen in eine Freizelle geführt. Der hat sich vor Angst in die Hose geschissen, dachte, jetzt ist's aus …«

»Na, na!« Ungläubig schüttelte Lenz den Kopf. »Da hatte er wohl nur was Böses geträumt.«

»Hab ich anfangs auch gedacht.« Hahne sog an seiner Zigarette, als wollte er sie mit einem Zug zum Erlöschen bringen. »So was darf's doch nicht geben – in unserer DDR doch nicht! Gibt's aber doch! Hab schließlich mehrere Wochen mit dem Mann auf einer Zelle gelegen und mitbekommen, wie der sich seither nachts fürchtete … Das war keine Schauspielerei! Den hatten se mürbe gemacht; alles, was sie hören wollten, hat er danach gestanden.«

»Und wieso ist unsereinem so was nicht passiert?«

»Weil unsereins zu vernünftig ist, um ewig nur auf stur zu stellen. Oder hast du etwa nicht bald ›kooperiert‹?«

Lenz verstummte, und Hahne sprang auf, um ein Weilchen vor ihm auf und ab zu wandern. »Spionage haben se mir angehängt. Und warum? Nur weil mein Stiefbruder, mit dem ich seit Jahren kein Wort mehr rede, auch so eine Stasi-Ratte ist. Aus keinem anderen Grund. Und nur wegen diesem verdammten Spionage-Paragraphen werden sie mich vorläufig nicht rüberlassen. Aufhängen sollte man die ganze Bagage!«

»He!« Lenz wurde es immer ungemütlicher zumute. »Beherrsch dich mal 'n bisschen.«

»Wozu?« Der lange Journalist machte immer größere Schritte. »Wovor hast du Angst? Hier drin, mein Lieber, bist du so frei wie nirgendwo sonst in unserer bananenlosen Republik. Biste erst hier, ist dein Ruf ruiniert, tiefer geht's nicht. Einzige Schreckensvision: Sie wollen dir noch 'ne Chance geben. Passiert dir das, gibt's nur eine Möglichkeit: Zur Grenze marschieren und lauthals deine Ausreise fordern. Und das immer wieder, egal, wie oft sie dich in den Knast stecken; so lange, bis sie endgültig die Nase voll von dir haben.« Das nämlich, genau das würde er tun, wenn er erst wieder draußen war. »Bin nicht mal achtundzwanzig. Vielleicht bleiben mir ja noch fünfzig Jährchen. Da gehe ich doch lieber noch zwei-, dreimal in den Knast und habe danach vierzig herrliche Sommer auf Hawaii, Rhodos und Sylt, bevor ich in die Kiste steige.«

Als er sich wieder einigermaßen beruhigt hatte, erzählte Hahne von seinem Fluchtversuch. Ein gewerbliches Fluchthilfeunternehmen hatte ihm in die westliche Sonne verhelfen sollen. Erst ein Flug nach Prag, von dort aus – mit westlichen Papieren – weiter in die Bundesrepublik. Er saß schon im Flugzeug, da winkten sie ihn wieder heraus, die Herren vom VEB Schild-und-

Schwert-der-Partei. »Klein-Hajos große Reise raus aus dem Schatten, bereits in Schönefeld war sie beendet.«

Er lachte wieder und sah Lenz an. Also erzählte nun der, was ihn in diese Zelle gebracht hatte. Als er damit fertig war, machte Hahne ein nachdenkliches Gesicht. »Und wer hat dich verraten?«

»Weiß ich nicht.«

»Aber du musst doch irgendeinen Verdacht haben.«

Lenz zuckte die Achseln. Er hatte in den zurückliegenden Monaten immer wieder über diese Frage nachgedacht, es war ihm trotzdem niemand eingefallen.

Hahne: »Ihr hattet es niemandem gesagt?«

»Nein. Aber vielleicht hatte man uns beobachtet ... Meine Frau und ich, wir waren beide beim Außenhandel. Und ganz sicher galten wir als politisch nicht besonders zuverlässig.«

Hahne nickte: »Verstehe. Alle können es gewesen sein, das ganze mit Spitzeln so reich gesegnete Land ... Sie können aber auch 'ne Wanze bei euch eingebaut haben ... Oder der Passlieferant im Westen war nebenberuflich Stasi-Mann.«

Möglichkeiten, die auch Lenz bereits erwogen hatte. Er lächelte bitter. Gleich darauf wollte Hahne wissen, wann seine Frau und er denn verhaftet worden seien.

»Im August.«

»Schade! Das ist zu spät! Da seid ihr nicht mehr unter die Amnestie gefallen. Sonst wärt ihr vielleicht jetzt schon in Frankfurt.«

»Was denn für 'ne Amnestie?«

»Das weißt du auch nicht?« Seufzend klärte Hahne Lenz darüber auf, dass im September eine Amnestie erlassen worden sei. Alle Häftlinge, die noch eine Strafe bis zu fünf Jahren zu verbüßen hatten und deren Akten bis zum 31.7. geschlossen waren, durften hoffen, von dieser Knastentleerungsmaßnahme profitieren zu dürfen. Er selber, so Hahne, rechne ziemlich fest damit, unter den Amnestierten zu sein. »Normalerweise wird man schon ein paar Wochen nach der Urteilsverkündung in den Strafvollzug überführt. Bei mir liegt die Posse nun schon länger als zwei Monate zurück und ich bin immer noch hier.«

»Und woher hast du von dieser Amnestie erfahren?«

Hahne klopfte an die Wand. »SOS – rettet unsere Seelen! Was meinste, aus welchem Grund sonst die Zellen hier zurzeit so unterbelegt sind?«

Zum ersten Mal bereute Lenz, nicht auch geklopft zu haben. Dann hätte er von Anfang an gewusst, wo er sich befand, und vielleicht schon früher etwas über diesen Dr. Vogel erfahren.

»Mach dir nichts draus! Was nützt mir diese beschissene Amnestie? Glaubste etwa, die lassen mich in meine Redaktion zurück? Ins Stahlwerk stecken se mich oder in den Braunkohlentagebau ... Na ja! So oder so, bin ich draußen, bin ich an der Grenze. Und klappt das nicht, lernen se mich kennen. Dann pisse ich ihnen so lange auf ihre Glatzen, bis ihnen Hörner wachsen und alle Welt erkennt, was für Teufel sie sind.«

Mit Hajo Hahne war Wind in die Zelle geweht. Hahne sprach viel, war neugierig und hatte Ideen. Aus feuchtem Klopapier formte er Bälle, mit denen sie um die Pritschen herum Fußball oder Handball spielen konnten, aus wassergetränktem Brot knetete er Schachfiguren, mit Streichhölzern teilte er auf dem Tisch die dazu notwendigen Felder ein. Spielte Coswig Klavier, um mit Lenz zu singen, blies Hahne auf dem Kamm. Wollte kein anderer reden, erzählte er von sich.

In Eisenhüttenstadt war er aufgewachsen, in jener »in die Steppe geklatschten« Retortenstadt rings um das große Stahlwerk. In seiner Kindheit hieß sie noch Stalinstadt. Er lernte Dreher, interessierte sich für die FDJ-Arbeit, trat in die Partei ein, wurde FDJ-Sekretär und später auf die Parteihochschule geschickt. Nach erfolgreichem Abschluss bewarb er sich bei der *Jungen Welt* und wurde Redakteur. Ohne jedes Fachstudium, ohne journalistische Vorkenntnisse, letztendlich aber zu seinem großen Glück. »Wäre ich nicht Journalist geworden, säße ich nicht hier. Hab den Unterschied zwischen Theorie und Praxis studieren dürfen, in Betrieben, auf Baustellen, in den Ministerien. Einer mit Gewissen kann das nicht aushalten, deshalb wollte ich weg. Nicht etwa wegen meiner Verlobten.«

Hahnes Verlobte war ebenfalls Journalistin. Bei der WestBerliner *Bild*-Zeitung. Dort habe sie auch für ihn schon eine Stelle gehabt. »Irgendwo muss man ja anfangen.« Es war diese Verlobte, wie Hahne schon bald zugab, die ihm die dreißigtausend Westmark für die Fluchthilfeorganisation vorgeschossen und ihn für den Fall der Fälle über die Freikaufmodalitäten aufgeklärt hatte. Nun sorgte er sich um sie. Die Stasi hatte ihm Fotos gezeigt – aus ihrer WestBerliner Wohnung. »Also müssen se drin gewesen sein. Was, wenn sie Gitta eines Tages kidnappen und in den Osten bringen? Ist ja alles schon vorgekommen.«

Nach den hinter ihm liegenden anderthalb Jahren Untersuchungshaft traute Hahne seinen ehemaligen Genossen alles zu. »Seht euch die Geschichte an. So viel Heimtücke, Mord und Totschlag wie unter Stalin gab es doch sonst nur noch unter Hitler.«

Lenz war der Meinung, dass Hahne die Bedeutung seiner Verlobten überschätzte, Coswig stellte gleich die ganze »Foto-Safari« infrage: »Woher weißte denn, dass das die Wohnung deiner Verlobten war? Warste schon mal bei ihr? Die können doch alle möglichen Wohnungen fotografiert haben.«

Hahne: »Sie hatte mal Fotos mitgebracht … Außerdem hing im Hintergrund eine große Porträtaufnahme von mir, die sie selbst gemacht hatte.«

Coswig: »Könnte 'ne Fotomontage gewesen sein. Oder deine Flamme arbeitet selbst für die Stasi. Dann brauchste dich nicht zu wundern, weshalb du nur bis Schönefeld gekommen bist.«

Coswig mochte Hahnes Geschichten nicht. Auf seine »Vogelhändler-Storys« reagiert er nur mit Spott; Hahnes Absicht, die totale Konfrontation zu riskieren, um eines Tages doch noch in den Westen zu gelangen, verglich er mit dem Flug des Ikarus: Absturz vorprogrammiert.

Der selbstbewusste Hahne konnte über den Verdacht, eine Frau könnte ihm Liebe vortäuschen, nur lachen. Er nannte sich selbst einen geborenen Casanova, der sich mit Frauen auskannte wie Börsenhändler mit Aktienkursen. Zweimal sei er bereits verheiratet gewesen, dreimal verlobt. »Bevorzuge stets die seriöse Beziehung«, entschuldigte er den »Aufwand«. »Bei der Freundin stehste mit vor Kälte eingefrorenen Eiern unterm Fenster und machst Bitte-Bitte, bei 'ner festen Beziehung liegste im warmen Bett und brauchst nur zu pfeifen.«

Die Verlobte in WestBerlin sei denn auch nicht seine einzige aktuelle Beziehung und Informationsquelle gewesen, wie er Lenz schon bald darauf anvertraute, als sie mal wieder allein waren. Eine bereits vierzigjährige, allein stehende Anna-Karenina-Schönheit und ehemalige Mitarbeiterin im Ministerium des Inneren habe ihn bis zu seiner Verhaftung ebenfalls ganz gern pfeifen gehört. »Was meine Gitta nicht wusste, hat mir meine Moni erzählt.«

An manchen Tagen glaubte Lenz Hahne kein Wort, an anderen nahm er ihm alles ab. Weil Hahnes Dr.-Vogel-Geschichten ihm in den Kram passten. Weil er sich wünschte, dass alles so kam wie von Hahne vorausgesagt. Weil er dieses ewige Misstrauen inzwischen schon hasste.

Eines Nachmittags, wieder waren Breuning und Coswig zur Vernehmung, verriet Hahne Lenz, dass er fest davon überzeugt sei, dass Coswig ein ZI war. Lenz kannte dieses Kürzel nicht und Hahne klärte ihn auf: »ZI – das ist ein Zelleninformator. Die offizielle Bezeichnung für Spitzel. Klingt nicht so abfällig.«

»Und?« Lenz tat, als halte er so einen Verdacht für total abwegig. »Was soll denn so ein ZI herausfinden bei Mitgefangenen, die bereits alles gestanden haben?«

»Einschätzungen und Charakterbilder soll er liefern. Unter jedem Dach ein Ach! Sie wollen alles über dein Ach wissen, verstehst du?«

Wer ist wer! Lenz wusste Bescheid, gab aber nicht zu, dass er Coswig auch schon verdächtigt hatte. »Und dich, du Stiefbruder eines Stasi-Mannes«, fragte er nur, »dich haben sie nicht anwerben wollen?«

»Sie haben es versucht. Bei fast jedem, der nicht zu dumm dafür ist, versuchen sie es. Und da wird so manch ein Vorbild an Charakterfestigkeit eben schwach, wenn sie ihm dafür eine frühere Heimkehr zu Mutti anbieten.«

Lenz grinste. »Und was denkst du – bin ich schwach geworden?«

»Nein, glaub ich nicht.«

Eine Art Kompliment. Aber steckte da vielleicht eine Absicht dahinter? »Und Hilmar?«

»Der widerspricht sich andauernd und übertreibt maßlos. Dadurch fällt er auf.«

»Und du?«, fragte Lenz. »Übertreibst du nicht?« Er wollte das ganz harmlos fragen, der Ernst seiner Worte aber schimmerte durch. Schließlich klangen Hahnes Geschichten nicht weniger phantastisch als Coswigs. Außerdem waren die Hoffnungen, die Hahne ihm jeden Tag machte, viel eher dazu geeignet, ihm ein falsches Wort zu entlocken, als Coswigs politische Statements.

Hahne grinste. »Tja! So geht's nun mal zu bei uns: Keiner traut dem anderen – und das erleichtert den Schweinen, die uns gekascht haben, ihre Arbeit kolossal!«

Coswig schien zu ahnen, dass hinter seinem Rücken über ihn gesprochen wurde, und schob die Schuld daran Hahne zu. Die Animositäten zwischen den beiden wuchsen von Tag zu Tag und schlugen, ging es um Lenz' Hoffnung auf Ausreise in den Westen, bald in offene Aggression um.

Hahne: »Mach dir keine Sorgen, Manne! Das mit den Freikäufen klappte schon unter Adenauer. Auch die Kirchen stecken in dem Geschäft mit drin. Die waren es ja sogar, die die Sache ankurbelten: Menschen gegen Stahl, Kohle, Schmierkäse und Bananen. Inzwischen läuft das als reine Winter- und Sommerschlussaktion. Hunderte werden jedes Jahr in den Westen verscheuert; stimmt der Preis, klappt die Humanität!«

Coswig: »Und wer legt die Preise fest? Honecker?«

Hahne erklärte ihm, dass der Ausbildungsstand der menschlichen Ware maßgebend sei. »Ihr kriegt eine auf unsere Kosten ausgebildete Fachkraft, also bitte steuert ein paar Talerchen dazu bei! Du, Hilmar, bist Lehrer. Vielleicht werden für dich vierzigtausend D-Mark angesetzt. Manne mit seinem Studium wird kaum billiger sein, ein Arzt dafür sicher das Doppelte oder noch mehr kosten. Meine Parteihochschule bringt da sicher nicht viel, aber immerhin, ich bin Facharbeiter, die werden sie auch nicht gratis abgeben. Und vielleicht gibt's bei solchen wie mir noch ein paar kostenlose Kriminelle dazu. Bin ja nicht eingebildet. So was nennt man dann Verkäufe im Paket.«

Er kicherte.

»Ammenmärchen!«, begehrte Coswig auf. »So was … das wäre ja die allergrößte Sauerei.«

»Hilmar, was dir fehlt ist Phantasie! Für Devisen, die ihren abgluckernden Staatsdampfer noch ein paar Jährchen über Wasser halten, tanzen unsere staatstragenden Persönlichkeiten doch nackt auf der Brücke, das ist nun mal Fakt.«

»Rede nur so weiter, dann behalten se dich hier, bis du alt und grau bist.«

»Na und? Dann ergraue ich eben im kleinen Knast und du im großen. Die Klaviere werden sie nicht vor dir verstecken, Lehrer aber wirst du nimmermehr. Ein abgehalfterter, müder Barpianist wirst du werden, wenn du nicht doch noch die Kurve kriegst und deine Ausreise beantragst, eine Art Spelunken-Cossie.«

Nicht viel und die beiden wären mit Fäusten aufeinander losgegangen. Es war immer Lenz, der besänftigend eingriff; Breuning verfolgte das Ganze nur wie eine absurde Theatervorstellung.

Lenz verstand Coswig. Entsprach, was Hahne sagte, der Wahrheit, war das eine Katastrophe; jedenfalls für den Sozialismus. Irgendwie aber steckte in Hahnes Worten sehr viel DDR-Logik: Wir, der erste Arbeiter- und Bauernstaat auf deutschem Boden, haben auf Kosten unserer Menschen Manfred Lenz ausgebildet. Er kann lesen, schreiben und rechnen und noch vieles mehr. Jetzt will dieser Manfred Lenz zu euch, das heißt, ihr kriegt einen Menschen, der euren Nutzen mehren wird, dessen Ausbildung euch aber nichts kostete. Weshalb sollen wir Sozialisten zulassen, dass ihr Kapitalisten uns dermaßen schädigt? So habt ihr uns ja schon mal fertig machen wollen, damals, als wir euch unseren antifaschistischen Schutzwall entgegensetzen mussten. Der hat auch gekostet und kostet immer noch. Nein, wer den Lenz will, muss für ihn bezahlen!

Wollte er Coswig noch mehr reizen, plauderte Hahne ein bisschen aus dem Nähkästchen der DDR-Prominenz, zu der er zwar nie gehört, die er aber doch sehr gut kennen gelernt hatte während seiner Arbeit für die *Junge Welt*. Von einem »Arbeitererholungsheim« unweit Berlins berichtete er, das in Wahrheit nur für »Parteiarbeiter« gedacht war. Weshalb man es, als sich wirklich mal Arbeiter dort erholen wollten, schnell in »Gästehaus« umbenannt hatte. Die wirklichen Arbeiter sollten nicht den Golfplatz, das luxuriöse Schwimmbad und die Reitställe sehen, die sich die Parteiarbeiter dort hatten bauen lassen; sollten nicht mitbekommen, wie Kaviar, Champagner und ausgesucht hübsche FDJlerinnen den Parteiarbeitern ihre spärlich bemessene Freizeit verschönten. »Arbeiter-und-Bauern-Staat? Dass ich nicht lache! Der reine Feudalsozialismus ist das. Elefantenarsch in Dosen würden sie fressen, wenn's den irgendwo zu kaufen gäbe.«

Hahne über die Moral der Funktionäre: »Die sind dermaßen mit edlen Vorsätzen angefüllt, dass sie vor lauter gutem Gewissen schon gar nicht mehr laufen können. Doch wehe, sie haben mal 'n Gläschen zu viel getrunken, dann lassen sie die Sau raus, dass unsereins sich wie 'n impotenter Gartenzwerg vorkommt.«

Hahne über das Talent, das man aufbringen müsse, um in der DDR Kunst- oder Literaturkritiker zu werden: »Heute schon wissen, was morgen falsch ist.«

Über Letzteres musste Lenz lange lachen, Breuning aber zitterte. »Zügeln Sie sich doch bitte!«, mahnte er. »Ihretwegen kommen wir noch alle in Teufels Küche.«

Hahnes Antwort: »Da sitzen wir doch längst drin.«

Ging es um Breunings Geschäfte, wurde Hahne ebenfalls deutlich: »Ihnen hätte ich draußen nicht begegnen wollen. Typen wie Sie haben nicht nur die Wölfe betrogen, mit denen sie lustig mitgeheult haben, Sie haben auch noch die armen Kaninchen übers Ohr gehauen, die sowieso schon unter den Wölfen zu leiden hatten.«

Stierte Breuning daraufhin beleidigt vor sich hin, tröstete er ihn: »Aber machen Se sich nichts draus, Sie haben den Wolf ja nur gespielt, ich war einer.«

Auch über die Geschichte des Hohenschönhausener Gefängnisses wusste Hahne Bescheid. Kurz nach dem Krieg hätten die Russen hier Regie geführt und alles, was nach Nazi aussah, eingesperrt. »Mehr als zehn Prozent echte Nazis werden aber kaum darunter gewesen sein. Verrecken jedoch durften sie alle, wenn sie nicht gerade mit einer unerschütterlichen Gesundheit gesegnet waren.« Später habe die Stasi dann den Bau übernommen, ihm den nicht gerade einfallsreichen Namen »Lager X« gegeben und alles, was sie an Klassenfeinden kriegen konnten, hier festgehalten. Erst Anfang der sechziger Jahre sei der Neubaukomplex entstanden, in dem sie jetzt saßen, von Langzeitstrafgefangenen aus dem Lager X erbaut. »Auf diese Weise erfuhr draußen kaum einer was von diesem sozialistischen Alcatraz.«

Er war sehr eitel, der Hajo Hahne, sprach gern über sich, *seine* Fehler, *seine* Irrtümer, *sein* Wissen, *seine* Erkenntnisse. Diese Eitelkeit machte auch vor dem Wachpersonal nicht Halt. Keine Anweisung ohne Widerspruch, keine Unsicherheit der oft noch sehr jungen Männer ohne Hohn. Mindestens einmal am Tag bekam einer der Schließer oder Läufer sein »Ich bin auch nicht im Knast geboren« zu hören.

Zweimal in der Woche pinkelte Hahne sich in die zusammengelegten Hände und verrieb den Urin in seinem schütteren Haar. Eigenurin, so seine feste Überzeugung, half gegen Haarausfall. Und wo er doch sowieso kaum noch Haare hatte!

Beim gemeinsamen Duschen informierte er sie über seine Schwanzphilosophie. Während seiner Haftzeit habe er an anderen Untersuchungsgefangenen folgende, typische Charaktermerkmale ausgemacht: lang und gebogen – Künstlertyp, lang und gerade – Buchhalter, kurz und gerade – Bauer, kurz und gebogen – selbstständiger Handwerker.

Vor dem Einschlafen erzählte er gern von seiner Anna Karenina, die aus übergroßer Liebe zu ihm selbst in U-Haft gesessen habe, da er sie aber nicht in seine Fluchtpläne eingeweiht hatte, nur zur Bewährung verurteilt worden sei und ihm nun Geld und Pakete schicke, obwohl sie natürlich nicht mehr im Ministerium arbeiten durfte, sondern seither Gemüse verkaufe.

»Die weiß, was sie an mir hatte. Die liegt nachts im Bett und kriegt das Zappeln im Hintern, wenn sie an mich denkt.«

Anlass für Coswig, sich laut zu fragen, ob eine so schwanzfixierte Frau wohl anderthalb Jahre lang treu sein konnte. Für Hahne jedoch hatte Treue keine Bedeutung: »Nach der ersten Nacht mit mir hat sie alle ihre zwischenzeitlichen Herren vergessen.«

Wenn alles Gerede langweilig wurde, weil die Gespräche sich mit der Zeit im Kreis drehten, spielten sie Schach oder knobelten. Im Schach errang jedes Mal Coswig die Zellenmeisterschaft, im Knobeln erwies Lenz sich als Champion, sehr zu Hahnes Verdruss. Zuvor hatte er geprahlt, im Knobeln sei er unschlagbar, er errate fast immer, wie viele Streichhölzer die anderen in der Hand hielten; in Lenz fand er seinen Meister. Das nagte an seinem Ego, darunter litt er.

Lenz musste ihn trösten: »Mach dir nichts draus, Hajo. Große Männer wachsen an kleinen Niederlagen.«

Wie hatte Lenz' Leben sich verändert! Er hatte zu rauchen, bekam jeden Nachmittag seinen Tee, Coswig und Hahne gaben von ihren Paketen und Besuchermitbringseln ab. Sie bekamen die Zeitung und jede Woche durfte er sich unter acht Büchern die aussuchen, die ihn am meisten interessierten. Vor allem aber hatte er, dank Hahne, endlich eine konkrete Hoffnung.

Das Unangenehme am Zusammenleben von vier Menschen auf so engem Raum war, dass niemand von ihnen auch nur für eine einzige Sekunde am Tag mit sich allein blieb. Nie wurden drei zur gleichen Zeit zur Vernehmung geholt, nur selten einmal wollten sie alle gleichzeitig schweigen. Wurden sie im selben Moment unruhig und wollten sich bewegen, mussten sie Verkehrsregeln aufstellen, damit sie einander nicht in die Quere kamen. Das war nur vordergründig lustig. Und natürlich: Ständig saß einer auf dem Klo oder schlug Wasser ab, und wer furzen musste, konnte nicht rausgehen; furzen aber musste man, wollte man nicht auch noch unter Blähungen leiden.

Andererseits war immer jemand zum Reden da. Sackte einer von ihnen ab, wurde er aufgefangen. In dieser Hinsicht unterstützten sich sogar Hahne und Coswig; allein Breuning vermochte es nicht, den Fänger zu spielen.

Das Misstrauen unter den drei jüngeren Männern aber blieb und verstärkte sich noch, als Hahne und Coswig eines Abends feststellten, dass sie eine Zeit lang mit demselben komischen Dresdner auf einer Zelle gelegen hatten: Bertie Neudecker mit dem übermäßig dicht behaarten Körper und dem welligen schwarzen Haar. Sollte das ein Zufall gewesen sein? War es möglich, dass dem so perfekt durchorganisierten Stasi-Apparat ein solcher Fehler unterlaufen war? Oder steckte irgendeine Absicht dahinter? Vor allem irritierte sie, dass jener Bertie jedem von ihnen eine andere Fluchtgeschichte erzählt hatte. Coswig hatte er aufgetischt, er habe im Kofferraum des Wagens eines mit ihm befreundeten westlichen Diplomaten über die Grenze gewollt, sei von Grenzposten entdeckt, verhaftet und während der ersten Verhöre böse zusammengeschlagen worden; Hahne hatte er erzählt, er habe mit dem Segelboot über die Ostsee nach Dänemark gewollt, sei aber von seiner Frau, die er nicht mitnehmen wollte und die ihm nachspioniert habe, verraten und deshalb schon auf dem Weg zu seinem Boot verhaftet worden.

Erste Frage: Hatten Coswig und Hahne wirklich mit demselben Bertie Neudecker auf einer Zelle gelegen? Stark behaarte Schwarzhaarige gab es schließlich genug.

Antwort: Beide erinnerten sich an ein birnenförmiges Muttermal auf der rechten Hinterbacke von Neudecker, das konnte kein Zufall sein.

Zweite Frage: Weshalb hatte dieser Neudecker jedem von ihnen eine andere Fluchtgeschichte erzählt? Das wäre, nur um sie auszuhorchen, doch gar nicht nötig gewesen. War er vielleicht nur ein Spinner, ein Wichtigtuer?

Antwort: Jeder der beiden hatte die zu seiner eigenen Fluchtgeschichte passende Variante zu hören bekommen; Coswig, der über eine Militärmission in den Westen wollte, die vom Diplomatenfreund, der Weiberheld Hahne die von der Denunziantin aus verratener Liebe.

Breuning: »Aber wozu denn?«

Antwort: Damit sie sich angeregt fühlten, selbst auszupacken.

Lenz: »Und? Habt ihr ausgepackt?«

»Hab dem Mistkerl alles erzählt.« Coswig schlug sich vor den Kopf. »Also deshalb hat mein Vernehmer manchmal so gezielt gefragt. Hab mich schon gewundert ...«

Hahne: »Jetzt weiß ich, weshalb dieses Schwein Sonderverpflegung bekam. Hat mir den Magenkranken vorgespielt, dieses Stück Scheiße.« Ein kurzer Blick zu Coswig, der nickte; auch die Sonderverpflegung stimmte.

Was für ein Gespräch! Lenz hatte sowohl Coswig als auch

Hahne verdächtigt, sich mit ihren Freundlichkeiten in sein Vertrauen schleichen zu wollen; und Hahne hatte Coswig verdächtigt. Nun verdächtigten die beiden einen dritten. Waren sie denn alle vom Wahn erfasst? Trauten sie niemandem mehr? Sahen sie sich von Spitzeln umzingelt? Ein ganzer Knast voller Spitzel? Und – Vorsicht! – durfte denn er, Lenz, dieser Bertie-Neudecker-Story glauben? Vielleicht hatte Coswig das Gespräch ja nur deshalb auf diesen Neudecker gebracht, um vor ihnen nicht als Spitzel, sondern als Bespitzelter dazustehen.

Anders herum funktionierte sie aber auch, diese Theorie: Dann war Hahne das U-Boot der Stasi und wollte den Bespitzelten spielen …

Am besten, er vertraute keinem von beiden; wer über keine Brücke geht, unter dem kann auch keine zusammenstürzen.

2. Bescherung

Es ging wieder in jenen alten Knast, von dem Lenz nun wusste, dass es sich dabei um das Gefängnis in der Magdalenenstraße handelte; die »Magdalena«, wie Hahne diesen schlimmen Bau aus Kaisers Zeiten nannte. Einerseits, so vermuteten sie, benutze die Stasi die Magdalena als Besucherknast, um davon abzulenken, wo ihre Untersuchungsgefangenen tatsächlich untergebracht waren; andererseits halte sie den leer stehenden Altbau in Reserve – für den Fall, dass es mal zu einer Verhaftungswelle kommen sollte. Weitsichtig waren sie ja immer schon gewesen, die Genossen Staatsschützer.

Es war ein Lieferwagen mit der Aufschrift *Obst und Gemüse*, in dem Lenz diesmal saß; die Fahrer hatten sich mit weißen Kitteln kostümiert. Er hätte über diese Tarnung gelacht, hätte er nicht gewusst, dass auch Hannah mit im Wagen saß. Sie hatte leise gehustet, als er in den *Barkas* stieg, hatte sicher bei jedem Gefangenen, der gebracht wurde, so gehustet, er jedoch hatte sofort erkannt, wer ihm da ein Zeichen geben wollte, und erregt zurückgehustet. Dabei durchströmte ihn ein tiefes Glücksgefühl, das noch immer anhielt: Hannah! Zum ersten Mal seit langer Zeit waren sie sich wieder so nah; gäbe es die Wände nicht, die sie trennten, hätten sie sich sehen und vielleicht sogar bei den Händen nehmen können.

Als der Wagen im Gefängnishof hielt, die Verschläge geöffnet und die Untersuchungshäftlinge einer nach dem anderen hinausgeführt wurden, wartete er auf ihre Schritte, erkannte sie und räusperte sich laut, als sie an seinem Verschlag vorübergeführt wurde. Sie sollte wissen, wo er saß. Ihre Erwiderung klang erstickt und Scham beschlich ihn: Durfte er sich über ihre Anwesenheit freuen? Wusste er denn, was sie in den letzten Wochen durchgemacht hatte?

Es war eine andere Zelle, in die Lenz an diesem Tag geführt wurde. Die Inschriften an den Wänden waren andere, die Rostflecken am Waschbecken auch. Doch er blickte sich nicht lange um, wollte nicht wissen, wer sich hier wann verewigt hatte, blieb gleich neben der Tür stehen und lauschte. Es wurden auch diesmal mehr als vier oder fünf Gefangene gebracht, die konnten unmöglich alle mit dem *Obst-und-Gemüse*-Wagen herangekarrt worden sein. Vielleicht war auch der Fischlieferwagen und noch ein dritter *Barkas* im Einsatz gewesen.

Vom Gefängnishof drang wieder das Geräusch der Kreissäge zu ihm hin. Auch darüber hatte er mit Hahne und Coswig geredet. Der lange Journalist vermutete, dass es in der Magdalena einige Dauerhäftlinge gab, vielleicht ein paar besonders hartgesottene Burschen, und dass dieses ewige Kreischen nichts anderes als eine moderne Foltermethode war. »Die Säge läuft da jedes Mal. Anderthalb Jahre lang hab ich sie bei jedem Sprecher gehört. So viel Holz braucht kein Knast. Vielleicht sägen die per Tonband an den Nerven ihrer Gefangenen herum.«

Hatte die Stasi so viel Phantasie, sich eine solche Foltermethode auszudenken? Oder hatte Hahne, wie Coswig meinte, zu viel Phantasie und es war in diesem Knast nur eine Tischlerei untergebracht?

Der erste Gefangene wurde geholt. Doch blieb er nicht lange fort. Bereits nach wenigen Minuten hörte Lenz, wie die Schritte auf dem eisernen Laufsteg sich ihm wieder näherten. Und auch der Nächste wurde nur wenig später zurückgebracht. Was sollte das? Als der Bandwurm ihn, Lenz, aus der Zelle holte, teilte er ihm mit, dass er einen Termin mit seinem Rechtsanwalt habe.

Sicher war auch Hannah aus diesem Grund hier – und alle anderen auch? Aber gab es denn so wenig zu bereden?

Erneut wurde eine Zellentür geöffnet und diesmal erkannte Lenz Hannahs Schritte. Unter tausend anderen Frauen hätte er ihre leisen und – wenn sie unsicher war – leicht schwankenden Schritte herausgehört. Er hustete laut, ihre Schritte wurden langsamer, doch sie antwortete nicht.

Nervös zählte er die Sekunden mit – und nach etwa acht Minuten wurde Hannah zurückgebracht. Wollte dieser Dr. Wundervogel sie sich nur mal ankucken?

Kaum war Hannah eingeschlossen, näherten die Schritte sich seiner Tür. Ein sommersprossiger Unteroffizier winkte ihn heraus. Zügig ging es über den eisernen Laufsteg in ein dunkles, graugrün gestrichenes Treppenhaus. Ein Stockwerk höher, in einem Flur mit mehreren Holztüren, musste Lenz sich neben einer der Türen aufstellen. Der Sommersprossige klopfte, drinnen rief eine markante Stimme: »Ja, bitte!«

Ein karg eingerichteter Raum; außer einem alten Schreibtisch, zwei Stühlen und einem offensichtlich ausgemusterten Aktenschrank war er leer. An den Wänden kein Bild, nicht mal ein Kalender, an der Decke spärliches Licht aus einer verstaubten Neonröhre. Hinter dem Schreibtisch ein vergittertes Fenster und ein gut gekleideter, nach Rasierwasser duftender, kräftiger, dunkelhaariger Mann, der auf Lenz zutrat und ihm die Hand reichte. »Herr Lenz, ja? Schönen guten Tag! Ich bin Dr. Starkulla vom Büro Dr. Vogel. Bitte, setzen Sie sich doch.« Er nahm hinter dem Schreibtisch Platz, Lenz setzte sich auf den Stuhl davor, der Unteroffizier verließ den Raum.

»Sie haben uns mit der Vertretung Ihrer Interessen beauftragt, Herr Lenz. Gibt es irgendwelche Fragen, die wir Ihnen beantworten können?«

Ein freundliches, sehr sympathisches, vielleicht ein wenig zu glattes Gesicht, eine große, kräftige Hand, die Lenz eine bereits geöffnete, aber noch volle Schachtel *Duett* hinhielt.

Lenz nahm eine der Zigaretten und ließ sich Feuer geben. »Meine Frau? War sie …«

Dr. Starkulla nickte beruhigend. »Mit Ihrer Frau habe ich soeben gesprochen. Es geht ihr gut, sie lässt Sie grüßen.«

»Unsere Kinder …?«

»Ihre Kinder sind in Kinderheimen. Leider ist es uns noch immer nicht gelungen, sie gemeinsam in einem Heim unterzubringen. Aber wir arbeiten dran.« Ein zuversichtliches Nicken. »Den Umständen entsprechend geht es ihnen gut.«

Den Umständen entsprechend ging es auch Verstorbenen gut. Doch wozu hier und jetzt über die Umstände sprechen … »Meine Schwägerin Franziska …?«

»… ist schon lange wieder zu Hause. In diesem Fall erübrigen sich alle Sorgen.«

Lenz verstummte. So hatte er sich das erste Gespräch mit seinem Rechtsanwalt nicht vorgestellt. Eine Berühmtheit, die keine Zeit für ihre Mandanten hatte; eine Vertretung aus dem Büro der Berühmtheit, die ganz offensichtlich auch keine Zeit hatte. Weshalb sonst beantwortete dieser Dr. Starkulla alle Fragen, bevor er sie gestellt hatte?

»Sie wissen, dass meine Frau und ich mit unseren Kindern nach wie vor zur Familie in Frankfurt am Main ausreisen wollen?«

Da zwinkerte er ihm plötzlich zu, dieser nette Dr. Starkulla, zeigte auf seine Ohren und blickte sich aufmerksam im Raum um, fuhr dabei aber in demselben ruhigen Tonfall fort: »Wir wissen Bescheid. Ihre Schwägerin hat die Familienzusammenführung beantragt, und wir sind beauftragt, uns auch darum zu kümmern. Ob diesem Antrag stattgegeben wird, wissen wir natürlich nicht. Wir werden aber alles tun, um Ihrem Wunsch zu entsprechen.« Sagte es und nickte dabei, als wollte er Lenz zu verstehen geben, dass er so reden müsse, in Wahrheit aber guter Hoffnung sei. »Auf jeden Fall müssen wir die Verhandlung abwarten. Da kommen wir nicht drum herum.«

Wurden also auch die Gespräche zwischen den Rechtsanwälten und ihren Mandanten abgehört, war sogar dieses alte Gemäuer wanzenverseucht? »Mit welchem Strafmaß müssen wir denn rechnen?«

Achselzucken. »Da haben wir die unterschiedlichsten Erfahrungen gemacht. Auf jeden Fall können Sie bei guter Führung nach der Hälfte der Zeit entlassen werden.«

Lenz blickte sein Gegenüber nur fragend an. War das schon die ganze Antwort?

Er erntete ein verschwörerisches Lächeln. »Sie müssen Geduld haben.«

Es war deutlich, in Wahrheit hatte Dr. Starkulla sagen wollen: »Das Strafmaß – nun ja, eine gewisse Rolle spielt es schon, aber ganz so wichtig nehmen dürfen Sie es nicht. Vielleicht sind Sie auch schon vor der Hälfte der Zeit wieder draußen.«

Lenz rauchte hastiger. Was sollte er denn noch fragen? Was hatte es für einen Zweck, mit diesem Dr. Starkulla zu reden, wenn der nicht deutlich werden durfte?

Er schaute auf Lenz' Zigarette, dieser Doktor jur.; sein Mandant schien ihm zu langsam zu rauchen.

»Und wie lange wird es noch dauern bis zum Termin?«

»Februar, März?« Dr. Starkulla blickte auf seine Armbanduhr, erhob sich und machte ein bedauerndes Gesicht. »Wir sind leider unter Zeitdruck. Haben Sie noch Fragen?«

Wie oft während seiner Zellenmarathons oder in den vielen

Nächten, in denen er sich schlaflos auf seiner Pritsche wälzte, hatte Lenz sich sein erstes Gespräch mit dem Rechtsanwalt, der Hannah und ihn vertreten würde, in allen Einzelheiten ausgemalt. Reden hatte er entworfen und teilweise auswendig gelernt, weil er so viel vorzubringen hatte und nichts vergessen wollte; und voller Hoffnung war er gewesen, endlich mal jemanden zu treffen, der Hannah und ihn nicht anklagte und kein Mitgefangener war, sondern schon aus Berufsgründen auf ihrer Seite stehen musste. Als der Bandwurm ihm sagte, dass es zum Rechtsanwalt ging, hatte er fast Vorfreude auf dieses Gespräch empfunden. Nun das: Frust statt Hoffnung, Floskeln statt Zuwendung! Über den Fall Lenz wollte er gar nicht erst reden, dieser Ersatzvogel, weil hier ja die Wände Ohren hatten. Ihre Festnahme fernab jeder Grenze – kein Thema! Vorbereitung und Einstimmung auf die Verhandlung, das zu erwartende Strafmaß, ihr Leben im Strafvollzug – Fehlanzeige! Recht oder Unrecht, was geht's uns an; die Familienzusammenführung ist beantragt, wozu Zeit verlieren mit irgendwelchem Mandanten-Gewäsch … Nein, Lenz hatte keine Fragen mehr.

»Möchten Sie noch ein paar Zigaretten mit auf den Weg nehmen?«

Er bekam die Packung *Duett* in die Hand gedrückt, in der nur jene Zigarette fehlte, die er schon geraucht hatte, dann griff Dr. Starkulla zum Telefonhörer. Der Untersuchungshäftling Lenz konnte zurück- und der nächste Mandant vorgeführt werden. Für den würde das Anwaltsbüro Vogel in der Zwischenzeit sicher schon die nächste Packung *Duett* öffnen.

»Machen Sie sich keine Sorgen, Ihre Angelegenheit ist bei uns in den besten Händen.«

Ein fester Händedruck, ein aufmunterndes Lächeln und der Sommersprossige führte Lenz in seine Zelle zurück. Dort angekommen, lehnte Lenz sich erst mal nur gegen die Wand. Wie viele Filme hatte er gesehen, wie viele Romane gelesen, in denen Rechtsanwalt und Mandant sich in langen Gesprächen auf ihren Prozess vorbereiteten, Winkelzüge ausheckten, Absprachen trafen. Ein Dr. Vogel musste sich mit solchem Kinderkram nicht beschäftigen ... Ihm wurde bewusst, dass er ganz vergessen hatte, den Spionagevorwurf zu erwähnen, der ihm doch die größte Sorge bereitete, und Wut überkam ihn. Er hätte die Tür einschlagen, schreien, heulen, toben mögen. Weshalb nur hatte er sich so überrumpeln lassen? Wieso hatte er sich nicht gewehrt und stur jeden einzelnen Punkt angeführt, den er geklärt haben wollte? Was kümmerte ihn denn der Zeitdruck dieses Dr. Starkulla ...

Im Lieferwagen erneut Hannahs Husten. Es klang verzweifelt, tränenerstickt. Lenz hustete zurück. Es sollte optimistisch klingen. Doch wie hustet man optimistisch? Noch dazu, wenn man sich verschaukelt vorkommt?

Auf der 327 musste er berichten. Jedes seiner Worte erfüllte Hahne mit Genugtuung. »So läuft's ab in diesem Ramschladen – Ausreisen am Fließband! Da wird eben nur jeder unbedingt notwendige Handgriff getan.«

Coswig konnte in Dr. Starkullas Antworten keinerlei Hinweise auf eine bald stattfindende Familienzusammenführung entdecken: »In nichts sagende Gespräche kann man alles hineininterpretieren.« Breuning interessierte sich nicht für anderer Leute Schicksal.

Mal neigte Lenz Hahnes Interpretation zu – immerhin hatte dieser Dr. Starkulla ihm doch verschwörerisch zugezwinkert –, mal wogen Coswigs Zweifel stärker: Was hatte er trotz all seiner Zwinkerei denn wirklich gesagt, dieser nette Herr Doktor mit den teuren Zigaretten? Dass sie sich *bemühen* wollten, nichts anderes!

In der Nacht sah er Hannah vor sich: in dem engen Verschlag des Gefängnistransporters; in einer der alten Zellen, wie sie an der Tür stand und lauschte; in diesem kahlen Vernehmungszimmer, wie sie dem auf Eile drängenden Dr. Starkulla gegenübersaß. Meine Kinder, mein Mann, meine Schwester, die Ausreise, das Strafmaß – sie wird nichts anderes gefragt haben. Aber Hannah hatte nicht seinen Galgenhumor, das musste ihr dieses Gespräch noch viel schwerer gemacht haben. Er streckte die Hand aus, wie sie es beide fast jede Nacht getan hatten, wenn sie nebeneinander in ihren Betten lagen, um sich vor dem Einschlafen noch einmal zärtlich zu berühren. Vielleicht suchte sie in diesem Augenblick ja ebenfalls seine Hand.

Tags darauf, gleich nach dem Frühstück, wurde er nach längerer Zeit mal wieder »zum Gebet« geholt, wie Hahne die Vorführungen beim Vernehmer nannte. Das verwunderte Lenz. Sein Fall war doch abgeschlossen; was wollten sie noch von ihm, ihm die Anklageschrift überreichen?

»Wie geht's denn so?« Knut machte mal wieder auf gute Laune.

»Bestens.« Wenn die Wände in der Magdalena tatsächlich Ohren hatten, hatte der Leutnant gut lachen: Sie haben doch immer nach einem Rechtsanwalt verlangt, nun, sind Sie jetzt glücklich, hat Ihnen diese Begegnung viel gebracht?

»Kommen Sie mit Ihren Mithäftlingen denn klar?« Der Leutnant schob ihm die Zigaretten hin.

»Ja.«

»Na, dann können Sie ja zufrieden sein. Manchmal gibt's Reibereien.« Er stand auf, der Knut, trat ans Fenster und blickte hinaus, als würde ihn an diesem düsteren Dezembertag vor allem das Wetter interessieren. Lenz war neugierig, ob nun Fragen nach seinen Mitgefangenen kommen würden, den Leutnant aber bewegte etwas anderes. »Sie erhalten doch die Zeitung«, sagte er plötzlich, ohne sich umzudrehen. »Was sagen Sie denn zu alldem, was jetzt in Westdeutschland so passiert?«

»Was meinen Sie damit?«

»Na, zum Beispiel die letzte Wahl.«

Lenz wusste, dass die SPD die letzte, vorgezogene Bundestagswahl ziemlich hoch gewonnen hatte; die Unionsparteien waren zurückgefallen, die Freien Demokraten mit etwas über acht Prozent durchs Ziel gegangen. Also eine klare Mehrheit für die sozial-liberale Koalition, ein Sieg für Brandts Politik der kleinen Schritte; gute Aussichten für eine weitere Ost-West-Entspannung. Hahne meinte sogar, dieses Wahlergebnis könne für alle Ausreisekandidaten nur von Vorteil sein; je besser die beiden deutschen Staaten miteinander auskämen, desto reibungsloser funktionierten ihre humanitären Geschäfte. Nun diese Frage! Was hatte sie zu bedeuten?

Der Leutnant setzte sich wieder, bewegte seine Papiere hin und her. »Freuen Sie sich so sehr, dass es Ihnen die Sprache verschlagen hat?«

»Ich glaube, über dieses Wahlergebnis freut sich halb Europa.«

»So?«

»Ja.«

»Erhoffen Sie sich denn von der SPD irgendwelche weit reichenden Veränderungen im politischen Miteinander der europäischen Staaten?«

»Ja.«

»Mit welcher Begründung?«

»Da gäbe es viele.« Das war keine ausweichende Antwort.

Lenz setzte auf Brandt. Einer der Reporter hatte gesagt, was auch er, Manfred Lenz, empfunden hatte, als er, vor dem Fernseher sitzend, Brandts Aufsehen erregenden Kniefall vor dem Mahnmal des Warschauer Ghettos miterlebte: Da kniete einer – der es eigentlich gar nicht nötig hatte, weil er von Anfang an gegen den Nazi-Terror gekämpft hatte – für alle die nieder, die es sehr wohl nötig gehabt hätten, aber meinten, sich nicht so weit demütigen zu dürfen. War ja längst an der Zeit, dass deutsche Politiker die Verantwortung für die Verbrechen der Nazi-Zeit übernahmen; wie sonst wollten sie eines Tages in normaler Nachbarschaft mit den von Deutschland überfallenen Nachbarstaaten leben?

»Glauben Sie etwa, dass in der BRD das Kapital entmachtet ist, nur weil jetzt dort die SPD den Kanzler stellt? Bilden Sie sich ein, dass die Bundeswehr aus der Nato austritt, nur weil da drüben jetzt die SPD regiert?«

»Was fragen Sie mich? Ich bin nicht Mitglied der SPD.«

»Aber ihr Sympathisant.«

»Wenn Sie das sagen.«

Der Leutnant hob den Blick. Er hatte einen neuen, provokanten Unterton in Lenz' Stimme herausgehört. Lenz hielt diesen Blick aus. Er hatte, seit er mit Hahne und nun auch mit diesem Dr. Starkulla geredet hatte, über alles nachgedacht. Er musste sich entscheiden – sollte er Hahnes Dr.-Vogel-Geschichten glauben und Dr. Starkullas Andeutungen trauen oder nicht? –, und er hatte sich entschieden: Diese Häftlingsfreikäufe, wenn sie denn wirklich stattfanden, waren Hannahs und seine einzige Chance. In die DDR zurück konnten, wollten und durften sie nicht mehr. Und weshalb sollten Hahnes Geschichten denn nicht stimmen? Zuzutrauen war diesem Staat doch so etwas – und wenn Fränze diesen Dr. Vogel beauftragt hatte, lag dann nicht auf der Hand, dass das Bundesinnenministerium Bescheid wusste? Vielleicht standen ihre Namen ja längst auf der Einkaufsliste, und es war nur eine Frage der Zeit, bis auch sie die Busse bestiegen …

Nein, er durfte nicht mehr taktieren! Wer ist wer, wollten sie wissen? Sie sollten es erfahren. Es gab kein Zurück mehr, schlimmer, als es war, konnte es nicht mehr werden; sie sollten endlich begreifen, dass die Familie Lenz für sie verloren war.

Er fühlte sich erleichtert. Von jetzt an würde alles so viel einfacher sein. Und der Leutnant sah ihm diese Erlösung an, wusste aber nicht, worauf sie zurückzuführen war. Verwundert schüttelte er den Kopf: Die große Hoffnung auf Entspannung durch Brandt! Begriff Lenz denn nicht, dass die so genannte neue Ostpolitik nur die wahren, nach wie vor revanchistischen Ziele der BRD verschleiern sollte? Rosa Tünche auf braunes und schwarzes Gedankengut, nichts anderes. »Ob da drüben nun die SPD an der Macht ist oder die CDU, in Wahrheit regiert das Kapital. Der Volkswille bleibt Fiktion.«

Der Volkswille! Jetzt kam er ihm auch noch mit dem Volkswillen, dieser brave Vertreter eines Staates, der sein Volk fürchtete, kontrollierte, überwachte und einsperrte. Lenz verspürte Wut – und verkniff sie sich nicht mehr. Was er denn überhaupt von ihm wolle, fragte er höhnisch. Die Bundesrepublik sei nicht sein Traumland, er wisse, dass auch dort nicht alles Gold sei, was glänze. Seine Frau und er wollten ja auch gar nicht unbedingt »in die Bundesrepublik«, sie wollten nur dort weg, wo sie nicht länger leben konnten. Die Bundesrepublik habe für sie nur den Vorteil, dass seine Frau von dort komme und dass dort auch Deutsch gesprochen werde.

»Aha!« Der Leutnant tat, als hätte Lenz soeben ein überraschendes Eingeständnis gemacht, und notierte sich diese Worte. Als er fertig war, blickte er teils empört, teils neugierig auf. »Und weshalb können Sie bei uns nicht mehr leben?«

Sag es ihm, Manne! Wer brechen will, muss ganz brechen. »Weil man uns hier nicht erlaubt, so zu leben, wie wir leben wollen. Weil es in diesem Staat nicht die Freiheit gibt, die wir uns wünschen. Weil wir nicht länger Leibeigene einer Partei sein wollen, der wir nicht mal angehören.«

Worte, die den Leutnant überraschten und verwirrten. Dass dieser Lenz so dachte, hatte er sich vielleicht vorstellen können, aber nicht, dass er es aussprach, noch dazu an einem Ort wie diesem. »Was haben Sie da eben gesagt?«

Lenz nahm einen Zug aus seiner Zigarette, dann sagte er noch einmal, dass ihm die Auswüchse des Kapitalismus bekannt seien. Sie rechtfertigten die Suche nach einer Alternative. Nachdem er nun aber über zwanzig Jahre in der DDR gelebt habe, wisse er, dass sie für seine Frau und ihn keine sei. Wäre es da nicht für alle Seiten das Einfachste und Beste, wenn sie und ihre Kinder weggingen? Dann störten sie wenigstens nicht mehr.

Einen Moment lang sah es aus, als wollte Knut aufbrausen. Doch dann riss er sich zusammen und notierte erst mal auch diese Worte. Anschließend fragte er Lenz mit kühlem Gesicht, ob er die DDR vielleicht hasse.

Eine Frage, die verriet, wie hilflos der Leutnant in diesem Moment war.

»Ich hasse niemanden.« Lenz fühlte sich plötzlich stark. »Erst recht kein Land voller Menschen, die ja nichts dafür können, dass sie ausgerechnet in diesem Land leben. Außerdem macht Hass hässlich und ich bin nun mal eitel.«

Der Leutnant, ärgerlich: »Sie glauben also, dass das kapitalistische System die Zukunft der Menschheit ist?«

Das glaubte Lenz nicht, das befürchtete er viel eher. Doch

sollte er das Knut verraten? »Wer weiß denn heute schon, was morgen ist?«

Auch das schrieb er mit, der Genosse Leutnant, dann sinnierte er mürrisch: »Wenn man Sie so reden hört, könnte man zu dem Schluss kommen, dass Sie überhaupt nicht wissen, was Sie wollen.«

»Was ich will, ist ganz einfach: Ich will mit meiner Frau und meinen Kindern leben dürfen, wie und wo wir gern möchten. Und deshalb bitten wir darum, ausreisen zu dürfen. Viel eindeutiger geht's doch gar nicht.«

Knut notierte auch das und Lenz studierte ihn stumm. So ein Blödsinn – er, die DDR hassen! Etwas anderes konnten sie sich offensichtlich nicht vorstellen, diese Stasi-Jünger – lieben oder hassen! Dass man sie und ihr System nur hinter sich zurücklassen und sie weiter nach ihrer Fasson selig werden lassen wollte, passte nicht in ihre marxistisch-leninistisch geschulten Köpfe. Dabei hatte doch gerade er immer gut nachvollziehen können, was Menschen zu Kommunisten machte. War ja ein schöner Traum, diese Hoffnung auf eine bessere, gerechtere Welt. Vor allem, wenn man in Armut und Not lebte. Nur war dieser Traum in der Realität ja längst vergewaltigt worden und wurde auch jetzt noch jeden Tag den »Realitäten angepasst«, und das an vielen Orten der Welt. Geschichte und Gegenwart der Sowjetunion und ihrer Satellitenstaaten bewiesen das. Unsägliche Verbrechen waren begangen worden im Namen dieses Traums. Du aber, lieber Knut, der du dich mir so überlegen dünkst, willst nichts wissen von den Abermillionen Opfern dieses längst ausgeträumten Traums, plapperst irgendwas von »Hass«. Die Dummen sind entschuldigt, die Miesen des Nachdenkens nicht wert – du aber bist kein Dummer und nicht mal ein besonders Mieser. Es wäre deine verdammte Pflicht, wenigstens mal darüber nachzudenken, ob nicht auch die andere Seite ein paar »unumstößliche Wahrheiten« in der Tasche haben könnte.

Der Leutnant hatte zu Ende geschrieben, schüttelte seine Schreibhand aus und hob den Blick. »Also es gibt nichts in unserem Land, das Ihnen imponiert?«

Lenz zuckte die Achseln. »Mir imponieren alle diejenigen, die ihren Irrweg nicht bis zu Ende gegangen sind. Dazu gehört sicher besonders viel Mut, sich einzugestehen, jahrelang in die falsche Richtung gerannt zu sein.«

»Na, dann will ich nur hoffen, dass auch Sie eines Tages den Mut aufbringen, sich das einzugestehen.« Froh über die Gelegenheit zu dieser Retourkutsche griff Knut zum Telefon. »Machen wir Schluss für heute. Ich will nicht, dass Ihr Mittagessen kalt wird.«

Lenz lächelte nur. Er hatte gesagt, was zu sagen war. Jetzt hieß es hoffen, dass daraus die richtigen Schlüsse gezogen wurden.

Heiligabend! Der Tag, vor dem sie sich gefürchtet hatten. Auf dem Sims unterhalb des linken Glasziegelfensters stand ein erzgebirgisches Räuchermännchen, das Coswig mit seinem Weihnachtspaket erhalten hatte, Breunings Schränkchen war mit Obst und Süßigkeiten angefüllt, in der Freistunde fielen ein paar Schneeflocken. Grund genug für Hahne, sich zu ärgern. »Sonst schneit's Heiligabend nie.«

Zurück in der Zelle setzte Coswig seinen Spaziergang fort und summte Weihnachtslieder vor sich hin. Bis Hahne explodierte: »Willste uns ganz und gar verrückt machen?«

Coswig versprach, ab sofort nur noch Faschingslieder zu summen, und wanderte weiter in der Zelle auf und ab. Stumm.

Breuning auf seiner Pritsche seufzte in einem fort, Lenz versuchte, sich mit einem Buch über Selbsterfahrungsversuche berühmter Ärzte abzulenken. Doch immer wieder standen Silke und Michael vor ihm. Wie würden sie diesen Abend überstehen? Er selbst als Dreizehnjähriger, wie er in der Küche von Renis Eltern saß und heulte ... Was war ihm an jenem ersten Heiligabend ohne die Mutter elend zumute! Sillys und Michas Eltern waren noch am Leben; doch vielleicht schmerzte das noch viel tiefer? Der Tod war etwas Unabwendbares, mit dem zu hadern lohnte nicht; bei aller Trauer hatte er das damals schon gewusst. Eltern, die noch lebten, hatten bei ihren Kindern zu sein, in der Weltsicht von Kindern kamen nur schlechte Menschen ins Gefängnis ...

Zu Mittag gab es Nudelsuppe; am Abend, so Hahne und Breuning, die nun schon ihr zweites Weihnachtsfest in U-Haft verbrachten, würde es Bockwurst mit Kartoffelsalat geben, am ersten Feiertag Braten mit Rotkohl. Aussichten, die nur Breuning mit Vorfreude erfüllten; ein Talent von ihm, beim Gedanken an sein leibliches Wohlergehen alle Sorgen für ein Weilchen zu vergessen.

Lenz war noch bei der Mittagszigarette, da kam Spartakus, ein etwa ein Meter neunzig großer, muskulös wirkender Unteroffizier, und winkte ihn heraus.

Er folgte dem blonden Riesen nur zögernd. Heiligabend Vernehmung? Der Leutnant hatte ihn doch längst ins »Weihnachtsfest« verabschiedet. Oder war das nur wieder einer von Knuts Versuchen, ihn auf dem falschen Fuß zu erwischen, setzte er an einem Tag wie diesen auf Reue und Sentimentalität?

Es ging in den Vernehmertrakt, doch machte Spartakus nicht vor der üblichen Tür Halt. Erst ein paar Türen weiter wies er Lenz an, die vorgeschriebene Haltung einzunehmen, klopfte, schob den Kopf durch den Türspalt und ließ ihn eintreten.

Lenz machte ein, zwei Schritte – und blieb stehen, als wäre er gegen eine Wand geprallt: Hannah! Sie saß an einem mit blauem Fahnentuch bedeckten Tisch, vor ihr zwei bunte Teller mit Keksen, Obst und Bonbons, eine Kaffeekanne, Tassen, Teller, ein bereits angeschnittener Stollen und eine durch den Luftzug heftig ins Flackern gekommene Kerze. An der Stirnseite des Tischs, mit dem Rücken zum Fenster, hatte der Leutnant Platz genommen und grinste voller Genugtuung über diese gelungene Überraschung.

Es gab einen Ausdruck für das Gefühl, das Lenz in diesem Moment empfand, in vielen Romanen hatte er diese sechs Worte gelesen. Erst jetzt begriff er, wie viel Wahrheit in dieser zum Klischee verkommenen Formel steckte: »Ihr Anblick zerschnitt ihm das Herz.« Die blasse junge Frau, die ihm da so gespielt vergnügt entgegenlächelte, war seine Hannah – und sie war es auf eine sehr beängstigende Weise nicht.

Knut: »Da staunen Sie, was? Das hätten Sie nicht gedacht.«

Lenz antwortete nichts, setzte sich Hannah nur gegenüber, ergriff ihre Hände und streichelte sie. Wie dünn sie geworden war! Alles an ihr wirkte wie durchsichtig. Das dunkelblonde Haar – viel zu lang und ausgefranst, das Gesicht – zu schmal. Ihre Nase war spitz geworden, ihre Augen erschienen ihm dunkler als zuvor. Wie ein Kind saß sie vor ihm in der ihr viel zu großen dunkelblauen Trainingsjacke, unter der das Melkerhemd hervorlugte; ein großes, braves, hilflos wirkendes Kind, das er nicht genügend beschützt hatte und auch jetzt nicht beschützen konnte.

»Wie geht's dir?«, fragte sie leise.

»Gut. Und dir?«

»Auch gut.«

»Das ist schön!«

Der Leutnant blickte kontrollierend auf ihre Hände, die sich noch immer nicht loslassen wollten, dann räusperte er sich, wie um sie darauf aufmerksam zu machen, dass sie sich jetzt ihm zuzuwenden hätten, und erklärte ihnen seine Bedingungen für diesen ersten Sprecher: »Das hier ist eine Vergünstigung. Wir sind nicht verpflichtet, mit Ihnen Weihnachten zu feiern. Sie dürfen sich nicht berühren und nicht über die Straftat, die Haftbedingungen oder andere Untersuchungsgefangene reden.«

Sie ließen sich los, Hannah goss Kaffee in die Tassen und legte jedem ein Stück Stollen auf den Teller. Der Leutnant machte weiter sein belustigtes, zufriedenes Gesicht.

Sie tranken von dem Kaffee, aßen vom Stollen und Hannah studierte Lenz. »Bist blass geworden.«

»Zu viel Sonne macht nur Falten.«

»Ich werd' wohl auch schlimm aussehen.«

»Nein! Nur den Umständen entsprechend.«

Sie lächelte, ihre Augen füllten sich mit Tränen.

Lenz sah den Leutnant an. »Wie viel Zeit haben wir denn?«

»Wenn Sie sich anständig aufführen, sind wir nicht knauserig.«

»Die Kinder?«, fragte Lenz. »Hast du was von den Kindern gehört?«

»Silke hat mir einen Brief schreiben dürfen. Sie schreibt ... es geht ihr gut.«

Jetzt konnte Hannah ihre Tränen nicht mehr zurückhalten. Lenz legte sein Stück Stollen auf den Teller zurück. Gut! Allen ging es gut! Was für eine elende Lügerei! »Werden sie heute Abend bei Robert sein?«

»Ja. Silke hat es mir geschrieben ... Sie ... sie schreibt schon recht gut.«

Ein Schluchzen schüttelte Hannah, ihre Schultern bebten.

Lenz versuchte, ihr Mut zu machen: »Eines Tages werden sie uns verstehen. Sie werden ja auch erwachsen, dann sehen sie …«

»Stopp!« Der Leutnant winkte ab. »Geben Sie Ihrem Gespräch bitte eine andere Richtung.«

»Ist das nicht privat?«

»Keine Diskussion!«

Sie schwiegen und Lenz schob auch seinen Kaffee von sich fort. Was sollte das Ganze denn, wenn sie einander nicht einmal Trost zusprechen durften?

»Willst du wissen, wie es uns in Bulgarien ergangen ist?« Hannah hatte sich wieder in der Gewalt. Vorsichtig begann sie von Burgas und Sofia zu erzählen und blickte dabei immer wieder den Leutnant an. War das, was sie sagte, noch erlaubt? Lenz erfuhr, dass man die Kinder und sie bis zum Rückflug in guten Touristenhotels untergebracht hatte und die Bulgaren sehr freundlich zu den Kindern gewesen waren. »Aber natürlich hatten Silly und Micha große Angst um dich. Ich wusste ja gar nicht, wie ich ihnen das Ganze erklären sollte.«

Der Leutnant lauschte, schritt aber nicht ein; Lenz starrte auf seine Hände.

»Am schlimmsten war's auf dem Rückflug … Silly und Micha, immer wieder haben sie Fragen gestellt, die ich ihnen ja nicht beantworten konnte … Und bei der Landung hat Silly gebrochen … Im Flughafengebäude kam's dann zur Katastrophe. Silly wollte nicht zulassen, dass man uns trennte … hat geschrien, geweint und sich gewehrt … und Micha hat so große Augen gemacht …«

In Lenz krampfte sich alles zusammen, ihm wurde heiß, er spürte sein Herz. Während der letzten Tage hatte er sich bemüht, nicht allzu oft an die Kinder zu denken; er half ihnen damit ja nicht, machte sich nur selbst fertig. Jetzt sah er Bilder vor sich, die diesen ohnehin nicht sehr stabilen Schutzwall in Bruchteilen von Sekunden in sich zusammenstürzen ließen. Er biss sich auf die Zähne, wollte nicht losheulen, durfte es Hannah doch nicht noch schwerer machen.

Sie sah ihm an, wie ihm zumute war. »Und doch war richtig, was wir getan haben«, sagte sie da auf einmal mit fester Stimme. »So wäre es nicht weitergegangen …«

»Stopp!« Der Leutnant hob beide Hände. »Themenwechsel oder ich muss Sie in Ihre Verwahrräume zurückbringen lassen.«

Da konnte Lenz nicht länger an sich halten. »Na, dann geben Sie uns doch mal 'nen Tipp, worüber wir reden sollen!«, schrie er den Leutnant an. »Vielleicht über den kalten Winter von 1947?«

»Sie haben gehört, was ich gesagt habe.«

Lenz hatte es gehört und begriff, dass es höchste Zeit war, Hannah mitzuteilen, was er von Hajo Hahne erfahren hatte. Beendete der Leutnant diesen Sprecher wegen irgendeiner Unvorsichtigkeit ihrerseits, war es für alles zu spät. Und er musste Hannah doch sagen, dass Hoffnung war. Es war besser, ihr jetzt alles zu sagen und dafür rauszufliegen, als noch fünf Minuten herauszuschlagen und sich wegen irgendeiner Belanglosigkeit von ihr trennen zu müssen.

»Wir haben ja nun einen Rechtsanwalt«, begann er hastig. »Dr. Vogel. Das ist nicht irgendein Rechtsanwalt, wenn einer unsere Ausreise ermöglichen kann, dann er … Ich weiß, dass er …«

»He! He!« Nun war der Leutnant ehrlich empört. »Letzte Warnung.«

»Es wird alles gut. Dr. Vogel ist vom Bundesinnenministerium beauftragt worden. Er wird dafür sorgen, dass wir ausreisen dürfen.«

»Schluss!« Der Leutnant griff zum Telefon.

»Es wird sicher nicht mehr lange dauern, nur ein paar Monate. Die müssen wir noch aushalten. Danach … danach sind wir dann alle wieder beisammen.«

»Seien Sie still!« Nun hatte auch Knut geschrien, so zornig war er auf den Untersuchungsgefangenen Lenz, der das ihm gnädig gewährte Treffen mit seiner Frau für solch staatsverräterische Reden missbrauchte.

Auf dem Flur wurden Schritte laut. Dringlich blickte Lenz Hannah in die Augen. »Kannst dich drauf verlassen. Das ist hundertprozentig.«

Sie nickte, als habe sie ihn verstanden. Aber glaubte sie ihm? Oder vermutete sie, ihr Manne, der ewige Optimist, wollte ihr nur Mut machen? Er konnte ihr ja nichts von Hajo Hahne erzählen.

Die Tür wurde geöffnet, Spartakus wartete.

»Hier!« Missmutig schob der Leutnant Lenz seinen bunten Teller zu. »Den könn' Se mitnehmen.«

Lenz hätte ihm den Teller am liebsten an den Kopf geworfen. Noch einmal blickte er Hannah an. »Mach's gut!«

»Du auch«, flüsterte sie unter Tränen.

Im Zellentrakt kreuzte eine andere Gefangenenzuführung ihren Weg. Rasch schob Spartakus Lenz in die nächste freie Zelle und schloss hinter ihm ab. Lenz stellte den Pappteller auf den Tisch, lehnte sich an die Wand und schloss die Augen. Er hatte Hannah gesehen – und würde sie von nun an immer so vor sich sehen, das blasse, hilflose Kind in der viel zu großen Trainingsjacke … Ihm kamen die Tränen, er ließ sie fließen, bis ein böses Lächeln sie verdrängte: Was für eine bizarre Komödie war da mit ihnen aufgeführt worden! Seht her, sollte diese »Weihnachtsfeier« wohl besagen, wir zünden unseren Feinden sogar

Kerzen an und verteilen Süßigkeiten! Können wir da Unmenschen sein?

Als die Tür wieder geöffnet wurde, hielt er Spartakus seinen bunten Teller hin. »Möchten Sie? Ich vertrag keine Süßigkeiten.«

Verblüfft blickte der blonde Riese in der knapp sitzenden Uniform Lenz an. Wollte dieser Häftling ihn etwa verscheißern? Lenz aber machte ein so ehrliches Gesicht, dass er ihm die gespielte Naivität am Ende abnahm. »Verteil'n Se das an Ihre Mitgefangenen«, murmelte er verlegen. »Die werden ja nicht alle magenkrank sein.«

»Gute Idee.« Lenz stellte den bunten Pappteller auf den Tisch zurück.

»Was soll denn das nu wieder?«

»Entschuldigung!« Lenz nahm den bunten Teller wieder auf. »Bin etwas verwirrt.«

Coswig, Breuning und Hahne hatten Riegel und Schlüssel rechtzeitig gehört; als Lenz die 327 betrat, standen sie neugierig blickend neben ihren Pritschen.

Coswig: »Worum ging's denn?«

»Bescherung.« Lenz stellte den bunten Teller neben Coswigs Räuchermännchen ab und warf sich auf seine Pritsche.

»Kriegen wir auch so einen?« Breuning!

»Keine Ahnung! Sie können meinen haben.«

Schweigen. Bis Hahne sich zu Lenz setzte. »Deine Frau?«, fragte er vorsichtig.

Lenz nickte nur stumm.

»Hast du ihr was sagen können?«

»Nicht viel ... Aber ob sie mir's abnimmt?«

»Sie wird drüber nachdenken.« Hahne strahlte zufrieden. »Und irgendwann wird sie begreifen, dass an der Sache was dran ist. So viel Phantasie hat doch keiner, sich so was Irres auszudenken.«

Bis zum Abend waren noch ein paar Stunden herumzubringen. Sie versuchten, sich lesend oder schlafend über die Zeit zu retten, merkten aber bald, dass das der denkbar falscheste Weg war, und begannen über alles Mögliche zu reden, nur nicht über den Abend, der vor ihnen lag. In eines dieser Gespräche hinein ging die Tür, Breuning wurde geholt. Schon nach wenigen Minuten kehrte er zurück, die Goldzähne blitzten: Er hielt einen bunten Teller in den Händen.

Der Nächste, der beschert wurde, war Hahne, und auch Coswig wurde nicht vergessen.

Als es hinter den Glasziegelfenstern schon dunkelte, ging ein weiteres Mal die Tür. Spartakus brachte einen Brief. Für Lenz. Der nahm ihn nur zögernd entgegen. Bisher hatte er noch keine Post erhalten, vier Monate lang keine einzige Zeile, nun, nach dem ersten Sprecher, auch noch den ersten Brief? Und das trotz seines ungebührlichen Verhaltens?

Der Brief kam von Robert.

Lenz drehte den schon offenen Umschlag in den Händen und wagte nicht hineinzusehen. Was würde der Bruder schreiben? Was durfte er ihm schreiben? Doch sicher, wie es den Kindern ging; die Nachricht, auf die er so lange gewartet hatte. Aber hatte er die Kraft, an einem solchen Tag eine solche Nachricht auszuhalten?

»Kuck rein!«, befahl Hahne. »Guckste nicht rein, machste dich nur noch verrückter.«

Zögernd ging Lenz in eine von den anderen möglichst weit entfernte Ecke der Zelle und nahm heraus, was in dem Umschlag war. Zuerst ein Foto von Silke und Michael. Sie saßen in der

Sesselecke von Roberts Wohnung, Silke hielt eine Puppe in der Hand, obwohl sie doch schon seit langem nicht mehr mit Puppen spielte, Micha ein kleines Auto; Silke blickte voller Unverständnis und neben aller Traurigkeit auch ein wenig beleidigt in die Kamera, Micha, der weiche Micha, nur voller Ratlosigkeit ... Es schüttelte Lenz, er konnte ein lautes Aufschluchzen nicht vermeiden, Tränen flossen. Erst nach geraumer Zeit gelang es ihm, die wenigen Zeilen zu lesen, die Robert dem Foto beigefügt hatte. Den Kindern gehe es gut, schrieb der Bruder, sie würden bei Reni, Kati und ihm Weihnachten feiern. Das Foto sei leider erst jetzt fertig geworden.

Lenz sah nach dem Datum des Briefes – 15. Dezember. Also hatten sie Brief und Foto schon lange vorliegen, die Genossen im Vernehmertrakt, und bis auf den heutigen Tag gewartet, um ihm diesen Umschlag zu überreichen? Er las den Brief noch einmal, las ihn Zeile für Zeile, Wort für Wort. Es stand aber nichts zwischen den Zeilen, kein Hinweis auf irgendwas. Was hätte Robert ihm denn auch mitteilen sollen? Wie hätte er ihm Mut machen oder Trost spenden können angesichts der Tatsache, dass die Stasi jede Zeile mitlas?

»Schlimm?« Hahne griff nach dem Foto. Lenz überließ es ihm und begann durch die Zelle zu traben, dreizehn Schritte hin, dreizehn zurück. Irgendwann, er hatte nicht mitbekommen, wie lange er auf und ab gewandert war, fing er Hahnes Blick auf. Der lange Journalist schüttelte den Kopf. Du machst dich fertig, sollte das heißen. Und uns gleich mit. Und als Lenz darauf nicht reagierte, erzählte er von einem seiner ehemaligen Mitgefangenen. »Der armen Sau hatten sie an seinem Geburtstag einen Brief überreicht. Von seiner Frau, die auch einsaß. Darin stand, dass sie sich von ihm scheiden lassen wolle, weil er sie zur Flucht verführt habe. Das hat ihm den Rest gegeben. Vor Wut hat er ausgepackt, alles verraten, was die Stasi noch nicht wusste. Und was soll ich euch sagen: Der Brief war gefälscht! Als er den ersten Sprecher mit seiner Frau hatte, wusste sie nichts von einem solchen Papier, sagte, dass sie ihn noch immer liebe und nie im Leben verlassen würde. Tja, und natürlich war das Corpus Delicti nirgendwo auffindbar. Er hatte ihn ja nicht mit auf die Zelle nehmen dürfen, diesen ominösen Brief, also hatte es ihn nie gegeben.«

Coswig, mal wieder voller Zweifel: »Das Foto können sie kaum gefälscht haben.«

Hahne, aufgebracht: »Ich wollte Manne ablenken, du Flachschwimmer, nicht seinen Schmerz vertiefen.«

»Hört auf!« Lenz unterbrach seine Wanderung, setzte sich zu Hahne, drehte sich eine Zigarette und rauchte in tiefen, hastigen Zügen. Hinter den Glasziegelsteinen war es längst finster; Heiligabend!

Coswig rückte seinen Hocker heran und bestückte sein weißbärtiges, Pfeife rauchendes Holzmännchen mit einem Räucherstäbchen. Fast ein wenig feierlich zündete er es an und begann, als das Männchen qualmte und die Zelle mit schwerem Duft erfüllte und er auch noch eine Kerze aus dem Weihnachtspaket seiner Frau angezündet hatte, *O du fröhliche* vor sich hin zu summen. Von Hahne kam kein Protest und sogar Breuning rückte ein bisschen näher heran. Zu viert saßen sie um den kleinen Tisch, starrten Kerze und Holzfigur an und versuchten, an nichts zu denken.

Bald darauf hörten sie Glockenschläge. Durch die offene Lüftungsklappe drang das helle, volltönende Geläut. Breunings Augen füllten sich mit Tränen, bis er es nicht länger aushielt und hemmungslos zu weinen begann. Doch nicht einmal er wollte, dass sie die Klappe schlossen.

Als die Glocken endlich verklungen waren, wurde ihnen noch schwerer zumute. Diese Stille, diese nackte Kälte um sie herum – und dieses verfluchte wehe Gefühl im Herzen!

»Scheiß Weihnachten!« Hahne war es, der zuerst zu sich fand; Hajo Hahne, der keine Kinder hatte und keine Frau, nur eine Verlobte in WestBerlin und eine fürsorgliche Anna Karenina im Ostteil der Stadt. »Knobeln wir ein bisschen.« Er verteilte schon mal die Streichhölzer. »Vom Heulen kriegen wir nur dicke Augen.«

Sie knobelten, und an diesem Abend gewann Coswig, der zuvor nur selten einmal über Lenz und Hahne triumphiert hatte. Seine Glückssträhne belustigte ihn, jeden erneuten Erfolg kommentierte er mit einem zufriedenen Kichern. Hahne ließ sich von dieser Stimmung anstecken und auch Lenz suchte sein Heil in der Flucht zu Albernheiten. Bald johlten sie laut, wenn Coswig wieder einen Sieg davongetragen hatte, flachsten und witzelten über dieses so plötzlich aufgetretene Talent; sie wussten, ein unbedachtes Wort und das Elend war da.

Das Abendbrot enttäuschte: Kein Kartoffelsalat mit Bockwurst, nur Brot, Teewurst und Pfefferminztee wurde durch die Futterluke gereicht; das bessere Essen, wie sie es jeden Mittwoch bekamen, nur dass heute eben nicht Mittwoch, sondern Heiligabend war.

Hahne zuckte die Achseln. »Voriges Jahr gab's Bockwurst mit Kartoffelsalat. Ehrlich!«

Coswig war die fehlende Wurst wurscht, er verlangte, ein paar Weihnachtslieder nicht nur summen, sondern singen zu dürfen. Hahne nickte gnädig: »Singe, wem Gesang gegeben.«

Coswig war Gesang gegeben. Er hatte eine sehr schöne, ausgebildete Stimme. *O du fröhliche,* sang er, *Es ist ein Ros entsprungen,* zwei erzgebirgische Weihnachtslieder und *Stille*

Nacht. Alle drei hörten sie zu und waren von Coswigs Bariton dermaßen beeindruckt, dass keinerlei Rührseligkeit aufkam. Auch ermahnte sie kein Wachposten, das Singen einzustellen.

Später knobelten sie wieder. Und nun meinte der liebe Gott es gut mit Hahne. Ein ums andere Mal gewann er. »Nicht zu fassen!«, staunte er. »So viel Gerechtigkeit ist unsereins ja gar nicht mehr gewöhnt.«

Breuning kiebitzte, um sich auf diese Weise abzulenken, hielt das aber nicht lange durch. »Zu Hause haben meine Frau und ich um diese Zeit immer einen Spaziergang gemacht.« Er musste wieder weinen.

Niemand sagte etwas. Lenz sah Roberts Wohnzimmer vor sich, die Ecke, in der Jahr für Jahr der Tannenbaum stand. Dort saßen jetzt die Kinder. Wie war ihnen zumute? Konnten sie sich trotz allem ein bisschen freuen?

»Was machst du, wenn du drüben bist?« Hahne wollte, dass sie auf andere Gedanken kamen. »Haste schon Pläne?«

»Arbeiten«, antwortete Lenz. »Geld verdienen, eine Wohnung einrichten, was denn sonst?«

»Baust du dir später mal ein Haus?«

»Bestimmt nicht.«

»Und warum nicht? Willst du reisen?«

Natürlich wollte Lenz irgendwann reisen. Einmal mit Hannah und den Kindern die Hände in den Rhein stecken, Nordseeluft schnuppern und die Alpen sehen; einmal Paris und Rom. Aber er saß nicht hier, weil ihn das Fernweh zwickte. Wäre dies der Grund für ihre Katastrophe, wie sehr müssten Hannah und er sich jetzt vor den Kindern schämen.

Coswig: »Ihr redet, als wärt ihr schon so gut wie drüben.«

»Sind wir doch auch.« Hahne zwinkerte Lenz zu.

Coswig: »Drüben werdet ihr euch auch anpassen müssen.«

Hahne: »Danke für die Belehrung. Eines aber wirst sogar du zugeben müssen, Mr. Alles-wird-schlecht, allein für seine abweichende Meinung ist drüben noch niemand in den Knast gegangen.«

Lenz: »Ich werd mich niemals mehr einer Sache anpassen, die mir nicht gefällt.«

Eine Zeit lang schwiegen sie, dann begann Hahne erneut: »Worin siehst du den Hauptunterschied zwischen Ost und West, Manne?«

Coswig: »Egal, welche Unterschiede, die Frage muss lauten: Wo bist du zu Hause? Im *Peter-Stuyvesant*-Country – oder im Staat der Helden der Arbeiterklasse? Das Übel auf der anderen Seite des Flusses sieht immer harmloser aus als das auf der eigenen Seite.«

»Zuallererst muss ich in mir zu Hause sein dürfen«, sagte Lenz.

Hahne: »Richtig! Und das bist du nicht in einem Land, in dem der Nachbar den Nachbarn bespitzelt, die Schwester den Bruder, der Sohn den Vater, der Mann die eigene Ehefrau und umgekehrt. Wo ich mich in mir zu Hause fühlen soll, muss es ein Mindestmaß an Freiheit geben.«

Coswig: »Meint ihr denn, dass das so leicht wird, mit der westlichen ›Freiheit‹ klarzukommen? Keiner, der euch sagt, was ihr zu tun habt, für alles seid ihr selber verantwortlich. So manch einer ist in der freien Wildbahn schon umgekommen.«

Hahne: »Lieber die Freiheit des Dschungels als ewig die Angst, wegen Sabotage, Vertrauensmissbrauch, Terror, staatsfeindlicher Hetze, staatsfeindlicher Verbindungen, Landesverrat, Geheimnisverrat, Spionage, Rowdytum oder tausend anderer Vergehen gegen die öffentliche Ordnung unseres sozialistischen Musterlandes eingesperrt zu werden. Lies doch mal unser Strafgesetzbuch, du reumütiger Sänger, da wird dir Angst und Bange, für welche Delikte unsereins alles in den Knast kommen kann.«

Wieder schwiegen sie, dann begann Coswig: »Vielleicht gibt's ja nirgendwo die wirkliche Freiheit, vielleicht sehnen wir uns nur nach einem Phantom.«

Hahne: »Quatsch! Seit ich hier bin, weiß ich ganz genau, was Freiheit ist.«

Ein neuer Streit schien sich anzubahnen. Lenz aber hatte keine Lust mehr abzuwiegeln. Er gab Hahne Recht: »Freiheit ist wie Gesundheit. Erst wenn du so richtig krank bist, lernst du sie schätzen.«

Ein Weilchen starrte Coswig nur sein Räuchermännchen an, dann beugte er sich plötzlich vor und nahm das Foto von Lenz' Kindern in die Hand, das Lenz auf seine Pritsche gelegt hatte, um es nicht immer wieder ansehen zu müssen. »Und was ist, wenn sie deine Kinder hier behalten, Manne?«

»Dann gehe ich auch nicht.«

Coswig lehnte das Foto so an die Glasziegelsteine, dass es von der Kerze beleuchtet wurde, betrachtete es noch ein Weilchen und zuckte die Achseln. »Na ja, sie könnten deine Frau und dich aber auch gewaltsam abschieben – und zwar ohne die Kinder!«

Das war zu viel. »Dreckskerl!« Lenz sprang auf, packte Coswig an seinem Melkerhemd und schüttelte ihn. »Bist du von Natur aus so neugierig oder erfüllst du nur einen Auftrag?«

»Red keinen Stuss. Man wird doch mal fragen dürfen.«

»Fragen darfste, aber nerven darfste nicht.« Lenz hatte sich wieder in der Gewalt. Er ließ Coswig fahren, griff in seinen bunten Teller und warf eine Hand voll Bonbons nach ihm. »Schönen Gruß von Onkel Mielke! Die grün Eingewickelten sind giftig.«

Coswig antwortete auf gleiche Weise und auch Hahne griff in

das Bonbon-Bombardement ein, bis schließlich jeder jeden bewarf. Nur Breuning stand abseits und starrte sie an, als wäre er unter die Verrückten gefallen. Für diese Art von Verzweiflung hatte er kein Verständnis.

Als ihnen die Bonbons ausgegangen waren, opferten sie auch die Kekse und das Obst; als die Teller gänzlich leer waren, lasen sie alles wieder auf, nahmen hinter den Pritschen Deckung und eröffneten erneut das Feuer. Jeder Treffer wurde bejubelt.

Hahne war es, der als Erster wieder zur Besinnung kam. »Mensch, unsere Vitamine!« Eilig begann er das Obst und die Kekse, soweit sie heil geblieben waren, wieder aufzulesen. Coswig und Lenz halfen ihm, und dann rauchten sie erst mal eine und lachten über ihre Albernheit und beschlossen, den Heiligabend damit hinter sich zu haben.

Doch natürlich konnten sie, als sie danach auf ihren Pritschen lagen, nicht gleich einschlafen. Sie redeten über dieses und jenes und irgendwann begann Hahne von seiner Gitta zu erzählen. Wie er sie kennen gelernt habe, die WestBerliner Klassenfeindin; während eines gesamtdeutschen Jugendseminars sei es passiert. »Hab mich gleich unsterblich in sie verliebt. Den ganzen Abend haben wir Händchen gehalten und am nächsten Morgen hab ich ihr dann mein FDJ-Hemd geschenkt und sie ist damit über alle Betten geturnt – nackend, nur den blauen Fetzen mit der aufgehenden Sonne über dem Hintern. Ein Bild wie aus einem sozialistischen *Playboy*.«

Coswig und Lenz sahen ihn vor sich, den blanken Hintern unter der aufgehenden Sonne, und mussten lachen. Gleich darauf erzählte Coswig, wie er seine Frau kennen gelernt hatte. Während einer Ferienfahrt mit Schülern habe er sich in die Kollegin für Sport und Mathe verliebt. »Rennen konnt se und rechnen, nur von Musik verstand se nichts. Also erschien ich ihr nicht so interessant. Na ja, da hab ich ihr eben eines Abends am Lagerfeuer so lange Fahrtenlieder vorgesungen, bis sie endlich mitbekommen hat, was für 'n toller Typ ich bin.«

Wieder wurde gelacht und nun war Lenz dran mit seiner Geschichte. Lenz aber wollte nicht erzählen, nicht an diesem Abend. Es hatten mehrere Wunder geschehen müssen, bis Hannahs und seine Wege sich kreuzten; das wäre eine zu lange Geschichte geworden und sie hätte auch nicht in die Stimmung dieses Abends gepasst.

»Ein andermal«, vertröstete er Coswig und Hahne. »Ich lauf euch ja nicht weg.«

Er lief ihnen dann aber doch weg, der Zellengenosse Lenz. Gleich nach den Weihnachtsfeiertagen wurde er in die Einzelhaft zurückverlegt. Eine Strafaktion? Knuts Rache für sein Verhalten während des Sprechers mit Hannah?

Weil wohl keine andere Einzelzelle frei war, kam er in den Frauentrakt. Hier gab es vor allem Schließerinnen, nicht nur Schließer, unter ihnen ein paar ganz furchtbare Zimtzicken. Die drei Schlimmsten taufte er Barockbein, Krummschwert und Köhlerliesel. Sie beargwöhnten ihn misstrauisch, wussten sicher, dass es sich bei dieser Verlegung um eine Strafmaßnahme handelte, und ließen ihn spüren, dass sie gewillt waren, ihm das Leben schwer zu machen. Versuchte er irgendeine Bitte vorzutragen, schlugen sie ihm die ab, bevor er sie ausgesprochen hatte; reagierte er daraufhin gereizt, verspritzten sie Gift; betraten sie seine Zelle, hielten sie Abstand, als wäre er ein unberechenbares, wildes Tier.

Besonders wenig Spaß machte die Verrichtung der täglichen Notdurft. War es schon nicht angenehm, von Männern durch den Spion beobachtet zu werden, während man auf dem Klo hockte oder ins Becken pinkelte, störte der Gedanke an ein Frauenauge im Spion erst recht.

Alle diese Frauen mit den oft verbissen wirkenden Gesichtern waren zwischen vierzig und sechzig; nicht eine einzige jüngere Schließerin lernte Lenz kennen. Im Männertrakt hatte er die gegenteilige Erfahrung gemacht, da war – außer dem Grauen – keiner über dreißig. Musste man als Frau erst ein gewisses Alter erreicht haben, um eine solche Vertrauensstellung bekleiden zu dürfen?

In der ersten Nacht nach der Verlegung – die vierte Zelle, die Lenz sich warm sitzen, warm wandern, warm liegen musste –, schlief er keine einzige Minute. Bis zum frühen Morgen lag er wach. Als sie ihn zu Breuning gelegt hatten, hatte er sich in seine Einzelzelle zurückgesehnt, jetzt fürchtete er wieder die Einsamkeit. Die Gespräche und das gemeinsame Zigarettendrehen mit Coswig und Hahne, wie würde ihm das fehlen! Er trauerte sogar Breuning nach. Sollte er doch jammern, sollte er furzen, der Alte, sollte er ewig nur an sein eigenes Wohlergehen denken; jeder Ärger lenkte ab.

Natürlich: Er hätte mit einer solchen Reaktion der Stasi rechnen müssen. Wenn er diesen Preis nicht umsonst gezahlt hatte, wenn er Hannah mit seinen Worten Mut gemacht hatte, wollte er die erneute Einzelhaft ja auch aushalten. Aber was, wenn sie ihm nicht glaubte und er ganz umsonst hier schmorte?

Am Morgen darauf startete er als Erstes einen Marathonlauf: Acht kurze Schritte von der Tür bis zu den Glasziegelsteinen, acht zurück. Dabei fiel ihm ein, dass Hahne von einer Unterbelegung des Hohenschönhausener Knasts gesprochen hatte – wegen der Amnestie – und man ihn vielleicht nur deshalb in den Frauentrakt verlegt hatte, um ihn mit Hannah in Kontakt zu bringen. War ja möglich, dass sie in der Zelle links oder rechts von ihm lag. Vielleicht hofften sie, er würde versuchen, ihr zuzumorsen, was er alles von Hahne erfahren hatte, damit sie auf diese Weise mehr über Hahnes Dr.-Vogel-Kenntnisse herausbekamen? Und auch, woher Hahne sein Wissen hatte …

Ein Verdacht, der ihn quälte. Immer wieder, wenn die Frauen der Station zur Freistunde, zur Vernehmung oder zum Duschen geführt wurden, trat er an die Tür und lauschte. Waren das Hannahs Schritte?

Auch in der folgenden Nacht lag er lange wach. Seine Hand glitt über die kalte, glatte Wand hin. Lag hinter dieser Wand jetzt Hannah? Sollte er Kontakt aufnehmen? Mein Name ist Manfred Lenz, wer sind Sie?

Nein! Er würde nicht klopfen. Hatte man es tatsächlich so arrangiert, dass Hannah in einer der beiden Nebenzellen lag, durfte er ihren Absichten nicht noch entgegenkommen. Wie sollte er das Bewusstsein von Hannahs Nähe denn aushalten, ohne fortwährend mit ihr Kontakt aufnehmen zu wollen und dabei mehr zu verraten, als er durfte?

In der Silvesternacht lauschte er auf den Lärm des Feuerwerks, der durch die Luftklappe zu ihm hineindrang.

Prosit Neujahr, Hannah!

Prosit Neujahr, Silke und Michael!

Prosit Neujahr, Manne Lenz!

Prosit Neujahr, 1973! Und gib dir ein bisschen Mühe, zeig dich von deiner besten Seite. Du weißt ja, was wir uns wünschen.

3. Von Zauberhand

Ende September war Lenz aus dem Jugendheim entlassen worden, im Januar kündigte er in der Omnibusreparaturwerkstatt. Er musste fort von Richard Diek, er verdiente dort nichts. Und die Arbeit langweilte ihn. Außerdem befürchtete er, mit der Zeit ein zweiter Diek zu werden. Richard spürte das, war beleidigt und sprach die letzten Tage kein Wort mit ihm.

Auf dem Arbeitsamt fragten sie nach seinen Interessen. Er sagte, er lese gern und hätte eigentlich immer schon gern was mit Büchern zu tun gehabt. Na, da habe er aber großes Glück, antwortete die sanftäugige Sachbearbeiterin mit der Prinz-Eisenherz-Frisur. Gerade habe sie eine Anfrage reinbekommen, der *VEB Militärverlag* suche Mitarbeiter für den Versand. Er könne sich dort ja mal vorstellen.

Mit der Straßenbahn fuhr er zur Jannowitzbrücke und stellte sich im Militärverlag vor. Der Kaderleiter, ein ehemaliger Offizier, hoch gewachsen, gerade Körperhaltung, lockiges, früh ergrautes Haar, plauderte ein Weilchen mit ihm, fand ihn geeignet und stellte ihn ein. Als Packer. Eine Tätigkeit mit Perspektive, wie er sagte. Einer, der gern las, müsse ja nicht ewig Packer bleiben; man werde ihm helfen, sich zu qualifizieren. Wenn er wolle, könne er hier alles werden. Sogar Direktor.

Am 1. Februar begann Lenz im Militärverlag, drei Wochen später flog er dort schon wieder raus. Die Frauen in der Versandabteilung – bis auf eine Ausnahme alles ältere Damen, die einander nicht grün waren –, hatten ihn vom ersten Tag an misstrauisch beobachtet: Ein noch so junger Mann in ihrer Abteilung? Sollten sie für den etwa Mutter spielen? Anfangs hatte er nur über sie gelacht und sich in die Arbeit gestürzt; bis ihr Getue ihn immer mehr nervte. Er hatte sie sich nicht ausgesucht, sollten sie doch kündigen, wenn seine Anwesenheit ihnen nicht genehm war. Ihm verging das Lachen aber auch noch aus einem anderen Grund: Auch diese Arbeit langweilte ihn. Was denn, Tag für Tag nichts anderes tun als acht Stunden lang Bücher in Kartons verpacken, Rechnungen dazulegen, die Kartons verschnüren und Anschriften draufpappen? Da starb er ja vor Eintönigkeit. Und die Romane, die er da verpacken musste, spielten ja ewig nur unter Soldaten, lasen sich schlecht und wirkten unehrlich; wer das las und nicht einschlief, mit dem stimmte was nicht.

Einziger Lichtblick in diesem Alltagsgrau: Martin Fackelberg, der die mit Bücherkartons voll bepackten Paletten mit seinem Gabelstapler auf die Post-LKWs verlud und Wert darauf legte, nicht zum Versand, sondern zur Hofbrigade zu gehören. Drei Jahre älter als Lenz war er und ein Possenreißer mit einer Klappe von der Stirn bis zum Knie. In den Pausen mit Fackelberg fühlte Lenz sich nicht mehr allein unter Hyänen; dann rissen sie Witze und lachten über die immer empörter blickenden Frauen. Und an einem sonnenhellen Mittwoch dehnten sie ihre Mittagspause in der kleinen Kneipe gegenüber vom Verlag bis in die Abendstunden aus. Lenz hatte Vorschuss bekommen, die Arbeit war öde, die Zanktypen, wie Fackelberg das Wort »Xanthippen« aussprach, auf die Dauer nicht zu ertragen. In der düsteren Kiezkneipe aber verkehrten interessante Leute: gestrandete Künstler, Stammtischphilosophen, lustige Witwen und krankgeschriebene Proletarier. Die Diskussionsbeiträge wurden immer geistvoller, frecher und frivoler, die Witze immer dreister, die Zeit verging wie im Fluge. Ab und zu kam eine der Zanktypen über die Straße gelaufen, in der Hoffnung, die beiden Fahnenflüchtlinge mit kräftigen Worten an ihre Arbeitsplätze zurückbeordern zu können. Die jedoch schnitten ihnen Gesichter; sie dachten ja nicht daran, sich diesen schönen Nachmittag durch Arbeit verderben zu lassen.

Tags darauf bekam Lenz die Papiere, Fackelberg – ein halbes Jahr länger im Verlag – kam mit einer Verwarnung davon.

Wieder das Arbeitsamt, und diesmal saß Lenz keiner sanftäugigen Romantikerin gegenüber, sondern dem seit seinen unvergessenen Heldentaten greise gewordenen Führer der Deutschen persönlich: glänzende Glatze, die letzten paar, sehr lang gehaltenen Haare führermäßig in die Stirn gekämmt, dazu das berühmte Rotzfängerbärtchen. Alles ist zu regeln, verrieten diese feldherrenmäßig geschulten, in irgendeine imaginäre Weite blickenden Augen, lasst mich nur machen.

Lenz beschloss, nicht erst lange von Büchern und vom Lesen zu erzählen, sondern gleich zur Sache zu kommen, und eröffnete seinem stirnrunzelnd lauschenden Gegenüber ultimativ, dass er endlich eine Arbeit brauche, die etwas einbringe. Nachdrücklich schilderte er seine Lage: vor fünf Monaten aus dem Jugendheim entlassen, keine Eltern, keine Anverwandten, die helfen konnten, keine Möbel, kaum was auf dem Hintern – Hunger!!!

Der Führer sah Lenz lange an. »Vater im Krieg gefallen?«

»Ja.«

»Wo?«

»In Russland.«

Da nickte er bekümmert, der Schuldige an allem. Ja, die Sache mit den Russen! Wenn er doch damals nur nicht den Fehler gemacht hätte, auch noch die Russen anzugreifen. Aber dann bewegten ihn näher liegende Probleme und er zog einen Trumpf aus dem Ärmel: *Kabelwerk Oberspree*, draußen in Oberschöneweide, ob Lenz das vielleicht kenne?

Und ob Lenz das Kabelwerk kannte! Waren Eddie und er in

jener verrückten Silvesternacht denn nicht mit dem Kanu daran vorübergepaddelt?

»Gut! Sehr gut!«, freute sich der Führer. Im *KWO* würden Be- und Entlader gesucht. Drei-Schicht-System, aber fünfhundert Mark im Monat würden dabei wohl herausspringen. »In guten Monaten sogar sechshundert. Ist kein Pappnasenkleben dort, sondern harte Arbeit, aber hart arbeiten müssen selbst Goldgräber, nicht wahr?«

»Was be- und entladen die denn dort?« Fünfhundert Mark – das waren ja hundertfünfzig mehr als bei Richard Diek und hundert mehr als im Militärverlag.

»Waggons. LKWs. Flussschiffe.«

Klang irgendwie abenteuerlich. Also – warum nicht? Lenz fuhr nach Oberschöneweide, ein Stadtteil, der fast nur aus riesigen alten Fabrikanlagen bestand, die sich an der Spree entlangreihten, und der gern als Oberschweineöde verballhornt wurde, weil dort ansonsten nicht viel los war; er stellte sich vor und wurde eingestellt. Gleich am nächsten Tag sollte er anfangen. Pünktlich zur ersten Schicht, einer Mittagschicht, die um vierzehn Uhr begann, war er zur Stelle.

Es war eine kleine Stadt, dieses *Kabelwerk Oberspree*, das vor dem Krieg zu den *AEG*-Werken gehört hatte; eine Stadt, die sich aus vielen einzelnen, backsteingelben Fabrikgebäuden und mehreren riesigen Werkhallen zusammensetzte. Unter den Dächern der Hallen schwebten Kräne entlang, die kleinere, größere oder imponierend mächtige, an langen Stahlseilen hängende, leere und volle Kabeltrommeln transportierten; bemerkte einer der Arbeiter eine über ihm heranschwebende Last nicht, dröhnten laute Warnsignale durch die Halle. Es gab die Starkstromkabelfabrik, in der an übermannsgroßen, laut ratternden Kabelwickelmaschinen aus den verschiedensten Drähten und Isolationsmaterialien armdicke Kabel verzwirnt wurden, es gab die Fernmeldekabelfabrik direkt an der Spree, in der die Wickelmaschinen nur so surrten und schnurrten und die gefertigten Produkte im Durchmesser nicht mal Kleinfingerformat erreichten, und es gab die Walzstraße, in der halb nackte, muskulöse Männer an langen Zangen glühende Metallschlangen durch die Luft wirbelten. Es gab die Drahtfabrik, die Chemiefabrik, das weitläufige, unterirdische Jutelager und viele andere Werkteile. Und zwischen all diesen Lager-, Fabrik- und Werkhallen kurvten auf schienendurchzogenen Werkstraßen kleine und große Gabelstapler herum, rumpelten Elektrokarren vorüber, brachte die Werkbahn Waggons mit leeren Kabeltrommeln oder entführte sie die frisch gewickelten Trommeln in alle Welt hinaus; jede einzelne an beiden Seiten mit einem großen schwarzen Dreieck und dem Kürzel *VEB KWO* gekennzeichnet.

Lenz hatte sich zum Rohstofflager zu begeben, einem dreistöckigen, grauen Gebäude, ebenfalls direkt an der Spree gelegen, nur durch eine Krananlage und Unmengen von Stapeln aus Blei-, Kupfer- und Aluminiumbarren vom Fluss getrennt. Im mit Bandeisen, Fernmeldekabeltrommeln, Drahtrollen und allerlei anderen Materialien voll gestopften Keller dieses Gebäudes händigte ihm eine alte Frau mit dem Gesicht einer Schildkröte seine Arbeitskleidung aus. Mariechen, wie die Alte nur genannt wurde, hatte fast ihr gesamtes Leben in diesem Drahtverhau mit der einsam und trübe über ihrem Kopf schaukelnden Glühbirne verbracht. Eine Zigarettenkippe zwischen den Lippen, musterte sie Lenz von oben bis unten, dann warf sie einen bereits sehr verschlissenen Arbeitsanzug auf den Tisch mit der abgestoßenen Wachstuchdecke, hinter dem ihr Reich lag. Als sie sein Zögern bemerkte, knurrte sie: »Passt dir wat nich?«

Eine Stimme, die an einen knarrenden Sargdeckel erinnerte. Lenz wollte antworten, dass das fadenscheinige Zeugs ja keine drei Tage mehr halten würde, doch sie kam ihm zuvor: »Wenn du 'n Jeschenk für mich hast, kiek ick mal nach, ob ick nich noch wat Besseret finde.«

Er schenkte ihr fünf Zigaretten und sie händigte ihm einen völlig neuen, dunkelblauen Arbeitsanzug, nagelneue Arbeitshandschuhe und ein Paar bisher ebenfalls noch ungetragene, gut passende Arbeitsstiefel aus. Als er sie anstrahlte, vervielfältigten sich die Jahresringe in ihrem Gesicht: »Bist 'n Süßer.« Hätte er nicht zugesehen, dass er mit seiner Beute davonkam, hätte sie ihm vielleicht noch ans Kinn gefasst.

Er war der Brigade Rattler zugeteilt worden, die sich zu jeder Schicht vor dem Meisterbüro traf. Gleich links von der großen, stählernen Eingangstür zum Rohstofflager lag es; ein hellgrün gestrichener, hölzerner Fensterverschlag mit fünf in der Mitte zusammengeschobenen Schreibtischen, und an den Wänden zwei schon ein wenig verstaubte Parolen: *Mit Elan erfüllen wir den Plan* und *Jeder Mann an jedem Ort einmal in der Woche Sport.* Rechts vom Eingang befand sich die Stechuhr, an der Stirnwand gleich gegenüber wurden in einer wuchtigen Maschine Drahtreste zu Ballen aufgewickelt. Ein einarmiger junger Mann in einem Hemd mit abgeschnittenen Ärmeln bediente sie. Lenz, der an diesem ersten Tag viel zu früh gekommen war, stellte sich zu ihm, bot ihm eine Zigarette an und versuchte, den nur wenig älteren ein bisschen auszuhorchen. Wie es denn hier so wäre, was er künftig alles würde tun müssen. Der Einarmige, ein schmaler, blass wirkender Bursche, nahm die Zigarette und ließ sich Feuer geben, arbeitete aber weiter, ohne auf Lenz' Fragen einzugehen. Bis er plötzlich innehielt, sich zu Lenz umdrehte und schelmisch grinsend fragte: »Weißte, wo ich meinen Arm gelassen habe?«

Lenz schüttelte nur den Kopf.

»Hier!« Der Einarmige deutete auf die Maschine. »Dit olle Ding hat 'n jefressen.«

Lenz wollte fragen, wie das denn passiert sei und wie man an einer so schrecklichen Maschine weiterarbeiten konnte, wagte es aber nicht. Dieser junge Mann schien ihm etwas seltsam zu sein. Später erfuhr er, dass Theo, so hieß er, mit seinem linken Hemdärmel in die Drahtreste geraten war, die fortwährend in die rotierende Walze der Maschine hineingezogen wurden. Er habe dabei so unglücklich gestanden, dass er mit der rechten Hand nicht auf den Notknopf schlagen konnte, der die Archive zum Stillstand gebracht hätte. Auf seine Schreie hin sei man aus dem Meisterbüro herbeigeeilt, doch da sei der Arm schon bis über den Ellenbogen in der Maschine verschwunden und Theo ohnmächtig davor zusammengesunken. Sechs Wochen sei er fortgeblieben, eines Tages aber sei er zurückgekehrt. Doch wohin mit ihm? Eine Bürotätigkeit kam wegen seiner mangelnden Schulbildung nicht infrage, jede andere Arbeit für einen Einarmigen erst recht nicht. So hatte er denn auf eigenen Wunsch seine alte Arbeit fortgesetzt. Dazu brauchte er ja nicht unbedingt zwei Arme. Allerdings schnitt er sich an seinen Arbeitshemden beide Ärmel ab. Der linke war überflüssig, der rechte sollte ihm nicht auch noch Kummer machen.

An jenem ersten Tag wusste Lenz davon noch nichts. So beobachtete er nur still, wie der ihn kauzig anmutende Einarmige arbeitete. Die Zigarette im Mundwinkel, öffnete der junge Bursche an seiner Maschine eine Klappe, die zum Ballen aufgewickelten Drahtreste fielen heraus, er schlug einen Haken in den Ballen, hob ihn auf und schleuderte ihn so schwungvoll durch den Raum, dass er punktgenau bei seinen Vorgängern landete. Gleich darauf stopfte er neue Drahtreste in die gierig alles in sich hineinfressende Maschine. Nein, Angst hatte er offensichtlich nicht vor der Maschine, die ihm den Arm genommen hatte; irgendwie gehörten die beiden zusammen, brauchte das stählerne Raubtier seinen Herrn, weil der es fütterte, und brauchte der junge Mann das Tier, weil es ihm Arbeit gab.

Der junge Theo war ein Faktotum, er gehörte zum Rohstofflager und gehörte doch nicht recht dazu. Denn eigentlich wurde hier be- und entladen. Blei-, Kupfer- und Aluminiumbarren, Kupferdraht, Papierballen, Kalk, Jute, Bandeisen und Kohlengrus, alles was zur Kabelfertigung benötigt wurde, hier wurde es angeliefert, gelagert und später in die entsprechenden Werkhallen und Fabriken weitertransportiert. Eine Arbeit für kräftige Männer. Meister Matthäi, ein dicklicher, groß gewachsener, betulicher Sechziger mit listigen Schweinsäuglein, stellte Lenz der Brigade dann auch mit den entsprechenden Worten vor: »Kuckt ihn euch an, da kriegt ihr ein kräftiges Kerlchen. Der muss nur 'n bisschen besser essen; Knochen hat er wie 'n Mulatte.«

Die Männer von der Brigade Rattler bekuckten sich den in seinen neuen Arbeitsklamotten an eine Schaufensterpuppe erinnernden jungen Spund Lenz – und er studierte sie. Eine verwegen anmutende Truppe: Arbeitsanzüge, aus denen längst das letzte bisschen Blau herausgewaschen war, in den Gürteln speckig glänzende Arbeitshandschuhe, jeder einen abenteuerlich geformten Hut auf dem Kopf. Bis auf einen einzigen Graukopf alles Männer zwischen fünfundzwanzig und vierzig. Diejenigen, die dazu neigten, sich schnell anzufreunden, grinsten Lenz freundlich zu, die Skeptiker blickten eher prüfend – was war ihnen denn da für ein Küken zugeteilt worden; würden sie für den etwa noch mitarbeiten müssen? –, der Rest blieb gleichgültig: Was dieser Neuling für einer war, würden sie bald mitbekommen. Vielleicht blieb er ja nur drei Tage, wie so viele andere, die nicht gewusst hatten, was sie erwartete; wozu sich Gedanken machen?

Der Chef der Truppe, Schichtleiter und Brigadier Arno Rattler, ein knochiger Fünfziger mit Hornbrille und einem Gesicht, das an van Goghs *Kartoffelesser* erinnerte, kam hinzu und sagte kein einziges Wort, blickte nur hin und wieder auf seine Armbanduhr und rauchte seinen Stumpen. Vor Punkt vierzehn Uhr würde niemand einen Handgriff tun. Rattlers Rücken, krumm wie der einer Kräuterhexe, sah aus, als hätte er sein Lebtag lang nichts anderes getan, als Kupfer-, Blei- und Aluminiumbarren zu schleppen; seine Hände waren dunkel und rissig, die Unterarme voller stark hervortretender Adern. Lachen oder lächeln sahen ihn seine Männer nie, nur hin und wieder grinsen. Dann erinnerte sein erdiges Gesicht mit den schmalen Augen an einen übermütigen Chinesen. Rattlers Anfeuerungsfloskel, wenn es ans Arbeiten ging: »Dawai! Dawai! Die Arbeit erledigt sich nicht von allein!«; eine Reminiszenz an seine achtjährige russische Kriegsgefangenschaft.

Als es so weit war, dauerte es nur dreißig Minuten und Lenz wusste, dass die Arbeit im Rohstofflager tatsächlich Mulattenknochen verlangte, denn gleich am ersten Tag wurde er ins Blei geschickt.

Vierzig Zentimeter lang, zehn Zentimeter stark lagen die Klamotten in vier Reihen nebeneinander und zu drei, vier Stück übereinander. Mehr hätten die Waggons nicht ausgehalten, so schwer war das Zeug. Und leider lieferten die polnischen Freunde ihr Blei fast ausnahmslos in geschlossenen Waggons. So musste jeder einzelne Barren zur Türöffnung geschleppt und dort, auf der der Spree zugewandten Waggonseite, bis in Brusthöhe aufgestapelt werden; von Lage zu Lage abwechselnd vier Stück quer gelegt, vier gerade. Der Kran ratterte auf seiner Laufschiene von Waggon zu Waggon, war ein Stapel fertig, legten sie unter die Nasen der untersten Barrenlage Drahtseile, hängten die Schlaufen in den Windehaken des Krans, zogen die Seile fest und hoben den Daumen. Die Seile strafften sich, bis der Stapel zwei, drei Zentimeter über dem Waggonboden schwebte und auf den Kai hinausschaukelte, um dort, Stapel an Stapel, abgesetzt zu werden. War ein Stapel schlecht gebaut, fiel er beim Hinausschaukeln in sich zusammen und musste auf dem Kai von neuem aufgestapelt werden.

Immer zwei Mann sprangen in einen Waggon – und los ging die Barrenschlepperei. War ein Waggon leer, gab's eine Zigarettenpause, und rein ging's in den nächsten. Weil Blei giftig war, bekamen sie pro Mann jeden Tag einen Viertelliter Milch. Das sollte sie retten. Am Ende so eines Tages hingen den Männern die Arme wie ungeschmierte Lastkräne herunter, die Hände konnten nicht mehr greifen, der Rücken schmerzte, die Beine zitterten, der Kopf glühte. Froh und glücklich, es geschafft zu haben, rissen sie Witze oder spielten sich Streiche. An seinem ersten Tag starrte Lenz nur stumm in die Spree. Worauf hatte er sich da eingelassen? Das war wahrlich kein Pappnasenkleben. Doch als die Männer beim Umziehen sagten, für einen Neuling habe er sich wacker geschlagen, war er stolz auf sich.

Kupfer war angenehmer zu entladen. Die knapp anderthalb Meter langen, zwanzig Zentimeter starken Kupferbarren aus der Sowjetunion wurden in offenen Waggons transportiert und waren bereits gestapelt. Drahtseile drum, am Kran eingehängt und Daumen hoch – »Wasser, Wasser, Wasser!«, »Laaand, Laaand!« –, Daumen gesenkt.

Besser bezahlt wurde Kupfer auch, denn verdient wurde nach entladenem Gewicht, nicht nach vergossenem Schweiß. Manchmal aber hatten die, die zum Entladen der Kupferwaggons eingesetzt wurden, großes Pech. Dann hatten die sowjetischen Freunde die Kupferbarren so schlecht gestapelt, dass sie während des Transports durcheinander gefallen waren und erneut aufgestapelt werden mussten. Immer zwei Mann einen Barren. Das ging ins Kreuz; da verwünschte man die deutsch-sowjetische Freundschaft, wäre lieber ins polnische Blei geschickt worden.

Aluminium kam aus Hettstedt oder Schweden und oft über den Fluss. In Schuten, die tief im Wasser lagen. Doch Alu brachte keine Tonnen. Was nützte ihnen eine leichte Arbeit, wenn sie nichts verdienten?

Auch Kalk entladen war nicht beliebt. Oft platzten die zentnerschweren Papiersäcke und stäubten alles weiß. Wie die Mehlwürmer sahen sie dann aus. Keine Arbeit aber wurde so gehasst wie das Entladen von Gruswaggons. Fürs Grusentladen gab es Extra-Arbeitskleidung: Unterwäsche, Arbeitsanzüge, Schürzen, Halstücher, eng anliegende Kappen. Sogar die Arbeitsschuhe mussten gewechselt werden. Und auch das schwarze Zeug wurde in prall gefüllten, oft aufplatzenden Papiersäcken geliefert. Wurden sie in den Grus geschickt, drang ihnen der Dreck bis unter die Vorhaut, wie gern gelästert wurde.

Lenz traf es zum ersten Mal während einer Nachtschicht. Zu viert zogen sie sich um, zu viert marschierten sie los, denn die Gruswaggons wurden immer auf einem freien Platz entladen, der etwas entfernt lag. Dass er dabei sein würde, hatte von vornherein festgestanden; um seinen ersten Grus kam keiner herum!

Es war eine wolkenverhangene, finstere Nacht, nur die Lichter an den Werkhallen, in denen die Kabelwickelmaschinen rotierten, blinkten spärlich. Sie hängten eine Leuchte in die Waggontür und los ging's: Zwei Mann schleppten die schweren Papiersäcke heran, um sie mannshoch auf den Elektrokarren zu laden, der vor dem Waggon bereitstand, zwei Mann luden den Karren in der Chemiefabrik ab. Lenz war für den Waggon eingeteilt, die schlechtere Arbeit. Im Waggon war trotz der Leuchte an der Tür alles dunkel und nachdem sie die ersten Säcke angepackt hatten, wurde es sogar noch schwärzer. Wie sie husteten, wie sie spuckten, um diesen trockenen, ekelhaften Geschmack im Mund loszuwerden; wie ihnen der Schweiß helle Bahnen in die schwarzen Gesichter zog! Wischten sie den Schweiß weg, verschmierten sie den Staub zu schwarzer Farbe, ließen sie ihn rinnen, nervte das Gekitzel. Und mit jeder Minute wuchs der Durst. Trinken jedoch durften sie nichts, wollten sie den Kohlenstaub im Mund nicht auch noch in den Magen hinunterspülen.

Es dauerte ewig lange, bis der erste Waggon leer war; der zweite nahm überhaupt kein Ende. Als sie gegen Morgen endlich fertig waren, zogen sie sich vor Mariechens Verschlag nackt aus – sie werkelte ja nur tagsüber darin herum – und ließen die schwarzen Grusklamotten liegen, wo sie gerade hingefallen waren. Es gab was zu lachen. Der Staub hatte seltsam surrealistische Schwarz-Weiß-Kunstwerke auf ihre Körper gezeichnet. In voller Schönheit flitzten sie unter die Dusche und wagten sich dort eine halbe Stunde lang nicht weg, spülten sich immer wieder den Mund aus, putzten sich drei- bis viermal die Zähne, schrubbten sich gegenseitig den Rücken ab und bekamen den schwarzen Dreck doch nicht gänzlich aus den Poren. Und erst recht nicht aus der Lunge. Noch stundenlang danach spuckten sie schwarzen Schleim.

Angenehmer wurde die Arbeit, als Lenz die Führerscheinprüfung für Elektrokarren bestanden hatte und von Rattler immer öfter zum »Hupplfahren« eingesetzt wurde. Er zockelte gern mit seiner Karre übers Werkgelände, den John-Wayne-Hut in der Stirn, mal hier grüßend, mal dort etwas hinüberwitzelnd. Außerdem war er nach einem Tag auf dem Elektrokarren am Abend nicht kaputt, sondern konnte mit seiner Freizeit noch etwas anfangen.

Ein Alaska-Abenteuer erlebten sie im kalten Winter '63, als sie eines Nachts bei minus siebenundzwanzig Grad Waggons mit Kupferdraht entluden. Wie mit Messern schnitt ihnen die Kälte ins Gesicht, die Zähne wurden ihnen taub, sie trugen Ohrenschützer und atmeten schwere Dampfschwaden in die Luft. Damit ihnen nicht die Nasen abfroren, mussten sie sich alle halbe Stunde im Wiegehäuschen, am bullernden Kanonenofen, mit heißem Tee langsam wieder auftauen.

Romantisch war es im Sommer, wenn sie eine Nacht erwischten, in der kaum Waggons kamen. Dann saß die ganze Truppe am Flusskai, rauchte, quatschte und starrte in den Mond, der unter ihnen im Fluss schwamm. Und der alte Bertram warnte unentwegt: »Setzt euch nicht auf die Kupperbarren, Jungs, sonst gibt's Winterkirschen im Arsch.«

Solch ruhige Nächte waren aber auch in kälteren Jahreszeiten sehr gemütlich, wenn die einen im warmen Keller pennten und die anderen – Lenz immer dabei – im Meisterbüro Skat kloppten.

Zur Legende wurde die Geschichte der vier Grusmänner – einer von ihnen Lenz –, die am Ende einer Nachmittagsschicht einen Rappel bekamen und in ihren schwarz gestäubten Klamotten und mit den Spuren von zwei Waggons Kohlengrus im Gesicht über die Mauer kletterten, um die *Stumpfe Ecke* zu entern, die Bierkneipe gleich gegenüber dem Haupttor. Sie verspürten den dringenden Wunsch, sich ein paar Flaschen Bier mit unter die Dusche nehmen. »Hier kommt das unterjochte Afrika«, begrüßten sie den Wirt. »Rück acht Flaschen Bier raus und schreib an. Oder biste etwa nicht für Solidarität?« Ihr Geld steckte ja in der geschonten Arbeitskleidung.

Die Geschichte ging im Werk herum und trug jedem der vier eine Verwarnung ein. Es war verboten, während der Arbeitszeit das Werk zu verlassen, verboten, über die Mauer zu steigen, verboten, während der Arbeitszeit Alkohol zu trinken. Die vier Afrikaner jedoch waren der Meinung, zuerst einmal hätte das Entladen von Kohlengrus verboten oder jeder Waggon mit mindestens drei Wochen Kuraufenthalt entgolten werden müssen.

Eine bunte Truppe war sie, die Brigade Rattler, ein lustiger Haufen. Lenz fühlte sich nicht unwohl unter ihnen. Zwar waren sie nicht das, was man eine verschworene Gemeinschaft nennt, doch gab es unter ihnen keine Intrigen, kein Gemogel und kein Führungsgerangel. Jeder war nur der, der er war. Der Versuch, sich vor unangenehmen Arbeiten zu drücken, war erlaubt; war jedoch kein Entkommen möglich, schindete jeder sich ab, als gäbe es außer dem Lohn noch einen Ehrenpreis zu gewinnen.

Dass Lenz arbeiten konnte, hatte ihm die Achtung der Männer verschafft. Sie nahmen den Achtzehn-, Neunzehnjährigen mit, wenn sie nach Feierabend – mal sonnenverbrannt, mal winterverfroren – in der *Stumpfen Ecke* ihre Besäufnisse starteten; bald gehörte er wie selbstverständlich dazu. Sollte er denn immer nur in seiner Bude in der Dunckerstraße herumhängen, immer nur lesen? Hier war Leben, hier war was los.

Andere Männlichkeitsproben waren »der Barren« und »der Kran«. Beim »Barren« ging es darum, einen Bleibarren in der weit ausgestreckten Hand zu halten. Wer länger als zwanzig Sekunden aushielt, gewann einen Kasten Bier. Das hatte bisher aber nur Kuppe Kupinski geschafft, kein anderer. Beim »Kran« musste man sich in Unterhose in die Drahtseile des Krans stellen und sich über der Spree den Kai entlangfahren und am Ende in den Fluss hinabtauchen lassen. Jimmy Busch, der Zweite Kranführer, spielte dieses Spiel nur so lange mit, bis die Fußsohlen des Täuflings benetzt waren; Toni Stawitzke, Erster Kranführer und stellvertretender Brigadier und in früheren Zeiten stolzer Fähnleinführer bei der HJ, brachte es fertig, den Täufling bis zum Hals in den Fluss zu tauchen.

Lenz glaubte, dass es Stawitzke juckte, den einen oder anderen von ihnen mal völlig in der Spree verschwinden zu lassen; Stawitzkes größtes Talent aber war, sich zusammennehmen zu können. Zwar fühlte sich der ewige Hitlerjunge als des Führers letzter Getreuer, bewunderte das Dritte Reich, das er nur so kurz genießen durfte, von hinten bis vorn und kannte alle Nazi-Größen, Generäle, Jugendführer und Großbauwerke jener Zeit mit Namen, gleichzeitig aber war er in der Kampfgruppe und in der Gewerkschaft aktiv, trat in Betriebsversammlungen auf und erzählte jedem, der es hören wollte, dass er Mitglied der Deutsch-Sowjetischen Freundschaft sei. Sein Ziel war es, eines Tages Rattler zu beerben und irgendwann Meister zu werden.

Stawitzke war Lenz nicht sonderlich sympathisch und das beruhte auf Gegenseitigkeit. Mit Max »Kuppe« Kupinski hingegen unterhielt Lenz sich gern. Der kleine, dicke, blondlockige und ungemein kräftige Mann, dem niemand abgenommen hätte, dass er seinem erlernten Beruf nach Damenschneider war, hatte bis vor vier Jahren in seiner Freizeit in der *Kleinen Melodie* in der Friedrichstraße als Rausschmeißer gearbeitet. Im selbst geschneiderten beigefarbenen Anzug mit roter Fliege unterm Kinn achtete er darauf, dass niemand ohne Krawatte das beliebte Tanzlokal betrat, bis ihm dort eines frühen Morgens das »Pech seines Lebens« begegnete: Er hatte einen betrunkenen Randalierer aus dem Lokal zu befördern; der Mann fiel mit dem Hinterkopf gegen den Rinnstein und war sofort tot. Eindeutig schwere Körperverletzung mit Todesfolge. Fünf Jahre lautete das Urteil, bereits nach dreieinhalb Jahren aber war Kuppe »wegen außerordentlich guter Führung« wieder draußen. In Rattlers Schicht durfte er sich bewähren, nach Feierabend schneiderte er wieder.

Einer, der das Saufen zur Ideologie erhoben hatte, war Hotte Lindow, ein sechsundzwanzigjähriger Junggeselle, der noch bei seiner Mutter in der Köpenicker Altstadt lebte. »Besser löschen als anzünden«, sagte er immer und lachte über diesen Spruch, als würde er selbst nicht so recht wissen, was er damit meinte. Nicht zu übersehen aber war, dass der Alkohol in seinem ewig rötlichen Gesicht bereits Spuren hinterlassen hatte. »Der säuft sich noch das letzte bisschen Grips weg«, lästerte Stawitzke.

Hänschen Thorn, ein munter blickender, zweiundzwanzigjähriger Lockenkopf, der stets eine Feder am Hut stecken hatte, war ein bekehrter Säufer. Lange war er mit Lindow durch die Schöneweider und Köpenicker Kneipen gezogen; seit seine Mutter sich einen Fernseher zugelegt hatte, trank er vor der Röhre sein Bier. Hänschens größtes Problem: Er wollte heiraten. Immer nur mit der Mutter vor der Glotze hocken machte ihn nicht »endgültig glücklich«. Irgendwie aber wollte kein Mädchen sich mit ihm einlassen, woran laut Hänschen nur die »schmierigen Kanaken« schuld waren, die aus WestBerlin rüberkamen und sich »für 'ne Strumpfhose und 'ne Tüte Brausepulver« ein deutsches Mädel angelten. Er hätte nichts gegen die Türkenfürze, Spaghetti-Italiener und Wüstenscheichs, die sich als Gastarbeiter im Westen 'ne goldene Nase verdienten, beteuerte er immer wieder, aber sie sollten, verdammt noch mal, die Pfoten von »unseren Mädchen« lassen. Wie sollte er denn jemals die Richtige kennen lernen, wenn so viele Hühner sich nicht genierten, sich von fremdländischen Hähnen besteigen zu lassen?

Bernd Bellmann, genannt Bella, ein Stotterer, hatte genau die gegenteiligen Sorgen: Er war ein von den Frauen Verfolgter. Der hübsche, schwarzlockige Bursche mit den frechen, dunklen Augen hatte jung geheiratet, konnte aber nicht widerstehen, wenn eine ihn anlächelte. So musste er Monat für Monat an den Sonntagen freiwillige Arbeitsschichten einlegen, um die Alimente für drei Kinder von drei verschiedenen Frauen – nicht mitgerechnet die beiden ehelichen Töchter – aufbringen zu können. Klagte er über sein schweres Los, wurde gelästert, na klar sei er an dem Kindersegen völlig unschuldig, es dauere einfach zu lange, bis er das »N...n...nein!« heraushatte.

Es gab noch mehr solcher »Originale« in Rattlers Truppe – sie waren etwa zwanzig Mann –, und ganz sicher war auch er, Manfred Lenz, zu dieser Zeit irgendwie ein seltsamer Vogel. War er mit sich allein in seiner Parterrewohnung mit dem im Winter zugefrorenen Außenklo, dann war er der verträumte, einsame junge Mann, der Bücher in sich hineinfraß und regelmäßig ins Theater oder ins Kino ging; in der Brigade spielte er den Cowboy, der Spaß haben wollte, schuften konnte, wenn es denn unbedingt sein musste, und immer mal wieder mit den anderen durch die Kneipen zog.

Das ging so, bis er eines Tages ein Erlebnis hatte, das ihm zu denken gab: Ein Stapel Kupferbarren war über ihn hinweggeschwebt, ein Barren löste sich und krachte nur wenige Zentimeter neben ihm zu Boden. Schlug ein wie eine Bombe. Er hatte den Stapel nicht heranschweben sehen, weil er sich gerade die Schnürsenkel neu band. Bleich, aber lachend drohte er mit der Faust zum Himmel hoch: »Alter Arsch! Kannste nicht aufpassen?«

Die Kollegen, die dabeistanden, lachten mit. Sie glaubten, er hätte Jimmy Busch gemeint, der an diesem Tag in der Führerkabine der Krananlage saß. Er jedoch hatte eine weitaus höher gestellte Persönlichkeit im Visier: Der Große Regisseur da oben, der war wohl nicht ganz dicht! Sollte es nach dem Vater, dem Bruder, der Mutter nun etwa auch ihn erwischen? Mit noch nicht mal neunzehn? Und das gerade jetzt, da er Hannah kennen gelernt hatte und so verliebt war wie noch nie zuvor in seinem Leben?

Zurück in seiner Wohnung im dritten Hinterhof sah er die Sache anders: Vielleicht hatte das Ganze ja nur ein Schreckschuss sein sollen? Eine Warnung von ganz oben: Verplemper nicht deine Zeit, Manne Lenz, träum nicht immer nur, mach was aus dir, gib deinem Leben einen Sinn. Du kannst doch mehr als Blei-, Kupfer-, Aluminiumbarren und Grussäcke entladen.

Das war es ja auch, was Flamme Feuerbach von ihm verlangt hatte, der lustige Student, der in den Semesterferien bei ihnen mitgearbeitet hatte und eigentlich Helmut hieß, aber wegen seiner feuerroten Haare von allen nur »Flamme« gerufen wurde. Flamme hatte sich in den vier Wochen, in denen er bei ihnen war, nur an ihn gehalten und ihn beim Abschied ernsthaft ermahnt, etwas aus sich zu machen. Es wäre schade, wenn einer, der so viele literarische Interessen habe, nicht versuchte, sich auf irgendeine Weise intensiver damit zu beschäftigen.

Nun dieser Kupferbarren! Wenn das kein Wink mit dem Zaunpfahl war!

In der Woche nach diesem glimpflich überstandenen Abenteuer erlebte die Brigade einen sehr stillen Manfred Lenz. Oft saß er auf der Gleitschiene der Krananlage und blickte auf die andere Seite des Flusses hinüber. Dort lag eine große, alte Villa: die Schauspielschule.

Ob er Talent hatte? Weshalb meldete er sich denn nicht einfach mal zur Aufnahmeprüfung an? Weil er zu feige war? Weil er sich wie immer zu wenig zutraute? Der Be- und Entlader Manne Lenz sollte sich auf die Bretter wagen, die die Welt bedeuten – das konnte er sich nicht vorstellen, dazu hatte er zu viel Respekt vor diesem Beruf. Gedichte schreiben, sich an einer Kurzgeschichte versuchen war etwas anderes. In aller Heimlichkeit wagte er es, respektlos zu sein; vor sich selbst durfte er sich ruhig blamieren.

Kein Trost, sich immer wieder einzureden, dass er ja erst neunzehn war; kein Ausweg, sich damit zu beruhigen, dass er ja vielleicht gar kein Talent hatte. Hannah und er, sie wollten ja nun bald heiraten; er musste endlich loslegen, musste in Erfahrung bringen, wer er wirklich war. – Dieser Kupferbarren, verdammt noch mal, musste doch irgendeinen Sinn gehabt haben!

Wie Lenz Hannah kennen gelernt hatte! An einem ganz und gar verrückten Märzsonnabend – er war erst seit wenigen Wochen im *KWO* – war es passiert. Schlecht gelaunt war er am Morgen von der Nachtschicht heimgekommen, hatte nur zwei Stunden schlafen dürfen und war danach todmüde durch den schönen, sonnigen Vormittag zur Pappelallee gewackelt – zur Wehrerfassungsstelle! Es war ja nun, dank der Mauer, auch im Osten die Wehrpflicht eingeführt worden. Weil die militärisch immer stärker aufrüstende Bundesrepublik dazu zwinge, wie es offiziell hieß; weil nun keiner mehr flüchten konnte, wie es die Betroffenen sahen.

Sein Problem: Er hatte mal wieder kein Geld! Beim Militärverlag hatte er nicht viel verdient, der erste neue Lohn stand noch aus, und dann hatte er sich ja im Januar diesen modischen neuen Wintermantel gekauft, der ein ziemliches Loch in seine Kasse gerissen hatte. In dem Schreiben, mit dem er zur Wehrerfassung bestellt worden war, aber hatte gestanden, dass vier Lichtbilder mitzubringen waren. Wovon hätte er die bezahlen sollen, er, der seit Tagen nur von Brühwürfeln und Schrippen,

Brot mit Senf und Zigaretten lebte? Außerdem wollte er sie ja auch gar nicht bezahlen; er hatte keine Lust, Soldat zu spielen. Großvater in Frankreich gefallen, Vater in Russland und er, wenn er Pech hatte, vielleicht irgendwo bei Nürnberg oder Leipzig?

Er hatte schon im Kinderheim nicht gern strammgestanden, wollte nicht ganze anderthalb Jahre in Reih und Glied marschieren. Und so steckten in der Tasche seines neuen Wintermantels keine aktuellen, sondern vier verschiedene, überall zusammengekramte Lichtbilder. Auf einem grinste ein blasser Vierzehnjähriger den Betrachter an – sein erstes Passbild überhaupt, aufgenommen für seinen ersten Personalausweis; auf einem anderen war ein Fünfzehnjähriger mit Elvis-Presley-Haarschnitt zu sehen – die Pomade glänzte wie lackiert; auf wieder einem anderen trug er einen Igelhaarschnitt – da war er sechzehn; auf dem letzten, das annähernd seinem jetzigen Aussehen entsprach, brillierte er mit einem frischen Messerformschnitt.

Der Hauptmann, der ihn zu erfassen hatte, ein junges, glatt gescheiteltes Speckgesicht, wusste nicht, ob er lachen oder toben sollte. Er entschied sich für die unwirsche Frage, ob Lenz ihn etwa verarschen wolle.

Lenz erklärte ihm seine Notlage und der Mann musste ihm wohl oder übel glauben. »Dann geh'n Se jetzt mal sofort in die Winsstraße«, befahl er. »Da is 'n Fotograf, der macht die Aufnahme und stundet Ihnen die zehn Mark. Die Formulare füll'n Se gleich aus, die Fotos bringen Se uns Montag.«

Er füllte die Formulare aus und lief die Dimitroffstraße hinunter, hin zur Winsstraße, während sich an den Straßenrändern bereits Menschentrauben bildeten: Nikita Chruschtschow, der sowjetische Staats- und Parteichef, Seelers Liebling, war mal wieder auf Berlin-Visite. Die hier Versammelten waren zum

Fähnchenschwenken abkommandierte Betriebsbelegschaften und Schulklassen, die der unverhoffte Ausflug in blendende Laune versetzt hatte. An einem so schönen, sonnenüberfluteten Vorfrühlingstag war Fähnchenschwenken doch viel angenehmer, als an irgendeiner Maschine zu stehen oder Russischvokabeln zu pauken.

Der Fotograf, ein spillriges Männchen, wunderte sich nicht über den seltsamen Auftrag, ließ den mürrischen jungen Mann eine Quittung unterschreiben, machte die Fotos und versprach, dass sie am Montag fertig sein würden. Lenz durfte den Rückweg antreten. Jetzt aber war die Straße völlig abgesperrt, der Wagenkonvoi musste bald eintreffen. Lenz wartete und sah nach einer Unmenge schwarzer Limousinen endlich auch Chruschtschow und Ulbricht vorüberfahren. Im offenen Wagen standen sie, die beiden Staatsmänner, hielten sich mit hoch erhobenen Armen an den Händen und winkten: der kleine, dicke, bauerngesichtige Russe, der wie immer seinen berühmten, viel zu kleinen weißen Hut auf der Glatze trug, mit einem Blumenstrauß, Spitzbart Ulbricht mit der hohlen Hand, als wollte er sich Luft zufächeln.

Die Spalierstehenden klatschten und winkten zurück, ein Transparent mit der Aufschrift *Die Deutsch-Sowjetische Freundschaft, sie lebe hoch!* wurde geschwenkt, eine Schulklasse skandierte ihr eingeübtes »Drush-ba! Drush-ba! Drush-ba!«

Zwei, drei Minuten später war der Spuk vorüber, die Absperrung wurde aufgehoben und Lenz durfte weitergehen. Noch immer müde zottelte er die Dimitroffstraße hoch und stieß an der Ecke Prenzlauer Allee auf Gerdchen Pisternik. Bis zur Fünften waren sie zusammen in eine Klasse gegangen, hatten sich geprügelt und wieder vertragen und sich nun schon seit einer Ewigkeit nicht mehr gesehen. Neugierig fragten sie einander über Vergangenheit und Zukunft aus und zum Schluss versuchte Lenz, Gerdchen anzupumpen. Nicht für die Lichtbilder, die Kosten dafür wurden ihm ja gestundet; er wollte am Abend zur Insel rausfahren und sich mit Eddie treffen, mit dem er sich ein paar Wochen zuvor wieder vertragen hatte. Im *Plänterwald* wurde Fasching gefeiert; er hatte keine Lust auf ein trostloses Wochenende allein in seiner Wohnung. Wenn am Sonnabend nichts passierte, war die ganze Woche versaut.

Aber auch Pisternik war blank. Jedenfalls sagte er das. So verabredeten sie sich nur für irgendwann einmal und wussten beide, dass sie die Verabredung nicht einhalten würden, dann schlenderte der müde Lenz weiter, den Kopf gesenkt, ein Pechvogel sondergleichen. Und da musste er wohl von ganz oben aus gesehen einen besonders bedauernswerten Eindruck gemacht haben, denn der Große Regisseur lenkte endlich mal ein: Kaum in die Dunckerstraße eingebogen, fiel Lenz' Blick auf etwas Braunes, schon sehr abgestoßen Ledernes, das da mitten in der Sonne auf dem Bürgersteig lag. Erschrocken blieb er stehen: Was da vor ihm lag, war ein Portemonnaie, nichts anderes! Er bückte sich, hob es auf, öffnete es. Ein Zehnmarkschein lächelte ihm entgegen; ein brandneuer Zehnmarkschein! Und etwas Kleingeld. Keine Adresse!

Er blickte sich um. Niemand, der suchend die Straße entlangkam, niemand, der ihn beobachtet hatte und »He, Sie! Was haben Sie denn da eben aufgehoben?« rief. Da gab er sich einen Ruck, steckte den Fund klopfenden Herzens ein und ging weiter, doch nun immer schneller werdend.

Nein, es trieb ihn nicht zum Fundbüro; das konnte man von einem, der keine fünfzig Pfennig in der Tasche hatte, nicht verlangen. Er betrat die nächste Eckkneipe, bestellte sich ein Bier und ging aufs Klo, um – wie ein Dieb – seine Beute noch einmal zu überprüfen. Dabei erlebte er eine neue Schrecksekunde: Hinter dem Zehnmarkschein steckte ja noch ein Geldschein, so klein gefaltet, dass er ihn beim ersten Hineinblicken übersehen hatte. Und das war kein Zehner, kein Zwanziger, kein Fünfziger – das war ein blanker Hunderter!

Gewissensbisse? Ja! Ein Hunderter war kein Zehner; Lenz sah die alte Frau vor sich, die nun vielleicht ein paar Tage lang nichts zu beißen hatte. Doch sah dieses Portemonnaie denn aus, als würde es einer alten Frau gehören? Das war doch eindeutig eine Männerbörse. Und warum hatte der Besitzer denn keine Adresse drinstecken? Ein Name – Karl Krause, Dunckerstraße 24, Rentner – hätte es ihm nicht gestattet, das Portemonnaie zu behalten. Dann hätte er nur auf Finderlohn hoffen dürfen. Aber so? Selbst schuld, wer so unvorsichtig war! Er ging in die Gaststube zurück, trank sein Bier, gönnte sich noch ein zweites und ging danach einkaufen: Brot, Schmalz, Wurst, Brühwürfel. In seiner Küche aß er sich satt und steckte nebenbei sein einziges weißes Hemd in den Kochtopf. Wenn er es nach dem Waschen vor den Ofen hängte und danach trockenbügelte, würde er es am Abend anziehen können.

Nach dem Essen aber fühlte er sich noch müder und wollte sich nur mal kurz auf der Couch ausstrecken. Dabei schlief er ein. Als er wieder erwachte, dämmerte es draußen bereits. Er blieb noch ein bisschen liegen, gähnte und reckte sich und dachte an den Abend, der vor ihm lag – als er plötzlich Verbranntes roch: Sein Hemd! Hastig sprang er auf, stürzte in die Küche – und da schwebte sein weißes Prachtstück schon in grauschwarzen, an zierliche, im Wind treibende Herbstblätter erinnernden Flocken durch die Luft und die Gasflamme züngelte lustig durch den durchgebrannten Topfboden.

Noch immer nicht ganz wach, dachte er bloß, dass er nun also nicht zum Fasching gehen würde. Was sollte er dort ohne ordentliches Hemd? Verärgert stellte er das Gas ab und fing die dicksten Flocken ein und bestattete sie samt bodenlosem Topf im Mülleimer, dann legte er sich wieder auf die Couch. Am besten, er schlief gleich weiter, einen so beschissenen Tag hatte er schon lange nicht mehr erlebt. Im Halbdämmer jedoch durchzuckte es ihn: Was redete er sich denn da ein? Er war ein Glückspilz, kein Pechvogel! Erst fand er Geld und dann – er lebte ja noch! Es hätte ja auch die Flamme ausgehen und er durch das ausströmende Gas aus seinem Schläfchen in den ewigen Schlaf hinübergleiten können. Oder jemand im Treppenhaus hätte sich eine Zigarette angezündet und es hätte eine Gasexplosion gegeben. Dann wäre das ganze Haus in die Luft geflogen, mitsamt der jungen, blonden Mutter und ihrem Kind, der fetten Portierschen und ihrer Enkelschar und allen anderen Nachbarn. Das aber hatte der Große Regisseur mit der Zauberhand nicht gewollt; vielleicht, damit er ihm das großzügige Geldgeschenk nicht ganz umsonst gemacht hatte?

An jenem Tag hatte er von dem Kupferbarren-Abenteuer, das ihn erwartete, noch nichts gewusst und deshalb nicht lange nachgedacht; da war er nur plötzlich hellwach und ungeheuer gut gelaunt. Hastig wusch er sich und warf sich in Schale. Für die S-Bahn reichte auch ein kariertes Hemd, und vielleicht hatte Eddie ja gerade gewaschen, dann konnte er sich für den Abend eines von dessen Hemden ausleihen.

Und tatsächlich, Eddie hatte gewaschen! Staunend hörte er sich Lenz' Geschichte an, willig opferte er eines von seinen weißen Hemden, ungeduldig reihten sie sich vor der *Großgaststätte Plänterwald* in die Schlange der Wartenden ein – nicht ahnend, dass in eben dieser Schlange, irgendwo vor oder hinter ihnen, Hannah sich die Beine abfror. Der schöne, vorfrühlingshaft freundliche Tag hatte ja längst einem eisigen Winterabend Platz gemacht.

Nur ein Einziger der Wartenden war im Kostüm erschienen: Clown mit Pappnase, Brille und falschem Schnurrbart. Ein Weilchen blickte er sich nervös um; als er endgültig erkannt hatte, dass er hier nicht im Rheinland war, verschwand er still. Später entdeckte Lenz ihn wieder, im Anzug, mit weißem Hemd und Schlips. Kostümiert waren hier nur der Elferrat und die Mädchen von der Glühwürmchen-Garde in ihren kurzen Röckchen: junge Arbeiterinnen aus dem *VEB Glühlampenwerk.*

Eddie und er hatten Glück, sie erwischten einen großen Tisch, an dem bald noch andere, lose mit ihnen befreundete Faschingsprinzen Platz nahmen. Der Abend konnte beginnen. Nicht lange und Lenz ließ den Blick schweifen: Wo saß sie denn, die Sternschnuppe dieses Abends? Meistens dauerte es lange, bis er fündig geworden war, an diesem Abend entdeckte er sie sofort: Nur vier, fünf Tische weiter saß sie, die Auserwählte, groß war sie, schlank, dunkelhaarig und sehr, sehr hübsch. Hatte sie ihn auch gesehen? Es war nützlich, wenn man vorher schon mal Blickkontakt hatte, dann wusste man gleich, ob man als Typ infrage kam oder schon vor dem ersten Tanz durchgefallen war.

Seine Prinzessin aber sah nicht nach rechts, nicht nach links, nicht geradeaus, so angeregt unterhielt sie sich mit der ein wenig kleineren Blonden, mit der sie sich an einem Zweiertisch niedergelassen hatte. Ungeduldig lauerte Lenz darauf, dass *Fred Ries und seine Combo* endlich loslegten. Als es so weit war, sprang er wie auf Knopfdruck auf, war aber dennoch nicht der Schnellste; seine große, schlanke Dunkle im rückenfreien Kleid entschwebte mit einem anderen flinken Fritze. Mit falschem Charme forderte er ihre Tischnachbarin auf, drehte sich ein paar Mal mit ihr im Kreis und knüpfte ein Gespräch an, um irgendwann – möglichst unauffällig – auf ihre Freundin zu sprechen zu kommen. Als die Blonde, auch hübsch, für Lenz' Geschmack aber viel zu blond, zum ersten Mal den Mund aufmachte, zuckte er zusammen. Was war denn das für ein Dialekt?

»Woher kommen Sie denn?«

»Aus Frankfurt.«

»An der Oder?«

»Am Main.«

Eine Antwort, die ihm erst mal die Sprache verschlug. Er war doch hier nicht am Kudamm; was hatte ein Mädchen aus Frankfurt am Main in der *Großgaststätte Plänterwald* verloren? »Zu Besuch in Berlin?«, fragte er weiter.

»Bei meinen Eltern. Und meiner Schwester.«

Langsam, langsam! Wenn ihre Eltern und ihre Schwester in Berlin lebten – und damit war ja sicher OstBerlin gemeint, wenn sie hier Fasching feierte –, dann musste diese Blonde irgendwann in den Westen gegangen sein. Wie aber hätte sie dann so einfach zu Besuch kommen und wie so schnell den Frankfurter Dialekt übernehmen können?

Um herauszufinden, was hinter all dem steckte, hätte er ein Verhör mit der Blonden anstellen müssen. Aber der Tanz war ja gleich zu Ende und er musste doch noch auf die große Dunkle zu sprechen kommen. So fragte er nur noch, ob sie ihm nicht ihren Namen nennen wolle. Er selbst heiße Manfred. »Meine Freunde rufen mich aber nur Manne.«

Sie sagte, sie heiße Ursula, ihre Freundinnen riefen sie Usch.

Er wollte weiterfragen, ob denn die große Dunkle an ihrem Tisch ihre Schwester sei und wie sie heiße, doch da war die Musik schon verklungen und er musste diese Usch an ihren Tisch zurückbringen.

Beim nächsten Tanz war er schneller als alle anderen – er hatte sich gar nicht erst hingesetzt – und erwischte die große Dunkle. Ihr war aufgefallen, wie hastig er auf sie zugestürzt kam, verwundert kuckte sie ihn an. Kaum hatte er sie im Arm, kam er zur Sache. »Sind Sie die Schwester? Oder die Freundin?«

»Von wem?«

»Na, von Usch!« Er tat, als hätte er sich mit ihrer Tischnachbarin bereits bestens angefreundet.

»Die Oma«, antwortete sie nur schnippisch, und da musste er natürlich noch eins draufsetzen, um sie zum Lachen zu bringen: »Gott sei Dank nicht der Opa!«

Sie lachte tatsächlich, schwieg dann aber wieder.

»Kommen Sie denn auch aus Frankfurt – am Main?« Die Dunkle babbelte nicht so ein Hessisch wie die Blonde, aber aus Berlin war sie ebenfalls nicht, dafür hatte er ein Ohr.

Sie sah ihn aufmerksam an, er lächelte harmlos. Sie sollte um Himmels willen nicht glauben, er wäre irgend so ein Aushorcher vom Dienst. Na ja, eigentlich komme sie ja auch aus Frankfurt, antwortete sie schließlich zögernd, aber nun lebe sie in Berlin. Und Usch, die sei nur ihre Stiefschwester.

Er strahlte sie an. Toll, dass sie auch in Berlin wohnte! Um sicherzugehen, hakte er aber noch einmal nach: »In OstBerlin?«

»Ja, natürlich! Sonst würde ich kaum hier tanzen gehen.«

»Prima!«

»Was ist prima?«

»Na, dass wir uns jetzt öfter sehen werden – wenn Sie wollen!«

Er strahlte weiter so heftig, und da wurde sie, wie sie ihm später gestand, zum ersten Mal ein wenig neugierig auf ihn. Was ist denn das für einer, dachte sie, macht der bei jeder so einen Wind oder ist er tatsächlich so beeindruckt von mir? Er aber war trotz aller Begeisterung noch immer am Rätseln: Wenn sie aus

Frankfurt am Main kam und jetzt in OstBerlin lebte, musste sie so eine Art weiblicher Erwin Pietras sein, und da Usch gesagt hatte, dass sie Schwester *und* Eltern besuchte, mitsamt ihren Eltern in den Osten gegangen sein. Aber weshalb? Was steckte dahinter? Hatten Vater oder Mutter nach OstBerlin geheiratet und sie war mitgegangen, um nicht allein zurückzubleiben? Eine verwirrende Geschichte. Und allzu intensiv fragen durfte er nicht, sonst verdächtigte sie ihn womöglich doch noch, ein Spitzel zu sein.

»Übrigens: Ich heiße Manfred.«

»Aha!«

»Und Sie, wie heißen Sie?«

Wieder sah sie ihn erst lange an, und er dachte: Mein Gott, hat die schöne blaue Augen! Die sind ja wie zwei große, freundliche Badeseen, in denen man drin versinken und nie wieder auftauchen möchte.

»Meinen Namen kann man von hinten nach vorn genauso lesen wie umgekehrt. Raten Sie doch mal!«

Er spielte mit. »Otto?«

»Nein!«

»Anna?«

»Wieder falsch.«

Da drängelte er. »Der Tanz ist gleich zu Ende und ich hab noch zwei andere ganz wichtige Fragen.«

»Also gut: Ich heiße Hannah. Mit h am Ende.«

»Schöner Name!« Hannah mit h am Ende war auf jeden Fall tausend Mal interessanter als Hanna ohne h am Ende.

»Und die anderen zwei Fragen?«

»Erstens: Darf ich gleich mal um alle nächsten Tänze bitten?«

Sie musste lächeln. »Sagen wir erst mal um die nächsten drei.«

»Einverstanden!« Er durfte schon wieder strahlen. Was bedeutete diese Antwort denn anderes, als dass sie ihn zumindest nicht unsympathisch fand?

»Und die letzte Frage?«

»Wollen wir heiraten?«

Die Badeseen traten über die Ufer. Er hatte so ernsthaft gefragt, wie hätte sie da an das Faschingsstandesamt denken sollen? Dort konnte man für drei Mark Gebühr getraut werden, bekam eine Urkunde und durfte sich küssen. Als ihr das bewusst geworden war, schüttelte sie den Kopf.

»Nein?«, fragte er bestürzt.

»Doch«, sagte sie und nickte dazu, um weitere Missverständnisse vorzubeugen. Es war nur diese seltsame Fehlinterpretation, über die sie den Kopf geschüttelt hatte.

Da reichte kein Strahlen mehr, da hätte er seine große Dunkle am liebsten sofort abgeküsst. Er musste sich aber noch ein bisschen gedulden, bis dieser erste Tanz vorüber war, erst dann durfte er sie vors Standesamt zerren, wo schon jede Menge andere heiratswillige Paare eine Schlange bildeten. Verlegen plauderten sie über alles Mögliche, bis sie endlich an der Reihe waren. Lenz entrichtete den Obolus, überreichte Hannah die Urkunde und durfte sie küssen.

Kein kurzes Vergnügen, doch achtete Hannah darauf, dass es nicht zu lange andauerte. Und natürlich wurden die folgenden drei Tänze für Lenz sehr schön; sie waren ja nun ein Ehepaar, da mussten sie beim Tanzen nicht mehr so viel Abstand halten.

Sie tanzten noch oft miteinander, hin und wieder aber auch mit anderen Partnern, verloren sich zwischen Foxtrott, Tango, Polonaise und Rock 'n' Roll aus den Augen und fanden sich wieder. Dafür sorgte Lenz schon. Sie tranken an der Bar mehrere Prärieaustern, und kurz vor Mitternacht erhielt er von ihr das Versprechen, dass er sie später nach Hause bringen durfte.

Der nicht so erfolgreiche Eddie tröstete sich damit, dass sein Freund, der Krösus, ihn den ganzen Abend über freigehalten hatte – Leihgebühr fürs Hemd –, und verschwand schon zur Insel hinüber, während Lenz noch an der Garderobe auf seine Hannah mit h wartete.

Auch die blonde Usch war nicht allein geblieben, ein brünetter, fast schon spanisch aussehender Lichtenberger klebte an ihr. So nahmen sie den Heimweg der Mädchen zu viert in Angriff; leider nur ein Fußweg von zehn Minuten.

Es war eine eiskalte Nacht, der Wind pfiff durch die Neue Krugallee und Hannah fror jämmerlich. Aber sie hielt aus. Die Haustür in Sichtweite und in gehörigem Abstand von Usch und ihrem Spanier, küssten und küssten sie sich, und wäre es nach Lenz gegangen, wären sie in dieser Nacht auf der Straße erfroren, nur damit er sich nicht von ihr losreißen musste. Als sie dann doch endlich voneinander abließen, verabredeten sich beide Paare für den Sonntagabend, wollten sich also noch am gleichen Tag wieder treffen. Da würde im *Café Orankesee,* in einem ganz anderen Teil der Stadt, Fasching gefeiert.

Lenz' Heimweg zog sich hin. Die letzte S-Bahn in Richtung Prenzlauer Allee war längst weg, bis die erste wieder fuhr, musste er über eine Stunde warten. Wie eine Statue stand er auf dem frei und erhöht liegenden Bahnhof Plänterwald. Den Kragen seines Mantels hochgeschlagen, die Hände tief in den Taschen, starrte er mit seligen Augen zum sternklaren Winterhimmel hoch. Diese Hannah – sie könnte es sein! Wenn sie nur bei ihm blieb; womit sollte denn ausgerechnet er ein solches Mädchen verdient haben?

Am Abend trafen sie sich wieder, feierten noch einmal Fasching und standen in der Nacht erneut zu viert in der Neuen Krugallee und konnten sich nicht trennen. Für den Spanier hieß es, endgültig Abschied zu nehmen. Die blonde Usch fuhr am nächsten Tag nach Frankfurt am Main zurück, wohin Spanier aus Berlin-Lichtenberg nun mal nicht folgen durften. Lenz hatte nicht die Absicht, sich so rasch aus Hannahs Leben zurückzuziehen. Er verabredete sich mit ihr fürs nächste Wochenende, und sie musste ihm zehn- bis zwanzigmal versprechen, auch wirklich zu kommen. Wie hätte er ihren Schwüren denn trauen sollen? Eine Woche war eine verdammt lange Zeit und vielleicht war er für sie ja nur eine Faschingsbekanntschaft. Die verfluchte Nachmittagsschicht jedoch, die ihm jedes Mal den ganzen Tag stahl, verhinderte ein früheres Treffen.

Es wurde die längste Woche seines Lebens, diese fünfeinhalb endlosen Tage im Zweifel. Weshalb sollte Hannah am Sonnabend denn kommen? Sie konnte bis dahin doch jede Menge viel tollere, ihr ebenbürtigere Männer kennen gelernt haben. Immerhin arbeitete sie bei der Staatlichen Filmabnahme, eine Art Zensurbüro; jeder Film, der in der DDR gezeigt werden sollte, auch Kurz-, Dokumentar- und Werbefilme, musste zuvor dort genehmigt werden. Keine Frage, dass die Filmfritzen dort nur so um sie herumschwirrten; was sollte sie da auf einen noch nicht mal neunzehnjährigen Waggonentlader warten, der sich erst mal ein neues weißes Hemd kaufen musste, um überhaupt vorzeigbar zu sein?

Wie er nach dieser Woche an der Straßenecke zur Neuen Krugallee stand und zu ihrem Fenster hochstarrte! Sie hatten verabredet, dass er dort warten sollte; es war zu blöd, direkt vor der Haustür herumzustehen. Im vierten Stock wohne sie, hatte sie gesagt, und so hefteten sich seine Augen dort oben fest – und irgendwann sah er in einem der Fenster ihren Kopf auftauchen.

Sein Herz machte einen Hüpfer. Sie hatte ihn nicht vergessen, wollte sich nur vergewissern, dass er auch wirklich gekommen war!

Als sie dann endlich vor ihm stand in ihrem blauen Mantel mit dem weißen Schal, waren sie beide sehr verlegen. Fasching war das jetzt nicht mehr, so viel stand fest, aber was war es? Und was würde es noch werden?

Weil sie nicht wussten, was sie anderes tun sollten, gingen sie mal wieder tanzen. *Großgaststätte Plänterwald.* Doch nun tanzten sie gar nicht mehr so viel, saßen sie nur an ihrem Zweiertisch und redeten, und Lenz konnte nicht glauben, was er erfuhr: Diese Hannah war eine Leseratte, verschlang jede Woche mehrere Bücher, ging gern ins Kino und liebte das Theater. Was sollte er dazu noch sagen? Der liebe Gott hatte sie für ihn maßgeschneidert! Bald ließen sie alle Tanzgaststätten links liegen, klemmten sich dafür immer öfter ins Kino – letzte Reihe, da waren sie unbeobachtet – oder ins Theater und brachten sich gegenseitig Lektüre mit. Meistens aber gingen sie nur spazieren. Weil es sich dabei am besten reden ließ. Durch die Stadtmitte, den gesamten Prenzlauer Berg, den nächtlichen Plänterwald zog es sie. Dabei erzählte er ihr sein Leben und sie erzählte ihm ihres. Und wieder stellten sie Gemeinsamkeiten fest: Was für ihn sein Onkel Willi, war für sie ihre Stiefmutter Hilde; er hatte seine Mutter mit dreizehn verloren, sie ihre mit fünfzehn. Als Kinder hatten sie oft ähnliche Gedanken und Gefühle gehabt und sogar dieselben Schlager gemocht; was er mit Eddies Cousine Evi, das hatte sie mit einem jungen Mann namens Bernie erlebt. Manchmal wurde ihnen richtig unheimlich zumute. Konnte das alles mit rechten Dingen zugehen? Der Große Regisseur mit der Zauberhand, meinte er es so gut mit ihnen?

Sprachen sie nicht über Bücher, Filme, das Theater, ihre Kindheit oder Zukunftspläne, erfand Lenz für Hannah Märchen. Sie wusste bereits, dass er schrieb und vom Theater träumte, und seine Geschichten gefielen ihr. Aber ob er wirklich Talent hatte, egal ob zum Spielen oder Schreiben? Da zog die realistische Hannah es vor, seine Zweifel zu teilen. Gab ja noch andere schöne Berufe.

Der erste Versuch, miteinander zu schlafen, misslang. Es war nach sechs Wochen, auf einer von allen Wegen weit abgelegenen und hinter hohen Büschen versteckten Wiese im nächtlichen Plänterwald. Lenz war viel zu aufgeregt und natürlich schämte er sich seines Versagens. Später, in seiner Wohnung im dritten Hinterhof, durfte er zu seiner Erleichterung feststellen, dass jene Verzweiflungstat mit Evi doch nicht das erste und letzte Mal in seinem Leben gewesen sein sollte.

Besuchte Hannah ihn in seiner Wohnung, bewirtete er sie mit belegten Brötchen, auf denen er ihr mit Tubenmajonäse seine Liebe gestand; übernachtete sie bei ihm, schliefen sie lange und gingen gegen Mittag in ein kleines Restaurant an der Schönhauser Allee: zweimal Paprikaschnitzel mit Spaghetti, ein Bier, ein Glas Wein.

Ihr Lieblingsplatz aber war die längst außer Betrieb genommene Dampferanlegestelle vor dem *Alten Eierhäuschen*, einem über Generationen hinweg sehr beliebten, inzwischen halb zerfallenen und seit ewigen Zeiten geschlossenen Ausflugslokal am Plänterwald. Ob Sommer oder Winter, stundenlang standen sie eng umschlungen auf der alten Anlegebrücke und sahen zu den Lichtern vom Kraftwerk Klingenberg hinüber, die sich in der nachtschwarzen Spree widerspiegelten. War es eine wolkenlose Nacht, blinkten am Himmel so ungeheuer viele Sterne, dass sie das Staunen überkam.

Als Lenz ins Krankenhaus musste, besuchte Hannah ihn oft,

obwohl sie dazu jedes Mal durch die ganze Stadt zu fahren hatte. Dabei war es allein ein dämliches Furunkel auf der Oberlippe, das, anstatt endlich mal zu platzen, immer größer wurde, das ihn dort hineingebracht hatte. Hannah aber kam und kümmerte sich, und als er aus dem Krankenhaus entlassen wurde, hatte sie seine gesamte Wohnung in Ordnung gebracht. Alles war geputzt und umgestellt, auf dem Tisch standen Blumen. Was für ein Gefühl ihn da überkam: Sie hatte das für ihn getan! Was konnte das anderes bedeuten, als dass sie ihn wirklich liebte?

Eines Sonntags fuhren sie auf den Friedhof hinaus. Hannah wollte seine Mutter und Wolfgang besuchen. Es war ein knackig schöner Sommertag, er stand vor dem S-Bahnhof Prenzlauer Allee und wartete auf sie. Sie kam – und war an diesem Tag besonders schön: luftig-leichtes, helles Sommerkleid, weiße Schuhe, das dunkle Haar sehr lockig, die Augen strahlend. Er konnte es mal wieder nicht fassen, dass diese junge, schöne Frau sich ausgerechnet ihn ausgesucht hatte.

Sie legten Blumen auf das Doppelgrab, wanderten Hand in Hand um den Weißen See und Hannah wollte immer noch mehr über seine Kindheit wissen. Nie zuvor hatte Lenz sich so verstanden gefühlt, nie zuvor war er so glücklich gewesen. Ja, lange hatte es gedauert, bis er sich endlich mal um ihn kümmerte, der schlafmützige Große Regisseur auf seinem weichen Wolkenlager, dann aber hatte er sich mächtig ins Zeug gelegt und ihn zielsicher auf diejenige zugeschubst, auf die er schon so lange gewartet hatte.

Im März hatten sie sich kennen gelernt, Silvester war Verlobung, im Mai folgenden Jahres wurde aus der Faschingshochzeit Ernst und das frisch getraute Ehepaar Hannah und Manfred Lenz zog in eine kleine Wohnung im Prenzlauer Berg: Quergebäude, Zimmer mit Küche, Klo eine halbe Treppe tiefer, aber wenigstens im Winter nicht zugefroren. Sie renovierten alles und richteten sich so gut es ging ein; sie war zwanzig, er neunzehn Jahre alt.

Die unglaubliche Geschichte jenes 3. März sollte aber noch weitergehen. Kaum hatten Lenz und Hannah ihren Nestbau beendet, machten sie mal wieder einen ihrer vielen Spaziergänge, kamen dabei auch durch die nahe gelegene Dunckerstraße und in Lenz' Jackentasche steckten ein paar Geldscheine. Sie brauchten noch so vieles, und falls sie etwas Schönes oder Nützliches entdeckten, mussten sie es sofort kaufen, anderntags war es gewiss nicht mehr da.

Es war ein wunderschöner Julitag und so kamen sie erst spät nach Hause, und als Lenz gut gelaunt das Geld aus der Jacke nehmen wollte, um es in Hannahs Zigarrenkiste zurückzulegen, fand er es nicht mehr. Ihm wurde heiß, er durchwühlte alle Taschen, und am Ende stellte er fest, dass das Futter seiner Innentasche an der Naht aufgerissen war: Er musste das Geld verloren haben! Zornig machte er sich die allerschlimmsten Vorwürfe, das lose Jackenfutter nicht vorher bemerkt zu haben, und Hannah musste ihn trösten, obwohl sie nicht weniger verärgert war. So dicke hatten sie es ja nicht. Mitten hinein in ihre beruhigenden Worte aber musste er plötzlich lachen, und Hannah glaubte schon, er hätte das Geld doch noch gefunden. Er hatte aber nur begriffen, was wirklich passiert war, und zum ersten Mal erzählte er Hannah, wie viele Wunder geschehen mussten, damit sie einander kennen lernten.

Erst zweifelte sie seine Geschichte an – er war ja der Märchenerzähler –, dann gingen sie, eng umschlungen auf der Couch liegend, all die Zufälle, die sie zusammengebracht hatten, noch einmal miteinander durch.

Erstens: Wenn er an jenem Sonnabendmorgen nicht zur Wehrerfassung gemusst hätte, hätte er die hundert Mark nicht gefunden, und dann wäre er am Abend ganz sicher nicht in den Plänterwald hinausgefahren. So blank, wie er war, hätte es ja nicht mal für eine Limonade gereicht.

Zweitens: Wäre er nicht so pleite gewesen, hätte er vier ordentliche Passbilder abgegeben und niemand hätte ihm befohlen, noch am selben Tag in die Winsstraße zu gehen. Und dann hätte er die hundert Mark ebenfalls nicht gefunden; allerdings auch gar nicht gebraucht.

Drittens: Wäre an jenem 3. März nicht Chruschtschow nach Berlin gekommen und er deshalb auf dem Rückweg von der Winsstraße nicht aufgehalten worden, wäre er viel zu früh durch die Dunckerstraße gekommen, um das Portemonnaie zu finden. Denn lange hatte und hätte es dort bestimmt nicht gelegen.

Viertens: Genau das Gleiche wäre passiert, hätte er nicht auch noch Gerdchen Pisternik getroffen.

Fünftens: Der Gasherd! Wenn die Flamme ausgegangen wäre, wäre Hannah Witwe geworden, noch bevor sie sich kennen gelernt hätten.

Sechstens: Was, wenn Eddie nicht gerade frisch gewaschen hätte? Mit einem karierten Hemd wäre er keinesfalls im *Plänterwald* angetanzt, Fasching hin oder her.

Siebtens: Was, wenn die arme Kirchenmaus Lenz eine übertrieben ehrliche Maus gewesen wäre? Dann hätte er das Geld auf dem Fundbüro abgegeben und die arme Hannah wäre von irgendeinem grimmigen Waldschrat vor das Faschingsstandesamt geschleppt worden.

Sieben Zufälle, sieben Wunder? Eines stand auf jeden Fall fest: Der mit der Zauberhand hatte ihnen ein Darlehen gewährt – und es an diesem Tag mit Zins und Zinseszins zurückgefordert! Eine sehr rabiate Rückforderung, aber hatte sich sein Schuldner Lenz damit nicht wieder ehrlich gemacht? Zumindest symbolisch?

Tags darauf quetschten sie sich zu zweit in eine Telefonzelle, um das Fundbüro anzurufen. Doch niemand hatte zwei Fünfzigmarkscheine, einen Zwanziger und einen Zehner dort abgegeben. Eine nun schon fast beruhigende Nachricht; blieb nur zu hoffen, dass der Große Regisseur dieses Geld wieder so sinnvoll angelegt hatte.

Eine verrückte Geschichte – und doch: eine wahre Begebenheit!

4. Heller als die Sonne

Hannahs Vater, obwohl aus Frankfurt am Main zugezogen, war gebürtiger Berliner. In dem von ihm oft besungenen Stadtteil Schöneberg war er zur Welt gekommen, auf den Tag zehn Jahre vor Ausbruch des Ersten Weltkriegs. Seine Eltern lebten in einer Laubenkolonie, der Vater war Sozialdemokrat und Straßenbahner. Geprägt jedoch wurden H. H. M., wie Hans Henning Möller sich selbst gern nannte, und seine beiden jüngeren Brüder mehr vom unglaublichen Egoismus ihrer Mutter. Mutter Möller hatte stets grüne Waldmeisterbonbons in den Taschen ihrer Kittelschürze stecken, ihren Söhnen aber, den verfluchten Krepeln, die ihr nur Arbeit machten, opferte sie keinen davon. Ein Trauma für die Söhne ihr Leben lang.

Weil Vater Möller wünschte, dass der Älteste seiner drei Söhne studierte, entschied H. H. M. sich dafür, Bauingenieur zu werden. Das Studium finanzierte er durch Auftritte in Tanzcafés. Als Stehgeiger. Es waren die berühmten »Goldenen Zwanziger«; der »Tanz auf dem Vulkan«. H. H. M. aber fiedelte nicht nur, er engagierte sich auch politisch, wurde einer der ersten SA-Männer der Stadt und nach Hitlers Machtübernahme als Belohnung für frühe Treue zum Ortsgruppenleiter ernannt und beim Autobahnbau als Bauführer eingesetzt; eine Tätigkeit, die strategische Bedeutung hatte, weshalb er bei Kriegsbeginn erst mal u. k. gestellt wurde. Dass er dann später doch noch zur Front eingezogen wurde, hatte mit seiner eigenen Dummheit zu tun: Der Ortsgruppenleiter Möller hatte irgendwelche Gelder nicht korrekt abgerechnet, als Strafe hatte er sich vor dem Feind zu bewähren. Eine Verirrung, über die H. H. M. später nicht gern sprach, weil er ja eigentlich überzeugt davon war, nie in seinem Leben einen entscheidenden Fehler gemacht zu haben.

An der Front fiel der Soldat Möller bald durch »defätistische Äußerungen« auf – er hatte aber nur übers Essen gemeckert – und wurde einer Strafkompanie zugeteilt. Ein Himmelfahrtskommando, das die meisten seiner Kameraden nicht überlebten. H. H. M. hingegen hatte Glück, ein Hüftschuss brachte ihn ins Lazarett; als er daraus entlassen wurde, war der Krieg so gut wie vorüber. Zwar geriet er noch in Gefangenschaft, wurde aber schon wenige Stunden später durch einen letzten verzweifelten Gegenangriff der Wehrmacht daraus befreit und konnte sich in die Heimat absetzen.

Anfangs glaubte Lenz, dass Hannahs Vater, wie so viele andere auch, einfach nur auf das falsche Pferd Hitler gesetzt und das am Ende auch erkannt hatte. Eines Abends aber, in einer der feucht-fröhlichen Runden, die öfter im Hause Möller stattfanden, vertraute sein zukünftiger Schwiegervater ihm an, dass Hitler »bei Lichte besehen« nur einen einzigen wirklichen Fehler gemacht habe: die Sache mit den Juden. »Hätte er das gelassen, würde er heute noch gefeiert.« Erst ein Blick in Lenz' erstauntes Gesicht ließ ihn diese Bemerkung relativieren: »Na ja, und den Krieg, den hätte er natürlich auch nicht anfangen dürfen.«

Die Judenmorde – nur ein »Fehler«? Der Krieg, in dem so viele Millionen Menschen ihr Leben verloren hatten und den ja auch H. H. M. nur mit sehr viel Glück überlebt hatte – nur ein etwas ungeschickter Schachzug? Da hatte er zu schlucken, der Schwiegersohn in spe. Laut zu widersprechen aber wagte er nicht. Der Mann, der sich ihm da so offenherzig anvertraute, war ja Hannahs Vater und konnte auf fast sechzig Jahre Lebenserfahrung zurückblicken; er selbst war noch nicht mal neunzehn.

Mit der Zeit erfuhr er dann noch mehr: Ein Sohn aus Möllers

erster Ehe, geistig behindert, war dem Euthanasie-Programm der Nazis zum Opfer gefallen, sein jüngster Bruder, ein Kampfpilot, der angab, sich verflogen zu haben, wegen des Verdachts auf Fahnenflucht erschossen worden. Verbrechen, die H.H.M. nicht unter »Fehler« verbucht hatte, sondern unter »übliche Schweinereien«.

Noch bedrückender aber war, was H.H.M. eines Abends – es war mal wieder viel getrunken worden – aus irgendeiner trüben Stimmung heraus von seiner Bauführertätigkeit erzählte. In seinem Gebiet wurden ab Kriegsbeginn vor allem polnische Juden beim Autobahnbau eingesetzt. Waren sie zu erschöpft, um weiterarbeiten zu können, musste er sie melden – und eines Tages erfuhr er, wo die Betreffenden hinkamen: Einer seiner Kollegen, vom Urlaub heimkehrend, hatte aus seinem Wagenfenster heraus beobachtet, wie weit abseits der Baustelle, in einer Waldlichtung, alte, schwache und kranke Juden von der SS in einen Kastenwagen mit der Aufschrift *Kaiser's Kaffee* geschickt wurden. Er wunderte sich darüber und nutzte ein Besäufnis mit SS-Leuten aus, einen von ihnen nach dieser seltsamen Kaffeelieferung mitten im Wald zu fragen. Der SS-Mann, eine niedere Charge und schon ziemlich betrunken, brach sofort in Tränen aus und erklärte stammelnd und flüsternd, dass in diese Kastenwagen, von denen es mehrere gab, alle die geschickt wurden, die von den Bauführern als nicht mehr arbeitsfähig ausgemustert worden waren. »Da gibt's 'nen Schlauchanschluss, durch den werden die Autoabgase in den Kasten geleitet … Kohlenmonoxyd – 'ne Viertelstunde und alles ist vorbei.«

Der SS-Mann gehörte zu denen, die die mit Kot und Urin besudelten Leichen aus dem Wagen schaffen mussten. Dabei, so seine Worte, seien für ihn jedes Mal die abgebrochenen Fingernägel der Leichen der schlimmste Anblick; Beweis dafür, dass sie bis zum Schluss an den Metallwänden des Mordautos gekratzt hätten …

H. H. M. hatte diese Geschichte erst nicht glauben wollen. »Der war doch besoffen, als er dir das erzählt hat«, fertigte er seinen zutiefst verwirrten und entsetzten Kollegen ab. »Lass dir doch nicht solchen Quatsch auftischen.« Das Erzählte aber ging ihm nicht aus dem Kopf, und bald war er überzeugt davon, dass es gar nicht anders sein konnte: Wo sollten all diese Menschen denn sonst hin verschwunden sein? In Krankenhäuser oder Pflegestationen? Er bekam Herzbeschwerden, oft zitterten ihm die Hände ohne jeden Grund. Trotzdem musste er weiter die Schwachen und Kranken melden. »Konnte ja nichts dagegen tun, sah ja jeder, dass die fast zusammenbrachen. Und ich hatte doch Frau und Kinder, war nicht nur für mich allein verantwortlich.«

Ein Geständnis, das Lenz und Hannah tage-, wochen-, ja monatelang verfolgte. Dass in jenen zwölf Hitlerjahren Furchtbares passiert war, hatten sie gewusst, doch hatte das alles mit ihnen selbst bisher nur wenig zu tun gehabt. Jetzt war, was damals geschehen war, plötzlich ganz nah. Wie sollten sie sich verhalten? H. H. M. anklagen, mit ihm brechen? Aber dann musste die gesamte Väter-und-Mütter-Generation angeklagt werden, musste mit fast allen über vierzig gebrochen werden; so viele Widerstandskämpfer hatte es ja nicht gegeben.

Sie versuchten, sich in H. H. M.s Lage zu versetzen: Hätte er sich nicht besser gleich an die Front abkommandieren lassen sollen, anstatt auf diese Weise zum Mittäter zu werden? Durfte einem das eigene Leben wichtiger sein als das so vieler anderer? War es ein Trost, sich zu sagen, tust du es nicht, übernimmt ein anderer deine Aufgabe? Durfte man sich selber opfern, obwohl man damit nichts verhinderte?

Aber hatte H. H. M. denn überhaupt so gedacht? Er war ja aus echter Begeisterung Nazi geworden und noch immer stolz auf seine niedrige Mitgliedsnummer. Und vielleicht hatte er ihnen ja auch längst nicht alles gesagt.

Sie fanden keine gültigen Antworten auf ihre Fragen, wussten nur eines: Selbst wenn auch sie zu jener Zeit Nazis gewesen wären – nach all dem, was sie nun wussten, hätten sie keine mehr sein können. Weshalb nur legte Hannahs Vater einen solchen Wert darauf, nie in seinem Leben einen entscheidenden Fehler gemacht zu haben? Vielleicht, weil er in Wahrheit nichts als Fehler gemacht hatte?

Lenz liebte Hannah und fühlte sich von ihr geliebt und war bereit, ihre ganze Familie in seine Liebe einzubeziehen. Hatte er sich denn nicht immer schon einen Vater oder älteren Freund gewünscht? Zwar konnte er H.H.M. in vielem nicht verstehen, aber wo gab es denn noch einen Schwiegervater, der seinen so viel jüngeren Schwiegersohn als gleichwertigen Gesprächspartner und guten Kumpel behandelte? Den jungen Nazi H.H.M. kannte er nicht; Möller senior mit dem langen, silbergrauen, nach hinten gekämmten Haar und dem markanten, schmalen Gesicht war charmant und witzig, spielte noch immer hin und wieder Geige und akzeptierte ihn, der nichts war und nichts Besonderes konnte, als Schwiegersohn. Ein Grund, danke zu sagen. Doch je mehr Lenz über die Geschichte der Familie Möller erfuhr, desto größer wurde seine Ablehnung.

Aus dem Krieg heimgekehrt, fand H.H.M. seine Familie in einer dörflichen Notunterkunft in der Nähe von Hamburg wieder. Dorthin hatte seine zweite Frau Anneliese ihre drei Kinder gerettet. Anfangs ernährte man sich damit, aus alten Blechen Schöpfkellen, Schüsseln und Töpfe zu hämmern, die die große Tochter Fränze, zu jener Zeit zehn Jahre alt, und der achtjährige

Jo bei den Bauern des Dorfes gegen etwas zu essen eintauschten, bald aber zog es H. H. M. nach Frankfurt am Main, dem Hauptsitz seines letzten Arbeitgebers. Wollte er irgendwann in seinen Beruf zurück, musste er sich dort anmelden.

Hannahs schönste Kinderjahre begannen. In der Lersnerstraße, so erzählte sie oft, habe die Familie noch ein ganz normales, friedliches Leben geführt. Da spielte sie Murmeln, lernte sie Rollschuh laufen, kurvte sie mit ihrem Rad durch die Straßen oder half der Mutter in der Küche. Es war für fünf Mägen zu kochen.

Anfangs wurde H. H. M. im Baudezernat der Stadtverwaltung beschäftigt; als man erkannte, dass er etwas konnte, beförderte man ihn zum Baudirektor. Nun hatte er die Bauvorhaben eines bestimmten Stadtbezirks zu planen und zu überwachen und Bauaufträge zu vergeben – und damit begann das Unglück der Familie Möller. Die Baufirmen, die an Aufträge heranwollten, zeigten sich stets sehr großzügig; H. H. M. und nicht wenige seiner Kollegen wussten das zu schätzen. Dankbar steckten sie ein, was über den Tisch geschoben wurde, und das war in Zeiten des Wiederaufbaus nicht gerade wenig. Bald ging es der Familie Möller glänzend, es wurde viel gefeiert, ein Wochenendhäuschen angeschafft, ein PKW gekauft, Reisen nach Luxemburg, Italien, Belgien, Frankreich, die Schweiz und Holland unternommen. Hannah, von ihren Schulfreundinnen um dieses Luxusleben beneidet, kam dieser plötzliche Reichtum oft ein wenig unheimlich vor; H. H. M. und seine Kollegen aber hatten gerade erst einen Weltuntergang überstanden, weshalb sollten sie das nicht feiern? Wusste denn wer, was morgen war?

Und der Wohlstand der Familie Möller wuchs noch weiter an, denn schon bald wurden nicht mehr nur Gelder für Bauaufträge rübergeschoben, sondern auch überhöhte Rechnungen oder Rechnungen für nicht erbrachte Leistungen ausgestellt und von H.H.M. und seinen Kollegen gegengezeichnet. Immer umfangreichere Geldpäckchen wechselten ihre Besitzer; geteilt wurde nur noch nach Augenmaß. Sprach H.H.M. später von jenen Jahren, sagte er gern, damals habe er mehr Geld besessen als ein Warenhaus Hosenknöpfe.

Nicht lange und die Familie Möller zog in ein eigenes Haus.

Hannah, eher still als laut, aber immer wissbegierig, beobachtete diesen steilen Aufstieg nur staunend; das unheimliche Gefühl in ihr hielt an. Bruder Jo hingegen begann, seinen Vater zu vergöttern, und litt darunter, kein solcher H.H.M. zu sein. Nur die nun zwanzigjährige Fränze lehnte den Lebensstil ihres Vaters rundweg ab. Sie hatte ihr Abitur gemacht, studierte Romanistik und reiste viel nach Frankreich. Das Wirtschaftswunder der Nachkriegsjahre war ihr suspekt. Da wurde geschuftet und wiederaufgebaut und Geld gemacht – nur um besser verdrängen zu können. Nein, so wollte sie nicht leben! Kam sie zu Besuch nach Hause, gab es jedes Mal Streit. Zwar konnte H.H.M. andere politische Standpunkte ertragen, nicht aber den Vorwurf, dass er selbst sich auf einem falschen Weg befand.

Auch Hannahs Mutter erschreckte das Tempo, in dem ihr Wohlstand wuchs, doch ließ sie sich nach all den kargen Jahren der Kriegs- und Nachkriegszeit gern von ihrem Mann verwöhnen. Ihre einzige Furcht war, dass, was so schnell aufblühte, schon bald wieder verwelken könnte. H.H.M. jedoch wiegelte ab. Mit ein paar Scheinchen im Briefumschlag, so seine feste Überzeugung, ließ sich alles regeln. Und so zögerte er am Ende nicht, auch noch als stiller Teilhaber in eine Baufirma einzutreten, was ihm als Angestellten der Stadt natürlich strikt verboten war, und eben dieser Firma die lukrativsten Aufträge zuzuschanzen.

Wie hatte es am Ende des Krieges geheißen – genießt den

Krieg, der Frieden wird fürchterlich? Ein Spruch, über den die korrupten Herren vom Baudezernat der Stadt Frankfurt am Main nur lachen konnten. Einen herrlicheren Frieden als den, den sie jetzt erlebten, hatte es nie gegeben. In all ihren Taschen steckte Geld, in den Bars und Tanzsälen der Stadt floss der Schampus in Strömen, und wie sollte, wer Geld hatte, denn nicht auch Frauen haben? Immer öfter machte Hans Henning Möller Überstunden, immer öfter gab es Auseinandersetzungen mit seiner Frau. Mit wem aber hätte Anneliese Möller über ihre Verletzungen reden sollen, wenn nicht mit Hannah? Nach dem Rückzug der ältesten Tochter und der Einberufung des Sohnes zur Bundeswehr war ihr ja sonst niemand geblieben. Es war die Dreizehn-, Vierzehnjährige, die sich anhören musste, was die Mutter empfand, wenn sie ihr zerstörtes Leben betrachtete; es war Hannah, die ihrer Mutter helfen musste, die sich häufenden Ehekrisen zu überwinden.

Und dann kam es eines Tages zu der von Mutter Möller befürchteten Katastrophe. Eine Tageszeitung berichtete über den Korruptionsfall. H. H. M. und seine Kollegen wurden bis auf weiteres ihres Amtes enthoben, ein Gerichtsverfahren wurde angestrengt. Und nun stellte sich heraus, dass die reiche Familie Möller in Wahrheit eine arme Familie war. Der große H. H. M., er hatte nichts zurückgelegt. Was er mit der einen Hand eingenommen hatte, hatte er mit der anderen wieder ausgegeben. Hannahs Mutter war gezwungen, in einer Kosmetikfabrik Arbeit anzunehmen. Und weil, was sie dort verdiente, zum Leben nicht reichte, musste untervermietet werden. Hannah zog in den Keller, die Eltern ins Wohnzimmer. Eine schlimme Zeit, aber es sollte noch böser kommen: Während die Eröffnung des Gerichtsverfahrens sich hinzog, erkrankte Hannahs Mutter schwer – und starb.

Für die fünfzehnjährige Hannah, die ihre Mutter über alles geliebt hatte, ein Schock, von dem sie sich lange nicht erholte. Ein Schock aber auch für den von Gewissensbissen geplagten H. H. M., der sich dem Ganzen nicht mehr gewachsen fühlte. Eines Abends kam er zu Hannah in den Keller und strich ihr über den Kopf – um danach eine Überdosis Schlaftabletten zu schlucken. Hilde Krummbiegel, seit dem Tod der Mutter Haushaltshilfe bei den Möllers, fand ihn gerade noch rechtzeitig. Als er im Krankenhaus wieder zu sich kam, saß Hannah an seinem Bett. Er sah sie, schluchzte laut auf und wandte das Gesicht ab. Hannah aber wusste nun, dass ihr Vater in schlimmen Zeiten zuallererst an sich dachte; ein weiterer Schmerz, mit dem sie fertig werden musste.

Und nun? Wie sollte es weitergehen? Der Gerichtstermin war aufgeschoben, nicht aufgehoben; wollte H. H. M. nicht für längere Zeit im Gefängnis verschwinden, musste er das Land verlassen. Da er keine andere Möglichkeit sah, beschloss er, in seine Geburtsstadt heimzukehren; nur eben nicht nach West-, sondern nach OstBerlin. Die DDR würde ihn schon nicht an den kapitalistischen Westen ausliefern.

Keine Frage, dass Hannah mitging. Wo hätte sie denn sonst bleiben sollen? Es ging aber auch Hilde Krummbiegel mit, bald die dritte Frau Möller, und mit dieser Frau, die so ganz anders war als ihre Mutter, verstand Hannah sich nicht. Mit all der Kraft, die ihr zur Verfügung stand, wenn ihr ein Mensch oder eine Sache zutiefst zuwider war, lehnte sie die Stiefmutter ab. Und ihrem Vater verübelte sie, dass er auf »eine wie die Krummbiegel« hereingefallen war. H. H. M. aber war nicht der Mann, der seiner Tochter zuliebe auf seine Bequemlichkeit verzichtet hätte; die neue Frau Möller konnte die Kriegserklärung ihrer Stieftochter beruhigt annehmen.

»Mutter Hilde«, das begriff auch Lenz bald, war die Berechnung in Person. Sie hatte ihre ältere Tochter Gaby noch rasch Hannahs Bruder Jo untergeschoben, dem H.H.M. vor seiner Flucht das Frankfurter Haus überschrieben hatte, und sah auch sonst zu, wo sie blieb. Schnurrbart-Meisel und Mutter Hilde, dachte Lenz oft, was hätten sie für ein wunderbares Paar abgegeben!

In ihrer Not schrieb Hannah lange Briefe an die ältere Schwester in Frankfurt, in denen sie sich bitter über das Zusammenleben mit der Stiefmutter beklagte; Fränze aber interessierte das Schicksal ihres Vaters mitsamt seiner Hilde nur wenig. »Lass mich bloß mit den Altvorderen in Ruh«, antwortete sie in einem Weihnachtsbrief. »Die haben kein Herz und kein Gewissen; die ganze Generation ist verrottet.«

Kein Wunder, dass auch Hannah dafür war, so schnell wie möglich zu heiraten.

Zur Hochzeit reisten neben Hannahs Bruder Jo mit seiner Gaby und dem kleinen Markus auch Stiefschwester Usch an, von Fränze kam nur eine Karte: »Alles Liebe, alles Gute und lass dich nicht unterkriegen.«

Lenz fand den einen Meter neunzig großen, breitschultrigen, männlich gut aussehenden Jo vom ersten Händeschütteln an sehr sympathisch. Jo, der gern lachte, aber einen unsteten Blick hatte, war jedoch ein tönerner Riese. Die Ärzte hätten ihm ein zu kleines Herz attestiert, er sei zu schnell gewachsen, erzählte er gern. Weshalb er überzeugt davon war, nicht alt zu werden. Hinzu kam, dass er sich von der Stiefschwester, mit der er verkuppelt worden war, nicht geliebt fühlte. Mit Tabletten und Alkohol bekämpfte er seinen Frust.

Waren an den Abenden vor dem großen Tag die ersten Becher

genommen, stritten Vater und Sohn miteinander. Es ging immer um dasselbe: Hannahs Vater litt darunter, nicht mehr der große H.H.M. zu sein. In der Firma, für die er nun arbeitete, traute man diesem Westimport nicht. Passierte ja nicht oft, dass einer aus dem Westen in den Osten kam. Sollte man diesem Möller seinen Wunsch nach dem »Lebensabend in der Heimat« etwa abnehmen? In WestBerlin wäre der geborene Schöneberger doch viel näher dran an seiner »Heimat«. Aus dem ehemaligen Baudirektor war ein Sachbearbeiter geworden, aus dem Mann, der mal mehr Geld hatte als ein Warenhaus Hosenknöpfe, einer, der jeden Pfennig umdrehen musste. Das kratzte an H.H.M.s Ego, das musste er kompensieren, also warf er seinem Sohn vor, dass die arme Hannah, nur weil sie bei ihrem Vater geblieben war, den ganzen Monat über keine einzige Banane, er aber, ihr leiblicher Bruder, ein ganzes Haus geschenkt bekommen habe mit allem, was dazugehörte. Weshalb er denn nicht öfter mal ein Paket schickte?

Der hilflose Jo, für den sein Vater noch immer ein großer Mann war, verteidigte sich mit den Kosten, die das Haus verursachte. Er, der kleine Angestellte, verdiene nun mal nicht so viel wie einst der Herr Baudirektor und heimliche Firmeninhaber. Mutter und Tochter Krummbiegel, beide verehelichte Möller, saßen dabei und mischten sich nur halbherzig ein, indem jede den Ihren verteidigte, weil sich das ihrer Meinung nach wohl so gehörte.

Hannah hätte Lenz an diesen Abenden am liebsten nach Hause geschickt.

Der Polterabend wurde lange und ausgiebig gefeiert und Lenz am frühen Morgen trotz Jos Protesten von Mutter Hilde aus dem Haus getrieben. Es schicke sich nicht, dass der Bräutigam in der Nacht vor der Hochzeit im Haus der Braut schlief, erklärte sie beharrlich. So gelangte er erst zwischen vier und fünf Uhr in seiner Wohnung an und machte sich nach drei schlaflosen Stunden – er befürchtete, trotz seines lauten Weckers nicht rechtzeitig zu erwachen – als wandelnde Leiche zurück auf den langen Weg zu den Möllers. Dort angekommen, stieß er auf eine wunderschöne Braut, die ihm, erleichtert über sein pünktliches Erscheinen, in die Arme fiel, und einen mit dem Küchenmesser in der Hand seine Stief- und Schwiegermutter durch die Wohnung jagenden Jo. Ihn habe sie ins Unglück gestürzt, indem sie ihm ihre kalte Tochter ins Bett legte, schrie er, den armen Manne aber habe sie mitten in der Nacht aus dem Haus gejagt, nur weil sie Hannah ihr Glück nicht gönnte. Sie sei eine am Herzen ihrer Stiefkinder nagende Fleischmade, er werde sie, bevor sie noch mehr Schaden anrichten könne, auf der Stelle abstechen.

»Nur noch ein paar Stunden«, flüsterte Hannah ihrem übernächtigten Bräutigam zu, »dann sind wir hier weg.«

Es war Gaby, die Jo endlich das Messer entwand. »Bring sie ein andermal um«, fuhr sie ihren noch nicht ganz ausgenüchterten Ehemann an. »Und uns beide gleich dazu. Anders kommst du ja doch nicht zur Ruhe.«

Durch einen schönen, sonnigen Maimorgen ging's zum Standesamt, zu Mittag wurde in einem Restaurant gegessen, weitergefeiert wurde bei den Möllers. Hannah zählte die Stunden, die sie noch in ihrer Familie ausharren musste, Lenz, noch immer müde und verkatert, hielt sich allein durch Zusammenreißen aufrecht.

Es war noch nicht zehn Uhr abends, da ließen sie schon das Taxi vorfahren. Bereits auf der Flucht, in Höhe der zweiten Etage, wurde Hannah aber noch einmal zurückgerufen: Sie hatte vergessen, der Krummbiegel die zwei Mark fünfzig für die Dose Königsberger Klopse zu geben, die das junge Paar sich am nächsten Tag in den Kochtopf tun wollte. Sie stieg die Treppe noch einmal hoch, zahlte und floh danach noch hastiger. Erst im Taxi weinte sie. Lenz nahm sie in die Arme, versprach ihr alles, was sie hören wollte, und war fest entschlossen, seine Versprechen zu halten.

Danach gingen sie das erste Mal als Ehepaar miteinander ins Bett; im dritten Hinterhof, Parterre rechts, Dunckerstraße 12. Sie war zwanzig, er war neunzehn; was waren sie froh, dass sie sich hatten!

Tags darauf gab es Kartoffelbrei und Königsberger Klopse aus der Dose. Wie schmeckten diese Klopse, wie mundete der gemeinsam angerührte Kartoffelbrei.

Die Hochzeitsreise ging nur ein paar Straßen weiter, in die Woldenberger 19, Seitengebäude, dritter Stock. Hier wollten sie in ein paar Tagen einziehen, hier tapezierten und malerten sie und liebten sich zwischendurch auf den blanken Dielen. Silke, im vierten Monat unterwegs, war auch schon dabei.

Das Leben war schön, daran konnten alle Möllers und Krummbiegels dieser Welt nichts ändern.

Wenige Monate nach der Hochzeit meldete Lenz sich in der Volkshochschule an. Er wollte das Abitur ablegen; Grundvoraussetzung für ein späteres Studium. Zwei Jahre lang würde er viele gemeinsame Abende mit Hannah und Silke dafür opfern müssen. Wenn er Schauspieler werden wollte, konnte er sich das sparen. Aber wollte er denn noch Schauspieler werden? Er wusste nicht mehr, was er wollte, wusste nur, dass er endlich in irgendwelche Startlöcher musste.

Auf der Volkshochschule traf er zu seiner großen Freude Wissarionowitsch wieder. Der Lehrer Bachner war aus disziplinarischen Gründen dorthin strafversetzt, weil er vor seinen Baumschulenweger Schülern den antifaschistischen Schutzwall »Mauer« und dessen Errichtung eine »Feuerwehraktion« genannt hatte. Und dabei hatte er noch hinzugefügt, bei dieser Feuerwehraktion sei leider einiges unter Wasser gesetzt worden, was er zu den marxistischen Idealen rechne, weshalb er hoffe, dass das Wasser bald wieder ablaufen werde.

Die Frage, ob Wissarionowitsch nun, da er sich bewähren musste, anders reden würde als zuvor, war schnell beantwortet. Da standen Tag für Tag die vom Staat herausgegebenen Erklärungen, Begründungen und Parolen im *Neuen Deutschland*, der Lehrer Bachner aber scheute sich nicht, seine müden Abendschüler mit eigenen Ansichten aufzumuntern. Noch immer nannte er den Bau der Mauer ein Zeichen der Stärke – immerhin habe die westliche Welt dieses östliche Bollwerk schlucken müssen; andererseits sah er darin aber auch ein Zeichen der Schwäche, weil diese Abriegelung zum Westen hin ja notwendig geworden war, um nicht gänzlich auszubluten.

Wieder mal Unterricht, der Spaß machte; Stunden, in denen man sich über jedes Licht, das einem aufging, freuen konnte. Später allerdings, als Lenz längst nicht mehr auf der Volkshochschule war, wurde der Genosse Bachner doch noch gezähmt. Da durfte er zwei Lyrikbände veröffentlichen, eine Heftreihe *Lyrik für junge Leute* herausgeben und im Rahmen der FDJ mehrere Treffen junger Autoren veranstalten. Ein Aufstieg, der in einem tiefen »Sturz« endete, denn eines Nachts fiel der Lyriker Bachner betrunken die Treppe hinunter und brach sich das Genick. Ein Tod, über den gerätselt werden durfte: Steckte da wirklich nur der Suff dahinter? Hatte Bachner vielleicht nur deshalb so viel getrunken, weil er unter diesem Aufstieg litt? Oder hatte dieser frühe und ja auch makabre Tod in Wahrheit ganz andere Ursachen?

Zu Lenz' Zeit war Wissarionowitsch eine Ausnahmeerscheinung. Jedenfalls an dieser Schule. Weshalb von den jungen Frauen und Männern, die sich da Abend für Abend nach der Tagesarbeit nur mit viel Disziplin in den Unterricht quälten, schon bald die ersten wegblieben. Ohne Hannah, das wusste Lenz, hätte wohl auch er sich bald verabschiedet. Seine Situation war besonders schwierig, er saß tagsüber in keinem Büro, beschäftigte sich nicht mit Krankengymnastik oder reparierte Fernsehapparate, er arbeitete so hart wie nie zuvor in seinem Leben.

Um an vier Abenden in der Woche zur Schule gehen zu können, hatte er sich von Rattlers Truppe verabschieden müssen; Arbeit im Drei-Schicht-System war nicht mehr möglich. Da er aber nicht weniger verdienen durfte, hatte er sich innerhalb des Kabelwerks zum Vulkaniseur umschulen lassen. Ein schlimmer Fehler, wie er bald einsah. Drei große, bis auf 145°C erhitzte Öfen hatte er zu betreuen. Unentwegt musste er Bleche mit gummiartigen Kleinteilen belegen, in die Öfen schieben, die entsprechende Temperatur einstellen, die Bleche – wenn das Zeug hart genug geworden war – wieder herausziehen, abräumen und neu belegen. Alles in einem sehr engen Zeitrhythmus, damit kein Ofen leer stand. Oft raste er, kaum weniger glühend als seine Öfen, zwischen den Blechen hin und her und schaffte dennoch die Norm nicht. Die Stirn von Meister Wagenknecht, der schon ein bisschen verwitterten Alt-Eiche dieser Abteilung, legte sich in immer tiefere Falten, wenn er Lenz' Tagesproduktion betrachtete. »Ist ja kein Wunder, wenn du nie ausschläfst«, polterte er eines Tages los. »Was soll diese ganze Abendschulrennerei denn? Es muss für alles Leute geben; wo kämen wir denn hin, wenn wir alle Professoren werden wollten? Der Stolz ist die erste der sieben Todsünden.«

Lenz hasste die Hitze der Öfen und das unmenschliche Tempo, das er anschlagen musste, hasste diese ganze öde, sture, eintönige Tätigkeit, hasste Meister Wagenknecht. Nur ein Idiot wie Manfred Lenz konnte glauben, acht Stunden am Tag herumrennen und nach diesen acht Stunden Schwitzen, Flitzen und Bücken noch weitere vier Stunden lang Differenzial- und Integralrechnung, Russisch und chemische Analysen pauken zu können. Allein weil er Hannah nicht enttäuschen wollte, riss er sich immer wieder zusammen.

War ja auch für Hannah nicht leicht, Abend für Abend allein zu Hause zu sitzen, und das auch noch hochschwanger. In dem düsteren Treppenhaus des Seitengebäudes, in dem ihre Wohnung lag, war fast immer das Licht defekt, und einmal wurde sie von einem Tippelbruder bis vor die Wohnungstür verfolgt und danach noch über eine Stunde lang belagert. Wie war sie jedes Mal froh, wenn sie seinen Schlüssel hörte!

Schön waren der Mittwochabend und das Wochenende. Dann saßen sie an ihrem runden Tisch neben der Stehlampe, hörten Radio – sie hatten sich bald eines geleistet, ein supermodernes Stück, natürlich auf Ratenzahlung –, lasen oder lauschten bei offenem Fenster den Streitigkeiten im Haus. Wahre berlinische, aber nicht immer lustige Volksstücke wurden da manchmal gegeben. »Du Negernutte«, dröhnte es eines späten Abends über den Hof. »Ein weißer Mann besorgt's dir wohl nicht richtig? Nimm dein ewig heulendes Affenkind und ab mit dir in den Dschungel.« Eine junge Studentin, die von ihrem schwarzen Freund ein Kind hatte, war damit gemeint. Zum Glück war sie nicht auf den Mund gefallen. »Nazi-Zicke!«, schrie sie zurück. »Kuck erst mal in den Spiegel, bevor du aus deinem Gully auftauchst, dann siehst du, wer 'ne Affenstirn hat.«

Hörten sie nicht Radio, lasen oder wurden von einer Hoftheater-Aufführung abgelenkt, machte Lenz Schulaufgaben. Die nahm ihm ja keiner ab. Gingen sie danach am Abend zu Bett, legte er den Kopf auf Hannahs Bauch und flüsterte dem kleinen Lenz-Kind, das da kommen sollte, zu, wie sehr er sich schon freute. »Brauchst keine Angst zu haben vor der Welt, hast ja uns.«

Nach zwei Monaten an den Öfen schmiss er Meister Wagenknecht dann die Arbeitshandschuhe vor die Füße und suchte sich neue Arbeit. Er fand sie am S-Bahnhof Ostkreuz; Tauchlackierer im *VEB Leuchtenbau* durfte er nun sein.

Eine ruhige Arbeit: Er spannte eine bestimmte Anzahl Lampenpendel in eine Tauchvorrichtung, tauchte die Vorrichtung in weiße Farbe und hängte die so auf einfache und schnelle Weise lackierten Pendel in einen Ofen, zum Trockenbrennen. Danach dasselbe noch mal und noch mal und immer so weiter, bis Feierabend war.

Eine zu ruhige Arbeit: Wie fühlte er sich schon bald gelangweilt! Anfangs tröstete er sich noch damit, dass er beim Einspannen und Eintauchen ja an seine Schulaufgaben denken konnte, später versuchte er, nebenher zu schreiben. Es war alles nicht das Richtige.

Dann, im November, an einem Sonntag, kam Silke zur Welt. Eine schöne Zeit begann. Es war ja nun so gemütlich bei ihnen, und das trotz des monströsen Zinktopfes, in dem Hannah die Windeln auskochte, bevor Lenz sie über dem Ausguss ausspülte und auswrang, trotz der nun viel zu engen Wohnung, trotz der ewig zu kalten Küche, die leicht einen Kühlschrank ersetzte. Wenn Silly in ihrem Bettchen lag oder in ihrem Laufställchen herumkroch und mit ihrem Spielzeug spielte, Hannah irgendwas werkelte und Lenz Aufgaben machte, hatte er manchmal den Wunsch, die Zeit möge stehen bleiben. Viel besser konnte es eigentlich nicht kommen.

Ja, in ihrem kleinen Nest war alles bestens, die Lampenpendel-Ödnis aber nervte und die Schule stumpfte ab. Da lasen sie im Geschichtsunterricht *Das kommunistische Manifest, Staat und Revolution, Was tun?* und *Der linke Radikalismus, die Kinderkrankheit im Kommunismus,* lernten den Zusammenhang von Lohnarbeit, Mehrwert und Kapital nachplappern und nahmen den historischen Materialismus durch. Marx, Engels und Lenin zelebriert, gequirlt und gestanzt. Dr. Manstein, ein leicht fülliger und sehr behäbiger, von Sendungsbewusstsein strotzender, zutiefst strenggläubiger Apparatschik, war leider so gar kein Wissarionowitsch. Lenz interessierte sich für Geschichte und auch für die Ursprünge der Arbeiterbewegung und stellte oft Fragen – Fragen, die Manstein stets lächelnd beantwortete. War ja eh alles klar. Mit der Überwindung des Kapitalismus war die Vorgeschichte der Menschheit abgeschlossen, was folgte, war der Sprung aus dem Reich der Notwendigkeit ins Reich der Freiheit. Die entwickelte sozialistische Gesellschaft, sie sei ja längst dabei, sich zu vervollkommnen. Also werde es schon in ganz naher Zukunft jede Menge materiellen und geistigen Überfluss, eine unvorstellbare Freiheit, die wahre Demokratie und einen ganz neuen Typus Mensch geben.

Lenz: »Und das ist dann der Kommunismus?«

Dr. Manstein: »Jawohl, wenn wir den Sozialismus aufgebaut haben, beginnt die Phase des Aufbaus des Kommunismus.«

»Und was kommt danach?«

»Wonach?«

»Nach dem Kommunismus. Die Entwicklung muss doch weitergehen. Hab mal irgendwo gelesen, dass es keine letzten Wahrheiten gibt. Jeder Weg zur Erkenntnis sei mit Irrtümern gepflastert, die Wahrheit von heute sei der Irrtum von morgen.«

Dr. Manstein: »Das ist bürgerliche Philosophie. Was soll denn noch kommen, wenn die Menschheit von aller Ausbeutung befreit ist und jeder nach seinen Ansprüchen leben kann? Wollen Sie etwas erfinden, das heller als die Sonne strahlt?«

Das war so schön gesagt, dass Lenz keine weitere Fragen mehr hatte. An diesem Abend nicht und an allen folgenden nicht. Er grinste nur noch, wenn Manstein mit der Zukunft prahlte, von der er sicher war, dass sie schon begonnen hatte; grinste manchmal so sehr, dass ihm am Ende von Mansteins Unterricht das Gesicht wehtat.

Einmal in jener Zeit hatte Lenz sich den Fuß angeknackst, war krankgeschrieben und tagelang allein zu Hause, denn Hannah war arbeiten und Silke in der Kinderkrippe. Als er wieder ein bisschen laufen konnte, lockte ihn der Sonnenschein aus dem Haus. Gemächlich humpelte er über den Gendarmenmarkt und den Alexanderplatz, sah in Schaufenster, durchwühlte verschiedene Buchhandlungen und begriff plötzlich, dass an seinem Leben etwas nicht stimmte. Es war schön mit Hannah und Silke, aber reichte dieses kleine Glück für ein ganzes Leben? Solange er nicht wusste, was er mit sich anfangen sollte, würde er nie richtig glücklich werden.

Hannah hatte es da besser. Sie hatte die Filmabnahmestelle inzwischen verlassen, leitete trotz ihrer Jugend in einem großen Außenhandelsunternehmen das Schreibbüro und bildete Lehrlinge aus. Sie war für die Bibliothek des Unternehmens verantwortlich und nebenbei auch noch freie Mitarbeiterin einer Buchhandlung; bekam Bücher in Kommission und verkaufte sie über Mittag im Speisesaal. Ihre Tage waren mehr als nur ausgefüllt, sie ging in ihrem Dasein auf, war die allseits beliebte, tüchtige Kollegin und zärtliche Mutter. Er, Lenz, ging in nichts auf, außer dem Zusammenleben mit Hannah und Silke erfüllte ihn nichts.

Die Schauspielerei fiel ihm wieder ein, sein Kindheitstraum. Kaum konnte er wieder einigermaßen laufen, stellte er sich im *BAT* vor, dem Berliner Arbeiter- und Studententheater, das sich in einem ehemaligen Hinterhofkino eingerichtet hatte. Wolf Biermann, der Lyriker und Sänger, hatte es gegründet, dummerweise aber mit einem Stück eröffnet, in dem er zwar den Mauerbau verteidigte, jedoch mit eigenwilligen, seiner Partei nicht genehmen Argumenten. Noch vor der Premiere war das Stück verboten und die Truppe auseinander gejagt worden. Nun wollten neue Leute und ein paar Wiedergekommene das *BAT* mit Leben erfüllen. Ein russisches Stück wurde geprobt; der Autor war gerade sehr im Gespräch.

Lenz durfte vorsprechen und bekam in dem auf heitere und sehr milde Weise das Leben in der Sowjetunion kritisierenden Stück die Rolle eines schnell sprechenden, lustig-sympathischen sibirischen Zeitungsreporters zugeteilt. Mit schief aufgesetzter Ledermütze und aufgetupften Sommersprossen stürmte er auf die Bühne und ratterte seinen Text herunter. Das Publikum sollte lachen; es wunderte sich aber wohl nur, wie einer so schnell sprechen konnte. Dennoch: Seine Theaterleidenschaft, da war sie wieder! Er musste endlich in Erfahrung bringen, ob er Talent hatte, und so studierte er drei Texte ein: Marc Antons berühmte Leichenrede aus Shakespeares *Julius Cäsar*, einen jovialen Kapitalisten aus der *Frau Flinz*, einem aktuellen Stück, das zurzeit am *Berliner Ensemble* gegeben wurde, und ein langes Gedicht von Becher. Dermaßen präpariert fuhr er nach Babelsberg, zur Filmhochschule, um sich einem Eignungstest zu unterwerfen. Die Schauspielschule an der Spree lag ihm zu nah am Kabelwerk.

Dreißig angehende Theater- und Filmstars zitterten und bangten an diesem Tag in der Halle der Filmhochschule; nie zuvor hatte Lenz in so viel erwartungsvoll gespannte Gesichter geblickt. Wie sie einander abschätzten, all diese jungen Männer und Frauen; konnte denn der oder die mehr Talent haben? Lenz glaubte allen anderen, dass sie geeignet waren, nur sich selbst gab er keine Chance.

Namen wurden aufgerufen, mit blassen Gesichtern verschwanden die Ersten im Prüfungsraum. Alle kamen sie betrübt zurück. »Ich bekomme schriftlichen Bescheid.« Als Lenz an der Reihe war, staunte er über sich. Eben noch hatte ihn das Lampenfieber gewürgt, jetzt, auf der kleinen Probebühne, fünf sehr ernste Gesichter vor sich, war ihm alles scheißegal. Er legte los und staunte noch einmal: Wie der Text saß! Wie er in diese Typen kroch, die er darzustellen hatte! Das war doch Talent, oder?

Als er fertig war, tuschelten die Mitglieder der ehrenwerten Prüfungskommission miteinander; dann das Urteil: »Danke schön! Bitte warten Sie in der Halle.«

Der Erste, der warten sollte! Das musste was zu bedeuten haben. Davon waren alle anderen noch in der Halle verbliebenen Kandidaten überzeugt.

Und Lenz blieb der Einzige, der warten sollte und danach noch einmal vor die Prüfungskommission gebeten wurde. Er betrat den Raum – und erschrak: Diesmal saß ihm eine erweiterte Runde gegenüber. Auch hatten im Hintergrund einige Schauspielschüler Platz genommen, die sich die magere Talentausbeute dieses Tages mal anschauen wollten. Todesmutig stürzte er sich noch einmal in seine Rollen, dann fragte man ihn, ob er sie allein oder mit fremder Hilfe erarbeitet habe.

Er hatte sie allein erarbeitet.

Nun gut, er werde schriftlichen Bescheid bekommen.

Enttäuscht darüber, keine erfreulichere Auskunft erhalten zu haben als die sofort Weggeschickten, machte er sich auf den

Heimweg. Einer der Schauspielschüler, ein kleiner, lustiger Kerl, der später sicher einmal Shakespeare'sche Narrenrollen spielen würde, kam ihm nachgelaufen. »Mach dir keine Sorgen, Großer. Hast gewiss Talent. Die machen immer so geheimnisvolle Gesichter.«

Der schriftliche Bescheid kam vierzehn Tage später. Lenz hatte den Eignungstest bestanden und wurde gebeten, für die Aufnahmeprüfung drei ihm nachfolgend benannte Rollen einzustudieren, eine davon sollte eine komische sein: der Sosias aus Kleists *Amphitryon*.

Er studierte die Rollen ein, hatte viel Spaß dabei – und zögerte: Wenn er tatsächlich Schauspielschüler wurde, wovon sollten Hannah, Silke und er dann leben? Hannahs Einkommen allein reichte nicht und sein kleines Stipendium würde schon für Zigaretten draufgehen; selbst wenn er sich das Rauchen abgewöhnte, würde es nicht reichen.

Hannah sah andere Probleme. Nach Abschluss der Ausbildung würde ihr Manne vielleicht nicht in Berlin bleiben dürfen. Was, wenn er nach Schwerin oder Erfurt ins Engagement musste? Silke und sie würden auf gar keinen Fall mitgehen; sie hatte hier ihre Aufgabe, wollte nicht das Weibchen sein, das ihr Männchen alle drei, vier Jahre woanders hinbegleitete. »Da müsste ich mir ja ständig neue Arbeitsstellen suchen, da würde ich ja nirgendwo warm werden.«

Auf Hannah und Silke verzichten? Nur auf Kurzbesuche nach Hause kommen? Das kam für Lenz nicht infrage. Zumal er ja auch gar nicht wusste, ob er genügend Talent hatte. Der Weg zum großen Schauspieler führte durch ein enges Türchen, viele kamen da nicht durch. Was, wenn er zwar die Aufnahmeprüfung bestand, es aber bei ihm nur zu Kleinstrollen langte und er die auch noch irgendwo weit hinter den sieben Bergen spielen musste? Ja, und war nicht die Tatsache, dass er sich diese Frage überhaupt stellte, Beweis genug, dass es ihn nicht mit aller Macht zur Bühne drängte? Ein leidenschaftliches Talent hätte auf nichts Rücksicht genommen, sondern alle Bindungen und Bedenken beiseite gefegt, nur um zur Bühne zu gelangen. Vielleicht war ja seine Schreiberei die ihm viel gemäßere Form, sich auszudrücken.

Keine leichte Entscheidung, diese Absage an die Filmhochschule. Es hätte ihn schon interessiert, ob er die Aufnahmeprüfung bestanden hätte. Doch was, wenn ja? Dann würde er es Hannah eines Tages vielleicht noch übel nehmen, dass er diese Chance nicht ergriffen hatte. – Nein, lieber keine Probe aufs Exempel! Lenz behielt seinen mit der Laterne herumfunzelnden Sosias – »He da! Holla! Ist da wer?« – für sich und machte sich mal wieder auf die Suche nach einer neuen Arbeitsstelle. Er fand sie in der Reinhardtstraße – nur hundert Schritt vom Deutschen Theater entfernt. Der Große Regisseur hatte Humor.

Er wurde Außenexpedient; eine Art besserer Beifahrer. Die Firma, für die er arbeitete, nannte sich *Versorgungsdepot für Pharmazie und Medizintechnik*. Lenz jedoch hatte nur mit der Technik zu tun; er lieferte medizinische Apparate und Instrumente aus, Röntgenfilme und Dentalartikel. Mit einem Kraftfahrer an seiner Seite ging es kreuz und quer durch die Stadt; Ärzte, Apotheken und Krankenhäuser waren seine Kunden.

Das Gehalt war nicht besonders hoch, doch dafür war er von keiner Norm abhängig. Vor allem aber fühlte er sich nicht mehr weggesperrt; er kam unter Leute und in Stadtteile, die er so gründlich noch nicht kennen gelernt hatte. Und sein schmales Einkommen konnte er durch Trinkgelder aufbessern. Flossen sie zu spärlich, half er nach. Beliebter Trick: Privatärzten nur die

Hälfte der bestellten Ware liefern, den Rest auf dem LKW belassen. Jammerten dann die Sprechstundenhilfen oder der Herr Doktor persönlich, versprach er mit Leidensmiene, noch mal ins Depot zu fahren, um den von den schusseligen Kollegen vergessenen Rest zu holen. War die Tour beendet, fuhren der Kraftfahrer und er wieder bei der Praxis vor, lieferten, was noch fehlte, blickten in lauter dankbare Gesichter und steckten – »Aber das ist doch nicht nötig!« – jeder ein Fünfmarkstück, manchmal auch einen Zehner ein.

Pit Segler, Lenz' Kollege, gut aussehender, blonder Dreißiger, Vater von fünf Kindern und bekennender Alkoholiker, hatte dem Neuen diesen Trick beigebracht. Anfangs genierte Lenz sich ja ein bisschen, später fand er diese Art von Erziehung zur Großzügigkeit nur noch lustig. So funktionierte sie eben, die sozialistische Welt. Als Hannah und er sich Möbel kauften, hatten sie, um nicht zwei Jahre auf ihre Wunschstücke warten zu müssen, dem Verkäufer auch fünfzig Mark in die Hand drücken müssen. Prompt rückten sie auf der langen Warteliste nach oben und wurden schon nach einem Vierteljahr beliefert.

Der Ehrliche war der Dumme; wem nichts einfiel, der hatte das Nachsehen.

Eine etwas seriösere Nebenerwerbsquelle: Die Apotheken benötigten dringend braun getönte Lichtschutzgläser, in denen sie ihre selbst gefertigten Pülverchen aufbewahren konnten. Die Glasfabriken lieferten nicht, Röntgensalze aber wurden in solchen Gläsern angeliefert und wanderten, waren sie leer, auf den Müll der Röntgenstationen. Segler und Lenz rieten den Röntgenassistentinnen, Müll zu sparen und die Gläser aufzubewahren; sie würden sie schon entsorgen. Alle paar Wochen machten sie dann – es war eine Art sozialistischer Wettbewerb zwischen ihnen entbrannt – in den betreffenden Häusern die Runde, sammelten die Gläser ein und versteigerten sie meistbietend an die Apotheken.

Doch natürlich hatte Lenz nicht in diesem Depot angefangen, um bis in alle Ewigkeit Trinkgelder und Lichtschutzgläser abzufischen. Man hatte ihm bei der Einstellung angeboten, nach bestandenem Abitur ein vierjähriges kombiniertes Fern- und Direktstudium an einer Leipziger Fachschule aufzunehmen. Bei vollem Gehalt. Während dieses Studiums hatte er jeden Monat drei Tage in Leipzig zu sein, Prüfungen abzulegen und sich den Rest des Monats über auf die nächsten Prüfungen vorzubereiten. Nach zwei Jahren Volkshochschule nicht gerade eine Phase der Erholung, doch würde er nach beendetem Studium für höhere Aufgaben im Hause oder anderswo geeignet sein.

Lenz fuhr nach Leipzig, bestand die Aufnahmeprüfung und redete sich ein, endlich zu wissen, wohin die Reise ging; bald würde er einen richtigen Beruf haben und nebenbei so viel schreiben dürfen, wie er wollte oder konnte. Kaum aus Leipzig zurück lag die Benachrichtigung von der Musterungskommission der Nationalen Volksarmee im Briefkasten. Er habe sich an jenem Tag, um genau diese Uhrzeit dort und dort einzufinden, mitzubringen seien eine Turnhose und diese und jene Papiere. »Ein Wunder, dass sie nicht ›gewaschen und gekämmt‹ hinzugefügt haben«, spottete Hannah.

Lenz beschloss, fortan keinerlei Pläne mehr zu machen.

Ein Wartesaal mit vielen farbigen Fotos: Strahlende Gesichter unterm Stahlhelm, Junge Pioniere, die einem fröhlich grinsenden Panzerfahrer Blumen reichen, silbern glänzende Düsenjäger am blauen Himmel, drei Soldaten, wie sie lachend einer friedlichen, sozialistischen Zukunft entgegenmarschieren. Dazu Losungen. Direkt über Lenz' Kopf in weißer Schrift auf rotem Grund:

Der Schutz des sozialistischen Vaterlandes ist Hauptanliegen aller Werktätigen unserer DDR. An der Wand gegenüber: *Der Friede muss wehrhaft sein.* Links an der Wand: *Werde auch du Soldat auf Zeit!* Rechts, quer über den beiden Fenstern: *Wir stehen fest an der Seite unserer sowjetischen Waffenbrüder.*

Wie schlugen sie Lenz auf den Magen, all diese fröhlichen Fotos und staatlich verordneten Losungen! Was gedachten die, die diesen Raum auf so aufdringliche Weise geschmückt hatten, damit zu erreichen? War ja fast schon Sabotage, so abstoßend, wie dieser sozialistische Kitsch auf alle die wirken musste, die hier ihrer Verurteilung zu anderthalb Jahren Wehrdienst entgegensahen.

Offiziere, manche mit weißem Kittel über der Uniform, andere wohl keine Ärzte, sondern nur Verwaltungsangestellte, bewegten sich durch die Räume, Ärztinnen und Sanitäter flitzten vorüber. Lenz musste zum Hörtest und in ein Glas urinieren, sein Blutdruck wurde gemessen, Gewicht und Körperhöhe bestimmt, in ein Röhrchen musste er blasen, was die Lunge hergab. Nur mit der Turnhose bekleidet stand er danach vor zwei Weißkitteln – ob sie Ärzte waren, wusste er nicht – und einer jungen, streng wirkenden Ärztin. Sie begutachteten seine Schultern, seinen Rücken, Arme, Beine, Füße. Er erhielt den Befehl, sich auf eine Pritsche zu legen, und wurde abgehorcht. »Einatmen, ausatmen, husten Sie mal!« Der Bauch wurde abgetastet, die Leistengegend. Dann durfte er wieder aufstehen, musste Turn- und Unterhose runterlassen und die Vorhaut zurückziehen.

»Na, was denn? Sie werden sich doch wohl nicht genieren. Wir sind doch alles Männer.« Seine drei Untersuchungsrichter lachten, die Ärztin am lautesten.

Zwischen all diesen Tests zur Gütekontrolle musste er immer wieder Fragebögen ausfüllen. Er ließ auch das über sich ergehen.

Was hätte er denn tun sollen? Den Felix Krull spielen? Aufbegehren? Heulen? Von Hannah und Silke erzählen? Sagen, dass er doch gerade erst eine Aufnahmeprüfung bestanden und ab September einen Studienplatz hatte? Sie hätten ihn ausgelacht. Jeder, der hier von Raum zu Raum gescheucht und begutachtet wurde, als sollte er morgen geschlachtet werden, hatte eine Freundin oder Frau mit Kind oder irgendwelche rosigen Zukunftsaussichten. »Da können wir unsere Armee ja gleich dichtmachen, wenn wir auf jedes Privatvergnügen Rücksicht nehmen wollen«, hatte der rotblonde, dickliche, kindergesichtige Junge zu hören bekommen, der ebenfalls schon einen Studienplatz hatte und immer wieder mit den Tränen kämpfen musste.

Nach über drei Stunden Hin-und-Her-Gescheuche und zwischenzeitlichen Wartepausen war es dann endlich so weit: Lenz wurde vor die Musterungskommission geführt. »Sie dürfen sich freuen. Sie sind kerngesund und damit truppendiensttauglich für den Ehrendienst in den Reihen unserer Nationalen Volksarmee. Wir beglückwünschen Sie dazu.« Sie legten seinen Wehrpass vor ihn hin und empfahlen ihm, das Dokument sicher aufzubewahren. Es gehöre nun zu ihm wie ein Körperorgan. Sie lachten herzlich und drückten ihm die Hand. »Wir haben Sie unseren Luftstreitkräften zugeteilt. Der Schutz des Luftraums der DDR sollte jedem Soldaten – in diesem Fall Flieger – eine besondere Verpflichtung sein. Haben Sie noch Fragen?«

Lenz hatte keine Fragen. Auf das freundliche »Auf Wiedersehen« antwortete er nicht. Wie betäubt wankte er davon, raus aus diesen Räumen, runter auf die Straße.

Truppendiensttauglich! Früher hieß so etwas kriegsverwendungsfähig. Ein Stempel wie auf dem Schlachthof: gesund, keine Trichinen, keine Salmonellen, darf geschlachtet werden ... Komisch, dass er immer wieder ans Schlachten denken musste! Es war doch kein Krieg, die Strategie der Abschreckung funktionierte … Dennoch: Irgendwann vor fünfzig Jahren war sein Großvater so gemustert worden, vor fünfundzwanzig Jahren sein Vater; immer wieder traten neue Weißkittel vor neuem Kanonenfutter hin, begutachteten es und scherzten heiter, wenn einer seine Vorhaut zu zögerlich zurückzog. Und danach wurde man dazu beglückwünscht, ein so taugliches Opfer zu sein. Es ging ja um eine gute Sache! Jedes Mal ging es um eine gute Sache! Mal mussten Kaiser, Volk und Vaterland vor böswilligen Neidern verteidigt werden, mal sollte am arischen Mord- und Totschlagwesen die Welt genesen, mal der Sozialismus vor dem kapitalistischen Klassenfeind beschützt werden. Was die Beglückwünschten dachten, interessierte nicht; rief der Staat, war der Staatsbürger kein eigenständiger Mensch mehr, sondern nur noch Menschenmaterial.

Auch für Hannah keine gute Nachricht. Anderthalb Jahre waren eine lange Zeit; sie lag wie ein dunkler Tunnel vor ihnen. Würden sie aus diesem Tunnel herauskommen, wie sie hineingegangen waren?

Immer öfter packte Lenz der Zorn: Er wollte nicht Soldat werden, er hasste Waffen, hasste jedes Strammstehen und Marschieren. Doch verweigerte er den Dienst an der Waffe, musste er Bausoldat werden; auch anderthalb Jahre, auch Kaserne, auch Uniform, aber eben nur arbeiten, nicht schießen müssen.

Alles Schöngeister, überzeugte Christen und leicht zerbrechliche Bürgersöhnchen, hieß es über die Soldaten mit dem kleinen, grau lackierten Messingspaten auf den Schulterstücken. Er aber bewunderte sie: Sie hatten laut und deutlich nein gesagt und dafür ihre Zukunft geopfert. Denn das war klar, keiner von ihnen würde je studieren dürfen; wer einmal den Spaten auf den Schulterstücken trug, der durfte weiterschippen. Wenn er Pech hatte, bis an sein Lebensende. Und lehnte jemand auch den Spaten ab, wanderte er in den Knast.

Aber durfte denn er, Manfred Lenz, zwei Jahre lang Abend für Abend für nichts und wieder nichts die Schulbank gedrückt haben? War er es seiner Zukunft, war er es Hannah und Silke nicht schuldig, diese anderthalb Jahre Schütze Arsch auf sich zu nehmen, um danach endlich mal was aus sich machen zu dürfen?

Was für ein trostloser Frühling, was für ein belastender Sommer! Unterbrochen wurde die Wartezeit auf den Gestellungsbefehl, der ganz sicher rechtzeitig zum Herbst eintreffen würde, nur von den Paukereien fürs Abitur und der triumphalen Anschaffung eines Fernsehapparates.

Im Fernsehen sah Lenz WestBerlin wieder. Straßen, die er mal gekannt hatte, wie sehr hatten sie sich in den zurückliegenden vier Jahren verändert! Und wie würden sie nach weiteren vier, acht, vielleicht sogar zwölf Jahren aussehen! Oft träumte er nachts vom S-Bahnhof Gesundbrunnen, dem Westbahnhof seiner Kindheit. Der Bahnhof war gespenstisch leer, und auch in der Bad- und Brunnenstraße, die an den Bahnhof grenzten, war weit und breit niemand zu sehen. Verstört lief er durch die menschenleeren Straßen und stand vor mit Brettern vernagelten Türen und Schaufenstern. Alles mal Geschäfte, in denen er für die Mutter eingekauft hatte. Lebte denn hier niemand mehr? Irgendwann suchte er dann den Weg zurück, in seinen Teil der Stadt, zu Hannah und Silke, und fand ihn nicht. Immer aufgeregter, immer ängstlicher hetzte er durch die verlassenen Straßen, bis er endlich aufschrak und sich erlöst und dennoch bedrückt in der Wirklichkeit wiederfand.

Das Westfernsehen machte, dass er auch den Ostteil der Stadt wieder aufmerksamer wahrnahm. Kam er an einem U-Bahnhof vorüber, dessen Eingänge vermauert waren, weil hier die West-Bahn fuhr, die den Osten der Stadt ohne Halt durchquerte, starrte er diese Eingänge an, als wollte er einen Durchbruch riskieren; hörte er eine solche U-Bahn unter einem der vergitterten Entlüftungsschächte vorbeirauschen, stellte er sich die Menschen darin vor. Machten sie gelangweilte Gesichter, oder dachten sie daran, dass über ihnen Leute spazierten, die genauso berlinerten wie sie und dennoch in einer ganz anderen Welt zu Hause waren?

Welch seltsame Fügung, dass ausgerechnet in dieser Zeit des Lernens und Wartens, der Träume und Beobachtungen eines Tages Erwin Pietras bei Lenz auftauchte. Erwin aus Saarbrücken; Erwin, der auf der Insel eine Zeit lang sein Zimmergenosse war; Erwin, der Vorzeigearbeiterjunge aus dem Westen, der wusste, wo der wahre Fortschritt beheimatet war. Doch wie hatte er sich verändert! In abgerissenen Kleidern stand er vor der Tür, arbeitete nicht, schnorrte sich nur so durch. Sein möbliertes Zimmer hatte er aufgegeben, völlig verpennert hauste er mit einem Schlafsack und seiner Plattensammlung in einer leer stehenden Hinterhofwohnung.

Er wollte in seine Heimat zurück, der Erwin Pietras, war enttäuscht vom Sozialismus. Jetzt aber gab es eine Mauer und Gesetze, die für alle galten, auch für Zugereiste wie Erwin Pietras oder Hannah Lenz. Erwins Plan: Wenn der DDR-Staat erkannte, dass er an ihm, Erwin Pietras, dem Asozialen, keinen Gewinn mehr hatte, würde man ihm die Heimreise vielleicht doch gestatten.

Hannah gab ihm zu essen, Lenz kaufte ihm ein paar Schallplatten ab, damit er wenigstens ein paar Mark in der Tasche hatte. Erwin aber kam wieder. Jedes Mal, wenn er den Hunger nicht mehr aushielt, klopfte er bei ihnen. Hannah fand diesen ehemaligen Mitbundesbürger nicht sympathisch, doch durfte Lenz einen »Insulaner« im Stich lassen?

Am Ende wurde Erwin zum Dieb und Betrüger. Er hatte erkannt, dass er dem jungen Paar nicht ewig auf der Tasche liegen konnte, und kam einem eventuellen Rausschmiss zuvor, indem er Hannah und Lenz vorlog, dass er eine Erbschaft erwartete. Aus dem Westen natürlich. Ein Teil des recht ansehnlichen Betrags werde in Ostwährung ausgezahlt, für den Rest dürfe er über eine östliche Firma im Westen einkaufen. Ob sie ihm bis dahin nicht fünfzig Mark leihen konnten? Er erwarte die Überweisung jeden Tag.

Sie wussten, um was für ein Geschäft es sich handelte, und gaben ihm die fünfzig Mark, die ihnen fehlen würden – bezahlten ihn dafür, dass er nicht wiederkam. Diese fünfzig Mark jedoch reichten Erwin nicht. Als er einen Augenblick allein im Flur war, durchsuchte er Lenz' Jacke, fand die Monatskarte für den Bus, mit dem Lenz jeden Morgen zur Arbeit fuhr, und steckte sie ein.

Nur wenige Wochen später erfuhr Lenz über einen gemeinsamen Bekannten, dass Erwins Plan nicht aufgegangen war. Die DDR-Behörden hatten den asozialen Pietras nicht in seine Heimat entlassen, sie hatten ihn zur Erziehung in ein Arbeitslager eingewiesen.

5. Im Schnee

Wie Lenz an jenem sonnigen Novembermorgen von Hannah und Silke, die ja nicht begriff, dass ihr Papi am Abend nicht wieder heimkehren würde, Abschied nahm! Wie er sich zwingen musste, den Weg zum Bezirksamt einzuschlagen! Wie sich dann so nach und nach immer mehr zukünftige Rekruten mit ihren Köfferchen, Kartons und Taschen dort versammelten und er immerzu daran denken musste, dass gleich gegenüber, nur hundertfünfzig Meter entfernt, der *Erste Ehestandsschoppen* gelegen hatte. All die Szenen sah er wieder vor sich, die so oft durch die Tagträume seiner Kindheit gegeistert waren: der Vater, wie er eines Morgens losgegangen war, um Soldat zu werden; die Mutter, wie sie in ihrem weißen Kittel in der Kneipentür stand, um ihm nachzuwinken. Wie dann der Vater jedes Jahr auf Urlaub kam und wieder fortmusste. Bis er eines Tages nicht mehr heimkehrte. Wie die Mutter, Tante Lucie, Wolfgang und Robert mit dem kleinen Manni Nacht für Nacht und Tag für Tag in den Luftschutzkeller eben dieses Bezirksamtes flüchteten, auf dessen Hof er jetzt stand. Der Vater, so hatte die Mutter oft erzählt, habe sich keinen Sohn, sondern eine Tochter gewünscht – vielleicht, weil er den Gedanken nicht ertrug, dass auch sein Sohn eines Tages Soldat werden musste?

Wo jetzt der Rasen angelegt war, hatten sie als Kinder in den Ruinen gespielt, in dem gelben Backsteinstandesamt gleich nebenan hatte die Mutter den Stiefvater geheiratet, in dem Gebäude hinter ihm hatten Robert und Reni seine Heimeinweisung beantragt. Alles Folgen der Soldatenspielerei.

Was hatten denn er, Lenz, sein Vater und sein Großvater mit

den militärischen Interessen des Staates zu tun, in dem sie zufällig lebten? Was waren den Kontoristen Fritz Ullrich, der so gern Gedichte und schöne Briefe schrieb, des Kaisers Großmachtpläne und die Sehnsüchte der deutschen Industrie angegangen? Was interessierte den Maurer Herbert Lenz, der im Leben immer nur Pech hatte, Hitlers Welteroberungspolitik, was ihn – Hannahs Manne und Silkes Papi – die Verteidigung eines Sozialismus, der nicht der seine war? Noch war der Krieg kalt, aber konnte denn nicht schon morgen ein Dritter Weltkrieg beginnen, durch ein Missverständnis in Gang gesetzt oder aus Dummheit vom Zaun gebrochen? Er hatte keine Lust, für fremde Interessen in fremder Erde zur ewigen Ruhe gebettet zu werden; es widerte ihn an, wenn er sah, wie nach den Kriegen die Generäle sich die Hände reichten und Champagner miteinander schlürften und die Regierenden mal wieder Kränze am Grabmal des unbekannten Soldaten niederlegten. Er wollte kein unbekannter Soldat werden; er wollte endlich mal richtig zu leben beginnen.

Gedanken, wie sie an jenem Morgen nicht nur Lenz bewegten. Überall im Land wurden an diesem 3. November 1965 unwillige junge Männer zum Wehrdienst eingezogen. Die wenigen Willigen unter ihnen hatten sich längst für drei Jahre verpflichtet, würden eines Tages Unteroffiziere sein und hielten schon jetzt Abstand zu ihren zukünftigen Untergebenen. Die Unwilligen unterteilten sich in solche, die lauthals ihre Wut auf jene bekundeten, die zu Hause bleiben durften – und ihnen vielleicht schon bald die Freundinnen oder Frauen ausspannten –, und solche wie Lenz, die eher still unter ihrer Ohnmacht litten.

Ein Lauter: »Was hier passiert, ist eine Sauerei. Nach dem Potsdamer Abkommen ist ganz Berlin eine entmilitarisierte Stadt. Die WestBerliner müssen auch nicht zum Bund. Wir hätten einfach in unseren Betten bleiben sollen.«

Ein anderer Lauter: »Soll'n se mich nur einziehen, an mir hat der Barras keene Freude. Ick werd den Jenossen dermaßen uff'n Wecker fallen, dass se mich schon bald wieder nach Hause schicken. Die wissen ja noch nich, dass ick Bettnässer bin. Ick verpiss denen alle Matratzen.«

Ein Halblauter: »Der Ulbricht hat mal vor Hamburger Kommunisten gesprochen, die nicht zur Bundeswehr wollten. Als se fragten, was se mit ihrem Gestellungsbefehl tun sollten, sagte er: Zerreißen. Und er versprach ihnen, sie in der DDR aufzunehmen, falls se deshalb Schwierigkeiten bekommen sollten. Warum darf denn der Erhard nicht mal zu uns sprechen?«

Ein unterdrücktes Gelächter setzte ein, das bald darauf erstarb: Offiziere waren in den Hof getreten, die Ausweise wurden eingesammelt. Lenz musste an den Hauptmann von Köpenick denken: Ohne Papiere biste kein Mensch! Also waren sie jetzt endgültig entmündigt, nur noch Nummer, Werkzeug, Opferlamm?

Anhand der Ausweise stellten die Offiziere fest, wer nicht gekommen war: Zwei Namen auf ihrer Liste konnten nicht abgehakt werden; zwei junge Männer mussten gesucht und gewaltsam zur Fahne oder vors Gericht gezerrt werden. Schadenfreudiges Gekicher machte die Runde, dann ertönte es laut: »In Zweierreihen antreten. Ohne Tritt – marsch!«

In der Diesterwegstraße, die an die Seitenfront des Bezirksamts grenzte, dort, wo hinter dem spitzenbewehrten, eisernen Zaun die Kastanienbäume standen, zu denen Manni Lenz und seine Freunde im Frühherbst so oft hinübergestiegen waren, standen zwei grüne Militär-LKWs. Die hohen Bäume waren längst kahl, nur wenige braune Blätter hingen noch im Geäst. Ein Anblick, der auch nicht aufmunterte. Lenz bestieg einen der beiden LKWs, setzte sich auf eine Bank und schloss die Augen.

Um ihn herum wurde gerätselt, wo es denn hinging; er wollte es gar nicht wissen.

Es ging dann erst mal nur bis zum Bahnhof Lichtenberg. Dort waren schon mehrere LKWs aus anderen Stadtteilen eingetroffen. Ein Sonderzug stand bereit; Sammeltransport; alles Waggons 2. Klasse. Einige alkoholisierte Schreihälse, die die Abschiedsnacht durchgefeiert haben mussten, hingen bereits in den Fenstern und begrüßten die Neuankömmlinge johlend. Die hatten nur eine Frage: »Wisst ihr schon, wo's hingeht?«

»Zur Hölle!«, krähte ein sommersprossiger Rothaariger so vergnügt, als befände er sich mitten in einem Faschingsumzug, ein kleiner Hagerer mit Adlernase kicherte leise: »Nach Stalingrad, unsere Alten ausbuddeln, wohin denn sonst?«

Niemand wusste, wo es hinging; die Offiziere und Unteroffiziere aus der Begleitmannschaft gaben auf diesbezügliche Fragen keine Antwort.

Lenz ergatterte einen Fensterplatz und blickte zu dem wohl extra für diesen Transport auf dem Bahnhof aufgestellten Fahnenmast hin: Schwarzrotgold mit Hammer und Zirkel im Ährenkranz. Wie hieß es immer so schön, du musst zur Fahne? Da war sie, die Fahne, der sie sich zu unterwerfen hatten; ein Stück Stoff, weiter nichts.

Offiziere in dünnen, grauen Mänteln liefen über den Bahnsteig und herrschten die allzu lauten Gröhler an: »Fenster zu! Das hier ist kein Jahrmarkt! Benehmen Sie sich anständig oder Sie werden für Ihr Betragen zur Rechenschaft gezogen.«

Lenz' ältere Kollegen hatten zu dieser Einberufung gesagt: »Soll'n se euch ruhig mal die Hammelbeine lang ziehen, Ordnung und Disziplin hat noch niemandem geschadet. Wir mussten ja auch hin, weshalb soll's euch besser gehen? Wir aber haben unsere Ärsche riskiert, ihr ballert nur mit Platzpatronen herum.« Wie hatte er sie für diese dummen Worte verachtet. Nach dem Krieg hatten sie getönt: »Lieber ein Leben lang trocken Brot essen, aber nie wieder Krieg. Der Arm soll uns abfallen, wenn wir noch einmal eine Waffe in die Hand nehmen!« Und jetzt? Jetzt winkten sie ihren Söhnen und Enkelsöhnen nach, als fuhren die nur in die Ferien.

Unteroffiziere mit Armbinden und Maschinenpistolen kamen durch den Waggon und sammelten alle Schnapsflaschen ein.

»Kriegen wir die wieder?«

»Ja, in anderthalb Jahren – wenn das Zeug bis dahin nicht verdunstet ist.«

Der Ruß der Dampflokomotive im blassblauen Novemberhimmel, das Darumtata-darumtata der Schienenschläge; es ging weg von Hannah und Silke, immer weiter weg. Lenz sah Telegrafenmasten und kahle Sträucher und Bäume vorbeifliegen, längst abgeerntete Felder und trostlose Herbstwiesen. Ein ferner, sanfter Hügel begleitete den Zug, weidende Schafe, Kühe oder Pferde zogen vorüber und einmal fesselte ein stark sprudelnder Bach mit herrlich klarem, in der Sonne glitzerndem Wasser seinen Blick; Bilder von so heiterem Charakter, dass ihn seine Situation nur noch mehr bedrückte.

Flog ein Bahnhof vorüber, sah er: Es ging stetig in Richtung Norden.

Der erste Halt war Prenzlau.

Ein Tumult entstand. Es sollten nur diejenigen aussteigen, deren Namen zuvor aufgerufen worden waren, es stiegen aber auch ein paar Betrunkene aus, die im Zug zu bleiben hatten. Die Unteroffiziere mit den Maschinenpistolen befahlen ihnen, wieder einzusteigen, die Ausgebüxten tanzten nur johlend auf dem Bahnsteig herum und winkten denen zu, die ihnen aus offenen Zugfenstern Beifall klatschten. Der Bahnhofsvorstand blickte auf seine Uhr; dieser Sammeltransport brachte den gesamten Fahrplan durcheinander.

Als endlich alle Krakeeler eingefangen waren und die Fahrt fortgesetzt werden konnte, gingen Offiziere durch den Zug und verkündeten laut, dass, wer sich noch einmal solche Späßchen erlauben sollte, nach Militärgesetzen bestraft würde. Sie seien jetzt Soldaten, auch wenn sie noch keine Uniform trügen, weshalb sie die Befehle ihrer Vorgesetzten ohne Widerspruch zu befolgen hätten. Dennoch kam es beim nächsten Halt – Bahnhof Pasewalk – zu ähnlichen Vorfällen.

Lenz gehörte zu denen, die bis zuletzt im Zug bleiben mussten: Bahnhof Ueckermünde, direkt am Stettiner Haff. Ein langer Dünner mit Igelfrisur hatte hier mal Ferien gemacht. »Nur Wald und Wasser«, schwärmte er. »Pilze gibt's hier, Unmengen von Blaubeeren und 'nen tollen FKK-Strand.«

Er wurde ausgelacht: »Zum Möpsejagen wirste kaum kommen.«

Auch vor diesem Bahnhof standen Militär-LKWs bereit, und auf die Frage »Wohin?« bekamen sie von einem der Fahrer sogar eine Antwort: »Altwarp.«

Eine Ortsbezeichnung, die nichts als Achselzucken hervorrief. Keiner von ihnen, nicht mal der Pilzsammler und FKK-Freund, hatte je von diesem »Altwarp« gehört. Einhellige Meinung: Der Arsch der Welt, von nun an hatte er einen Namen.

Das Ausbildungslager war eine kleine Stadt: mehrere zweistöckige Kasernengebäude, ein Verwaltungsgebäude, Exerzierplätze, eine Sturmbahn, ein Sportplatz. Drum herum viel Wald, viel Landschaft. In der Kleiderkammer ging es zu wie in jeder Militärklamotte: »Passt, passt, passt; der Stahlhelm lässt sich verstellen.« Sie ließen sich zu kleine oder zu große Schuhe, Hosen oder

Uniformjacken hinwerfen und weiterschieben. Lief einer von ihnen mit einem nicht passenden Uniformteil zur Ausgabestelle zurück, wurde er grinsend wieder fortgeschickt: »Tauscht das unter euch aus, bis jetzt hat sich noch immer alles zusammengeschoben.«

Sie wurden mit »Flieger« angeredet. Das fanden einige besser als »Soldat«. War da schon ein gewisser Stolz herauszuhören? Auf einen Dienstgrad, der gar keiner war?

Im Schlafsaal standen vierundzwanzig Doppelstockbetten, achtundvierzig schmale Spinde, vier große Tische und vor jedem Doppelstockbett zwei Hocker. Wer sich schon im Zug kennen gelernt hatte, blieb beisammen; man einigte sich, wer oben und wer unten schlief. Die Bettwäsche – blauweißer Karobezug – wurde in eine Wolldecke gezogen; beim Bettenmachen, das lernten sie als Erstes, mussten die Kanten glatt gezogen sein. »Wie mit dem Lineal, verstanden?«

Schon bald legten ein paar »Kriecher« Pappe oder Zeitungen unters Bettzeug. Wurde auch nur eine einzige Falte oder schiefe Kante entdeckt, wurde das Bett eingerissen und musste neu gebaut werden. So lange, bis man Schlittschuh drauf laufen konnte.

Auch Päckchenbau wurde ihnen noch während dieses ersten Tages beigebracht. Uniform, Unterwäsche, Koppel und Käppi gehörten im maßgenauen Quadrat und auf Kante auf dem Hocker zusammengelegt, damit bei Alarm alles gleich zur Hand war.

Weshalb dazu die Kanten sein mussten?

Ein Soldat hat zu gehorchen und keine Fragen zu stellen.

Lenz blickte auf. Eine sozialistische Armee?

War eines der Päckchen nicht akkurat abgezirkelt gebaut, flog es vom Hocker und der Schlamp durfte noch mal von vorne anfangen. So lange, bis es klappte. War der Schrank nicht nach

Vorschrift eingeräumt oder die Wäsche darin nicht auf zwanzig, sondern auf zwanzig und einen halben Zentimeter Breite zusammengelegt, musste er neu eingeräumt werden. Die Kragenbinde hatte immer sauber zu sein. Blütenweiß! Waschmittel aus der Tube wurde ihnen empfohlen. »Sind schon welche wegen grauer Kragenbinden im Bau verschwunden.« Das Käppi musste zwei Finger breit über der Nasenwurzel sitzen und die Hosen so in den Stiefeln stecken, dass sie keine Flattermänner machten. Als Frisur war strenger Fassonschnitt gefordert; war er nicht streng genug, ging es ab – zum »Glatzenschneider«.

War hier irgendwas anders als in anderen Armeen?

Die erste Nacht in diesem riesigen Schlafstall! Die eine Sorte Witzbolde lachte über jeden Furz, die andere beunruhigte es offensichtlich, mit so vielen Männern in einem Raum schlafen zu müssen. »Ich brauch 'nen Unnn-terleutnant«, stöhnte einer. Ein anderer: »Oh, oh, Herr Oh-berleutnant!«

Es wurde gelacht und gekichert.

Tags darauf der erste Frühsport. Und Schreierei: »Fleißi, fleißi! Oarschbackn ausanand!« – »Warum gehts denn des net schneller? Hobts wohl heit auf d' Nacht mit'm Fräulein Faust gschäkert?« – »Seids a Schwulnklub oder a Volkstanzgruppn?« Bei der Gymnastik: »Net so steifoarschig! Koa Ehestandsbewegungn, Liegestütze wuill i sehn!«

Feldwebel Holzinger! Ihr Zugführer. Ein Schleifer, der direkt einem antimilitaristischen Roman entsprungen zu sein schien. Holzingers Lieblingsspruch: »In eirer Freizeit sauf i mit eich a ganzes Wuirtshaus leer, im Dienst kennt der Loisl koa Verwandtn.« Mittelgroß war er nur, der Alois Holzinger, aber stämmig. Ein Landser-, ein Stiefeltyp; ein Kerl allein aus Keulen und Hintern zusammengesetzt. Borstige, kurze blonde Haare, Quadratschädel, himmelblaue Augen – typisch deutsch und dennoch exotisch: Ein Bayer in der Nationalen Volksarmee! Ein Bayer in einer Ausbildungskompanie hoch im Norden seines zweigeteilten Vaterlands! Was hatte den wohl in den Osten getrieben?

Nach dem Frühstück Exerzieren auf dem Kasernenhof. Grundstellung einnehmen, ausrichten, Bauch rein, Brust raus, Kinn hoch. »Die Augen – rechts! Die Augen – links! Wissens net, wo rechts und links ist? Solchene Hurenfürz wie eich konn der liebe Gott ja gar net erfundn habn.« Danach stundenlanges Marschieren, immer im Hof herum. »Imm Gleichschritt – marsch! Links, links, links zwoa, dre-i-i, vier, links, links, links zwoa, dre-i-i, vier, links, links, links zwoa, drei-i-i, vier ... Sie da, Sie Komiker, nehmens Gleichschritt auf, trippelns ja wie a Maderl, dem die Blasn druckt ... Links, links, links, zwoa, drei-i-i, vier, links, links, links, zwoa, drei-i-i, vier ... Stillgstandn! Rechts – umm! Links – umm! Die Augen – rechts! Die Augen – links! Augen – geradeaus! Im Gleichschritt – marsch! Links schwenkt – marsch! Rechts schwenkt – marsch! Ohne Tritt – marsch! Im Laufschritt – marsch ...«

Es gab Rekruten, die über Holzingers Sprüche lachten; Lenz mochte es nicht, dieses Mitlachen über jeden Mist in der Hoffnung, auf diese Weise beim Vorgesetzten Sympathien zu ernten.

»Die Haxn höher! Net latschn – marschiern! Was seids nur für a stinkata Schwoaßfuaßtruppn! Na, wartet, eich scheich i, bis ihr Speiseöl schifft! Sakra, no amol!«

Wieder wurde gelacht und Holzinger gefiel das. Er zelebrierte sein Exotentum geradezu und versprach ihnen großzügig, sie in den drei Wochen, in denen er sie unter seinen Fittichen hatte, in alle Einzelteile zu zerlegen und neu wieder zusammenzusetzen, damit doch noch brauchbare Soldaten aus ihnen wurden.

Drei Wochen, in denen ein Tag dem anderen ähnelte: Frühsport. Frühstück. Exerzieren. Ausbildung an der Waffe. Mittagessen. Geländeausbildung. Abendessen. Putz- und Flickstunde. Revierdienste. Stubendurchgang. Dazu Offiziere und Unteroffiziere und deren Kernsätze und Ermahnungen: »Nur wer gehorchen gelernt hat, wird eines Tages in der Lage sein zu kommandieren.« – »Ohne Disziplin ist eine Armee nur ein Wackelpudding.« – »Pfeifen Sie hier keine westliche Schlagermusik, das ist ideologische Diversion.«

Ging es ins Gelände außerhalb der Kaserne, marschierten sie über fest getretenen Schnee. Auf ihren Rücken das Marschgepäck und die Atomschutzplane, in ihren Händen die Kalaschnikow mit dem aufgesteckten Seitengewehr, über der Dienstuniform der Kampfanzug. Der Winter war früh gekommen in diesem Jahr, jeden Tag schneite es dicke Flocken. Holzinger bellte: »Panzer von vorn! Panzer von rechts! Panzer von links! Tiefflieger von vorn! Tiefflieger von rechts! Tiefflieger von links!« Bei jedem dieser Befehle mussten sie sich, wo sie gerade standen, in den Schnee werfen und – mal in Richtung auf den Wald zu, mal auf die Felder hinausblickend – den angreifenden Feind ins Visier nehmen. Nur gut, dass es keine Pfützen gab, keinen Matsch und keinen Dreck; so flogen sie nur in den frisch gefallenen, sauberen, weichen Schnee und dem kleinen Passlack und einigen anderen machte diese Wildwest-Spielerei sogar Spaß. »Peng, peng!«, machten sie und kicherten leise.

Spielte Holzinger allerdings »Atomschlag« mit ihnen, hörte auch für den Letzten der Spaß auf. »Atomschlag« bedeutete, dass sie sich in Windeseile in die Atomschutzkleidung werfen mussten: unförmiges graues Plastikzeug, von den Soldaten nach einem Insektenschutzmittel nur als *Mux*-Klamotten bezeichnet. Zu dieser Schutzbekleidung gehörten ein Umhang, der bis über den Kopf reichte und zwischen den Beinen zugeknöpft werden musste, zwei riesige, hüfthohe Schutzstrümpfe, deren Träger über die Schultern gestreift werden mussten, und zwei ellenbogenlange Schutzhandschuhe, die, hatte man sie erst mal übergestreift, jeden Handgriff unmöglich machten. Hinzu kamen die Truppenschutzmaske, die nicht nur gegen Gas schützen sollte, und das Entgiftungspäckchen für den Notfall. Alle Schutzkleider mussten in einer bestimmten Reihenfolge angelegt werden; erst die Strümpfe über die Stiefel und die Träger über die Schultern, dann die Gasmaske vors Gesicht, Stahlhelm auf, Schutzumhang drüber und die Handschuhe an.

Mit der Gasmaske, ein hellgraues Gummitier mit zwei großen, runden Glasfenstern, begann der Ärger. Ein Filter mit Gummischlauch, der »Schnorchel«, sollte sie im Ernstfall retten. Das könne ihr Lebensretter aber nur, predigten die Genossen Ausbilder, wenn die Maske luft-, gas- und sonstwasdicht abschloss. Schloss sie jedoch dicht ab, beschlugen im Nu die Glasfenster, dann sah man nichts mehr, musste aber noch den Schutzumhang anlegen und zwischen den Beinen zuknöpfen und danach, ebenfalls im Blindflug, die Handschuhe anziehen. Die drolligsten Kreationen entstanden auf diese Weise, und kaum jemand schaffte es, sich in der vorgeschriebenen Zeit in das verlangte graue, froschäugige, außerirdische Plastikwesen zu verwandeln.

Es war während einer solchen Atomschlag-Übung, als der Flieger Lenz und der Feldwebel Holzinger das erste Mal aneinander gerieten. Der Zug hatte mal wieder die *Mux*-Klamotten angelegt, und Holzinger und sein Adjudant, der Unteroffizier Märtin, stapften durch den Schnee und kontrollierten den korrekten Sitz von Schutzbekleidung und Gummitier. Letzteres war einfach zu testen: Der Ausbilder hielt einfach den Luftschlauch zu. Saß die Maske fest, bekam der Rekrut keine Luft mehr; saß sie zu locker, konnte er fröhlich weiteratmen. Da niemand Lust hatte, im dichten Nebel herumzustehen, benutzten sie, wenn es sich um eine reine Gasübung handelte, alle den gleichen Trick: Sie schoben einen Finger zwischen Hals und Gummi, bekamen ungefilterte Luft und der Nebel lichtete sich. Mit den bis über die Ellenbogen reichenden, plumpen Schutzhandschuhen aber funktionierte das nicht. Da half nur eines: den Schlauch packen und die Maske ein wenig vom Gesicht fortziehen. Das allerdings war nur möglich, wenn der Ausbilder sich gerade einmal abwandte; wie aber wollte man das im dichten Nebel bemerken? Ein Dilemma, mit dem jeder selber fertig werden musste.

An jenem Tag phantasierte Holzinger mal wieder, als er gemeinsam mit Märtin die graue Front der *Mux*-Männer abmarschierte. »Stellt eich vor, wir sann mitten in 'm modernen Krieg. Da wird net bloß Gas eingsetzt, da gibt's noch andere unfeine Kampfstöfferl. Aber: Ihr könnts eich davor schützn! Des is wuissenschaftlich erwiesn.« Und damit ließ er den Flieger Schneider, der gern ein guter Soldat werden wollte, die Schutzmaske abnehmen – nur Offiziere bekamen welche mit Tröte, durch die sie auch sprechen konnten –, und der rotbäckige Junge mit der Hasenscharte schnarrte herunter, was man tun musste, um einen Atomschlag zu überleben: »Sofort in Deckung gehen! Aber immer nur längs, nicht quer zur Druckwelle. Augen schließen, eventuell noch unbedeckte Körperstellen abdecken, leicht brennbare Stoffe meiden.«

So hätten »die Leit« in Hiroshima und Nagasaki also nur *Mux*-Klamotten, Gasmasken und Entgiftungspäckchen bei sich tragen müssen und nichts wäre ihnen passiert? Lenz musste irgendeine unwillige Bewegung gemacht haben, der wachsame Holzinger hatte es bemerkt. »Nehmens die Maskn ab.«

Lenz gehorchte, und der Genosse Feldwebel wollte wissen, was ihm an seinen Ausführungen nicht gefallen hatte. Einen

Moment zögerte Lenz, dann sagte er, dass er sich nicht vorstellen könne, in diesen Klamotten und mit der Maske vor dem Gesicht wirklich geschützt zu sein. Worte, die Holzinger aufbrachten. Ob Lenz etwa glaube, er erzähle hier irgendeinen Quatsch. »Was i Eahna eben gsagt hob, ist Fakt. Merkens sich des!«

Er sagte das mit einem so überzeugten Gesichtsausdruck, dass Lenz lächeln musste. Was Holzinger zur Weißglut trieb. »Gaas!«, schrie er Lenz an.

Lenz setzte die Gasmaske wieder auf, und Holzinger griff sich den Schlauch, um zu testen, ob sie luftdicht abschloss. Lenz hielt aus, bis es nicht mehr ging, dann riss er sich die Gasmaske herunter.

»Was fällts Eahna ein?« Holzinger heuchelte Empörung. »Aufi! Aufi! Lassns kimma! Gaas!«

Erneut zog Lenz sich die Maske über den Kopf, Holzinger griff zu und Lenz hielt aus, bis er kurz vor dem Ersticken war.

»Wollens im Ernstfall verrecken?«, schrie Holzinger. »Gaas!«

Wieder setzte Lenz die Maske auf und wieder griff Holzinger sich den Schlauch, zog die Hand aber zurück, bevor Lenz sich die Maske ein drittes Mal runterreißen konnte. »I will, dass Sie eben grad net umbracht werdn, Flieger Lenz. I will, dass Sie am Leben bleim, wenn's amol so weit is. Deshalb üb i des mit Eahna. Hobns verstandn? – Ob's mi verstandn hobn?«

Lenz nahm die Maske ab, anders hätte er nicht antworten können. »Zu Befehl, Genosse Feldwebel!«

Sie maßen sich mit Blicken und Holzinger spielte den Jovialen. »Bei mir hat auch der Kaiser a Loch im Oarsch, merkens sich des. Wer spurt, kann von mir alles habn, solchene Menschen aber, die ihr Spuil mit mir spuiln wolln …« Er zuckte die Achseln. »Die mach i fertig, klar?«

Nicht lange und der Flieger Lenz fiel ein zweites Mal auf. Diesmal während eines Nachtalarms. Alle mussten sie raus aus der Kaserne und sich vor dem Tor und rund ums Gelände im Kampfanzug in den Schnee werfen. Der Kompaniechef wollte die Alarmbereitschaft testen. Weil ihr Zug dabei nicht gut abschnitt und Holzinger sich blamiert fühlte, ordnete er ein sofortiges Strafexerzieren an. So ging es den Rest der Nacht die Chaussee rauf und runter; mal Schritt, mal Dauerlauf, mal Stechschritt. Bei eiskaltem Wind und Schneegestöber. Als sie dann gegen Morgen endlich auf ihre Stube zurückdurften und dachten, auf diese Weise wenigstens um den Frühsport gekommen zu sein, ließ Holzinger, kaum waren sie aus dem Kampfanzug gestiegen, sein übliches »Fertig machen zum Frühsport!« ertönen. Gio Waldmann, noch im Kampfanzug, ließ sich nur auf sein Bett fallen.

»Was solln des?«, herrschte Holzinger den kleinen, brünetten Mann an. »Aufi! Aufi! Kemma! Kemma!«

»Kann nicht mehr«, hauchte Gio, und jeder wusste, dass er nichts vortäuschte. Er war ein schlechter Soldat, der Flieger Giovanni Waldmann, war unsportlich, konnte nicht schießen, verstand die Befehle nicht, machte ständig alles falsch. Oft hätte er sich am liebsten schon des Morgens irgendwo hinverkrochen, wo ihn bis zum Abend niemand sah. Holzinger hasste ihn deshalb geradezu; Tiefflieger wie Waldmann, so seine ständige Nörgelei, senkten das Niveau des gesamten Zuges.

»Redens koan Kas! Wenns net gleich Ihre Wampn vom Bett hebn, scheich i Sie drei Tage lang durchn Woid, bis koa Haxn mehr hobn.«

Er brüllte den kleinen Gio förmlich von seinem Bett, der Holzinger, und begann den Frühsport mit einem längeren Geländelauf. Doch liefen sie alle nur sehr langsam, Gio zuliebe. Holzinger tobte und ließ sie Liegestütze machen, bis ihnen die Arme wegknickten. Mittendrin, sie pumpten noch und wollten es nicht glauben, heulte erneut die Alarmsirene los. Weil die Alarmbereitschaft in der Nacht so mangelhaft gewesen war, musste sie trainiert werden. Der aufgeregte Holzinger hetzte sie in die Kaserne zurück – raus aus dem Trainingsanzug, rein in den Kampfanzug – und erneut runter in den Schnee. Sie waren etwas schneller als in der Nacht, aber lange nicht schnell genug. Weshalb Holzinger ein weiteres Strafexerzieren anordnete. Und da, bei einem Dauerlauf, brach Gio zusammen. Seine beiden Nebenmänner mussten ihn in die Mitte nehmen und im Laufschritt mitschleppen.

Zurück in der Kaserne herrschte Spannung: Würde Holzinger den unterbrochenen Frühsport fortsetzen? Sie hatten ihre Kampfanzüge noch nicht ganz aus, da ertönte es schon: »Fertig machen zum Frühsport!«

Gio Waldmann sah nur ungläubig von einem zum anderen, dann setzte er sich auf sein Bett und weinte. Und stand nicht mehr auf. Holzinger konnte fluchen und brüllen, so viel er wollte, der kleine Gio Waldmann, dreiundzwanzig Jahre alt, von Beruf Geflügelzüchter, beheimatet in einem Dorf nicht weit von Berlin, Sohn eines nie wieder aufgetauchten italienischen Zirkusartisten und einer einstmals für alles Südländische leicht entflammbaren Dorfschönheit, verweigerte den Befehl.

Vor Zorn kochend klärte der Feldwebel Holzinger den Flieger Waldmann darüber auf, was eine solche Befehlsverweigerung für Folgen haben konnte – bis er auf einmal voller ungläubigen Staunens bemerkte, dass der Flieger Lenz, der schon wie alle anderen im Trainingsanzug bereitgestanden hatte, sich dieses Trainingsanzuges wieder zu entledigen begann. »Was solln des?«, herrschte er ihn an.

»Wir hatten heut schon Frühsport«, lautete die lakonische Antwort.

»Sinds narrisch worn?«

»I net!«

Dem Genossen Feldwebel verschlug es die Sprache. Dass einer von diesen Rotärschen es wagte, seinen Dialekt durch den Kakao zu ziehen, war zu stark. Doch was sollte er tun? Zwei Befehlsverweigerungen an einem Morgen würden auch ihm nicht gut bekommen. So polterte er schließlich nur: »Dreimal ums Objekt! Sofort!«

»Zu Befehl, Genosse Feldwebel!« Lenz räumte seinen Trainingsanzug in den Schrank, stieg in Dienstanzug und Stiefel und rannte die Kasernentreppe hinunter. Erst hin zum Tor, so war es Brauch, dann innerhalb des Geländes drei Runden ums Objekt. Wenn er wusste, dass niemand ihn beobachten konnte, verschnaufte er und fragte sich, wie alles weitergehen sollte. Er hatte sich vorgenommen, diese anderthalb Jahre wie kaltes Wasser an sich ablaufen zu lassen, wollte jeden unnötigen Ärger vermeiden, aber durften sie diesem Holzinger denn alles durchgehen lassen? Sollten sie sich schikanieren lassen, nur weil da einer hoffte, bald Oberfeldwebel zu werden?

Als er auf die Stube zurückkehrte, waren alle anderen schon in den Waschräumen. Holzinger hatte auf die Fortsetzung des unterbrochenen Frühsports verzichtet und wollte offensichtlich auch Waldmanns Befehlsverweigerung nicht melden. Nur gedroht hatte er noch, das werde er sich merken und selbstverständlich werde der versäumte Frühsport irgendwann nachgeholt. Alles lachte: Rückzugsgefechte! Der »Hundzinger« wollte vor seinen Vorgesetzten nicht als einer dastehen, der seine Truppe nicht im Griff hatte.

Gio Waldmann nickte Lenz nur dankbar zu.

Die Ausbildung an der Waffe! Nur widerwillig nahm Lenz die ihm übergebene Kalaschnikow in die Hand, sein ganz persönliches Schnellfeuergewehr, dessen Nummer er sich einzuprägen hatte, weil er von nun an mit dieser »Braut« verheiratet war.

Unterleutnant Schwalmstein, bebrillt, rotbäckig und schon etwas feist, merkte ihm diese Antipathie an. »Na, das wird wohl 'ne Zwangsehe«, witzelte er und klärte den Flieger Lenz mit vielen gemütlichen Worten darüber auf, dass Waffen an sich ganz harmlos seien. Komme ja immer nur auf den Zweck an, für den sie in die Hand genommen würden. Die Verteidigung der sozialistischen Heimat, ganz klar, sei ein guter Zweck; würde die gleiche Waffe aber im Interesse imperialistischer Aggressoren eingesetzt, sähe die Sache schon anders aus. »Noch einfacher ausgedrückt: Die Pistole in der Hand des Verbrechers bedeutet eine Gefahr, die in der des ihn dingfest machenden Polizisten einen Schutz für alle friedlichen Menschen.«

Andere Rekruten, darunter so mancher, der ansonsten alles Militärische strikt ablehnte oder sich zuvor lauthals als Pazifist zu erkennen gegeben hatte, erlagen der Faszination ihrer Braut. Plötzlich waren sie wieder kleine Jungen, die Sheriff und Bandit, Cowboy und Indianer spielen wollten.

Holzinger: »Wartets nur, bis ihr amoi a Magazin mit scharfer Munition bekommt. Wie des den Rücken strafft!«

Das Auseinandernehmen und Zusammensetzen der Kalaschnikow – ein Gottesdienst! Sie mussten sie auswendig lernen, die verschiedenen funktionalen Teile ihres Eheweibs ... Hier kommt das Magazin rein, dieser Hebel befördert die Patrone weiter, dort wird von Einzel- auf Dauerfeuer umgestellt, so wird die Waffe nach Betrieb gesichert. Holzinger: »Kimme und Korn kennts ja scho von der Freindin her, wos?«

Auch das Waffenreinigen wurde zur rituellen Handlung. Magazin rausnehmen, auf den Hocker legen, langsam durchladen und von der Seite reinsehen, ob nicht doch noch eine Patrone im Lauf war – sollten schon schlimme Sachen passiert sein –, Gehäusedeckel abnehmen, den Reinigungsstab, das Schloss. Mit Pfeifenreiniger rein in den Überströmkanal. Holzinger: »Net so vuil Öl, ihr Deppn! Abspritzn könnts auf Muattas Muschi.«

Ließ der Erste etwas fallen, sei es einen Teil der Waffe oder auch nur den Pfeifenreiniger: zehn Liegestütze! Ließ der Zweite etwas fallen: fünfzehn! Der Dritte: zwanzig! Und immer so weiter. Waren Platzpatronen verschossen worden und der Lauf war rußig und schmierig, wurde es zur mühseligen Angelegenheit, ihn wieder blank zu bekommen. Dennoch: Kein Staubkörnchen durfte zu sehen sein, und wenn der Ehemann drei Stunden an seinem Frauchen herumputzte.

Zur ersten Schießübung fuhren sie auf einen fünfzig Kilometer entfernten Schießplatz; auf LKW-Holzbänken, Dunstkiepe auf, das Frauchen zwischen den Knien. In einem schmalen Tal wurde gehalten. Militärisches Sperrgebiet, keiner musste befürchten, einen Spaziergänger auf sein Gewissen zu laden.

Zehn Schuss scharfe Munition pro Schütze wurden ausgegeben, jeder musste sie eigenhändig in sein Magazin drücken. Geschossen werden sollte, im Anschlag liegend, auf die in einiger Entfernung vor einem Sandhügel aufgebauten Pappkameraden; schwarze, in Umrissen menschenähnliche Zielscheiben, auf denen in Herzhöhe weiße, nummerierte Kreise angebracht waren.

Lenz wartete darauf, dass sich sein Rücken straffte. Er wartete umsonst. Holzinger hingegen bekam vor Ehrgeiz glänzende Augen. Er wollte, dass sein Zug gut abschnitt, war kameradschaftlich zu jedem und munterte sogar Gio Waldmann mit gut gemeinten Ratschlägen auf.

Zu seiner eigenen Überraschung war Lenz dann aber gar kein

schlechter Schütze. Drittbester wurde er. Ein »Erfolg«, über den er während der Fahrt zurück in die Kaserne lange nachdenken musste. Funktionierten alle Armeen der Welt allein deshalb so gut, weil niemand unter seinem Niveau bleiben wollte? Oder hatte er nur deshalb so gut abgeschnitten, weil ihm diese Schießerei ziemlich egal war und er keinerlei Versagensängste verspürt hatte?

Die Vereidigung! Großer Tag im Leben des Soldaten! In Ausgehuniform, Mantel, Koppel, den Hut aus Stahl auf dem Kopf, in grünen Fingerhandschuhen und mit der Kalaschnikow vor der Brust mussten sie auf dem Hauptexerzierplatz des Kasernengeländes antreten und im Stechschritt an irgendwelchen Obersten, einem General, ein paar Arbeiterveteranen und der Truppenfahne vorüberparadieren. Eine Militärkapelle spielte Marschmusik, einige der jungen Männer neben, vor und hinter Lenz blickten verlegen, andere konnten sich einen gewissen Stolz nicht verkneifen.

Der General hielt eine Rede. Heiser bellte der korpulente Mann, der zur Feier des Tages ebenfalls einen Stahlhelm trug, in das aufgestellte Mikrofon, blechern tönte es über den Platz: »Aufbau des Sozialismus«, »Verteidigung der Errungenschaften«, »Kampf dem Imperialismus«, »Schutz der Heimat« und immer so weiter. Am häufigsten fiel das Wort »Sieg«.

Nach dem General sprach einer der Arbeiterveteranen. Er berichtete über die Klassenkämpfe in den zwanziger Jahren und wie es leider nicht möglich gewesen sei, Hitler zu verhindern, da die Sozialdemokraten – »die gleichen Schaumschläger und Arbeiterverräter, die heute die Bonner Ultras stützen« – sich der Einheitsfront mit den zu jener und zu allen Zeiten auf der richtigen Seite stehenden Kommunisten entzogen hätten. Er beglückwünschte sie dazu, den Sozialismus verteidigen zu dürfen, und trat zur Seite.

Der Fahneneid wurde verlesen, sie mussten ihn nachsprechen. Sie schworen, der DDR allzeit treu zu dienen, an der Seite der Sowjetunion gegen alle Feinde zu kämpfen, ihr Leben für den Sieg einzusetzen, Geheimnisse zu wahren, Vorschriften zu erfüllen und die für die Verteidigung des Heimatlandes notwendigen Kenntnisse zu erwerben. Wer diesen feierlichen Eid verletzte, ganz klar, musste mit der harten Strafe der Gesetze und der Verachtung des Volkes rechnen.

Die Kapelle spielte die Nationalhymne; als der letzte Ton verklungen war, marschierten die einzelnen Züge in die Unterkünfte ab. Dort drückte Holzinger jedem eine Flasche Bier in die Hand. Lenz trank seine in einem Zug leer, Gio Waldmann hatte keinen Durst. Mit bedrückter Miene fragte er, ob mit der harten Strafe, die jedem drohe, der diesen Eid verletzte, etwa die Todesstrafe gemeint sei.

Lenz beruhigte ihn: »In Friedenszeiten stecken sie dich nur in den Knast.« Er bekam dafür Gios Bier und trank auch diese Flasche in einem Zug leer.

Den drei Wochen Grundausbildung folgten drei Wochen Spezialausbildung. Dazu wurden die frisch vereidigten Rekruten in die einzelnen Kompanien abkommandiert. Da sie bei den Luftstreitkräften waren, wurden Funkorter, Funker und Planzeichner benötigt. Lenz war es egal, wozu er eingeteilt wurde, Gio machte sich Sorgen: »Bin Geflügelzüchter, hab nur die siebte Klasse; das kann ich doch alles gar nicht.« Wie war er froh, als er erfuhr, dass er zusammen mit Lenz zum Planzeichner ausgebildet werden sollte. Und das auch noch in ein und derselben Kompanie. »Du hilfst mir doch, oder?«

Da Lenz Waldmann ein paar Mal hilfreich zur Seite gestanden

hatte, war er von ihm zum Beschützer erkoren worden; eine Rolle, gegen die er sich nicht wehren konnte.

Mit prall gefüllten Militärsäcken ging es zu zwölf Mann auf einen LKW. Acht Stunden Fahrt durch Kälte, Schnee und Dunkelheit folgten, dann war der verfrorene, mürrische Haufen von der Ostgrenze an die Westgrenze verlegt. Ein Posten mitten in der Einöde; nichts als Stacheldraht, drei Radarstationen, zwei Baracken und ein paar Lichter. Der nächste Ort hieß Banzin, die nächste Stadt Boizenburg. Was sie denn wollten, spottete der Wachposten, an dem vorüber sie Einzug hielten, Hamburg sei doch gar nicht weit entfernt, nur fünfzig Kilometer. Komme der Wind aus Nordwesten, könnten sie nachts den Lärm von der Reeperbahn hören.

Die praktische Ausbildung erfolgte hinter dem Planchett, einer hohen, grüngelb leuchtenden Plexiglaswand. Durchquerten Flugzeuge den Luftraum der DDR oder tummelten sich zu Übungszwecken Düsenjäger am Himmel, mussten ihre Koordinaten eingetragen werden. In Spiegelschrift. Stundenlang hockten sie in der abgedunkelten Führungsstelle der Kompanie, Kopfhörer über den Ohren, und zeichneten mit Fettstiften Ziffern, Kreise und Striche in das Koordinatensystem. Besonderes Augenmerk lag auf den Trassen Hamburg – Berlin, Hannover – Berlin, Frankfurt am Main – Berlin. Dass nur ja keines der amerikanischen, britischen oder französischen Passagierflugzeuge, das die Halbstadt WestBerlin mit der Bundesrepublik verband, von der vorgegebenen Route abwich!

Im theoretischen Unterricht wurden die Daten der aktuellen Düsenjäger und Bomber gepaukt; eigene, die mit den befreundeten identisch waren, und feindliche. Außerdem mussten sie russische Zahlen beherrschen. Alle Koordinaten wurden von Funkortern durchgegeben, die über Radarschirmen hockend den

Luftraum im Auge behielten; im Ernstfall konnte diese Aufgabe durchaus mal von sowjetischen Genossen wahrgenommen werden.

Gio Waldmann verzweifelte bald. Er kam im theoretischen Unterricht nicht mit, er blickte hilflos aufs Planchett. Die Funkorter hier waren alte Hasen, gaben die Koordinaten im Stakkato-Tempo durch. War eine Übung von Abfangjägern der eigenen oder befreundeten Luftstreitkräfte angesetzt, befanden sich oft bis zu zwanzig, dreißig Maschinen in der Luft und jede ihrer Bewegungen musste im Abstand von maximal einer Minute aufs Planchett übertragen werden. Für Gio ging das alles viel zu schnell und auch mit der Spiegelschrift kam er nicht klar.

Lenz hatte Glück. Weder die ungewohnte Schrift noch das Tempo machte ihm Schwierigkeiten. Er sprach selber schnell. Doch wie hätte er Gio unter die Arme greifen sollen? Er übte mit ihm, machte ihm Mut; eine schnellere Auffassungsgabe konnte er ihm nicht beibringen.

Am Ende der ersten Woche wurde Lenz zum ersten Mal zum Wachdienst eingeteilt.

Es war der Tag vor Nikolaus. Im wattegefütterten Kampfanzug, mit Filzstiefeln, Handschuhen und Pelzmütze ausgerüstet, einen grüngrauen Kopfstrumpf in der Tasche, den er beim Wachgang unter den Stahlhelm ziehen durfte, ließ er sich zusammen mit zwei anderen Wachposten, dem Wachaufführenden und den Dienst habenden »Planchettis«, Funkern und Funkortern zum Wachdienst vergattern. Die Munitionstasche – drei volle Magazine mit je 30 Schuss scharfer Munition – hing schwer am Koppel, auf dem Lauf der Kalaschnikow vor seiner Brust ließen sich Schneeflocken nieder, sie atmeten Rauchfahnen in die Luft. Der große, runde Kompaniechef mit dem Birnenschädel, zur Vergatterung ebenfalls den Stahlhelm auf der Halbglatze, ermahnte insbesondere diejenigen Genossen Flieger, die zum ersten Mal vergattert wurden, nie zu vergessen, dass es darum ging, das sozialistische Heimatland gegen die imperialistischen Aggressoren zu verteidigen. Dabei sah er jeden dieser Neuen so ernsthaft prüfend in die Augen, als wollte er herausfinden, ob er diese Nacht ruhig schlafen konnte.

Wenige Minuten später drehte Lenz die erste Runde. Soldat am Wolgastrand hält Wache für sein Vaterland … Der Flieger Lenz aber dachte nicht ans Vaterland, der Flieger Lenz dachte daran, dass er in gut zwei Wochen zum ersten Mal auf Urlaub fahren würde, zu Hannah und Silke, und wie er sich schon jetzt darauf freute. In seiner Brieftasche steckten zwei postkartengroße Fotos: eins von Hannah, eins von Silke. Hannah hatte sie gleich nach seiner Abreise machen lassen und sie ihm noch nach Altwarp geschickt. Beim ersten Betrachten hatte er vor lauter Sehnsucht heulen müssen. Hannah war so schön und Silke sah so niedlich und pfiffig aus mit ihrer kleinen Stupsnase und den strahlend blauen Augen; kein Tag, an dem er diese Fotos nicht hervorholte.

Ist es möglich, zwei Stunden Wachegehen bei Schneefall und eisigem Wind allein mit warmer Vorfreude totzuschlagen? Ja! Als der Wachaufführende mit der Ablösung kam, blickte Lenz überrascht auf: So rasch konnten zwei Stunden vergehen?

Als er das zweite Mal in die Kälte hinausgeführt wurde, war es schon später Abend. Finsternis hatte den kleinen Außenposten geschluckt. Es schneite nicht mehr, doch war alles weiß: der nahe gelegene Wald, die Felder rund herum, sogar der Stacheldrahtzaun. Über Lenz ein glitzernd klarer, schwarzer Sternenhimmel und ein kalter, blasser Mond. Er dachte daran, wie unbedeutend es für die Welt doch war, dass er hier Wache ging und Sehnsucht hatte, und fühlte sich klein. Von da oben aus gesehen musste alles, was sie hier unten veranstalteten, lächerlich wirken.

In den Bereitschaftszeiten schrieb er Hannah einen langen Brief. Vor sich den schmalen Schreibtisch mit Wachbuch und Telefon und das Schalterfensterchen, hinter dem das grelle Licht einer Peitschenlampe das verschneite Tor anstrahlte, über sich die armselig funzelnde 25-Watt-Glühbirne, in seinem Rücken der emsig befeuerte Kanonenofen, Gewehrständer und die Pritsche mit dem dritten Wachposten. Er schrieb Hannah, dass er Silke und ihr in dieser Nikolausnacht leider nur seine Liebe in die Schuhe stecken könne, schilderte seine Situation in dieser Nacht und malte sich und ihr aus, wie er sie in diesem Augenblick vor sich sah: in ihrem Bett, den Mund beim Schlafen wie immer leicht geöffnet, Silkes Bettchen so nah, dass sie nur die Hand auszustrecken brauchte, um sie zu berühren. Er quälte sich damit selbst, doch wärmte es auch, dieses Bild, das er da so deutlich vor sich sah.

Auf dem dritten, nun schon tief nächtlichen Wachgang passierte es dann: Da war plötzlich ein Schatten im Schnee, der sich außerhalb des Postens am Zaun entlangbewegte. Lenz nahm die Kalaschnikow in Anschlag und stieß ein heiseres »Halt! Wer da?« aus. So hatte er sich zu verhalten, wenn sich eine unbekannte Person dem Gelände näherte. Als Nächstes war die Parole abzufragen, und auch in dieser Hinsicht galt es, korrekt zu sein – nicht weil er ernsthaft an einen Spion, Saboteur oder anderen imperialistischen Aggressor geglaubt hätte, sondern weil ihm berichtet worden war, dass es da ein paar idiotische Offiziere geben sollte, die neu eingezogene Soldaten gern mal ein bisschen auf die Probe stellten. Verhielt einer sich nicht richtig, wurde eine Ausgangs- oder Urlaubssperre verhängt.

Der Schatten bewegte sich weiter am Zaun entlang, und dann

grunzte er plötzlich laut und schubberte sich, ohne auf die Bedrohung durch die Kalaschnikow zu achten, am Stacheldraht den Rücken. Lenz schaltete seine Taschenlampe ein – und da standen sie einander gegenüber, das wuchtige, borstige Schwein, das im Wald zu Hause war, und er, der Eindringling, der den Waldesfrieden störte, obwohl er hier gar nichts zu suchen hatte.

Blickten die kleinen Augen böse oder neugierig? Senkte der Keiler sein Haupt mit den beiden Hauern, um im Schnee zu schnüffeln oder sich ungeachtet des Stacheldrahtes, der sie trennte, auf einen Angriff vorzubereiten? Lenz wackelte ein wenig mit der Taschenlampe, das Borstentier grunzte noch mal laut, dann drehte es ihm die Hinterschinken zu und trabte gemächlich davon.

Ein Erlebnis, das ein PS wert war. So fügte Lenz während seiner nächsten Bereitschaft dem Brief an Hannah noch einige lustige Zeilen hinzu und drückte ihn am Morgen dem Postholer wie eine Kostbarkeit in die Hand. Der Kamerad, ebenfalls dick vermummt und noch nicht ganz wach, grinste verständnisvoll: »Ja, ja! Auf Wache schreibt man immer die schönsten Briefe.«

Vierzehn Tage später war auch die Spezialausbildung beendet und die Flieger Lenz und Waldmann und zwei weitere Planchettis wurden zum Bahnhof gebracht. Der Posten Pragsdorf bei Neubrandenburg war ihr Einsatzgebiet, dort hatten sie sich mitsamt ihren Militärsäcken hinzubegeben, um die restlichen sechzehn Monate ihres Dienstes abzuleisten.

»Wir werden auch das überleben«, beruhigte Lenz den schon wieder niedergeschlagenen Gio.

In Neubrandenburg wurden sie von einem LKW abgeholt und in Pragsdorf mit viel Neugier empfangen. Lenz war die Kunde vorausgeeilt, die Spezialausbildung als Bester bestanden zu haben; Ko-Chef, Zug- und Gruppenführer erwarteten einen Meister des Planchetts. Waldmann hatte die Abschlussprüfung nicht bestanden; die Blicke, die ihn musterten, sprachen Bände.

Eine Schlafbaracke mit Ofenheizung in jedem Raum, ein festes Haus mit Führungsstelle, Offiziers- und Unteroffiziersunterkünften, Speisesaal und Küche, dazu die verschiedenen im Gelände verteilten, beweglichen sowjetischen Radarstationen mit ihren riesigen oder nicht ganz so imposanten Auffangschirmen – Pragsdorf unterschied sich nur wenig von Banzin. Waldmann und Lenz bezogen mal wieder ein gemeinsames Doppelstockbett; der leichtere Gio zog nach oben.

Einen Tag vor Heiligabend, die Neuen aller Fachrichtungen hatten sich noch nicht an ihre Betten gewöhnt, ging's dann in den Weihnachtsurlaub. Wie die Fahrt sich hinzog, wie betrunken einige der »Fronturlauber« zu Hause eintrudeln würden!

Für die zwanzig Minuten Fußweg vom S-Bahnhof Greifswalder Straße bis zur Woldenberger Straße brauchte Lenz diesmal nur die Hälfte der Zeit; auf der Treppe kam Silke ihm schon entgegen. Groß war sie geworden in diesen sieben Wochen, die Zweijährige, vergessen aber hatte sie ihn nicht.

Dann Hannah; Glück, das wehtat!

6. Trockenübungen

Pragsdorf war die Rauchfahne des Zuges am Horizont und das schrille Pfeifen, das die Lokomotiven hin und wieder ausstießen, war knöcheltiefer Schlamm im Spätherbst und Frühjahr, waren schneebedeckte oder kahle graubraune Felder in zwei trostlosen Wintern und saftig grüne Wiesen unterm hitzestrahlenden Sommerhimmel. Pragsdorf war das Gefühl von Verbannung und Verlorenheit, Wut und Wehmut und Langeweile.

Nein, aus dem Flieger Lenz wurde bis zum Ende seiner Dienstzeit kein begeisterter Soldat. Doch wurde er ein guter Planchetti. Jedes halbe Jahr erhielt er das Bestenabzeichen, er erwarb die höchste Qualifikationsspange, erhielt Sonderurlaube, und einmal schrieb der Ko-Chef einen Brief an seinen Betrieb, in dem er für die Zur-Verfügung-Stellung eines solchen Kaders dankte. Eine nicht unübliche Form der Belobigung, über die gern gewitzelt wurde, für Lenz jedoch sollte sie angenehme Folgen haben.

Was Lenz hasste, Geländeübungen, Märsche, den Umgang mit der Waffe, wurde ihm kaum noch abverlangt. Die Männer auf den Außenposten waren dazu da, die Luftsicherheit zu gewährleisten; Soldat im Dreck durften andere spielen. Und lohnte es sich denn, gegen dumme Befehle und widersinnige Anordnungen aufzubegehren und damit auf die nächste Urlaubsfahrt zu Hannah, Silke und später auch Micha zu verzichten? Da war es doch besser, sich über diese ganze militärische Aufplusterei lustig zu machen.

Diese fest zementierte Hierarchie: Dienstgrade über alles! Sogar unter den Soldaten gab es eine Rangordnung. Ganz oben die

EKs – Entlassungskandidaten, zumeist Gefreite –, die auf alle anderen herabsahen, ganz unten die Rotärsche aus dem ersten und dazwischen die Vize-EKs aus dem mittleren Diensthalbjahr, die sich zum Zeichen ihrer Würde einen Knick in die Schulterstücke machten. Jeder hoffte aufs Aufrücken; keiner, der auf äußerliche Würden verzichtete.

Und wie wichtig der Tagesablauf genommen wurde! Als hinge der Weltfrieden ganz allein vom strengen Befolgen des militärischen Reglements in der Pragsdorfer Kompanie ab; mit Ordnung und Sauberkeit den Klassenfeind besiegen!

Weniger zum Lachen war der wöchentliche Politunterricht. Kaum älter als seine Schüler war er, der Politstellvertreter Eberhard Wittkowski, der ihnen die Liebe zur Heimat und den Hass auf die Imperialisten ins Herz pflanzen sollte. Groß gewachsen, rötlich-rauhäutiges Gesicht unter dicht stehendem, igelkurzem Blondhaar, dazu ein unsicherer, vorsichtig prüfender Blick aus wasserblauen Kinderaugen, so stand er vor ihnen in seiner akkurat sitzenden Offiziersuniform. Seine Merksätze: »Wer nicht weiß, wofür und gegen wen er kämpft, kämpft schlecht.« – »Wer an seinem Arbeitsplatz die sozialistische Gesellschaft mitentwickelt hat, muss auch bereit sein, sie mit seinem Leben zu schützen.« – »Wer nur an sich selbst denkt anstatt an die Zukunft der Menschheit, schädigt letztendlich auch sich selbst.«

Wittkowskis Reden glichen Beschwörungen: »Wer ist denn der Feind, der uns bedroht? Es sind die gleichen Kräfte, die Deutschland in den Ersten und in den Zweiten Weltkrieg getrieben haben. Merken Sie sich: Wir kämpfen nicht gegen Menschen, wir kämpfen allein gegen das überlebte System der Ausbeutung des Menschen durch den Menschen und gegen die menschenverachtenden Feinde unseres Staates, die sich an den von uns geschaffenen Reichtümern gesundstoßen wollen.«

Und wollte er großzügig sein, sagte er: »Gewiss, der Soldat, der uns gegenübersteht, ist an sich nicht bösartig. Aber wie wird er erzogen in Schule und Elternhaus? Was für kriegsverherrlichende Filme bekommt er zu sehen, welche Schundhefte zu lesen? Fakt ist, wer antikommunistisch aufgehetzt und im revanchistischen Geist erzogen wurde, würde im Interesse seiner Herren bedenkenlos unsere Städte bombardieren und auf unsere Genossen schießen.«

Es gab in der Armee eine Bezeichnung für lügen, jemanden voll quatschen, sich aus einer Sache herausreden: dem anderen »die Taschen füllen«. Wittkowski füllte seinen Zuhörern die Taschen so großzügig, dass sie den Inhalt schon nach wenigen Minuten nicht mehr halten konnten. Eine Tortur, sich nichts in die Ohren stecken zu dürfen; eine Meisterleistung an Heuchelei und Disziplin, zu all dem Wortgekotz zu schweigen. Einmal gelang Lenz das nicht. Wittkowski hatte getönt: Sollte der Westen einen Angriff auf die DDR wagen, werde die sozialistische Waffenbrüdergemeinschaft dem imperialistischen Aggressor zuvorkommen und ihn auf eigenem Boden vernichtend schlagen. Erst schwieg alles nur verdutzt, dann hob Lenz die Hand.

»Flieger Lenz!«

»Hab ich richtig verstanden: Sie wollen den Gegner im eigenen Land schlagen?«

»Jawohl, Flieger Lenz! Das werden wir tun, falls es nötig werden sollte.«

»Und das, noch bevor er uns angegriffen hat?«

»Wenn er einen Angriff gegen uns vorbereitet – natürlich!«

»Aber es heißt doch immer, nur ein Verteidigungskrieg kann ein gerechter Krieg sein. Wie kann man sich verteidigen, bevor man angegriffen wird?«

Da lachte er herzlich, der Politnik Wittkowski. »Schon mal

was davon gehört, dass die Offensive die beste Form der Verteidigung ist, Flieger Lenz?«

Worte, die noch stärker beunruhigten. Getuschel setzte ein. Wittkowski redete weiter auf sie ein: Was sollten die sozialistischen Waffenbrüder denn tun, wenn ihre Kundschafter meldeten, dass die imperialistischen Menschenfeinde einen Angriff auf die sozialistische Staatengemeinschaft vorbereiteten? Still abwarten, bis der Feind den Erstschlag getan hatte, vielleicht schon von Braunschweig aus auf Magdeburg vorgerückt war? Würde man so handeln, würde man dem Imperialismus ja Tür und Tor öffnen. Nein! Natürlich würde man niemals von sich aus einen Krieg beginnen, im Gegenteil, die sozialistischen Staaten bildeten ein Bollwerk des Friedens. Aber sollten die Kundschafter melden, dass der Feind einen Angriff vorbereitete, müsste man präventiv zurückschlagen. Im Interesse des Weltfriedens.

Einige lachten nervös. Wie das denn funktionieren sollte: präventiv *zurück*schlagen? Das lief ja auf einen »vorbeugenden Erstschlag« hinaus. Und »Erstschlag« und »Verteidigung«, wie passte das denn zusammen? Außerdem würde doch jeder Erstschlag, egal ob nur vorbeugend oder nicht, unweigerlich zu einem Atomkrieg führen. Konnte ein Krieg, der die Menschheit, zumindest aber große Teile der Menschheit auslöschte, denn überhaupt noch »gerecht« sein?

Wittkowski hörte den Fragern aufmerksam zu, dann fragte er streng zurück: »Und wie kann die Welt ohne Sozialismus gerechter werden? Kann mir das mal einer verraten?«

Lenz: »Soll das heißen, wir würden für unsere Ziele die Menschheit opfern? Was haben wir denn von einem Sozialismus ohne Menschen?«

Da wurde langsam auch der Politnik Wittkowski nervös. »Unterstellen Sie mir doch keine Ausführungen, die ich nicht gemacht habe! Ich wollte lediglich sagen, dass allein der Sozialismus eine gerechte Welt garantiert. Dass ein eventuell notwendiger Präventivschlag die Menschheit schützen und nicht ausrotten soll, versteht sich ja wohl von selbst. Schließlich sind nicht wir die Kriegstreiber; wir sind aber auch nicht so dumm, einem Aggressor ins offene Messer zu laufen.«

Der sture Lenz: »Und wer befindet darüber, ob das Messer schon offen oder noch zugeklappt ist?«

»Die führenden Genossen. Das ist ja wohl klar.«

»Aufgrund dessen, was die Kundschafter melden?«

»Ja, natürlich!«

»Und wenn unsere Kundschafter sich irren?«

Da musste er tief Luft holen, der Genosse Leutnant. »Mensch, Lenz! Wir haben doch keine Idioten an der unsichtbaren Front. Selbstverständlich werden solche Meldungen überprüft.«

»Durch wen?«

»Ja, glauben Sie denn, wir hätten nur einen einzigen Kundschafter im Einsatz?«

»Also ist ein Irrtum ausgeschlossen?«

»Wenn es um eine so ernste Frage wie Krieg oder Frieden geht – selbstverständlich!«

Lenz, sich zurücklehnend: »Na, dann bin ich ja beruhigt. Schön, dass alles so klar ist!«

Joachim Trumm, ein vierschrötiger Mecklenburger mit pfiffigem Bauerngesicht, berühmt für die selbst gemachten Katenwürste, die seine Mutter ihm allwöchentlich schickte, wollte das kitzlige Thema noch ein bisschen am Köcheln halten: Wie weit sie denn vormarschieren müssten, wenn es mal zu einem solchen Prä-Prä – Wittkowski: »Präventivschlag!« – kommen sollte? Nur bis hinter die Grenze, so etwa bis Braunschweig, oder gleich bis nach Paris?

Wittkowski merkte, dass er eine Lawine losgetreten hatte. Ungeduldig versuchte er abzuwiegeln: Selbstverständlich würden Sozialisten niemals in andere Länder einmarschieren; es gehe immer nur um Selbstverteidigung. »Denken Sie doch mal an unsere Mütter und Väter, Frauen und Kinder, Fabriken und Kultureinrichtungen. Wenn man uns einen Krieg aufzwingt, sollen wir da unsere Familien und Errungenschaften gefährden?«

»Ick bin für Paris.« Willi Scholz, ein kleiner, spindeldürrer Kerl mit verträumten Augen und riesiger Berliner Klappe, strahlte. »Da war mein Großvater schon. Hat er tolle Sachen von erzählt. Braunschweig is doch bloß 'n Kaff.«

Alles grinste, alles wusste, wie der kleine Willi seine Worte gemeint hatte: Das war ja das Dilemma all dieser Generäle, Oberste, Majore, Hauptmänner und sonstigen Offiziere, dass die jungen Männer, die sie zu Soldaten erziehen sollten, mit Picassos Friedenstaube in der Hand aufgewachsen waren. »Frieden« war das Wort, mit dem alle Einwände totgeschlagen werden konnten. Mauertote, Diktatur, Stalinismus – was soll's? Hauptsache Frieden! Und nun sollten diese vom Kinderwagen an eingeschworenen Friedensfreunde eventuell eines Tages Krieg führen müssen? Und das möglicherweise gegen ein so leuchtendes und allseits beliebtes, aus vielen Filmen und Büchern bekanntes Land wie Frankreich mit seiner Traumstadt der Liebe? Zwar mussten die Genossen Flieger ihren Dienst versehen, da gab es nur Befehle, keine Diskussionen; aber ihre Sympathien ließen sie sich nicht nehmen.

Er rettete sich mal wieder in einen langen Monolog, der Genosse Politnik, der damit endete, dass Sozialisten niemals Angriffskriege führen würden, sich jedoch, wenn es darauf ankommen sollte, mit allen militärischen Mitteln zu verteidigen wüssten. Weil nämlich fromme Gebete gegen einen schwer bewaffneten Gegner nichts nützten, wie die Geschichte bewiesen habe. »Wie sähe die Welt denn heute aus, wäre man einem Adolf Hitler nur mit zum Gebet erhobenen Händen entgegengetreten anstatt mit Waffen, Mut und Opferwillen?«

Dem konnte niemand widersprechen; Wittkowski durfte aufatmen.

Ein anderer Weltreisender in Sachen Verteidigung des Sozialismus war Oberfeldwebel Sievers, Lenz' Zugführer und Chef aller Pragsdorfer Planchettis; ein großer, drahtiger, goldblonder Dreißiger, der bereits Stabsfeldwebel gewesen, wegen seiner Saufeskapaden aber um eine Stufe degradiert worden war. Sievers gehörte noch zu denen, die sich Ende der fünfziger Jahre freiwillig für zwölf Jahre verpflichtet hatten. Ein Langzeitler. Er kam aus Rostock und schwärmte von Rostock und betrachtete sich als unversöhnlichen Feind des internationalen Imperialismus. Dennoch soff er weiter. Alkohol und deftige Kasernenstreiche gehörten seiner Meinung nach zum Soldatenleben. »Als Soldat musst du hart wie Glas sein und eine Leber aus Eisen haben«, tönte er oft. Ein Sievers, davon war Lenz überzeugt, hätte auch unterm Kaiser und dem Führer willig gedient; ein Sievers hätte immer und überall seine Imperialisten gefunden. Leider aber hatte der Genosse Oberfeldwebel noch nie einen Krieg mitmachen dürfen, so fühlte er sich wie die Jungfrau, die den Geschlechtsverkehr zwar theoretisch genauestens studiert hatte, jedoch keinerlei Möglichkeit sah, jemals ihr einzigartiges Talent dafür beweisen zu dürfen. Um sein Minderwertigkeitsgefühl gegenüber all den wirklichen Frontschweinen dieser Welt zu kaschieren, lief er stets herum, als wäre er gerade erst aus dem Schützengraben gekommen: Hose zerknautscht, Stiefel zerlatscht, Koppel verrutscht, die Schirmmütze in der Mitte so eingeknickt, dass sie sich an den Rändern nach unten bog. Nichts sollte neu aussehen; er wollte kein Schaufenster-Soldat sein, wollte, wenn schon nicht nach Pulverdampf, so doch wenigstens nach Schweiß stinken.

Während Lenz' letztem Diensthalbjahr kam der »Oberfeld« mal besoffen auf die Stube. Der Stubendurchgang war bereits vorüber, wer keinen Dienst hatte, lag in seinem Bett, las oder döste. Da Lenz – nun Gefreiter und Stubenältester – keine Lust hatte, noch mal aufzuspringen und Meldung zu erstatten, stellte er sich schlafend. Sievers rüttelte ihn wach: »Gefreiter Lenz! Gefreiter Lenz! Befehl: Wir werden unseren vietnamesischen Klassenbrüdern im Kampf gegen die amerikanischen Aggressoren zur Seite stehen! Freiwillige werden gesucht. Melden Sie sich!«

In den anderen Betten wurde gekichert, Lenz wusste nicht, wie er sich verhalten sollte. Sollte er sagen: »Genosse Oberfeldwebel, Sie sind betrunken. Gehen Sie in Ihr Bett und schlafen Sie Ihren Rausch aus« oder »Nein danke! Ich hab nur noch hundertzwölf Tage, die reiße ich ab und dann nichts wie weg von hier«.

»Gefreiter Lenz! Gefreiter Lenz!«, insistierte der stockbetrunkene Sievers mit Tränen in den Augen. »Es geht um unsere Klassengenossen. Da dürfen wir doch nicht abseits stehen. Die Heimat lieben heißt auch was für die Heimat tun ... Und ist Vietnam denn nicht unsere Heimat?« Er richtete sich auf, schwankte von Bett zu Bett und strahlte alle an. »Es ist Krieg, Genossen! Jawohl, Krieg! Wir haben geschworen, unser Leben für die gute Sache hinzugeben ...« Er jubelte: »Alle Freiwilligen werden nach Vietnam ausgeflogen ... Wir ...« Er wusste nicht mehr weiter und fing plötzlich zu weinen an. »Wir ... verdammt noch mal! ... wir müssen doch unsere Pflicht tun.«

Da wagte Lenz endlich zu sagen: »Genosse Oberfeldwebel! Wir sollten am besten morgen über alles reden. Ist schon spät, und die Vergatterten müssen schlafen, sonst ist die Gefechtsbereitschaft gefährdet.«

Das Wort »Gefechtsbereitschaft« wirkte. Sievers riss sich zusammen, salutierte vor dem in seinem Bett liegenden Lenz, machte kehrt und stolperte aus der Stube. Am nächsten Morgen war dieser Vorfall in seinem Kopf ausgelöscht. Verkatert und mit mürrischem Gesicht hockte er in der Führungsstelle.

Der Vietnamkrieg war ein Alptraum. Keiner, der nicht die grauenvollen Fernsehbilder gesehen hatte – napalmverbrannte Kinder, zahllose getötete Vietnamesen, gefangen genommene US-Soldaten. Dazu Pressekonferenzen, Protestdemonstrationen, Spendenaktionen. Der Westen behauptete, in Vietnam werde die freie Welt verteidigt, im Osten wurden die Amerikaner zu Mordgesellen und Piraten der Lüfte erklärt. Lenz' Haltung zu diesem Krieg war eindeutig: Die Amerikaner hatten in Vietnam nichts zu suchen. Sie verteidigten dort nicht die freie Welt, sondern das korrupte, südvietnamesische Regime und damit eines ihrer Einflussgebiete in Südostasien. Eben Großmachtpolitik: Ob »Sozialismus« oder »Kapitalismus«, wo ich meinen Fuß hingesetzt hab, halte ich die Stellung.

Aber was, wenn aus Sievers nicht der Suff gesprochen hätte und nicht nur Freiwillige, sondern sie alle nach Vietnam hätten verlegt werden sollen? Eine Frage, die auf der Stube der Planchettis tagelang diskutiert wurde. Einige schworen, in diesem Fall sofort in die umliegenden Wälder zu verschwinden, andere planten Selbstverstümmelungen. Lenz musste mal wieder an jenen Alptraum aus seiner Kindheit denken: wegen Fahnenflucht erschossen; die Kugel, wie sie so heiß in sein Herz drang …

Stabsfeldwebel Kunze, ihr Hauptfeldwebel, war ein ganz anderer Typ Soldat. Für Kunze schien alles Soldatentum allein aus Fleiß, Ordnung, Sauberkeit und Pünktlichkeit zu bestehen. Was für ein Anblick, wenn er in eng anliegenden, blank gewienerten Offiziersstiefeln, seiner immer ein wenig zu groß wirkenden Ohrenhose und der glatt gespannten Schirmmütze auf dem schmalen Kopf vor ihnen stand! Ein Spinnefix! Ein Hämeken! Ein Kleiderbügel! Einer, bei dessen Anblick man einfach grinsen musste, und das umso stärker, je mehr er sich aufplusterte. Diese roten Ohren, das mädchenhaft weiße Gesicht, die braunen Dackelaugen, das früh ergraute, immer ein wenig ausgefranst wirkende Haar – der Kunze war so ulkig, dass sie ihn trotz all seiner Macken im Lauf der Zeit fast lieb gewannen.

Kunzes Lieblingsbeschäftigung: Erwischen. Immerzu wollte er jemanden bei irgendwas ertappen, ständig lag er auf der Lauer, um in den unmöglichsten Situationen den kleinen, spitzen Zeigefinger auszustrecken, voller Triumph auf irgendeine nicht ordnungsgemäße Kleinigkeit hinzuweisen und den so Erwischten zur Strafe stundenlang mit irgendwelchen Geländearbeiten zu beschäftigen.

Oberleutnant Günther Müller, Kompaniechef in Pragsdorf, mittelgroß, schlank, schmale Lippen, unruhige Augen, Spitzname »Cäsar«, vervollständigte das Quartett sozialistischer Führungspersönlichkeiten. Seinen Spitznamen verdankte er einem britischen Filmlustspiel, das im Speisesaal vorgeführt worden war. Darin gab ein Komiker den Cäsar, dessen Ähnlichkeit mit Müller frappierend war: der gleiche empört-verwundert-fragende Augenaufschlag, wenn etwas nicht so lief wie gewünscht, das gleiche nervöse Zucken um den Mund, wenn er nachdachte, die gleiche schiefe Kopfhaltung, die den Eindruck erweckte, er höre auf dem linken Ohr nicht mehr so gut. Müller selbst hatte die Ähnlichkeit bemerkt und war nach der Hälfte des Films unter tosendem Gelächter hinausgegangen. In Wahrheit aber war Ko-Chef Müller kein Cäsar. Stets wollte er mit allen gut auskommen, freundlich sein und Belobigungen verteilen. Er suchte das Gute in jedem, fand es nur nicht. Weshalb er stets und ständig enttäuscht war, sich ausgetrickst und hintergangen fühlte und jeden spöttischen Blick als Angriff auf die eigene, nicht genügend respektierte Persönlichkeit betrachtete. Um sich diesen Respekt dennoch zu verschaffen, kannte er nur zwei Arten von Bestrafungen: Ausgangs- und Urlaubssperren. Alles andere wirkte ja doch nicht.

So war es kein Wunder, dass Cäsar Müller in der Kompanie äußerst unbeliebt war. Als Lenz' Dienstjahrgang seine anderthalb Jahre herumhatte, am letzten Tag alle in Zivilkleidung vor der Führungsstelle angetreten waren und Oberleutnant Müller ihnen zum Abschied die Hand reichen wollte, wurde ihm der Handschlag verabredungsgemäß verweigert. Bei dreien versuchte er es, dann drehte er sich wortlos um und verschwand in der Führungsstelle. Höhnische Blicke folgten ihm. Jetzt konnte er sie nicht mehr bestrafen; zu Freundlichkeiten waren sie nicht verpflichtet.

Sechzehn Monate Pragsdorf – das bedeutete nichts anderes als sechzehn Monate Zeit totschlagen! Wie gut, dass Lenz so gern schrieb. Saß er nachts Bereitschaft in der Führungsstelle und wurde er nicht gestört, weil am Himmel nichts los war, nahm er sein Schreibzeug heraus. Vor ihm das grüngelb leuchtende Planchett mit dem Koordinatensystem und den in rötlichen Farbtönen hervorgehobenen Staatsgrenzen und Luftkorridoren, in Reichweite die Telefonanlage mit den schwarzen und roten Vermittlungssteckern, er selbst auf einem etwas erhöhten Podest sitzend, so dichtete er sich vom Herzen, was ihn beschäftigte und bedrängte. Wurde von der Hauptführungsstelle ein Alarm oder eine Übung durchgegeben oder die Begleitung irgendeines unbekannten Flugobjekts verlangt – manchmal überquerte ein Ballon ihr Gebiet –, versteckte er sein Schreibzeug rasch und ließ über den UvD den Offizier vom Dienst wecken.

In diesem sorgfältig ausgewählten Versteck lagen seine Texte auch, wenn er keinen Dienst hatte. In der Höhle des Löwen erschienen sie ihm am sichersten. Hielten sich Offiziere in der Führungsstelle auf, dachte er oft: Wenn du wüsstest, was du da wärmst! Und er lächelte dabei, und die Offiziere lächelten zurück: Netter Kerl, dieser Lenz; nicht nur, dass er was konnte, er war auch immer so freundlich!

Fuhr er auf Urlaub, nahm er die Texte aus dem Versteck – dem schmalen Spalt unter dem hölzernen Kommandopodest, aus dem man die Papiere nur mit einer Pinzette hervorziehen konnte – und brachte sie Hannah. Sie schrieb sie für ihn ab, mit der Schreibmaschine, und tippte seinen vollen Namen auf das Deckblatt. Als Zivilist wollte er zu seinen Texten stehen.

Oft hatte Hannah Angst. »Wenn das einer liest! Das bringt dich ins Gefängnis.«

»Solange ich es nirgendwo zur Veröffentlichung einreiche, wird es niemand lesen. Und wie sollte ich denn anders schreiben? So denke ich nun mal.«

Einmal schrieb Lenz eine Erzählung über die Pragsdorfer Kompanie. Nach einer wahren Begebenheit. Titel: *Die Legende von Paul und Paula*. Später gab es einen *Defa*-Film gleichen Titels, der aber nichts mit dieser Soldatenstory zu tun hatte. In Lenz' Geschichte ging es um zwei Schafe, die die Pragsdorfer Bauern der Kompanie zum 1. Mai geschenkt hatten. Die beiden lebenden Rasenmäher – sie hatten sie Paul und Paula getauft – sollten über das grüne Kompaniegelände streifen und, waren sie erst angemästet genug, eines Tages in der Suppe landen. Dieser Tag kam heran, inzwischen aber hatte jeder die beiden schon mal gestreichelt, mit ihnen geredet oder sie geneckt, und als Mulle – Andreas Müller, Koch der Kompanie, sommersprossig, schmuddlig und von Beruf Schlächter auf dem Berliner Zentralviehhof – mit dem Beil anrückte, um seinem erlernten Beruf nachzugehen, waren die beiden Schafe plötzlich verschwunden. Irgendwelche zart besaiteten Seelen mussten sie entführt haben. Ein Fall für Spieß Kunze. Den gesamten Posten ließ er absuchen, bis Paul und Paula schließlich im Werkstattschuppen entdeckt wurden. Wer die beiden Tiere dorthin gebracht hatte, kam nie heraus; Paul und Paula aber wurden abgeführt, und eine Debatte setzte ein, die die ganze Kompanie erregte: Durfte man Tiere, die man kannte und die einen Namen hatten, töten und verspeisen? Die Soldaten waren dagegen, die Unteroffiziere und Offiziere dafür. Nur keine Gefühlsduselei! Wo war man denn hier? Mulle bekam den Befehl, sein Beil zu holen, und tat seine Scharfrichterpflicht und war fortan für alle nur noch der Henker von Pragsdorf.

Der Streit um Paul und Paula war damit aber noch nicht beigelegt. Jetzt lautete die Frage: Wie verhalten wir uns, wenn es grüne Bohnen mit Paul und Paula gibt? Auch dieser Tag kam heran und alle Gruppen rückten zum Essen ein. Und dann saßen sie im Speisesaal und unterhielten sich – übers Wetter, den bevorstehenden Urlaub, die letzten Fußballergebnisse. Keiner trat an Mulles Klappe, um sich einen Schlag grüne Bohnen mit Paul und Paula zu holen. Mulle tobte, Wittkowski kam. Jede Mäkelei an Mulles Kochkünsten war ein Vergehen, Essensverweigerung eine Straftat. In diesem Fall aber half auch die Androhung härtester Strafen nicht. Die unmöglichsten Ausflüchte bekam er zu hören, der Genosse Politnik: »Bin schon seit Tagen so appetitlos, Genosse Leutnant. Vielleicht hab ich 'ne kranke Leber.« – »Kann heut nichts essen. Hab schon ewig nicht mehr geschissen, fresse ich weiter, muss ich kotzen.« – »Hab Hämorrhoiden. Bei Hammelfleisch mit Bohnen plustern die sich auf und machen mäh …«

Eine schwierige Aufgabe für den Mann, der verpflichtet war, auf alles eine Antwort zu finden. Was tat er? Er befahl drei Soldaten, von denen er annahm, dass sie am wenigsten Widerstand leisten würden, sich sofort Suppe zu holen. Die drei gingen zur Klappe und der höhnisch grinsende Mulle tat ihnen auf. Dann aber saßen die drei zum Essen Vergatterten vor ihren Tellern, in denen Stücke von Paul und Paula schwammen, wurden grün und grüner und rannten schließlich einer nach dem anderen raus, um sich zu übergeben.

»Mimosen!«, schimpfte Wittkowski, trat an die Klappe, ließ sich mit markigem Gesicht einen Teller auffüllen und tauchte unter den Blicken von knapp sechzig Augenpaaren seinen Löffel in die Suppe. Totenstille! Er nahm den Löffel heraus und schob ihn in den Mund. Da machte der kleine Willi Scholz, kein anderer hätte das fertig gebracht, ganz leise klagend »Määh« – und Wittkowski hielt sich die Hand vor dem Mund, kippte sich den Inhalt seines Tellers über die Uniform und rannte ebenfalls aus dem Speisesaal.

Damit war der Fall erledigt. Was ein Offizier nicht hinunterbekam, mussten niedrigere Dienstgrade erst recht nicht schlucken. Die Mittagsmahlzeit fiel aus, und die Essenskübel mit Paul und Paula wurden als Düngemittel oder Schweinefutter von den drei Bauern abgeholt, die ihnen die beiden Schafe zugeführt hatten. Sie hatten kein Verständnis für diese Verschwendung von Lebensmitteln, murrten mehrmals, dass es der heutigen Jugend viel zu gut ging, und zogen mit beleidigten Gesichtern ab.

Eine schöne Geschichte, wie Lenz fand. Mit solchen Soldaten

– und solchen Offizieren – war kein Krieg zu gewinnen; mit denen war nicht mal einer zu verlieren.

Schrieb Lenz keine Gedichte oder Geschichten, schrieb er Briefe. Im ersten Dreivierteljahr nur an Hannah und Silke, danach an Hannah, Silke und Michael.

Vorausgegangen war die Fußballweltmeisterschaft in England. Spannende Sommerwochen auch in Pragsdorf. In der Freizeit hielt sich der dienstfreie Teil der Kompanie fast nur noch im Fernsehraum auf und natürlich fieberte alles mit der westdeutschen Mannschaft. Auf wen hätten sie denn sonst setzen sollen? Waren sie nun Deutsche oder nicht?

Die Offiziere sahen das anders. Die Sowjetunion, Ungarn, Bulgarien und Nordkorea nahmen doch ebenfalls an der WM teil, warum nicht den sozialistischen Bruderstaaten die Daumen drücken? Besonders im Halbfinale, als es »Deutschland« gegen Sowjetunion hieß, waren die Pragsdorfer Fernsehzuschauer zweigeteilt. Wie jubelten die Wehrpflichtigen – und seltsamerweise auch Oberfeldwebel Sievers, der überzeugte Feind aller Imperialisten –, als die Deutschen das 1:0 erzielten, wie begeisterten sie sich am 2:1-Sieg »ihrer« Mannschaft. Die Offiziere schwiegen nur pikiert, und Wittkowski warf den Jublern später vor, die Niederlage ihrer Waffenbrüder beklatscht zu haben. Willi Scholz' Antwort: »Helmut Haller is'n Cousin von mir. Is doch klar, dass ick mir da freue.«

Er hatte es mal wieder auf den Punkt gebracht, der Willi: Sie alle waren Cousins von Helmut Haller, die Russen waren nur ihre Brüder.

Es waren Wochen, in denen die Zeit schnell verging und die Entlassungskandidaten sogar die Herumschnippelei an ihren Bandmaßen vergaßen – jeder Zentimeter bedeutete einen Tag weniger, den sie abzudienen hatten. Mitten hinein in diese fußballselige Zeit platzte aber eine dreitägige Großübung. Zum Glück an Tagen, in denen nicht gerade die Cousins spielten. Zweiundsiebzig Stunden lang war Krieg, fingen am blauen Sommerhimmel Düsenjäger einander ab und wurden die Abgefangenen in die Gefangenschaft eskortiert; zweiundsiebzig Stunden lang kamen sie nicht aus den Dienstklamotten, hockten die Funkorter über ihren Radargeräten, bekamen die Planchettis die Kopfhörer nicht von den Ohren. Und weil Cäsar Müller brillieren wollte – er war ja immer noch nicht Hauptmann –, wurde jedes Mal, wenn sich besonders viele Düsenjäger am Himmel tummelten, Lenz hinters Planchett gerufen. Er hatte nun mal die schnellsten Ohren und die flinkste Hand. Sein Lohn: drei Tage Sonderurlaub, drei Tage Hannah und Silke.

Es wurden drei herrliche Sommertage; die schönsten in diesen anderthalb Jahren. Zurück in Pragsdorf ging die Fußball-WM weiter, bis hin zu jenem für die Deutschen so traumatischen Endspiel mit dem ominösen Wembley-Tor. Die Wehrpflichtigen und Sievers trauerten, die Offiziere atmeten erleichtert auf: Das hätte ihnen gerade noch gefehlt, dass der Klassengegner Fußballweltmeister geworden wäre! Dass auch die Engländer keine Sozialisten waren, ließ sie kalt; die Engländer waren keine Cousins.

Die Freude der Offiziere aber stachelte die Wut der Soldaten über dieses Tor, das gar keines war, nur noch mehr an: War ja seltsam, dass ausgerechnet ein russischer Linienrichter – ein Bruder! – dieses Tor gesehen haben wollte. Standen dem die englischen Feinde etwa näher als die Cousins seiner deutschen Verwandten?

Eine Frage, die noch lange diskutiert wurde, Lenz jedoch bald nicht mehr interessierte: Der Sonderurlaub hatte Folgen gezeitigt – Hannah war schwanger! Keine Frage, dass nun ein Michael kommen würde, da die Silke ja schon da war. Liebe Hannah, liebe Silke, lieber Micha, begann er von nun an all seine Briefe und Hannah nahm ihm diese Beschwörungsformel nicht übel.

Fuhr er jetzt in den Urlaub, war Hannahs dicker Bauch das Wichtigste. Sie hatte so schnell nicht wieder schwanger werden wollen, nun war es doch passiert; wie hätte seine Freude nicht ansteckend wirken sollen?

Auch Silke wünschte sich ein Brüderchen, eine Schwester würde sie dann ja selber sein.

Nicht einfach für Hannah, diese Zeit so ganz allein mit Silke und dem in ihrem Bauch heranwachsenden Micha. Dennoch erlebten Silke und sie eine schöne Zeit der Zweisamkeit. Lenz fühlte sich manchmal ein wenig ausgeschlossen, war es aber nicht, wie Hannah und Silke ihm bei jedem Urlaub neu bewiesen.

Es gab andere Fälle. Jedes Mal, wenn Post verteilt wurde, waren sie zu beobachten, die Gesichter derjenigen, die voller Unruhe ihre Briefe aufrissen. Dann jedoch traf es einen, der am wenigsten damit gerechnet hatte.

Dezember '66, der letzte Weihnachtsurlaub! In den Monaten zuvor hatten die Gefreiten Manfred Lenz und Giovanni Waldmann aus abgebrannten Streichhölzern Windmühlen gebastelt, um ihre Frauen damit zu überraschen; nun waren die Windmühlen fertig, und nicht nur Gio war überzeugt davon, dass Lenz' Hannah und seine Elvira ihre Kunstwerke, standen sie erst unter dem Tannenbaum, gebührend bestaunen würden.

Hannah staunte dann tatsächlich sehr: Dass ihr Manne zu solch einer Geduldsarbeit fähig war! Er lachte nur und sagte was von Knastkunst, genierte sich plötzlich für diese Bastelei aus

Langeweile, die ja mehr auf Gios denn auf seinem Mist gewachsen war.

Es wurde aber ein sehr schönes Weihnachtsfest. Silke war nun schon drei Jahre alt, Lenz konnte viel mit ihr spielen, und Micha klopfte schon mal zurück, wenn er Hand oder Gesicht auf Hannahs Bauch legte. Beim Abschied half der Trost: Nur noch einhundertdreiundzwanzig Tage! Wäre nicht die Sorge gewesen, wie Hannah mit allem fertig werden sollte, so ganz allein, wie hoffnungsfroh wäre er nach Pragsdorf zurückgefahren.

Am Bahnhof Neubrandenburg wartete wie immer der LKW, der die Weihnachtsurlauber nach Pragsdorf zurückzubringen hatte. Die Rotärsche stierten traurig in sich hinein, die EKs und Vize-EKs gaben sich übertrieben zukunftsfroh: Ihr letzter Weihnachtsurlaub; nächstes Jahr sollten andere sich einsammeln lassen. Lenz saß neben Gio und bemerkte nichts. Gio hatte ja immer so traurige Miene gemacht, wenn er aus dem Urlaub heimkehrte. Erst drei, vier Tage später stutzte Lenz. Sonst hatte Gio sich irgendwann wieder gefangen, diesmal hielt die Traurigkeit an. »Ist zu Hause irgendwas passiert?«, fragte er. Die Antwort: »Nee. Was denn?« Und ein gequältes Grinsen: »Noch hundertneunzehn Tage!«

Gio führte alle Befehle aus, tat Dienst wie immer, war nur nicht mehr ganz so duldsam. Er hatte plötzlich keine Angst mehr; nicht vor Sievers, nicht vor Kunze, nicht vor Wittkowski, nicht vor Cäsar Müller. Manchmal lächelte er sogar, als würde er sie allesamt nicht mehr ernst nehmen. Lenz jedoch ahnte nichts, freute sich sogar, dass Gio endlich allen übertriebenen Respekt abgelegt hatte. Als es dann passiert war, traf ihn die Erkenntnis über seine Blindheit wie ein Schlag: Er war ja nur deshalb so lässig geworden, der Gio Waldmann, weil er bereits mit allem abgeschlossen hatte! Ihn hatte nichts mehr interessiert. Er hatte nur noch still darauf gewartet, mal wieder zur Wache eingeteilt zu werden – um scharfe Munition zu empfangen.

Dieser Schuss! Wie sie da in ihren Betten hochgefahren waren. Ein einzelner Schuss mitten in der Nacht? Was hatte der zu bedeuten? Ein Spion, der gestellt worden war? Ein Warnschuss? Ein – haha – Nato-Angriff? Alle möglichen Vermutungen wurden angestellt, über die meisten durfte gelacht werden. Doch dann hasteten plötzlich Stiefel durch die Baracke. Sie sprangen auf, stürzten hinaus – und erfuhren, was geschehen war: Gio hatte sich erschossen. Er hatte sich über seine Kalaschnikow gekniet, auf Einzelfeuer gestellt und sich direkt in die Stirn geschossen ...

Anfangs überwogen die Zweifel. Gio sollte so etwas getan haben, ausgerechnet Gio, der bis zuletzt nicht gelernt hatte, wie man mit der Waffe umging? Danach herrschte allgemeine Bestürzung: Was war der Anlass für diese Verzweiflungstat?

Lenz traf die Nachricht am tiefsten. Erst konnte er vor Schreck und Entsetzen nicht klar denken, dann stieg Wut in ihm auf: Wie hatte Gio nur so etwas tun können! Weshalb hatte er sich ihm nicht anvertraut, wenn irgendetwas Schlimmes passiert war? Er hätte ihm doch geholfen ... Als dann aber die Hintergründe dieser Tat bekannt wurden, wusste er nicht, ob er Gio tatsächlich hätte helfen können: Gio Waldmanns Freitod hatte mit seiner Frau zu tun.

Gios Elvira war noch sehr jung, erst achtzehn Jahre alt. Als er sie kennen gelernt hatte in dem Potsdamer Schuhladen, in dem sie Verkäuferin lernte, war sie sogar erst sechzehn. Oft hatte er erzählt, wie verknallt sie sofort ineinander waren, er in seine rothaarige, ganz weißhäutige, vollbusige Elli, sie in ihren so südländisch brünetten Gio. Nicht lange und sie wurde schwanger, sie heirateten und sie zog zu ihm aufs Land. Wenige Wochen nach der Geburt ihrer Jacqueline aber wurde Gio zur Musterung bestellt und kurz darauf eingezogen.

In Gios Schrank hing ein Foto von seiner Elli; ein noch sehr kindliches, unfertiges, hübsches Mädchengesicht. Wenn er sich unbeobachtet glaubte, sah Gio dieses Foto lange an. Es sah fast aus, als betete er zu ihr. Als er an diesem Weihnachten auf Urlaub kam, so berichtete Elvira Waldmann vor der militärischen Untersuchungskommission, sei sie wie immer gleich mit ihm ins Bett gegangen – allerdings nur, um ihm gleich darauf zu sagen, dass sie ihn noch an diesem Tag verlassen werde. Sie habe inzwischen jemanden kennen gelernt, einen verwitweten Handwerksmeister, älter als Gio, reifer als er, wohlhabender als er. Dass sie sich noch mal zu Gio ins Bett gelegt hatte, sollte nur ein kleiner Trost sein. Sie habe Gio nicht enttäuschen wollen; sie wusste ja, wie sehr er sich immer auf sie freute. Danach aber habe sie ihm alles gestanden, und da sei er vor ihr auf die Knie gefallen, um sie zum Bleiben zu bewegen. Doch habe sie das abgelehnt. Sie wollte nicht mit Gio Weihnachten feiern und dabei immerzu an den anderen denken. So habe sie noch an diesem Abend – der Tag vor Heiligabend, ihr neuer Freund holte sie ab – ihre Tochter genommen und sei gegangen.

Gios Mutter sagte aus, Gio habe sie noch am gleichen Tag angerufen und sich dafür entschuldigt, dass seine Frau, die kleine Jacqueline und er sie am ersten Weihnachtsfeiertag nicht besuchen könnten; Frau und Tochter hätten eine fiebrige Grippe. Als sie daraufhin einen Krankenbesuch machen wollte, habe er ihr das strengstens untersagt. Er wolle nicht, dass sie sich anstecke.

Demzufolge war Gio die gesamten Feiertage über allein geblieben. Was aber hatte er in dieser Zeit getan, wie hatte er den Schmerz ausgehalten? Hatte er sich Tag für Tag betrunken? Den Urlaub abbrechen durfte er ja nicht, dann hätte er in Pragsdorf irgendeine Erklärung abgeben müssen. Und dann wäre man vielleicht misstrauisch geworden und hätte ihn nicht zum Wachdienst eingeteilt.

Es hieß, Gios Frau habe, als sie von Gios Tod erfuhr, einen Nervenzusammenbruch bekommen; in Pragsdorf stimmte das niemanden milde. Natürlich, wenn eine Frau einen Mann nicht mehr liebte, musste sie sich von ihm trennen – aber durfte das auf eine so unsensible Weise erfolgen?

Nach dem Abschluss der Untersuchungen hielt Ko-Chef Müller im Speisesaal eine Rede. »Genossen Flieger, Genossen Unteroffiziere, Genossen Offiziere. Uns alle hat ein Vorfall der letzten Tage zutiefst erschüttert. Über das Wachvergehen des Gefreiten Waldmann wollen wir im Nachhinein nicht richten; er befand sich offensichtlich in einer schweren persönlichen Krise. Es muss aber festgehalten werden: So wie der Gefreite Waldmann gehandelt hat, darf ein Soldat der Nationalen Volksarmee nicht handeln. Er hat unser Vertrauen auf das Schlimmste missbraucht. Weshalb hat er sich denn nicht an seine Vorgesetzten gewandt? Unsere Genossen Unteroffiziere und Offiziere haben die entsprechende psychologische Ausbildung, sie hätten ihm helfen können.«

Waldmann, der schlechteste Soldat der Kompanie, die Pfeife Waldmann, die Mimose Waldmann, hätte sich vertrauensvoll an jene Breitbrusthelden wenden sollen, die ihn verachteten? – Seine Frau ist ihm durchgebrannt? Na, dann wird er es ihr wohl nicht ordentlich genug besorgt haben, dann kann er nicht mal das, hätten sie gelästert.

Cäsar Müller: »Viele unserer Frauen und Mädchen wissen noch nicht, wie wichtig ihr Beitrag zur Aufrechterhaltung der Kampfmoral unserer Genossen Flieger und Unteroffiziere ist. Sie darüber zu belehren muss eine Aufgabe der gesamten entwickelten sozialistischen Gesellschaft sein.« Sein Rat für die oberen Dienstränge: Sie, und da nehme er sich gar nicht aus, müssten künftig noch näher an den Gedanken, Gefühlen und Sorgen der ihnen anvertrauten Untergebenen sein. »Auf die Arbeit mit dem Menschen kommt es an!« Die Armee sei ja nicht nur irgendeine Zweckgemeinschaft, die Armee sei Teil der entwickelten sozialistischen Gesellschaft. »Wir haben Verantwortung für jeden Einzelnen zu tragen.«

Er redete noch lange. Schöne Worte, gestelzte Worte, hilflose Worte. Am Schluss der Zusammenkunft wurde die gesamte Kompanie zum Schweigen vergattert. Der Gegner würde solch menschliche Tragödien nur aufbauschen, um die Nationale Volksarmee und damit den gesamten Arbeiter- und Bauernstaat zu diffamieren. Fragen durften nicht gestellt werden.

In der Nacht nach dieser Rede versuchte Lenz, seine Gedanken zu Papier zu bringen. Es gelang ihm nur schlecht. Er empfand Schuldgefühle.

Wir werden auch das überleben, hatte er zu Gio gesagt, als der sich vor dem Dienst in Pragsdorf fürchtete, und ihm danach durch viel Training geholfen, nachträglich die Qualifikationsspange als Planzeichner zu erwerben. Auch in manch anderen Situationen hatte er ihm zur Seite gestanden. Aber hatte er ihn jemals ganz ernst genommen, hatte nicht auch er des Öfteren über den unbeholfenen, schussligen, tapsigen Waldmann gelächelt?

Andererseits: Die Armee trug ja nur einen geringen Teil Schuld. Letztlich war es eine private Tragödie, die Gio das Leben gekostet hatte. Auf Liebe gab es keine Garantie; in seinen Liebesangelegenheiten stand jeder ganz allein da.

Es gab mehrere solcher Katastrophen, über die nicht geredet werden durfte. Da hatte in einer Nachbarkompanie ein Unteroffizier während des Wachdienstes beim Spielen mit der Waffe einen Gefreiten erschossen, war der soundsovielte Pilot mit seiner MiG 21 bei einem Abfangversuch abgestürzt, war irgendwo hoch im Norden der Republik ein Soldat unter einen Panzer geraten. Unfälle, wie sie in jeder Armee vorkamen; wo gehobelt wurde, fielen eben Späne; wo man das Töten trainierte, gab es Tote. In sozialistischen Armeen aber durfte es so etwas nicht geben, deshalb sickerten Vorfälle dieser Art nur auf inoffiziellen Wegen durch.

Das Getuschel über solche Vorfälle gehörte zum Alltag wie das heimliche Abhören des *Deutschen Soldatensenders;* ein DDR-Sender, der in die Bundesrepublik hineinstrahlte, um über Todesfälle innerhalb der Bundeswehr zu berichten. Früh, mittags und abends sendete er die aktuellsten westlichen Schlager, dazwischen wurde immer wieder über Skandale und Schikanen in der Bundeswehr informiert, wurden übel beleumdete Kasernen und Schleifer beim Namen genannt und die sich stetig häufenden Starfighter-Abstürze akribisch mitgerechnet. Wie schade, dass es im Westen keinen Sender gab, der auf gleiche Weise über das Leben und Sterben in der Nationalen Volksarmee berichtete; wie erhellend, dass sie, die eigenen Leute, den *Deutschen Soldatensender* offiziell nicht hören durften! Sie hätten ja sonst Vergleiche anstellen können.

Auch die Jagd nach *Staedtler*-Stiften gehörte zum Alltag; bundesrepublikanische Fettstifte, die es den Planzeichnern ermöglichten, auf Glas oder Plexiglas zu schreiben. Die in der DDR produzierten Stifte taugten nichts, die Mienen schmierten und brachen unentwegt. Sievers, Feind aller Imperialisten und deren Helfershelfer, legte ihnen nahe: »Wenn ihr drüben eine Tante habt, lasst euch einen Vorrat *Staedtler*-Stifte schicken.« Eine brisante Empfehlung, war ihnen als Angehörigen der Nationalen

Volksarmee doch jeder Kontakt zur Bundesrepublik verboten. Sievers aber hatte seinen Lenin gelesen, und hatte der nicht gesagt, dass der Sozialismus den absterbenden Kapitalismus in jeder Weise ausnutzen und schädigen durfte, wenn er dessen Tod damit beschleunigte? Cäsar Müller und Politnik Wittkowski mussten dieses Kapitel auch gelesen haben; sie sahen ja, mit welchen Stiften ihre Planchettis arbeiteten.

Lenz bezog seine *Staedtler*-Schätze über Hannahs Bruder Jo. Auf diese Weise belieferte der ehemalige Soldat der Bundeswehr einen Wehrpflichtigen der Feindesarmee mit Waffen. Ein Paradebeispiel für angewandten Leninismus? Oder nur friedliche Koexistenz im Kleinen?

Nicht alltäglich waren die Treffen mit den russischen Waffenbrüdern. Die russischen Soldaten, die ihre Kasernen hinter den hohen, grünen Bretterzäunen sonst nur zu Geländeübungen verlassen durften, waren größtenteils ewig grinsende, verunsichert wirkende große Kinder. Traurigkeit ging von ihnen aus. Es wusste ja jeder, dass sie oft jahrelang keinen Urlaub bekamen und für das geringste Vergehen von ihren Offizieren geprügelt wurden. Und hielt einer von ihnen dieses Leben nicht länger aus und machte sich aus dem Staub, wurde er von seinen Genossen und deutschen Volkspolizisten gesucht. Und wenn er entdeckt wurde und nicht stehen blieb, wurde geschossen.

Am Ende mutierte jeder dieser Verbrüderungsabende zum reinen Saufwettbewerb. Was hätten sie denn sonst miteinander anfangen sollen? Zwar hatten die deutschen Brüder in der Schule Russisch gelernt, doch was hatten sie davon schon behalten? Und da die Russen ihre Kasernen nicht verlassen durften, sprachen sie kein Wort Deutsch.

An einem dieser Abende kurz vor Ende seiner Dienstzeit zählte der schon halb betrunkene Lenz vor Wut über die mangelnden

Verständnismöglichkeiten zum Schluss nur noch russische Dichternamen auf und die nicht minder angeheiterten russischen Brüder klatschten bei jedem Namen begeistert Beifall. Dabei hätte Lenz seinen Nachbarn, einen strohblonden, stupsnäsigen, pfiffig wirkenden Burschen aus Leningrad, viel lieber gefragt, ob das nicht seltsam sei, dass die Deutschen und die Russen so viele Gemeinsamkeiten hatten. Überall in der Welt würden die Leute bei dem Namen Hitler an Deutschland denken, obwohl der doch eigentlich Österreicher war, und bei Stalin an einen Russen, obwohl der doch Georgier war. Und auf beiden Seiten, auch daran hätte er den Strohblonden gern erinnert, habe es Lager gegeben, in denen die einen die Menschen auf technisch perfekte Weise ums Leben brachten und die anderen sie sich zu Tode schinden ließen. Und ebenfalls auf beiden Seiten hätten Millionen Menschen vor diesen Gräueltaten die Augen verschlossen. Aus Angst, Gleichgültigkeit oder Karrieredenken. Du aber, braver Soldat Wanja, und ich, der brave Soldat Manne, wir können beide nichts für diese fürchterlichen Verbrechen und das verdammte Wegkucken und werden doch in aller Welt schief dafür angesehen. Das aber müssen wir aushalten, Bruder Wanja; wir sind nicht beliebt! Und weiterhin, Wanjuscha, müssen wir aushalten, dass eventuell dein Vater den meinen oder meiner deinen erschossen hat. Können wir das? Und wenn wir das können, Wanjuscha – eine fast übermenschliche Leistung von deiner Seite, ich weiß, denn wir haben euch überfallen und nicht ihr uns –, wenn wir das können, Wanjuscha, was machen wir, wenn sie uns morgen befehlen, mal wieder aufeinander zu schießen? Schießt du dann auf mich, Bruder Wanja, oder verweigerst du den Befehl und wirst selbst erschossen? – Nein, du verweigerst nicht den Befehl, du schießt auf mich. Und ich, Towarisch Wanja, ich schieße auf dich! Ach, da verbrüdern wir uns doch lieber miteinander und saufen uns die Hucke voll. Bist ein feiner Kerl, Wanjuscha! Es lebe die deutsch-sowjetische Freundschaft!

Und vielleicht hätte der strohblonde Wanja dem dunkelblonden Manne an diesem Abend Ähnliches gesagt, wenn der nur besser Russisch gesprochen hätte oder er selbst ein paar Brocken Deutsch hätte hervorzaubern können.

Die letzte Nacht! Auf der Stube der Planchettis wurden alle Fenster verhängt; die drei EKs – mit Gio Waldmann wären sie vier gewesen – gaben ihren Ausstand. Ein rauschendes Fest mit Bier und Wein, Würstchen und Bouletten, sauren Gurken und Rollmöpsen sollte da bis in den frühen Morgen hinein gefeiert werden. Doch es rauschte nur sehr leise. Wer noch bleiben musste, war eher melancholisch gestimmt; die drei Entlassungskandidaten blickten nur sehr nachdenklich zurück: Gio – irgendwie saß er mit am Tisch.

Am nächsten Morgen stand pünktlich um zehn Uhr der von den etwa zwanzig EKs gemietete Bus vor dem Kompanietor und der Fahrer rollte einen roten Teppich aus: Willi Scholz' Idee. Als der Bus anfuhr, sangen sie aus voller Kehle: »So ein Tag, so wunderschön wie heute!« Sie sangen bis zum Neubrandenburger Bahnhof. Dort stiegen alle die aus, die in Richtung Norden oder Osten mussten, die anderen fuhren bis Berlin weiter, um dort in die verschiedenen Züge Richtung Süden oder in die S-Bahn umzusteigen.

Was für eine Heimkehr! Auf Lenz warteten ja nicht nur Hannah und Silke und der erst zehn Tage alte Micha, auch eine neue Wohnung erwartete ihn: zwei Zimmer mit Bad und Zentralheizung im zehnten Stock eines Friedrichsfelder Neubauviertels. Sie hatten sie bereits im Jahr zuvor beziehen dürfen, er hatte den Umzug per Sonderurlaub bewältigt. War er danach auf Urlaub gekommen, hatte er ihre neue Heimstatt schon vom Zugfenster aus sehen können und war jedes Mal von Lichtenberg aus zu Fuß nach Friedrichsfelde gehastet; auf die Straßenbahn zu warten, dazu hatte er nie die Geduld gehabt. Heute wäre er am liebsten geflogen.

Hannah, Hannah, Hannah! Silke, Silke, Silke! Micha, Micha, Micha! Er hatte auch zu Michas Geburt noch einmal Sonderurlaub bekommen, bei Hannah am Bett gesessen und sie, die so schwere Monate hinter sich hatte, allein mit Silke und dem in ihrem Bauch heranwachsenden Zehnpfünder, immer wieder gestreichelt und den dicken Sohn begutachtet, der so pausbäckig war, dass alle Säuglingsschwestern über ihn lachen mussten. Wie schwer war es ihm gefallen, noch einmal nach Pragsdorf zurückzukehren, nur um die letzten zehn Tage Dienstzeit abzureißen!

Jetzt aber war das vorbei; jetzt war er wieder da! Es dauerte ihm viel zu lange, bis der Fahrstuhl kam, zu Fuß raste er in den zehnten Stock hoch – und dann lagen sie sich auch schon in den Armen, die glückliche Hannah, die freudestrahlende Silke und Lenz mit seinem dicken Micha vor der Brust, der ob dieser Störung in seinem Babyleben allerdings nur sehr mürrisch kuckte.

Ja, jetzt sollte das ganz große Glück beginnen; nie wieder wollten sie sich trennen. Lenz konnte nur lachen, als ihm, dem mehrfach ausgezeichneten Pragsdorfer Planzeichner, nur drei Monate nach seiner Entlassung aus der Armee die Teilnahme an einem Offizierslehrgang angeboten wurde. Nur ein Vierteljahr, so schrieb man, und er würde den Lehrgang als Unterleutnant der Reserve abschließen.

Das Studium, das er nun endlich beginnen wollte, war ein einfacher, einleuchtender und politisch nicht unkorrekter Grund für seine Absage.

7. Paukenschläge

Sie hielten sich an den Händen und wanderten durch eine Wiesenlandschaft, Hannah, Silke, Micha und er. Der Himmel war weit und licht, in der Nähe wussten sie die Ostsee; ein Ferientag voll Sonne. Doch warum waren Micha und Silke so still? Und weshalb wagten auch Hannah und er nichts zu sagen?

Ein Blaubeerwald! Nun befanden sie sich mitten in einem Blaubeerwald. Den kannte Lenz, das war der Wald bei Prerow auf dem Darß, in dem sie sich im vorigen Jahr so oft die Zungen blau gefärbt hatten. Unermesslich viele, große, herrlich schmeckende Blaubeeren gab es dort; nur die Mücken, die machten das Beerenlesen zur Plage ... Aber nein, das war nicht der Darß! Der Wald wurde ja immer dichter und höher, die Bäume wuchsen in ein Gebirge hinauf. Und jetzt rollten mit einem Mal Felsbrocken auf sie herab, immer größere, immer mächtigere Felsbrocken, immer lauter dröhnte der Steinschlag ... Die Kinder! Sie warfen sich über die Kinder und schrien ...

Lenz schreckte hoch, sein Herz raste, er atmete schwer. Hinter den Glasziegelsteinen war es noch finster, das Licht über der Tür ging an, gleich darauf waren vor der Tür Schritte zu hören, die sich langsam entfernten.

Eine Weile lag Lenz wach, dann versuchte er weiterzuschlafen, fürchtete sich aber davor, in diesen Traum zurückzufallen, bis ihn der Gedanke, dass ja heute Hannahs Geburtstag war, endgültig aus dem Schlaf riss. Dreißig wurde sie nun ... Wie hatten sie voriges Jahr darüber gelacht, dass sie schon in diesem Jahr eine »Frau von dreißig Jahren« sein würde, wie einer ihrer Lieblingsromane hieß. Sie lachten, weil Hannah für diese Rolle ja noch viel zu jung war; war ja ein Unterschied, ob man im 19. oder 20. Jahrhundert dreißig wurde …

Ein schöner Tag war das, dieser Hannah-Tag vor einem Jahr! Die Kinder hatten ihr selbst gebastelte Geschenke überreicht, einen langen Schneespaziergang hatten sie unternommen, jede Menge Kuchen gekauft und danach geschlemmt wie vier Götter in Frankreich. Und am Abend waren Freundinnen von Hannah gekommen und es war immer lustiger geworden … Heute würde es niemanden geben, der Hannah feierte, sie an sich drückte, ihr auf den Schoß kroch. Er konnte ihr nur still Glück wünschen und darauf hoffen, dass sie wirklich bald Glück hatte … Ich wünsche dir das Beste, denn geht's dir gut, geht's mir noch viel besser. So sagten sie immer, wenn einer von ihnen Geburtstag hatte. Ein Scherz – und doch die Wahrheit.

Lenz bekam nun nicht mehr die *Berliner Zeitung*; im Frauentrakt wanderte das *Neue Deutschland* von Zelle zu Zelle. Aber natürlich las er es, er war ja nach wie vor froh über jede Abwechslung. Doch nicht mal der Wunsch, die Zeit mit Lektüre totzuschlagen, konnte ihn dazu bewegen, bestimmte Artikel bis zu Ende zu lesen.

Wie sie logen! Wie sie die Wahrheit umbogen, nur damit ihre Theorie stimmte! Wie monoton sie schrieben! Der Sozialismus eilte von einem Sieg zum anderen, die Arbeitsproduktivität stieg ständig, ein glückliches Leben in Frieden und Geborgenheit lebten sie, die Bürger da draußen.

Wollte das *ND* seine Leser auf diese Weise einschläfern – ein müder Kopf denkt nicht gern? – oder konnten diese Lohnschreiber es nur nicht besser?

Sollten Hannah, Silke, Micha und er tatsächlich über dieses Anwaltsbüro Vogel in die Bundesrepublik ausreisen dürfen und

Hannah und er sich irgendwann, aus welchen Gründen auch immer, in ihr altes Leben zurücksehnen, dann würden sie sich nur von irgendwoher ein *ND* besorgen müssen. Ein Blick hinein und sie wären geheilt.

Doch es gab auch wirklich positive Nachrichten in jenen Tagen. In Vietnam war ein Ende des Krieges abzusehen. Das von den sozialistischen Ländern unterstützte, tapfere vietnamesische Volk habe der Großmacht USA eine Niederlage zugefügt, verkündete das *ND*.

Also hatte es auch ohne die tätige Mithilfe des Oberfeldwebels Sievers und der Pragsdorfer Kompanie geklappt. Unsere gute Sache, unsere Solidarität, unser strebsames, fleißiges Volk – wir alle, die Sieger!

Lenz freute sich trotzdem.

An diesem 30. Januar aber schaffte er es nicht, den Artikel über das Pariser Waffenstillstandsabkommen zu Ende zu lesen, die Zellentür ging und er wurde nach längerer Zeit mal wieder in den Vernehmertrakt geführt. Knuts Vorliebe für ganz besondere Tage! Oder hatte er etwa – vorsichtige Freude – Hannah einen Geburtstagssprecher zum Geschenk gemacht?

Doch der Leutnant saß allein in seinem Zimmer. »Na? Lange nicht gesehen!«

»Das lag nicht an mir. Ich war zu Hause.« Lenz musste seine Enttäuschung verbergen.

»Schön, dass Sie sich bei uns schon wie zu Hause fühlen.«

Knut legte Zigaretten vor ihn hin und stellte ein kleines Radio an, das er zu Lenz' Überraschung auf dem Panzerschrank stehen hatte. Wollte der Leutnant es ihm und sich ein bisschen gemütlich machen? Oder sollte doch noch eine Geburtstagsfete starten?

Biedere östliche Schlagermusik ertönte, doch ging sie Lenz

durch und durch. Wann hatte er denn zum letzten Mal Musik gehört?

»Gefällt Ihnen mein Pullover?«

Was war das denn für eine Frage? Beinahe wäre Lenz das schon angezündete Streichholz aus der Hand gefallen. »Ja«, sagte er zögernd. »Hübsches Grün.«

Knut lehnte sich in seinen Stuhl zurück, damit Lenz den Pullover – spinatgrün mit V-Ausschnitt – besser sehen konnte. »Hab ich vorige Woche gekauft, im Warenhaus am Alexanderplatz. Auch die Schuhe« – er hob ein Bein, damit Lenz auch die neuen braunen Schuhe nicht verborgen blieben – »brandneu! Im Schuhladen an den Rathaus-Passagen. Jede Menge Auswahl.« Er strahlte zufrieden. »Ja, das alles gibt's jetzt bei uns zu kaufen.«

Lenz wurde blass. Glaubte etwa der Leutnant nach all den Gesprächen, die sie miteinander geführt hatten, es wäre nur irgendeine Klamotten-Geilheit, die Hannah und ihn dazu bewogen hatte, in die Bundesrepublik ausreisen zu wollen? War er mit seinem Wer-ist-wer immer noch nicht fertig?

»Was sagen Sie dazu?«

»Herzlichen Glückwunsch!«

Der Leutnant musterte Lenz aufmerksam, dann stellte er das Radio etwas leiser. »Ich wollte Ihnen damit nur zeigen, dass wir auch auf dem Sektor der Konsumgüterproduktion inzwischen Weltniveau erreicht haben.«

Lenz wies auf das Radio. »Und was sollen diese Töne? Haben inzwischen auch unsere Schlagersternchen Weltniveau erreicht?«

»Musik am Arbeitsplatz lockert auf.«

Nicht dumm, Knutie! Willst eine weiche Stimmung erzeugen. Einer, der so lange nur sein eigenes Summen gehört hat, weil Singen und Pfeifen ja verboten ist, muss noch bei dem blödesten

Schmusesong dahinfließen; der Wunsch, hier rauszudürfen, wächst an und auch die Redseligkeit wird ungemein gefördert. Doch wozu das Ganze bei einem, der bereits gestanden hat? Lenz fragte sich das und Angst überfiel ihn: Was, wenn sie beabsichtigen, nur Hannah ausreisen zu lassen? Hannah ist im Westen aufgewachsen, da haben sie keine Hoffnung mehr, sie noch zurückgewinnen zu können; du gehörst nach ihrer Ansicht zu ihnen, bist ein Kind der DDR. Bleibst du, geben sie dir Silke und Micha und haben damit ein gutes Geschäft gemacht: Einer geht, drei bleiben. Sie legen ja Wert auf Kinder; Kinder sind ihre Zukunft.

Der Leutnant beobachtete Lenz ein Weilchen, dann lächelte er plötzlich freudig, griff in eine seiner Schreibtischladen und schob ein paar DIN-A4-Blätter vor Lenz hin. »Kennen Sie das?«

Ein kurzer Blick – und Lenz wusste Bescheid: Sie hatten Texte von ihm gefunden; Gedichte, so gut versteckt, dass er vergessen hatte, sie noch vor ihrer Abreise zu vernichten. Er starrte auf die zum Teil schon vor Jahren beschriebenen Blätter und versuchte, sich zu fassen: Vorsicht! Das ist eine Überrumpelungsaktion. Erst die Musik, dann die Klamotten – alles reine Ablenkungsmanöver –, jetzt, aus heiterem Himmel, die Keule: deine Texte … »Haben Sie die jetzt erst entdeckt?«, versuchte er seine Bestürzung zu überspielen. »Tolle Leistung!«

»Irgendwann werden wir immer fündig.« Knut gab zu, dass diese losen Blätter während der ersten Wohnungsdurchsuchungen übersehen worden waren. »Wir haben ja nicht gleich alle Möbel auseinander genommen.« Während einer abschließenden Durchsuchung seien sie jedoch gefunden worden, zwischen zwei zusammengeschraubten Regalwänden. »Echte Paukenschläge, muss ich sagen!«

Die Gedichte, die da auf dem Tisch lagen, waren Paukenschläge, sonst hätte Lenz sie nicht so gut versteckt. Eines beschäftigte sich mit dem Einmarsch der Truppen des Warschauer Paktes zur Niederschlagung des Prager Frühlings 1968 – Refrain: »Nun marschieren wir wieder, hurra – hurra – hurra, nun singen wir wieder, hurra – hurra – hurra, die alten Volksbefreiungslieder!«; eines handelte von den Toten an der Mauer – »es feixt der Tod, denn Staates Not kennt kein Gebot«; eines von der Parteidisziplin – »und ein jeder spricht mit gesalbtem Gesicht von der Pflicht, von der Pflicht, von der Pflicht«.

»Was haben Sie damit aussagen wollen?«

»Sind die Texte nicht eindeutig genug?«

»Oh! Tut mir Leid, hab ganz vergessen, dass es den Dichter beleidigt, seine Texte interpretieren zu müssen. Also versuch's mal ich: Einerseits haben Sie damit die Politik unseres Staates verleumdet und unsere Werktätigen diskriminiert, andererseits wollten Sie unsere Bürger gegen ihren Staat aufwiegeln.«

Es war plötzlich eine sehr ernste Stimmung im Raum; keinerlei Hohn, Spott oder Gegrinse mehr. Lenz überkam ein zwiespältiges Gefühl. Er dachte: Es ist gut, dass sie die Texte gefunden haben; jetzt wissen sie wenigstens, dass du endgültig für sie verloren bist. Andererseits befiel ihn Furcht. Sein Geschreibsel würde sie kaum milder stimmen. Staatsfeindliche Hetze, Staatsverleumdung, staatsgefährdende Propaganda, öffentliche Herabwürdigung, und was es da noch so alles an Tatbeständen gab, konnten sie ihm unterjubeln. Und das würde dann noch hinzukommen zu all dem anderen. Er musste sich zusammennehmen, dass seine Hände nicht ins Zittern gerieten. »Sie interpretieren sehr frei. Ich würde sagen, ich habe Kritik geübt – und somit als einer, der mal mitarbeiten wollte an seinem Staat, nichts als meine Pflicht getan.«

»Und weshalb haben Sie Ihre ›Kritik‹ dann versteckt?«

»Weil ich kein Idiot bin. Ich weiß doch, dass solche Mitarbeit nicht erwünscht ist. Wollte nicht wegen ein paar frechen Gedanken in den Knast wandern. Aber erklären Sie mir doch mal, wie man mit versteckten Texten jemanden ›aufwiegeln‹ kann. Oder nennen Sie mir jemanden, dem ich diese Texte zu lesen gab.«

»Hat Ihre Frau Ihre Hervorbringungen nicht gelesen?«

»Soll ich jetzt lachen?«

»Wenn Ihnen danach zumute ist – bitte! Der Tatbestand, dass Sie Ihre Texte weiterverbreitet haben, ist damit aber bereits gegeben.«

Im Radio kam das Lied von dem himmelblauen *Trabant*, der durch das Land fuhr, mitten im Regen.

Knut: »Weshalb haben Sie Ihre ›Kritik‹ denn nicht westlichen Verlagen angeboten? Hat ja so mancher auf diese Weise sein bescheidenes Licht zur Fackel aufgeblasen. Und ein paar Westmark abgesahnt.«

Sollte er darauf antworten, dass ihm diese Art von Texttransfer nicht gefiel? Dass er es beschämend fand, im Osten zu sitzen und im Westen für jeden noch so leisen Zweifel an der sozialistischen Gesellschaft gelobt zu werden? – Nein, damit würde er dem Leutnant nur entgegenkommen: Du gehörst ja doch zu uns, hast dich nur verrannt ... »Der eine macht dies, der andere macht das. Wir Menschen sind zum Glück alle sehr unterschiedlich.«

»Glauben Sie denn an das, was Sie da geschrieben haben?«

Lenz bezweifelte, dass es sich lohnte, Knut mit Ehrlichkeit und Moral zu kommen. Trotzdem sagte er: »Wer beim Schreiben lügt, aus welchen Gründen auch immer, ist nicht ernst zu nehmen. Ich darf mich irren, aber in dem Augenblick, in dem ich es niederschreibe, muss ich daran glauben, dass es die Wahrheit ist.«

Da konnte er mal wieder nur den Kopf schütteln, der Knut. »Sie sind vielleicht ein Traumtänzer! Was Sie ›Wahrheit‹ nennen, ist nichts als blanke Hetze in Versform. Die pure Staatsverleumdung! Staatsfeindliche Hetze im verschärften Fall, Paragraph 106, falls Ihnen das was sagt.«

Also doch: Illegaler Grenzübertritt, staatsfeindliche Verbindungsaufnahme, Spionage – nun auch noch staatsfeindliche Hetze im verschärften Fall! Gehörte er, Manfred Lenz, der Großverbrecher, nicht längst erschossen?

»War der Wunsch, schreiben zu wollen, eventuell der wahre Grund für Ihren Fluchtversuch?«

»Nein!« Lenz straffte sich. »Da spielte vieles mit hinein. Aber vielleicht hätte etwas mehr an Meinungsfreiheit uns zurückgehalten.«

Da machte Knut mal wieder sein ehrlich empörtes Gesicht. »Und in der BRD? Was glaubten Sie denn, dort mit Ihrer Schreiberei bewirken zu können? Wollten Sie mit Ihren Texten nur gegen die DDR hetzen – oder sich auch dort drüben einmischen?«

Die Wut in Lenz wuchs. Nun musste er sich mit diesem Stasi-Leutnant auch noch über Literatur unterhalten. »Dreimal dürfen Sie raten.«

»Aber da drüben haben ehrliche Schreiber doch gar keine Chance. Die bürgerliche Kunst ist längst nicht mehr fähig, bedeutende Werke hervorzubringen. Man hält sich für fortschrittlich, wenn man Pornographie produziert, und den wenigen kritischen Autoren bleibt nur, die Wirklichkeit einer verzerrten, sterbenden, bei uns längst überwundenen Lebenswelt wiederzugeben. Unsere Künstler hingegen sind am Aufbau einer wahrhaft neuen, menschenfreundlichen Gesellschaftsordnung beteiligt.«

Knut machte eine Pause, dann dozierte er weiter: »Literatur darf doch nicht nur Amüsement oder Zerstörung sein. Sie soll den Menschen Kraft und Zuversicht vermitteln, sie moralisch stärken, ihr Bewusstsein verändern. Kritische Realisten, wie Sie einer sein wollen, braucht unsere Gesellschaft nicht. Bei uns muss niemand ›angeklagt‹ werden, unsere Gesellschaft entwickelt sich aus sich selbst heraus, unsere Autoren haben ein optimistisches Weltbild. Kritikaster nützen uns nichts. Wir wollen positive Denkprozesse fördern, nicht negative.«

Hatte der Leutnant inzwischen einen Volkshochschulkurs über sozialistisches Schreiben besucht? Oder schrieb er gar selber?

»Sie und Ihresgleichen wollen Individualisten sein. Hier gefällt Ihnen dies nicht, dort jenes. Sie werfen uns vor, die Wahrheit okkupiert zu haben, dabei wollen Sie sich doch nur selbst zum obersten Richter aufschwingen. Mal ein Hieb nach links, mal einer nach rechts – aber ist es denn so schwer zu kapieren, dass man zu bestimmten Zeiten Partei ergreifen und nicht einfach immer nur aufpicken darf, was einen gerade wieder mal stört?«

Er wünschte sich Autoren, die im Gleichschritt dachten. Wusste er, in welche Reihe er sich damit stellte? »Dichter muss sein wie ein Soldat«, hieß es schon bei den Nazis, »in Reih und Glied marschieren …« Lohnte es sich, ihm das zu sagen?

Knut: »Den großen humanitären Gedanken, dass der Mensch nicht nur für sich, sondern für die Sache der Menschheit arbeiten soll, haben doch nicht wir erfunden. Den gibt's seit Jahrtausenden, der ist in allen Religionen enthalten. Und ist es denn nicht so, dass gerade Menschen, die über ihre engen persönlichen Interessen hinaus wirksam werden, die größten Leistungen erzielen?«

Wieder kroch Angst in Lenz hoch. Wieso kämpft der so um

dich? Geht es ihnen tatsächlich allein um die Kinder? Aber sie wissen doch, dass du Hannah liebst und dich niemals von ihr trennen würdest … Und Hannah nicht dich und die Kinder im Stich lassen würde; da müssten sie sie schon mit Gewalt über die Grenze schieben …

Knut: »Verraten Sie mir doch mal, was Sie von den DDR-Autoren halten, die nicht Ihre Probleme haben.«

Sag's ihm, Manne! Zeig ihnen, dass sie auf dich nicht mehr hoffen dürfen. Er zündete sich erst noch eine Zigarette an, dann legte er los. Es gebe viele sehr kluge und sehr gute Schreiber und Schreiberinnen in der DDR, er bewundere sie aber vor allem für ihre Geduld. Immer wieder Probleme mit dem Zensor, den es offiziell gar nicht gibt, immer wieder zwischen den Zeilen schreiben müssen! »Ich glaub nicht, dass das viel Spaß macht. Vor allem, weil man sich ja irgendwann fragen muss, wo denn die List aufhört und die Feigheit beginnt.«

Der Leutnant schrieb eifrig mit.

Jene Schönfärber und Verbreiter von Halbwahrheiten aber, die schon lange keine Literatur mehr verfassten, sondern sich als Volkserzieher im Auftrage des Staates betätigten, fuhr Lenz fort, die seien nicht der Rede wert. »Anstatt sich von der Macht fern zu halten, lassen sie sich von ihr zu Werkzeugen degradieren; anstatt ihren Mächtigen auf die Finger zu klopfen, reagieren sie sich am fernen Gegner ab. Fehlentwicklungen im eigenen Land übersehen sie, weil sie dem ›Feind‹ kein Material liefern wollen.«

Der Leutnant schüttelte seine Schreibhand aus, dann schrieb er weiter mit.

»Ist ja alles menschlich«, diktierte Lenz ihm. »Schöne Reisen, auch in westliche Länder, gute, sichere Verdienstmöglichkeiten, dazu Wohnungen oder Häuser in bester Wohnlage – bei solchen Belohnungen für gute Taten wird eben mancher schwach. Aber das ist ja nichts Neues, das war schon immer so. Intellektualität und Charakter trifft man nicht unbedingt gemeinsam an.«

Der Leutnant sah auf. Ein mokantes Lächeln umspielte seine Lippen. »Was das Reisen betrifft, waren Sie doch selbst ein Privilegierter.«

»Hab dafür aber nicht Männchen gemacht, wie in meiner Kaderakte nachzulesen sein dürfte.«

»Lassen wir das!« Der Leutnant winkte ab. »Kommen wir zum Kernpunkt des Ganzen: Ist Fortgehen denn nicht auch feige? Eine Flucht vor den Problemen, mit denen Sie sich ja eigentlich auseinander setzen wollen, nach Ihrem Selbstverständnis sogar müssen?«

»Gibt leider keine Alternative.«

»Wirklich nicht?«

»Nein. Ich will so schreiben, wie ich denke. Meine Texte aber hätten mich nicht in die Bibliotheken und Buchhandlungen, sondern genau dahin gebracht, wo ich mich jetzt befinde. Paragraph 106, sagten Sie, oder?«

Der Leutnant schaltete das Radio aus. »Dass Ihre ablehnende Haltung gegenüber unserem Staat vielleicht nur damit zu tun hat, dass Sie kein Vertrauen zu uns haben – auf diese Idee kommen Sie nicht? Entgegen Ihrer Behauptung gibt es bei uns schon längst keine Tabuthemen mehr. Hätten Sie in letzter Zeit gründlicher unsere Medien verfolgt, anstatt sich vom Gegner beeinflussen zu lassen, wüssten Sie das vielleicht.«

Er spielte auf eine viel zitierte Honecker-Rede an, klammerte aber einen wichtigen Nebensatz aus. Was hatte der Genosse mit den vielen Titeln denn wirklich gesagt? Es solle in Kunst und Literatur keine Tabus mehr geben, *wenn von der richtigen sozialistischen Position ausgegangen wird.* »Und was ist mit solchen wie mir, die nicht von der ›richtigen Position‹ ausgehen?«

Knut, mal wieder empört: »Natürlich unterstützen wir keine antisozialistischen Tendenzen, das ist doch wohl klar! Schlägst du mir auf die eine Backe, halte ich dir auch noch die andere hin, was?«

»Wer schlägt denn hier wen?«

»Sie schlagen! Sie schlagen in Ihren Texten auf alles ein, was nicht Ihren Vorstellungen entspricht.« Der Leutnant hob Lenz' Texte hoch und ließ sie auf den Schreibtisch zurückfallen, als hätte er sie gewogen und für zu leicht befunden.

Da zuckte Lenz nur noch die Achseln. Darauf gab es nichts zu erwidern.

»Ja, dann!« Der Leutnant setzte sich etwas gerader hin, nahm wieder seinen Kugelschreiber zur Hand und machte ein offizielles Gesicht. »Sie glauben also, innerhalb der Grenzen unseres Staates nicht leben zu können, weil Sie sich nicht so äußern dürfen, wie Sie wollen?«

»Das ist nicht der einzige Grund, wie ich bereits sagte, aber sicher nicht der unwichtigste.«

Er schrieb das auf, der Leutnant, dann lehnte er sich wieder in seinen Stuhl zurück. »Na, dann wissen wir jetzt ja Bescheid.«

»Das wäre gut«, antwortete Lenz freundlich. »Für beide Seiten.«

Sie musterten sich mal wieder, bis der Leutnant plötzlich fragte, ob Lenz, gesetzt den Fall, er erreiche sein Ziel, in die BRD ausreisen zu dürfen, dort eines Tages auch über seine Haftzeit berichten würde.

Lenz horchte auf. »Wie soll ich heute wissen, worüber ich morgen schreibe? Gibt vieles, was mich beschäftigt ...«

»Als da wäre?«

»Die Dritte-Welt-Problematik, das Wettrüsten, die Kriege, die nicht aufhören wollen, die deutsche Vergangenheit, die auf beiden Seiten, in West und Ost, nicht ehrlich genug aufgearbeitet wurde … Aber natürlich ist die Situation eines Menschen, der monatelang in Einzelhaft gehalten wird, auch ein reizvolles Thema.«

»Na, da haben Sie sich ja allerhand vorgenommen.« Der Leutnant dachte einen Augenblick nach, dann seufzte er: »Gut! Das wär's dann für heute. Haben Sie noch irgendeinen Wunsch?«

»Jetzt, da Sie mein Hobby kennen – vielleicht können Sie mir ja Papier und Bleistift bewilligen?«

Da lachte er, der Knut, war wieder ganz der große Junge: »Das fehlte noch! Im Knast Romane schreiben, Karl May spielen, was?«

»Karl May oder Karl Liebknecht – in den reaktionären Zeiten wurde offensichtlich manches großzügiger gehandhabt.«

Ein böser Blick, der Griff zum Telefon. »Wir wissen schon, was wir tun. Lassen Sie unsere Großzügigkeit mal ganz und gar unsere Sorge sein.«

Zwei Tage nach diesem Gespräch wurde Lenz erneut in den Vernehmungstrakt geführt. Die Protokolle, jetzt per Schreibmaschine ausgefertigt, mussten noch einmal Seite für Seite durchgelesen und unterschrieben werden.

In der Woche darauf übergab ihm der Leutnant eine Kopie der Anklageschrift. »Die dürfen Sie für ein paar Stunden in Ihren Verwahrraum mitnehmen.«

Lenz wollte die Seiten rasch überfliegen, der Leutnant machte eine abwehrende Handbewegung. »Keine Sorge! Wir haben die Spionage als Anklagepunkt fallen lassen. Es reicht auch so.«

Lenz blätterte trotzdem weiter, Knut schob ihm die Zigaretten hin. »Rauchen Sie lieber noch eine. Ist die letzte Gelegenheit, von mir eine Portion Gift angeboten zu bekommen.«

Lenz nahm sich eine Zigarette. »Abschiedsschmerz?«

»Wenn Sie es so nennen wollen.« Knut schien bereits gänzlich mit einem anderen Fall beschäftigt zu sein, er wirkte irgendwie abwesend. »Übrigens haben wir auch ihre dichterischen Ergüsse nicht weiter beachtet. Sie und Ihre Frau werden allein nach den Paragraphen 100 und 213 angeklagt, das allerdings im schweren Fall.«

Nur die staatsfeindliche Verbindung? Nur der illegale Grenzübertritt? Lenz hätte Erleichterung verspüren müssen, war aber viel eher verwundert: Was steckte hinter dieser »Milde«? War man in Sachen Spionage nicht fündig geworden? Waren Texte, die nicht verbreitet wurden, doch noch keine Hetze?

Der Leutnant ordnete irgendwelche Papiere. »Tja! Bei der Verhandlung werde ich nicht dabei sein können – also: Machen Sie's gut!«

»Werd mir Mühe geben.«

Der Leutnant lächelte müde, griff nach dem Telefonhörer, zögerte kurz und brummelte noch irgendetwas vor sich hin, bevor er Lenz in seinen Verwahrraum zurückbringen ließ. Lenz sollte sich später immer wieder fragen, ob er richtig gehört hatte, doch gab es keinen Zweifel, der Leutnant hatte folgende Worte gemurmelt: »Na ja, Sie werden schon noch dahin kommen, wo Sie hinwollen ... Ob das gut für Sie ist, ist eine andere Frage.«

Die ganze Nacht, bis in den frühen Morgen, rief Lenz sich jene Worte immer wieder ins Gedächtnis zurück: Wo wollten Hannah und er denn hin, wenn nicht in die Bundesrepublik? Hahnes Ausreiseszenarien – hatte der Leutnant sie mit diesen Worten bestätigt? Aber was sollte ihn dazu veranlasst haben, ihn derart aufzumuntern? Hofften sie etwa, er könnte ihnen, war er erst drüben und es gefiel ihm dort nicht, irgendwie nützlich werden; »Wiedergutmachung« auf höherer Ebene?

Schlimme Wochen folgten. Die Lektüre der Anklageschrift verleitete Lenz mal wieder dazu, Verteidigungsreden zu entwerfen: Ja, sie waren schuldig! Ja, seine Frau und er hatten die DDR illegal verlassen wollen. Aber nur, weil es keine legale Möglichkeit zur Ausreise gab! Ja, sie standen zu ihrer Tat! Ja, sie wollten auch jetzt noch ausreisen, nun aber legal, was ja wohl doch »möglich« sei, wie sie inzwischen erfahren hätten.

Der Richter: Und wenn Sie sich in dieser Hinsicht geirrt haben?

Lenz: Dann werden wir es wieder illegal versuchen müssen.

Wer brechen will, muss ganz brechen; selbst wenn das bedeutete, dass sie für so viel Uneinsichtigkeit ein halbes Jahr mehr bekamen. Sie wurden allein nach den Paragraphen 100 und 213 angeklagt, das konnten anderthalb bis zwei Jahre werden. Was nützte es ihnen, wenn sie danach in die DDR entlassen wurden? Musste ja niemand wissen, dass sie schon allein der Kinder wegen keine erneute Flucht riskieren würden.

Zwischendurch, tagsüber und nachts, während der Freistunde, während des Lesens oder mitten in einem seiner Marathonläufe, immer wieder diese Worte: *Sie werden schon noch dahin kommen, wo sie hinwollen.*

Was steckte dahinter? Der Leutnant hätte doch nie gewagt, aus eigenen Stücken eine derartige Bemerkung zu machen – es sei denn, er wusste, dass sie in diesem Augenblick nicht abgehört wurden …

Wenige Tage später – eine zweite positive Überraschung! Lenz hatte dem Leutnant während ihres letzten Gesprächs im Scherz gestanden, sich im Knast das Prassen angewöhnt zu haben. Sein Einkaufsgeld sei bereits aufgebraucht, nun müsse er für den Rest des Monats sowohl auf den lebensnotwendigen Tabak als auch auf die geliebten Teemarken verzichten. Der Leutnant musste Hannah davon erzählt haben; als an jenem Mittwochnachmittag das schmatzende Geräusch der Gummiräder des Einkaufswagens auf dem Linoleumfußboden des Zellenganges zu hören war und kurz darauf auch Lenz' Klappe geöffnet wurde, wollte er schon dankend abwinken, der Graue aber reichte ihm eine Tüte durch die Klappenöffnung. »Das kommt von Ihrer Frau. Außerdem dürfen Sie von ihrem Konto einkaufen.«

Welch unverhofftes Glück! Ein Päckchen Tabak, fünfzig Blatt Zigarettenpapier, eine Schachtel Zündhölzer erstand Lenz, mehr nicht. Er wollte Hannahs Einkaufskarte nicht zu sehr schröpfen. Als der Wagen dann weitergefahren und die Klappe geschlossen war, öffnete er die Tüte: Zwei Orangen, zwei Zitronen, ein Stück Kuchen und rote Teemarken steckten drin.

Er presste mal wieder die Stirn an die kühle, glatte Zellenwand: Hannah, Hannah, Hannah!

Beide Erlebnisse stimmten ihn so euphorisch, dass er in der Nacht nach dieser Bescherung eine noch viel größere dritte Überraschung für möglich hielt. Laute und sehr eilige Schritte hatten ihn aufgeschreckt; Stiefelschritte gleich mehrerer Männer. Eine Zelle wurde geöffnet, irgendwelche leisen Worte fielen, bis nach wenigen Minuten die Zelle wieder geschlossen wurde und die Schritte sich entfernten; darunter die Schlürfgeräusche von Filzlatschen.

Handelte es sich um ein Nachtverhör oder um eine durch einen Neuzugang notwendig gewordene nächtliche Verlegung? Aber dazu hätten doch nicht gleich mehrere Schließer mobilisiert werden müssen.

Er legte sich wieder zurück, lauschte aber weiter. Und richtig, kurze Zeit später hörte er erneut Schritte – und wieder wurde eine Zelle aufgeschlossen und die Stiefel und ein paar Filzlatschen entfernten sich eilig.

Was war da im Gange? Transporte »dorthin, wo Sie hinwollen«?

Er sprang auf und presste ein Ohr an den Türspalt. Das konnten keine normalen Transporte sein; die würden doch nicht mitten in der Nacht abgewickelt werden. Und hatte Hajo Hahne denn nicht gesagt, dass die Verkaufslieferungen in die Bundesrepublik von überall aus starten konnten, aus der U-Haft genauso wie aus dem Strafvollzug? War doch gar nicht nötig, sie erst noch zu verurteilen. Das hier war ein Staat, der sich nur dann an seine Gesetze hielt, wenn sie ihm in den Kram passten. Vielleicht stand der Bus, von dem Hahne erzählt hatte, ja längst im Gefängnishof, hatten sie Silke und Michael bereits geholt und in nur wenigen Minuten sahen sie sich wieder … Und weil er davon schon gewusst hatte, hatte ihm der Leutnant diesen Wink gegeben …

Wieder Schritte im Flur. Und diesmal blieben sie vor seiner Zelle stehen. Lenz' Herz raste, er trat von der Tür zurück und musste schlucken. Doch dann flüsterten die vor der Tür einander nur etwas zu, einer kicherte und sie machten noch ein paar Schritte bis vor die Nachbarzelle. Dort klirrten die Riegel, dort wurde aufgeschlossen, von dort aus entfernten sich nach erneutem Gemurmel mehrere Stiefel und ein paar Filzlatschen in Richtung Treppenhaus.

Lenz setzte sich auf seine Pritsche und schlug die Hände vors Gesicht. Was hatte er sich da nur eingeredet! Silke und Micha bereits im Hof …

Dennoch lag er auch in den folgenden Nächten lange wach und lauschte. Irgendwas war geschehen in dieser besonderen Nacht. Ein Transport musste abgegangen sein, egal wohin. Und bedeutete das denn nicht, dass noch weitere solcher nächtlichen Transporte abgehen konnten?

8. Papier ist geduldig

Die ersten Tage nach der Heimkehr von der Armee, die neue Wohnung am Stadtrand, die größer gewordene Familie.

Silke war vier Jahre alt und niedlich und hatte Angst vor Fliegen. Das dicke Baby Micha, ein ruhiges Kerlchen, kuckte nur und kuckte und manchmal lächelte es wie ein weiser, gütiger, kleiner Buddha. Hannah, aus ihrem Alleinsein erlöst, musste erst wieder das Teilen lernen: Was machst du, was mach ich? Lenz genoss die neue Viersamkeit – und beobachtete staunend seinen Aufstieg:

Gleich nach seiner Rückkehr ins Depot war er vom Herrn des Hauses, Direktor Alfred Ketzin, empfangen worden. Der große, wuchtige Mann, der wegen einer Kriegsverletzung noch immer am Stock ging, wollte ihn persönlich begrüßen. Das hatte er ja noch nie erlebt, dass die Nationale Volksarmee sich bei ihm dafür bedankte, ihr einen solch einsatzwilligen und fähigen Kader zur Verfügung gestellt zu haben. Keine Frage, dass Lenz nicht Außenexpedient bleiben durfte. Zumal er ja nun auch sein Studium beginnen würde. Disponent in der Apothekenabteilung, rechte Hand des Abteilungsleiters, wäre das nicht genau das Richtige für einen strebsamen jungen Mann?

Lenz hatte nichts dagegen einzuwenden, pro Monat hundert Mark mehr zu verdienen. Zwar wusste er weder, wie ein Storno-Vorgang bearbeitet, noch wie eine Kartei geführt wurde, aber das war ja wohl erlernbar.

Er lernte es schnell und durfte sich vier Monate lang als rechte Hand eines nur wenig älteren, ziemlich pedantischen Querkopfs beweisen, der ihn misstrauisch beobachtete, weil er in ihm einen Konkurrenten sah. Dann wurde in der Einkaufsabteilung der Posten eines Hauptdisponenten frei. Ketzin dachte an Lenz, der als rechte Hand offensichtlich unterfordert war, und der hatte wiederum keinerlei Einwände. So ging es noch eins rauf; von einem Tag auf den anderen war er für den Einkauf einer ganzen Palette medizinischer Geräte, Instrumente und Verbrauchsartikel verantwortlich. Sein Verantwortungsgebiet: die Bezirke Berlin und Frankfurt/Oder.

Er ging die Sache vorsichtig an, setzte sich an den Schreibtisch und spielte Pingpong. Kam ein Ball auf ihn zu, spielte er ihn zurück. Aber nur keinen Schmetterball riskieren, damit er nicht zu viele Fehler machte und das Spiel womöglich verlor. Erst als er sich sicher fühlte, ging er öfter mal in den Angriff über und die Schmetterbälle häuften sich.

Sein neuer Chef, Einkaufsleiter Max Blomstedt, fünfzig Jahre alt, gemütliches Schwergewicht mit dicker Brille und kurzem lockigem Haar, hatte bis zum Mauerbau in einem WestBerliner Krankenhaus einen höheren Verwaltungsposten innegehabt. Über Nacht von seinem Arbeitsplatz abgeschnitten, hoffte er zwei, drei Monate lang, dass die Amerikaner sich eine solche Mauer nicht gefallen lassen würden; eines Besseren belehrt, bewarb er sich beim Versorgungsdepot. Zuerst nur zähneknirschend, später über sich selbst spottend, machte er sich an den Wiederaufstieg. Inzwischen gab er sich loyal. Zwar würde er nie in die Partei eintreten, wie er Lenz während eines Weihnachtsfestes, als er schon einige Gläschen intus hatte, treuherzig versicherte, ansonsten aber: Bitte schön, ich bin euer Kriegsgefangener! Ich arbeite für euch, so gut ich kann, und ihr bezahlt mich dafür, so gut ihr könnt. »Wat soll ick 'n sonst machen? Mit meiner Frau und Sack und Pack bei Nacht und Nebel über die Mauer hopsen? Mein Adlershofer Häuschen aufgeben, noch von Pappa jeerbt? Oder, Variante zwo, im Schmollwinkel hocken und Radieschen züchten?«

Viele Blomstedts mussten sich neu einrichten. Anfangs begegnete ihnen die Obrigkeit mit Misstrauen, später legte sich das. Die Blomstedts konnten was und waren motiviert. So war Max Blomstedt innerhalb von sechs Jahren »von ganz unten« zum Leiter der Einkaufsabteilung aufgestiegen und ganz sicher noch nicht am Ende der Karriereleiter angelangt. Seine Grenzgängerei – eine Jugendsünde! Waren ja so viele vom Feind irregeleitet worden; Schwamm drüber!

Blomstedt war mit Lenz' Arbeit zufrieden und mochte den freundlichen jungen Mann. Als er nach nur einem Jahr gemeinsamer Tätigkeit zum Direktor für Arbeit befördert wurde, schlug er Lenz als seinen Nachfolger vor. Ketzin war einverstanden und das Haus in der Reinhardtstraße stand Kopf: In nur einem Jahr und vier Monaten war der junge Lenz den Weg gegangen, für den ein gestandener Mann wie Blomstedt sechs Jahre und so manch anderer ein ganzes Leben benötigte! Als Leiter der Einkaufsabteilung war er einer der fünf wichtigsten Männer im Haus – und hatte er nicht erst gestern Ware ausgeliefert, Lichtschutzgläser gesammelt und Trinkgelder kassiert? Hämische Bemerkungen blieben nicht aus; nicht alle guten Wünsche waren so gemeint.

Für Lenz dennoch eine angenehme Zeit. Als Außenexpedient hatte er das Haus aus der Spatzenperspektive kennen gelernt, jetzt war er die Taube auf dem Dach, verdiente nicht schlecht und hatte endlich mal das Gefühl, etwas erreicht zu haben. Dazu der Umzug in die Innenstadt: Michaelkirchstraße 24, Drei-Zimmer-Neubauwohnung, nicht weit vom Alexanderplatz und nur wenige Meter vom Grenzübergang Heinrich-Heine-Straße entfernt. Abends die Schlange der Westwagen vor dem Kontrollpunkt; bis Mitternacht mussten sie drüben sein. Traurigkeit? Wehmut? Ach was! Mach's wie Maxe Blomstedt, richte dich ein; freue dich, dass ihr ein Zimmer mehr habt und nicht mehr jeden Morgen mit der S-Bahn in die Stadt fahren müsst; freue dich, dass ihr endlich von einer Waschmaschine, einem Kühlschrank und den noch fehlenden Möbelstücken träumen dürft. Und verdiene, damit diese Träume schneller Wirklichkeit werden, noch ein paar Mark hinzu; lass dich für den nächtlichen Bereitschaftsdienst einteilen, auch wenn du auf diese Weise immer mal wieder aus dem Schlaf gerissen wirst, weil ein LKW mit Ware vor dem Versorgungsdepot steht.

Kein Spaß, jede vierte, fünfte Nacht den Transportarbeiter zu spielen, aber nicht uninteressant! Das Depot hatte überall in der Stadt Lagerräume angemietet, zumeist in ehemaligen Ladengeschäften, so wurden die LKWs mal hier-, mal dorthin dirigiert und Lenz lernte sein Berlin mal wieder von einer anderen Seite her kennen. Schäbige Inschriften aus längst vergangenen Zeiten, an denen er tagsüber achtlos vorbeigegangen war, im nächtlichen Laternenlicht fanden sie zu alter Bedeutung zurück: Hier wurde mal koscher gegessen – wer wollte jetzt noch koscher essen? Hier wurde in den Zwanzigern geschwoft – jetzt stapelten sie hier Uringläser. Dunkle, enge Gassen, von nur trübe funzelnden Laternen beleuchtet – mussten hier nicht jeden Augenblick E.T.A. Hoffmann oder Franz Biberkopf die Straße entlanggeschwankt kommen?

Ein Nachteil seiner ungewöhnlichen Einsatzbereitschaft war, dass sie Aufmerksamkeit erregte. Gehörte ein so tüchtiger junger Mann denn nicht in die Reihen der Partei der Arbeiterklasse? Es war Willibald Bogner, der Kaderleiter, der sich das zum ersten Mal fragte; ein aufrechter Parteisoldat, für dessen Tätigkeit Lenz nur Misstrauen übrig hatte. Die Kaderakten, die von Bogner und seinesgleichen verwaltet wurden, begleiteten einen von Betrieb zu Betrieb, ein Leben lang. Hatte man irgendwelche Verweise oder Verwarnungen drinstehen, konnte man nur darauf hoffen, irgendwann von seinem zuständigen Kaderleiter zum Gespräch bestellt zu werden. Der ging dann mit dem Ex-Sünder die betreffende Akte durch, um sie – nach erfolgter Bewährung – zu bereinigen. Eine andere Möglichkeit, seine Jugendsünden nicht bis ins hohe Alter mit sich herumzuschleppen, gab es nicht.

Es war im Treppenhaus, als der kleine, grauhaarige Bogner ihn auf den »letzten Schritt« ansprach. Bogner stand ein paar Stufen höher und freute sich, auf den zwei Köpfe größeren Lenz herabblicken zu können. Der, von der Plötzlichkeit dieser Attacke überrascht, wehrte verlegen ab. Er fühle sich noch nicht reif genug für den Eintritt in die Partei.

»In deinem Alter haben andere im Widerstand gegen die Nazis ihr Leben gelassen. Denkste, die hat jemand gefragt, ob sie sich reif genug dafür gefühlt haben?«

»Aber so ein Schritt muss doch überlegt sein.«

»Überleg, wenn du erst noch überlegen musst. Aber denk daran: Wer reif genug sein will, ein Kollektiv zu führen, muss auch reif genug sein, sich selbst führen zu lassen.«

Drei Tage später – es war erneut im Treppenhaus, nur stand diesmal Lenz ein paar Stufen höher – die nächste Attacke: »Na, Kollege Lenz, biste in dich gegangen?«

»Hab nachgedacht und bin zu der Einsicht gelangt, dass ich tatsächlich noch nicht so weit bin. Will ja nicht nur Karteileiche sein.«

Bogner krauste die Stirn. »Erst mal biste ja nur Kandidat, musst nicht gleich Bäume ausreißen.«

»Aber ich bin ja nun mitten im Studium, dazu meine neue Aufgabe – hätt' ja gar keine Zeit für Parteiarbeit.«

»Das geht anderen doch genauso ...«

»Na ja, und dann gibt's da noch 'nen dritten Grund: Vieles, was die Partei will, finde ich ganz gut, manches aber gefällt mir nicht. Wie soll ich denn vertreten, was ich für falsch halte?«

Da bekam Bogners Gesicht Farbe. »Lass uns diskutieren, was du noch nicht verstehst.«

Lenz: »Ich verstehe es ja – es gefällt mir nur eben nicht.«

Eine ziemlich deutliche Antwort. Bogner war entrüstet: »Kollege Lenz, du genießt eine ganz außerordentliche Förderung durch unseren Staat. Die folgerichtige Lehre daraus aber willst du nicht ziehen. Wie sollen wir da noch Vertrauen zu dir haben?«

Lenz: »Verbleiben wir so: Ich denk noch ein bisschen nach, und wir reden später noch mal über die Sache. Im Augenblick bin ich leider in Eile.«

Damit konnte ein so gut funktionierender Funktionär wie Bogner sich natürlich nicht zufrieden geben. Er delegierte die Aufgabe, den jungen Lenz für die SED zu werben, auf der nächsten Parteiversammlung an Waldemar Hartmann, Lenz' direkten Vorgesetzten. Sollte er in seiner Funktion als Handelsdirektor doch mal ein bisschen Druck ausüben. Vielleicht begriff dieser Lenz dann, wohin er gehörte.

Hartmann, achtundfünfzig, zartgliedrig, kulturell interessiert und ohne Zigarette in der schmalen, kleinen Hand nicht vorstellbar, war jedoch kein Mann des Drucks. Zwar war er Ketzins Stellvertreter und damit zweiter Mann im Haus, Mitarbeiterprobleme aber löste er lieber mit zurückhaltender Freundlichkeit.

Über Hartmann wurden tausend Geschichten erzählt, alle hatten sie mit seiner Homosexualität zu tun und kommentierten die Tatsache, dass er seit kommunistischen Jugendzeiten mit einem Mann und einer Frau zusammenlebte. Was im Westen der

Stadt ein paar Studenten gerade unter großem Medienecho erstmalig ausprobierten, Waldemar Hartmann, Helmut Buchholz und Ilse Prange praktizierten ihre Kommune schon seit siebenunddreißig Jahren. Buchholz, ein alter Herr im Rentenalter mit langem, schlohweißem Haar unter der keck in die Stirn geschobenen Baskenmütze, kam öfter mal vorbei, um seinen Waldemar von der Arbeit abzuholen; Ilse Prange, knapp über die sechzig, groß, breit und mit Haaren auf den Zähnen, wie es hieß, arbeitete in der vorgesetzten Dienststelle. Im Haus wurde gerätselt: War die Prange so etwas wie die Haushälterin der beiden schwulen Männer? War sie eine Lesbe, die nicht wagte, ihre Sexualität auszuleben, und ihre Freizeit deshalb diesem freundlich-friedvollen Altmänner-Paar opferte? Oder lebte sie nur ganz einfach mit ihnen in einer Wohnung?

Lenz stellte Vergleiche an: die göttliche Margot, der Kürschnermeister Otto Grün, der Elektroladenbesitzer Herrmann Holms; jenes Trio, das einst bei der Mutter verkehrte und seine Phantasie so sehr beschäftigte. Zwar war die Konstellation innerhalb der Hartmann'schen Dreierbeziehung eine ganz andere; was das eiserne Festhalten der Protagonisten an ihrem Lebensstil betraf, war die Situation jedoch eine ähnliche.

Ging der zierliche Hartmann im stets korrekt sitzenden braunen Anzug, den großen goldenen Siegelring an der linken und die Zigarette in der rechten Hand, mit seinen trippelnden Schritten über den Hof, sah Lenz ihm oft nach. Ein Handelsdirektor, der auch die Putzfrau so freundlich grüßte, als wäre sie eine Vorgesetzte oder sonst jemand Wichtiges, war eine Besonderheit. Steckte hinter dieser Freundlichkeit allein die Furcht dessen, der außerhalb der Norm lebte und davor zitterte, dass irgendwann einmal mit dem Finger auf ihn gezeigt wurde? Es gab da ja diesen Paragraphen 275, der alle, »die am 27. Mai geboren waren«

und ihre Homosexualität auslebten, unter Strafe stellte. Was, wenn das bisher nur Vermutete mal näher beleuchtet wurde?

An jenem Tag, an dem er Lenz zu sich rief, saß Hartmann in seinem geräumigen Arbeitszimmer, rauchte seine Zigarette und lud Lenz freundlich winkend ein, Platz zu nehmen. »Eine unangenehme Pflicht«, begann er, um gleich darauf achselzuckend zuzugeben: »Aber angenehme Pflichten sind eher selten, nicht wahr?« Er lächelte und kam zur Sache: »Bogner meint, einer wie Sie gehört zu uns. Und nun hat er den Verdacht, Sie wären undankbar. Also raus mit der Sprache! Weshalb wollen Sie nicht Kandidat unserer Partei werden?«

Lenz reagierte verärgert. Er begreife nicht, was seine Weigerung, in die Partei einzutreten, mit Undankbarkeit zu tun hätte. Er mache seine Arbeit – würde er sie nicht bewältigen, solle man ihn ablösen.

Hartmann machte eine Handbewegung, die anzeigen sollte: Nun regen Sie sich mal wieder ab, lieber junger Freund; Sie reden hier nicht mit Bogner, sondern mit mir. Laut sagte er: »Bogner meint, Sie würden eben nicht nur als Arbeitskraft gebraucht. Und da hat er ja nicht Unrecht, ein junger Mann wie Sie würde unserer Parteiorganisation nicht schlecht zu Gesicht stehen. Also, was hält Sie davon ab, sich mehr zu engagieren?«

Da fasste Lenz Vertrauen und gab zu, dass sie ihm Angst machte, diese Partei, die so sehr von ihrer Unfehlbarkeit überzeugt war. Er möge es nun mal nicht, dieses Vergöttern von allwissenden Führern und diese einschränkende Parteidisziplin. Die SED würde ihre Mitglieder ja wie Kindergartenkinder behandeln, bei Fehltritten Parteirügen erteilen und sich sogar in deren Privatleben einmischen; so etwas könne er nicht mit sich machen lassen.

Hartmann ließ seine Zigarette qualmen und hörte zu, und

Lenz fuhr fort: Jene Art »Lebensklugheit«, so zu tun, als sei man »dafür«, nur um Vorteile zu erhaschen, gehe ihm nun mal ab. Er sehe sie zu Tausenden herumlaufen, all die »Überzeugten« mit dem Bonbon im Knopfloch. Anfangs machten sie nur irgendwelcher Vorteile wegen mit, später weil sie an die Richtigkeit »der Sache« glaubten. »Hält ja keiner lange aus, sich immer nur als Nutznießer oder Mitläufer zu sehen.«

Sagte es und stockte. War er zu weit gegangen? Was mutete er dem Genossen Hartmann denn da zu?

Hartmann sah ihm seine Bedenken an und lächelte mit spitzem Mund. »Reden Sie nur weiter. Ich weiß Ihre Ehrlichkeit zu schätzen.«

Lenz zögerte nur kurz, dann gab er eine Geschichte zum Besten, die ihm erst kürzlich zugetragen worden war: Ulbricht wollte mal wieder eine richtungsweisende Rede halten, das Fernsehen sollte übertragen. Damit nichts schief ging, wurden die Parteimitglieder, die seinen Worten lauschen sollten, bereits tags zuvor in den für die Übertragung vorgesehenen Saal gebeten. Ihre »spontanen« Reaktionen mussten einstudiert werden: An welcher Stelle der Rede hatten sie in Jubel auszubrechen, wann vor Begeisterung über die Weisheit des Genossen Generalsekretär von ihren Sitzen zu springen, wann welche Losungen zu skandieren. »So was würde ich nie mit mir machen lassen. Also würde ich ständig Ärger bekommen.«

Hartmann sinnierte einen Augenblick, dann sagte er leise, er sei nicht dumm genug, um nicht zu wissen, dass Lenz zu einem großen Teil Recht habe. Natürlich gebe es in seiner Partei Fehlentwicklungen, wer wolle das leugnen? »Aber können Sie daran etwas ändern, solange Sie nur abseits stehen? Machen Sie es sich nicht zu leicht, wenn Sie die Mitglieder unserer Partei in Bausch und Bogen ablehnen? Nur wer dabei ist, bestimmt die Richtung;

sorgen Sie mit dafür, dass die Ehrlichen und Aufrichtigen die Mehrheit bilden.«

Kein sehr neues Argument. Lenz kannte so viele, die eingetreten waren, weil sie hofften, von innen heraus bewirken zu können, was von außen nicht möglich war. Fast alle beschwerten sie sich über Engstirnigkeit und Intoleranz. In der Partei werde immer nur aneinander vorbeiphrasiert; keiner, der es wage, mal ein offenes Wort zu reden oder den Problemen an die Wurzel zu gehen. Und würde es doch mal einer versuchen, würde er sofort als politisch unzuverlässig abgestempelt.

Hartmann sah ihn schweigend an. Dann sagte er: »Ich bin 1931 in die KPD eingetreten. Zu jener Zeit gab's viele Gründe, Kommunist zu werden. Jetzt sind wir, die ehemals Ohnmächtigen, an der Macht. Das hat uns zweifellos verändert, und so mancher von uns hatte wohl nie ein anderes Ziel, als selbst an die Macht zu kommen. Aber ich frage Sie, was kann eine Idee dafür, wenn Schmutzfinken sie besudeln?«

Erschrocken blickte Lenz zur Tür. Wenn nun jemand mithörte!

Hartmann hatte seinen Blick bemerkt, sprach aber ungerührt weiter. In seinen jungen Jahren habe er viel mit Künstlern, Wissenschaftlern und angehenden Politikern verkehrt; alles Leute, die nun auf irgendeine Weise den neuen Staat repräsentierten. Er habe sie gekannt, als sie noch jung und voller Ideale waren. Damals, davon sei er überzeugt, hätte so mancher von ihnen auch einem Manfred Lenz imponiert. »Ich wiederhole: Damals, Lenz, gab es Gründe, Kommunist zu werden. Heute gibt es für Leute wie Sie leider triftige Gründe, keiner werden zu wollen. Das muss ich akzeptieren, weshalb ich nicht weiter in Sie dringen will. Aber ich bedaure Ihre Ablehnung, weil wir auf diese Weise nicht die Menschen für uns gewinnen, die eines Tages für die dringend notwendige Erneuerung sorgen können. Ohne Erneuerung aber …« Er unterbrach sich, wischte mit der flachen Hand über seinen Schreibtisch und lächelte traurig.

Lenz lächelte zurück. Wie schade, dass dieses Gespräch schon zu Ende war.

Wenige Wochen später erfuhr er Näheres über Hartmanns Lebenspartner. Helmut Buchholz hatte erlebnisreiche Jahre hinter sich. Als Jungkommunist aus bürgerlichem Hause vom Gymnasium verwiesen, engagierte er sich im Rotfrontkämpferbund der KPD, wurde mehrfach inhaftiert und emigrierte unter Hitler in die Sowjetunion. Dort wurde er als »faschistischer Spion« entlarvt, kam für zehn Jahre in Stalins Arbeitslager und musste mit ansehen, wie viele seiner Genossen an den harten Arbeits- und Lebensbedingungen zugrunde gingen oder rücksichtslos an ihren Verfolger Hitler ausgeliefert wurden, um in dessen KZ ermordet zu werden. Dennoch kehrte er in den Osten Berlins zurück. »Es gibt keinen anderen Weg«, erklärte er seinem wieder gefundenen Geliebten, dem jungen Waldemar Hartmann, der Hitler und den Krieg als Soldat überlebt hatte. »Das mit Stalin geht vorüber, unsere Idee lebt weiter.«

Die von den Wissarionowitschs, Hartmanns und Buchholz' erträumte Partei hätte Lenz vielleicht für sich einnehmen können; die real existierende nicht.

Jeden Monat drei Tage Leipzig. Vier Jahre lang. Lenz quälte sich mit Mathematik und Physik herum, schrieb vorsichtig-kritische Aufsätze über die aktuelle Gegenwartsliteratur, lernte in Marxismus-Leninismus, Politische Ökonomie, Staat und Recht und ähnlichen Nachplapper-Fächern ein paar der notwendigen Sprüche auswendig und entwickelte sich ganz gegen seine Talente zum Spezialisten im Fach Medizintechnik und Instrumentenkunde. Bei so mancher Operation hätte er assistieren können, über die verschiedenen Augenskalpelle bis hin zur kompletten Röntgenanlage wusste er Bescheid.

Unter den sächsischen Dozenten gab es viele Originale, der gefürchtetste, aber auch beliebteste war der lange Physikpauker Reiter, der so viel wusste und konnte und sichtlich unter seinen unwissenden und uninteressierten Schülern litt, sich aber dennoch zu freundlichen Scherzen hinreißen ließ.

Reiter zum dicken, etwas begriffsstutzigen Friedel Lehmann: »Nu, Lähmann, erklär'n Se uns mal mit ganz einfachen Worten: Was is 'n Häbel?«

»Ein Hebel? Ein Hebel is 'n langes dünnes Ding.«

Reiter: »Aber ich bidde Se – bin ich etwa ä Häbel?«

Lustig war auch der kleine »Kolläche« Stein, der Medizintechnik und Instrumentenkunde unterrichtete und hauptamtlich im Leipziger Versorgungsdepot angestellt war; ein schon etwas älterer, leicht zerstreuter Graukopf, der einmal eine ganze Stunde lang mit sperrangelweit offenem Hosenschlitz vor ihnen herumtanzte und am Ende, als der bullige Pflanz ihn darauf hinwies, rot wurde wie ein junges Mädchen, dem man gesagt hatte, sie habe unter ihrem Rock den Slip vergessen. Stein prüfte Lenz in Instrumentenkunde und suchte sich für die mündliche Prüfung eine der schwierigsten Operationen aus: die Schädeltrepanation. Es galt, alle Instrumente aufzuzählen, die für diese Operation benötigt wurden; natürlich in der Reihenfolge der Anwendung. Keine große Schwierigkeit, doch als Lenz fertig war, lachte der kleine Mann Tränen: Sein Prüfling hatte kein einziges Instrument vergessen, auch die Reihenfolge, in der er sie eingesetzt hatte, stimmte – nur hatte er seinen Patienten, bevor er ihm den Schädel aufbohrte, nicht narkotisiert.

Über Fachrichtungsleiter Klenke, zuständig für alle gesellschaftswissenschaftlichen Fächer, gingen die Meinungen auseinander. Die einen fanden ihn ganz gemütlich, die anderen hielten ihn für einen sozialistischen Betonkopf. Lenz empfand den mittelgroßen Mann mit dem runden, selbstzufriedenen Gesicht, den weißen Strähnen im mittelblonden Haar und den fröhlichen Augen hinter dicken Brillengläsern als nervend, aber auszuhalten: Wer mit ihm keine »Feinddiskussion« führte, kam mit ihm aus. Und war, wer mit Betonköpfen diskutieren wollte, nicht selbst schuld? Er, Lenz, hatte sich mal wieder vorgenommen, am besten zu allem nur zu grinsen. Und zu begrinsen gab es im Fall Klenke einiges, denn er hatte nicht nur eine ganz eigene Art zu philosophieren, er sprach auch ein ganz fürchterliches Sächsisch und hatte Probleme mit Zischlauten. »Es gibt Leude«, führte er einmal aus, »dänen is zu viel Dee im Dee, zu viel Gaffe im Gaffe und zu viel Morx im Morxismus.« Sprach er vom Klassengegner, hatte man das Gefühl, er kaue auf Gummibärchen herum. Sein Lieblingsthema: »Die Bolidik der Unbolidschen.« Stundenlang konnte er beweisen, dass in Wahrheit niemand »unbolidsch« war, nicht der Bäcker in seinem Laden an der Ecke, nicht der Poet in seinem »Kammerstübschen«, schon gar nicht der Ökonom, der für die Versorgung der Bevölkerung Sorge zu tragen hatte. »Man kann schleschte Brötschen backen und damit den Unmuut der Bevälkerung hervorrufen oder gude, wohlschmeggende. Man kann schleschte Gedischte machen und damit die Gäpfe verwirrn oder gude, die unseränem das bischschen Geischt, des mer noch hab'n, uffhellen. Man kann de Bevälkerung so versorchen, dass se alles hat, was se braucht, um schufried'n läb'n und orbeeden zu gönn, man kann durch de Vernachlässichung der Versorchung der Bevälkerung aber auch änne revolutschionäre Siduadschion schaffen. Der Imberialisd, ne wohr, hat diesen Fähler oft begangen.«

Gab es Positives zu berichten, sprach Klenke gern von den hervorragenden Leistungen der »Bardeifiehrung«, lief etwas nicht wie gewünscht, sprach er von Fehlern der Staatsmacht. Befürchtete er einmal nicht, dass die Unzufriedenheit in der Bevölkerung zu einer revolutionären Situation führen könne, zog er über diejenigen her, die meinten, mit vollen Schmalztöpfen sei alles zu korrigieren. »Dabei is doch die Indegratschion jädes unsrer Menschen ins Gollektiv des viel dringendere Broblem, ne wohr?«

Große Diskussionen gab es, als die Universitätskirche abgerissen werden sollte, um dem Neubau der Karl-Marx-Universität Platz zu machen.

Ein Vorhaben, das die Leipziger Studenten zuhauf auf die Straße trieb. Was eine ganz und gar ungewöhnliche Sache war; Demonstrationen wurden doch ansonsten stets nur von oben angesetzt. Und von oben wurde auch bestimmt, wofür – den Weltfrieden – oder wogegen – die imperialistischen Aggressoren – man zu demonstrieren hatte. Sich vor diesen Demonstrationen zu drücken, war beliebtester Volkssport. Jetzt aber demonstrierten auf einmal die, die sonst nie demonstrierten, denn was die Partei sich da leistete, war zu viel. Niemand Geringeres als Martin Luther hatte die siebenhundert Jahre alte Paulinerkirche einst zur evangelischen Universitätskirche geweiht, berühmt war sie für ihr prachtvolles Portal, den gotischen Turm und die altehrwürdige Orgel, auf der schon Johann Sebastian Bach zahlreiche seiner Werke uraufgeführt hatte – und nun sollte ein simpler sozialistischer Verwaltungsbau mit riesigem Büroturm und dem Relief von Karl Marx an die Stelle einer der ältesten Universitätskirchen Deutschlands gesetzt werden? Die Studenten verlangten nicht weniger als die Rücknahme dieses geplanten barbarischen Akts. Man musste die neue Uni doch nicht unbedingt dorthin setzen, wo ein sieben Jahrhunderte altes christliches Bauwerk stand!

Die Partei jedoch ließ nicht mit sich diskutieren – und holte den Knüppel aus dem Sack: Viele der vom Klassengegner ideologisch manipulierten Wirrköpfe wurden festgenommen und identifiziert und später exmatrikuliert und zu Gefängnisstrafen oder zur Bewährung in der Produktion verurteilt. Vier von den zur Bewährung Verurteilten waren Direktstudenten der Fachschule für Pharmazie und Medizintechnik, und Klenke gebärdete sich als deren strengster Richter, als Anfang Juni 68 auch die Fernstudenten wieder zu Prüfungen und Unterricht in Leipzig erschienen und schon wussten, dass alle Proteste keinen Erfolg gehabt hatten. Wenige Tage zuvor hatten siebenhundert Kilo Dynamit ihre Arbeit getan.

Nein, da konnte Lenz nicht mehr nur grinsen. Eine Zeit lang hörte er nur angewidert zu, dann vergaß er alle seine guten Vorsätze und diskutierte doch mit Klenke. Er empfinde es als ein schlimmes Vergehen an der Geschichte, erregte er sich, wertvolle Kulturdenkmäler zu sprengen, allein um Platz für Neubauten zu schaffen. Noch dazu, da ja der Krieg schon so vieles vernichtet habe. Auch sei es nicht im Geringsten gerechtfertigt, alle, die gegen diesen nicht wieder gutzumachenden Fehler demonstriert hätten, zu Staatsfeinden zu erklären. Schließlich hätten die Studenten nicht gegen den Staat, sondern nur für den Erhalt eines historischen Bauwerks demonstriert.

Klenke rückte an seiner Brille. »Sind Se religiäs, Länz?«

»Hierbei geht's doch nicht um Gott – es geht um ein Kulturdenkmal!«

Da lachte er mal wieder, der gemütliche Klenke. »Was für änne Illuschjohn, Länz! In diesem Fall gäht's doch nich um de Hischtorie, es gäht um unsern Schtaat, um de Rägierung der Arbeiter und Bauern, um de Macht in unser'n Händen. Da will man ran. Klän fängt ma an – mit ner Kärsche, was is denn nu scho änne Kärsche? –, aber wo, Länz, hört's auf?«

Was hätte er auf einen solchen Blödsinn antworten sollen? Sie sind ein Idiot, Klenke, mit Ihnen red ich nicht mehr?

Auch von den anderen hatte niemand Lust, sich weiter mit diesem Thema zu beschäftigen. Klenke bemerkte es mit Genugtuung. »Normolerweise hätten mer diese vier Browokatöre ja ä bischschen länger einschperren müss'n. Aber mer sind ja gor nich so, mer gäb'n ihnen noch 'ne Schangs. Bädagogische Sanktschionen gelten ja nich für de Äwigkeit. Se dürfen sich bewähren, unsre Herren und Damen Wirrgäpfe. Das fühlt sich ja schon als Intelligenschler, nur weil man's Einmoleins beherrscht. So was gehärt zurück an de Bosis. Rischtich?«

Saß Lenz nicht hinter seinem Schreibtisch in der Reinhardtstraße, nur wenige Schritte vom Deutschen Theater entfernt, oder in einem der Leipziger Seminarräume, entlud er keine LKWs und paukte er nicht fürs Studium, dann schrieb er. Nur schreibend lohnte sich die Auseinandersetzung mit den Bogners und Klenkes dieser Republik.

Links von seinem Fenster im fünften Stock der Michaelkirchstraße 24, nur fünf Minuten Fußweg entfernt, wusste er den Grenzübergang Heinrich-Heine-Straße, rechts, ein paar Minuten weiter, den neu erbauten Alexanderplatz mit dem mächtigen Fernsehturm, dem »Stolz der Republik«. Dicht an der Schnittstelle der Welt lebte sie nun, die vierköpfige Familie Lenz; hier stießen nicht nur die Berliner Bezirke Mitte und Kreuzberg aufeinander, hier prallte die sozialistische Hälfte der Welt auf die kapitalistische. Eine Grenzziehung, die auch an den Kindern nicht spurlos vorüberging.

Eines Sonnabends holte Lenz die frisch eingeschulte Silke, die so gern plauderte, von der Schule ab. Direkt an der Mauer gingen sie entlang, in Richtung auf den Grenzübergang zu. Mitten in einem Gespräch über neu gewonnene Freundinnen zeigte sie auf einmal auf die Grenzanlagen: »Da drüben wohnen die Bösen.«

»Wer hat denn das gesagt?«

»Frau Zielke.«

Erst verschlug es ihm die Sprache, dann empörte er sich: »Aber das ist falsch, das ist ganz dummes Zeug. Du kennst doch Onkel Jo und Tante Gaby. Sind die böse?«

»Nein!«

»Und deine Mami, die hat doch früher auch dort gewohnt. Ist sie böse?«

»Nein!«

»Na, siehst du!«

Einen Moment dachte sie nach, die Erstklässerin, die so stolz darauf war, in der Schule etwas gelernt zu haben, dann protestierte sie: »Aber eine Lehrerin lügt doch nicht!«

Da hätte er antworten müssen: Doch! Deine Frau Zielke lügt! Sie lügt, entweder weil sie dumm ist oder weil es ihr befohlen wurde. Aber durfte er Silly das antun? »Vielleicht hast du dich ja verhört«, sagte er ausweichend.

»Hab ich nicht!« Jetzt war sie zutiefst beleidigt.

»Na gut! Dann hat Frau Zielke sich eben geirrt. Ist ja nicht schlimm.« Er nahm sie auf den Arm und küsste sie. Zufrieden aber waren sie beide nicht; Silke stimmte es traurig, dass ihr Papi ihr nicht glaubte, er fühlte sich elend, weil er ihr nicht die Wahrheit sagen durfte.

Am Abend, nachdem die Kinder im Bett lagen, sprach er mit Hannah über den Vorfall. Im Nu war ihre Müdigkeit wie weggeblasen. Seit fast zehn Jahren lebte sie nun auf dieser Seite der Mauer, ihre Arbeit erfüllte sie, in ihrer kleinen Lenz-Familie ging sie auf. Das ganze Drumherum jedoch, dieses ewige Verleugnen der eigenen Meinung, das Flüstern und sich Umkucken, ob auch niemand Falsches zuhörte, die gesamte graue, hausbackene, ängstliche Öffentlichkeit, all das bedrückte sie. Man dürfe sich, so ihre ständigen Worte, doch nicht alles gefallen lassen. Gleich am nächsten Tag wollte sie die Lehrerin zur Rede stellen.

Lenz hatte Bedenken. »Sie wird leugnen, das jemals so gesagt zu haben. Sie wird dir ihre Version vorbeten, nämlich dass sie den Kindern nur den Sinn und Nutzen unseres antifaschistischen Schutzwalls erklärt hat. Willst du dagegen etwas sagen? Dann kannst du gleich übermorgen im Betrieb kündigen. Eine sozialistische Leiterin, die noch dazu Lehrlingsbeauftragte ist, wie darf die Zweifel an der Sicherheitspolitik unseres Staates hegen? Sie werden herausfinden, dass du weder in der FDJ noch in der Partei bist und dein Mann als FDJ-Mitglied ebenfalls nur eine Karteileiche ist, wir also beide nur äußerst unzuverlässige Kader sind.«

»Aber einer Lehrerin, die Kindern einen solchen Stuss erzählt, muss doch klar gemacht werden, wie das bei den Kindern ankommt. Wer das still schluckt, macht sich mitschuldig.«

»Sie hat den Kindern doch nur erzählt, was bei uns in jeder Zeitung steht. Willst du Silly und später auch Micha das Leben schwer machen? Als Eltern sind wir nun mal erpressbar. Ob uns das gefällt oder nicht.«

Hannah meldete sich nicht bei der Lehrerin an. – Nur ein paar Tage später hielt Silke ihr vor, dass sie im Fernsehen öfter den falschen Sandmann einschalten würde: »Der im Filzpantoffel angereist kommt, gehört nicht zu uns. Du musst den einschalten, der im Heli-o-kopter kommt.«

Hannah setzte sich hin und weinte. Solange Silke im Kindergarten war, hatten sie über die sozialistische Kindererziehung hin und wieder lachen können, jetzt ging das nicht mehr. In der Schule waren die Kinder einer Gehirnwäsche ausgesetzt, hier wurde ihnen die Partei- und Staatsführung als Kinder liebendes Vorbild und unanfechtbare Autorität in Sachen Wahrheit und Moral in die Köpfe gehämmert. Außerdem lernten sie früh, dass jeder Zweifel an der Allwissenheit der Obrigkeit schwerwiegende Folgen nach sich zog; Aufziehpuppen züchteten Marionetten heran, die bald begriffen, dass sie Nachteile hatten, wenn sie nicht willig nachplapperten, was man von ihnen hören wollte. Untertanen sollten aus ihnen werden, keine Selbstdenker. Jede Erziehung durch die Eltern war nur erwünscht, wenn sie diese Verformung auch noch unterstützten. Wer das nicht wollte, stürzte sein Kind in unlösbare Konflikte – und musste es eines Tages vielleicht sogar fürchten: Kinder, die in der Schule erzählen, was zu Hause im Fernseher läuft, warum sollen die eines Tages nicht auch darüber berichten, was ihre Eltern reden? Und war einem Kind denn begreiflich zu machen, dass es zu Hause die Wahrheit sagen, in der Schule aber lügen sollte?

Hannah und Manfred Lenz spürten, wie zwischen ihnen und ihrer Tochter eine Barriere aufgebaut wurde. Als wieder mal Wahlen waren, drängte Silke darauf, dass sie früh ins Wahllokal gingen, weil Frau Zielke gesagt hatte, dass frühes Wählengehen ganz wichtig sei. Nur so würden alle Feinde sofort erkennen, wie stark die DDR sei. Dass ihre Eltern trotzdem erst am Nachmittag einen Spaziergang zum Wahllokal machten, enttäuschte und verletzte sie. Hätten sie ihr aber sagen dürfen, dass Wahlen, ohne überhaupt irgendeine Wahl zu haben, keine Wahlen waren? Und dass ihre Eltern Nachteile befürchten mussten, falls sie es wagten, nicht zur Wahl zu gehen oder den Wahlzettel nicht einfach nur zu falten und einzuwerfen, sondern eine Wahlkabine zu betreten?

An staatlichen Feiertagen wunderten Silke und Micha sich, weshalb ihre Eltern keine Fahne aus dem Fenster hängten. Es sah doch so schön bunt aus, wenn das ganze Haus beflaggt war. Sie sagten, dass sie gerade kein Geld für eine Fahne hatten, und schämten sich ihrer Lüge.

Kleine Sorgen, die immer mehr zu großen wurden. Und das zu einer Zeit, in der es überall in Europa brodelte; wer jung war, wollte sich viel eher diesem hoffnungsvollen Aufbruch anschließen, als sich mit solch dumm-verbohrtem Alltagskram zu beschäftigen.

Im Fernsehen konnten Hannah und Lenz es mitverfolgen: In Paris bauten Studenten Barrikaden, besetzten Theater, organisierten Streiks und zwangen einen Staatspräsidenten zum Rücktritt. In WestBerlin, Frankfurt am Main, Hamburg und Tübingen besetzten sie Hörsäle, legten den Verkehr lahm und blockierten Zeitungshäuser. Der Westen war in Bewegung geraten, überlieferte Werte wurden infrage gestellt, von vielem die Patina entfernt, von anderem der Staub fortgepustet.

Aber auch im Osten, in der schönen, alten Stadt Prag tat sich was. Ein Sozialismus mit »menschlichem Antlitz« sollte geschaffen werden. Im Westfernsehen sprach man voller Hoffnung vom »Prager Frühling«; im Osten wusste man: Frühling bedeutet aufweichen. Und so gelangten die Prager Knospen nicht zur Blüte, sondern eine neue Eiszeit setzte ein: Bruderpanzer fuhren durch die Stadt an der Moldau, jede Protestbewegung wurde erstickt.

Die Ereignisse im Westen interessierten Hannah und Manfred Lenz, für die in Prag fühlten sie sich mitverantwortlich. Zu den Bruderpanzern gehörten ja auch ostdeutsche. Zwar waren die vor der Grenze stehen geblieben, wohl weil man die Weltöffentlichkeit nicht zu Vergleichen mit den Aktionen der Deutschen Wehrmacht herausfordern wollte, ihre Stoßrichtung aber war eindeutig.

Wie hatte Leutnant Wittkowski gesagt – nie würden Sozialisten in andere Länder einfallen?

Am 17. Juni 1953, als die Panzer durch Berlin fuhren, war Lenz zehn Jahre alt, jetzt war er fünfundzwanzig. Fünfzehn Jahre waren vergangen und noch immer regierten die Panzer, wollten die Machthaber in Moskau, Warschau, Budapest und Ost-Berlin ihre Art von Sozialismus mit Gewalt retten und begriffen nicht, dass Einschüchterung auf Dauer noch nie funktioniert hatte. Sie redeten sich ein, ihren Sozialismus notfalls auch auf Menschenopfern errichten zu können.

Sag mir, wo du stehst, lautete eine Parole der Zeit; Lenz wusste längst, dass er falsch stand. Schreibend reagierte er seinen Zorn ab, höhnte er voll Verachtung, klagte er lauthals an. War ja so leicht, jedes Argument für diesen blutigen Einsatz gegen mehr Demokratie und Menschlichkeit zu zerbröseln. Sonst tat er nichts. Oder doch, auch er tat etwas: Während andere junge Leute den Namen des tscheckoslowakischen Staatsmannes und Hoffnungsträgers Dubček an die Hauswände pinselten, Plakate klebten gegen diese Art von Bruderhilfe oder Flugblätter in Briefkästen warfen und dafür Exmatrikulation, Verhaftung und Gefängnisstrafe riskierten, verlas der Abteilungsleiter Lenz vor seinen Mitarbeitern eine die Lage erklärende Rede des Zentralkomitees der SED. Es war ihm aufgetragen worden, er parierte. Und die verheuchelten Worte, die so leicht zu durchschauen waren, die Lügen, die er mithalf zu verbreiten, würgten ihm danach noch tagelang im Hals. Er litt unter diesem Funktionieren und versuchte es mit Selbstbeschwichtigung: Was hätte er denn anderes tun sollen? Hätte er sich weigern sollen, diesen Mist weiterzuverbreiten? Hätte er den Text sabotieren sollen, indem er absichtlich stotterte, sich verhaspelte, sich verlas oder falsch betonte?

Er redete sich gut zu, dass doch fast jeder an seiner Stelle das Gleiche getan hätte, doch die Selbsthypnose funktionierte nicht. Immer wieder musste er an H. H. M. denken, Hannahs Vater, der ja auch nur getan hatte, was von ihm verlangt wurde, und sich mit ähnlichen Worten getröstet hatte. – Nein, wenn er ehrlich zu sich sein wollte, musste er zugeben: Er hatte sich vor sich selbst blamiert, hatte eine böse Niederlage erlitten. In ihre Partei bekamen sie ihn nicht, den aufrechten Manfred Lenz, dafür aber verlas er ihre Lügen! Zwar nur zähneknirschend, aber mit guter Betonung.

Oder durfte er sich dieses Mit-den-Zähnen-Knirschen, das keiner hören konnte, etwa als mildernden Umstand anrechnen? Auf diese Weise könnte er ja ein ganzes Leben lang verlogene Reden verlesen, wenn er dabei nur immer hübsch mit den Zähnen knirschte.

Wer nicht lebt, wie er denkt, wird irgendwann denken, wie er lebt; ein Kalenderspruch, den er sich auf der Insel eine Zeit lang an die Wand gepinnt hatte. Und nun? War er schon auf dem Weg dahin, zu denken, wie er lebte? War der mutige Schubladenschreiber Lenz in Wahrheit eine Lusche, ein Feigling, einer, mit dem man alles machen konnte?

Es folgte eine schlaflose, aber gewinnbringende Nacht. Er gewann in dieser Nacht einen Freund für sich, einen, der ihn fortan beobachtete und beschützte. Dieser Freund legte strenge Maßstäbe an, tadelte ihn schon mal mit »Schäm dich!«, »Feigling« oder »Arschloch!«. Sein besseres Ich war das, sein Gewissen, dieses Krokodil mit den riesengroßen, aber eben nicht nur damit knirschenden Zähnen. Oft diskutierte er wütend mit diesem beißwütigen Freund, doch wusste er, dass er fast immer Unrecht hatte.

Nach dem gewaltsamen Ende des Prager Frühlings, so empfand es nicht nur Lenz, lag ein stickiger Mief über dem Land. Man konnte alle Fenster und Türen schließen, er drang bis in die eigene Wohnung. Übers Fernsehen, über die Presse waberte er heran. Wer ihn nicht einatmen wollte, musste das Atmen einstellen. Keine Hoffnung mehr auf irgendwas; ewige Flucht ins Westfernsehen.

Eine Krise auch für den Schreiber Lenz. Lohnte es überhaupt noch, Papier voll zu klieren? Sollte er denn ewig nur für die Schublade protestieren? Die Schreiberei als einziges Kompensationsgeschäft? Nach dem Motto: Papier ist geduldig?

Was er da von sich gab, war nur Hohn, ätzende Häme und blanke Schwermut. Aber blieb denn, wer immer nur ablehnte und spottete, noch er selbst?

Welch befreiendes Gefühl, wenn sein Staat und er mal einer Meinung waren! Seinen Text gegen den Krieg in Vietnam durfte er in einer dieser modischen Singegruppen zum Vortrag bringen, mit seinem Lied über die griechische Militärjunta wurden sie sogar ins *International* eingeladen, einen der größten Kinosäle der Stadt. Ach, da durfte er endlich mal beweisen, dass er Talent hatte. Seine Texte über Prag, seine *Pragsdorfer Inventur,* die sich mit dem Soldatenalltag in der Nationalen Volksarmee beschäftigte, seine Kritik an der ihn umgebenden Wirklichkeit wanderten von einer Schublade in die andere. Das machte das Krokodil in seinem Kopf nicht lange mit; da starb die »Gruppe Berlin« genauso rasch, wie sie gegründet worden war.

In seinen Schriften zum Theater hatte der alte Brecht bekannt, sich ein Stück über Rosa Luxemburg verkniffen zu haben, weil er sonst »in bestimmter Weise« gegen seine Partei hätte argumentieren müssen. »Aber ich werde mir doch den Fuß nicht abhacken, nur um zu beweisen, dass ich ein guter Hacker bin«, begründete er diesen Verzicht. Der junge Lenz, der nur den jungen Brecht mochte, brauchte keinerlei Rücksicht zu nehmen. Es war nicht sein Fuß, an dem er herumhackte – es war überhaupt kein Fuß, es war ein nicht benötigtes Holzbein, das jedes Vorankommen erschwerte.

Immer schwerer fiel es ihm zu lesen, was die arrivierten Schreiber und Schreiberinnen verfassten. Oft fühlte er sich beleidigt: Entweder roch, was ihm da untergejubelt werden sollte, dermaßen nach Parteibuch, dass es ihm den Atem verschlug, oder es wurde mit viel Geschick um den heißen Brei herumgeredet. Was sollte das denn aber nutzen, dieses ewige Verschweigen oder Verniedlichen der alltäglichen Katastrophen, die geduldig ertragene und damit auch dem Leser anempfohlene Zurückhaltung, die ängstliche Anpassung! Ja, manche zeigten Schrammen auf, sahen aber keine Wunde. Und jene, die die Wunde sahen und sie zwischen den Zeilen brandmarken wollten – hofften sie, dass das Publikum klüger war als der Zensor und die unsichtbare Geheimtinte entdeckte? Und war denn, was an Anspielungen durchgelassen wurde, nicht auch Manipulation: Hier, da habt ihr mal wieder eine kesse Bemerkung gehört; seht ihr nun, wie frei ihr seid?

Für jene älteren Autoren und Autorinnen, die vor 1945 Widerstand geleistet hatten oder in die Emigration getrieben worden waren, hatte Lenz lange Sympathie empfunden; sie hatten eine Geschichte, waren Spanienkämpfer oder KZ-Häftlinge gewesen oder hatten vom Ausland her gegen Hitler angeschrieben. Ihr Leben verdiente Respekt. Trotzdem stellte er sie jetzt immer häufiger infrage: Sahen sie denn nicht, dass ihr Traum längst vergewaltigt, zertreten und beschmutzt war? Weshalb zweifelten sie nicht endlich mal laut an der Weisheit ihrer Führer? Weil sie nicht bereit waren, sich ihre Irrtümer einzugestehen?

Über die West-Medien hatte er erfahren, dass nach dem Krieg die Konzentrationslager Buchenwald und Sachsenhausen neu eröffnet worden waren – und das nicht nur für Nazi-Verbrecher. Weshalb erzählte kein einziger DDR-Autor die Geschichte der Frauen, jungen Burschen und alten Männer, die, als Nazis oder Werwölfe denunziert, in diesen Lagern umgekommen oder nach Sibirien transportiert worden waren und niemals mehr wiederkehrten? Weil ein solches Buch in der DDR nicht hätte erscheinen dürfen? Ja, aber wozu schrieb man denn noch, wenn man die wichtigsten Zeitfragen ausklammern musste?

Literatur, Theater, Film, Lenz' Stützen von Kindheit an, sie hatten ihre Kraft verloren.

Und der sozialistische Alltag, die ihn umgebende Wirklichkeit?

Es war von Tag zu Tag deutlicher zu beobachten: Je länger die Mauer stand, desto mehr Leute fanden sich mit ihr ab. Wer noch eine Flucht wagte, wurde als Hasardeur abgetan; niemand wollte mitverantwortlich sein für die Tragödien, die sich an der Grenze abspielten. Im Gegenzug begann das Politbüro sich mit dem Volk abzufinden. Wenn nur Ruhe und Ordnung herrschten und alle fleißig mitarbeiteten am Aufbau des Sozialismus, war es zweitrangig, ob Loyalitätsbekundungen nur Lippenbekenntnisse waren oder aufrichtiger Begeisterung entsprangen. Nur wer aufsteigen oder sich an die Öffentlichkeit wenden wollte, war verpflichtet, etwas seriöser zu heucheln.

Bei Kafka las Lenz: »Was ist das für ein Volk! Denken sie auch – oder schlurfen sie nur sinnlos über die Erde?« Eine Frage, die ihn sehr erschreckte, deren zeitlose Berechtigung er aber bald begriff. Nach dem letzten großen Krieg, da hatte das Volk eine Zeit lang »gedacht«; es war ihm wieder ausgetrieben worden, indem man ihm vorgaukelte, nun sei es an der Macht. Es erkannte den Trick und lachte darüber, »denken« aber wollte es nicht mehr. Weil echtem Denken etwas folgen musste. Doch was? Und unter welchem Risiko?

Das Krokodil in Lenz riet ihm, an seinem Leben etwas zu ändern; weil er keine andere Möglichkeit sah, tat er das Einzige, was ihm blieb: Er suchte eine neue, interessantere Aufgabe, bewarb sich beim Außenhandel, gleiche Fachrichtung, und wurde eingestellt.

Es war Anfang Mai 1969, fünf Monate bevor die DDR ihren zwanzigsten Jahrestag feierte und überall in den Straßen Plakate klebten mit frischen jungen Menschen drauf und der Überschrift *Ich bin zwanzig*. Manfred Lenz, nur sechs Jahre älter, fühlte sich oft wie sechsundvierzig.

Der Wechsel erfolgte noch während des Fernstudiums. Zwei Jahre hatte er hinter sich, zwei noch vor sich. Nun war er nicht mehr für die Bezirke OstBerlin und Frankfurt/Oder zuständig, jetzt hieß sein Tätigkeitsgebiet Asien, Nordamerika, Skandinavien, Bundesrepublik Deutschland, WestBerlin. Ein Vertrauensposten; alle Mitarbeiter in der Abteilung »Nichtsozialistisches Wirtschaftsgebiet« bekleideten Vertrauensposten.

Dass er kein Englisch sprach – kein Problem! Ein halbes Jahr lang zweimal die Woche zwei Stunden Volkshochschule – außerhalb der Arbeitszeit und neben dem Fernstudium – und er sang: »There was 'n old Lady, she swallowed a fly – I don't no why, she swallowed a fly. Perhaps she 'll die …«

9. Schmetterlinge

Das Außenhandelsunternehmen *intermed* lag direkt an der Spree; ein großes, imposant wirkendes, kastenförmiges Bürogebäude schräg gegenüber der Jannowitzbrücke. Drehte Lenz sich auf seinem Stuhl zum Fenster herum, war der Fluss ganz nah. An sonnigen Tagen glitzerte er, als wollte er ihm voll Übermut zuzwinkern, an trüben Tagen quälte er sich nur unlustig dahin; oft trug er Schleppkähne auf seinem Rücken.

Es freute Lenz, dass er die Spree wiederhatte. Auf der Insel hatte er ihre jahreszeitlich bedingten Launen kennen gelernt, bei Richard Diek ihr Talent für Tragikomödien. Im Kabelwerk hatte er Zukunftspläne in sie hineingeträumt; nie vergessen würde er jene sternenklare Silvesternacht, als Eddie und er im Kanu über sie hinwegglitten, als wäre sie der Orinoco und sie zwei von ihrer Jugend berauschte Indios. Jetzt hatte er oft das Gefühl, ihren Beistand zu benötigen.

Er trug nun Anzug und Krawatte und Einstecktuch, der frisch gebackene Exportkaufmann Lenz, und selbstverständlich rauchte er Pfeife. Im Außenhandel wurde Pfeife geraucht; das gehörte sich so für Welthandelsmänner. Aber natürlich rauchte man hier kein billiges Kraut. Da gab es ja diesen angenehm süßlich duftenden holländischen Tabak, den man im Delikat-Laden Unter den Linden auch für Ostmark bekam; der, egal wie teuer, musste es mindestens sein.

Korrespondenz mit Madras und Chikago, Stockholm und Oslo, Hamburg, München und Berlin-Charlottenburg, im Empfangsraum Herren und Damen aller Herren und Damen Länder. Dazu die Dienstreisenden, die aus Bagdad, Rio de Janeiro oder

Paris heimkehrten, oder die in den Technisch-Kommerziellen Büros in aller Welt Stationierten, wenn sie zur Berichterstattung nach Hause beordert worden waren – was für Geschichten erzählten sie, wenn sie ihre kleinen Mitbringsel auspackten, wie flogen ihnen die fremden Ortsnamen und Vielfliegerbegriffe von den Lippen! Nein, das waren keine still ihre Kreise ziehenden DDR-Raupen mehr; sie hatten sich zu bunten, in die weite Welt hinausfliegenden Schmetterlingen entpuppt. Jedes Lächeln, jede Gebärde verkündete: Wir haben was gesehen, wir kennen die Welt. Wenn du brav bist, darfst du, Kollege Lenz, vielleicht auch einmal hinaus.

Lenz glaubte nicht, dass es jemals so weit kommen würde. Es fiel ihm schwer, sich in seine neue Rolle zu finden; er fühlte sich in der veränderten Umgebung nicht wohl.

Im Versorgungsdepot waren sie wie eine große Familie gewesen. Man stritt miteinander und vertrug sich wieder, knutschte auf dem Betriebsfest gern mal die Kollegin oder kotzte, wenn man betrunken war, ins Klosett und ließ die dritten Zähne mit hineinfallen. Alle Eitelkeiten blieben im Rahmen. Im Versorgungsdepot hatte man seine ruhige Art, seinen Humor und seine Kollegialität geschätzt – Attribute, die hier nicht zogen. Schillern war gefragt, locker musste man sein. Das schaffte er nur bedingt. Zwar grinste er wie alle anderen, als der Generaldirektor und die FDJ-Sekretärin dabei erwischt wurden, wie sie quer über alle Schreibtische hinweg unaufschiebbare Angelegenheiten erledigten, als aber ausgerechnet diese zugegebenermaßen sehr hübsche Schreibtischunterlage während eines FDJ-Schuljahres über sozialistische Moral und Ethik referierte, verging ihm das Grinsen. Da fühlte er sich schlicht verarscht.

Es gab viele kurz- und längerfristige Betriebsehen, fast gehörte es schon zum guten Ton, ab und zu das Bäumchen zu wechseln. Lenz hatte nichts dagegen; jedem seine Fahrt ins Glück! Was ihn störte, war das Kariert-reden-und-gestreift-Handeln und der herrschende Irrglaube, dass der Mangel an wahrer Freiheit mit einem Ich-bin-so-frei zu kaschieren sei.

Im Versorgungsdepot hatte Lenz gern gelacht. Kein Witz, den er nicht hören wollte und den er, wenn er gut war, nicht umgehend weitererzählte. Bei *intermed* verging ihm das Lachen. Es ekelte ihn an, wenn jene höheren Kader, die so gern Volksreden voller sozialistischem Pathos und marxistischer Frömmigkeit hielten, im angetrunkenen Zustand über die eigene Rolle und manchmal sogar über die eigene Partei Witze rissen. Wer da mitlachte, gab sich als Bruder im Geiste zu erkennen.

Und wer nicht mitlachte? Der machte sich verdächtig. Man fragte sich: Was hat der gegen uns? Was ist das für ein Sauertopf, der nur seine Arbeit machen und ansonsten mit nichts etwas zu tun haben will?

Es blieb Lenz gar nichts anderes übrig, als dem Krokodil in seinem Inneren öfter mal einen Maulkorb anzulegen und Kompromisse einzugehen. Er tat das, indem er an Brigadefeiern teilnahm, das FDJ-Schuljahr nicht schwänzte und hin und wieder auch mal die Zeitungsschau vorbereitete. War ja alles auch sehr lehrreich. Interessant wie Leute sich verhielten, wenn sie erst einmal gelernt hatten, dem eigenen Denken auszuweichen. Schließlich konnte jeder eigene Gedanke Probleme mit sich bringen, lag er nicht auf der von der Partei vorgegebenen Linie. Deshalb: Musst du etwas sagen und willst keinen Ärger bekommen, walze allseits Bekanntes und von oben Bestätigtes aus. Bist du nicht sicher, was zurzeit verlangt wird, halt die Klappe oder mach dich sachkundig. Und berufe dich möglichst auf unangreifbare Autoritäten wie Marx, Engels, Lenin oder Ulbricht. Dann weiß man, dass du ein zuverlässiger Kader bist. Glaubst du, Kritik üben zu müssen, bleibe auf deiner Ebene oder blicke nach unten. Von oben nach unten pinkeln ist einfach; wer es andersherum versucht, schifft sich selbst ins Gesicht. Im Zweifelsfall setz auf die Weisheit des Kollektivs; irrt das Kollektiv, kann dich niemand für irgendwas verantwortlich machen.

Oft juckte es das Krokodil, mal ein paar Wellen auf diesen stillen See zu zaubern. Dann fragte es laut irgendwas Despektierliches und erhielt immer dieselben Antworten: »Kollege Lenz, du diskutierst mal wieder negativ«; oder noch empörter: »Das haste wohl aus 'm Westfernsehen?«

Im Winter '70, als es zwei, drei Wochen lang keine Kohlen gab, weil im Braunkohlentagebau bei so strengem Frost nicht gearbeitet werden konnte, saßen sie Tag für Tag in Schal und Mantel am Schreibtisch. Schnaps musste sie wärmen; Schnaps, der auch lustig machte, weshalb es Lenz oft schwer fiel, ernst zu bleiben, wenn er mit Bombay oder Düsseldorf telefonierte. Er stellte sich vor, was seine Gesprächspartner für Gesichter machen würden, wüssten sie, in welcher Aufmachung und mit wie viel Promille im Blut er mit ihnen kommunizierte. Ein Gedanke, über den auch die drei, vier Kolleginnen lachen mussten, mit denen er den Raum teilte. Einmal jedoch lockerte ihm der Alkohol etwas zu sehr die Zunge, und er lästerte über den bösen Winter, der im Osten immer zu so überraschenden Jahreszeiten hereinbrach. Es wurde weitergetragen und der Kontordirektor rief ihn zu sich: Lenz solle seine kritischen Äußerungen für sich behalten, schließlich frören sie alle. »Es gilt mitzuhelfen, Engpässe zu beseitigen, anstatt sich über sie lustig zu machen.«

Da hätte das Krokodil am liebsten gleich wieder die Firma gewechselt. Was sollte er denn noch in diesem Schmetterlingshorst, in dem alles verziehen wurde, nur eben kein Hauch eigene Meinung? Aber: War es woanders denn besser?

Lenz kündigte nicht, und so dauerte es nicht lange, bis er erneut ins Fettnäpfchen trat. Die FDJ-Leitung hatte beschlossen, dass jedes Mitglied zu dem an den Dienstagen nach Büroschluss stattfindenden FDJ-Schulungen im Blauhemd zu erscheinen hatte. Und das Hemd sollte schon morgens getragen werden. Wer es trug, bekam Pluspunkte, wer es nicht trug, Minuspunkte. Lenz hatte diese abendliche Zeitverplemperei schon immer gehasst, nun fühlte er sich endgültig zu alt für die Jugendorganisation und beantragte seinen Austritt. Dass er nie in seinem Leben ein Blauhemd besessen hatte und sich auch keines anschaffen wollte, behielt er für sich.

Man klärte ihn darüber auf, dass es die Möglichkeit gab, auch als älterer Kader Mitglied der FDJ bleiben zu dürfen – als »Freund der Jugend« –, und dass das Tragen des Blauhemds nun mal eine bekenntnishafte Bedeutung habe. Es sei beobachtet worden, dass viele FDJler neuerdings darauf verzichteten, sich zu ihrer Organisation zu bekennen; dem müsse man entgegenwirken. Ob Lenz das nicht einsehen könne?

Lenz konnte es nicht einsehen, doch natürlich durfte er das nicht sagen, und so kam es am Ende zu einem Kompromiss: Lenz wurde »Freund der Jugend«, musste das FDJ-Hemd aber nicht tragen, da er ja auch an Dienstagen mit unverhofften Kundenbesuchen aus dem westlichen Ausland rechnen musste. Dass er sich jedes Mal erst schnell umzog, konnte man nicht verlangen. Andere profitierten von dieser Lex Lenz; das Krokodil aber machte sich Gedanken über den Unterschied zwischen einem klugen und einem faulen Kompromiss.

Ein paar Wochen ging alles gut, dann stand Lenz wieder im Rampenlicht: Er nahm zu selten an den Brigadeabenden teil, torpedierte die Brigadearbeit. Man stand im Kampf um den Titel *Brigade der sozialistischen Arbeit*, hatte sich verpflichtet, auf sozialistische Art zu arbeiten, zu lernen und zu leben. Dazu gehörte der gemeinsame Besuch fortschrittlicher Filme, der monatliche Theaterbesuch, die Teilnahme an Vorträgen, gemeinsame Museumsbesuche, gemeinsame Ausflüge, Teilnahme an Parteischulungen, Teilnahme am Gewerkschaftsleben, Mitarbeit in der Hausgemeinschaft und immer so weiter. Lenz liebte das Theater und ging nach wie vor gern ins Kino, aber eben lieber mit Hannah als mit der Brigade. Er hatte auch nichts gegen Museumsbesuche – aber doch bitte nicht als Herde! Dennoch nahm er die Kritik an, versprach, sich zu bessern, und latschte von nun an öfter mit.

Immer häufiger warf das Krokodil ihm Knochenlosigkeit vor, und Lenz blieb nichts anderes übrig, als ihm Recht zu geben. Oft konnte er nachts nicht schlafen, stand auf und blickte aus dem Fenster. Wie lange sollte das denn noch so weitergehen? Wollte er sein Leben lang »toter Mann« spielen, Abseitssteher und Kompromissler sein?

In diesen Nächten schrieb er viel – und hatte das Gefühl, dass seine Texte immer besser wurden. Manchmal schrieb er, wenn er endlich eingeschlafen war, noch im Traum weiter, schreckte auf und wusste, dass er schreiben konnte. Ganze Romananfänge sagte er sich in manchen Träumen auf. Aber würde er denn jemals erfahren, wie weit sein Talent reichte?

Er sprach mit Hannah über seine Träume, zeigte ihr seine Texte. Wie aber hätte sie ihm helfen sollen, sie litt ja selbst. Was der Staat mit ihren Kindern machte! Wie sie sich im Betrieb durchlavieren musste, um nicht in die FDJ eintreten zu müssen oder in irgendeine andere dieser vielen Organisationen, die allein die Aufgabe hatten, die Menschen zu erfassen und im Interesse des Staates zu beschäftigen. Wie sie es hasste, jedes Mal, wenn ihr Bruder Jo kam, eine Besuchsmeldung abgeben zu müssen;

wie sie die jährlichen »Wasserstandsmeldungen« anwiderten: Wie oft hatte sie West-Besuch empfangen, wie viele Pakete im Jahr schickte der Bruder, wie viele Briefe flogen hin und her, gab es Telefonkontakte?

Zwei, die unglücklich waren in einer glücklichen Familie, konnte es so etwas denn überhaupt geben?

Schlimm waren die Wochentage, noch schlimmer die Wochenenden, wenn Zeit zum Nachdenken war: Nein, so wie es war, durfte es nicht weitergehen! Doch was konnten sie tun? Gab es irgendeine Möglichkeit, ihr Leben zu ändern? Gab es Ausweichmöglichkeiten, Chancen für einen Neubeginn?

Still! Nicht so laut! Die Kinder dürfen nichts merken. Sehen sie, dass ihre Eltern leiden, leiden sie auch. Also machen wir es ihnen schön, unternehmen Ausflüge, gehen Eis essen, ins Kino, ins Puppentheater. Erfreuen wir uns daran, dass wir uns haben.

Im Frühjahr und Herbst ging's zur Leipziger Messe. Da erklärte sogar das *Neue Deutschland* den Kalten Krieg ein paar Tage lang für beendet; es gab keine Imperialisten mehr, sondern nur noch Geschäftspartner. Da erreichte die Paarungswilligkeit der Schmetterlinge ihren Höhepunkt, wurden Messe-Ehen geschlossen und gebrochen und neue Konstellationen ausprobiert; Gelegenheit macht Liebe, wir sind so frei. Was sind wir frei!

Lenz interessierten an der Messe vor allem die Treffen mit ausländischen Partnerfirmen. Ein Blick über den Zaun, das Gefühl, noch irgendwie dazuzugehören. Wie erheiternd, wenn er dann zu einem Gegenbesuch nach Bombay, New York oder Stuttgart eingeladen wurde und in seinem Terminkalender blätterte: April, Mai, Juni? Man wusste, dass er wahrscheinlich nie kommen würde, er aber machte Reisepläne und seine Besucher spielten mit.

Am Ende der Gespräche war er jedes Mal verpflichtet, vorsichtig ein bisschen politisch zu werden. Man wollte die internationale Stimmungslage testen: »Was sagen Sie denn so zu den aktuellen Weltereignissen?« – »Wie schätzen Sie die Aufbauleistungen der DDR ein?« – »Die Situation in Vietnam, im Nahen Osten, die neuesten Vorschläge der Sowjetunion zur Entspannung zwischen Ost und West …« Solche Fragen anzuschneiden, ohne dass der »Gegner« ein Aushorchen argwöhnte, war ohne ein gewisses schauspielerisches Talent kaum möglich; auszuklammern aber waren diese Verhandlungspunkte nicht, denn nie durfte einer von ihnen eine Verhandlung allein führen. Entweder war ein Vorgesetzter oder eine Sachbearbeiterin dabei.

Lenz entwickelte für diese »Nachtisch-Gespräche« seine Grinse-Methode weiter, quatschte drauflos wie ein Bierkutscher nach dem fünften Doppelkorn und grinste dabei so heftig, dass seine Gegenüber gleich Bescheid wussten und über den Sozialismus lauter Freundlichkeiten sagten. In seinen Verhandlungsberichten walzte Lenz diese Aussagen dann breit, bis nur noch eine Frage offen blieb: Wann würden jene begeisterten Sympathisanten in die DDR überwechseln und ihren Antrag auf Aufnahme in die SED übergeben?

Satire, diese Gespräche und Berichte. Jeder wusste, was erwartet wurde, also lieferte er das Verlangte. Genügte es nicht, dichtete die nächsthöhere Dienststelle noch etwas hinzu. Ganz oben freute man sich dann über die auf diese Weise perfekt frisierten Berichte, die mal wieder bestätigten, dass die von den westlichen Medien so arg gescholtene hässliche Kröte DDR in Wahrheit eine wunderschöne Prinzessin war.

Ob es dem einen oder der anderen gefiel oder nicht, Lenz hatte Erfolg. Viele der Geschäfte, die er für *intermed* tätigte, liefen schon seit Jahren, er brauchte sie nur fortführen, andere hatte er angebahnt und zum Abschluss gebracht. Den Plan zu erfüllen – das Maß aller Dinge – bereitete ihm keine Schwierigkeiten. So kam man nicht umhin, als eines Tages ein neuer Brigadier – eine Art Gruppenleiter – gesucht wurde, auch über ihn nachzudenken. Seine Leistungen stimmten, die notwendige Qualifikation – ein abgeschlossenes Studium – war in Sicht, was sprach dagegen, ihm diesen Posten anzutragen?

Sein kritischer Blick und sein mangelndes Interesse an gesellschaftlichen Aufgaben sprachen dagegen. Was sich aber vielleicht ändern würde, schnupperte er erst mal an der Karriereleiter. Doch dazu musste er in die Partei eintreten; man sollte vielleicht diesbezüglich mal mit ihm reden.

Sie redeten mit Lenz, und er wiederholte all die Ausflüchte, die ihm noch vom Versorgungsdepot her in Erinnerung waren; einen Waldemar Hartmann allerdings fand er hier nicht.

Man war enttäuscht. Alles nur billige Ausreden. Lenz sollte doch mal darüber nachdenken, welche Chance sich ihm hier eröffnete; spätere Reisetätigkeit in den von ihm bearbeiteten Ländern nicht ausgeschlossen.

Der berühmte Wink mit dem Zuckerstück, ein kleiner Pakt mit dem Teufel Partei. Reisen, mal herauskommen aus dem schönsten und interessantesten Land der Welt, wer wollte das nicht? Lenz jedoch blieb stur. Er war in der FDJ, in der Deutsch-Sowjetischen Freundschaft und in der Gewerkschaft, das musste reichen. Partei und Kampfgruppe, so hießen die selbst gezogenen Grenzen, die er nicht überschreiten wollte. Ein Parteieintritt hätte eine Art Selbstmord bedeutet, Kampfgruppe war ihm zu sehr Soldatenspielerei, das hatte er hinter sich. Wenn er sie nur sah, die zumeist schon bäuchigen Männer in ihren Blaumännern mit der roten Binde am Arm, wie sie im Hof strammstanden, bevor es mit Karabinern und Handwaffen zum monatlichen Indianerspiel hinausging, grauste es ihm schon. Keiner von denen hatte Lust auf diese Strapazen, dennoch hoppelten sie durchs Grün. Nur um ihrer Karriere nicht zu schaden.

Die Weltmänner und Pfeifenraucher, die Lenz zu dem berühmten letzten Schritt bekehren wollten, gehörten zu jenen Leuten, die alles mitmachten, deshalb aber noch lange keine Scheuklappen vor den Augen hatten. Sie versuchten nicht, Lenz mit Parteiparolen zu agitieren, winkten nur mit den Vorteilen, die sich ihm eröffneten, falls er sein störrisches Verhalten endlich aufgab. So redete, wer die Verhältnisse nicht als ideal ansah, aber erbarmungslos entschlossen war, das Beste für sich daraus zu machen. Es ging nicht in ihre Köpfe, dass Lenz bei diesem Spiel nicht mitmachen wollte, und so redeten sie und redeten, und Lenz eierte herum, bis andere Aufgaben sie riefen und sie so bald keine Lust auf ein neues Gespräch verspürten. Die Zeit verging und irgendwann wurde Lenz doch zum Brigadier berufen. Zum »kommissarischen«. Der Appetit kommt beim Essen, dachten sich seine Förderer wohl; wer wollte denn ewig mit dem Anhängsel »kommissarisch« und unangepasstem Gehalt herumlaufen?

Das nicht angepasste Gehalt ärgerte Lenz, die Einschränkung »kommissarisch« störte ihn nur wenig. Sie beruhigte sogar: Siehst du, so ist es, wenn man nicht bei allem mitmacht; du wirst nicht erschossen, musst nur ein paar Nachteile in Kauf nehmen. Mit Schwung stürzte er sich in die Arbeit – und eines Tages passierte es dann: Die erste Dienstreise stand an. Nach Indonesien. Langjährige Schuldner waren ins Gebet zu nehmen, brieflich angebahnte, äußerst erfolgversprechende Kontakte galt es zu vertiefen. Mehr als Test – Lenz glaubte nicht im Traum daran, dass ihm die Reise genehmigt würde – beantragte er über die Reisestelle einen Pass. Das war der jeweils erste Schritt: Ohne Pass keine Reise; und wer besaß schon einen Pass, solange er nicht Reisekader war? Er ließ Passfotos machen, schrieb einen Lebenslauf und füllte mehrere Fragebögen aus. Darunter einen besonders umfangreichen, in dem er vollzählig alle seine Verwandten anzugeben hatte, auch die bereits verstorbenen, vor allem aber jene, die im Westen lebten. Falls diese Westler irgendwann aus der DDR weggegangen waren, war hinzuzufügen, wann, wie und wo sie ausgereist waren. Er beantwortete alle Fragen gewissenhaft, weil er überzeugt davon war, dass jedes Verschweigen zwecklos war, und siehe da, Tante Grit und Onkel Karl, von denen er, nachdem der Briefverkehr schon bald nach dem Mauerbau eingeschlafen war, nichts mehr gehört hatte, plötzlich waren sie wieder von Bedeutung. Auf Hannahs Verwandtschaft traf das ebenfalls zu, doch dabei handelte es sich ja nicht um Republikflüchtlinge.

Mit der Beantragung des Passes begann die Sicherheitsüberprüfung:

Was ist dieser Reisekandidat Lenz für ein Mensch? Hat er wahrheitsgetreue Angaben gemacht? Wie ist sein Gesamtverhalten zu beurteilen, wie steht es um seine Bindung an die gesellschaftlichen Verhältnisse in der DDR? Schätzt er die soziale Sicherheit, die unser Staat ihm bietet? Hat er Kontakte zu politisch negativ aufgefallenen Personen? Wird er feindlichen Beeinflussungsversuchen widerstehen? Wie ist es um die Bindung zu seiner Familie, zu Verwandten und Freunden bestellt? Verspürt er so etwas wie Heimatverbundenheit? Bedeuten ihm seine materiellen Errungenschaften etwas, als da wären Wohnungseinrichtung, Sparbücher, Kraftfahrzeug, falls er eines besitzt, eventuell auch das Grundstück im Grünen? Gibt es im nichtsozialistischen Ausland Verwandte, von denen ein Erbe zu erwarten ist;

gar eines, das schon auf einem Konto festliegt und auf ihn wartet?

Ein halbes Jahr verging, sechs Monate, in denen nachgeforscht wurde, was dieser Manfred Lenz für einer war. Kollegen und Bekannte wurden befragt; sogar bei den Nachbarn wurden Auskünfte eingeholt: Führen die Lenzens eine glückliche Ehe? Vielleicht ist dieser Lenz ja froh, durch eine solche Reise nicht nur seinen Staat, sondern auch seine Familie loszuwerden. Haben wir alles schon erlebt.

Dann die freudige Überraschung – der Anruf von der Reisestelle: Der Pass liegt vor, der Reiseantrag darf gestellt werden.

Was war passiert? Hatte da irgendwer geschlampt – oder war er gar kein so unsicherer Kantonist, wie er immer von sich geglaubt hatte? Wenn er auch nicht in der Partei war, so war er doch in sozialistischen Heimen aufgewachsen und anderthalb Jahre lang ein so guter Soldat gewesen, dass sie ihn sogar auf einen Offizierslehrgang schicken wollten. Dank seines Vaters kam er aus der Arbeiterklasse, und hatte er nicht einen rasanten Aufstieg hinter sich? Auch seine Ehefrau war im Außenhandel beschäftigt und zu seinen einzigen Westverwandten – Schwager Jo einmal ausgenommen – hatte er schon seit zehn Jahren keinen Kontakt mehr. Gut, er war kein hundertprozentiger Marxist, aber hundertprozentige Marxisten, die zugleich gute Fachkräfte waren, gab es nicht sehr viele. Und nicht zuletzt: Er hing an seiner Familie, der Manfred Lenz, nie würde er sie im Stich lassen; das war das starke Seil, das ihn an seine sozialistische Heimat band.

Gern hätte Lenz sich seinen Pass angeschaut, doch das war gegen die Bestimmungen. Das Kleinod blieb im Tresor der Reisestelle; erst kurz vor Antritt der Reise würde er es zum ersten Mal in den Händen halten.

Unternehmungslustig traf Lenz alle notwendigen Reisevorbereitungen, doch glaubte er nach wie vor nicht an seinen ersten Schmetterlingsflug. Was besagte denn schon ein Pass, den er nicht mal ansehen durfte?

Geplant war, dass er nicht allein flog – nur selten wurde so ein frisch geschlüpfter Kohlweißling mutterseelenallein in die große weite Welt hinausgeschickt –, ein Ingenieur aus Thüringen, Matthias Gruber, fünfundvierzig, ehemaliger, inzwischen schon etwas dicklicher Oberliga-Fußballer und Fachmann für Medizintechnik, der bereits vor Jahren einmal in Indonesien war, sollte ihn begleiten. Vorgespräche ergaben: ein sehr ruhiger, sympathischer Kollege.

Ein weiteres halbes Jahr verging, und Lenz lachte nur noch, wenn er das Wort »Indonesien-Reise« hörte. Da war wohl doch noch irgendjemand aufgewacht; diesen Lenz durfte man doch nicht ins »Nichtsozialistische Wirtschaftsgebiet« hinauslassen! Dann aber, ganz plötzlich, lag sie vor, die Reisegenehmigung. Er durfte sich schutzimpfen lassen und Besuchstermine vereinbaren, und einen Tag vor Reiseantritt bekam er seine Reisepapiere überreicht und auf der Außenhandelsbank die Reisedollars vorgezählt. Als Chef der zweiköpfigen »Delegation« hatte er die Reisekasse zu verwalten.

Berlin – Moskau – Singapur – Jakarta lautete die Reiseroute. Lenz hatte die Flugtickets in der Hand, seinen Pass mit Ausreise- und Einreisevisum und dem lustigen Stempel *Gültig für alle Staaten und die besondere politische Einheit Westberlin*, die Dollars und alle anderen notwendigen Papiere – und glaubte noch immer nicht, dass er von nun an ein Schmetterling sein sollte. Noch am Abflugmorgen sagte er zu Hannah, sie solle ihn getrost zum Abendbrot einplanen.

In der *Interflug*-Maschine, die Gruber und ihn nach Moskau

brachte, gestand Gruber Lenz, dass er Flugangst habe. Aber hätte er eine solche Reise denn absagen dürfen? »Indonesien ist ein wunderschönes Land. Nur Inseln, Berge, Reisfelder, Dschungel und Strände.«

»Noch sind wir nicht weg«, lautete Lenz' einsilbige Antwort.

In Moskau landeten sie auf dem Flugplatz Scheremetjewo II und mussten sich mit dem Taxi zum Flughafen Scheremetjewo I fahren lassen, was sie zuvor nicht gewusst hatten. Deshalb hatte ihnen niemand Rubel mitgegeben. Sie entlohnten den kahlköpfigen, zahnlosen, ewig neugierig lächelnden Taxifahrer mit einem blanken Dollar, und er starrte sie an, als hätte der liebe Gott ihm als Fahrgäste amerikanische Ölmilliardäre beschert.

Während sie dann auf die *Aeroflot*-Maschine warteten, die sie nach Singapur bringen sollte, gestand Gruber, dass er nur sehr wenig Englisch spreche, eigentlich gar keines. Lenz dachte an seinen Halbjahreskurs, der ihn nicht gerade zum perfekten Dolmetscher gemacht hatte, und winkte ab: »Noch sind wir nicht weg.«

Sie saßen schon im Flieger, da wollte Lenz immer noch nicht glauben, dass er auf dem Weg nach Singapur war, der Stadt der Abenteuer, Dschunken und Spelunken, wie er sie aus vielen Filmen und Kriminalromanen kannte. Gruber jedoch strahlte, und das trotz seiner Flugangst: »Die werden unsretwegen doch nicht wieder umkehren.«

Was für eine Reise! Lenz' erste Auslandsreise überhaupt – und dann nicht Polen, nicht Bulgarien oder Rumänien, sondern Indonesien!

Die Zwischenlandung in der Nacht in Delhi, das Meer der vielen tausend Lichter unter ihnen, die auf dem Weg in den Transitraum von der Hitze sofort klammen Kleider, die exotischbunten Verkaufsstände, die wegen der ankommenden Passagiere extra noch mal geöffnet wurden – ja, jetzt war auch Manfred Lenz ein Schmetterling, spürte er die schillernden, farbigen Tupfen auf seinen Flügeln wachsen.

Am Morgen überflogen sie die Inselwelt des Indischen Ozeans: grüne Flecken im weiten, manchmal silbrig schäumenden Blau und immer wieder Frachtschiffe und Fischkutter direkt unter ihnen. Ein Anblick, von dem Lenz sich nicht losreißen konnte. Mal leuchtete das Meer violett, dann wieder in einem Blau, wie er es zuvor nur im Film gesehen hatte. Mal waren die Inseln unter ihnen nur gelb umrandete hellgrüne Kleckse, mal erinnerten sie an riesige dunkelgrüne Flaschen; mal erhoben sie sich stolz im Blau, mal lagen sie so flach im Meer, dass es den Anschein hatte, als würden sie jeden Moment überspült werden.

Dann: der Hafen von Singapur! Ozeanriesen, die berühmten Dschunken, Ausflugsboote und strahlend weiße Passagierschiffe im blauen, von Palmen und Hochhäusern gesäumten Halbrund; ein Postkartenmotiv der Sonderklasse! Nach der Landung ein erster Glückstreffer: Ihre *Aeroflot*-Maschine hatte Verspätung, die *Garuda,* mit der sie weiterfliegen sollten, war schon weg. Erst am Abend ging die nächste. So wurden sie für den Tag in einem Hotel in der Innenstadt untergebracht, und es ging los, Müdigkeit hin oder her, zu Fuß quer durch die ganze Stadt. Auf der Rückreise, so war es geplant, würden sie drei Tage in Singapur bleiben und Geschäftsgespräche führen; konnte es schaden, die Stadt schon jetzt für sich zu entdecken?

Zwick dich, Manne Lenz, vielleicht ist ja alles nur ein Traum! Wie schade, dass du nicht mit Hannah durch dieses Chinatown spazierst …

Am Abend landeten sie in Jakarta, Mitarbeiter der Botschaft holten sie am Flughafen ab. Der zweite Glückstreffer: Sie waren in einem Haus untergebracht, das ihnen allein gehörte; ein von der Botschaft angemietetes Objekt, das gerade leer stand. Im Garten ein Swimmingpool, in der Küche eine alte Frau, die für sie putzte. Da störten die Kakerlaken, die ihnen nachts über die Kopfkissen krochen, und die zahlreichen Geckos an den Wänden weniger. Sie spielten in einem Film mit – und sie spielten die Hauptrollen. Es lag an ihnen, gute Figur in diesem grandiosen Kunstwerk zu machen.

Die Geschäftsbesuche erledigten sie mit einem Wagen aus dem Fuhrpark der Botschaft; Chauffeur inklusive. Es galt, Devisen zu sparen. In zumeist unerträglicher Hitze kutschierte ihr rasant fahrender indonesischer Chauffeur sie durch die lang gestreckte, laute, quirlige Stadt; mal schimpfte, mal lachte, mal philosophierte er. In den Gebäuden war es dank der Klimaanlagen oft sehr erfrischend, eine eisgekühlte Cola tat ein Übriges.

Die Geschäftsgespräche waren anstrengend. Lenz musste Gruber jedes zweite Worte übersetzen, und ging es um technische Erörterungen, hatte er Grubers Fachsimpeleien zu dolmetschen. Dafür fehlten ihm die englischen Fachbegriffe. Ihre indonesischen Geschäftspartner, zumeist chinesischer Abstammung, waren jedoch höfliche Leute. Geduldig hörten sie zu und verneigten sich am Ende jedes Gesprächs respektvoll lächelnd.

Großen Erfolg hatten sie im Schuldeneintreiben. Lenz empörte die schlechte Zahlungsmoral ihrer Partnerfirmen, stets kam er gleich zur Sache, erinnerte an die Zahlungsziele und listete auf, um wie viele Monate, ja Jahre sie überschritten waren. Ausreden und Hinweise auf finanzielle Engpässe ließ er nicht gelten. Er wusste: War er erst wieder hinter der Berliner Mauer verschwunden, war für den zahlungsunwilligen Partner die Gefahr vorbei. Briefe aus Berlin kamen zu den Akten oder galten als nicht erhalten. Seine Hartnäckigkeit – alle drei Tage kam er erneut vorbei, um über das gleiche Thema zu reden – blieb nicht ergebnislos. Irgendwann zeigte man ihm die Belege der inzwischen vorgenommenen Überweisungen und grinste ihm beim Abschied vertraulich zu: Da haben sie uns einen hergeschickt! Zwar klingt sein Englisch ziemlich abenteuerlich, abschütteln aber lässt der sich nicht.

Höhepunkt des Schuldeneintreibens war der Besuch bei Wang Li, einem kleinen verhuschten Chinesen mit schlauem Gesicht. Der zerknittert wirkende Mann, in viel zu großer dunkler Hose und – trotz der Hitze – langärmeligem weißem Hemd, hätte in jedem Hollywood-Film den geheimnisumwitterten, mit finsteren Mächten paktierenden Chinamann abgeben können. Seine Firma, die beachtenswerte Umsätze tätigte, wie Lenz in Erfahrung gebracht hatte, bestand nur aus einem kleinen, mit allerlei medizinischen Geräten und Instrumenten voll gestopften Laden und einer sich daran anschließenden größeren Lagerhalle. Als er Lenz und Gruber begrüßte, verneigte Wang Li sich vor Ehrerbietung fast bis zum Boden und fand viele gute Worte für die langjährige, fruchtbare Zusammenarbeit mit *intermed*. Lenz wappnete sich mit Geduld. Er hatte inzwischen begriffen, dass chinesische Geschäftsleute stets erst am Schluss eines Gespräches zur Sache kamen. Wenn man schon müde geworden war und sich innerlich längst aus dem Palaver verabschiedet hatte, legten sie los; in der Hoffnung, dann leichter ein für sie vorteilhaftes Gesprächsergebnis zu erzielen.

Auch die auf Europäer übertrieben wirkende Höflichkeit der chinesischen Handelsleute wusste Lenz inzwischen richtig zu deuten. Gleich nach dem blumig vor ihm ausgebreiteten Positiven würde das Negative kommen. Und richtig, leider gebe es aber auch immer wieder Reklamationen, erklärte Wang Li, als er seine Lobeshymne beendet hatte, mit bekümmertem Gesicht und winkte einen seiner beiden demutsvoll im Hintergrund wartenden indonesischen Angestellten heran, um ihm etwas ins Ohr zu flüstern. Der, ebenfalls schon ein älterer Mann, verschwand im Lager und brachte einen offenen Karton mit. Lenz erkannte ein paar verstaubte Spritzen und angerostete chirurgische Instrumente und schob den Karton ohne nähere Begutachtung wieder vor Wang Li hin. Er habe auch Reklamationen, erklärte er lächelnd. Und damit rückte er die für sie bereitgestellten Stühle etwas näher an den Ladentisch und blätterte Wang Li alle noch unbezahlten Rechnungen vor. Der spielte den Überraschten, ließ sich ebenfalls einen Stuhl und Akten bringen, wühlte endlos lange in den Papieren herum und erinnerte sich schließlich: Ach ja, die schlechte Qualität der aus Ostdeutschland gelieferten Waren sei schuld! Deshalb würden so viele seiner Schuldner nicht zahlen. Und konnte er denn zahlen, wenn man ihn auf offenen Rechnungen sitzen ließ? Und damit schob er den Karton erneut vor Lenz hin.

Lenz legte seine offenen Rechnungen auf den Karton und steckte sich eine Zigarette an. Er hatte gewusst, dass es nicht leicht werden würde. Wang Lis Schulden waren Legende bei *intermed*; es gab Zahlungsziele, die schon um sieben, acht Jahre überschritten waren. Lenz' Vorgänger, der – zusammen mit Gruber – fünf Jahre zuvor sein Glück bei Wang Li versucht hatte, war mit leeren Händen heimgekehrt.

Kunden betraten das Geschäft, bemerkten die beiden Ausländer und verneigten sich höflich. Lenz und Gruber auf ihren Stühlen nickten jedes Mal freundlich zurück. Sie hatten sich vorgenommen auszuhalten, und wenn sie diesen Wang Li bis zum frühen Morgen belagern mussten.

Wang Li schien so etwas zu ahnen. Er zischte seinen beiden Angestellten irgendwas Chinesisch-Indonesisches zu, damit sie sich um die Kunden kümmerten, dann fragte er, um vom Thema abzulenken, nach neuen Produkten. Da gebe es doch dieses neue Röntgengerät von der Firma *Siemens* – »berühmte deutsche Firma, qualitätsmäßig ganz oben stehend, o ja, o ja!« –, ob *intermed* nicht Ähnliches im Programm habe?

»Haben wir«, log Lenz und legte ihm einen Prospekt vor. Noch nie hatte Wang Li mit Röntgengeräten gehandelt, er hätte gar keinen Kundendienst dafür leisten können.

Wang Li studierte den Prospekt, nickte zu Lenz knappen Erläuterungen und legte das Papier weg. »Und dieses neue Beatmungsgerät von der Firma *Dräger* in Lübeck? Man hat es mir angeboten. Leider ist es für unsere Kunden viel zu teuer. Ein gleich gutes, preiswerteres Gerät, das hätte Chancen.«

»Haben wir!« Lenz legte ihm noch einen Prospekt vor, Wang Li studierte ihn, hörte sich Lenz' Erklärungen an und legte auch diesen Prospekt beiseite.

»Die Firma *Äskulap* ...«

»Haben wir!« Lenz blieb ganz ruhig. Mit dieser Strategie würde Wang Li ihn nicht aus seinem Tante-Emma-Laden treiben. War ja keine Neuigkeit, dass die bundesrepublikanische Konkurrenz ihnen entwicklungstechnisch um mehrere Jahre voraus war. Wahrscheinlich würden sie niemals deren Standard erreichen, so wie bei ihnen die Wirtschaft organisiert war. Aber was hatte das Wang Li zu kümmern? Wang Li kaufte bei ihnen, weil sie billiger waren; es war ihm höchst egal, dass er in seinem Laden nicht den neuesten Stand der Technik repräsentierte. Mit Billigprodukten war oft mehr zu verdienen als mit technischen Spitzenleistungen.

Als Wang Li keine Neuentwicklungen mehr einfielen, nach denen er fragen konnte, verstummte er. Lenz jedoch legte immer weitere Prospekte vor ihn hin und schwärmte langatmig von der *intermed*-Produktpalette. Alles sehr einfach in der Handhabung, aber außerordentlich funktionstüchtig; genau das Richtige für Häuser, die nicht im Geld schwammen.

Kunden kamen, Kunden gingen, die Mittagshitze hatte ihren Höhepunkt erreicht. Wang Li fragte das dritte oder vierte Mal, ob man noch einen Tee mochte, und Lenz und Gruber, die in diesem Laden ohne Klimaanlage längst schweißgebadet waren, nickten, obwohl ihre Blasen ihnen nun schon zu schaffen machten. Falls Wang Li, der bestimmt bedauernd verneinen würde, wenn sie nach einer Toilette fragten, sie auf diese Weise loswerden wollte, sollte er sich geschnitten haben.

Die Rettung nahte, als Lenz sich mal wieder eine Zigarette anzündete und mitbekam, wie Wang Li das Gesicht verzog. Hasste er Tabaksqualm? Sofort bot Lenz auch Gruber eine Zigarette an. Der wollte erstaunt ablehnen – als ehemaliger Leistungssportler war er natürlich Nichtraucher –, Lenz' drohender Blick jedoch ließ ihn etwas erahnen. Also paffte er mit. Und blies den ausgestoßenen Rauch genau wie Lenz immer schön in Wang Lis Richtung.

»So!«, begann Lenz dann, sich gemütlich in seinen Stuhl zurücklehnend. »Jetzt müssen wir noch mal auf die noch offenen Rechnungen zu sprechen kommen.« Und er wiederholte mit fast den gleichen Worten, was er gut anderthalb Stunden zuvor schon gesagt hatte, mit dem einzigen Unterschied, dass Gruber und er dabei ihre Zigaretten nicht mehr ausgehen ließen. Bald war der kleine Laden blau und die beiden indonesischen Angestellten blickten genauso empört wie ihr schlitzohriger Chef.

Am Ende seines kleinen Vortrags betonte Lenz dann nochmals, dass weitere Warenlieferungen an Wang Li nicht abgehen würden, wenn diese Rechnungen nicht noch während ihrer Anwesenheit in Jakarta beglichen würden. Weil sie ja sonst davon ausgehen müssten, dass er in ernsthaften Zahlungsschwierigkeiten sei. Ein Pokerspiel, denn Lenz durfte um Himmels willen keinen mit Devisen zahlenden Kunden verlieren; eine feste Regel im Außenhandel, auch wenn der umworbene Kunde in Wahrheit gar kein »zahlender« Kunde war. In der Statistik war Umsatz Umsatz; unerfüllte Forderungen waren eine ganz andere Rubrik.

Wang Li sah seinen Karton mit den Reklamationen an, und Lenz erkannte, dass er den großen Zeh schon in der Tür hatte. Selbstverständlich, lenkte er ein, würde er, nachdem die Rechnungen bezahlt waren, dafür sorgen, dass die fehlerhafte Ware sofort ersetzt würde.

Wang Li sah Lenz an, sah Gruber an. Als sie noch mal heftig an ihren Zigaretten zogen, huschte er aus dem Raum. Wieder zurück, hielt er ein dickes Bündel Dollarnoten in der Hand.

Lenz glaubte, seinen Augen nicht trauen zu dürfen. Dass Wang Li bar zahlen würde, damit hatte er nicht gerechnet. Doch ließ er sich seine Überraschung nicht anmerken. Gemeinsam mit Wang Li ging er Rechnung für Rechnung durch, bis sie bei einem offenen Gesamtbetrag von etwa zwanzigtausend amerikanischen Dollar angelangt waren, die der dabei immer kleiner werdende Chinese schließlich vor ihn hinblätterte. Zwanzigtausend Dollar – das waren etwa achtzigtausend Deutsche Mark. In DDR-Mark genauso viele. Doch das war ja nur der offizielle, nominelle Wert, in Wahrheit handelte es sich bei diesen Dollarnoten um einen Gegenwert von mindestens vierhunderttausend Ostmark. Für die Hosentasche nicht mehr zu akzeptieren. Lenz steckte die Dollars dennoch ein – was man hat, das hat man – und beugte sich danach gemeinsam mit Gruber über Wang Lis Karton, der sich beim näheren Hinsehen als ein Sammelsurium von Spritzen, Kanülen und chirurgischen Instrumenten entpuppte, die nur zu einem kleinen Teil von *intermed* geliefert worden waren.

Fehlerhafte Billigprodukte aller Herren Länder sollten ihnen da untergeschoben werden. Gruber sortierte aus, was sie betraf, und Lenz verlangte einen schriftlichen Reklamationsbericht und Rücksendung der nicht ordnungsgemäß gelieferten Ware.

Wang Li zog eine Schnute. Nun fühlte er sich endgültig über den Tisch gezogen. Dennoch gab er Lenz einen neuen Auftrag mit. So günstig wie die Ostdeutschen lieferte sonst niemand – und wann würden diese nikotinsüchtigen Schuldeneintreiber denn das nächste Mal abkassieren kommen? In fünf Jahren, in zehn? Herrliche Zahlungsziele!

In ihrer Freizeit zogen Lenz und Gruber viel durch die Stadt. Auch durch die Armenviertel. Gruber ging mit, weil es für Lenz allein zu gefährlich gewesen wäre. Doch ging er stets nur unter Protest mit und unter der Bedingung, dass sie keinen Fotoapparat mitnahmen. So eine Kamera habe schon manch einem das Leben gekostet.

Lenz kannte das Risiko, doch war er neugierig. Dass Menschen so leben mussten! So viel Dreck, so viel Elend hatte er noch nie gesehen. Kinder, die verkrüppelt worden waren, damit sie beim Betteln mehr Mitleid erweckten; neun-, zehn-, elfjährige Jungen und Mädchen, die sich Männern anboten und von denen viele früh an Geschlechtskrankheiten sterben würden; Jugendliche, die für ein paar Rupiah zu Mördern wurden. Wer hatte diese Armut zu verantworten?

Einmal, Lenz und Gruber waren gerade aus dem Wagen gestiegen, wurden sie von einem Jungen angesprochen, etwa dreizehn Jahre alt, schmutzig, zerrissene Kleidung, lange verfilzte Haare. Auf seinem Kopf saß ein Äffchen; als der Junge die Hand ausstreckte, streckte der Affe seine Pfote aus. Der Bettelspruch des Jungen: »No Mama, no Papa, no Television.«

Über ihren Chauffeur stellte Lenz dem Jungen ein paar Fragen und erfuhr, dass seine kleine Schwester erst vor ein paar Tagen an einer nicht behandelten Krankheit gestorben war und der ältere Bruder wegen Mordes im Gefängnis saß. Das konnte eine frei erfundene Geschichte sein, um ein paar Rupiah mehr herauszuholen. Lenz jedoch nahm dem Jungen seine Geschichte ab; und war sie erfunden, so war sie zumindest direkt aus einem elenden Leben gegriffen. Bevor er den Jungen dann weiterziehen ließ, steckte er ihm so viele Rupiah-Scheine zu, dass ihr Chauffeur neidisch kuckte und Gruber leise protestierte.

In der Botschaft hatte man sich an die unsägliche Armut in diesem Land bereits gewöhnt. Am besten gar nicht hinsehen, hieß es dort, du kannst ja doch nichts ändern. Lenz war anderer Ansicht: Machte sich, wer wegsah, denn nicht mitschuldig?

Ansonsten freute man sich in der Botschaft, mal wieder Gäste aus der Heimat zu haben. Wir aus der DDR, sind wir nicht alle eine große Familie? Die Botschaften der nichtsozialistischen Länder waren für die Diplomaten und Außenhändler verbotene Zone und der Kontakt zu denen befreundeter Nationen hielt sich in engen Grenzen; so schmorte man mehr oder weniger im eigenen Saft: Besuchst du mich, besuch ich dich. Der Lagereffekt aber deprimierte, jedes neue Gesicht war hochwillkommen.

Auf Empfehlung machten Lenz und Gruber einen Wochenendtrip nach Samudra Beach. Fahrt in ein Tropenparadies mit Palmen, Meer und kalten Getränken am Swimmingpool. Es ging über Dörfer, zwischen hügeligen Reisfeldern hindurch und über hohe Bergpässe hinweg, und ihr rasanter Chauffeur fuhr wie gehetzt, was den immer wieder ängstlich in die verschiedenen Abgründe starrenden Gruber dazu brachte, Lenz einzugestehen, dass er ein krankes Herz hatte. »Das geht vielen ehemaligen Leistungssportlern so. Sag ihm, er soll langsamer fahren.«

Sie badeten im Ozean, stiegen in einen Vulkan hinab, gingen chinesisch essen und fühlten sich als Auserwählte des Schicksals. Schade nur, dass ihre Frauen nicht dabei waren!

Zurück in Jakarta warteten neue Geschäftsgespräche auf sie. Und natürlich zog es Lenz weiter durch die Straßen. Hier zu überleben, dazu gehörten Stärke, Mut und Witz; wer da keinen Respekt gewann!

Auch an der westdeutschen Botschaft kamen sie hin und wieder vorüber. Nicht ein einziges Mal dachte Lenz daran, wie einfach er auf diese Weise die Seiten wechseln könnte; nicht einmal, wenn Hannah, Silke und Micha bei ihm gewesen wären, hätte er zu jener Zeit einen solchen Schritt in Erwägung gezogen.

Der Botschafter, der gern mit Lenz Tischtennis spielte, gab ihm einen Tipp: »Kaufen Sie Ihrer Frau einen schweren goldenen Ring. Wer weiß, vielleicht braucht sie später mal Zahngold. So billig wie hier kriegen Sie das nirgends.«

Lenz befolgte den Rat, feilschte in einem riesigen, von all dem Gold ringsumher nur so blitzenden und glitzernden Schmuckbasar eine halbe Stunde lang mit einem chinesischen Händler und war anschließend sicher, doch übers Ohr gehauen worden zu sein. Einen solchen Klunker aber hatte Hannah noch nie besessen; der war tatsächlich nur Zahngold, den würde sie nie tragen.

Auf der Rückreise: noch einmal Singapur. Die große Hafenrundfahrt!

Da wurden längst vergessene Kindheitsträume wach: Schiffsjunge werden, die weite Welt sehen!

Gruber: »Als Exportkaufmann kannst du das doch auch, musst nur immer schön artig sein.«

Wieder in Berlin verabschiedete sich Gruber, der froh war, alles heil überstanden zu haben, bewegt von Lenz: »Werd' ich nie vergessen, diese Reise! Wer weiß denn, ob sie uns noch mal rauslassen.«

Der erfolgreiche Schuldeneintreiber Lenz musste nicht lange warten, bis er wieder rausdurfte. Nur ein halbes Jahr später war er Mitglied einer vierköpfigen Delegation, die nach Indien reiste. Zwei Tage Zwischenstation in Kairo, danach Bombay, Delhi, Agra, Madras, Coimbatur, Turichirapalli und noch einige andere Orte. Gespräche mit Vertreterfirmen standen auf der Terminliste, Besuche von Universitäten und Krankenhäusern, die mit von *intermed* gelieferten Geräten arbeiteten, und natürlich auch hier das Präsentieren von unbezahlten Rechnungen.

Wieder sechs Wochen, wieder ein Traum, der wahr wurde; noch unsäglicher die Armut, die Lenz diesmal zu Gesicht bekam. Vier Reisende aber waren mindestens zwei zu viel, das merkte er bald. Jeder von ihnen hatte nach Abschluss der Reise schriftlich Bericht zu erstatten, jeder auch besondere Vorkommnisse zu melden. Mit Gruber hatte Lenz sich abgestimmt. Sie hatten beide keinerlei besondere Vorkommnisse erlebt, waren nirgendwo schief angesehen oder diskriminierend behandelt worden, nur weil sie aus der DDR kamen, und hatten auch über den jeweils anderen nichts Negatives vermerkt. Zu viert konnten sie sich nicht abstimmen, zu viert liefen sie wie siamesische Vierlinge durch die Gegend, und jeder wusste: Erwähne ich etwas nicht, was die anderen drei berichten, gelte ich als unzuverlässig. Außerdem: Wer sagt mir denn, dass unter uns keine »Sicherheitsnadel« ist, ein Stasi-Zuträger? Also: Bedenke, was du sagst; bedenke, was du tust; bedenke, was du in deinen Reisebericht schreibst!

In einem Bombayer Restaurant: Der einsame Herr am Tisch neben ihnen hatte mitbekommen, dass sie auf Deutsch die Speisekarte durchnahmen. »Ich würd' Ihne de Lobschter Thermidore empfehle. Der isch ganz köschtlich.«

Der Herr kam offenbar aus Schwaben und hätte gern ein bisschen mit seinen Landsleuten geplaudert. Wie verdutzt kuckte er, als sie sich zu viert zu ihm umwandten, höflich nickten und sich sofort wieder in die Speisekarten vertieften. Lenz' zaghafter Protest gegen diese Wand, von der er Teil sein musste: Er bestellte sich den Hummer, und als sie gingen, nickte er dem noch immer ganz indigniert blickenden Schwaben freundlich zu: »Vielen Dank für die Empfehlung, war wirklich ganz frisch, der Hummer.« In Wahrheit hatte er keine Ahnung, ob er ein frisches Schalentier gegessen hatte oder nicht; es war der erste Hummer seines Lebens, und hätte er gewusst, welche Mühe die Scherenknackerei bereitete, hätte er ihn nicht bestellt.

Später fragte er sich, ob sie genauso bekloppt reagiert hätten, wenn ein Franzose oder Engländer sie angesprochen hätte, und natürlich auch, ob einer der anderen drei diesen »Westkontakt« in seinem Reisebericht erwähnen würde. Sollte er nachfragen? Er tat es nicht, ein ungutes Gefühl aber blieb.

Der viel befahrene Marine Drive in Bombay, die Überfahrt zur Höhleninsel Elephanta, der Junge mit dem rabenschwarz glänzenden Haar, der am Strand Betelnüsse verkaufte und ihn dabei so freundlich anstrahlte! Der Tadsch Mahal, zwar nicht wie empfohlen im Mondenschein, aber doch in strahlender Sonne glitzernd ... Die Plätze, auf denen die Inder ihre Toten verbrannten, bevor sie die Asche ins Meer oder in einen der zum Meer führenden Flüsse streuten ... Die ausgebeuteten Seidenweber von Turichirapalli, die unzähligen, imposanten Tempelbauten, der endlose Strand vor Madras ... Wer hätte Lenz nicht um diese Reise beneidet? Dennoch war er nicht glücklich. Er fühlte sich unwohl als Delegationsmitglied. Ein paar Mal hatte er sich abgeseilt, um allein durch die Straßen zu wandern; das war gerügt worden. Der Leiter der Delegation, einer der Kontordirektoren, ein kleiner, schmaler Mann mit hohem Haarwuchs und sommersprossigem Gesicht, verwies auf seine Verantwortung für sie alle. Lenz erwiderte, er sei volljährig, könne allein auf sich aufpassen, und durch welche Straßen er spaziere, sei seine Sache. Einer der beiden anderen nahm ihn beiseite. Er solle kein dummes Zeug reden, sonst sei dies ganz sicher seine letzte Dienstreise gewesen.

Ihm wurde übel von dieser Art Disziplin, und auf dem Heimflug, als er vom Flugzeug aus die märkischen Seen, die Sandhügel und den Kiefernwald um Berlin sah, verspürte er zum ersten Mal nicht nur Vorfreude auf Hannah und die Kinder: Es ging zurück in den Horst, und zeigte er sich nicht dressiert genug, würden sie ihn nie wieder ausfliegen lassen. Was bedeutete das anderes als »Ab jetzt bist du erpressbar«?

Bei *intermed* dachte man offensichtlich ähnlich: Jetzt ist er auf den Geschmack gekommen, der Lenz, jetzt wird er sich mit weniger nicht mehr zufrieden geben; es gibt keinen besseren Treue-Kitt als Reisen ins westliche Ausland.

Lenz sah seinen Vorgesetzten diese Hoffnung an und holte sich fortan immer öfter etwas Erfrischendes aus der Kantine. Dieses »Erfrischende« bestand aus einer Cola mit Weinbrand. In der Cola fiel der Weinbrand nicht auf, tat aber seine Wirkung; vor allem, wenn es darum ging, zu beweisen, dass ein Manfred Lenz nicht erpressbar war.

Seine Förderer verstanden ihre sozialistische Welt nicht mehr: Dieser Lenz hatte sein Studium abgeschlossen, war kommissarischer Brigadier und NSW-Reisekader, was wollte er mehr? Es ging ihnen nicht in die Köpfe: Da machte einer Reisen, die für neunundneunzig Prozent der DDR-Bürger unerfüllbare Träume blieben, lebte mit seiner Familie in einer leicht bezahlbaren, modern eingerichteten Drei-Zimmer-Neubauwohnung und hatte, da noch so jung, die allerschönsten Zukunftsaussichten und war dennoch nicht zufrieden? Was fehlte ihm denn noch?

Was Lenz fehlte, konnte ihm keiner geben; das würde er sich eines Tages selbst nehmen müssen. Noch aber war er nicht so weit, sich diese Konsequenz einzugestehen. Unglücklich über seine Rolle, verhielt er sich wie ein bockiges Kind: Wenn ihr denkt, ihr könnt mich erziehen, indem ihr mir Bonbons zu lutschen gebt, nur um sie mir bei Ungehorsam wieder zu entziehen, habt ihr euch geschnitten. Ich brauche eure Süßigkeiten nicht. Und so zerrte er an der Leine, an der sie ihn führen wollten, bis ihn der Parteisekretär des Hauses eines Tages im Flur ansprach: »Sag mal, Kollege Lenz, ich hab den Eindruck, die Reiserei ins Ausland bekommt dir nicht. Ist vielleicht besser, du machst da mal 'ne längere Pause.«

Damit war es heraus. Deutlicher ging es nicht. Noch am selben Tag schrieb Lenz seine Kündigung und Hannah erlebte einen so fröhlichen Manne wie schon lange nicht mehr: Der Schuldeneintreiber Lenz hatte endlich auch sich selbst die überfällige Rechnung präsentiert.

Seine Förderer wollten es nicht glauben und versuchten, ihn zu halten. Unter anderem mit einer fest zugesagten Gehaltserhöhung.

Lenz ließ sich nicht erweichen und trat eine Stelle beim *VEB Haushaltselektrik* an; eine Firma, die sich um die Versorgung der Bevölkerung mit Haushaltsgeräten zu kümmern hatte. Das Reparaturwesen klappte nicht, Lenz und andere sollten eine bessere Service-Organisation aufbauen.

Die erste Dienstreise führte ins immer noch kriegszerstörte Dresden, die zweite in die geschichtsträchtige, aber leider dem

Verfall preisgegebene Erfurter Altstadt. Freunde sagten: »Du Idiot!« Sah Lenz Flugzeuge am Himmel, neigte er dazu, ihnen Recht zu geben: Er hatte sich selbst die Flügel gestutzt. Saß er jedoch an den Abenden an seinem Schreib-Tisch, klopfte ihm das endlich freundlich gestimmte Krokodil auf die Schulter: Gut gemacht! Zwar sind die Schmetterlingsflügel nun weg, aber dafür hast du Knochen bewiesen. Das ist kein schlechtes Geschäft.

10. Winnetou

Ein Freitagnachmittag im April. Hannah kam an diesem Tag später – irgendwelche wichtigen Arbeiten, die noch mit der Abendpost rausgehen sollten –, Lenz stand mit Silke und Micha in der Küche und diskutierte das Abendbrot – drei Mägen, drei Wünsche –, als das Telefon klingelte. Silly rannte hin und kam ganz verstört zurück: »Da ist eine dran, die sagt, sie wäre meine Tante. Dabei kenn ich die gar nicht.«

Es war Franziska. Auch Lenz kannte seine Schwägerin noch nicht, hatte nie zuvor ihre herbe, kräftige, fast ein wenig männliche Stimme gehört. »Hallo! Du bist der Manfred, nicht wahr?«, redete sie gleich auf ihn ein, nachdem er den Hörer übernommen hatte. »Ich bin die Fränze – Franziska – Hannahs Schwester! Wirst ja schon von mir gehört haben.«

»Hab ich.«

Ein heiseres Lachen. »Hannah ist wohl nicht da?«

»Leider nein.«

»Dann muss ich dir die traurige Geschichte erzählen. H.H.M. hat ja leider kein Telefon. Und ob ich noch mal durchkomme, weiß ich nicht. Ist ja mit euch, als wollte man mit dem Kreml telefonieren.«

Er sagte, er sei ganz Ohr, und da erzählte sie ihm, dass ihr Bruder Jo gestorben sei. Man habe ihn in seiner Wohnung gefunden, er habe schon ein paar Tage so dagelegen.

»Das tut mir Leid.« Eine Floskel, aber was hätte er denn sonst sagen sollen? Die plötzliche Nachricht von Jos Tod erschütterte Lenz mehr, als er in diesem Augenblick ausdrücken konnte.

»Schlimme Sache!« Franziska sog die Luft ein – sicher hielt sie eine Zigarette in der Hand – und erzählte Lenz, was er schon wusste: dass Jo schon als ganz junger Bursche gesagt habe, er werde mal nicht alt werden, sein Herz sei zu klein, er sei als Kind zu schnell gewachsen. Nach ihrer Meinung eine Selbstdiagnose, von keinem Arzt bestätigt. »Irgendwie hat er aber immer darauf hingearbeitet, Recht zu behalten, und zum Schluss die Wette ja nun auch gewonnen.« Sie begann auf den toten Bruder zu schimpfen. Gaby und er hätten sich von Mutter Hilde nicht in diese Ehe drängen lassen sollen. »War ja kein Funken echter Liebe zwischen den beiden, da mussten sie sich zum Schluss ja hassen.« Sie erzählte, dass Gaby sich schon vor Jahren von Jo hatte scheiden lassen, was Lenz ebenfalls schon wusste, und dass der Verkauf des Möller'schen Hauses dazu herhalten musste, alle inzwischen angehäuften Schulden zu bezahlen.

»Von da an ging's bergab. Mal irgendeine Arbeit, mal keine. Aber immer Schnaps in der Tasche, Schnaps und Tabletten. Der Junge hatte einen Halt gesucht und keinen gefunden. Auch bei mir nicht. Asche auf mein Haupt, aber die liebe Fränze ist nun mal auch nur 'n Mensch! Hab monatelang Obdachlosenquartier gespielt, dann hab ich ihn rausgeschmissen ... Dachte, das hilft am besten. Hilfe zur Selbsthilfe und so 'n Schmonzes hab ich mir eingeredet ... Na ja, der Hauptgrund war ein anderer: Am Schluss hat er gesponnen, der Jo. Da ist er in einer irgendwo abgestaubten Bundesbahnuniform mit selbst gebastelten Phantasie-Rangabzeichen rumgelaufen, hat sich überall mit Herr Obersekretär anreden lassen und ist in seinem Dämmer auch noch jeden zweiten Tag zur NPD gerannt. Wurde sogar Mitglied bei denen. Sohnematz auf Vaters Spuren! Das war zu viel für Fränze, da kochte der Brei über. Hätt ich gewusst, was draus wird, hätte ich ihn natürlich bei mir behalten. Obwohl das natürlich auch keine Dauerlösung gewesen wäre: Große Schwester adoptiert kleinen Bruder!«

Sie redete so viel, um ihre Traurigkeit zu verbergen, war voller Schuldgefühle. Lenz dachte an den riesigen, schwachen Jo, den er immer so gemocht hatte, und fragte sich, inwieweit H. H. M. seinen Sohn auf dem Gewissen hatte. Konnte ein Vater seinen Sohn dermaßen beeinflussen, dass der nicht mehr genügend Luft zum Atmen bekam? Hätte H. H. M. mehr für Jo tun müssen? Und wenn ja, was hätte er tun können?

Franziska redete weiter, bis er sie endlich unterbrach: »Du, das ist kein Ortsgespräch.«

Sie lachte leise. »Ich babbel – und ich zahle! Also mach dir keine Sorgen um meine Telefonrechnung.« Dennoch kam sie langsam zum Ende: »Sagt ihr bitte Papa Möller Bescheid? Und seiner lieblichen Hilde?«

»Natürlich.«

»Ich werd noch zwei behördlich beglaubigte Telegramme schicken, eins an euch, eins an die Altvorderen. Man hat mir gesagt, so was braucht ihr, wenn ihr zur Beerdigung kommen wollt.«

»Gut.«

»Und? Was meinst du, werdet ihr kommen können?«

»Euer Vater und seine Hilde ganz bestimmt. Sie sind ja nun Rentner. Davon haben wir lieber weniger als zu viele.«

Wieder hörte er sie an ihrer Zigarette ziehen, dann fragte sie neugierig: »Und das sagst du so einfach? Ins Telefon? Vielleicht wird unser Gespräch ja abgehört.«

»Na und?«

Eine Weile blieb alles still und Lenz wollte sich schon verabschieden, da sagte Franziska plötzlich leise: »Jos Tod hat mir euch gegenüber ein schlechtes Gewissen gemacht. Hätt euch schon längst mal besuchen müssen, oder?«

Er sagte, sie sei herzlich eingeladen, und sie versprach, mal zu kommen, dann war das Gespräch beendet. Lenz legte auf und sah, dass Silly und Micha die ganze Zeit hinter ihm gestanden hatten. »Wer war denn das?«, wollte Silly wissen.

»Eure Tante Franziska aus Frankfurt. Sie kommt uns vielleicht mal besuchen.«

»Kommt Onkel Jo dann auch mit?«

Er schüttelte den Kopf.

»Und warum nicht?«

Silke hatte etwas mitbekommen, er sah es ihr an. »Er ist krank, sehr krank.«

»Was hat er denn?«

»Das weiß niemand so ganz genau. Irgendwas mit der Seele.«

Er wollte sich abwenden, Silkes große blaue Augen aber ließen ihn nicht los. Sie spürte, dass er ihr nicht die Wahrheit gesagt hatte.

»Kann man daran sterben?«

»Ja.«

»Ist er schon tot?«

Da nickte er nur noch, nahm Micha auf den Arm, der gespannt gelauscht hatte, aber noch nicht so ganz begriff, um wen und was es eigentlich ging, und sagte: »So! Du bist der Kleinste, du darfst bestimmen, was es heute zum Abendbrot gibt.«

Micha war für Rührei, und Silke schickte sich drein, hatte nun anderes zu denken, sah den Vater nur immer wieder prüfend an; fast so, als verspürte sie eine Vorahnung von all dem, was aus diesem ersten Telefonat mit der ihr unbekannten Tante noch werden sollte.

Nur wenige besaßen Telefon. Als Außenhändler waren Hannah und Manfred Lenz bevorzugt behandelt worden. Wichtige Leute mussten auch zu Hause erreichbar sein. Aber was, wenn sie kein Telefon besessen hätten? Wäre dann alles anders gekommen?

An jenem Tag, an dem Fränze Lenz die Nachricht von Jos Tod übermittelte, kam Hannah erst spät nach Hause; viel zu spät, um noch in den Plänterwald hinauszufahren. Sie beschlossen, gleich am nächsten Morgen – einem arbeitsfreien Sonnabend – die Benachrichtigungstour zu H. H. M. hinter sich zu bringen. Aber natürlich schlief Hannah in dieser Nacht nicht und auch Lenz bekam lange kein Auge zu. Er hatte viel mit Silke reden müssen – über den Tod und warum auch Menschen sterben mussten, die noch nicht richtig alt waren – und dabei immer wieder an seine eigenen Kinderfragen denken müssen.

Auch Hannah blickte in die Vergangenheit zurück: der große Bruder, auf dessen Schultern sie im Schwimmbad Reiterkämpfe ausgetragen hatte, der große Bruder, der für die kleine Schwester Kirschen stahl, ihr Kinokarten schenkte, ihr von fern seine ersten Freundinnen zeigte; ihr Ritter und Retter, mit dem sie anderen Kinder drohen konnte. Manchmal aber, so gestand sie Lenz in dieser Nacht, habe sie Angst vor Jo gehabt. »Er war als Kind gern grausam, hat Tiere gequält. Ich hab das nie verstanden. Es war, als hätte er Spaß daran gehabt, an Wesen, die ihm unterlegen waren, seine Macht zu beweisen.«

Der Schwache, der sich an noch Schwächeren abreagiert und am Ende auch noch Gleichgesinnte findet! Nur nicht daran denken, was aus einem Johannes Möller geworden wäre, wäre er dreißig Jahre früher geboren.

Am nächsten Tag begrüßten die Kinder die Großeltern nur kurz, dann liefen sie auf den Spielplatz und Lenz konnte von Franziskas Anruf berichten.

Als Erstes machte H. H. M. in seinem Sessel nur eine abwehrende Handbewegung: »Selber schuld!« Zwei Worte, die er danach noch ein paar Mal wiederholte und variierte, wie um alle Anwesenden und sich selbst davon zu überzeugen, dass er am Niedergang seines Sohnes keinen Anteil hatte: »Eigene Dummheit! Zu schwach! Nicht lebensfähig!« Mutter Hilde hingegen brach in heftigste Tränen aus. »Mein Sohn! Mein lieber, lieber Sohn!« Ein solcher Ausbruch gehörte sich wohl für eine liebende Stief- und Ex-Schwiegermutter.

Als H.H.M. und seine Hilde sich ein bisschen beruhigt hatten, beschlossen sie, gemeinsam zur Beerdigung zu fahren, falls ihnen die Trauerreise gestattet wurde.

Lenz, zu H.H.M.: »Und was ist, wenn sie dich drüben festnehmen – wegen der Sache von damals?«

»Die Geschichte ist inzwischen verjährt. Deswegen tut mir keiner mehr was.«

Hannah, sehr vorsichtig und dabei lächelnd, als wollte sie ihrer Frage einen Anstrich von Scherzhaftigkeit geben: »Und? Werdet ihr wiederkommen?«

H.H.M.: »Denkste, in meinem Alter fängt man noch mal ganz von vorn an?«

Lenz: »Na ja, würdest sicher 'ne schöne Rente kriegen.«

H.H.M.: »Ich fahre, um meinen Sohn zu beerdigen, und komme wieder zurück. Das ist hundertprozentig.«

Ein Weilchen sah Hannah ihren Vater nur an, dann entschloss sie sich, ebenfalls einen Reiseantrag zu stellen. »Mal sehen, was passiert.«

So wurden am Montag darauf drei Reiseanträge gestellt und für Hannah kam es zu der von Lenz vorausgesagten Ablehnung; das unproduktive, nur Kosten verursachende Rentnerehepaar Möller hingegen durfte reisen. Stiller Wunsch des Staates: Hoffentlich bleiben sie weg!

Hannah hatte mit diesem Bescheid gerechnet; ihren Zorn jedoch milderte das nicht. Freiwillig war sie einst in die DDR gekommen; hätte sie alle ihre Verwandten mitbringen müssen, um sicherzugehen, nicht eines Tages bei Trauerfällen von ihnen abgeschnitten zu sein? Ihr Mann hatte um die halbe Welt reisen dürfen, zum Nutzen des Staates natürlich, seine in der Heimat verbliebene Familie garantierte seine Wiederkehr. Eine Trauerreise brachte dem Staat keinen Nutzen, da reichten keine drei Geiseln für ein Visum.

Sie suchte mehrere Dienststellen auf, um sich zu beschweren. Überall wurde sie abgewiesen. An dieser Entscheidung gebe es nichts zu rütteln. Wer sie zu verantworten habe? Eine andere Dienststelle, eine, die keine Sprechstunden hatte.

»Wenn ich heute einen fahren lasse, muss ich morgen wieder einen fahren lassen«, sollte Ulbricht, auf die Reisegenehmigungspraxis angesprochen, mal geantwortet haben. Nur ein Witz? Auf jeden Fall ein Kunstfurzer, der Genosse Erster Sekretär und Staatsratsvorsitzender. Stets ließ er nur Nützliche fahren – Kaufleute, Sportler, andere Künstler; Trauerreisen brachten weder Devisen noch Anerkennung.

Nein, Hannah hatte sich keine falschen Hoffnungen gemacht, dennoch wurde sie krank. So niedergedrückt, so depressiv hatte Lenz sie noch nicht erlebt. Nur noch lustlos ging sie zur Arbeit. Lachen konnte sie erst wieder, als ein Brief von ihrem Vater kam: Hilde und er hätten sich nun doch entschlossen, in Frankfurt zu bleiben. Er habe sich erkundigt, er werde hier ja wirklich eine sehr schöne Rente bekommen, viel höher als im Osten. Und eine Wohnung sei auch kein Problem. Sie hätten sich schon eine angesehen, zwar nicht in Frankfurt, sondern in Offenbach, sie sei jedoch sehr gut geschnitten und habe Morgensonne. »Ihr aber, liebe Hannah und lieber Manfred, solltet nicht glauben, im Westen wäre alles besser. Auch hier haben die Menschen ihre

Sorgen und das Geld wächst nicht auf Bäumen. Und ihr habt doch so schöne Berufe. Für euch ist es sicher richtiger, in der DDR zu bleiben.«

Kein Wort darüber, dass die Tochter den Vater nun aller Wahrscheinlichkeit nach niemals mehr wiedersehen würde! Auch wenn man die Rentner gern los wurde, Republikflüchtling blieb Republikflüchtling, eine Besuchsreise zurück in den Osten war unmöglich. Keine einzige Zeile des Bedauerns von dem Mann, der doch wissen musste, dass er die Tochter, die ihm einst ins selbst verschuldete Exil gefolgt war, mit diesem Schritt verriet. Dafür zwischen den Zeilen Mutter Hildes Grinsen: Die schwierige Stieftochter war sie los.

Hannah lachte nur böse und zerriss den Brief in tausend Schnipsel; Lenz versuchte sie aufzuheitern: »Schade! Das wäre was für die Akademie der Künste gewesen, auszustellen unter der Rubrik: Die hohe Kunst des Verdrängens.«

Schwägerin Franziska empfand ähnlich. Eines Sonntags stand sie in der Tür, groß, blond, Igelschnitt, Mitte dreißig. Unangemeldet war sie gekommen, strahlend vor Freude über die gelungene Überraschung packte sie ihre Geschenke aus; vom ersten Tag an war sie der Liebling der Kinder.

Zu Hannah sagte sie: »Verzeih deiner egozentrischen Westschwester, Aschenputtel.« Zu Lenz sagte sie: »Mal sehen, was du für einer bist!«

Dem ersten Besuch folgten weitere. Bald stand Fränze jeden dritten, vierten Monat vor der Tür. Silke und Micha sahen dann jedes Mal schon Stunden zuvor aus dem Fenster und Hannah und Lenz stellten sich hin und wieder dazu. Schön, dass die große weite Welt mal wieder bei ihnen hereinschaute!

Diese Vorfreude war nicht selbstverständlich. Besucher aus

dem Westen betraten den Ostteil der Stadt oft wie einen fremden, ihrer Kultur unterlegenen Planeten und vermittelten den Besuchten damit tatsächlich das Gefühl, Wesen von einem anderen Stern zu empfangen; einem Stern, den sie früher mal gekannt hatten, von dem sie aber nicht mehr so ganz genau wussten, wie er aussah. Die fremden Besucher mussten sich ihnen auch gar nicht erst vorstellen, sie erkannten sie schon an ihren Autos, ihren Schuhen, Anzügen, Hemden und Krawatten. Sie waren farbiger angezogen als die Ostler, diese Kinder des Westens, deshalb erschien ihnen der Osten grau; sie erzählten am liebsten von ihren Autos, Kühlschränken, Waschmaschinen, Farbfernsehern und Urlaubsreisen, und deshalb hielten sie die Besuchten, die das alles in so toller Ausführung nicht hatten, für arm. Noch schlimmer aber war es, wenn diese außerirdischen Fabelwesen nicht von ihrem Leben in Glück und Reichtum schwärmten. Dann spürten die Besuchten die Pietät und waren erst recht beleidigt. »Uns geht's gut«, logen sie dann. »Uns fehlt zwar das und das und das und das – aber ansonsten geht's uns gut.«

Fränze war anders. Zwar erschien sie Hannah und Lenz anfangs auch irgendwie außerirdisch, aber auf eine andere, fast schon gegenpolige Art: Sie lehnte alle westliche Protzerei und jede östliche Demut ab, und ihr Interesse am Leben diesseits der Mauer, so bewiesen ihre Fragen, war echt.

Fränze mochte die Kinder, mit denen sie sich oft so ernsthaft unterhielt, als wären sie Erwachsene, sie mochte Hannah, die sie immer mehr als eine jüngere Ausgabe von sich selbst betrachtete, sie mochte den Schreiber Lenz, der sich so viele Fragen stellte. Oft erzählte sie, wie die jüngere Generation in den westlichen Ländern ihren Protest gegen die Konsum- und Ellenbogengesellschaft ihrer Eltern auslebte: »Studiere deine Alten und mach in allem das genaue Gegenteil, dann liegste richtig.« Über die DDR sagte sie, dass sie in einem Land, in dem die Anpassung ans Establishment nicht nur als höchste aller Tugenden gelte – das sei im Westen ja nicht sehr viel anders –, sondern in dem, wer sich nicht anpassen wolle, auch noch strafrechtlich verfolgt werde, nicht leben könnte. »Bei euch würde ich aus dem Knast ja gar nicht mehr rauskommen.«

Lenz: »Bei uns wärste eine andere. Kein halbwegs mit normaler Intelligenz ausgestattetes Kind verbrennt sich die Hände an immer demselben Feuer.«

Fränze: »Es gibt Leute, die gar nicht anders können, als wider den Stachel zu löcken. Die müssen den Mund aufmachen, sonst ersticken sie.«

Lenz erschrak: Genau so einer war er. Weshalb verteidigte er die Vorsichtigen?

Fränze hasste alles, was sie einengte, kämpfte gegen jede Lüge und jede Maßregelung an, als fühlte sie sich davon persönlich beleidigt. Entdeckte sie auf einem gemeinsamen Spaziergang an einer Hauswand irgendein Verbotsschild und war es nicht angeschweißt oder einzementiert, schraubte sie es zum Vergnügen der Kinder und unter Hannahs kopfschüttelnden Blicken mit ihrem Schweizer Taschenmesser, das sie stets und ständig in ihrem Parka mit sich herumtrug, einfach ab. Sie hatte eine gewisse Technik darin entwickelt, stellte sich mit dem Rücken vor das zu entfernende Schild, nahm die Hände nach hinten, redete mit ihnen – und schraubte. In ihrer Bockenheimer Wohnung habe sie Dutzende solcher Schilder hängen, erzählte sie, und noch nie sei sie bei einer ihrer Abschraubaktionen erwischt worden.

Kam sie nicht per Flieger, sondern mit ihrem alten VW-Käfer nach Berlin, machte sie sich einen Spaß daraus, Volkspolizisten in ihren Streifenwagen zu überholen und ihnen dabei zuzuwinken. Wurde sie daraufhin gestoppt und zum Aussteigen genötigt, fragte sie mit bekümmerter Miene, ob es einer Bürgerin der BRD etwa verboten sei, ihre Sympathie mit den Sicherheitskräften des ersten Arbeiter- und Bauernstaates auf deutschem Boden durch freundliches Zuwinken zum Ausdruck zu bringen. Blätterten die Polizisten, nun erst recht misstrauisch geworden, zu lange in ihrem Reisepass, nahm sie zwanzig Westmark aus ihrer Börse und fragte höflich, ob sie ihnen die überreichen dürfe – für den Solidaritätsbasar. Die Ordnungshüter wussten, dass sie verarscht wurden, aber was hätten sie Fränze vorwerfen können? Übertriebene Sympathie? Sie bekamen vor Wut rote Ohren, beließen es aber bei einer Verwarnung, weil sie ja keinerlei Handhabe für irgendeine Ungesetzlichkeit hatten, und dampften zügig wieder ab.

Fuhren sie mit der S-Bahn ins Grüne, unterhielt Fränze den ganzen Waggon. Was sie vom Fenster aus sah – Einheitsneubauten, verfallene Altbauten, Transparente mit markigen Sprüchen –, alles erhielt viel laut geäußerte Zustimmung. Einige Fahrgäste lachten, andere begannen mit der Westzicke eine Diskussion. Sie solle nicht alles mies machen, die DDR habe nun mal die schlechteren Startbedingungen gehabt – keine Rohstoffe, kaum Industrie. Dem widersprach die Westzicke vehement: In der DDR hätten doch von Anfang an die Arbeiter und Bauern regiert, die doch bekanntermaßen sehr fortschrittlich seien, im Westen hingegen herrsche noch immer das konservative Kapital. Wie könne man da von schlechteren Startbedingungen reden?

Eine Logik, die ihren Diskussionspartnern die Sprache verschlug.

Silly und Micha fanden, ihre Tante Fränze sei eine Indianerin, und so ganz falsch lagen sie damit nicht. Schon ihr Äußeres regte zu diesem Vergleich an. Oft trug sie um den Kopf ein buntes

Stirnband, die graugrünen Augen und die leicht gebogene, schmale Nase verliehen ihrem Gesicht einen kühnen Ausdruck, der schmale Mund hatte etwas Entschlossenes. Ihre Jeans waren zerfranst wie Winnetous Hose, ihre Pullover, Pullis und Blusen bunt wie ein Blumenbeet. Andere Frauen hatten in ihrem Alter längst Mann und Kinder, Fränze hatte zwar einen Freund und jede Menge männliche und weibliche Bekannte, lebte aber noch immer allein. Als Lenz sie einmal nach den Gründen für ihr »Eremitendasein« fragte, antwortete sie: »Willst du als Frau frei sein, darfst du dich nicht selbst anketten.« Da ihre Schwester anders gehandelt hatte, milderte sie diese Worte aber gleich darauf ab, indem sie scherzte: »Ich halt mich in Reserve, Hannah. Sollte dir mal was passieren, übernehme ich deinen Mann und deine Kinder.«

Es machte Spaß, mit Fränze zu diskutieren. Sie sprach gern über ihre eigenen Gedanken; was »alle« machten, sagten oder dachten, war ihr suspekt. Zwar sei sie Demokratin mit Leib und Seele, aber: »Die Demokratie, wie sie im Westen praktiziert wird, ist nicht das Nonplusultra. Die Mehrheit hat selten Recht. Was die Mehrheit will, ist ihr eingeflüstert worden. Eine bessere Regierungsform aber hat noch niemand erfunden, also müssen wir aus diesem kleinsten aller Übel das Beste machen.«

Sie unternahm gern Reisen und hatte mit ihrem VW-Käfer schon halb Europa abgeklappert; mal mit ihrem Freund, mal mit einer Freundin, mal allein. Doch darüber sprach sie nicht gern. »Griechenland, Korsika, Frankreich – ich will euch nicht die Speisekarte reichen, wenn ihr diese Gerichte ja doch nicht bestellen könnt.«

Schwer zu glauben, dass da keine Ewigstudentin vor ihnen saß, sondern eine Frau, die bereits vor fünf Jahren ihren Doktor gemacht hatte und eine anerkannte Romanistin an der Frankfurter Universität war. DDR-Frauen, die solche Positionen erreicht hatten, liefen in Kostümen oder Hosenanzügen herum, waren Greta Garbo oder Tante Erna, aber keinesfalls Winnetou.

Für Hannah war die wiedergewonnene Schwester ein Glücksfall. Allen äußerlichen Unterschieden zum Trotz hatten Fränze und sie viele Gemeinsamkeiten. Beide lehnten sie jede Unehrlichkeit ab, hassten sie Heuchler und Intriganten und Politiker, die nicht wussten, was wirklich wichtig war. Beide malten sie gern und liebten die Literatur der alten Russen. Hannah sagte oft, wäre sie im Westen geblieben, wäre aus ihr vielleicht auch so eine Art Winnetou geworden.

Eines Abends, nach einer langen Stadtwanderung, die Kinder lagen bereits in ihren Betten, passierte es dann. Da war Fränze auf einmal ungewohnt schweigsam, und als sie sie fragten, was sie denn habe, verriet sie ihnen, dass sie sich nach jedem Besuch mehr wünsche, dass Hannah, die Kinder und auch Lenz erreichbarer für sie wären. Diese ewigen Besuche von Planet zu Planet seien auf die Dauer ja frustrierender als eine lange Trennung.

Hannah empfand nicht anders. Jedes Mal, wenn Fränze sie verließ, hatte sie das Gefühl, vom Leben mal wieder aufs Abstellgleis geschoben worden zu sein. Dazu der Ärger im Betrieb – sie war noch immer in keiner gesellschaftlichen Organisation –, und bei jedem neuen Fränze-Besuch, den sie meldete, die Augenbrauen, die in die Höhe gingen. Außerdem Silkes Schule, Michas Kindergarten, der Ehemann, der keine Chance bekam, sein Talent auszuprobieren. Und das Allerschlimmste: keine Hoffnung, dass sich an diesen Zuständen jemals etwas ändern würde. Sie beteuerte ihrer Schwester, dass sie sie nicht weniger vermisse, daran aber leider nichts zu ändern sei. »Bin ja schon froh, dass du jetzt wenigstens öfter mal kommst.«

Fränze: »Glaubst du wirklich, dass daran nichts zu ändern ist?«

Lenz, lachend: »Du willst uns doch wohl nicht etwa zur Flucht überreden, Tante Fränze?«

Fränze nippte an ihrem mitgebrachten Kognak und zog an ihrer *Gauloise* ohne Filter, als wollte sie sie mit einem Zug zum Verglühen bringen. »Überreden nicht – aber vielleicht dabei helfen, falls ihr euch dazu entschließen solltet.«

Es war, als hätte jemand mit einem Schlag alle Lichter aus- und wieder angeknipst. Was hatte Fränze da eben gesagt?

Fränze, ganz ernst: »Hab schon oft darüber nachgedacht. Sehe ja, dass ihr nicht glücklich seid. Was meint ihr, soll ich euch hier rausholen?«

Erst schüttelte Lenz nur den Kopf, als wollte er immer noch nicht glauben, was er da zu hören bekommen hatte, dann spottete er: »Und wie willst du das bewerkstelligen? Willst du einen Hubschrauber schicken? Unser Haus besitzt ein Flachdach, auf dem könnte er prima landen. Oder sollen wir uns zu viert unter den Rücksitz deines Käfers quetschen?«

Franziska blieb ernst. »Wenn ihr mir sagt, dass ihr hier wegwollt, suche ich nach einem Weg. Es liegt an euch, mein Angebot anzunehmen.«

Da konnte auch Lenz nicht mehr lachen. Was stand da plötzlich für eine Frage im Raum?

»Also weißt du!« Hannah schüttelte verärgert den Kopf. »Du redest, als ginge es nur um einen ganz normalen Umzug.«

»Habt ihr denn nie darüber nachgedacht?«

Lenz: »Hast du schon über deine nächste Reise zum Mars nachgedacht?«

»Aber wenn es nun einen Weg gäbe, der euch und die Kinder nicht gefährdet?«

Ja, wenn es den gäbe – dann würden sie gehen! So weit waren sie längst. Aber was sollte Fränzes Spinnerei? Einen solchen Dschungelpfad mitten durch die Mauer hatte noch niemand entdeckt.

Franziska ließ nicht locker. Und wenn sie nun eine Urlaubsreise nach Kuba machten? Die war DDR-Bürgern doch erlaubt und mit ihrer finanziellen Hilfe sicher nicht unerschwinglich. Weshalb sollte sie nicht in Miami ein Boot chartern, nach Kuba hinübertuckern, sie dort irgendwo einladen und ganz gemütlich wieder zurückschippern? »Die haben keine Mauer um ihre Insel. Jede Woche verschwinden Hunderte Kubaner in Richtung USA.«

Das war eine so verrückte Idee, dass Lenz und Hannah erleichtert aufatmeten: Gott sei Dank, Fränze spinnt nur! Wir müssen uns nicht ernsthaft mit dieser Frage beschäftigen. Belustigt phantasierten sie ein bisschen mit, um Franziska den Spaß an ihren Winnetougeschichten nicht zu verderben, und vergaßen das Ganze wieder. Während ihres nächsten Besuches aber kam sie darauf zurück: Sie habe sich inzwischen erkundigt, das mit Kuba wäre doch ein zu riskantes Unternehmen. Über Bulgarien ließe sich die Ausreise sehr viel leichter bewerkstelligen. Ihr neuester Plan: Die Familie Lenz unternahm eine Urlaubsreise ans Schwarze Meer, während sie ihnen bundesdeutsche Pässe besorgte, die sie ihnen dann dort in die Hand drücken würde und mit denen sie problemlos in die Türkei ausreisen könnten. Waren sie erst in der Türkei, waren sie auch bald in der Bundesrepublik.

Die Unruhe in Hannah und Lenz kehrte zurück. »Und die bulgarischen Einreisestempel«, fragte Lenz, »wie zauberst du die in deine falschen Pässe? Wer ausreisen will, muss zuvor eingereist sein.«

»Es sind echte Pässe«, verbesserte ihn Fränze. »Wir lassen uns auf keine Fälschungen ein. Ich hab da jemanden an der Hand, der liefert uns echte Pässe. Und die Einreisestempel sind dann auch schon drin.«

»Und woher hat dein … Lieferant die Pässe?« Hannah erschienen die Aktivitäten ihrer Schwester inzwischen ein wenig unheimlich. Was Fränze da alles auf sich nahm, nur um ihnen zu helfen …

»Das wird er mir gerade auf die Nase binden. Er hat sie und damit gut.«

Lenz: »Und woher willst du wissen, dass der Mann – oder die Frau – zuverlässig ist? Erkennst du einen falschen Pass oder irgendeinen Fehler an dem Einreisestempel auf den ersten Blick?«

»Ich kann ihn mit dem Stempel in meinem Pass vergleichen. Und was die Papiere selbst betrifft, vertraue ich den Leuten, die mir diesen Lieferanten empfohlen haben.« Fränze war überzeugt von ihrem Plan. Fast ein wenig ungeduldig fügte sie hinzu: »Mein Gott, bei uns kannst du für das nötige Geld alles bekommen!«

Schweigen. Lenz blickte Hannah an und Hannah Lenz.

»Und was verlangt dein Lieferant für seine echten Pässe?«, fragte Hannah dann.

Zehntausend Mark pro Pass verlangte er. Das waren, da die Kinder noch keinen eigenen Pass benötigten, sondern beim Vater oder bei der Mutter eingetragen wurden, insgesamt zwanzigtausend Mark.

Hannah: »Aber wie sollen wir dir das je zurückzahlen können?«

Fränze: »Müsst ihr ja gar nicht. Ich mach doch mit euch keine Geschäfte.«

Nein, Zweifel waren nicht mehr möglich: Es war Fränze verdammt ernst mit ihrem Vorschlag und sie hatte die Sache schon gründlich durchdacht. »Erwartest du etwa von uns, dass wir uns gleich entscheiden?« Lenz' Stimme klang vorwurfsvoll. Fast fühlte er sich überrumpelt.

Die Schwägerin erwartete keine rasche Entscheidung. »Zu lange dürft ihr allerdings auch nicht zögern, sonst muss ich erst wieder einen neuen Lieferanten suchen.« Sie blickte sie an und zuckte die Achseln. »Natürlich ist das Ganze ein wenig illegal. Aber wenn man durch die Verhältnisse dazu gezwungen wird, ist das doch keine Schande. Euer Staat verweigert euch die simpelsten Menschenrechte. Da bleibt einem doch gar nichts anderes übrig.«

Sie einigten sich auf einen Monat Bedenkzeit. Dann sollte Hannah in einem langen, schwesterlichen Kleinkram-Brief wie nebenbei erwähnen, dass Silly mal wieder Schnupfen hatte. Kam dieser Brief, würde Franziska alles in die Wege leiten; kam ein Brief, in dem nicht von Sillys Schnupfen die Rede war, würde sie wissen, dass ihr Angebot endgültig abgelehnt worden war. Kam gar kein Brief, würde sie anrufen und ganz beleidigt fragen, weshalb Hannah ihr denn nicht mehr schrieb; war dann der Brief verloren gegangen oder irgendwie abgefangen worden, würden sie das Ganze sofort abblasen.

Sie besprachen das alles und dann saßen sie einander gegenüber und schwiegen, und Lenz sah Hannah an, dass sie das Gleiche dachte wie er: War das denn wirklich wahr, sie sollten mit ihren Kindern durch halb Europa reisen, nur um von Ost nach West zu gelangen? Mit gekauften westdeutschen Pässen? Das Risiko, das sie eingingen, wenn sie Franziskas Angebot annahmen! Was wurde aus den Kindern, wenn sie an der Grenze entdeckt wurden? Die Eltern kamen ins Gefängnis, das stand fest, aber was wurde aus den Kindern?

Fränze versuchte, sie zu beruhigen. »Was soll denn schief gehen? Ihr habt echte Pässe in den Händen, keine Buntstiftzeichnungen. Außerdem zeige ich euch vorher meinen Pass und meine Stempel. Ihr könnt vergleichen. Erkennt ihr irgendwelche noch so feinen Unterschiede, betrachten wir die ganze Sache als erledigt und ihr fahrt brav in eure realsozialistische Heimat zurück.«

Hörte sich wirklich gut an. Eine Urlaubsreise nach Bulgarien war schließlich kein Verbrechen. Und wenn ihnen die Pässe nicht hundertprozentig in Ordnung erschienen, waren Fränzes zwanzigtausend Mark eben futsch. Sie würde deshalb nicht verhungern. Es war ihr Plan, ihr Angebot; sie war alt genug, um zu wissen, was sie tat …

Fränze: »Denkt bitte nicht, dass ich euch aus lauter Abenteuerlust in eine solche Sache verwickeln will. Ich will euch helfen, weil ich irgendwie ein schlechtes Gewissen habe. Alle paar Monate besuche ich euch in eurem Käfig und habe jedes Mal auf der Heimfahrt ein ungutes Gefühl. Ihr wisst von mir nur, was ich euch von mir erzähle, ich weiß von euch nur, was ihr mir vorführt. Hätte ich mich früher um Hannah gekümmert, wäre zumindest sie nie in diese Situation geraten. – Verdammt noch mal, ich will meine Schwester zurück!«

Die beiden Schwestern fielen sich in die Arme, weinten ein bisschen.

»Ich will euch wirklich nichts aufschwatzen. Ihr müsst entscheiden. Aus meiner Sicht ist die Sache ungefährlich, sonst hätte ich euch schon der Kinder wegen dieses Angebot doch erst gar nicht gemacht.«

Was folgte, war eine zerrissene Zeit. Zwar lief der Alltag weiter wie gehabt, die Entscheidung aber, die Hannah und Lenz zu fällen hatten, verdrängte alles andere wie hinter einen dichten Nebel. Keine Sekunde ging ihnen der Brief, den Hannah Fränze schreiben sollte, aus dem Kopf; nachts lagen sie endlos lange wach und diskutierten ihre Situation.

Was riskierten sie, wenn sie Franziskas Angebot annahmen? Was schlugen sie aus, ließen sie sich nicht darauf ein? Wer waren sie, und was bedeutete ihnen die Gesellschaft, in der sie lebten? Wenn sie sich auf Fränzes Plan einließen, rannten sie dann nicht vor ihrem eigenen Leben davon, als hätte es darin nie etwas Schönes gegeben?

Aber das war es ja gerade: Ihr Leben durfte nicht so weitergehen wie bisher. Auch – oder vor allem – wegen der Kinder … Doch wenn ihre Flucht misslang, wie sollten sie damit fertig werden, ihre Kinder in ein solches Abenteuer gestürzt zu haben?

Nein, nein, nein! Was für ein verrückter, riskanter Plan! Sie beteuerten sich gegenseitig, dass sie Fränzes Angebot nicht annehmen durften, und trösteten sich mit ihrer schönen Gemeinsamkeit. Sollte doch da draußen alles in Heuchelei und Fahnenschwenken versinken, sie hatten sich, waren immer eine glückliche Familie gewesen, wollten es bleiben. Ein Prozent Risiko war schon zu viel.

In der nächsten Nacht gelangten sie zu ganz anderen Ergebnissen: Sie waren ja noch nicht mal dreißig, wie lange wollten sie dieses erdrückende Leben denn noch ertragen? Wie lange war es möglich, sich immer wieder selbst aus dem Weg zu gehen? Hannahs Depressionen, sollte sie denn eines Tages in der Klapsmühle landen? Und er, Lenz, mit seiner Schreiberei? Wollte er für alle Zeit Schubladenartist bleiben? Was, wenn einmal einer seiner Texte gefunden wurde? Dann landete er auf jeden Fall im Knast. Oder sollte er sich sein Leben lang auf die Zunge beißen?

Es gab Menschen, die gingen an ihrer Waghalsigkeit zu Grunde, andere an übertriebener Vorsicht. Zu welcher Kategorie zählten sie?

Aber die Kinder!

Gerade wegen der Kinder mussten sie fort! Auf Dauer würde ihre schöne Gemeinsamkeit ja keinen Bestand haben; ihr Unglück würde auf Silly und Micha abfärben. Gab ja bereits Anzeichen dafür, dass Silke sich von ihnen allein gelassen fühlte. Erst vor wenigen Tagen hatte sie in der Schule wieder so einen Brief verfassen müssen: *Freiheit für Angela Davis!* Seither weinte sie jedes Mal, wenn sie ein Foto von der schwarzen Frau mit dem Afrolook und der erhobenen Faust auf der Titelseite einer Zeitung oder im Fernsehen sah. Eine Kämpferin für das Gute sei diese Frau, antwortete sie ihnen, wenn sie versuchten, sie zu trösten. Böse Menschen hätten sie eingesperrt und würden vielleicht noch viel mehr Leute einsperren, wenn niemand dagegen protestierte. Sie wussten nicht, was sie darauf antworten sollten. Im Westfernsehen hieß es, die Davis sei eine linksradikale Bürgerrechtlerin. Das war ihr gutes Recht, zog man die Rassendiskriminierung in den USA in Betracht. Sie sollte aber auch wegen Mordes und Kidnapping sitzen. Was war die Wahrheit? Keine Ahnung! Durften denn aber Kinder dazu angehalten werden, Briefe zu schreiben in einer Sache, die nicht einmal Erwachsene durchschauten? Durfte ihnen auf eine solch makabre Weise Angst gemacht werden? Was würden ihnen ihre Lehrer da später noch alles erzählen?

Hannah: »Unser Leben ist nur oberflächlich glücklich. Wir machen es uns schön, aber wir leben nicht wirklich!«

Lenz: »Ob du mit einem weichen Kissen erstickt wirst oder dir jemand die Gurgel abdrückt, das Resultat ist dasselbe.«

Nein, sie wollten diese Form von Sicherheitsverwahrung nicht länger ertragen. Sie mussten raus aus diesem Toten Meer, in dem sich nichts, aber auch gar nichts bewegte. Sollten die aktiven und passiven Helden dieses Staates, die sich so gern selber feierten, weiterhin ihren Schrebergarten für den größten und schönsten der Welt halten, Hannah und Manfred Lenz wollten nicht länger stören. Vielleicht gab es ja ein Recht auf Gleichgültigkeit – wer sich von allem unberührt fühlt, lebt gesünder und länger –, sie aber wollten kein gleichgültiges Leben führen, stellten andere Ansprüche. Und wer andere Ansprüche stellte, musste der sich diesen Ansprüchen nicht stellen?

Auch in den Nächten darauf: endlose Gespräche. Das Ergebnis: mal so, mal so. In Wahrheit aber ging es immer um dasselbe: Was ist, wenn? Wie hoch war das Risiko? Gab es gar keines, wie Franziska behauptete? Waren sie nur zu ängstlich?

Sie mussten erkennen, dass ihnen alles Gegrübel nicht half, und litten unter ihrer Entscheidungslosigkeit. Hätte Fränze ihnen doch nur nie diese Frage gestellt! Was ging es eine Westlerin an, wie sie lebten? Oft hatten sie das Gefühl, wie im Fieberwahn zu leben und überhaupt nicht mehr klar denken zu können. Und so zögerten sie Sillys Schnupfen immer weiter hinaus, bis Lenz eines Abends nach Hause kam und Hannah ihm am Gesicht ansah, dass es keinen Weg zurück mehr gab.

Zuvor hatte Lenz oft an all jene gedacht, die ebenfalls geflüchtet waren – an die Familien aus dem Haus Raumerstraße Nr. 24, mit deren Kindern er als Junge so oft gespielt hatte, an die ehemaligen Eichhörnchen aus der Königsheide, von denen einige vor dem Mauerbau und andere danach noch in den Westen verschwunden waren, an die Freunde von der Insel, die Kollegen aus der Omnibusreparaturwerkstatt.

Zwei Namen, zwei Gesichter gingen ihm dabei nicht aus dem Kopf: Ete Kern und Hanne Gottlieb. Was mochte aus den beiden geworden sein? Was wäre aus ihm geworden, wäre er damals mitgegangen?

Eines Abends fuhr er nach Lichtenberg, um Etes Schwester zu besuchen. Ete hatte ihn mal dorthin mitgenommen, er fand das Haus schnell wieder. Etes Schwester jedoch wohnte nicht mehr dort, und die Leute, die er fragte, wussten nicht, wo sie hingezogen war. Er schalt sich einen Narren. Über zehn Jahre waren vergangen, seit Ete und er sich im Treptower Park voneinander verabschiedet hatten, jetzt fiel ihm der Freund auf einmal wieder ein. Was verband sie denn noch miteinander? Ein paar Jugenderinnerungen, weiter nichts. Oder hatten Ete und er in all den Jahren auch nur ein einziges Mal versucht, Kontakt zueinander aufzunehmen?

Eine missglückte Reise in die Vergangenheit. Fast schämte Lenz sich dieses Versuchs eines Brückenschlags zurück in seine Jugend. Dennoch besuchte er nur wenige Tage später Hanne Gottliebs Mutter. Sie wohnte noch in der Berliner Straße, war auch zu Hause, doch sie erkannte ihn nicht und beinahe hätte auch er sie nicht wiedererkannt: Die sich einst so elegant gebende, gut aussehende Frau, der er so gern gegenübergesessen hatte, war alt geworden. Zehn Jahre älter? Mehr, viel mehr! Sie schminkte sich offensichtlich nur noch, um nicht allzu krank, allzu fahl zu erscheinen.

Erst als er sich das zweite Mal vorgestellt und »Hannes Freund von der Insel« hinzugefügt hatte, dämmerte es ihr. Doch blieb sie vorsichtig, öffnete die Tür nicht weiter als einen Spalt. »Ach ja, der Junge, der immer ganz in Schwarz herumlief!«

Er lächelte, nickte und fragte nach Hanne. »Ich wollte mal hören, wie es ihm so geht.«

Misstrauisch blickte sie ihn an. »Nach so vielen Jahren?«

Er wurde verlegen. »Inzwischen ist viel passiert. Hab geheiratet, war bei der Armee, habe studiert, zwei Kinder … Na ja, und von ihm hab ich ja auch nie wieder was gehört.«

»Er hat in seinen Briefen aber immer wieder nach Ihnen gefragt. Hätten Sie sich mal bei mir blicken lassen, hätte ich Ihnen seine Adresse geben können.«

Das war nun schon fast peinlich. »Dann lag's wohl nur an mir – tut mir Leid! Geht's ihm denn gut?«

Sie wollte die Tür immer noch nicht weiter öffnen, fragte nur plötzlich mit harter Stimme: »Wozu wollen Sie denn das wissen? Sind Sie inzwischen bei der Stasi?«

Da horchte er auf. Was war denn das? Die Frau, die so sehr an die Ideale ihrer Partei geglaubt hatte, dass sie ihrem Mann nicht nach Amerika folgen wollte, wie feindlich sprach sie auf einmal von der Stasi. »Nein, nein«, antwortete er vorsichtig. »Ich bin beim *VEB Haushaltelektrik.*« Und musste grinsen: Klang ja sehr zweideutig, was er da eben gesagt hatte; als »Haushaltelektriker« sollten sich die Stasi-Leute hin und wieder ja auch betätigen.

Nun schien er sie an den Jungen von damals zu erinnern. »Das eine schließt das andere leider nicht aus«, gab sie halbwegs versöhnlich zurück.

Seine leise Erwiderung – er stand ja noch immer im Treppenhaus: »In meinem Fall schon, Frau Gottlieb.« Und noch leiser fügte er hinzu: »Zum Spitzel eigne ich mich nicht. Das können Sie mir ruhig glauben.«

»Entschuldigung!« Noch ein prüfender Blick, dann ließ sie ihn ein, und er durfte in dem gleichen Sessel Platz nehmen, in dem er vor über zehn Jahren gesessen hatte, als er von Hannes Flucht erfuhr. Geduldig gab er über sich Auskunft. Von Hannah erzählte er, von Silke und Michael, von seinem beruflichen Werdegang. Sie hörte mit aufmerksamer Miene zu, stellte auch Fragen und war bald überzeugt davon, dass er wohl wirklich nicht gekommen war, um sie auszuhorchen. Also erzählte sie von Hanne.

Er war tatsächlich zu seinem Vater in die USA gegangen, doch schon nach einem halben Jahr enttäuscht zurückgekehrt. Es hatte ihm dort nicht gefallen. Das Leben in Gottes eigenem Land war ihm zu bunt, zu grell, zu kalt, zu sehr ein einziges großes Geschäft. Und auch sein von ihm heiß geliebter Vater entpuppte sich als Enttäuschung. Der unternehmungslustige Architekt gehörte in dieses schnelle, Dollar machende Amerika. Sohn Hans kehrte schon bald zurück, ließ sich in WestBerlin nieder, besuchte eine Journalistenschule und wurde Volontär bei einer Zeitung. Später befasste er sich in seinen Artikeln insbesondere mit dem Leben in der DDR. Das machte ihr, seiner Mutter, das Leben schwer. Zwar schrieb er unter Pseudonym – Peter Seeler, ein Name, der Lenz kurz auflachen ließ –, aber natürlich kam man im Osten bald dahinter, wer dieser so aufmerksame und kritische Beobachter des Lebens im Sozialismus wirklich war. Und so standen eines Tages zwei Herren vor ihrer Tür, die sich als Mitarbeiter des Ministeriums für Staatssicherheit auswiesen. Der eine noch sehr jung und sportlich gekleidet, der andere ein ältlicher, sich jovial gebender Herr mit grauem Schnäuzer. Ob sie mal kurz hereinkommen dürften, sie hätten etwas mit ihr zu bereden.

Natürlich durften sie. Sie machte den Genossen sogar Kaffee. Noch mitten im Vorgeplänkel übers Wetter und Was-für-eine-schöne-Wohnung-sie-doch-habe legte der Jüngere dann plötzlich zwei ausgeschnittene Zeitungsartikel vor sie hin. Ob sie den Autor kenne? Sie las den Namen Peter Seeler und schüttelte erstaunt den Kopf. Nie gehört, nie gelesen. Was sollte das Ganze? Da klärte der Ältere sie gemütlich grinsend darüber auf, wer hinter diesem Decknamen steckte, und sie bekam es mit der Angst zu tun. Alles, was mit Hans' Weggang in den Westen zusammenhing, machte ihr Angst.

»Lies das mal!«, befahl der jüngere der beiden Herren und natürlich gehorchte sie. Der eine Artikel behandelte das Thema Filmpolitik in der DDR – weshalb bestimmte, mit viel Aufwand produzierte *Defa*-Filme nie gezeigt werden durften –, der andere beschäftigte sich mit der vom Verfasser strikt abgelehnten vormilitärischen Ausbildung von Kindern und Jugendlichen. Oft erschrak sie über die manchmal sehr eindeutige, harte Wortwahl, aber seltsam, keine einzige Zeile erschien ihr unwahr.

»Nun, was sagst du, als Genossin, zu diesen Freundlichkeiten über unseren Staat?«, wollte der Ältere der beiden danach wissen, und sie konnte ihm ansehen, dass er Empörung und Distanzierung erwartete. Da juckte es sie, langjähriges Mitglied der Partei, ihren Sohn zu verteidigen. »Ich würd das nicht so schreiben«, antwortete sie, »aber diskussionsfähig ist das schon.«

Die beiden starrten sie an, als hätte sie soeben einen Anschlag aufs Politbüro gestanden. Gleich darauf begannen sie, sie zu bearbeiten. Nach altbewährtem Krimi-Muster. Der Jüngere spielte das Schwein, gab sich streng, hart, erbarmungslos, der Ältere lenkte immer wieder ein, zeigte sich milde, verständig und versöhnlich.

Der Jüngere: Sie solle Obacht geben, was sie sage. Ihr Sohn sei ein Feind der DDR, ein Verräter und Staatsverbrecher, nicht anders als sein Vater. Die DDR aber werde sich diese fortgesetzte massive Feindtätigkeit eines solchen Schmierfinken nicht länger gefallen lassen. »Unser Arm reicht weit, Genossin Gottlieb. Der reicht über Grenzen hinweg.«

Der Ältere: Er habe auch Kinder. Leider Gottes täten auch die nicht immer, was die Eltern wollten. Wo ihr Platz, ihr Staat, ihre Zukunft sei, wüssten sie aber ganz genau. Da gebe es keine Debatten. Wenn jedoch sie, als Genossin, solch dreiste Angriffe auf ihren Staat auch noch verteidige, sei das falsch verstandene Mutterliebe. Damit helfe sie ihrem Sohn nicht. »Nimm lieber Einfluss auf ihn. Schreib ihm, dass er seine Wühlarbeit gegen unseren Staat einstellen soll. Das wäre auch für dich von Vorteil, Genossin Gottlieb. Du willst deinen Sohn doch irgendwann einmal wieder sehen, nicht wahr? Vielleicht auch mal eine Reise zu ihm machen ... Ist ja alles denkbar. Aber natürlich: Staatsfeinden reichen wir nicht die Hand.«

Der Jüngere: »Sollte dein Sohn sich allerdings quer stellen, Genossin Gottlieb, müssen wir dich daran erinnern, dass du nicht nur als Mutter, sondern auch als Mitglied unserer Partei Verantwortung trägst. Wir müssten deinen Betrieb informieren, solltest du auf politischer Ebene dermaßen versagen.«

Eine überflüssige Drohung. Sie wollte doch nicht, dass ihr Hans ihren Staat bekämpfte! Dass er weggegangen war, war schlimm genug; ein Feind durfte er nicht werden. Also erzählte sie ihm, als er das nächste Mal anrief, von diesem Besuch und bat ihn, sich doch lieber anderen Themen zuzuwenden.

Hanne antwortete, das tue ihm alles sehr Leid, er wolle ihr keinen Ärger machen, doch könne er weder seinen Beruf aufgeben noch aufhören, die Wahrheit zu schreiben. So musste sie ihm von dem langen Arm erzählen, mit dem ihre Besucher gedroht hatten. Hanne tröstete sie: Wenn dieser lange Arm alle im Westen lebenden DDR-kritischen Journalisten erreichen wollte, hätte die Stasi viel zu tun. Er fürchte allein für sie. »Dich werden sie schikanieren. Dass du ihre Geisel bist, ist das einzige Pfund, mit dem sie wuchern können. Und ich trag dann daran die Schuld.«

Aber nein, an eine Schikane, die sie betraf, glaubte sie nicht, die langjährige Genossin Gottlieb. »Wir haben doch hier keine

Sippenhaft«, empörte sie sich. Hanne war sich da nicht so sicher. Und richtig vermutet, wenige Tage später setzten die Schikanen ein. Ihr Sohn schickte ihr wie immer in den letzten Jahren alle paar Monate ein Paket mit Dingen, die es im Ostteil der Stadt nicht gab und die sehr teuer oder nur schwer zu beschaffen waren – nichts kam mehr heil an. Strumpfhosen – zerschnitten, Tüten mit Kaffee – zerrissen, ein Pullover und eine Bluse – mit irgendwelchen nicht herauswaschbaren Farben bekleckert. Außerdem klingelte von nun an ständig das Telefon. Ging sie ran, meldete der Anrufer sich nicht, nur Atemgeräusche waren zu hören. Als sie sich angewöhnte, den Hörer zu bestimmten Zeiten erst gar nicht mehr abzunehmen, begann der Briefterror. »Verräterschlampe!«, »Staatsfeindin!«, »Solche wie dein Sohn gehören erschossen«, bekam sie zu lesen. Und einmal war ihr zusammen mit einem Brief auch ein Lappen mit einer scharf stinkenden Chemikalie durch den Briefschlitz geschoben worden; der Gestank ging wochenlang nicht aus der Wohnung.

Sie konnte es nicht fassen. Ihr wurde klar, dass ihr Telefongespräch abgehört worden war, und sie begriff: Es gab sie also doch, die Sippenhaft. Aber was hatte sie denn Falsches gesagt? Weshalb reagierte man gleich dermaßen hart? Wieso wartete man nicht erst weitere Gespräche ab? War ihr Hans ein so gefährlicher Feind, dass man mit Kanonen auf ihn schießen musste und, da man nicht an ihn herankam, sie zur Zielscheibe machte; in der Hoffnung, dass er aus Furcht um das Wohlergehen seiner Mutter seine Tätigkeit gegen sie einstellte? Hatten sie so wenig Größe, dass sie es nicht vertrugen, wenn einer sie öffentlich kritisierte? Sollten sie ihn doch schreiben lassen, was er wollte; er war doch nicht der einzige Westjournalist, der sich so äußerte.

Eine Woche wartete sie ab; als der Briefterror auch dann noch nicht aufgehört hatte, trug sie alle Briefe und auch den stinkenden Lappen zur Polizei und stellte Anzeige gegen unbekannt. Schon am nächsten Abend kamen ihre beiden Besucher wieder: Ob sie inzwischen mit ihrem Sohn gesprochen habe? Es ekelte sie davor, das Spiel mitzuspielen und so zu tun, als wüsste sie nicht, dass ihr Gespräch mit Hanne abgehört worden war, doch schaffte sie es, über seine und ihre Worte zu berichten, als ginge es tatsächlich um eine noch notwendige Information.

Der jüngere Stasi-Mann zeigte sich sehr verärgert über diese Äußerungen eines so verbohrten und gefährlichen Klassenfeindes und verlangte von ihr, sich von ihrem Sohn zu distanzieren. »Du kannst nicht Mitglied unserer Partei sein und gleichzeitig Verbindungen zum Klassenfeind aufrechterhalten.« Ihre Antwort: Von ihrem Sohn könne sie sich ebenso wenig lossagen wie von sich selbst; ihr Sohn sei nun mal ihr Sohn, auch wenn er inzwischen zum Feind ihrer Partei geworden sei. Außerdem habe er, wie sie inzwischen erfahren musste, nicht in allem Unrecht. Bestimmte Aktionen gegen sie bewiesen das.

»Welche Aktionen?« Die beiden stellten sich dumm.

Sie berichtete von den Paketen, den Telefonanrufen, den Briefen, dem seltsamen Geruch in ihrer Wohnung.

Wütende Empörung: Ob sie ihnen etwa solch kleinliche Racheakte zutraue? Hätte ihr Sohn die Pakete ordentlicher gepackt, wäre auch alles heil angekommen. Übrigens gebe es all das, was er ihr schicke, auch in der DDR; ob sie es nötig habe, Bettelbriefe zu schreiben? Und die Anrufe, die Briefe, der Lappen? Na, da gebe es vielleicht Bürger, die nicht so viel Langmut aufbrächten wie die zuständigen Organe. Wer mit Dreck warf wie ihr Sohn, durfte sich über solche Reaktionen nicht wundern. Deshalb solle sie in sich gehen und während ihres nächsten Telefonats ihren Hans ultimativ auffordern, seine Wühltätigkeit gegen die DDR zu beenden. Gehe er nicht darauf ein, solle sie ihm mitteilen, dass sie fortan keinerlei Kontakt zu ihm mehr wünsche.

Es brannte ihr auf der Zunge zu fragen, woher diese von ihrem Sohn beleidigten Bürger denn wüssten, wer sich unter dem Decknamen Peter Seeler verbarg und wie sie an Zeitungsartikel gekommen sein sollten, die doch nur im Westen erhältlich waren. Doch verkniff sie sich das – sie hatte längst aufgegeben, auf irgendeine Verständigung mit der Stasi zu hoffen.

Tags darauf rief Hanne bei ihr an. In den Wochen zuvor war keine Telefonverbindung zustande gekommen, obwohl er, wie er ihr nun mitteilte, fast jeden Tag versucht hatte, sie zu erreichen. Jetzt also erlaubte man ihr, ihm eine neue Botschaft zu übermitteln.

Kleinlaut gab sie zu, dass er Recht gehabt habe, sie sei nun tatsächlich Schikanen ausgesetzt. Er sagte, das tue ihm Leid – und fragte, ob er, wenn er ihren Namen veränderte, darüber schreiben dürfe. Damit hatte sie nicht gerechnet, sie zögerte, hatte Angst. Die Stasi hörte ja mit. Er sagte, wenn sie es nicht wolle, werde er die Finger von der Sache lassen, denn natürlich würde die Stasi auf diesen Artikel reagieren und die Leidtragende würde wiederum sie sein. Es sei aber wichtig, dass die Öffentlichkeit von diesen Repressalien erfuhr. Sie überlegte noch – schließlich ging es doch nur um die Wahrheit, weshalb sollte ihr Hans denn nicht die Wahrheit schreiben dürfen? –, da war die Leitung plötzlich tot. Und fortan kam kein einziger Anruf, kein Brief und kein Paket mehr zu ihr durch.

Sie sprach darüber mit Harald, seit einigen Jahren trotz getrennter Wohnungen ihr Lebensgefährte, und er teilte ihr seinen Verdacht mit, dass er, ein anerkannter Wissenschaftler, trotz vieler dringender Einladungen vielleicht nur deshalb nicht zu Symposien, Tagungen oder Kongressen ins westliche Ausland reisen durfte, weil er mit der Mutter eines solches Sohnes liiert war. Er hatte schon so manche Kleingeisterei dieser Art erlebt und lachte darüber – »Sie behindern damit ihren eigenen Fortschritt!« –, ihr jedoch setzte dieser Gedanke zu. Wenn das stimmte, wofür hatte sie sich dann all die Jahre über eingesetzt, wofür Mann und Sohn geopfert? Sie ging zu ihrer Betriebsparteiorganisation, knallte dem Parteisekretär die Sachlage auf den Tisch, erwartete seine Hilfe. Der war entsetzt darüber, in was er da hineingezogen werden sollte, und dachte nicht daran, Partei für sie zu ergreifen. Erst habe sie bei der Erziehung ihres Sohnes versagt, warf er ihr vor, nun offenbare sie auch noch, kein Vertrauen zu Partei und Staat zu haben. Sie solle sich, verdammt noch mal, nicht beschweren, sondern über ihre Rolle in diesem Fall nachdenken. Immerhin bekleide sie als Hauptbuchhalterin einen Vertrauensposten, da dürfe man von ihr doch wohl erwarten, dass sie wisse, auf welche Seite der Front sie gehöre.

Das war zu viel. Sie sollte Vertrauen zu einem Staat haben, der seine Bürger schikanierte? Sie sollte an eine Partei glauben, die ihre Mitglieder im Stich ließ, wenn sie vom Staat drangsaliert wurden? »Vertrauen kriegt man nicht geschenkt«, schrie sie den blassen jungen Mann an. »Vertrauen erwirbt man sich.«

Seine Antwort: Das sei eine parteischädigende und staatsfeindliche Aussage, er müsse sie weitermelden.

»Melde das, wo und wem du willst.« Sie riss sich ihr Parteiabzeichen ab und warf es ihm vor die Füße.

Lenz erschrak, Frau Gottlieb sah es ihm an, seufzte und zuckte die Achseln. »Ich hatte mich nicht mehr in der Gewalt … Aber natürlich, damit war es endgültig aus. Von der Partei Abtrünnige sind verlorene Seelen, mit denen diskutiert man nicht, die straft man nur noch ab.«

Und Monika Gottlieb wurde abgestraft. Über Nacht war die

brave Genossin, die immer gewusst hatte, wohin sie gehörte, zur Aussätzigen geworden. Sie musste ihre Stelle als Hauptbuchhalterin an eine jüngere Genossin abgeben, wurde nur noch mit Registraturarbeiten beschäftigt, und man deutete ihr an, dass man es begrüßen würde, wenn sie ganz ginge. Nach Feierabend, auf der Straße, erkannte man sie nicht mehr.

»Das muss man erst mal aushalten … Das Selbstwertgefühl – wie schnell sinkt das auf null! Alle meine Freundschaften – entweder gingen sie kaputt oder sie bekamen etwas Verschwörerisches, Geheimbündlerisches.«

Sie hatte plötzlich Tränen in den Augen. »Nein, man darf uns nicht mit den Nazis gleichsetzen, nur – warum gibt es so viele Ähnlichkeiten? Wie oft habe ich voller Empörung gelesen, dass so viele Juden über Nacht keine Freunde oder Nachbarn mehr hatten, dass man sie plötzlich nicht mehr kennen wollte. Nun ging's mir plötzlich genauso – als würde ich eine neue, unsichtbare Art von Judenstern tragen.«

Lenz schwieg. Er spürte, wie die Frau litt, sie dauerte ihn – zugleich aber fühlte er sich durch ihre Worte bestätigt. Eine grimmige Zufriedenheit überkam ihn: Ja, so sind sie! Mit Angst und Einschüchterung verteidigen sie ihre »humanen Werte«. Bist du nicht Freund, bist du Feind. Nicht anders würden sie dich behandeln, wüssten sie, was für Lyrik du fabrizierst. Du aber denkst immer nur daran, wie groß das Risiko ist …

Frau Gottlieb: »Jahrelang hab ich mit der Gesellschaft, die mich umgab, im besten Einvernehmen gelebt. Weil ich blinde Kuh diese Harmonie nicht missen wollte, hab ich, was Mann und Sohn dagegen einzuwenden hatten, nicht an mich herangelassen. Was krumm war, hab ich gerade geklopft: Alles nur Anfängerfehler, Kinderkrankheiten, der Fortschritt ist auf unserer Seite. Dachte wer anders, war er eben noch nicht so weit.«

Ihre Geschichte war damit aber noch nicht zu Ende. Eines Tages wurde auch ihr Harald von der Stasi aufgesucht. Man verlangte von ihm, sich von ihr zu trennen. Natürlich lehnte er dieses Ansinnen als Einmischung in seine Privatangelegenheiten ab und sie ließen ihn eine Weile in Ruhe. Bis sie eines Tages wiederkamen, um mit veränderter Taktik auf ihn einzuwirken. Freundlich lächelnd boten sie ihm, dem bisher keine einzige Westreise genehmigt worden war, die Teilnahme an einem WestBerliner Fachkongress an. Dort könne er den Sohn seiner Lebensgefährtin treffen, ihm Grüße von der Mutter überbringen und über weitere Reisen ins kapitalistische Ausland auch später Kontakt zu ihm halten. Er, Harald, das wüssten sie, sei kein Feind der DDR, also müsse ihm doch daran gelegen sein, Anschläge gegen sie aufzudecken. Und läge es denn nicht auch im Interesse seiner Lebensgefährtin, wenn er den Gottlieb alias Peter Seeler davon abhielt, weiter gegen die DDR zu hetzen? Kurz und gut: Er sollte versuchen, etwas über Hans Gottliebs Ostinformanten herauszubekommen. Denn das stand fest: Wer so konkret über die DDR schrieb, hatte sich sein Wissen nicht zusammenphantasiert. Da gab es Kanäle, die zugestopft werden mussten; es ging um aktive Feindabwehr.

Frau Gottliebs Harald lehnte dieses Angebot ab, wusste aber schon, dass die Stasi, nachdem sie sich so weit vorgewagt hatte, nicht locker lassen würde. Seine Besucher nahmen das erst mal nur zur Kenntnis und vergatterten ihn, nichts über dieses Gespräch verlauten zu lassen. Würde er es dennoch tun, würden sie gegen ihn vorgehen. Drei Tage später kamen sie wieder und erneuerten ihr Angebot, diesmal von einigen verschwommenen Drohungen untermauert. Er lehnte weiter jede Zusammenarbeit ab, und so dauerte es nicht lange und die üblichen Schikanen setzten ein: Zucker im Tank legte seinen *Wartburg* lahm, an seinem Wohnungsschloss war herummanipuliert und die Tür mit Farbe beschmiert worden, nachts läutete das Telefon, ohne dass jemand sich meldete. Außerdem wollte ein Unbekannter ihn zu einem Treffen überreden, ohne zu sagen, wer er war oder was er von ihm wollte. Das alles, so Frau Gottlieb, habe ihr Harald mit viel Gleichmut ertragen. Was er nicht ertragen konnte, war, dass er fortan auch beruflich isoliert und diskreditiert wurde. Plötzlich hatte er nur noch Misserfolge zu verzeichnen. Ganze Versuchsreihen misslangen. Er sagte ihr: »Damit wollen sie mein Ich erschüttern«, und versuchte weiter den Gleichmütigen zu spielen, doch sah sie ihm an, dass sein Selbstvertrauen längst erschüttert war. Er wehrte sich nicht, als er auf einen minderrangigen Posten versetzt wurde, schluckte auch still all die Gerüchte über sein ausschweifendes Privatleben, die kurz darauf im Institut verbreitet wurden. Schluckte und versuchte die Achseln zu zucken, bis er eines Nachts einen Herzinfarkt erlitt, an dem er starb. Als sie ihn am Morgen anrufen wollte und er den Hörer nicht abnahm, beschlich sie sofort ein ungutes Gefühl. Sie fuhr zu ihm, schloss mit ihrem Schlüssel seine Wohnung auf, fand ihn und erlitt selbst einen Herzanfall. Nachbarn, bei denen sie noch klingeln konnte, riefen den Notarzt. Mehrere Wochen lag sie im Krankenhaus; als sie daraus entlassen wurde, beantragte sie die Frührente.

»Und nun sitz ich hier und ›genieße‹ meine alten Tage. Jede Woche einmal der Gang zum Friedhof, ansonsten nichts als einkaufen gehen, fernkucken, lesen. Telefonanrufe erhalte ich nur noch aus dem Osten, Briefe und Postkarten auch. Man sperrt mich nicht ein, bringt mich nicht um; man sieht nur zu, wie ich von Tag zu Tag weniger werde. Doch darf ich mich beschweren, ich, die ich mein Leben, meine Familie und meinen besten Freund einem ganz dämlichen Irrtum geopfert habe?«

Wie hatte Hanne im Heim immer gesagt: Der Mensch ist nichts anderes als das, wozu er sich macht. Würde er das jetzt auch zu seiner Mutter sagen?

Frau Gottlieb wurde verlegen. »Vielleicht wundern Sie sich ja darüber, dass ich Ihnen, einem mir doch eigentlich völlig Fremden, dermaßen mein Herz ausschütte. Doch mit wem kann ich noch reden? Inzwischen lebe ich so allein, dass ich manchmal sogar vor meinem eigenen Schatten erschrecke.«

»Stellen Sie doch einen Reiseantrag. Sie sind ja nun Rentnerin. Vielleicht lässt man Sie ja raus – um sie loszuwerden.«

»Darüber hab ich schon nachgedacht.« Sie nickte versonnen. »Aber wissen Sie: Ich will gar nicht weg, will nicht, dass sie mich auf so leichte Art loswerden. Ihr schlechtes Gewissen soll sie quälen, wenn sie grußlos auf der Straße an mir vorübergehen. Mein Anblick soll sie erschrecken.«

»Aber drüben hätten sie Hanne – und wenn er mal heiratet, vielleicht sogar eine ganze Familie.«

»Nein!« Ihr Gesicht verhärtete sich. »Das Gespensterdasein hier ist mir wichtiger. Dieser dämliche Irrtum, irgendwie muss er zu Ende gelebt werden.«

Eines der vielen Schaufenster in der Schönhauser Allee, ein Laden mit Schallplatten und Notenheften. Lenz stand davor, die Aktentasche unter dem Arm. Er hatte sich geschämt, als Frau Gottlieb ihm vorwarf, sich so viele Jahre lang nicht nach Hanne erkundigt zu haben, jetzt wusste er, dass er genau zum richtigen Zeitpunkt gekommen war. Jeder frühere Besuch wäre zu früh für Frau Gottliebs Geschichte gewesen. Im Ekel steckt Kraft; er hatte nach einer Bestätigung gesucht, er hatte sie gefunden.

Wie sollten Hannah und er denn jetzt noch zögern können? Hannahs Depressionen, Silkes Lehrer, der Frust im Betrieb, die

Unmöglichkeit, sein Talent auszuprobieren, das alles wäre ja vielleicht noch auszuhalten gewesen – aber nicht diese Art, mit Menschen umzugehen.

Wer sagte ihnen denn, dass sie nicht eines Tages ebenfalls Schikanen ausgesetzt sein würden? Und Hannah und er standen nicht allein, sie hatten Kinder; das vergrößerte die Angriffsfläche beträchtlich.

Hanne Gottlieb hatte seine Mutter belogen, als er ihr sagte, sie müsse keine Angst um ihn haben. Als Journalist musste er wissen, dass der lange Arm der Stasi bis in den Westen reichte. Er wäre nicht der Erste, den sie sich geholt hätten. Dennoch machte er weiter, war er kein Existenzialist mehr, kam es für ihn nicht mehr nur jeden Tag darauf an, keinen Selbstmord zu begehen. Er war zum Aufklärer geworden, zu einem, der ein Ziel hatte und nicht mal davor zurückschreckte, die eigene Mutter zu gefährden. Weil er gar nicht anders konnte, als seine Wahrheit unter die Leute zu bringen!

Und er, Manfred Lenz, was war aus ihm geworden? Ein langweiliger Tintenverspritzer, der seine Texte versteckte, weil er davor bangte, dass sie gefunden wurden? Oder nur ein »kluger Mann«, der seiner Familie zuliebe nichts riskieren wollte?

Jene Silvesternacht, als sie zu dritt nach Oberspree aufbrachen, Hanne, Eddie und er. Wie Hanne schnell die Geduld verlor und allein durch die Nacht turnte, während Eddie und er ihr Kanu-Abenteuer erlebten. Später dann, in Amerika, bei seinem Vater – »dein Leben gefällt mir nicht«; Hanne hatte nie gezögert, wenn er bei einer Sache nicht länger mitmachen wollte …

Von der Schönhauser Allee bis zum Märkischen Museum hätte Lenz mit der U-Bahn fahren können, um nach Hause zu gelangen. An jenem Tag ging er lieber zu Fuß. Er brauchte Zeit, wusste: Diese Geschichte hatte die Entscheidung gebracht. Auch die Frage »Bin ich feige, wenn ich gehe, oder bin ich feige, wenn ich bleibe?«, jetzt war sie beantwortet. Frau Gottlieb wollte nicht gehen, weil sie mal dazugehört hatte; mit ihrem Bleiben bewies sie Mut, viel Mut, wenn vielleicht auch nur Trotz dahinter steckte. Hannah und er hatten nie richtig dazugehört, ihr Anblick machte niemandem ein schlechtes Gewissen; blieben sie, bewiesen sie damit nur Kleinmut.

Er stand noch in der Tür, da sah Hannah ihm seine Erlösung schon an. Als er ihr Monika Gottliebs Geschichte erzählte, weinte sie. Doch hatten ihre Tränen nichts mit Frau Gottliebs Schicksal zu tun; sie weinte, weil nun auch sie wusste, dass es kein Zurück mehr gab. Gleich am nächsten Tag schrieb sie Fränze einen Brief und berichtete darin von Silkes hartnäckigem, diesmal ziemlich bösartigem Schnupfen; eine Erkältung, die einfach nicht weggehen wolle.

Zehn Tage später – so lange brauchte der Brief – Fränzes besorgter Anruf: Ob es Silke inzwischen besser gehe?

Hannahs Antwort: »Leider nein. Inzwischen ist daraus eine handfeste Grippe geworden. Wir müssen sie mit Medikamenten voll stopfen.«

Als sie den Hörer aufgelegt hatte, sah sie Lenz an: »Und wenn das nun mitgehört wurde – und man herausfindet, dass Silke gar keine Erkältung hat?«

Lenz: »Wir dürfen uns nicht überschätzen. Wer sind wir denn schon? Zwei von siebzehn Millionen, weder prominent noch Führungskader. Wo kämen sie hin, wollten sie jede Hannah und ihren Manne überwachen?«

11. Fotos

Es war Juli, als Fränze das letzte Mal kam. Die Reise war gebucht, Sosopol hieß das Ferienziel. Bis Burgas galt die Fahrkarte, über den Grenzübergang Malko Tarnovo sollte die Ausreise in die Türkei erfolgen. Zögernd übergab Lenz der Schwägerin die Passfotos.

Die Entscheidung war gefallen, ihre Furcht deshalb aber nicht geringer geworden. Es würde nichts schief gehen, natürlich nicht, aber wenn nun doch? Von früh bis spät quälte Hannah und ihn dieser Gedanke, ließ sie nachts nicht schlafen, rührte immer wieder neue Zweifel auf: Gab es wirklich keinen anderen Weg?

Fränze beruhigte sie. Sie hatte eine Testreise unternommen, sich dieses Malko Tarnovo mal angesehen. Ganz allein war sie mit ihrem alten VW-Käfer durch Österreich und Jugoslawien nach Bulgarien gebraust und von dort aus über den Grenzübergang Malko Tarnovo in die Türkei weitergefahren. Alle notwendigen Stempelabdrucke besaß sie, sie würde die Lieferantenarbeit bestens überprüfen können. »Da geht's viel lockerer zu als an eurer Grenze. Was meint ihr, was da an westdeutschen Touristen ein- und ausreist. Wenn die hinter jedem einen fahnenflüchtigen Ostdeutschen vermuten wollten, hätten sie viel zu tun.«

Die gemeinsame Rückfahrt wollte Fränze mit einem von Freunden geliehenen Achtsitzer antreten. »Schön alt, mit jeder Menge Campinggegenständen auf dem Dach. Und dann werden überall im Wagen angebrochene Zigarettenpackungen herumliegen. Auf ausländische Zigaretten sind die Bulgaren ganz besonders scharf, da sehen sie nichts anderes mehr.«

»Wissen deine Freunde denn von unserem Vorhaben?«

Fränze zeigte ihrer Schwester einen Vogel.

Lenz: »Aber der Lieferant weiß Bescheid.«

»Auch der weiß nur, was er wissen muss.«

»Durch die Stempel erfährt er viel. Den Rest kann er sich denken.«

»Und was sollte er für einen Grund haben, sich selbst anzuzeigen? Für illegalen Passhandel werden auch bei uns keine Orden verliehen.«

»Bei uns würde er für eine solche Anzeige aber einen bekommen. Er muss sich nur an die richtige Stelle wenden.«

»Und weshalb sollte er das tun? Er verdient gut an der Sache. Auf das Schulterklopfen eurer Stasi oder ein paar hundert Mark Kopfgeld kann er gern verzichten.«

Franziska hatte Recht: Sie waren ganz bestimmt zu ängstlich. Typische DDRler, zur Gehorsamkeit erzogen, ohne jede Eigeninitiative. Fränzes Plan klang doch ideal ungefährlich: kein Tunnel unter der Mauer, kein Stabhochsprung über sie hinweg, keine Flucht im Kugelhagel – eine Urlaubsreise nach Bulgarien, Weiterreise mit neuen, echten Pässen, in denen ihre eigenen Fotos ihre Identität bewiesen, ihre wirklichen Namen eingetragen und auch ihre Unterschriften echt waren. Und nicht zuletzt: Sie würden die Pässe ja erst unterschreiben, wenn sie sie gründlichst studiert und sich endgültig zur Weiterreise in die Türkei entschlossen hatten. Wie viel mehr Sicherheit wollten sie denn?

»Entschuldige unsere Bedenken.« Hannah umarmte die Schwester. »Es ist allein wegen der Kinder.«

»Ich liebe eure Kinder doch auch. Nie würde ich sie einer Gefahr aussetzen, die ich nicht verantworten kann.«

Nachmittags saßen sie noch in der *Letzten Instanz,* der ältesten Kneipe der Stadt, nur ein paar Schritte vom Stadtgericht entfernt, und lachten über dieses böse »Omen«: Wenn sie Spökenkiekerei betreiben wollten, sollten sie die Sache lieber gleich abblasen. Am Abend brachten sie Fränze zum Grenzübergang, und Hannah nahm ihrer Schwester noch einmal das Versprechen ab, auch ja H.H.M. und Mutter Hilde nichts von ihrem Vorhaben zu erzählen. Sie traute ihrer Stiefmutter zu, sie von Offenbach aus anzuzeigen, wüsste sie von der geplanten Flucht. »Nur damit ihr die liebe Stieftochter auch weiterhin fernbleibt.«

Fränze lachte nur: »Was denkst du denn von mir? Denkst du, ich laufe blind durch die Welt?«

Am Grenzübergang Heinrich-Heine-Straße warteten Hannah und Lenz wie immer darauf, dass Franziska ihnen zum Zeichen dafür, dass alles glatt gegangen war und sie keinerlei Auffälligkeiten bei ihrer Passabfertigung beobachtet hatte, von der West-Berliner Aussichtsplattform aus zuwinkte. War alles unauffällig geblieben, würde sie die Hand seitwärts bewegen, andernfalls auf und ab winken.

Fränze kam und winkte ihnen zu, indem sie die Hand seitwärts bewegte. Sie winkten auf die gleiche Weise zurück: Alles klar!

Später saßen sie bis tief in die Nacht im Wohnzimmer auf der Couch, hielten sich an den Händen und schwiegen. Es gab nichts mehr zu bereden. Sie konnten, wollten, durften nicht mehr zurück.

Ein Sommer des Abschieds. Lenz' Spree – durch Frankfurt am Main floss sie nicht. Und überhaupt, als »Republikflüchtling« würde er seinen Teil der Stadt so schnell nicht wieder besuchen dürfen. Die geplante Flucht bedeutete auch Verzicht. Einziger Trost: Der Verlust des Ostteils wurde ihm mit dem Wiedergewinn des Westteils entgolten; für ihn ja auch Heimat.

Er kaufte sich Filme und machte jedes Wochenende mit Hannah, Micha und Silke Ausflüge. Alles wollte er mitnehmen: den *Ersten Ehestandsschoppen* – egal, dass er nur einen *Schuh-Express* fotografierte –, die Straßen drum herum, den dritten Hinterhof der Dunckerstraße 12 und den Seitenflügel der Woldenberger Straße 19. Er fotografierte die Hochbahn über der Schönhauser Allee und das Haus, in dem Tante Grit und Onkel Karl gewohnt hatten, den Alexanderplatz, den Lustgarten, die Straße Unter den Linden und das von Grenzanlagen abgesicherte Brandenburger Tor. Nur von der Ostseite aus war die Quadriga von vorn zu besichtigen.

Sie luden Robert und Reni und ihre Tochter Kati zu einem Abschiedsabend ein, und Lenz litt darunter, nichts sagen zu dürfen. Ein demütigendes Verhalten; wie schämte er sich dafür, Fröhlichkeit und Harmlosigkeit schauspielern zu müssen. Jedes Wörtchen, jede Andeutung von ihnen hätten Robert und Reni in Gefahr gebracht. Wer von solchen Fluchtabsichten wusste und sie nicht anzeigte, wurde wegen unterlassener Anzeige bestraft; Paragraph 225, man war zur Denunziation verpflichtet.

Wie lange würde er Robert nicht wiedersehen? Der Bruder war vierzig, erst in fünfundzwanzig Jahren hätte er Aussicht auf eine Westreise. Einzige Alternative: ein Treffen im Ausland. Prag war ein beliebter Treffpunkt für geteilte Familien. Aber auch das würde in den nächsten Jahren noch zu riskant sein.

Freunde und Bekannte durften ebenfalls nichts erfahren. Doch hätten Hannah und er etwas durchblicken lassen, wie hätten sie reagiert? Eine Frage, die Lenz sich oft stellte.

Viele hätten Verständnis gezeigt – »uns steht's ja auch bis hier«; manche hätten ihren »Mut« bewundert – »wir würden ja auch, aber wenn die Sache nun nicht klappt?«. Andere hätten traurig auf ihre alten oder kranken Eltern verwiesen, die sie nicht allein lassen konnten, und so mancher hätte wohl auch gesagt: »Für euch selbst dürft ihr riskieren, was ihr wollt. Denkt ihr aber auch an eure Kinder?« Eine Frage, die nur durch Gegenfragen zu beantworten gewesen wäre: »Denkt ihr denn an eure Kinder? Was wünscht ihr euch für sie? Wollt ihr, dass sie so leben, wie ihr und wir zuletzt gelebt haben, und dass sie eines Tages ebenfalls nur aus Furcht vor dem Risiko ausharren?«

Was sie voneinander trennte, war ja nur der Schritt, den sie wagen wollten, oder die Größe des Krokodils, das ihnen im Nacken saß. Die Freunde kamen nicht aus dem Westen wie Hannah, hatten nicht die Erfahrung gemacht, wie es war, wenn man *nicht* von morgens bis abends gegängelt wurde oder einem die Kinder verbogen wurden. Und sie wollten nicht schreiben, litten nicht unter der Unmöglichkeit, sich frei äußern zu dürfen. Manche hatten sich aber wohl auch längst in diesem Doppelleben eingerichtet – Hintern im Osten, Kopf im Westen – und hielten bereits das Einschalten des Westfernsehens für eine Art inneren Widerstand. Die Toten an der Mauer? Irgendwie furchtbar, aber waren sie denn nicht selbst schuld? Gab ja nichts, was nicht gerade noch so auszuhalten war. Keine KZ, keine Massenmorde, keine hingerichteten Widerstandskämpfer, eben nur diese verfluchten Schüsse an der Mauer. Für Lenz aber bewies gerade diese Haltung perfektes Funktionieren: Solange du die Fäuste nur in der Hosentasche ballst, ist Verlass auf dich; solange du dein Dach über dem Kopf und den satten Bauch allem anderen vorziehst, bist du ein prima Staatsbürger.

Einige wenige Freunde sahen in jeder Flucht ein Versagen. »Menschenskind!«, hatten sie gesagt, wenn darüber mal theoretisch diskutiert wurde. »Nichts ist bequemer für diesen Staat, als wenn alle Unbequemen abhauen. Was soll aus diesem Stück Brachland denn werden, wenn alle, die noch einen Funken Moral im Leibe haben, fortgehen? *Wir* sind hier zu Hause. Sollen doch die Betonköpfe, die verhindern, dass wir hier den wahren Sozialismus aufbauen, verschwinden.«

Nachhallende Stimmen, die nicht so leicht zu verscheuchen waren. Klang ja irgendwie gut: nicht fortgehen, hier bleiben, Widerstand leisten! Nur: Was war zu tun, solange gar kein wirklicher Widerstand stattfand? Gleichgesinnte suchen, ohne der Stasi in die Hände zu fallen, war unmöglich; Opfergang von ein paar Sturköpfen, die den Kopf herausstreckten, während alle anderen ihn einzogen. Außerdem: Brauchte man zum Kämpfen denn nicht ein erreichbares Ziel, vielleicht sogar eine Vision? Welche aber sollte das sein, nur vier Jahre nach Prag?

Nein, es gab keine Pflicht zum Bleiben, solange man damit nichts bewirken konnte. Aber vielleicht gab es ja die Pflicht, sich nicht länger benutzen zu lassen für eine Sache, die man nicht mitverantworten wollte. Wer in einem Zug gegen die Fahrtrichtung lief, fuhr ja dennoch mit – wenn er Pech hatte, einem Abgrund entgegen. Und wenn keine Möglichkeit war, den Zug zum Halten zu bringen, musste man dann nicht wenigstens rechtzeitig abspringen, wenn sich die Gelegenheit dazu bot?

Die letzten Tage. Hannah trennte aus allen Kleidungsstücken die Markenzeichen – falls die Grenzkontrolleure in Malko Tarnovo ihre Koffer durchsuchten, sollten sie nicht auf lauter DDR-Markennamen stoßen –, Lenz schickte einige wenige als Geschenke getarnte Erinnerungsstücke an Fränze.

Die Kinder waren hochgestimmt, so sehr freuten sie sich auf Bulgarien. Sie würden im Meer baden, jeden Tag würde die Sonne scheinen, sie würden viel Eis essen. Lenz und Hannah beschämte diese Vorfreude, dennoch bestärkten sie sie darin: Das alles würden sie ja wirklich tun. Hatten sie erst die bulgarisch-türkische Grenze hinter sich, würden sie sich noch ein paar schöne Tage machen, bevor sie die weite Autofahrt nach Frankfurt in Angriff nahmen. So war es mit Fränze verabredet.

An einem der Abende, sie hatten einen langen Spaziergang gemacht, kamen sie in die Wohnung zurück, und ihnen fiel auf, dass der Schlüssel zur Wohnzimmertür fehlte. Erschrocken sahen sie sich an. War jemand in ihrer Wohnung gewesen? Normalerweise hätte dieser fehlende Schlüssel sie nicht weiter beunruhigt – die Kinder verbummelten öfter mal etwas –, in ihrer jetzigen Situation hegten sie sofort Verdacht. Nervös suchten sie die ganze Wohnung ab, konnten den Schlüssel aber nirgends finden.

Immer wieder befragten sie die Kinder, die sich wunderten, weshalb ihre Eltern wegen dieses Schlüssels, der doch nur in der Tür gesteckt hatte und nie benutzt worden war, so aufgeregt waren. Glaubhaft versicherten sie ihnen, den Schlüssel nicht angerührt zu haben.

Sie nahmen sich zusammen, sagten den Kindern, na, dann müssten sie sich eben einen neuen Schlüssel anfertigen lassen, und brachten sie ins Bett. Danach besprachen sie flüsternd diesen Vorfall: Was, wenn die Stasi in ihrer Wohnung gewesen war? Vielleicht, um eine Wanze einzubauen? Und irgendwer hatte den Schlüssel abgezogen, um ihnen eine Warnung zu übermitteln: Bleibt lieber hier, wir wissen Bescheid?

Lenz: »So menschenfreundlich sind die nicht.«

Hannah: »Es könnte einer gewesen sein, der noch ein Gewissen hat.«

Das war nicht unmöglich. Viel wahrscheinlicher aber war, dass der Schlüssel schon seit Wochen oder Monaten nicht mehr in der Tür gesteckt hatte und es ihnen nur noch nicht aufgefallen war. Eben weil sie die Wohnzimmertür nie abschlossen. Und jetzt hatten sie sein Fehlen bemerkt, weil sie in ihrer Furcht vor dem Kommenden so besonders aufmerksam waren. Wäre es da nicht überängstlich reagiert, wenn sie wegen diesem blöden, verschwundenen Schlüssel die ganze Sache abblasen würden?

Der Tag der Abreise.

Sie packten und im Fernseher flimmerte die Eröffnungsfeier der Olympiade. München! Eine Stadt, die sie nun bald kennen lernen würden; in einer kleinen Pension wollten sie zwei Tage Rast machen.

Der Zug fuhr erst in den Abendstunden, sie aßen noch zu Hause. Lenz briet Hähnchen, seine Spezialität. Die Kinder aßen voller Appetit und überboten sich in ihrer Vorfreude gegenseitig: Eine ganze Nacht, einen ganzen Tag und noch eine Nacht lang würden sie mit dem Zug fahren! Und das durch viele fremde Länder. Und erst wenn die anderen Kinder längst in ihren Betten lagen, würden sie aufbrechen. In die Ferien. In die Sonne. Ans Meer. Das Leben war schön!

Nach dem Essen wanderten Hannah und Lenz durch alle Räume. Vor den Kindern taten sie, als müssten sie kontrollieren, ob auch alle Fenster fest verschlossen waren. In Wahrheit sahen sie sich um: Ihre Wohnungseinrichtung – zehn Jahre Arbeit! Der Fernseher, die Musiktruhe, Kühlschrank, Waschmaschine – alles große Anschaffungen, jedes Stück ein Sieg. Abgesehen von einem PKW, der sie nie sehr interessiert hatte, besaßen sie alles. Bald würden sie ganz von vorn anfangen müssen; sogar viele Bücher würden sie neu kaufen müssen; sie wollten doch auf ihre Lieblingsautoren nicht verzichten.

Hannah hatte noch mal alles geputzt. Irgendwann würde ihre Wohnung ja geöffnet werden – von der Polizei oder von der Stasi –, niemand sollte den Eindruck gewinnen, hier hätten Ferkel gehaust.

Lenz hatte ihr nicht geholfen. »Mir ist es egal, welchen Eindruck die von uns gewinnen. Mir reicht der, den ich von ihnen habe.«

Hannah jedoch war stur geblieben. »Bei anderen Leuten wäre es mir egal, bei denen nicht.«

Noch ein letzter Blick in die Runde, dann nahmen sie ihre Koffer und Taschen, verschlossen die Tür und wanderten zu viert zum S-Bahnhof Jannowitzbrücke.

Es war nur eine Station bis zum Ostbahnhof. Ihr Zug wartete schon.

Dritter Teil *Eine Farce*

1. Verteilte Rollen

Die Riegel, der Schlüssel, der Graue stand in der Zelle. Über seinem Arm ein blauer Anzug, ein weißes Hemd, ein paar dunkle Strümpfe, ein blauer Schlips, in der einen Hand Lenz' Schuhe. Lenz schluckte den letzten Bissen Marmeladenbrot hinunter, erhob sich von seinem Hocker und erstattete Meldung.

Der Graue: »Sie haben doch heute Verhandlung. In der Hose und dem Hemd, in denen Se hier eingeliefert wurden, können Se vor Gericht nicht erscheinen. Also ziehen Se das mal an. Das müsste Ihnen einigermaßen passen.«

Er legte alles auf die Pritsche; der Schlüssel, die Riegel. Lenz nahm noch einen Schluck von seiner Morgenlorke und zog sich um. Das Hemd war ihm etwas zu weit, Hose und Jacke waren zu eng und gut zwei Zentimeter zu kurz. Den Schlips übersah er; er wollte doch keine Schießbudenfigur abgeben.

Wenig später wurde er geholt. Ein Schließer, den er noch nicht kannte, Typ Teddybär mit Boxernase, betrat die Zelle und legte ihm Handschellen an.

»Muss das sein?«

»Muss.«

In diesem Anzug und mit den Händen in den Handschellen war es nicht leicht, Würde zu bewahren. Lenz bemühte sich trotzdem, hoch aufgerichtet den ihm nun schon vertrauten Weg zur Schleuse zu gehen.

Es war mal wieder der Fischlieferwagen, der bereitstand. Kaum hatte Lenz einen Fuß in den Wagen gesetzt, hustete er. Hannah hustete sofort zurück, hatte schon auf ihn gewartet. Wie gern hätte Lenz ihr jetzt gesagt, dass er sie liebe und sie dieses ganze Theater nicht ernst nehmen solle. Hoffentlich hatte er später noch Gelegenheit dazu.

Es ging in die Innenstadt, wie der immer dichter werdende Verkehr verriet. Lenz in seinem zu engen Anzug in dem zu engen Verschlag wunderte sich über sein heiteres Gefühl. Woher kam diese gute Laune? Lag es an dem ungewohnten Ausblick? Über seinem Kopf befand sich ein Schiebedach, einen schmalen Spalt weit war es geöffnet. Er konnte vorüberfliegende, noch kahle Baumäste erkennen und manchmal ein Dach oder oberes Stockwerk von einem der Mietshäuser, an denen sie vorüberfuhren. Einmal ratterte eine S-Bahn über sie hinweg. Die Bahnüberführung am S-Bahnhof Frankfurter Allee? Hier war er als Kind oft ausgestiegen, wenn er ins Theater der Freundschaft wollte, ins Jugendtheater. *Tom Sawyer* hatte er hier gesehen, *Die verzauberten Brüder*, Kästners *Emil* und viele andere Stücke. Hätte er sich damals vorstellen können, einmal nicht einer von Emils Detektiven, sondern der Mann mit dem steifen Hut, der Bösewicht vom Dienst zu sein?

Als der Wagen hielt und er aussteigen durfte, erkannte er das Stadtgericht Littenstraße. Ein stuckverziertes, imposantes Gebäude aus Kaisers Zeiten, an dem Kalle Kemnitz und er, wenn sie auf ihren Stadtwanderungen durch diese Gegend kamen, stets nur mit einem geheimen Schauder vorübergeschlichen waren. Eine Spuckweite davon entfernt: *Die letzte Instanz,* jene alte Kneipe, in der Hannah, Fränze und er auf ihre Flucht angestoßen hatten. Er musste grinsen. Vielleicht hätten sie doch lieber eine andere Kneipe auswählen sollen.

Hannah trat aus dem Wagen. Gott sei Dank weder in Handschellen noch in irgendwelchen von der Stasi geliehenen Klamotten. Sie trug den hellen Hosenanzug, den Fränze ihr mal mitgebracht hatte, und hatte ihre Haare bearbeiten dürfen. Vor

Erregung war ihr Gesicht gerötet und so sah sie trotz der Zellenblässe richtig gut aus.

Er lächelte ihr zu und sie wollte zurücklächeln, der Anblick seiner Handschellen ließ sie erschrecken. Er bewegte ein wenig die Hände: »Kintopp. James Cagney. *Staatsfeind Nr. 1.*«

»Seien Se still!« Einer der sie begleitenden Stasi-Männer trat zwischen sie, aber Hannah lächelte nun doch.

Sie betraten das Gebäude durch einen Seiteneingang. Stasi-Männer mit Hannah in ihrer Mitte gingen vorweg, Lenz, ebenfalls rechts und links eskortiert, durfte folgen. Es ging mehrere Treppen hoch und einige Flure entlang; links lagen die Fenster zur Straße, rechts die Türen zu den Verhandlungssälen. In der 10. Klasse hatte Lenz mal an einer Gerichtsverhandlung teilnehmen dürfen. Es ging um einen Trickdieb und war eine eher lustige Angelegenheit. Von diesem Besuch her war ihm das riesige Treppenhaus im Haupteingangsbereich in Erinnerung geblieben; sehr hohe Räume mit viel Stuck an den Säulen und der gewölbten Decke. Wie klein sich da jeder Täter vorkommen musste bei so viel erdrückender Gerechtigkeit, hatte er damals gedacht. Nun war alles ganz anders. Er fühlte sich nicht klein. Zwar würden sie Hannah und ihn verurteilen, aber nicht, weil sie ein Verbrechen begangen hatten, sondern allein weil sie an den täglichen Verbrechen ihrer Richter nicht mehr teilhaben wollten.

Sie wurden in einen Raum mit mehreren Holzverschlägen geführt. Jeder der kleinen quadratischen Abstellräume für Menschen besaß eine hölzerne, in den Wänden verankerte Sitzbank, ansonsten befand sich nichts darin. Lenz durfte gleich im ersten der Verschläge Platz nehmen, Hannah in einem zwei, drei Türen weit entfernten. Die Handschellen wurden ihm abgenommen, die Türen zugeschlossen. Er hustete aufmunternd. Wir werden auch das überstehen, wollte er Hannah damit zu verstehen geben, und: In Wahrheit können sie uns gar nichts tun. Die positiven Helden in dieser Theateraufführung sind wir.

Kein sehr imposanter Gerichtssaal! Kein Stuck, keine verschnörkelten Holzbarrieren, ein sachlich-karg eingerichteter Raum. An der Stirnseite, unter der obligatorischen, farbigen Honecker-Fotografie, der schmucklose Richtertisch, links davon, gleich neben der Tür, das Pult der Staatsanwaltschaft. Rechts vom Richtertisch die Bank der Angeklagten, bewacht von zwei uniformierten Justizbeamten, hinter der Arme-Sünder-Bank das Stühlchen für den Verteidiger. Dem Richtertisch gegenüber sieben, acht leere Zuhörerbänke. Die Verhandlung war nicht öffentlich. Niemand sollte mitzählen können, wie viele Fluchtversuche da Woche für Woche verhandelt wurden; potentielle Nachfolgetäter sollten keinen Anschauungsunterricht über die Fehler ihrer Vorgänger erhalten.

Die letzte Reihe der Zuhörerbänke füllte sich dann aber doch noch – mit der Stasi- Wachmannschaft, die sie herbegleitet hatte. Für die Komplizen des Gerichts galt der Ausschluss der Öffentlichkeit natürlich nicht. Eine junge, südländisch ausschauende Frau mit Oberlippenbärtchen, die sicher mitgekommen war, um Hannah zur Toilette begleiten zu können, machte ein Gesicht, als wollte sie die Angeklagten am liebsten ohne Gerichtsverhandlung erschießen. Lenz auf der Anklagebank grinste belustigt: Für diese Donna Rosita de Esperanza waren Hannah und er wohl so etwas wie Bonnie und Clyde?

Die beiden Angeklagten durften nebeneinander sitzen, aber nicht miteinander reden. Nur anschauen durften sie sich und einander zulächeln. Wie hätte man ihnen dieses Lächeln denn verbieten sollen?

Lenz hatte geglaubt, nun endlich diesen berühmten Dr. Vogel

kennen lernen zu dürfen – mal wieder ein Irrtum! Als Hannah und er in den Gerichtssaal geführt worden waren, war ein entenbrüstiger, modisch gekleideter älterer Herr mit Toupet auf sie zugeeilt gekommen und hatte sich ihnen als Dr. Rose, Karlhans Rose, vorgestellt. Er sei im Auftrage Dr. Vogels hier. Dr. Vogel sei leider verhindert, er habe Vollmacht, für sie tätig zu werden.

Ein Auftritt, der Lenz erheiterte; was diesen Dr. Rose sehr irritierte. In verschwörerischem Tonfall flüsterte er ihnen zu: »Hab mich mit Ihrer Sache beschäftigt und bin mit Herrn Dr. Vogel übereingekommen, dass es nur darum gehen kann, ein möglichst niederes Strafmaß für Sie herauszuholen. Der Tatbestand ist ja klar.«

Der Tatbestand war klar! Alles war klar! Wer den Finger an die Nase legte, wollte popeln, was denn sonst?

Lenz: »Für uns geht es nur um eines: Wir wollen möglichst bald mit unseren Kindern in die Bundesrepublik ausreisen dürfen.«

Dr. Rose rückte an seiner bunt schillernden Fliege. »Darüber wird heute nicht verhandelt. Heute geht es um das Strafmaß.«

»Das Strafmaß?«, höhnte Lenz. »Aber das steht doch längst fest. Hier geht's doch um keine Urteilsfindung mehr, hier geht's nur noch um die Urteilsverkündung.«

»Wenn Sie meinen!« Nun war er beleidigt, der Dr. Rose, und hätte wohl am liebsten seine Tasche genommen und wäre gegangen.

Hannah, die tapfere Hannah, die ja noch immer nichts von Hajo Hahnes hoffnungsvollen Geschichten wusste und deshalb doppelt mutig sein musste, besänftigte ihn: »Nehmen Sie meinem Mann seine Worte nicht übel. Ein Gerichtsverfahren, wie es sein sollte, wird das hier ja kaum werden.«

Dr. Rose setzte sein liebenswürdigstes Lächeln auf. »Wir wollen versuchen, das Beste daraus zu machen.«

Das Beste an dem Ganzen wird dein Honorar sein, dachte Lenz und hätte es gern auch ausgesprochen. Hannahs Blick hielt ihn davor zurück. Lass uns das Ganze still ertragen, baten ihre Augen. Es hat keinen Sinn aufzubegehren. Sagst du ihnen, wie du über sie denkst, rächen sie sich – an uns *und* an den Kindern.

Das Hohe Gericht betrat den Saal.

Der Richter: ein Durchschnittsgesicht, Typ treuer Kneipengast, der es nie bis an den Stammtisch schafft; sechzig, mager, schütteres graues Haar, Lesebrille. Wie Dr. Rose und die Staatsanwältin trug auch er keinen Talar, über seinem karierten Hemd hing ein gestreifter Schlips. Hätte er eine abgewetzte Ledertasche auf den Tisch gelegt und eine verbeulte Blechdose mit belegten Broten und eine nicht minder lädierte Vorkriegsthermosflasche neben seinen Akten aufgebaut, Lenz hätte sich nicht gewundert.

Die Schöffen: eine dickliche, ältere, sehr bieder wirkende Frau, die offensichtlich stolz darauf war, Recht sprechen zu dürfen. Mit mütterlichem Ernst blickte sie die Angeklagten an. Ihr männliches Gegenstück – ein junger Mann, der schon jetzt ein Gesicht machte, als bedauerte er, nicht in seinem Büro zu sitzen – schien von Beruf Buchhalter oder Registrator zu sein. Der Aktenstaub lag ihm wie Schuppen auf den Schultern.

Die Staatsanwältin: eine noch junge Frau, vielleicht fünfunddreißig. Dunkles Kostüm, weiße Bluse, blonde Hochfrisur, sehr blass, schmaler, verkniffen wirkender Mund, graue Augen, feindseliger Blick. Eine Zicke! Eine Giftspritze! Das Klischeebild der bösen Staatsanwältin. Da half nur tief durchatmen.

Die Protokollführerin: ein sympathisches junges Mädchen.

Mich geht die ganze Sache nichts an, besagte ihr Blick. Mache meinen Dienst und werde dafür bezahlt.

Die Stimme des Richters erinnerte an das Knarren eines schon sehr morschen Baumes. Lustlos verlas er die Anklageschrift, dieser Genosse Im-Namen-des-Volkes, noch lustloser begann er mit den Vernehmungen zur Person und rief zuerst Hannah vor seinen Tisch.

Sie beantwortete alle Fragen mit klarer, nur selten schwankender Stimme.

Lenz studierte die Staatsanwältin. Wie sie Hannah ins Visier nahm! War das nur Empörung oder schon Hass? Verletzte es sie persönlich, dass zwei noch so junge Leute ihren sozialistischen Staat verlassen wollten?

Der Richter blickte kaum auf, während er Hannah befragte, wirkte noch immer gelangweilt. Nur über H.H.M.s West-Ost-West-Wanderung machte er ein paar ironische Bemerkungen. Der Mann nahm ein Leben durch, dreißig Jahre, die ihn offensichtlich nicht sehr interessierten. Wozu auch? Ging ja alles seinen sozialistischen Gang.

Nein, er war kein geifernder Inquisitor, dieser kariertgestreifte Rechtsprecher, er war aber auch kein Papa Gnädig; tat, was von ihm verlangt wurde. Und zeigte er doch mal eine Regung, schien es ihn zu ärgern, dass er diese eigentlich gar nicht so unsympathische Hannah Lenz zu einer Freiheitsstrafe würde verurteilen müssen: Wie konntest du nur so dumm sein, Mädchen! Bist auf die Reaktion reingefallen, weißt einfach nicht, was gut für dich ist. Nur wer keine Augen im Kopf hat, kann so stolpern.

Als die Protokollführerin hörte, welche Position Hannah im Außenhandel innehatte, blickte sie kurz auf. Wollte sie sich bei ihr bewerben? Doch dann schien ihr einzufallen, dass ja nur eine Angeklagte vor ihr stand, eine der vielen, die sie Tag für Tag kennen lernte, und sie beugte sich wieder über ihren Stenoblock.

Schöffe und Schöffin waren ganz Auge und Ohr, fragten aber nichts. Nur die »Mutti« hatte manchmal »phonetisch« etwas nicht verstanden.

Die Stasi-Mannschaft in der letzten Sitzreihe schaute zu wie artige Schüler, die einen Dokumentarfilm vorgeführt bekamen: zwei gefasste Grenzdurchbrecher vor Gericht. Zerknirscht gestehen sie ihre Verbrechen, das Volk der DDR wird sein Urteil fällen …

Inzwischen hatte der Richter seine Vernehmung zur Person beendet, die Vertreterin der Anklage hatte jedoch noch einige Fragen an Hannah: Wie sie ihre Jugend in der BRD denn heute einschätze und wie sie das Verhalten ihres Vaters charakterisieren würde. Ob sie glaube, dass ihr Aufwachsen in der Welt des westdeutschen Revanchismus sie bis zum heutigen Tage geprägt habe?

Lenz, zu Dr. Rose: »Müssen wir auf solche Vorurteile antworten?«

Doch da kam es schon von Hannah selbst: »Dazu möchte ich nichts sagen. Ich will mich nicht selbst einschätzen. Und wie ich zu meinem Vater stehe, ist ganz allein meine Angelegenheit.«

Der Richter: »Es ist aber besser für Sie, wenn Sie in allem offen und ehrlich Auskunft geben.«

Hannah: »Ich glaube nicht, dass bei dieser Verhandlung überhaupt etwas gut für mich sein kann.«

Empörtes Gemurmel in der letzten Reihe der Zuhörerbänke, Dr. Roses manikürte Hände gingen in Abwehrstellung, der Richter runzelte die Stirn. Lenz aber hätte beinahe Beifall geklatscht: Das hätte er nicht gedacht, dass seine jetzt so dünne und blasse

Hannah, die nichts von Hajo Hahnes Geschichten wusste, sich in dieser Situation derart behaupten würde.

Der Richter: »Na, dann setzen Sie sich mal.«

Lenz war an der Reihe. Seine Kindheit. In der Kneipe aufgewachsen? Also im kleinbürgerlichen Milieu, das ja schon immer reaktionär war? Was konnte man da anderes erwarten! Doch halt, es wurde interessant: Sozialistisches Kinderheim, sozialistisches Jugendheim, Abitur auf der Volkshochschule, Studium in Leipzig, mehrfach ausgezeichneter Soldat der Nationalen Volksarmee, Aufstieg im Binnenhandel, Tätigkeit im Außenhandel mit Reisen ins westliche Ausland – wie konnte einer, der diesen Weg gegangen war, so mir nichts, dir nichts zum Verräter werden? Der Richter rückte auf seinem Stuhl vor. »Wollten Sie vielleicht nur Ihrer Frau zuliebe unsere Republik verlassen?«

Dr. Rose meldete sich zu Wort. Sie seien immer noch bei der Vernehmung zur Person, Fragen zur Tat sollten vielleicht doch besser erst später gestellt werden.

Die Staatsanwältin kniff ihre Lippen noch fester zusammen, der Richter kratzte sich verärgert das Kinn. Musste dieser papageienhaft gekleidete Rechtsverdreher ihm denn ins Wort fallen? Doch er beherrschte sich. »Wenn Sie meinen, dass das für Ihre Mandanten von Vorteil ist – bitte schön!«

»Danke schön!« Dr. Rose setzte sich wieder und strahlte Hannah an, als hätte er soeben einen Freispruch für sie erwirkt. Lenz aber wollte die gestellte Frage lieber gleich beantworten, und so erklärte er laut, sein Entschluss, die DDR zu verlassen, habe nichts mit seiner Frau zu tun. »Wir wollen beide hier weg. Jeder für sich und jeder aus tausenderlei Gründen. Lesen Sie meine diversen Vernehmungsprotokolle, dann wissen Sie, dass ich mich innerlich bereits vor Jahren aus der DDR verabschiedet habe.« Das könnte denen so passen, dass er nur Hannah zuliebe aus ihrem Wunderland wegwollte! Das würde ihnen ihre schiefe Welt wieder gerade rücken.

Die Staatsanwältin warf ihm einen flammenden Blick zu. Nicht viel und sie hätte gezischt. Der Richter, überrascht, doch noch eine Antwort auf seine Frage bekommen zu haben, murmelte nur »So, so!« und blätterte in seinen Akten. Als ihm keine weiteren Fragen zur Person mehr einfielen, durfte die Staatsanwältin Druck ablassen. Also habe Lenz nur Karriere machen wollen? Um den Preis des Heuchelns?

Lenz: Die Heuchler seien andere gewesen. Er sei eher aufgefallen, weil er zu wenig geheuchelt und zu viele unerwünschte Fragen gestellt habe. Das müsse in seiner Kaderakte eigentlich nachzulesen sein.

»Also waren Sie kein guter Soldat?«

»Ich bin für meine Arbeit als Planzeichner belobigt worden, nicht für außergewöhnliche Leistungen als Agitator.«

»Und weshalb haben Sie so gute Arbeit geleistet?«

»Weil sie mit Urlaub belohnt wurde. Ich wollte so viel wie möglich bei meiner Familie sein.« Mehr wollte Lenz dazu eigentlich nicht sagen, hatte ja alles gar keinen Sinn, aber dann brach es doch aus ihm heraus: Hätte er die letzten zehn Jahre etwa damit zubringen sollen, durch Faulheit zu glänzen? Er habe oft gute Arbeit geleistet, weil schlechte Arbeit keinen Sinn ergeben hätte. Oder hätte er den Staat, in dem er lebte, etwa boykottieren sollen? »Dann hätten Sie mich jetzt auch noch wegen Sabotage anklagen können.«

Die Protokollführerin gab dem Richter Signale: Der Angeklagte sprach zu schnell, sie kam nicht mit.

Der Richter erteilte Lenz zwei Ermahnungen: Erstens, er solle langsamer sprechen, zweitens, er solle hier keine Hetzreden halten.

Lenz: »Wollen Sie die Wahrheit hören?«

Der Richter: »Was denn sonst?«

»Weshalb ermahnen Sie mich dann, wenn ich wahrheitsgemäß aussage? Ich denke, Sie wollen in Erfahrung bringen, was ich für einer bin.«

Die in der letzten Reihe der Zuhörerbänke wurden unruhig. Ein Angeklagter, der sich als Richter aufspielte? So etwas durften sich nur überzeugte Kommunisten in *Defa*-Filmen leisten.

Die Staatsanwältin, aufgebracht: »Wenn Sie zur Sache antworten, reicht das schon.«

Lenz blickte zu Dr. Rose hin. Der sah erschrocken auf: Soll ich eingreifen? Tut mir Leid, ich sehe keinen Angriffspunkt.

Die Staatsanwältin: »Sie sind vor einem Jahr aus der Deutsch-Sowjetischen Freundschaft ausgetreten. Sind Sie ein Feind der Sowjetunion?«

Lenz: »Ich bin keines Landes Feind und auch gegen die Menschen in der Sowjetunion habe ich nichts. Was ich ablehne, ist eine vom Staat angeordnete, institutionalisierte Völkerfreundschaft. Weil die nichts bringt. Da tritt man doch nur ein, um seine Ruhe zu haben: Seht her, ich bin ein fortschrittlicher Mensch! Was man wirklich denkt, spielt keine Rolle.«

Der Richter: »Mäßigen Sie Ihre Ausdrucksweise, Angeklagter. Ich habe Ihnen schon einmal gesagt, Sie sollen hier keine Hetzreden halten.«

»Wenn ich gefragt werde, muss ich antworten.«

»Aber kürzer, wenn's geht!«

»Wenn's geht – gern!«

Nun hatte auch der Richter in ihm den Feind erkannt. Aber einen von der gefährlichen Sorte, einen, der mit dem Wort umgehen konnte. Das waren offensichtlich die, die ihm schon immer den meisten Ärger gemacht hatten; solche, die sich einbildeten, ihn nicht besonders ernst nehmen zu müssen. »Noch Fragen zur Person?«

Die Staatsanwältin schüttelte den Kopf, Dr. Rose war ebenfalls restlos zufrieden. Also weiter im Programm: Tatbestandsaufnahme!

Wieder wurde zuerst Hannah vor den Richtertisch gerufen: Wann und in welchem Zusammenhang hatte das Ehepaar Lenz zum ersten Mal über die Möglichkeit eines illegalen Grenzübertritts nachgedacht? Erwähnte zuerst die Fluchthelferin Möller diese Möglichkeit, oder war es nicht doch der Angeklagte Lenz, der die Frage aufwarf? Wie verliefen die Fluchtvorbereitungen, wer kümmerte sich um was? Als Hannah eingestand, in dieser Zeit große Angst gehabt zu haben, lehnte der Richter sich zufrieden zurück: »Na, das ist ja wohl das Mindeste, was man erwarten darf, wenn man ein Verbrechen plant.« Als Hannah ausführte, dass Lenz und sie erst in Bulgarien endgültig entscheiden wollten, ob sie den illegalen Grenzübertritt wagen sollten oder doch lieber nicht, dass es also zum eigentlichen Fluchtversuch noch gar nicht gekommen war, da erregte sich die Staatsanwältin: »Es spielt keine Rolle, dass Sie die Grenze zur Türkei noch nicht erreicht hatten. Das wird man Ihnen während der Vernehmungen doch wohl schon gesagt haben. Der illegale Grenzübertritt fand statt, als Sie unter Vorspiegelung falscher Tatsachen mit erschlichenen Reisedokumenten die DDR verließen. Alles andere sind reine Schutzbehauptungen. Außerdem, so steht es in Ihren Akten und so hat es Ihr Mann eben erst lauthals verkündet, wollen sie ja noch immer in die BRD. Wieso tun Sie jetzt, als hätte gar kein Fluchtversuch stattgefunden?«

Hannah, mit fester Stimme: »Wenn wir uns die Flucht noch einmal überlegt hätten, dann allein aus Furcht vor einer Verhaftung. Wegen unserer Kinder ... Jetzt ist die Situation eine andere: Wir werden, egal, zu welcher Strafe wir verurteilt werden, in jedem Fall die Ausreise in die Bundesrepublik beantragen. Nach dem, was wir inzwischen erlebt haben, können wir erst recht nicht bleiben.«

Der Richter: »Weshalb haben Sie denn vor Ihrer Flucht keine legale Ausreise beantragt?«

»Weil man uns die mit hundertprozentiger Gewissheit nicht genehmigt hätte. Man hatte mir ja nicht mal die Teilnahme an der Beerdigung meines Bruders gestattet.«

Die Staatsanwältin, aufgebracht: »Spielen Sie sich doch hier nicht als Opfer auf! Sie wollten Ihre Kinder entführen! Jawohl! Sie wollten Ihre Kinder aus einer friedlichen und gesicherten sozialistischen Zukunft in die erbarmungslose kapitalistische Ellenbogengesellschaft entführen. Was sind Sie denn für eine Mutter? Anstatt sich darüber zu freuen, dass Ihre Kinder in der Geborgenheit unseres sozialistischen Staates aufwachsen dürfen, wollten Sie sie den westlichen Drogenbossen zum Fraß vorwerfen.«

Lenz war schon dabei aufzuspringen, Dr. Rose musste ihn zurückhalten. »Nicht«, sagte er nur und schüttelte traurig den Kopf.

Hannah kämpfte mit den Tränen, ihre Stimme zitterte. »Was Sie da sagen, ist nicht wahr. Unsere Kinder gehören zu uns. Wie sollten wir sie da ›entführen‹ wollen? Und das mit der sozialistischen Geborgenheit sehe ich anders. Ich habe erlebt, wie meine Kinder politisch beeinflusst wurden, im Kindergarten schon und in der Schule noch stärker. Ich will nicht, dass ihnen Lügen eingetrichtert und sie gegen die eigenen Eltern aufgehetzt werden. Ich will nicht, dass sie eines Tages vor die Entscheidung gestellt werden, mein Staat oder meine Eltern. Ich will nicht, dass sie zu Heuchlern erzogen werden. Ich will, dass sie aufrecht aufwachsen können.«

Die Staatsanwältin, rot vor Zorn: »Seien Sie endlich still! Behalten Sie Ihre Westpropaganda für sich. Fakt ist, dass Sie Ihren Kindern großen Schaden zugefügt haben. Ginge es nach mir, würden Sie Ihre Kinder nicht wiedersehen.«

»Was haben Sie da gesagt?« Nun sprang Lenz doch auf. Der Wachtmeister neben ihm riss ihn zurück, der Richter verwarnte ihn: »Verhalten Sie sich ruhig, sonst findet das Verfahren ohne Sie statt.«

Dr. Rose meldete sich zu Wort. »Mein Mandant ist zu Recht so aufgebracht. Die Frau Staatsanwältin spricht nicht zur Sache.«

Oho! Was war denn das? Sollte das etwa doch noch eine richtige Gerichtsverhandlung werden? Nein, zu früh gehofft. Der Richter verstand den Einwand nicht. Hier gehe es doch die ganze Zeit nur um die Sache. Kopfschüttelnd richtete er noch einige belanglose Fragen zum Fluchtverlauf an Hannah, dann schickte er sie, nachdem weder die Staatsanwältin noch Dr. Rose weitere Fragen hatten, auf ihren Platz zurück. Ein Blick auf die Uhr: Verhandlungspause!

Die Angeklagten wurden in den Raum mit den Holzverschlägen zurückgeführt und bekamen, bevor sie eingeschlossen wurden, von der südländisch wirkenden Stasi-Tante jeder ein belegtes Brot in die Hand gedrückt.

»Guten Appetit!«, wünschte sie ihnen laut und viel ironischer und hasserfüllter hätte sie dabei nicht blicken können.

Für die Protokollführerin war der Angeklagte Lenz auch weiterhin kein leichter Fall. Seine Geständnisfreudigkeit verführte ihn immer wieder zu sehr schnellem Sprechen, der Richter musste ihn ein ums andere Mal ermahnen, langsamer zu reden. »Sie haben doch Zeit, oder?«

Lenz hatte Zeit, doch fehlte ihm die Geduld, noch länger in

dieser Inszenierung mitzuwirken. Sollten sie Hannah und ihn doch endlich verknacken; wenn sie nur bald Schluss machten! So ratterte er weiter seine Antworten herunter, ohne sich um die verzweifelte Protokollführerin zu kümmern.

Wann haben Sie zum ersten Mal eine Flucht in Erwägung gezogen? An welchem Tag waren Sie im Reisebüro? Haben Sie oder Ihre Frau den stärkeren Druck auf die Fluchthelferin Möller ausgeübt? Er hatte all diese Fragen nun schon so oft beantwortet, Hannah hatte sie beantwortet; es war reine Routine, was hier abgespult wurde. Man musste die vorgegebenen Regieanweisungen einhalten, die Angeklagten sollten dabei nicht stören.

Die Staatsanwältin blickte von Frage zu Frage giftiger, immer öfter hob sie ihre Stimme und scheute auch vor grellem Pathos nicht zurück. Sie war die Vertreterin der Arbeitermacht, wie konnte sie da individuelle Freiheits- und Denkansprüche dulden? Es ging um die Festigung und Sicherung des Herrschaftsanspruchs ihrer Partei; sie führte einen Krieg, der Feind musste an allen Fronten vernichtend geschlagen werden. Und so warf sie auch Lenz vor, er habe seine Kinder entführen wollen.

Sollte er auf diesen Blödsinn etwa antworten? »Dazu sage ich nichts. Das ist mir zu dumm. Da schließe ich mich den Ausführungen meiner Frau an.«

Die Staatsanwältin: »Sie sollten nachdenken, bevor Sie antworten. Hier geht es darum, Erziehungsmaßnahmen für Sie und Ihre Frau festzulegen. Mir scheint, Sie haben das immer noch nicht begriffen.«

Diese Frau, die nicht mal wusste, was Recht und Unrecht war, redete von »Erziehung«? Und tat auch noch so, als hätte dieses Gericht irgendwelche Befugnisse? Sie durfte sich ein bisschen empören, diese blonde Henne, durfte ein bisschen gackern und ein paar Unterschriften leisten, die Eier legten andere.

Noch ein paar Fragen, auf die Lenz mal unwillig, mal belustigt antwortete, dann war die Vertreterin der Anklage bedient. Dieser Angeklagte zeigte keinen Funken Einsehen, begriff nicht, dass seine Frau und er mit ihrer Flucht neben der Sicherheit ihres Staates auch noch den Weltfrieden gefährdet hatten.

Dr. Rose erhob sich und stellte ein paar Fragen zu Lenz' Verhältnis zu seinen Kindern, um zu beweisen, was für ein toller Vater er, was für eine tolle Mutter Hannah gewesen war, dann setzte er sich wieder. Mehr könne er nicht für sie tun, besagte sein Gesichtsausdruck.

Es folgte das Plädoyer der Staatsanwältin. Ohne große Gesten, aber mit oft böse funkelnden Augen schilderte sie noch einmal Tat und Tathergang und geißelte in einer längeren Rede die unverantwortliche Haltung der Eltern Lenz, die ihre Kinder mal in den Westen entführen, mal in den Westen verschleppen wollten, um sie dort einer ungewissen Zukunft auszusetzen. Sie bezeichnete Hannah und Manfred Lenz als charakterschwache Persönlichkeiten, die auf billige Feindpropaganda hereingefallen seien, gleichzeitig aber auch als gefährliche Subjekte, die mit äußerster Raffinesse vorgegangen seien und beträchtliche kriminelle Energien aufgebracht hätten, um an ihr Ziel zu gelangen. »Als besonders verwerflich ist das Verhalten der Hannah Lenz zu werten. Wir haben sie in unserer Republik aufgenommen und ihr Arbeit, Unterkunft und eine Heimat geboten. Sie hat unserem sozialistischen Staat diese Großzügigkeit mit Verrat gedankt und weder in diesem Verfahren noch während der Vernehmungen durch die Sicherheitsorgane unserer Republik ein der Schwere der Tat angemessenes Schuldbewusstsein oder das Streben nach Wiedergutmachung erkennen lassen.«

Einen noch schwerer wiegenden Verrat am sozialistischen Staat aber habe ohne Zweifel Manfred Lenz begangen: »Ein junger Mann, der in unserem Staat alle Möglichkeit erhielt, sich zur sozialistischen Persönlichkeit zu entwickeln, zieht es vor, diesen Staat auf infamste Weise zu hintergehen. Einer, dem wir vertrauten, erwies sich als verkappter Gegner unserer humanitären Ideale. Einer, der wissen musste, dass er sich auf der Seite des Fortschritts befand, entpuppte sich als Karrierist, der nur das eigene Wohlergehen im Auge hatte und nicht einmal merkte, wie sehr er sich von westlichem Talmi blenden ließ. Jedes Schamgefühl ist ihm fremd.«

Lenz lächelte Hannah zu: Endlich sagt uns mal jemand, wer wir wirklich sind!

Die Arbeitermacht in Person hatte dieses Lächeln gesehen. Zornsprühend näherte sie sich dem letzten Punkt in ihrem Plädoyer: dem Strafantrag. Zwar sei beiden Angeklagten zugute zu halten, dass sie nicht vorbestraft seien und einen guten Leumund hätten, aber in Anbetracht der Schwere der Tat und im Hinblick auf die zweifelsfrei vorhandene negative, ja feindselige Einstellung zur sozialistischen Gesellschaft seien mildernde Umstände durch nichts zu rechtfertigen. Nur eine angemessene Haftstrafe könne zur Resozialisierung der beiden Angeklagten beitragen. Sie holte noch einmal kurz Luft und dann kam es: Zwei Jahre und zehn Monate für Hannah Lenz; zwei Jahre und zehn Monate für Manfred Lenz. Sie setzte sich wieder und ordnete unwirschen Blicks ihre Papiere.

Lenz spürte, wie ihm alles Blut aus dem Kopf wich. War ja klar, dies war die Strafzeit, die die Stasi ihnen zugedacht hatte; das Gericht würde keine fünf Minuten unter diesen zwei Jahren und zehn Monaten bleiben. Er aber hatte, nachdem bis auf den illegalen Grenzübertritt und die staatsfeindliche Verbindungsaufnahme alle anderen Anklagepunkte weggefallen waren, mit nicht mehr als zwei Jahren gerechnet. Dann hätten sie schon in einem halben Jahr die Hälfte der Strafe abgesessen; nach Hahne spätester Termin für ihre Ausreise …

Auch Hannah war bleich geworden, blieb aber gefasst. Stumm starrte sie in sich hinein. Sie wollte jetzt nicht weinen, nicht vor dieser Staatsanwältin, diesem Richter, der Stasi-Mannschaft in der letzten Reihe der Zuhörerbänke.

Dr. Rose erhob sich. Der Fall sei ja klar, begann er sein Plädoyer mit entschuldigendem Blick auf Lenz und Hannah. Die den Angeklagten vorgeworfenen Tatbestände seien erwiesen und ja auch freimütig gestanden worden.

Wie gut, dass er das gesagt hatte! Da konnte Lenz doch wenigstens wieder lächeln: Ihr Verteidiger argumentierte nicht anders als die Staatsanwältin! – Verdammt noch mal, Hannah und er hatten keinen illegalen Grenzübertritt, sondern nur die Vorbereitungen dazu gestanden. Und die »staatsfeindliche Verbindung« war niemand anderes als Hannahs Schwester.

Missbilligende Blicke vom Richtertisch und von der Staatsanwältin, unter den Stasi-Beobachtern mal wieder Gemurmel.

Der irritierte Dr. Rose fuhr fort, indem er sich bemühte, wenigstens im Fall der Hannah Lenz – »der Mutter, die keine Rabenmutter ist und nie eine war« – eine Strafminderung zu erreichen. Doch sagte er das nur so hin, er untermauerte es nicht, brachte keine Zeugenaussagen, die bestätigt hätten, was für eine gute Mutter Hannah Lenz immer gewesen war. Zeugen hätten nicht hierher gepasst; sie wären ja auch zu Zeugen dieses Prozesses geworden, hätten darüber berichten können, wie in der DDR Recht gesprochen wurde.

Zum Abschluss seines Plädoyers wies dann auch Dr. Rose noch einmal darauf hin, dass seine beiden Mandanten nicht vorbestraft seien, und erinnerte an ihre tragische Jugend. Beide Angeklagten hätten früh die Mutter verloren, beide seien sie ohne wirklichen Vater aufgewachsen. Das ungünstige Kindheitsmilieu müsse bei der Bemessung der Freiheitsstrafe – auch unter Beachtung der Schwere der Tat – unbedingt berücksichtigt werden. »Die Frau Staatsanwältin hat meine Mandanten als charakterschwach und kriminell bezeichnet. Ich sehe in ihnen zwei fehlgeleitete junge Menschen, denen man noch eine Chance geben sollte.«

Lenz, laut: »Das sehen meine Frau und ich anders. Wir waren nicht ›fehlgeleitet‹; wir waren genau auf dem für uns richtigen Weg.«

Das wäre das Schlimmste, was ihnen passieren konnte, diese zweite »Chance«.

Der Richter, verärgert: »Sie haben jetzt nicht das Wort, Angeklagter. Sie werden später noch Gelegenheit haben, sich zu äußern.«

Dr. Rose salbaderte noch ein bisschen weiter, dann ließ er sich auf seinen Platz fallen, wischte sich mit seinem Taschentuch den Schweiß von der Stirn und lächelte Hannah traurig zu. Wieder so ein Mehr-ist-nicht-drin-Blick.

Nein, mehr war nicht drin. Deshalb hatte er auch nicht konkret ein niedrigeres Strafmaß verlangt, ihr Herr Verteidiger, und in Hannahs Fall nur die lange Zeit zu bedenken gegeben, in der die Kinder keine Mutter haben und auf diese Weise mitbestraft werden würden, obwohl sie nichts zu verantworten hätten. Was hätte er dann aber auch sonst sagen sollen? Hätte er den Staat wegen Rechtsbeugung anklagen sollen? Er hatte hier seinen Job gemacht, dieser Dr. Rose, einen äußerst undankbaren noch dazu, sollte er in Ruhe sein Honorar kassieren.

Der Richter flüsterte erst mit der Schöffin, dann mit dem Schöffen. Sicher wollte er wissen, ob sie noch Fragen hätten. Doch die gestrenge Mutti und der gelangweilte junge Mann hatten noch immer keine Fragen, waren rundum zufrieden mit dem Verlauf der Verhandlung.

Ob Hannah noch etwas sagen wollte?

Erst nickte sie nur stumm, dann trat sie vor und erklärte, dass sie und ihr Mann niemals irgendwelche Fluchtpläne geschmiedet hätten, wenn es eine Möglichkeit zur legalen Ausreise gegeben hätte. Nun, da man ihnen wiederholt vorgehalten habe, es versäumt zu haben, sich um eine legale Ausreise zu bemühen, nehme sie an, dass es diese Möglichkeit doch gebe. Deshalb wolle sie ab sofort alles unternehmen, um zusammen mit ihrem Mann und ihren Kindern auf legale Weise in die Bundesrepublik ausreisen zu dürfen.

Sie bat nicht um Milde, sie entschuldigte sich für nichts, sie erinnerte das Gericht nicht an das Leid ihrer Kinder; es kostete Lenz Kraft, nicht aufzuspringen, um Hannah zu umarmen. Sollten die da sie ruhig verurteilen, es gab Situationen, da blieb der Ohnmächtige Sieger.

Auch er bekam noch einmal das Wort erteilt, doch hatte er Hannahs Ausführungen nichts hinzuzufügen. Seine Frau habe auch für ihn gesprochen, sagte er nur und wollte sich wieder setzen. Aber der Richter pfiff ihn zurück. »Wann Sie wieder Platz nehmen dürfen, bestimme ich.«

Lenz blieb stehen, der Richter blätterte in den Akten. »Den Vernehmungsprotokollen entnehme ich, dass sie bereit wären, einen zweiten Grenzdurchbruch zu wagen?«

»Wenn uns die legale Ausreise nicht gestattet wird, bleibt uns ja gar nichts anderes übrig.«

Ein Pokerspiel! Sie sollten wissen, dass mit Hannah und Manfred Lenz nicht mehr zu rechnen war.

»Sie wären also bereit, ein zweites Mal die Gesetze der Deutschen Demokratischen Republik zu brechen?«

Lenz zögerte: Sollte er es sagen oder nicht? Doch da war es schon heraus: »Was sind das denn für Gesetze, die jedes Menschenrecht missachten? In Wahrheit trägt jeder Mensch die Gesetze, die er zu akzeptieren gewillt ist, doch in sich. Unmenschliche und deshalb unakzeptable Gesetze können meine Frau und ich nicht anerkennen.«

Der Richter, wütend: »Ich habe Ihnen nun schon mehrfach gesagt, Sie sollen hier keine Hetzreden halten. Richten Sie sich endlich danach oder ich belege Sie mit einer zusätzlichen Ordnungsstrafe.«

Die Staatsanwältin schoss wieder Giftpfeile ab. Wie gern hätte auch sie diesem Angeklagten noch etwas Passendes gesagt! Doch nun zog sich das Gericht zur Beratung zurück.

Wieder die Holzverschläge. Es vergingen aber nur wenige Minuten, dann wurden die Angeklagten in den Gerichtssaal zurückgeführt. Das Hohe Gericht hatte seine Entscheidung gefällt: Zwei Jahre und zehn Monate für Hannah Lenz, zwei Jahre und zehn Monate für Manfred Lenz. Damit entsprach das Urteil in allen Punkten dem Antrag der Staatsanwältin. Sie zeigte sich davon nicht überrascht, Dr. Rose zeigte sich nicht überrascht, die Stasi-Leute waren es nicht und die Angeklagten auch nicht.

In der Urteilsbegründung wurde erneut alles zusammengefasst: Tat, Tathergang und die Verantwortungslosigkeit der Eltern Lenz; der gesellschaftsgefährdende Charakter der Straftat; die Gefährdung der Sicherheit und Ordnung an der Staatsgrenze; die schwerwiegende Verletzung der staatsbürgerlichen Treuepflicht. Am Ende dann die Bestätigung der von der Staatsanwältin vorgebrachten Einschätzung, nur eine unbedingte, in ihrer Höhe abschreckende Gefängnisstrafe könne die Angeklagten auf den rechten Weg zurückführen. Bei guter Führung allerdings gebe es die Möglichkeit einer vorzeitigen Haftentlassung.

So habe es das Ehepaar Lenz fortan selbst in der Hand; sie könnten noch immer vollwertige Mitglieder der sozialistischen Gemeinschaft werden. Und, ach ja, innerhalb einer Woche könne gegen das Urteil Berufung eingelegt werden.

Der Richter fragte, ob sie das Urteil annähmen. Dr. Rose riet ihnen zu. »Dann geht alles schneller.«

Meinte er damit ihre Ausreise – oder nur die Eingliederung in den Strafvollzug? Egal! Was für einen Sinn sollte es haben, Revision einzulegen? Welches übergeordnete Gericht würde zu einem anderen Urteil gelangen? Hannah und Manfred Lenz nahmen das Urteil an, die Hauptverhandlung war geschlossen.

Bevor sie wieder in den Fischlieferwagen zurückgeführt wurden, durften sie sich noch von Dr. Rose verabschieden. »Hauptsache, keine Bewährung!«, sagte Lenz zu Hannah. »Dann hätte alles wieder von vorn begonnen.« Und: »Ich liebe dich.«

Sie nickte unter Tränen. »Ich dich auch.«

Dr. Rose kam sich überflüssig vor.

2. Schiete am Schuh

Es ging nach Rummelsburg, ins Stadtgefängnis. Diesmal aber war es kein kleiner Lieferwagen, in dem Lenz von Haus zu Haus spediert wurde, sondern ein großer, grauer, kastenförmiger Gefangenentransporter. Knie an der Zellentür, Gesicht zum Gang, in den handschellenverzierten Händen Hannahs Kuchen, saß er in dem Verschlag. Zu seinen Füßen eine Plastiktüte, Inhalt: sein Tabak, Zigarettenpapier, der »Rolli« zum Drehen seiner Stäbchen, Zahnbürste, Zahnpasta und ein Stück harte Wurst, ebenfalls von Hannah. Der Wagen rumpelte über Kopfsteinpflaster, der Kuchen duftete zu ihm hoch; er hatte mal wieder das Gefühl, in einem surrealistischen Film mitzuspielen.

Rummelsburg! Auch »Ochsenkopf« oder »Haus am See« genannt, das älteste Gefängnis der Stadt, Mitte des 19. Jahrhunderts erbaut. Dort hatte der bucklige Kurt schon eingesessen, der Einbrecherkönig, der im *Ersten Ehestandsschoppen* verkehrte und sein Talent auch an Mutters Kasse ausprobieren wollte, und dort hatte Hanne Gottlieb ein ganzes Jahr zubringen müssen. Die Bedrohung, eines Tages ebenfalls in dem riesigen, weit verzweigten Gefängniskomplex zu verschwinden – wer auf der Insel hatte sie nicht verspürt? Man musste ja nur einmal »ausrutschen«, wie Seeler das genannt hatte; lag ja nur ein Flussarm zwischen dem Jugendheim und dem Knast. Oft waren sie mit der *Mistbiene,* ihrem selbst gebauten Paddelboot, an den vielen zwei- und dreistöckigen roten Backsteinbauten mit den vergitterten Fenstern vorübergerudert. Entdeckten sie eine Hand zwischen den Gitterstäben, die ihnen zuwinkte, winkten sie zurück; drohte ihnen, weil sie sich zu dicht herangewagt hatten, von einem der Türme ein Wachposten, zeigten sie ihm – rasch abdrehend – einen Vogel.

Was für ein Hohn! Er, Manfred Lenz, der befürchtet hatte, seine Spree nicht wiederzusehen, nun lernte er sie auch noch von dieser Seite her kennen! Was der Seeler wohl sagen würde, sollte er davon erfahren? Wahrscheinlich würde er zufrieden nicken, hatte er dem Lenz zuletzt doch ein schlimmes Ende prophezeit: »Der Weg war vorgezeichnet!«

Der Wagen hielt, noch aber wurde der Motor nicht abgestellt.

Standen sie schon vor dem stählernen Gefängnistor zwischen all dem roten Ziegelwerk, das jeder kannte, der mal daran vorbeigefahren war? Das Tor zum Ende der Welt, wie sie als Jugendliche gern gespottet hatten? Lenz starrte seinen Kuchen an. Erst wenige Stunden zuvor hatte Hannah ihm den in die Hand drücken dürfen. Dazu die harte Wurst, ein paar Zigaretten und Bonbons. Die Stasi hatte ihnen einen letzten Sprecher genehmigt und Hannah ihm in diesen viel zu rasch vorüberfliegenden fünfzehn Minuten berichtet, dass sie auch als Strafgefangene im Hohenschönhausener Untersuchungsgefängnis bleiben würde und bereits zur Arbeit eingeteilt sei: in der Küche, als Beiköchin. Man habe ihr erlaubt, ihm den kleinen Sandkuchen zu backen und ihm die mit ihrem Einkaufskonto verrechneten Geschenke zu überreichen. Er hatte ihr sagen wollen, dass sie die zwei Jahre und zehn Monate ganz gewiss nicht absitzen mussten; nur noch ein paar Monate und Silke, Micha, sie und er wären wieder beisammen. Doch da war ja diese Stasi-Kuh mit dem dicken Busen, die zwischen ihnen saß und jedes einzelne Wort mitverfolgte. Und er wollte doch nicht wieder rausgeschickt werden wie am Heiligen Abend, sondern so lange wie möglich bei Hannah bleiben. Also streichelte er nur immer wieder ihre Hände und sagte ihr, dass bald alles gut sein werde. Das war unverfänglich, damit konnte die Stasi-Monroe nichts anfangen. Damit konnte aber auch Hannah nichts anfangen; sie musste es für einen ganz dummen, oberflächlichen Trost halten. Immer unruhiger werdend, hatte er abgewartet, bis die Sprechzeit fast vorüber war, dann hatte er all das, was er Hannah sagen wollte, doch noch heraustrompetet. Als Überraschungsschlag. Im Stakkato-Tempo. Damit er so schnell nicht unterbrochen werden konnte. »Dr. Vogel wird alles in die Wege leiten. Das ist sein Geschäft. Er ist der Vermittler. Wir werden vom Westen freigekauft«, lauteten seine letzten Sätze.

Ihre vor Schreck sprachlose Bewacherin musste sich erst fassen, dann begann sie zu toben. Er habe hier keine Scheißhausparolen zu verbreiten, noch könne sie ihn zur Ausnüchterung in den Arrest stecken. Er aber sah nur Hannah an. Sie hatte aufmerksam zugehört und nun lächelte sie ihm zu und nickte. Doch glaubte sie ihrem Manne, dem ewigen Optimisten? Hielt sie seine Worte nicht nur für einen neuen Mutmachversuch?

Der Wagen ruckte an und fuhr weiter, aber nur ein paar Meter. Sicher befanden sie sich jetzt in der Schleuse, von der Hanne Gottlieb einst erzählt hatte; ein weiteres Tor musste geöffnet werden.

Ein paar Minuten vergingen, dann ruckte der Wagen erneut an und nun ging es nur noch im Schritttempo weiter; sicher fuhren sie zwischen all den düsteren Backsteinbauten hindurch, um irgendwann vor einem zu halten. Lenz verspürte ein flaues Gefühl: Was würden das für Zellen sein in diesem wilhelminischen Gefängnisbau? Schlimmere noch als in der Magdalena? Welche Mitgefangenen würde er kennen lernen? Alles nur Kriminelle?

Erneut blieb der Wagen stehen und diesmal wurde der Motor abgestellt. Lenz hörte die Tür gehen und kurz darauf, wie am ersten Verschlag der Riegel zurückgezogen wurde. Eine ältere

Männerstimme fragte: »Na, sind wir endlich angekommen – am grünen Strand der Spree?«

Er erhielt keine Antwort, aber dass überhaupt etwas gefragt wurde, dass er, Lenz, zum ersten Mal die Stimme eines seiner Mithäftlinge zu hören bekam und der Häftling nicht sogleich gerüffelt wurde – wenn das kein Zeichen dafür war, dass von nun ab manches anders sein würde!

Weitere drei Verschläge wurden geöffnet, dann durfte auch Lenz in den an diesem grauen Apriltag dunkel wirkenden Gefängnishof hinaustreten. Die vier Häftlinge, die vor ihm hatten aussteigen dürfen, trugen ebenfalls Handschellen und wussten nicht, was für Gesichter sie machen sollten. Lächeln? Grinsen? Ernst bleiben?

»Guten Tag!« Mit seinem Kuchen und der Plastiktüte in den Händen stellte Lenz sich neben sie und blickte genauso hilflos in die Runde. Eine Minute später durfte er sich freuen: Als sechster und letzter Häftling verließ ein bekanntes Gesicht den Gefangenentransporter – Detlef Dettmers, der lange, dürre Philosophiestudent mit der Nickelbrille, mit dem er schon von Burgas nach Sofia und von Sofia zurück nach Berlin auf Transport gegangen war; der lustige Bursche, mit dem er im Zug die komische Oper aufgeführt hatte.

Auch Dettmers freute sich über die Wiederbegegnung. »Alles gut überstanden?«, begrüßte er Lenz.

»Kann man so sagen.«

»Und wie viel?«

»Zwei, zehn.«

Da grinste er gleich wieder, der lange, inzwischen noch dünner gewordene Dettmers. »Unsere Gemeinsamkeiten häufen sich. – Und ihr?«, wandte er sich den anderen Männern zu. »Wie viel haben sie euch aufgeladen?«

»Drei, zehn.«

»Zwei, zehn.«

»Zwei, vier.«

»Drei, zehn.«

Der zuletzt geantwortet hatte, ein hübscher, schlanker Lockenkopf, seufzte.

»Aber doch nicht nur dafür?« Dettmers ließ die Hand fortfliegen.

»Sie haben mir noch ein bisschen was anderes draufgepackt.«

Der ältere Häftling mit der dicken Hornbrille und den Unmengen von Sommersprossen unter dem dichten, weißen Haarschopf, der ebenfalls drei Jahre und zehn Monate bekommen hatte, zog die Nase hoch und spuckte aus. »Die ham Standardstrafen. Schema F. Da müssen se nich so ville nachdenken.«

»Und eure Rechtsanwälte?«, wollte Dettmers wissen. »Wie heißen die?«

Viermal Dr. Vogel, einmal ein Name, den Lenz nicht kannte.

»Also zu fünfundachtzig Prozent Ornithologen, die Herren!« Dettmers strahlte zufrieden und Lenz horchte auf: Wusste der lange Student ebenfalls Bescheid? Dann sollten sie unbedingt versuchen, auf eine Zelle zu kommen, damit sie ihr Wissen austauschen konnten.

Sie hatten dieses kurze Gespräch relativ unbeobachtet geführt; die Stasi-Männer neben dem Gefangenentransporter schienen sich nicht mehr für sie zu interessieren. Dafür trat nun ein älterer Beamter in dunkelblauer Uniform auf sie zu, um ihre Übernahme in den Strafvollzug vorzunehmen. Ein jüngerer Kollege schaute ihm dabei über die Schulter, als wäre das Abhaken von Namen eine Wissenschaft für sich.

Wenig später wurden ihnen die Handschellen abgenommen, und der jüngere Strafvollzugsbeamte befahl: »Einrücken!« Es ging ein paar Stufen hoch und durch eine hohe, schmale Tür und schon befanden sie sich in einem nur schwach beleuchteten Zellengang. Drei der grau angestrichenen Türen standen offen. »Immer zwei in einen Verwahrraum!«, befahl der junge Wachtmeister, ein rundes Kindergesicht.

Dettmers und Lenz blickten sich nur kurz an, dann nahmen sie gleich die erste Zelle in Beschlag.

Eine Einmannzelle, allein die drei übereinander gestellten und miteinander verschraubten Metallbetten prädestinierten diesen nur durch eine trübe Deckenlampe erhellten, schmalen Raum zu höheren Aufgaben. Rechts vom obersten der in der linken Wand verankerten Betten befand sich ein kleines, von außen durch Gitterstäbe geschütztes Fenster, zwischen Tür und Betten rosteten ein Spülklosett und ein Handwaschbecken vor sich hin. Drei Hocker und der schon ein wenig morsche Wandklapptisch voller eingekratzter Inschriften, der die Lücke zwischen Klo und Waschbecken ausfüllte, komplettierten die Einrichtung dieses düsteren, feuchten Lochs.

»Sehr anheimelnd!« Dettmers war dafür, gleich mal einen Plan zu machen, wer zu welchen Zeiten in diesem schmalen Handtuch auf und ab marschieren durfte. »Sonst rennen wir uns immer wieder gegenseitig um.« Als Lenz nichts antwortete, öffnete er den Wasserhahn. Es prustete und gluckste in der Leitung, aber dann kam tatsächlich etwas Braunes heraus. Dettmers seufzte. »Sehr schön! Wenn du dich hier wäschst, brauchst du nie mehr in die Sonne.«

Lenz starrte nur die Betten an. Die Matratzen sahen aus wie vor hundert Jahren angeschafft und inzwischen mehrfach voll gepisst. Er musste sich zusammenreißen, um sich nicht seinem Elend zu überlassen.

»Hast du Hunger?«, fragte er Dettmers.

»Immer«, lautete die knappe Antwort.

So setzten sie sich erst mal an den Klapptisch, benutzten Lenz' Plastiktüte als Tischdecke und brachen Hannahs Kuchen in mehrere Stücke. Als sie ihn verdrückt hatten, näherten sie sich übergangslos der Wurst. Irgendwie mussten sie diese neue Situation hinunterspülen. Wenn schon nicht mit Schnaps, dann eben mit Kuchen und Wurst.

Sie hatten den letzten Bissen noch nicht im Mund, als überfallartig die Tür aufflog. Ein kleiner, knorrig wirkender Polizeiobermeister mit starker, die Pupillen zu Kirschen vergrößernder Brille auf der kleinen Knorpelnase stand vor ihnen. Die krummen, in schwarzen Stiefeln steckenden Beine weit auseinander, Schlüsselbund in der rechten Hand, Arme in die Hüften gestemmt, starrte er sie unter seiner tief in die Stirn gezogenen Schirmmütze hervor an.

Still erhoben sie sich von ihren Hockern und starrten zurück.

»Woll'n Se keine Meldung erstatt'n?«

Dettmers trat vor, um etwas zu sagen, das Rumpelstilzchen in der Tür ließ ihn gar nicht erst zu Wort kommen: »Der Kleine nach vorn!«

Lenz brauchte eine Weile, bis er begriffen hatte, dass er gemeint war. Als klein hatte ihn noch niemand bezeichnet, erst recht kein solcher Zwerg. Aber natürlich, Dettmers mit seinen Einsneunzig war länger.

»Meldung!«, blaffte der Gnom.

Lenz fiel ein, dass er ihre Zellennummer noch gar nicht kannte. Er hatte nicht auf die Tür geschaut, als Dettmers und er die Zelle betraten. »Gestatten Sie!« Rasch wollte er um den kleinen Schließer herum, um von außen auf die Tür zu schauen. Der machte einen entsetzten Schritt zurück und wurde vor Zorn krebsrot. »Was unterstehn Se sich! Woll'n Se mich angreif'n?«

»Aber nein!« Lenz wies auf die Tür. »Ich wollt nur nach der Nummer schauen. Wie soll ich denn sonst Meldung erstatten?«

»Sie!«, schrie da das Rumpelstilzchen und machte eine Bewegung, als wollte es sich tatsächlich jeden Augenblick an beiden Stiefeln packen und in der Mitte auseinander reißen. »Sie!«

»Wir bitten um Entschuldigung.« Dettmers sprach so milde, als wollte er ein krankes Pferd beruhigen. »Wir sind doch noch neu hier. Man hat uns in diese Zelle geschoben, es ging alles so schnell, wir hatten gar keine Zeit, uns die Nummer zu merken.«

Das gefiel diesem Wurzelpeter, dass ein so langer, intelligent aussehender Kerl wie Dettmers ihm unter die Schuhsohle kroch. Er beruhigte sich, nannte ihnen ihre Zellennummer – »Sie sind de 107/1 und Sie de 107/2« – und zeigte ihnen, wie sie sich aufzustellen hatten, wenn sie Meldung erstatteten. »Immer der Größe nach, verstand'n? Der kontrollierende Beamte muss die ganze Belegmannschaft sehn könn. Steht'n Langer vorn, könn zwölf Mann hinter ihm stehn, zu sehn is bloß einer. Kapiert?«

»Das ist ganz bestimmt richtig, das haben wir gar nicht bedacht.« Auch Lenz gab sich einsichtsvoll. »Sie haben sicher sehr viel Erfahrung in Ihrem Beruf.«

Ein kurzer misstrauischer Blick – wollten diese beiden Neulinge ihn etwa auf den Arm nehmen? –, dann die knappe Frage: »Was hab ich für'n Dienstgrad?«

Lenz blickte ihm vorsichtshalber noch mal auf die Schulterstücke – drei silberne Sterne –, dann antwortete er geduldig: »Sie sind Polizeiobermeister.«

»Erstaunlich, dass Se das wissen! Aber wenn Se's schon wissen, dann red'n Se mich gefälligst auch so an, verstand'n?«

Dettmers: »Jawohl, Genosse Obermeister!«

»Nicht Genosse! Wir sind hier im Strafvollzug, nicht bei der … nicht woanders! Herr heißt das bei uns, Herr Obermeister!«

Dettmers: »Jawohl, Herr Obermeister!«

Der kleine Mann in der dunkelblauen Uniform blickte sie noch einmal nacheinander an, dann klapperte er zufrieden mit dem Schlüsselbund. »Seit fünfunddreißig Jahrn bin ich im Dienst. Hab was erlebt mit euch Brüdern. Kenne eure Tricks in- und auswendig. Bin kein Schikaneur, aber pariert muss werd'n, verstand'n? Ohne Zucht und Ordnung geht hier gar nichts.«

Sie nickten ernsthaft. Wenn er es in fünfunddreißig Jahren nicht weiter als bis zum Polizeiobermeister gebracht hatte, konnte er keine große Leuchte sein, dieser Herr über alle Strafgefangenen. Aber immerhin: Er war lustig; wer den zu nehmen verstand, konnte ihn um den kleinen Finger wickeln.

Großzügig winkte er sie aus der Zelle: »Komm Se mal mit.« Sie folgten ihm in ein kärglich eingerichtetes Dienstzimmer, und er befahl ihnen, sich eine an der Wand hängende, gerahmte Hausordnung durchzulesen.

»Jetzt gleich?«

»Selbstverständlich! Sonst mach'n Se morg'n wieder Mist.«

Brav stellten sie sich vor die Gebotstafel und lasen: Sechs Uhr Wecken, einundzwanzig Uhr Nachtruhe, bei Eintritt von Dienstpersonal in den Verwahrraum Meldung erstatten, regelmäßig waschen, Zähne putzen – ja, wenn ihnen das nicht gesagt worden wäre! –, Singen, Pfeifen, Lärmen verboten …

»Wir sind fertig.« Dettmers biss sich auf die Lippen.

Das Rummelsburger Rumpelstilzchen hatte sich inzwischen hinter einen der Schreibtische gesetzt und die Mütze vor sich hingelegt. Ein Berg weißer Haare bedeckte seinen Kopf. Mit seinem Schlüsselbund spielend betrachtete er sie wohlgefällig. »Lass'n Se sich Zeit. Präg'n Se sich alles ein. Lern Se's auswendig.«

»Jawoll, Herr Obermeister!« Sie blieben vor der Hausordnung

stehen und rührten keinen Gesichtsmuskel. Jetzt nur nicht laut loslachen, sonst würde er gleich wieder böse werden.

»Na? Ham Se's kapiert?«

»Jawoll, Herr Obermeister!«

»Werd ich überprüf'n, meine Herrn. Werd ich überprüf'n.«

Sie durften sich zu ihm herumdrehen und er hielt ihnen einen Vortrag. Seine langjährige Erfahrung im Strafvollzug habe ihn gelehrt, dass es drei Arten von Verbrechern gebe, die üblichen Kriminellen – Einbrecher, Räuber, Gewalttäter –, die Sittenstrolche und die Politischen. Die Sittenstrolche und die politischen Häftlinge hätten oft den meisten Grips, dennoch dürften sie sich nicht einbilden, etwas Besonderes zu sein. »Hier sind nämlich alle gleich, denn auch Politische sind nur Kriminelle. Präg'n Se sich das ebenfalls ein, meine Herrn.« Er lächelte wie ein Markthändler, der ihnen ein großzügiges Angebot gemacht hatte, breite Zahnlücken waren zu sehen. »Kooperiern Se! Dann sind wir bald die besten Freunde.«

Fünfunddreißig Jahre, rechnete Lenz. Dann hatte dieser kleine alte Mann in Adolfs Blütezeit hier angefangen. Mit politischen Häftlingen dürfte er es zu jener Zeit aber kaum zu tun bekommen haben, die saßen woanders ein. Seine Hauptkundschaft waren wohl eher die buckligen Kurts gewesen. Sollte er ihn mal fragen, ob er ihn gekannt hatte, den ehemals so berühmten Einbrecher vom Prenzlauer Berg?

»So! Nu aber zack, zack!« Plötzlich sprang er auf, drückte sich seine Mütze wieder in die Stirn und straffte sich, der kleine Polizeiobermeister. »Wir haben heute noch so einiges zu erledig'n. Wenn Se nich auf Ihre Freistunde verzicht'n woll'n, müss'n Se sich sput'n.«

Es ging in die Effektenkammer. Die Stasi-Knastkleidung musste abgegeben und die Strafvollzuguniform empfangen werden: braune, rotbraune oder schwarz eingefärbte ehemalige Polizistenuniformteile mit knallgelben Streifen an beiden Hosenbeinen und auf dem Rücken; Markierungen, die den Wachposten im Falle einer Flucht ein treffsicheres Schießen erleichtern sollten. Ihre Privatkleider – ihre wahren Effekten –, so hatte man ihnen in Hohenschönhausen mitgeteilt, würden nachgeliefert. »Die brauchen Se ja vorerst nicht.«

Bevor sie in die frisch gereinigten Lumpen steigen durften, wurden sie aber erst noch unter die »Dusche« geschickt; ein System aus Wasserrohren, das sich in gut zwei Metern Höhe quer durch einen ungefliesten Raum zog. Das Wasser kam aus den zahlreichen Löchern in diesen Rohren. Kaum war es angestellt, spritzte es von allen Seiten auf die zwölf Gefangenen herab, die sich zur gleichen Zeit in diesem Raum befanden.

»Besser als Gas«, witzelte ein junger Bursche. Einige lachten, andere blickten bestürzt: Dieser Raum mit seinem Rohrsystem – er hätte tatsächlich die Szenerie für einen KZ-Film abgeben können.

Ein schon etwas älterer, schütterhaariger, einarmiger Mann, der sich mit Lenz und Dettmers die Seife teilte, wollte wissen, in welchem Untersuchungsgefängnis sie gesessen hätten. Als er es wusste, stellte er sich ihnen vor. »Ewald Tetjens. Aus Bernau. Stasi Pankow.«

»Flucht?«, fragte Dettmers.

»Witze!«

Er hatte nur Witze erzählt, der Ewald Tetjens. Über Honecker, Ulbricht und all die anderen Unberührbaren an der Spitze des Staates und der Partei. Einer in der Kneipenrunde war nicht echt – und das war's dann: Paragraph 220; öffentliche Herabwürdigung.

Immer war davon gemunkelt worden und spaßeshalber hatte

man ausgerechnet, auf welchem Witz wie viele Jahre Gefängnis standen; Lenz hatte die Schätzungen meist für stark übertrieben gehalten. Jetzt war Gelegenheit, sich sachkundig zu machen: »Und? Wie viel hast du dafür bekommen?«

»Anderthalb Jahre.«

Also doch! Keinerlei Übertreibung. »Was für eine Schweinerei!«, entfuhr es Lenz.

»Wieso denn?« Der Einarmige tat, als hätte er sich mit seinem Los bereits abgefunden. »Wer gegen ›Teilnehmer am Kampf für den Frieden‹ hetzt, muss doch bestraft werden. Oder etwa nicht?«

Nach dem Duschen wurden sie zur Freistunde geführt. In unförmige, braune, ebenfalls mit gelben Streifen versehene, fast bis zum Boden reichende Mäntel gehüllt, auf dem Kopf ein braunes Käppi, hatten sie in einem engen Hof im Kreis zu marschieren. Ein Strafgefangener, von dem die anderen Häftlinge sich zuflüsterten, dass er vom »anderen Bahnsteig« sei und mehreren kleinen Jungs das »Strammstehen« gelehrt haben sollte, durfte sie kommandieren. Sie sollten gefälligst im Gleichschritt gehen, schrie er alle paar Minuten.

Nie zuvor in seinem Leben hatte Lenz sich so erniedrigt gefühlt.

Dettmers ahnte, wie es in ihm aussah. »Schiete am Schuh?«, fragte er leise.

Ja, dachte Lenz, jetzt hatte er Scheiße am Schuh, war voll hineingetreten in den vor der Außenwelt so sorgsam versteckten Scheißhaufen der Deutschen Demokratischen Republik.

»Lass nur«, tröstete ihn Dettmers. »Irgendwann gibt's neue Schuhe.« Und grinsend fügte er hinzu: »Maßanfertigung, mein Lieber! Und die Maße bestimmen wir und niemand anderes, kapiert?«

Die erste Nacht in diesem Rummelsburger Sing-Sing. Dettmers hatte sich ins obere Bett gelegt, Lenz ins untere, so blieb das Mittelbett frei und sie konnten sich einreden, wenigstens nachts mal für ein paar Stunden mit sich allein zu sein.

Zuvor hatten sie sich lange über Dr. Vogel und die Chancen einer baldigen Entlassung in die Bundesrepublik unterhalten. Dettmers hatte über Dr. Vogels Arbeitsweise nicht viel gewusst, nur eben dass sie mit ihm den richtigen Anwalt hatten. Er hatte in Hohenschönhausen mit einem ehemaligen Parteifunktionär zusammengesessen, dem verbotene Kontakte zur SPD vorgeworfen wurden. Der gewesene Apparatschik kannte den Namen Dr. Vogel, wusste von dessen Rolle im zwischenstaatlichen Menschenhandel und hatte Dettmers Hoffnungen gemacht, schon bald auf dem Ku'damm sein Bier trinken zu dürfen. Lenz' Berichte über Hajo Hahnes Geschichten hatten Dettmers begeistert. Er glaubte Hahne jedes Wort. »Dazu sind die fähig. Für 'ne Tüte Linsen und die Weltrevolution tun die alles.«

Jetzt hingen sie ihren Gedanken nach; schlafen konnten sie beide nicht.

Sechs Wochen lag er nun schon zurück, jener Tag, an dem Lenz das über Hannah und ihn verhängte Strafmaß erfahren hatte; sechs Wochen, in denen er immer wieder versuchte, diese knapp drei Jahre, die sich wie eine unüberschaubar hohe Wand vor ihm auftürmten, klein zu rechnen: Acht Monate von diesen vierunddreißig hatten sie hinter sich, also würden sie, wenn es ganz schlimm kam und sie ihre Strafe bis zum letzten Tag absitzen mussten, in sechsundzwanzig Monaten entlassen werden. Was klang hoffnungsvoller, 6 × 4 Monate und ein paar Wochen, 3 × 8 Monate und ein paar Wochen oder 2 × 13 Monate?

Rechnereien, die nichts einbrachten und nicht trösteten, und im Hintergrund immer wieder die Furcht: Was, wenn Hahne ihm nichts als schöne Märchen erzählt hatte? Vielleicht sogar im Auftrag der Stasi, um seine geheimen Gedanken aus ihm herauszukitzeln … Was, wenn Hannah und er diese knapp drei Jahre bis zum Ende absitzen mussten? Dann würden aus Silly und Micha inzwischen ganz andere Kinder geworden sein; »fremde« Kinder, die ihre Eltern vielleicht nicht einmal mehr wiedererkannten …

Gedanken, die in der Einsamkeit seiner Stasi-Zelle kaum auszuhalten waren. Doch dann vergingen immer weitere Wochen und nichts passierte. Keine weitere Vernehmung, kein Abtransport in eine Strafvollzugsanstalt. Da erwachte neue Hoffnung in ihm: Vielleicht wurden Hannah und er ja gar nicht mehr in den normalen Strafvollzug eingegliedert. Wozu denn noch? Ihr Urteil hatten sie weg, die Freikaufverhandlungen liefen – weshalb sollte man sie nicht gleich von hier aus in die Bundesrepublik ausreisen lassen? Laut Hajo Hahne kam so etwas ja vor. – Denk an jene nächtliche Aktion, als so viele Zellentüren aufflogen, Lenz. Vielleicht hatte es sich dabei ja um bereits Verurteilte gehandelt; vielleicht sind Hannah, du und die Kinder in jener Nacht nur deshalb nicht mit auf Transport gegangen, weil ihr noch nicht verurteilt wart? Vielleicht bestimmt auch das Strafmaß den Preis …

Wie groß dann die Enttäuschung, als er an diesem Morgen erfuhr, dass er doch noch auf Transport gehen würde – mit dem Ziel Rummelsburg. Rummelsburg klang nicht nach frühzeitiger Entlassung in die Bundesrepublik; Brandenburg, Bautzen, Cottbus, so hießen die Gefängnisse rings um Berlin, aus denen laut Hajo Hahne die Westexporte abgingen, falls man nicht direkt ab Stasi-Knast geliefert wurde; Rummelsburg war nichts anderes als ein berühmt-berüchtigter Verbrecherknast.

Und nun saß er hier ein und wusste nicht, womit er sich noch aufrichten sollte. Vielleicht damit, dass fünf der sechs aus Hohenschönhausen hier eingelieferten Häftlinge vom Rechtsanwaltbüro Vogel vertreten wurden? Das konnte doch kein Zufall sein. Über die Zeit jedoch, die sie noch würden absitzen müssen, verriet diese Tatsache nichts.

Micha! In wenigen Tagen wurde er sechs. Wie er jetzt wohl aussah? Für Kinder waren acht Monate eine lange Zeit, da veränderten sie sich sehr … Lenz schloss die Augen und dachte an seinen Sohn. Es gab eine Geschichte, die Micha sicher nie vergessen würde, vielleicht erinnerte er sich im Heim manchmal daran. Es war voriges Jahr im Sommer, sie hatten einen Ausflug gemacht, mit der S-Bahn nach Grünau und mit der Fähre nach Schmetterlingshorst und Marienlust hinüber. Als sie am Abend zerschlagen von Sonne und Wasser nach Hause kamen, funktionierte der Fahrstuhl nicht. Müde stiegen Hannah und die Kinder in den fünften Stock hoch, er aber flitzte voraus, schloss auf, zog sich in Windeseile aus und den Schlafanzug über und öffnete ihnen, als sie endlich oben angelangt waren, gähnend und mit zerstruwweltem Haar; so als hätte er, weil sie so lange brauchten, schon ein paar Stunden geschlafen. Erst riss Micha nur staunend die Augen auf, dann musste er so herzhaft lachen, dass ihm sogar der Bauch wehtat.

Nein, vergessen würden Silke und Micha ihre Eltern nicht, das war ganz unmöglich. Aber was dachten sie nun von ihnen? Wenn sie zurückblickten, sahen sie nur die Szenen ihrer Verhaftung vor sich oder auch all die schönen Erlebnisse, die sie miteinander hatten? Ja, und später, was würden sie später von ihnen denken, wenn sie als Erwachsene urteilten? Würden sie sie dann verstehen können? Oder würden sie ihnen vorwerfen, ihnen etwas ganz Entsetzliches angetan zu haben? Wie sollten sie denn, falls sie in die Bundesrepublik entlassen wurden, jemals begreifen können, dass ihren Eltern gar keine andere Möglichkeit blieb, als eine Flucht zu wagen? Von fern sah ja alles nur halb so düster aus …

Dettmers beugte sich zu ihm hinunter. »Du seufzt, dass es einem kalt den Rücken runterrieselt. Mach dir nicht so viele trübe Gedanken, Manne. Blick in die Zukunft, du stehst auf der richtigen Seite. Irgendwann wirst du über das alles nur noch lachen können.«

Lenz seufzte noch mal. »Schön, wenn man einen solchen Zukunftsofen in der Tasche hat, während ringsum Eiszeit herrscht!«

»Ohne meinen Zukunftsofen wäre ich längst erfroren. So was muss man sich zulegen, will man hier nicht untergehen.«

»Na dann – es lebe das Jahr 2000!«

Dettmers legte sich zurück, doch es dauerte nicht lange, dann spähte er erneut zu Lenz hinunter. »Wie wär's mit 'nem Witz?«

»Nur zu! Lachen ist die beste Medizin.«

»Treffen sich zwei Tomaten auf der Landstraße. Sagt die eine: Hallo, Tomate! Im selben Augenblick kommt 'n LKW, fährt über sie hinweg. Sagt die andere: Hallo, Ketchup!«

Lenz konnte nicht lachen. »Was willst du damit sagen? Dass wir schon Ketchup sind? Oder dass wir aufpassen müssen, nicht ganz und gar unter die Räder zu kommen?«

»Mann Gottes!« Dettmers warf sich auf seinem Bett herum, dass alle drei Bettgestelle ins Wackeln gerieten. »Wer ist denn hier der Philosoph? Das sollte einfach nur 'n Witz sein.«

Längere Zeit schwieg der lange Student; als Lenz schon dachte, er sei eingeschlafen, beugte Dettmers sich aber doch noch mal zu ihm hinunter: »Pass mal auf, Mister Ich-lass-mir-meinen-Frust-nicht-nehmen, wenn ich mir wieder mal selber Mut mache, pinkel mir nicht wieder in mein spärlich flackerndes Feuer, ja? Sonst geht mein kleiner Ofen noch ganz aus. Und das haste dann davon!«

Da musste Lenz doch lachen. »Entschuldige! Nie wieder werde ich deinen Ofen benässen.«

Dettmers: »Fein! Dann wäre das ja auch geregelt.«

Bald sollte aber auch das Feuer in Lenz' Ofen wieder zu glimmen beginnen. Am Morgen ihres vierten Rummelsburger Tages erfuhren Dettmers und er, dass sie nur übergangsweise ins Stadtgefängnis verlegt worden waren. Sie befanden sich im Haus 4, dem so genannten Transporter- oder Durchgangshaus, bereits gegen Abend, so ihr Rumpelstilzchen, würden sie mit einem Sammeltransport in eine andere Strafvollzugsanstalt verlegt werden.

Welch erlösende Botschaft! Lenz durfte wieder auf Brandenburg, Bautzen oder Cottbus hoffen, und Dettmers freute sich ebenfalls: »Sag mal, konnte dein Hajo Hahne übers Wasser laufen?«

Ein Tag des Wartens. Während der Freistunde wurde getuschelt: Was hieß »am Abend«? Später Nachmittag? Früher Abend? Mitternacht? Kaum waren sie wieder auf ihren Zellen, ging es schon los, alle mussten sie ihre Utensilien zusammenraffen und sich in einem riesigen, fensterlosen Verwahrraum »zwischenlagern« lassen; ein Raum, in dem sich bald vierzig, fünfzig Strafgefangene versammelt hatten und in dem die Luft schon nach kurzer Zeit zum Schneiden dick war, so viel wurde gequalmt. Das große Wort führten hier die Kriminellen, für die das alles nichts Neues war; die politischen Häftlinge blieben beieinander und hörten zu. So erfuhren sie, dass ihnen noch vor dem Transport mitgeteilt würde, wer in welche Strafvollzugsanstalt kam, und dass jene, die nach Brandenburg oder Bautzen verlegt wurden, zu bedauern waren, weil das Knäste der Einser-Kategorie wären, also der schwersten. Die Cottbuser hingegen erwarte eher ein leichtes Los, mittelschwerer Vollzug mit ständigem Festverschluss.

Gespräche, die Lenz gleich wieder zutiefst deprimierten: Was hatte er in einer dieser Kategorien verloren?

Dettmers sah ihm sein erneutes Niedergedrücktsein an und bat ihn, wenn es erst so weit war und man ihnen mitteilte, in welchen Knast sie kommen würden, im entscheidenden Moment beide Daumen zu drücken und fest »Cottbus!« zu denken. Er wolle das auch tun und auf diese Weise würden sie ganz sicher auch zukünftig zusammenbleiben.

Gegen zwanzig Uhr wurde die Zellentür dann endlich geöffnet und vier, fünf Blaue traten in den Raum: »Raustreten zum Transport.«

Wenige Minuten später waren sie im von Scheinwerfern erhellten Hof angetreten. Zwei grüne Minnas standen in Bereitschaft. Die einzelnen Namen wurden aufgerufen und hinter jedem eine Stadt genannt: Brandenburg, Bautzen, Cottbus. Als Dettmers Name fiel, drückte Lenz tatsächlich beide Daumen und dachte: Cottbus! Und es wirkte! Als wenig später Lenz' Name aufgerufen wurde, hielt Dettmers ihm seine in den Fäusten verborgenen Daumen unter die Nase – und es klappte erneut: Cottbus! Ihre gemeinsame Reise von Burgas über Sofia, Berlin-Hohenschönhausen und Rummelsburg ging weiter.

In der grünen Minna, die Lenz und Dettmers zu besteigen hatten und mit der man sie, wie die Kriminellen wussten, zum Ostbahnhof fahren würde, herrschte bald eine fröhliche Stimmung. Na, was denn, die paar Monate oder Jahre, die man ihnen diesmal aufgebrummt hatte, würden sie auf einer Arschbacke absitzen, gaben die Herren Ganoven sich locker. Und saß man draußen denn etwa nicht mit dem nackten Arsch im Schnee? Na also! Nur kein Mitleid mit sich selbst!

Besonders für die jüngeren Kriminellen schien das Ganze nur so eine Art Betriebsausflug zu sein. Über jeden Mist krähten sie laut, jedem wollten sie mitteilen, wo sie schon überall gesessen hatten und wofür sie diesmal einsaßen. Je höher ihre Strafe, desto bedeutsamer ihre Rolle.

Der Motor war schon angelassen, da wurden auch noch zwei junge Frauen zu ihnen hineingeschoben. Strohblond gefärbt die eine, schwarz die andere. Doch es musste schon lange her sein, dass sie sich das Haar zum letzten Mal auffrischen konnten. Bei der Schwarzen schimmerte jede Menge Helles durch, bei der Blonden Dunkles. Beide wirkten sie irgendwie ungewaschen und so waren auch ihre Reden. »Ihr Hühnerficker!«, gingen sie die Männer vom Wachpersonal bereits beim Einsteigen an. »Euch ist doch noch keiner gewachsen. Beweist erst mal, dass ihr was in der Hose habt, bevor ihr hier die großen Macker spielt.«

Begeistertes Gegröhle unter den Kriminellen, müdes Abwinken der Beamten; offenbar konnten solche Reden sie schon lange nicht mehr erschüttern.

Die beiden Frauen kamen aus dem Frauengefängnis Barnimstraße und waren nur zum Weitertransport nach Rummelsburg gebracht worden. Dass sie als einzige »Weiber« mehrere Stunden unter weit mehr als tausend »ausgehungerten« Männern verbracht hatten, beschäftigte sie immer noch. »Was da alles hätte passieren können!«

Neben Lenz saß ein bleicher junger Mann mit auftätowierter Pennerträne unter dem rechten Auge. Lange blickte er Lenz und Dettmers nur verwundert an; als die Minna sich endlich in Bewegung gesetzt hatte, fragte er: »Wen habt ihr denn in die Kacke jeschubst?«

»Den Staat«, antwortete Dettmers.

Der junge Mann überlegte ein Weilchen. »Politische?«

»Erraten. Und du?«

Er grinste, was nicht so recht zu der Tätowierung unter seinem Auge passen wollte. »Assi. Wat'n sonst?«

Asozialer sollte das heißen. Lenz wurde neugierig. »Wie viel bekommt man denn für so etwas?«

»Bei AE jibt's keene festen Strafen.«

»Was ist denn AE?«

»Na, Arbeitserziehung, du Nachtjacke! Dafür jibt's immer zwischen zwee- und fünfmal Osterglocken. Biste brav und fleißig, darfste früher wieder raus. Machste auf Hängematte, kannste sitzen, bis dein Arsch 'n Stein is.«

»So viel? Und das nur, weil du nicht gearbeitet hast?«

Beleidigt starrte der junge Mann erst Lenz und dann Dettmers an. »Kommt ihr vom Sambesi, ihr Nigger? Jeder hat das Recht auf Arbeit, heißt et, aber jeder hat auch die Pflicht dazu. Wat nu mal die unjute Kehrseite vom Sozialismus is. Ick bin 'n asozialet Element – und Dauer-Assis jehören hinter Schloss und Riegel. Erziehung durch Arbeet, dit hatten die Nazis schon druff.«

Dettmers grinste zweifelnd. »Und 'n kleener Bruch war nicht dabei?«

»Bruch? Ick höre immer Bruch! Bin doch nicht meschugge, dit is ja ooch Arbeet. Nee, nee, Kutte Naumann tut keener Fliege wat zuleide! Keen Bruch, keen Schmu, keene Keule – nischt!«

Lenz: »Und wovon haste jelebt?«

»Von Mama. War eben noch nich abjestillt. So wat kommt vor.« Er kicherte über seine eigenen Worte. »Menschenskinder, wozu soll ick mir denn abrackern, wo ick ja vielleicht morjen schon dot bin?«

»Biste denn krank?«

»Krank? Wieso denn krank? Musste krank sein, um zu sterben? Mann, ihr Politischen seid vielleicht weltfremd!« Ein Weilchen starrte er sie noch an, als wären sie nicht ganz richtig im Kopf, dann lehnte er sich zurück und schloss die Augen.

Sie hielten auf dem Gelände am Ostbahnhof, das dem Güterverkehr zugeteilt war. Die Wagentür wurde geöffnet, ein schnauzbärtiger Polizeimeister winkte. »Rauskommen und in Zweierreihen antreten.« Einer nach dem anderen sprangen sie in die nur von wenigen, trübe funzelnden Lichtern durchbrochene Dunkelheit hinaus, Handschellen klickten, pärchenweise – Lenz an Dettmers gekettet – wurden sie über die finsteren Gleise und danach durch einen langen, ebenfalls nur schwach beleuchteten Tunnel auf einen der Personenbahnsteige geführt.

Lenz blickte sich um. Der Lenz'sche Schicksalsbahnhof! Hier war Anfang des Jahrhunderts jene Großmutter Martha, die er nie kennen lernen durfte, als ganz junges Mädchen aus Schlesien angereist gekommen, um in Kaisers Berlin in Stellung zu gehen; von hier war sein Vater in den Krieg gefahren, aus dem er nicht mehr wiederkehrte. In einem der riesigen Wartesäle dieses Bahnhofs hatte der kleine Manni als Onkel Willis Sohn an einer großen, aber armseligen Nachkriegs-Kinderweihnachtsfeier der Deutschen Reichsbahn teilgenommen, von einem dieser Bahnsteige aus war der Fernstudent Lenz vier Jahre lang Monat für Monat nach Leipzig gefahren, von einem anderen Hannah, Silke, Micha und er fast auf den Tag genau vor acht Monaten in ihre ganz persönliche Katastrophe gestartet.

Es waren Reisende auf dem Bahnsteig. Entsetzt blickten sie dem Zug der Gefangenen nach. Die Handschellen, die gelben Streifen auf den Mänteln, die in diesen Klamotten unförmigen

Figuren – wie mussten sie auf ihr Publikum wirken! Was aber hätten all diese Männer und Frauen, die sich auf einen gemütlichen Abend in ihrer gemütlichen Wohnung freuten, gesagt, wenn sie gewusst hätten, dass ein großer Teil der Gefangenen nur deshalb in dieser Aufmachung an ihnen vorübergeführt wurde, weil er versucht hatte, vom Ostbahnhof zum Bahnhof Zoo zu gelangen? Mein Gott, mit dem Gedanken hast du ja auch schon gespielt? Oder: Geschieht ihnen recht, wer gegen die Gesetze verstößt, muss bestraft werden? – »Im Namen des Volkes« hatte es vor Gericht geheißen; auf wie viele in diesem Volk konnten ihre Richter sich berufen?

Die Kriminellen warnten sie vor dem »Grotewohl-Express«, in den man sie verfrachten würde; eine Bezeichnung, die noch aus den fünfziger Jahren stammen musste, als der Name dieses blassen Ministerpräsidenten im Schatten Ulbrichts noch aktuell war. Sie erzählten, dass der Gefängniszug, vor den man sie führen würde, aus lediglich zwei Waggons bestand, die stets an das Ende oder den Anfang eines D- oder Personenzuges gehängt und jeweils nur nach Einbruch der Dunkelheit auf die Reise geschickt wurden. Dieser »Express« werde durch die ganze Republik rumpeln und schuckeln, von Knast zu Knast, und auf vielen Bahnhöfen stundenlang warten, um erneut an einen der regulären Züge angekoppelt zu werden. Ein sehr kostensparendes Verfahren, aber für die in diesen Waggons zusammengepferchten Häftlinge kein Vergnügen. Am Tage würden die voll besetzten Waggons nämlich manchmal auf irgendwelchen Nebengleisen abgestellt, und dann hocke man da drin, im Sommer bei glühender Hitze, im Winter bei eisiger Kälte, und könne sich nicht mal bewegen.

Einige der politischen Häftlinge machten besorgte Gesichter, der Witzeerzähler Ewald Tetjens flachste nur: »Na und? Je enger, desto wärmer!«, und bot allen an, mit ihm den Verschlag zu teilen. »Da habt ihr mehr Platz.« Sagte es und wackelte mit seinem Armstumpf.

Kaum hatten sie die beiden mit ihren Milchglasfenstern an Postwagen erinnernden Waggons erreicht, da ging schon das Gerücht durch die Reihen, dass der erste Waggon bereits mit Häftlingen aus dem Norden der Republik überfüllt sei. Also würde es mehr als nur eng werden; jetzt verging sogar Ewald Tetjens das Witzeln.

Sie durften dann auch tatsächlich nur den hinteren Waggon besteigen. Die Handschellen wurden ihnen abgenommen, ein langer, tiefblau erleuchteter Gang, in dem kaum etwas zu erkennen war, empfing sie. Links und rechts klafften offene Holztüren, dahinter befanden sich hölzerne Verschläge mit Sitzbänken, die jeweils zwei Gefangenen Platz boten. Und was wegen der Milchglasscheiben von außen nicht zu erkennen gewesen war – vor den Fenstern befanden sich Gitter.

Dettmers und Lenz gelang es, auch hier zusammenzubleiben, bald aber wurde noch ein dritter Gefangener in ihren Verschlag geschoben. Die Luft wurde knapp.

Dettmers bemühte sich, nicht den Humor zu verlieren. Höflich stellte er sich dem Neuankömmling vor: »Detlef Dettmers, Berlin, illegaler Grenzübertritt, zwei Jahre, zehn Monate.«

Auch Lenz nickte dem jungen Burschen mit dem breiten, narbigen Gesicht und dem schon recht lichten Haar freundlich zu. »Manfred Lenz. In allem anderen: dito.«

Verlegen murmelte der Bursche seinen Namen – »Roman Brandt« –, fügte aber gleich hinzu: »Über meine Sache spreche ich nicht.«

»Musste auch nicht.« Dettmers, in der Mitte sitzend, machte sich noch schmaler, als er ohnehin war. »Aber wohin der Herr zu reisen beliebt, das wird er uns doch wenigstens mitteilen?«

»Cottbus.«

»Na, dann werden wir uns ja noch öfter sehen.«

Der Zug ruckte an, die Fahrt durch die Nacht begann. Sie merkten es bald: Dieser »Express« war wirklich kein Express. An jeder Station hielt er und auch zwischen den Stationen blieb er öfter stehen. Wütende Proteste wurden laut. Zu dritt war es viel zu eng in den fest verschlossenen Zellen und natürlich war das Rauchen verboten. Wer sollte das aushalten, eine ganze Nacht lang?

Dettmers begann seine immer währende gute Laune zu verlieren: »Dem dialektischen Materialismus zufolge löst sich die Kriminalität im Sozialismus in nichts auf, weil sie ja nur durch den Kapitalismus erzeugt wird. Auf gut Deutsch heißt das: In einem Paradies wie dem unseren muss niemand mehr kriminell werden. Und wie ist es in Wahrheit? Nicht mal die Transportmöglichkeiten reichen aus, um alle Sünder in den Knast zu bringen.«

Lenz antwortete nichts, studierte nur die in die Holzwände gekratzten Zeichnungen und Inschriften: zwei hoch erhobene Hände in Handschellen, die eine Rose hielten, ein Sonnenaufgang, der in das Wort *FREIHEIT* überging, Sprüche wie *Alles ist vergänglich, auch das längste Lebenslänglich* und *Durch Nacht zum Licht*.

Durch die Nacht fuhren sie, aber ob ihnen in Cottbus ein Licht leuchtete?

»Kennst du nicht wenigstens ein paar Witze?«, wandte Dettmers sich an Roman Brandt. Der aber schüttelte nur den Kopf und schloss die Augen, wie um für sich allein zu sein.

Eine endlose Fahrt! Bald tat ihnen alles weh, Hintern, Arme, Beine, Rücken. Lenz versuchte, sich fortzuträumen, an Hannah zu denken, Silke, Michael; es gelang ihm immer nur für kurze Zeit. Das Johlen aus den anderen Verschlägen, wenn eine der beiden Frauen sich zur Toilette meldete, der schwitzende und, seit er die Augen geschlossen hielt, hin und wieder ängstlich keuchende Roman Brandt und Dettmers Bemühungen, seinen inneren Ofen nicht ausgehen zu lassen – all das riss ihn immer wieder in die Wirklichkeit zurück. Als der Zug dann endlich in Cottbus angelangt war und die Gefangenen, die ihren Bestimmungsort erreicht hatten, aussteigen durften und ihre steifen Glieder reckten, blickte er als Erstes zur Bahnhofsuhr hoch, die über ihnen durch die Nacht leuchtete. Schon nach halb drei – also hatten sie über fünf Stunden in diesen Karnickelkäfigen gesessen und die Strafgefangenen aus dem Norden noch länger!

Dettmers: »Sag mir, wie du mit deinen Strafgefangenen umgehst, und ich sage dir, ob du ein humanes Land bist.«

Pärchenweise an Handschellen angeschlossen, wurden sie über die Gleise geführt und in eine Minna verladen. In der führte mal wieder ein Profiganove das große Wort. Er sei schon mal in Cottbus eingefahren, hier sei es auszuhalten, prahlte er und nannte die Spitznamen einiger Strafvollzugsbeamter: Petrograd, Urian, Zitteraal, Berija, Salonbolschewist, Panzerplatte. Auf neugierige Nachfragen antwortete er, er wisse, wie man am besten mit denen klarkomme; gegen Tabak oder Zigaretten sei er zu Tipps bereit.

Nach nur wenigen Fahrminuten hielten sie in der Haftanstalt, einem dunklen, von ein paar müden Scheinwerfern angestrahlten roten Backsteinkomplex aus dem neunzehnten Jahrhundert. Durch einen trüben Gang ging es in eine große, gekalkte, mit metallenen Dreistockbetten voll gestellte Zugangszelle; Platz für sechzig Mann und kaum mehr als zehn Betten blieben frei.

Lenz erklomm eines der obersten Betten, warf seine Plastiktüte neben sich, rollte seinen Mantel zum Kopfkissen, streckte sich aus und dehnte sich. Nach der elend langen Zugfahrt in dem engen Verschlag eine Wohltat! Die Frage, wer alles die dumpf riechenden Matratzenteile unter ihm in den letzten zwanzig, dreißig Jahren abgehorcht hatte, verbot er sich; den Gestank nach Mottenkugeln und irgendwelchen scharfen Reinigungsmitteln, der diese Zelle erfüllte, ignorierte er.

Dettmers schwang sich in das Bett neben ihm. »Hab schon mal schöner logiert. Aber in dieser Zelle werden wir ja sicher nicht lange bleiben.«

Die meisten anderen drängte es erst einmal zur Toilette; zum Glück war sie hinter einer Holztür, einer Art Schamwand, verborgen. Einige kamen da ewig nicht runter, was die, die noch anstanden, wütend machte. Sie pochten gegen die Tür und drohten dem »Stundenscheißer«, ihn von dem begehrten Sitz zu reißen, wenn er sich nicht endlich beeile. Als einer die Tür zu lange offen stehen ließ, zog der Gestank durch den ganzen Raum; ein Witzbold schrie nach »Nasopax«.

Lenz wandte sich zu Dettmers um. »Willste 'n Witz hören?«

»Immer«, lautete die erfreute Antwort.

So erzählte Lenz in dieser Nacht Witze, Dettmers gab welche zum Besten, andere, darunter auch der von seinem humorlosen Staat mit Gefängnis bestrafte Ewald Tetjens, fielen ein. Gelächter gegen die Angst, Gelächter zum Mutmachen; solange sie noch so laut lachen konnten, lagen sie nicht am Boden.

Als am Morgen das Wecksignal ertönte, hatte Lenz keine zwanzig Minuten geschlafen. Bis hinter dem kleinen, vergitterten Fenster der Morgen graute, hatte er wach in der von den Ausdünstungen so vieler Gefangener und dichtem Zigarettenqualm erfüllten Zelle gelegen und an Hannah gedacht. Wie beruhigend, dass sie in Hohenschönhausen bleiben durfte; wie tröstlich, dass sie nicht mit Frauen wie den beiden aus dem Zug eine Zelle teilen musste!

Zwei Schließer kamen und trieben die in der Nacht eingetroffenen Gefangenen in einen Waschsaal. Im Schichtsystem durften sie sich frisch machen. Danach wurde Suppe verteilt, Brot und eine heiße, bräunliche Plärre, gegen die die Hohenschönhausener Morgenlorke türkischer Mokka war. Dettmers vermutete »Hängolin« in dem dumpf schmeckenden Gebräu: »Man will uns die Enthaltsamkeit erleichtern.«

Nach dem Frühstück hieß es warten. Alle halbe Stunde wurde die Tür geöffnet, und ein Strafvollzugsbeamter mit dem Dienstgrad Unterleutnant, ein großer, schon etwas älterer, verwittert aussehender Klotz mit sturem Gesicht, rief ein paar Namen auf und befahl jedes Mal einsilbig: »Mitkommen! Mit allen Utensilien.« Petrograd war sein Spitzname; sie hatten schon in der Minna von ihm erzählt bekommen. Lenz musste an die russischen Filme denken, in denen die Revolutionsstadt Petrograd eine so gewichtige Rolle spielte. Nach Revolution sah dieser Petrograd nicht aus, wohl aber nach Maschinengewehr, Stumpfsinn und miefigem Soldatentum; ein passender Name.

»Wer spurt, kommt mit ihm aus«, erklärte der Profi, der schon in der Minna mit seinen Cottbuser Knastkenntnissen geprahlt hatte. »Der will nur, dass alles seinen Gang geht.«

Dettmers befürchtete, nicht mit diesem Eisenfresser Petrograd auszukommen, und sollte seine Vorahnungen schon bald bestätigt sehen. Als endlich auch Lenz und er aufgerufen wurden und nur wenig später unter der Dusche standen – diesmal eine mit Tüllen unter den Rohren –, gab es den ersten Zusammenstoß. Petrograd stellte das Wasser an und, als alle nass waren, sofort wieder ab.

»Einseifen!«, befahl er mit mürrischem Blick.

Dettmers: »Toll! Auf die Idee wär ich gar nicht gekommen.«

»Was haben Sie gesagt?«

»Das Wasser is hier so nass. Haben Se's nich 'n bisschen trockner?«

Ein Weilchen starrte er Dettmers nur an, dieser so borkig wirkende Mann, dann kam es wie ein Schuss: »Name!«

»Dettmers. Detlef. Detlef mit f – wie Flitzpiepe.«

Petrograd, schon den Notizblock in der Hand, versteinerte. »Wen meinen Sie damit?«

»Na, den Detlef mit f. Mein Name wird oft falsch geschrieben. Muss doch alles seine Richtigkeit haben, oder?«

Wieder starrte Petrograd Dettmers ungläubig an, dann notierte er sich den Namen, klappte das Notizbuch zu und schob es in seine Brusttasche. »Sie glauben wohl, Sie können hier den Kasper machen? Na, da werden Se sich aber noch wundern! *Ihren* Namen merke ich mir. Sie werden eine schöne Zeit hier verleben, das garantiere ich Ihnen.«

Dettmers wollte erneut etwas erwidern, Lenz stieß ihn in die Seite. »Lohnt doch nicht.«

Petrograd hatte es mitbekommen. Wieder zückte er sein Notizbuch. »Name?«

»Manfred Lenz.« Er sagte es und drehte sich weg. Bloß nicht sich mit diesen Petrograds anlegen! Was für Typen ergriffen denn solch einen Beruf? Wer hatte Lust darauf, sein Leben im Knast zu verbringen? Wen befriedigte es, Zellen auf- und zuzuschließen und Duschen an- und auszustellen?

»Dreh'n Se mir nich Ihr'n Hintern zu.« Die Arme in die Seiten gestemmt, trat Petrograd vor Lenz hin. »Sie glauben wohl, ich wüsste nicht, was Sie denken?«

»Ich glaub an gar nichts, bin Atheist.« Verflucht! Eben hatte er noch allem ausweichen wollen, jetzt hatte er doch wieder die Klappe aufgerissen. Erneut drehte Lenz sich weg.

»Ich hab gesagt, Sie sollen mir nich Ihr'n Hintern zudreh'n.«

»Soll ich mich nun einseifen oder nicht?«

»Sie sollen mir nich Ihren Hintern zudrehen! Schauen Se mich gefälligst an, wenn ich mit Ihnen rede!«

Lenz drehte sich um und sah dem Mann in der dunkelblauen Uniform in die Augen. Nichts als Verachtung wollte er in diesen Blick legen, sein Zorn über diesen verbiesterten Kerl mit der knarrenden Stimme aber war stärker: Was sollte das denn noch werden, wenn die Beamten hier sich gleich am ersten Tag dermaßen aufführten? Weshalb begnügte dieser Petrograd sich nicht damit, aufzupassen, dass ihm keiner weglief?

Petrograd deutete seinen Blick richtig. »Wie viel haben Sie?«

»Was soll ich haben?«

»Zu wie viel Sie verurteilt sind!«

»Zwei – zehn.«

Da durfte er endlich strahlen, der Genosse Unterleutnant. »Und wie viel haben Se weg?«

»Acht Monate.«

»Das is schön! Das is sehr schön! Da werden wir ja noch ausreichend Gelegenheit haben, einander kennen zu lernen. Freu'n Se sich mal schon.«

»Gibt's hier noch mal Wasser?« Einen kugelförmigen, vom Hals bis über den dicken Hintern mit Blumen, Tieren und nackten Frauen tätowierten Kriminellen ärgerte dieses unnötige Palaver. Die Kernseife, die ihnen zur Verfügung gestellt worden war, roch nicht nur schlecht, sie brannte auch auf der Haut, spülte man sie nicht bald wieder ab.

Petrograd: »Wasser gibt's, wenn ich das will!«

Dettmers: »Amen!«

»Was haben Sie gesagt?«

»Amen!«

»Was soll das bedeuten?«

»Amen bedeutet Amen, sonst gar nichts. Ich bin kein Atheist, sag nach dem Beten immer Amen.«

Wieder griff Petrograd nach seinem Notizbuch, doch dann fiel ihm ein, dass er diesen Namen ja schon notiert hatte. »Machen Se nur Ihre Witzchen, lachen Se mich ruhig aus, aber vergessen Se nich: Ich krieg euch! Ich krieg euch alle. Denkt nich, ihr könnt auf mir herumtrampeln. Bin nich euer Trampolin!«

Fortan ein geflügeltes Wort, dieses »Bin nich euer Trampolin!«. Aber nun stellte Petrograd erst einmal das Wasser an, damit die Gefangenen sich die Seife abduschen konnten. »Beeilung!«, drängte er. »Und passen Se auf, dass Se Ihr'n Dreck nich ins Handtuch schmieren.«

»Dir möchte ich eine schmieren«, flüsterte Dettmers, aber diesmal so leise, dass Petrograd es nicht mitbekam.

Nackt ging es in die Effektenkammer. Die Cottbuser Anstaltskleidung, die sich in nichts von der Rummelsburger unterschied, wurde ihnen ausgehändigt, dazu Bettwäsche, zwei Decken, ein Handtuch, Besteck, Essnapf und Trinkbecher. Ihre Privateffekten, so erfuhren Lenz und Dettmers auf Nachfrage, würden von Hohenschönhausen aus direkt nach Cottbus geschickt; kein Umweg über Rummelsburg.

»Entwürdigend das Ganze«, seufzte Dettmers, als sie wieder in der Zugangszelle angelangt waren.

Einer der Profis hatte es gehört. »Würde? Ihr spinnt ja, ihr Politischen! Deine Würde, Mann, haste an der Eingangspforte abgegeben. Wenn de Pech hast, kriegste se nie wieder.«

Dettmers: »Meine Würde liefer ich nirgends ab.«

»Abwarten.« Der Häftling, ein Schiefgesicht mit schlechten Zähnen, grinste breit. »Bist ja erst fünf Minuten hier. In zwei Jahren, wenn dir vom vielen Sitzen der Arsch abgefault ist, sprechen wir uns wieder.«

3. Gesichter und Geschichten

Sie lagen zu sechst auf der 218: Karrandasch, Peter Hausmann, Franz Moll, Jochen Wiegand, Roman Brandt und Manfred Lenz.

Karrandasch, ein kleiner, dünnhaariger, rundlicher Sachse mit Puppenfüßen, war aus politischen Gründen – er hatte sich zu negativ über den sozialistischen Realismus geäußert – aus seinem Germanistikstudium geflogen. Weil er versucht hatte, sein Studium in München fortzusetzen, war er in Cottbus gelandet. Sein Lieblingsthema: Thomas Mann. Sagte Lenz, dass für ihn Heinrich der sympathischere der beiden Schriftstellerbrüder sei, ging er die Wand hoch. Eines Tages würde er auch schreiben, das wusste er, der kleine Martin Gumpert, der von Dettmers bereits in der Zugangszelle nach jenem berühmten russischen Clown »Karrandasch« – Bleistift – getauft worden war, weil er mit einem Bleistift in der Hand in einem Taschenbuch mit russischen Erzählungen las. Eine Sensation, dass er ein eigenes Buch in seinem Gepäck haben durfte; eine Sucht von ihm, in Büchern Unterstreichungen und Anmerkungen vorzunehmen.

Dreimal am Tag ging Karrandasch an das hier in normaler Höhe und Größe angebrachte Fenstergitter, um zum Himmel aufzuschauen und zu beten. In der Zelle wurde gestritten, ob er wirklich so fromm war oder nur dokumentieren wollte, dass ein so tief gläubiger Christ wie er auf jeden Fall für den Sozialismus verloren war. Karrandasch war beides zuzutrauen. Fragte Lenz ihn, welche Vermutung denn zutraf, krauste er die kleine, runde Nase. »Was denkst 'n duu?«

Wahrhaftig ein Clown, dieser Karrandasch! Kaum vorstellbar, dass er über einen ungarisch-österreichischen Grenzfluss schwimmen wollte; erstaunlich, wie überzeugt er von seinem Talent war; fast eine Drohung, wenn er davon sprach, eines Tages auch über seine Zellenkameraden schreiben zu wollen. Wunderte Lenz sich über dieses unerschütterliche Selbstvertrauen, wurde er aufgeklärt: »Das muss so sein. Alle großen Dichter haben sich auf dem Olymp gesehen. Wenn man nicht fest überzeugt davon ist, der Allergrößte zu sein, wird man es auch nicht.«

»Hast du denn schon mal was geschrieben?«

»In meinem Kopf schreibt es unentwegt.«

All diese Antworten in einem angenehm milden sächsischen Dialekt. Lenz beschloss, Karrandasch nicht zu verraten, dass er ebenfalls schrieb. Zwei Dichter auf einer Zelle, wie hätte Karrandasch das verkraften sollen?

Karrandaschs Strafmaß: zwei Jahre, zehn Monate. Sein Rechtsanwalt: Dr. Vogel.

Dr. Peter Hausmann, noch keine dreißig, aber schon viel Grau in den dunkelblonden Locken und nur wenig größer als Karrandasch, hatte an der Berliner Charité gearbeitet. Als Chirurg. Wie Hajo Hahne hatte er über Prag in die Bundesrepublik ausreisen wollen, war allerdings nicht schon in Schönefeld, sondern erst bei der Ankunft in Prag verhaftet worden. Dort hätte er von einer WestBerliner Fluchthilfeorganisation einen westdeutschen Pass plus Flugticket nach Frankfurt am Main ausgehändigt bekommen sollen. Zusammen mit anderen von dieser Organisation betreuten Flüchtlingen, die in der gleichen Maschine gesessen hatten, von denen er aber nichts gewusst hatte, war er erst in ein Prager Gefängnis und danach in die DDR zurückexpediert worden.

Hausmann war ein schweigsamer Zellengenosse, schloss keine Freundschaften, ging allen und jedem aus dem Weg. Beschäftigt wurde er als Sanitäter, alle Anordnungen der Strafvollzugsbeamten befolgte er aufs Gewissenhafteste. Ein einziges Mal führte Lenz ein längeres Gespräch mit ihm, das war, als er ihm von seiner Ausbildung in Leipzig und seiner berühmten narkosefreien Schädeltrepanation erzählte. Hausmann musste lachen, berichtete ein wenig von seiner Arbeit und verriet Lenz seinen Fluchtgrund: Sein Chef, eine international bekannte Koryphäe auf dem Gebiet der Gefäßchirurgie, war während einer Pariser Konferenz im Westen geblieben. Er wollte zu ihm, um weiter von ihm zu lernen.

Hausmanns Strafmaß: drei Jahre, zehn Monate. Sein Rechtsanwalt: Dr. Vogel. Doch hoffte Hausmann nicht auf eine baldige Freilassung; Ärzte, so sagte er, müssten ihre Zeit absitzen. Es verschwänden zu viele von ihnen; man wolle nicht, dass sie schon ein paar Monate nach ihrer Festnahme ihren östlichen Kollegen Kartengrüße aus der Südsee schickten.

Franz Moll war so etwas wie das Kind in der 218. Ein großer, blonder, knapp neunzehnjähriger Malergeselle aus Erfurt, der über die thüringisch-bayerische Grenze robben wollte. Fluchtgrund: Er wollte möglichst rasch einen *Porsche* fahren, träumte noch immer davon, sich den nach seiner Ausreise bald leisten zu können. »Wenn ich ganz sparsam bin, vielleicht schon in zwei, drei Jahren.«

Sein Strafmaß: zwei Jahre, vier Monate. Sein Rechtsanwälte: erst ein Dr. Krause, jetzt Dr. Vogel.

Jochen Wiegand war von Beruf Elektroingenieur. Ein mittelgroßer schlanker Mann mit intelligentem, ebenmäßigem Gesicht; zugereister Berliner. Seine Frau, sein Sohn und er hatten in der gleichen Maschine wie Hausmann gesessen. Außer dieser

Tatsache jedoch verband die beiden nichts; viel eher schien diese zufällige Gemeinsamkeit sie unangenehm zu berühren.

Wiegands Frau war Hals-Nasen-Ohren-Ärztin; eine Tatsache, die auch Wiegand an einer vorzeitigen Ausreise zweifeln ließ. »Die lassen mich nicht laufen, solange nicht auch meine Frau ausreisen darf.«

Wiegands Sohn lebte seither bei der Oma. Einen bestimmten Grund für Wiegands Fluchtversuch gab es nicht – er wusste tausend Gründe aufzuzählen: »Hab diesen Staat einfach nicht mehr ausgehalten. Hab immer Ärger gehabt, hätte weiter Ärger gehabt.«

Jochen und Marlies Wiegands Strafmaß: drei Jahre, zehn Monate. Ihr Rechtsanwalt: Dr. Vogel.

Wiegand und Lenz hatten viele Gemeinsamkeiten. Beide wussten sie ihre Frauen in Hohenschönhausen, Wiegand vermisste seinen Sohn und Lenz seine Kinder sehr, beide hatten sie – Wiegand lange nach Lenz – mal in der Raumerstraße gewohnt. So entstand mit der Zeit eine gewisse Vertrautheit, die sich, als sie eines Nachmittags Post von ihren Frauen erhielten, noch vertiefen sollte, denn jede der beiden Frauen schrieb von einer Zellennachbarin, mit der sie sich sehr gut verstand. Dabei benutzten beide Frauen zum Teil dieselben Worte. Es lag auf der Hand: Marlies Wiegand und Hannah Lenz teilten miteinander eine Zelle und wollten herausfinden, ob ihre Männer, von denen sie inzwischen wussten, dass sie in Cottbus gelandet waren, sich ebenfalls kannten. Lenz und Wiegand antworteten in derselben Weise und konnten den nächsten Briefen ihrer Frauen entnehmen, dass sie richtig vermutet hatten.

Nicht erfreulich war, was Wiegand über die Hohenschönhausener Strafhaft zu erzählen wusste. Über irgendeine Quelle, die er nicht verraten wollte, hatte er herausgebracht, dass im Hohenschönhausener Strafvollzug viele schwer kriminelle Frauen einsaßen, die zu lebenslänglichen Freiheitsstrafen verurteilt waren und den politischen Häftlingen das Leben zur Hölle machten. Eine Neuigkeit, die Lenz mehrere schlaflose Nächte bereitete. – Und er hatte gehofft, Hannah könnte es besser ergehen! Nun hatte wahrscheinlich sogar er den besseren Teil erwischt. In Cottbus saßen ja nur Kurzstrafler ein, bis zu fünf Jahren Haftzeit; einziger Krimineller auf der 218: Roman Brandt.

Brandt sprach noch immer nicht über seine Tat, den Gerüchten nach aber hatte er ein siebenjähriges Mädchen befummelt oder sich von ihm befriedigen lassen, war also ein Kifi – Kinderficker –, wie es im Knastjargon hieß. Weshalb er von allen geschnitten wurde, obwohl die Strafvollzugsbeamten ihn zum Brigadier im Erziehungsbereich IV gemacht hatten. Auch hier in Cottbus galt: Kriminelle, die nicht auf eine Ausreise in den Westen hoffen durften, funktionierten am besten.

Brandts Rechtsanwalt? Irgendein Pflichtverteidiger, er erwähnte den Namen nie. Seine Strafe: zwei Jahre, sechs Monate.

Die 218 war eng: zwei Dreistockbetten, ein Waschbecken, ein abgeteiltes Klo. Keine Möglichkeit, einander auszuweichen. Nur nachts war Lenz für ein paar Stunden mit sich allein. Dann lag er in dem obersten Bett neben dem Fenster und blickte in die Dunkelheit hinaus.

Ein warmer Frühsommer, sie konnten das Fenster offen lassen. Bei Mondschein warfen die Gitterstäbe lange Schatten. Ganz in der Nähe musste sich eine dicht befahrene Straße befinden. Immer wieder waren Autos zu hören, die vorüberrauschten, einmal dröhnte eine Hupe laut durch die Nacht, ein andermal vernahm Lenz lautes Frauenlachen.

Nie zuvor war er in Cottbus gewesen, er konnte sich die Stadt nicht vorstellen. Was waren das hier für Straßen? Alles nur Neubauten wie die, die von manchen Fenstern aus zu sehen waren? Oder gab es eine schöne alte Innenstadt? Und was dachten die Cottbuser über dieses Gefängnis? Wussten sie, dass hier zu sechzig, siebzig Prozent Politische einsaßen? In Weimar hatte man nach dem Krieg behauptet, von dem, was in Buchenwald vor sich gegangen war, nichts gewusst zu haben; als die Amerikaner einige Weimarer zwangen, sich das Lager anzusehen, sollen ein paar Frauen in Ohnmacht gefallen sein. Der Cottbuser Knast war kein KZ, aber interessierte es die Cottbuser, Brandenburger, Bautzener, was für Menschen in ihren Gefängnissen saßen?

Hatte Lenz das Gefühl, dass alle anderen schliefen, stand er manchmal auf und stellte sich ans Fenster. In einem seiner Gedichte hatte Heinrich Heine die Sterne »Totenlampen« genannt; ihm erschienen sie eher als Sehnsuchtslampen. Er malte sich aus, wie in solch lauen Nächten die Leute draußen ihren Vergnügungen nachgingen, in Biergärten saßen, falls es in Cottbus welche gab, oder bei weit offenem Fenster vor dem Fernseher ihr Bier oder ihren Wein tranken. Er sah Paare durch Stadtparks schlendern – und die Sehnsucht nach Hannah schmerzte immer heftiger. Er stellte sich vor, wie Silke und Micha in ihren fremden Betten lagen – und er musste die Zähne zusammenbeißen.

Wenn er nicht am Fenster stand, bekam er manchmal mit, wie Brandt oder Moll onanierten. Eine widerliche Situation, die nur schwer auszuhalten war.

Und zu allem anderen dieser ewige Zweifel: Was, wenn Hannah und er die volle Zeit oder zwei Drittel davon absitzen mussten? War es dann nicht besser, sich endlich damit abzufinden, anstatt sich in Hoffnung auf eine vorzeitige Entlassung Tag für Tag verrückt zu machen?

Einziger Trost: die Gewissheit, dass diese Zeit ja auch ein Gewinn sein konnte. Hatte er zuvor denn gewusst, wie kostbar ein Waldspaziergang war? Wenn sie mit den Kindern zum Baden nach Grünau hinausgefahren waren, hatten Hannah und er da auch nur im Entferntesten geahnt, dass sie an einem Luxusvergnügen teilhatten?

Gearbeitet wurde innerhalb der Gefängnismauern, in einem Zweigwerk des *VEB Pentacon*, dem laut Werbung weltweit bekannten Dresdener Hersteller von optischen Geräten und Fotoapparaten. Kameragehäuse wurden hier gestanzt, die notwendigen Ösen und Löcher hineingebohrt und die gusseisernen Rohlinge mit der Feile entgratet. Einfache Arbeiten, stumpfsinnige Arbeiten.

In Lenz' ersten Cottbuser Wochen wurde der Erziehungsbereich IV in der Entgraterei eingesetzt. Morgen für Morgen marschierten sie in Reihen zu jeweils drei Gliedern über das Knastgelände; neben ihnen her wieselte Roman Brandt, der kontrollierte, ob sie auch wirklich marschierten und nicht etwa latschten. Hinter hohen Drahtzäunen sprangen scharfe Hunde heran, kläfften und fletschten die Zähne. Nachts liefen diese Tölen rundherum um die Strafvollzugsanstalt; wer ausbrechen wollte, musste zuerst ihnen entkommen und danach die vier Meter hohe Gefängnismauer überwinden.

Jede Arbeitsschicht dauerte acht Stunden. Acht Stunden Feilen aber war kein Vergnügen; keiner, der am Anfang nicht Blasen an den Händen hatte. Und die Norm war hoch; mehr als zwanzig Mark im Monat, die dem Einkaufskonto gutgeschrieben wurden, waren nicht zu erreichen. Wollte einer die verdienen, musste er hundertsechzig Prozent schaffen. Zu einer solchen Schufterei aber waren nur einige Kriminelle bereit; für die meisten politischen Häftlinge galt bereits die Normerfüllung als Verbrechen an sich selbst.

Die Zivilmeister, die die Gefangenen anleiteten, kamen leichter auf ihr Geld, erhielten sie doch zum üblichen Lohn noch Gefahrenzulage.

Anfangs versuchten Dettmers und einige andere politische Häftlinge, die Arbeit ganz und gar zu verweigern. Sie setzten sich auf die ihnen zugewiesenen Arbeitsplätze und rührten keine Hand. Auf die Ermahnungen der Zivilmeister antworteten sie stur, sie seien politische Gefangene, die nach internationalem Recht nicht zur Arbeit gezwungen werden dürften; schon gar nicht zu einer solchen Schufterei, die an frühkapitalistische Arbeitsbedingungen erinnerte. Außerdem würden sie den Staat, der ihnen ihr Menschenrecht auf Freizügigkeit genommen hatte, nicht auch noch unterstützen, indem sie für ein paar Pfennige Lohn für ihn arbeiteten. Sie seien ja nicht blöd, sie wüssten, dass die *Pentacon*-Kameras dem Staat Devisen brachten.

Die hilflosen Zivilmeister informierten die Strafvollzugsbeamten, die kamen und zogen die Augenbrauen hoch. Politische Häftlinge wollten sie sein? So ein Unfug! In der DDR gebe es doch überhaupt keine politischen Häftlinge. Sie, die Strafgefangenen, hätten kriminelle Handlungen begangen; folglich seien sie Kriminelle und nichts anderes.

Essensentzug – Arbeiter erhielten A-Kost, Nichtarbeiter B-Kost – und, falls das nicht wirkte, Arrest bei Wasser und zweihundertfünfzig Gramm Brot am Tag hießen die Strafen. Die meisten, darunter auch Dettmers, hielten das nicht lange durch. Entweder weil es ihnen als Nichtverdiener schon bald an Tabak mangelte und sie die Solidarität ihrer Mitgefangenen nicht ewig strapazieren konnten oder weil ein dreiwöchiger Aufenthalt in der Arrestzelle sie zur »Einsicht« gebracht hatte.

Lenz arbeitete nicht gezwungenermaßen und nicht wegen des Verdienstes. Er arbeitete, weil er abends müde sein wollte. Tagsüber abgelenkt sein, nachts schlafen können war das Einzige, was gegen die ewige Grübelei half. Doch tat er nicht mehr, als er unbedingt musste; über neunzig Prozent der Norm kam er nicht hinaus. Das waren zwölf Mark im Monat, die reichten für zwei Päckchen billigsten Tabak, einhundertfünfzig Blatt Zigarettenpapier, ein Glas Marmelade, ein Stückchen Speck, zwei Zwiebeln.

Nichtraucher hatten es besser; Tabak war die Leitwährung. Wenn am Ende des Monats niemand mehr etwas zum Qualmen hatte, konnte man für Tabak alles andere eintauschen und auch noch die Preise bestimmen.

Zum Glück für Lenz war die Feilerei schon nach vier Wochen beendet. Der Erziehungsbereich IV wurde fortan in der Stanzerei eingesetzt. Auch keine sehr abwechslungsreiche Arbeit, diese acht Stunden an der Stanze. Bald schmerzten Beine und Rücken, der Verstand setzte aus, und die Ersten sehnten sich an ihre Feilen zurück, die nun andere, neu eingetroffene Häftlinge in den Händen hielten. Lenz aber stand noch keine drei Stunden an der Stanze, da kam der große, kräftige Obermeister mit dem Metzgergesicht und fragte nach einem Gefangenen, der Erfahrungen als Arbeitsvorbereiter hatte. Sofort hob Lenz die Hand.

»Haben Sie denn schon mal als Arbeitsvorbereiter gearbeitet?«

»Selbstverständlich! Sonst hätt' ich mich doch nicht gemeldet. Ist nur schon ziemlich lange her.«

»Und was haben Sie seither gemacht?«

Lenz ratterte seinen Werdegang herunter, der Metzgermeister war beeindruckt. »Na, dann versuch ich's mal mit Ihnen.«

Ein Job zum Aushalten; eine Arbeit, die innerhalb weniger

Stunden zu erlernen war. Die kleine Lüge hatte sich gelohnt. Was hatte er denn als Arbeitsvorbereiter groß zu tun? Er stellte die Werkzeuge zusammen, die die Gefangenen an den Bohrern und Stanzen für die einzelnen Fertigungsgänge benötigten, händigte ihnen ihr Arbeitsmaterial aus und nahm nach Schichtende alles wieder zurück. Er schrieb Arbeitsaufträge aus und notierte die erbrachten Leistungen, war von keiner Norm abhängig und verdiente achtzehn Mark im Monat. Er saß in einem großen, fensterlosen Raum voller Regale mit Materialien, Werkzeugen und Maschinenteilen und konnte von seinem Schreibtisch aus die Tür im Auge behalten. Kam ein Schließer oder Zivilmeister, täuschte er Geschäftigkeit vor, kam ein Gefangener, um sich einen neuen Auftrag zu holen, gab's einen kleinen Plausch.

So lernte Lenz die Häftlinge aus dem Erziehungsbereich IV mit der Zeit immer besser kennen, gaben sie sich doch, waren sie mit ihm allein, oft ganz anders als in der Gruppe. Von manch einem erfuhr er im Lauf der nächsten Wochen das ganze Leben.

Einer der populärsten und beliebtesten Mitgefangenen war ohne Zweifel der gerade mal zwanzigjährige Heiner Braun, der auf Dettmers Zelle lag und den alle nur Eri nannten – wie Erika. Ein mittelgroßer, kräftiger Kerl mit ziemlich großem, brünettem Schädel, der weder schwul war noch aussah wie ein Mädchen. Es gab mehrere Strafgefangene mit weiblichem Spitznamen. Sie wurden aus Spaß so gerufen; offenbar musste etwas Weibliches her.

Eri Braun saß seit zwei Jahren und hatte noch weitere zweieinhalb abzusitzen. Sein Vater, ein Hauptmann, war Chef einer Mecklenburger Grenzkompanie. Über den von Papa kontrollierten Grenzabschnitt, über Stacheldraht und Minen hinweg, hatte der Sohn in den Westen fliehen wollen – Anlass für die Militärstaatsanwaltschaft, ihm auch noch Spionage anzuhängen, da er doch über seinen Vater so einiges über den Grenzdienst und die Grenzanlagen wusste. Dass er mit viereinhalb Jahren davongekommen war, hatte Eri hauptsächlich seiner Jugend zu verdanken. Außerdem wollte man ihm – wohl wegen seines Vaters – noch die Chance zur geistigen Umkehr bieten. Eine trügerische Hoffnung. Eri, der unter die Herbst-Amnestie gefallen war, hatte sogar eine vorzeitige Entlassung abgelehnt, weil er dazu seinen Ausreiseantrag hätte zurückziehen müssen. »Ich lass mich nicht kaufen«, erklärte er seine Weigerung, »nur verkaufen, das dürfen se mich.«

Es gab keinen Strafvollzugsbeamten, der den ewig aufmüpfigen Eri Braun nicht hasste, keinen Häftling, der mehr Arresttage hinter sich hatte als Eri, niemanden, der so oft ein Schlüsselbund ins Gesicht bekommen hatte oder mit dem Gummiknüppel traktiert worden war wie er.

Leutnant Oppel, Leiter des Erziehungsbereichs IV, ein eher zurückhaltender Mann, der »Erziehungsgespräche« mit den Häftlingen zu führen hatte und für den der Knastalltag allein aus »OKS« bestand – Ordnung, Kontrolle und Sicherheit –, versuchte es mal mit der weichen Tour, indem er Eri ausmalte, wie schwer er es in der BRD haben würde, falls seinem Ausreiseantrag jemals stattgegeben werden sollte. Er sei ja nur wenige Tage vor den Abiturprüfungen festgenommen worden und damit ohne jeden Schulabschluss oder abgeschlossene Lehre. »Da drüben kümmert sich kein Schwein um Sie. Da können Sie im Rinnstein verrecken, ohne dass jemand auch nur einen Blick auf Sie wirft.«

Eris Antwort: »Lieber im Westen verrecken als im Osten fett werden.«

Was zwischen Eri Braun und seinem Vater vorgefallen war,

wusste niemand. Darüber schwieg Eri sich aus. Doch natürlich musste etwas passiert sein, das über einen üblichen Vater-Sohn-Konflikt hinausging. Wer versuchte denn ohne Not, wenige Tage vor dem Abitur zu fliehen?

Inzwischen wurde Eri schon vom dritten Rechtsanwalt vertreten, diesmal vom richtigen: Dr. Vogel.

Eri Brauns »Spanner« war Jürgen Stracks. Es war beliebt unter den Gefangenen, sich zu Zweier-Gespannen zusammenzuschließen. Man teilte, was man besaß, und stand sich in vielen Situationen gegenseitig bei; zu zweit war man einfach stärker, fühlte sich nicht so allein gelassen.

Stracks wurde nur bei seinem Nachnamen gerufen, kam aus Schwerin, war etwa in Eri Brauns Alter und fühlte sich als Widerständler; einer, der nicht fortlief, sondern kämpfte. Stracks' Großvater war nach dem Krieg von der russischen Besatzungsmacht zu fünfundzwanzig Jahren verurteilt worden und erst nach acht Jahren von den DDR-Behörden freigelassen worden. Grund für die Verhaftung: Er hatte sich über die Demontagearbeiten der Russen erregt. Eine Geschichte, die Stracks, der bei diesem Großvater aufgewachsen war, noch immer bewegte. »Mein Opa war kein Nazi«, erklärte er immer wieder, »er wusste nur Recht und Unrecht auseinander zu halten.« Und dieses Talent, so meinte Stracks, habe er geerbt, weshalb er immer wieder gegen alles aufbegehre und bei jeder Kleinigkeit den Mund aufreiße. Er hatte dreieinhalb Jahre wegen staatsfeindlicher Hetze und Bildung einer kriminellen Vereinigung.

Lenz sah es gern, wenn Eri Braun zu ihm kam; Eri lachte viel und sorgte für Solidarität unter den Häftlingen. Mit Stracks konnte er nicht viel anfangen. Noch größere Probleme aber bereitete ihm Hubert Cierpinski, ein ehemaliger Werkdirektor und Ex-Oberleutnant der Volksarmee aus der Gegend um Dresden, der wegen Veruntreuung von irgendwelchen Geldern zu zwei Jahren verurteilt worden war. Schärpe, wie Cierpinski nur genannt wurde, war ein Gegner der Freikäufe. »Der Aderlass wird gestoppt«, verkündete er immer wieder mit verschwörerischer Miene. »Ich weiß es. Hab Verbindung nach ganz oben.«

Nicht gerade ein Trost, solche Worte. Redete Lenz dagegen an, erzählte Cierpinski von Gefangenen, die drei oder vier Jahre gesessen und auf ihre Ausreise gehofft, danach in den Osten entlassen worden waren und nur in einem Braunkohlentagebau Arbeit gefunden hätten. Oder er rechnete Lenz vor, wie teuer diese Freikäufe für die Bundesrepublik waren. »Und das, wo die da drüben jetzt so viele Sorgen mit ihrer hohen Arbeitslosigkeit haben. Wie sollen die sich so viel ›Humanität‹ auf Dauer denn leisten können? Und was sollen sie überhaupt mit euch? Kommen ja nur noch mehr Arbeitslose.«

Manchmal hätte Lenz Cierpinski am liebsten mit einem Tritt in den Hintern aus seiner Bude befördert.

Es kamen aber auch sympathischere Kriminelle zu Lenz und erzählten ihm ihre Geschichte. Von schlimmen Jugendjahren, prügelnden Vätern und ausgebeuteten Müttern erfuhr er. Ihre Delikte hingegen waren nicht sehr interessant; immer nur Diebstahl von Volkseigentum, kleine Einbrüche und Gewalttätigkeiten.

Meistens jedoch bekam Lenz Fluchtgeschichten zu hören, Fluchtgeschichten über Fluchtgeschichten. Ein Stralsunder hatte in einem plombierten Kühlwaggon in den Westen gewollt und sich trotz aller wärmenden Decken eine Lungenentzündung geholt. Ein Bauer aus der Hallenser Gegend hatte mit einem gekaperten Düngemittelflugzeug die Grenze überfliegen wollen; nur hundert Meter davor war ihm der Sprit ausgegangen. Ein junger Handwerker aus Mecklenburg war an der grünen Grenze angeschossen worden und zeigte jedem sein »Loch« im Bauch. Ein junger OstBerliner hatte ein WestBerliner Ehepaar dazu überredet, ihn im Kofferraum ihres Autos über die Grenze zu schmuggeln; nun saßen sie alle drei, und der junge OstBerliner wollte gar nicht mehr in den Westen, weil er und seine »Fluchthelfer« zum Zeitpunkt der Tat nicht mehr ganz nüchtern gewesen waren und er »in Wahrheit« doch seine schöne Wohnung nicht im Stich lassen wollte. Drei unternehmungslustige Thüringer Rauschebärte waren mit einer langen Leiter von Ungarn aus bis ins Grenzgebiet nach Österreich vorgedrungen. Dort wollten sie die Leiter über die Grenzanlagen legen und von Strebe zu Strebe, über alle eventuellen Minen und Selbstschussanlagen hinweg, in die Freiheit kriechen, waren aber leider den ungarischen Häschern direkt in die Arme gekrabbelt.

Tragödien, Komödien und Tragikomödien; Lenz hörte sich alles an, war entsetzt, schüttelte den Kopf oder lachte. Wirklich reden aber konnte er nur mit denjenigen seiner »Kunden«, die es fertig brachten, trotz des Unrechts, das ihnen angetan worden war, nicht zu verbittern. So manch ein ansonsten eher friedlich gesinnter Kopf war aus Hass gegen die »Kommunisten« ganz und gar zum Rechtsaußen geworden und sann auf Rache. Rachegefühle jedoch erschienen Lenz genauso unsinnig wie Reuegedanken.

Ständig schwirrten neue Gerüchte durch die Zellen und Arbeitsräume. Jede noch so geringe Kleinigkeit innerhalb des Gefängnislebens wurde aufmerksam registriert, von allen Seiten abgeklopft und am Ende, im Hinblick auf ihre Situation, möglichst positiv ausgelegt.

Anfang Mai hieß es, wenn die Bundesrepublik erst den

Grundlagenvertrag zwischen den beiden deutschen Staaten unterzeichnet habe, würden die Transporte losgehen. So lange werde man sie als Faustpfand zurückbehalten. Als der Bundestag den Vertrag nach vielen Diskussionen endlich gebilligt hatte, brach Jubel aus: Die letzten Steine waren aus dem Weg geräumt. Das *Neue Deutschland,* das kurz und knapp über die westdeutschen Debatten und die Unterzeichnung des Vertrages mit all seinen Zusatzprotokollen berichtete, ging wie eine Reliquie von Hand zu Hand.

Wenige Tage später: große Enttäuschung! Die Bayern hatten das Bundesverfassungsgericht angerufen, um den Vertrag doch noch zum Kippen zu bringen. Karrandasch, der nach München wollte, verkündete lauthals, trotz seines christlichen Hintergrunds niemals in seinem westlichen Leben CSU wählen zu wollen; wäre eine Umfrage nach dem unbeliebtesten bundesdeutschen Politiker veranstaltet worden, Franz Josef Strauß hätte gesiegt. Und das mit haushohem Vorsprung.

Dann war eines Tages im *ND* ein großes Foto abgedruckt: Herbert Wehner zu Besuch bei Erich Honecker. Einhellige Meinung: »Der Wehner bewegt was. Der kennt den Honecker doch noch von früher. Fangen wir mal langsam an zu packen.«

Kurz darauf stand im *ND,* das Bundesverfassungsgericht wolle am 31. Juli über die bayerische Verfassungsklage entscheiden. Wut kam auf: Das waren ja noch ganze zwei Monate! Wie sollten da die Ausreisen vor Mitte August losgehen?

Ende Juli begannen in OstBerlin die X. Weltfestspiele der Jugend und Studenten. Der »Sommer der Lebensfreude«, wie es im *ND* hieß. Fotos bewiesen, was für ein freundliches, fröhliches Land voller glücklicher Menschen die DDR war. Kam da wer auf die Idee, nach politischen Gefangenen zu fragen?

Am 31. Juli lehnte das Bundesverfassungsgericht die Klage

des Landes Bayern gegen den Grundlagenvertrag ab. Erneuter Jubel: »Jetzt geht's los! Alles nur noch eine Frage von Tagen.«

Zwei Tage später überraschte sie die klein gedruckte Nachricht von Ulbrichts Tod. Sofort machte eine neue hauptamtliche Entlassungsparole die Runde: »Es gibt 'ne Amnestie. Ganz klar. Als Pieck starb, gab es ja auch eine.«

Als ein paar Tage später in der Effektenkammer nachts das Licht brannte, hieß es: »Sortieren die womöglich schon unsere Klamotten?«

Es war schwer auszuhalten, dieses ewige Warten, Hoffen und Bangen. Lenz versuchte, sich nicht verrückt machen zu lassen, nur von Tag zu Tag zu denken und stets am jeweils nächsten Tag irgendetwas Angenehmes zu finden: Freu dich auf den wöchentlichen Einkauf, auf die wöchentliche Buchausleihe, die wöchentliche Dusche, die monatliche Filmvorführung; Hauptsache, du hast hin und wieder ein gutes Gefühl! Auch lernte er, sich an die von den Strafgefangenen selbst aufgestellten Regeln zu halten, um nicht zum Außenseiter zu werden. Also: Bist du Essenkalfaktor, rühre die Suppe gut um, sonst bleibt das Dicke unten und die »Betrogenen«, die nur dünne Plärre bekommen, halten das für Absicht. Wird ein »Hofkonzert« veranstaltet und die Gefangenen johlen und schlagen mit ihrem Besteck gegen die Gitter, gib ihnen nicht zu verstehen, dass du diese Proteste für unnütze Kraftmeiereien hältst. Im Gegenteil, zeige deinen Mitgefangenen immer wieder, dass du dazugehörst, beweise ihnen deine Freundschaft und hin und wieder auch deine Komplizenschaft. Gib aber Acht, dass du dich nicht zu sehr anpasst, biedere dich nicht bei jedem Idioten an, nur um nicht aus der Gemeinschaft ausgeschlossen zu werden. Der Knast deformiert; willst du dich davor schützen, musst du dir Respekt verschaffen.

Abwechslungen in diesem Warte-Einerlei gab es nur wenige.

Da waren die täglichen Mahlzeiten: morgens Brot und Marmelade, mittags eine dünne Brühe wie die berühmte »Fußlappensuppe« (Weißkohleintopf) oder »tote Oma« (Blutwurst mit Sauerkraut und Kartoffeln), abends eine Leberwurst-Abart auf klitschigem, Bauchweh und Blähungen verursachendem Kastenbrot, angereichert mit »BBB«, einer Margarine zum »Braten, Backen und Bohnern«. Da war neben den Büchern der wöchentliche Fernsehabend – eine einzige Propagandashow, an der Lenz nie teilnahm –, und da waren die sonntäglichen Gottesdienste beider Konfessionen, die ihn ebenfalls nicht interessierten. Um sich die Freizeit auf andere Weise zu verkürzen, fabrizierten sie auf der 218 Würfel- und Kartenspiele, die natürlich verboten, aber durch pfiffige Verstecke ein paar Tage lang zu retten waren. Die Würfel formten sie aus Brot, mit Zahnpasta tupften sie Punkte drauf und dann spielten sie *Chikago*. Auch ein *Mensch-ärgere-dich-nicht*-Spiel aus Pappe und verschieden geformten Brotfiguren half ihnen über so manches Wochenende hinweg. Und knoteten sie mehrere Strümpfe zu einem Knäuel zusammen, hatten sie sogar einen Fußball.

Auf Dettmers Zelle vertrieb man sich die Zeit damit, aus Brot, Wasser, Marmelade und Zucker »Wein« anzusetzen, Kujampe genannt; ein Zeug, von dem die, die es probiert hatten, behaupteten, dass man Gesichtslähmung davon bekomme. Wieder woanders wurden aus Langeweile die verrücktesten Wetten abgeschlosen, wie zum Beispiel die, für eine Packung Tabak »tote Oma« aus dem »Leo« – der Kloschüssel – zu essen. Zwar hatte der Wetthai den »Leo« zuvor mit der »Lissy« – der Klobürste – und Scheuerpulver gereinigt, er erntete für seine Heldentat aber dennoch keinen Beifall, nur eben den teuer erworbenen Tabak.

Interessantester Zeitvertreib jedoch war und blieb die Kommunikation von Zelle zu Zelle. Dafür gab es mehrere Möglichkeiten. Ein alter Knasttrick war, mit dem Becher das Wasser aus dem »Leo« zu schöpfen, bis die Verbindungsrohre frei waren. Geschah das in einer der Nachbarzellen ebenfalls, konnte man durch diese Rohrleitungen miteinander »telefonieren«. Ein mühseliges Unterfangen, das in Cottbus kaum noch praktiziert wurde. Wozu hatte man denn normal große und in normaler Höhe angebrachte Fenster? Wer Lust zum Quatschen hatte, nahm den Spiegel vom Waschbecken und schob ihn so durch die Gitterstäbe, dass er das Zellenfenster des gewünschten Gesprächspartners sehen konnte. Der kam, nachdem sein Name gerufen worden war, ebenfalls mit einem Spiegel in der Hand ans Fenster. So plauderte man nicht ins Blaue hinein, sondern konnte einander ansehen. Lenz und Dettmers schlugen auf diese Weise ganze Sonntagnachmittage tot.

Noch spannender war das Veranstalten von »Kutschfahrten«. Dann wurden Kassiber, Tabakportionen oder Zigarettenblättchen von Zellenfenster zu Zellenfenster gependelt. Dazu wurde das Zettelchen oder die »Lieferung« in Papier gewickelt oder in ein Taschentuch verknotet, an einen langen Bindfaden gebunden und in geschickten Pendelschwüngen vor dem Fenster hin und her bewegt. Bis das Päckchen endlich hoch und weit genug flog, damit sich der Bindfaden um den Besenstiel wickeln konnte, der aus dem Fenster der Nachbarzelle gehalten wurde. Auf diese Weise war über mehrere Fenster hinweg jede Zelle zu erreichen, egal wie weit entfernt, egal in welchem Stockwerk. Durfte nur kein Schließer im Hof sein, der diese Kutschfahrten beobachtete.

Aber natürlich, nichts ging über den Erhalt von reeller Post – ein Brief von der Frau, den Kindern, den Eltern, dem Bruder, der Schwester, der Freundin. Wer Post von draußen bekam, schwebte für kurze Zeit davon. Still zog er sich in die am weitesten von allen anderen entfernte Zellenecke zurück; erst wenn alle Neuigkeiten verdaut waren, durften die anderen daran teilhaben.

Lenz kannte den Kugelschreiber, mit dem Hannah ihm schrieb. Es war der rote *Parker*, den er ihr aus Bombay mitgebracht hatte und für den Fränze später Minen schicken musste. Welch ungewöhnliches Schicksal für einen Kugelschreiber: auf einem belebten indischen Basar mit viel Spaß am Feilschen erstanden, nun benutzt, um Briefe zu schreiben, die von einem ostdeutschen Gefängnis ins andere gingen!

Hannah durfte jeden Monat einen Brief schreiben, da sie aber auch an die Kinder schrieb, bekam Lenz nur jeden zweiten Monat Post von ihr. Diesen Brief las er dann so oft, bis er ihn auswendig aufsagen konnte.

Auch er schrieb jeden zweiten Monat an die Kinder; Briefe, die ihm schwer fielen! Er wollte Silly und Micha Mut machen, ihnen sagen, dass sie sich bald wiederhaben würden, doch er durfte ja nicht die Wahrheit schreiben: Die Briefe wurden mitgelesen – von ihrem »Erziehungsberechtigten« Leutnant Oppel. Aber auch wenn das nicht der Fall gewesen wäre, wie hätten die Kinder ihn denn verstehen sollen? Er litt unter Silkes Antwortbriefen und Michas Zeichnungen. Die Zeichnungen hatten nichts mit Michas jetziger Situation zu tun, waren »Auftragswerke«; Silkes Briefe verrieten viel Unverständnis oder waren ihr, wie leicht herauszulesen war, diktiert worden.

Schrieb Lenz an Hannah, durfte er sich weder über die Haftbedingungen noch über die Strafvollzugsbeamten äußern. Auch politische Erörterungen oder Gedanken zum eigenen Fall – etwa die immer noch unbeantwortete Frage, wie ihr Fluchtvorhaben denn überhaupt herausgekommen war – musste er sich verkneifen. Gefiel Zensor Oppel etwas nicht, ging der Brief nicht ab. So schrieb Lenz jedes Mal an zwei Personen zugleich: an Hannah *und* den Leutnant. Das Zwischen-den-Zeilen-Schreiben jedoch – der Adressat sollte verstehen, was man ihm mitteilen wollte, der Zensor aber möglichst nicht –, es funktionierte nicht recht. Oft formulierte Lenz seine Briefe schon tagelang zuvor im Kopf, schrieb sie um und um und war dann, wenn er alles zu Papier gebracht hatte, doch unglücklich über das, was dabei herausgekommen war.

Wie konnte er Hannah denn Mut machen, wenn er ihr seine inzwischen von so vielen Mitgefangenen bestätigte Dr.-Vogel-Hoffnung verschweigen musste? Wie sollte sie sein unklares optimistisches Drumherumgeschreibe richtig deuten? Kein Wort zu viel durfte er riskieren, wollte er nicht, dass Hannah längere Zeit nichts von ihm hörte.

Und seine literarische Schreiberei? Lenz versuchte es, wollte aufzeichnen, was er erlebte und beobachtete; in seiner Arbeitsbude standen ihm jede Menge Materialzettel und Abrechnungsformulare zur Verfügung. Das Karl-May-Spielen aber war auch hier verboten. Während der Zählappelle wurde jedes aufgefundene, beschriebene oder unbeschriebene Blatt Papier konfisziert und hin und wieder wurden die Gefangenen von Rollkommandos überrascht. Dann stürzte, egal wo sie sich gerade befanden, eine Rotte Blauuniformierter mit Gummiknüppeln auf sie zu, sie mussten sich mit gespreizten Beinen gegen eine Wand fallen lassen und wurden von oben bis unten abgetastet. Wehrte man sich gegen solch einen Überfall oder sagte man etwas Falsches, wurde erbarmungslos niedergeknüppelt; über »Dichter« wurde zum Glück nur gespottet.

Wollte er dennoch »schreiben«, blieb nur eine Möglichkeit: Er musste seine Texte auswendig lernen und sie sich immer wieder aufsagen, um sie bis zum Tag seiner Entlassung nicht zu vergessen. Eine Methode, die nur wenige seiner Hervorbringungen überstanden. Das meiste erschien ihm irgendwann abgelutscht und er verwarf es.

Das *ND* wurde von den Häftlingen nur gelesen, weil sie über das politische Klima zwischen den beiden deutschen Staaten informiert sein wollten. Hing ja viel für sie davon ab. Lenz hielt es nicht anders, stieß aber zweimal auf Nachrichten, die in der 218 allein ihn betrafen und erschütterten.

Es handelte sich um einen Gerichtsbericht und eine Todesanzeige.

In dem Gerichtsbericht ging es um den vierundsechzigjährigen Moritz B. aus Fürstenwalde, einen »Menschen aus der Welt von gestern«. Maßlose Bereicherungssucht habe dem B. eine achtjährige Freiheitsstrafe eingetragen, verbunden mit einer hohen Geldstrafe und dem Verbot jeder weiteren selbstständigen Tätigkeit. Außerdem sei der zweifache Millionär zu Schadensersatzleistung und Beschlagnahmung aller seiner Unternehmergewinne verurteilt worden.

Moritz B., so stand im *ND*, habe sein immenses Vermögen vor allem durch betrügerische Handlungen zum Nachteil des Staates erlangt. Infolge umfangreicher Steuerhinterziehungen und anderer Finanzmanipulationen sei ein volkswirtschaftlicher Schaden von mindestens siebenhunderttausend Mark entstanden. Außerdem habe B. durch überzogene Preise und nicht korrekt gelieferte Ware mehrere seiner Handelspartner um weitere hunderttausende Mark geprellt. Sein ergaunerter Besitz: eine große Villa, drei Autos, jede Menge Bargeld in den verschiedensten Währungen, zahlreicher kostbarer Schmuck und wertvolle Antiquitäten. Die mit angeklagte Tochter, Buchhalterin in B.s Firma, habe ihre Mittäterschaft gestanden und sei zu viereinhalb Jahren Freiheitsstrafe verurteilt worden.

Lenz bedauerte Breuning. Acht Jahre waren eine lange Zeit, besonders für einen alten Mann, und viereinhalb bis fünf davon würde er mindestens absitzen müssen. Und wenn er dann wieder draußen war, war er ein armer Mann. Der Staat nahm ihm alles, rächte sich an dem Kapitalisten, der ihn betrogen hatte. Dass dieser Staat selbst es war, der solch Fürstenwalder Fürsten erst den richtigen Nährboden bereitete, wer wollte das wissen, wer durfte das sagen?

Die Todesanzeige hatte das Versorgungsdepot für Pharmazie und Medizintechnik aufgegeben: Waldemar Hartmann war tot. Gestorben im Alter von zweiundsechzig Jahren. Hartmanns Verdienste als Mitarbeiter der ersten Stunde wurden gewürdigt, nie werde man ihn vergessen, wurde beteuert, ein Vorbild an Einsatz und Pflichterfüllung sei er gewesen.

Lenz hatte in den letzten Jahren nur noch selten an den zierlichen Mann im ewig braunen Anzug gedacht, der so ganz und gar seine eigene Meinung hatte, ihn aber nie ganz vergessen können. Ihre Unterhaltung über seinen Nicht-Eintritt in die Partei – fast war er sich sicher, dass Hartmann auch für seine jetzige Situation Verständnis aufgebracht hätte. Es gab aber noch ein anderes Gespräch, das er mit Hartmann geführt hatte; dachte er daran zurück, hatte er ein schlechtes Gewissen.

Es war während eines Betriebsausflugs nach Bad Saarow. Zusammen mit Hartmann hatte er am Tisch gesessen, und dort, in fröhlicher Runde, hatte der damals Achtundfünfzigjährige verkündet, dass er ab sofort nicht mehr rauchen werde. Ob sich das in seinem Alter denn überhaupt noch lohne, hatte der eifrige Raucher Lenz da lachend gefragt und das natürlich scherzhaft gemeint. Hartmann jedoch war über diese Taktlosigkeit sehr betroffen gewesen: »Sie meinen wohl, ich sollte mich langsam darum kümmern, wer meine Grabpflege übernimmt?«

Nein, nein, hatte er sich entschuldigt, er habe doch nur sagen wollen, dass er, Lenz, darauf hoffe, ab einem gewissen Alter das Leben in vollen Nikotinzügen genießen zu dürfen. Sozusagen ohne ewig ein schlechtes Gewissen haben zu müssen. Schließlich riskiere man, je älter man werde, ja immer weniger.

Dasselbe in Grün. Er hatte es gewusst und sich geschämt. Hartmann aber fand noch entschuldigende Worte für seine jugendliche Arroganz: »Wer keine dreißig ist, für den sind alle über fünfzig alt.«

Und nun? Das naseweise Bürschchen hatte Recht behalten. Es hatte sich für Hartmann nicht mehr gelohnt, auf seine geliebten Stäbchen zu verzichten.

Zwei Nachrichten, die Schuldgefühle in Lenz auslösten: Er hatte Breuning nicht gemocht und ihn das öfter spüren lassen; er hatte den ihm doch so sympathischen Hartmann verletzt, als der gerade voller Optimismus in eine neue Lebensphase aufbrechen wollte. War es nicht seltsam, dass er in seiner jetzigen Situation – in der er von so vielem, was draußen geschah, abgeschnitten war – von beider Schicksal erfuhr?

4. Nicht Buchenwald

Lenz hatte sich fest vorgenommen, sich von den Strafvollzugsbeamten nicht provozieren zu lassen, Anfang August aber verlor er doch einmal die Beherrschung.

Es war ein sonniger Sonntagvormittag. Mit einem Brief von Silke in der Hand lag er auf dem Bett, und auf dem Hof tobte Berija herum – Berija, der schwarzhaarige, glatt gescheitelte, junge Unterleutnant mit der randlosen Brille und dem hervorspringenden Kinn, der seinen Spitznamen Stalins 1953 erschossenem, für die Säuberungen der dreißiger Jahre mitverantwortlichem Geheimdienst-, Polizei- und Sicherheitschef verdankte; Berija, der den Kriminellen mit viel Verständnis für ihren Ausrutscher entgegenkam und alle politischen Gefangenen als Verräter an der großen, guten Sache verabscheute. An diesem Vormittag ließ er mal wieder eine Gruppe von Gefangenen strafexerzieren. Unentwegt hallten seine Kommandos über den Gefängnishof.

Es gab Schließer, die nie schlugen, es gab solche wie Petrograd oder Panzerplatte, die gern einmal zuschlugen, es gab nur einen, der wegen jeder Kleinigkeit schlug: Berija. Mal mit dem Schlüssel, mal mit dem Knüppel, mal mit der blanken Faust. Auch betätigte er sich gern als »Durchknaller«, indem er sich mit einem Kollegen vor die Zellentür schlich, um sie im Schnellaufschluss zu öffnen – damit den Gefangenen keinerlei Gelegenheit blieb, rasch noch irgendwas Verbotenes oder Gebasteltes verschwinden zu lassen.

Das Verfahren war einfach, einer der beiden Schließer stieß den Schlüssel ins Schloss, während der andere schon die Riegel zurückriss. Die Gefangenen hörten nur einen Schlag – und Berija stand in der Zelle.

An diesem Sonntagvormittag trieb Berija die Gefangenen, die seinen Unwillen erregt hatten, mal im Entengang im Hof herum – sie mussten in die Hocke gehen und sich dennoch vorwärts bewegen –, mal ließ er sie »Häschen hüpf« machen. Dazu mussten sie ebenfalls in die Hocke gehen, die Arme vorstrecken und vorwärts hüpfen. Zur Entspannung gab's Kniebeugen.

Lenz wollte sich auf Silkes Brief konzentrieren, vom Hof her aber tönte unentwegt Berijas Stimme durchs offene Fenster: »Wenn Sie denken, Sie können mich hochnehmen, befinden Sie sich auf dem Holzweg. Wenn ich will, dürfen Sie sich bis Mitternacht auf diese Weise amüsieren. – Sie da! Hüpfen, nicht kriechen! – Mit solch verrotteten Menschen müsste man eigentlich noch ganz anders verfahren. – Eigentlich gehören Sie allesamt in den Arrest. – Sie da, Arsch hoch, verdammt noch mal!«

War es Silkes Brief – eindeutig nur diktierte Sätze –, der Lenz so frustrierte, dass er sich abreagieren musste? War es Berijas schrille Stimme, die er nicht länger ertragen konnte? Es kam so plötzlich über ihn, dass er später selbst nicht wusste, was ihn zu diesem Ausraster bewegt hatte. Mit einem Mal sprang er auf, stürzte ans Fenster und überschrie den Unterleutnant: »Halt endlich deine verdammte Schnauze, Berija!«

Zwei, drei Sekunden lang war es still im Hof, dann heulte Berija auf: »Ich krieg Sie, Sie Schwein!! Ich weiß, in welcher Zelle Sie stecken.«

Das Strafexerzieren war abgesagt, die durch Lenz erlösten Gefangenen durften in ihre Zelle einrücken. Minuten später stand Berija in der Tür zur 218, Triumph im Gesicht.

Roman Brandt erstattete Meldung; alle anderen waren ebenfalls aufgestanden, hatten mehr oder weniger Haltung angenommen und blickten Berija an, als wären sie gerade erst aus einem Nickerchen erwacht.

»Naa? Freiwillige vor! Wer hat mich beschimpft? Oder glauben Sie etwa, ich wüsste nicht, wer Berija war?«

Er hätte es nicht wissen dürfen, Stalins Heldentaten und die seiner Helfershelfer und Schachfiguren wurden seit Jahren totgeschwiegen. Hatte Berija sich von sich aus schlau gemacht? Etwa über die Feindmedien? Vielleicht, nachdem er erfahren hatte, wie sein Spitzname lautete?

»Ich will wissen, wer das feige Schwein war, das mich aus dem Fenster heraus beschimpft hat!«

Aus den Augenwinkeln sah Lenz zu den anderen hin: Karrandasch, Hausmann, Franz Moll, Jochen Wiegand, Roman Brandt. Sollte er sich melden, damit die anderen in Ruhe gelassen wurden? Wiegand schüttelte unmerklich den Kopf; abwarten, besagte sein Blick.

»Kein Charakter, was?«

»Wer soll denn was gerufen haben?« Karrandasch krauste die Nase.

»Wollen Sie mich verarschen?« Berija schob sich vor Karrandasch hin. Lenz hatte mal ein Foto gesehen: ein großer, schlanker SS-Mann vor einem kleinen, ernsten, aber sehr gefassten KZ-Häftling – Carl von Ossietzky und einer seiner Bewacher. Nein, die Strafvollzugsanstalt Cottbus war kein KZ, die Haltung jedoch, in der der große, schlanke Berija sich vor dem kleinen Karrandasch aufgebaut hatte – Beine breit, Arme in die Seiten gestemmt –, war die gleiche. Es war die typische Haltung all derer, die kraft der ihnen von ihrer Obrigkeit verliehenen Autorität meinten, es mit minderwertigem und deshalb mit Strenge und Gewalt zu behandelndem »Menschenmaterial« zu tun zu haben. »Aus Ihrer Zelle kam der Ruf. Hab ja den Schatten noch vom Fenster verschwinden sehen. Ich rate demjenigen, der sich mit mir anlegen wollte, sich zu melden, sonst leidet der ganze verrottete Verein.«

»Hab nicht gerufen.« Karrandasch.

»Ich auch nicht.« Hausmann.

Sie hatten alle nicht gerufen, auch Moll, Wiegand, Brandt und Lenz nicht.

»Raustreten!«

Sie mussten sich auf dem Flur in einer Reihe aufstellen und so stehen bleiben, gut einen Meter von jeder Wand entfernt, damit sie sich nicht etwa anlehnen konnten.

»So, meine Herren! Während Sie nun langsam immer tiefer in den Fußboden wachsen, können Sie ja mal darüber nachdenken, ob Ihnen nicht doch noch einfällt, wer von Ihnen mit mir diskutieren wollte.«

Berija grinste und ging. Die Zellentür hatte er zugeschlossen.

Moll seufzte: »Der bringt es fertig und lässt uns eine ganze Woche lang hier stehen.«

Lenz bot an, sich zu melden. »Ich will nicht, dass wir zu sechst unter meinem Ausraster leiden.« Er kannte die »Erziehungsmethode« Strafestehen bereits. Aus dem Kinderheim. Schon nach einer Stunde hatten sie damals das Gefühl gehabt, jeden Augenblick umfallen zu müssen.

»Kein Wort sagste! Meldeste dich, hat er dich auf'm Kieker, bis du wieder hier raus bist.« Wiegand.

Karrandasch: »Außerdem ist dir der Tigerkäfig sicher.«

Eri Braun hatte von der käfigartigen Arrestzelle im Keller berichtet. Zwischen mehreren sehr dunklen, sehr kalten Kellerzellen, die benutzt wurden, um widerspenstige Häftlinge durch längere Arresthaft zur Raison zu bringen, sollte es diesen feuchten, dunklen Tigerkäfig geben: eine Zelle, die durch ein Gitter geteilt und auf diese Weise von der Zellenaußentür getrennt war. Nur zweieinhalb Kubikmeter Raum standen dem Arrestanten darin zur Verfügung, und es gab kein Fenster, nur eine Belüftungsklappe, die vom Gang aus bedient wurde. Auch verhinderte dieses Gitter jede Möglichkeit, im Notfall Hilfe herbeizuklopfen. Sogar die Kloschüssel lag vor dem Gitter; Benutzung nur möglich bei Zellenaufschluss. Einziges Inventar: Holzpritsche mit Wolldecke; keine Matratzen.

»Das Problem ist, dass ich nicht lange stehen kann«, flüsterte Hausmann. »Hab's seit der U-Haft an der Bandscheibe.«

»Wenn du sagst, dass es nicht mehr geht, melde ich mich.«

Hausmann nickte nur. Ein Eingeständnis, das ihm schwer gefallen sein musste. Ein Chirurg, der nicht lange stehen konnte? Da würde er sich, wenn er seine Zeit herumhatte, zuallererst von einem Kollegen operieren lassen oder in ein anderes Fachgebiet überwechseln müssen.

Lenz wiederholte: »Sowie einer von euch sagt, dass es nicht mehr geht, melde ich mich.«

Schweigen. Sie standen ja erst seit ein paar Minuten.

»Eine Uhr müsste man haben«, flüsterte Moll nur wenig später. »So wissen wir nicht mal, wie lange wir schon stehen.«

»Denk an was anderes«, zischte Karrandasch ärgerlich und brach, um sich und die anderen abzulenken, mal wieder einen Streit über die Gebrüder Mann vom Zaun. Lenz ging darauf ein, die anderen hörten zu, bis auch Wiegand und Hausmann mit diskutierten. »Habt ihr denn schon mal was von einem der beiden gelesen?«, fragte Lenz an Moll und Brandt gewandt. Als sie verneinten, begann er ihnen den *Professor Unrat* zu erzählen. Zur Schule waren ja auch Moll und Brandt mal gegangen, vielleicht interessierte es sie, was die drei unternehmungslustigen Schüler aus der Kaiserzeit, die sich so zu der freizügigen Künstlerin Fröhlich hingezogen fühlten, mit ihrem ebenfalls in die Fröhlich verliebten Pauker alles anstellten. Als er fertig war, nickte Brandt: »Die Geschichte kenn ich. Da gibt's 'nen alten Film, den hab ich im Fernsehen gesehen. Mit Marlene Dietrich.«

Ein Anstoß, umzuschwenken und Marlene-Dietrich-Filme zu erzählen. Nach dem fünften, sechsten breit ausgewalzten Hollywood-Streifen, mitten in Karrandaschs *Zeugin der Anklage*, kam Berija den Flur herunter, blieb vor ihnen stehen und stemmte die Arme in die Seiten. »Na? Hat man nachgedacht?«

Lenz hob die Hand.

Berijas Augen glommen auf. »Sie also! Na war…«

Lenz: »Wieso ich? Ich wollte nur eine Meldung machen.«

»Na dann heraus mit der Sprache: Wer war's?«

»Niemand war's! Ich möchte nur melden, dass der Strafgefangene Hausmann einen Bandscheibenschaden hat. Er darf nicht so lange stehen.«

»Und wieso meldet er das nicht selbst? Sind Sie sein Adjudant?«

Hausmann, verlegen: »Das wollte ich ja gerade tun.«

Berija, enttäuscht und zornig: »Na, dann geh'n Se doch zum Sanitäter, Herr Sanitäter. Aber bitte nicht heute, heute ist Sonntag, da hat unser Doktor keinen Dienst, da beschimpft er Strafvollzugsbeamte oder deckt den, der's war.«

Hausmann: »Aus unserer Zelle hat niemand gerufen.«

»So? Niemand? Na, dann schöne Grüße an Ihre Bandscheibe und den feigen Herrn Niemand.« Noch ein hasserfüllter Blick, dann ging er wieder, der Unterleutnant Berija.

Moll: »Hab auf seine Uhr geschaut. Jetzt steh'n wir schon seit zwei Stunden.«

Karrandasch: »Mein Film war noch nicht zu Ende.« Mit seligem Blick schilderte er, wie die Dietrich als Zeugin durch raffinierte Falschaussagen ihren Liebhaber rettet, von dessen Verrat an ihrer Liebe erfährt und ihn am Ende niederschießt. »Und dann Charles Laughton, der diesen wunderbaren Strafverteidiger gibt und nun bereit ist, auch sie zu verteidigen …«

Die Kalfaktoren kamen, das Mittagessen wurde ausgeteilt. Berija begleitete sie, öffnete und verschloss die Zellentüren und verkündete laut, dass die 218 an der Mittagsmahlzeit nicht teilnehmen werde.

Als wieder Ruhe im Flur war, erzählten sie weiter Filme. Alle möglichen Filme. Irgendwann wollte Wiegand dann nur noch lachen und begann die schlimmsten *Defa*-Politschinken zu erzählen.

Einen davon hatten sie erst kurz zuvor sehen dürfen, einen Streifen über Karl Liebknecht. Als im Film ein Reichswehroffizier sagte: »Wir wollen die Hauptstadt von den Kommunisten befreien«, war unter den Strafgefangenen Jubel ausgebrochen. Die Schließer rotierten, der Film wurde angehalten, das Licht ging an: Wenn nicht sofort Ruhe herrsche, gebe es das nächste halbe Jahr lang keine Filmvorführung. Es wurde trotzdem weitergelacht: Wir wollen die Hauptstadt von den Kommunisten befreien! Welch passender Satz für ihre Situation! Und am längsten und lautesten lachte Alfred Karp, ein etwa fünfzigjähriger Bauschlosser, der wegen eben dieses Films in Cottbus einsaß. Er hatte in einem Kino laut von Geschichtsverfälschung gesprochen, ohne zu wissen, dass manchmal Stasi-Leute in solche Filme gingen, um zu überprüfen, wie diese Art Agitation beim Publikum ankam. Anderthalb Jahre hatten sie Karp für seine Lästerzunge aufgebrummt, staatsfeindliche Hetze und Aufwiegelung zur Konterrevolution waren ihm vorgeworfen worden. Und jetzt? Jetzt sah er im Knast den Film, der ihn hier hereingebracht hatte, noch einmal und durfte lästern und schimpfen, so viel er wollte, weil ihm ja nicht mehr viel passieren konnte; er saß ja schon drin in der Scheiße.

Sie lachten noch einmal über diese »Arbeiterklassenoperette« und den vor Genugtuung ganz hippeligen Karp, dann musste Hausmann eingestehen: »Jetzt geht's nicht mehr.«

Sofort bot Lenz ihm an, Berija beim nächsten Mal seine Schandtat einzugestehen. Wiegand war damit nicht einverstanden: »Wir machen uns ja vor uns selbst lächerlich, wenn wir jetzt klein beigeben. Außerdem nimmt er uns anderen dann übel, dass wir dich nicht denunziert haben. Dein Opfer wird zum Bumerang.«

Karrandasch riet Hausmann, sich doch einfach ein bisschen hinzulegen. »Sieht dich ja niemand.«

Doch, einer sah ihn: Roman Brandt. Sie blickten Brandt an, und er wurde rot: Hatte er denn bisher nicht geschwiegen? Und das, obwohl er Brigadier und damit eine Vertrauensperson der Strafvollzugsbeamten war und nicht ausreisen wollte, sondern allein auf gute Führung und frühzeitige Entlassung setzte? »Ich würde es niemandem sagen«, beteuerte er. »Aber wenn Berija uns beobachtet?«

Sie sahen zu den Gittertüren hin, die den Flur vom Treppenhaus trennten.

Karrandasch: »Na und wenn schon! Er kann doch keinen kranken Mann bestrafen.«

Unschlüssig blickte Hausmann sich um, dann nickte er plötzlich, legte sich der Länge nach auf den Fußboden, streckte Arme und Beine von sich und machte ein paar gymnastische Übungen. Kaum hatte er sich ein wenig erholt, rasselte der Schlüssel in der Flurtür und Berija trat vor sie hin. »Was soll denn das? Da hat wohl einer Lust auf den Keller.«

Karrandasch: »Es ging nicht mehr. Und da haben wir ihm geraten, sich hinzulegen. Wir sind ja keine Ärzte, wollten nichts falsch machen.«

»Aufstehen!«, bellte Berija.

»Nein.« Hausmann gab sich Mühe, sachlich zu bleiben. »Nicht, wenn Sie mich weiter stehen lassen wollen. Will Ihretwegen nicht zum Invaliden werden. Zwingen Sie mich, zeige ich Sie an.«

»*Sie* wollen *mich* anzeigen?« Er stemmte mal wieder die Arme in die Seiten, der Herr Unterleutnant. »Was glauben Sie denn, wer Sie sind? Sagen Sie mir, wer mich beleidigt hat, und Sie dürfen sich aufs Bett legen und müssen meinetwegen heute überhaupt nicht mehr aufstehen. Aber drohen Sie mir gefälligst nicht, Herr Doktor!«

Wiegand: »Und wenn Sie uns bis ans Ende unserer Tage hier stehen lassen, aus unserer Zelle war es niemand. Sie müssen sich geirrt haben.«

Jetzt, das war deutlich zu sehen, begann er doch zu zweifeln, der zuvor so selbstsichere Berija, schrie aber weiter: »Lügen Sie mir nicht die Hucke voll! Sagen Sie mir, wer aus dem Fenster gerufen hat, und Sie haben Ihre Ruhe.«

Moll, mürrisch, mit längst eingeknickten Beinen: »Was können wir dafür, wenn Sie die Zellenfenster verwechseln.«

Er hatte das letzte Wort noch nicht heraus, da schlug Berija schon zu. Mit dem Schlüsselbund. Moll stürzte zu Boden, Blut schoss ihm aus Mund und Nase. »Staatsverräterisches Pack! Mit euch müsste man noch ganz anders umspringen.«

Lenz beugte sich über Moll, tupfte ihm vorsichtig mit dem Taschentuch das Blut aus dem Gesicht und sah ihn fragend an. Der junge Bursche schüttelte stur den Kopf. »Nee! Jetzt erst recht nicht. Der soll mich lecken! Von Hacke bis Nacke.«

»Was haben Sie gesagt?«

Karrandasch: »Er hat gesagt, dass ihm der Kopf wehtut – bis hinunter in den Nacken. Wir sollten ihn aufs Bett legen.«

»Wer hier was sollte, bestimme ich!«

Wiegand ballte die Fäuste, Karrandasch hielt ihn am Hosenbein fest. »Keine Geschenke! Auf so was wartet der bloß.«

»Was haben Sie gesagt?«

Karrandasch krauste die Nase. »Hab gesagt, dass mir schlecht ist. Gewalttaten schlagen mir immer so auf den Magen.«

»Gewalttaten? Gewalttaten? Die Gewalttäter sind Sie!«

Schweigen. Lenz half Moll auf, und als er schwankte, stützte er ihn. Moll presste sich sein Taschentuch vors Gesicht und blickte finster.

Berija: »Also, wollen Sie jetzt vernünftig sein und reden?«

Voll kochender Verachtung blickten sie an ihm vorbei.

»Na gut! Dann machen Sie sich mal auf eine lange Nacht gefasst.«

Es reichte, noch länger durfte Lenz die anderen fünf nicht leiden lassen.

Er hatte den Mund schon auf, um Berija zu seinem Triumph zu verhelfen, da befahl der plötzlich: »Sie holen sich Reinigungsgeräte, und dann fegen und wischen Sie alle Flure und seifen alle Wände und Türen ab. Finde ich irgendwo auch nur ein einziges Staubkörnchen, gnade Ihnen Gott.«

Er sagte es nicht in einlenkendem Tonfall, er stieß es heraus, als hätte er sich wegen ihres Verhaltens eine ganz besonders grausame Strafe ausgedacht. In Wahrheit gab er auf. Er konnte sie nicht ewig hier stehen lassen, konnte sie auch nicht einen nach dem anderen zusammenschlagen oder in den Arrest sperren; solange sie zusammenhielten, war er machtlos. Cottbus war ein VEB Strafvollzug, kein KZ.

Erleichterung trat in ihre Gesichter, beinahe hätten sie einander zugelächelt. Alles war gut, wenn sie nur nicht länger stehen mussten.

Als sie dann endlich arbeiten durften und Berija außer Sicht- und Hörweite war, bedankte Lenz sich bei seinen Zellengenossen. Hausmann, Wiegand und Karrandasch winkten nur ab, Brandt sagte mürrisch »Bitte!«, Moll fand, ein halbes Päckchen Tabak plus fünfzig Blatt Zigarettenpapier wäre sein blutendes und schmerzendes Gesicht schon wert. Lenz versprach ihm ein ganzes Päckchen und die doppelte Menge Zigarettenpapier.

Sie putzten bis weit nach Mitternacht, dann schloss die Lachtaube, ein junger, ewig lächelnder, doch ein wenig heimtückischer Schließer, sie in ihre Zelle zurück. Da sie kein Mittagessen und kein Abendbrot bekommen hatten, stürzten sie als Erstes an die Wasserleitung und kramten danach die Reste ihrer Lebensmitteleinkäufe aus den Spinden. Auch der letzte Krümel wurde solidarisch geteilt. Der schweigsame Chirurg, der geschwätzige Malergeselle, der zukünftige Dichterfürst, der verschämte Bauinstallateur, der politisch eher rechte Elektroingenieur und der politisch eher linke Ökonom für Medizintechnik, für den Moment waren sie eine Gemeinschaft. Sie hatten gesiegt – auch über sich selbst –, sie konnten zufrieden sein.

Erst als sie schon in ihren Betten lagen, witzelte Karrandasch: »Wenn mal wieder einer schreien muss, bitte vorher anmelden! Damit wir ihm rechtzeitig ein Kissen in den Schlund stopfen können.«

Lenz sagte nur: »Einverstanden.«

Berijas Niederlage sprach sich herum. Die Essenkalfaktoren hatten von seiner Strafaktion gegen die 218 berichtet; dass der Ausgang der Sache publik wurde, dafür sorgten Karrandasch und

Moll. Eine Solidaritätsaktion unter Häftlingen? So etwas kam an.

Bald wurde immer öfter aus den Fenstern gerufen: »Geh scheißen, Urian! Du hast so dicke Augen.« – »Petrograd macht Seele hart!« – »Für 'n Oppel und 'n Ei sind wir überall dabei!« Die Strafvollzugsbeamten rasten, aber was konnten sie tun, solange die Schreihälse nicht zu erwischen waren? Nur keine erneute Blamage.

Sie baute Frust ab, diese einzige Möglichkeit, den Mund aufzumachen, ohne eine Strafe befürchten zu müssen. Und sie machte Mut zu weitergehenden Aktionen. So kam es Mitte August zu einem Protestmarsch, an dem der gesamte Erziehungsbereich IV beteiligt war.

Vorausgegangen war eine Weigerung Stracks'. Petrograd hatte ihm befohlen, eine weggeworfene Zigarettenkippe aufzuheben, und Stracks hatte das abgelehnt. Es war nicht seine Kippe.

Petrograd: »Das spielt keine Rolle. Heben Se die Kippe auf.«

Stracks: »Und ob das 'ne Rolle spielt! Bin politischer Gefangener und nicht von der Müllabfuhr.«

Petrograd: »Bei uns gibt's keine politischen Gefangenen. Heben Se die Kippe auf.«

Stracks: »Heb se doch selber auf, wenn du was zu rauchen brauchst.«

Wie Stracks später berichtete, wollte Petrograd zuerst nur mit dem Schlüsselbund zuschlagen, doch dann überlegte er es sich anders und rief zwei Kollegen zu Hilfe. Zu dritt zerrten sie Stracks unter die Dusche und ketteten ihn mit Handschellen dort an. Eine ihrer beliebten Kneippkuren; eiskaltes Wasser sollte den Hitzkopf Stracks abkühlen. Stracks lachte nur, doch erkältete er sich während dieser Tortur. Ein Kassiber, aus dem Arrestkeller in die 220 zu seinem Spanner Braun hochgeschickt, berichtete von Kopf- und Gliederschmerzen und Fieberanfällen. Eri Braun befürchtete sogleich eine Lungenentzündung und sorgte dafür, dass Tag für Tag aus den verschiedenen Zellen Brot, Marmelade und Dosenwurst zu Stracks hinuntergependelt wurde, denn Leutnant Oppel hatte als Zusatzstrafe verfügt, dass Stracks anstatt der ihm zustehenden zweihundertfünfzig Gramm Brot pro Tag nur zweihundert in die Zelle gereicht werden durften. Allein mit Lebensmitteln jedoch war eine Lungenentzündung, wenn es denn eine war, nicht zu kurieren. Also meldete Braun sich bei Oppel an. Der wiegelte ab: Stracks habe sich die Arreststrafe selbst zuzuschreiben; außerdem sei von einer Erkrankung nichts zu bemerken, einen Schnupfen habe schließlich jeder mal. Und überhaupt, woher wolle denn er, Braun, von dieser Erkrankung wissen? »Hat Ihnen der Wind ein Lied erzählt?« Er lachte und verabschiedete Eri mit der Mahnung: »Die eigene Schuld erkennen, das ist es, woran Sie arbeiten müssen. Und da haben Ihr Freund Stracks und Sie noch erhebliche Defizite.«

Eri aber gab nicht auf. Es ging durch alle Zellen: Wenn wir morgen zur Arbeit marschieren – langsam gehen, Trippelschritte machen! Wenn sie rotieren – stur bleiben! So lange, bis sie fragen, was los ist. Dann einen Arzt für Stracks fordern.

Lenz fand Stracks' Verhalten ausgesprochen dämlich. Sich wegen einer Zigarettenkippe drei Wochen verschärften Arrest einfangen! Ja, auch er hatte Mist gebaut, als er sich mit Berija anlegte. In seinem Fall aber handelte es sich um einen Ausraster, Stracks provozierte bewusst, wollte die Strafvollzugsbeamten vorführen. Immer wieder drängte es ihn zu beweisen, was der große Stracks für ein Kerl war. Damit sorgte er ständig für Unruhe, was ihn jenen Gefangenen, die möglichst in Ruhe gelassen werden wollten, nicht gerade sympathisch machte. Trotzdem waren alle politischen Häftlinge, Lenz eingeschlossen, für Brauns Aktion. Vor jeder Arresteinweisung musste ein Arzt die Arrestfähigkeit bestätigen, was in Stracks' Fall auch geschehen war – doch was, wenn die Krankheit erst nach erfolgter Einweisung in die Arrestzelle erkennbar wurde? Musste die Bestrafung dann nicht ausgesetzt, zumindest aber dafür gesorgt werden, dass der Arrestant unter ständiger ärztlicher Kontrolle stand?

Braun hatte die Parole ausgegeben und der Erziehungsbereich IV hielt sich daran. Als sie an diesem warmen, sonnigen Augustmorgen auf dem Hof angetreten waren und Brandt den Befehl zum Abmarsch gab, traten sie fast auf der Stelle, so langsam nur bewegte die erste Reihe sich vorwärts. Die verwunderten Kriminellen, von denen nur die wenigsten über die Protestaktion Bescheid wussten, waren gezwungen, sich diesem Tempo anzupassen. Dienst hatte an jenem Morgen der Polizeimeister Klöppenpieper, neben Leutnant Oppel der einzige Strafvollzugsbeamte, der keinen Spitznamen verpasst bekommen hatte. Womit hätte »Klöppenpieper« denn noch übertroffen werden sollen? Der junge Polizeimeister glaubte, seinen Augen nicht trauen zu dürfen. »Was soll denn das? Sind Sie ganz und gar verrückt geworden?«

»Arzt für Stracks!«, rief Eri Braun.

»Was? Wieso? Wer war das?«

Keine Antwort.

In Klöppenpieper dachte es. Aber es dachte anders als sonst. Üblicherweise spitzte er beim Denken den Mund, als wollte er pfeifen; an diesem Morgen vergaß er das. Doch begann er nicht zu toben. Er war kein Berija, Urian, Panzerplatte, kein Petrograd; er war nur Klöppenpieper, und deshalb versuchte er, das Ganze als Scherz misszuverstehen. »Los!«, sagte er jovial und nickte dem mit betretenem Gesicht vor ihm stehenden Brandt lächelnd zu. »Geben Se noch mal Kommando und dann ab zur Arbeit. Sonst kommen Se noch zu spät und es gibt Lohnabzüge.«

Brandt ließ stillstehen, dann befahl er erneut: »Im Gleichschritt – marsch!«

Sie trippelten. Brandt schrie: »Links, links, links, zwo, drei, vier ...« Es nützte nichts, die Gefangenen setzten die Füße nur zentimeterweise.

Der verwirrte Klöppenpieper winkte Fabian Weiss aus dem Glied und befahl Brandt, sich einzureihen. Weiss, ein rotblonder, etwa vierzigjähriger Leipziger Bär, der sein Käppi immer so schräg aufsetzte, als wollte er trotz der vier Jahre, zu denen er verurteilt war, ungebrochene Daseinslust demonstrieren, war eine Respektsperson. Wenn es Weiss nicht gelang, die Truppe in Gang zu setzen, wem dann? So musste es in Polizeimeister Klöppenpieper gedacht haben. Ein Zeichen dafür, dass er noch immer nicht begriffen hatte, was für Leute er bewachte. Weiss saß, weil er verbotene westliche Literatur verliehen hatte, darunter auch ein Band mit Erinnerungen politischer Häftlinge an ihre Haftzeit in der DDR. Mehrere von ihnen, so Weiss einmal zu Lenz, hätten in Hohenschönhausen eingesessen, allerdings einige Meter von den Neubauzellen entfernt, in denen Lenz seine acht Schritte auf und ab getigert war. Bis in die sechziger Jahre hinein sei auf dem Gelände an der Genslerstraße nämlich auch noch ein unterirdischer, fensterloser Zellentrakt genutzt worden, von einigen Gefangenen »Badewanne«, von anderen »U-Boot« genannt. Die Russen hätten ihn angelegt, damals kurz nach dem Krieg, die Stasi habe ihn übernommen. In den röhrenförmigen, fensterlosen Zellen hätten die Gefangenen kaum Luft bekommen, und noch bis Anfang der sechziger Jahre seien sie geschlagen und mit Wasser, Hitze, Kälte, Schlafentzug und Steharrest gefoltert worden. »Die das mitgemacht haben, werden noch immer von Alpträumen gequält. Und glaubst du etwa, uns wird's anders ergehen? Wer gefoltert wurde, bleibt gefoltert – sein Leben lang! Ob nun körperliche oder psychische Folter, das macht keinen großen Unterschied.«

Weiss war ein echter Feind seines Staates, und so stand er, nachdem Klöppenpieper ihn aus dem Glied gewunken hatte, nur da und lachte. Dreimal forderte Klöppenpieper ihn auf, das Kommando zu übernehmen, Weiss schien überhaupt nicht zu verstehen, was er von ihm wollte. Aus dem Glied heraus aber wurden immer lautere Rufe nach einem Arzt für Stracks laut. Und es war längst nicht mehr nur Eri Braun, der den Mund aufmachte.

Enttäuscht und wütend schickte der hilflose Klöppenpieper auch Weiss ins Glied zurück und winkte Hannes Baltzer heraus. Der, ein Idiot, der sich selbst eine SS-Uniform gebastelt hatte und damit eines Sonntagnachmittags durch Neubrandenburg spaziert war, ein fetter Kerl mit Schweinsäuglein, erst neunundzwanzig Jahre alt und schon Vater von acht Kindern, stellte sich gleich in Positur und schrie wie ein wild gewordener Stier: »Erziehungsbereich IV – stillgestanden!«

Sie stellten das Trippeln ein.

»Im Gleichschritt – marsch!«

Sie trippelten.

Und dabei blieb es: Baltzer brüllte, Klöppenpieper blickte ratlos, der Erziehungsbereich IV setzte Fuß vor Fuß. Doch der Weg zur Stanzerei war kurz, sie hatten das Fabrikgebäude trotz ihres Protestes bald erreicht. Deshalb war geplant, auf dem Rückweg von der Arbeit die gleiche Zeremonie zu veranstalten. Und am nächsten Morgen wieder; notfalls eine ganze Woche lang immer nur Trippelschritte. Doch dazu, das wussten sie, würde es gar nicht erst kommen. Die Berijas, Urians und Petrograds waren keine Klöppenpieper – sie würden den Protest als Kriegserklärung auffassen und schwere Geschütze gegen sie auffahren. Und damit würde das Ganze eskalieren und zu einer ernsten Sache werden.

Wer auch immer an diesem Tag zu Lenz kam, um sich Arbeit und Werkzeug zu holen, es gab nur ein Thema: Womit mussten sie rechnen? Konnten sie sich auf irgendetwas vorbereiten? Einzige Beruhigung: Es gab keine zweiunddreißig Arrestzellen und erst recht keine zweiunddreißig Tigerkäfige.

Klug beraten wären ihre »Erzieher«, da waren die Gefangenen sich einig, wenn sie ihren Protest einfach nicht beachten würden. Dann würde er sich über kurz oder lang tottrippeln. Was machte es denn aus, ob sie fünf Minuten mehr oder weniger für ihren Weg zur Arbeit brauchten? Doch sie waren nun mal nicht klug, die Berijas, Urians und Petrograds, sondern empfanden jedes noch so zaghafte Aufbegehren als Umsturz, Konterrevolution oder Weltuntergang, also würden sie mit allen ihnen zur Verfügung stehenden Mitteln gegen diese Einheitsfront angehen und ihrem Trippelprotest damit erst das nötige Gewicht verleihen.

Und richtig vermutet, kaum waren sie nach der Arbeit vor der Stanzerei angetreten, standen sie schon im Hof beieinander, all die Blauuniformierten, die an diesem Nachmittag abkömmlich waren. Sie standen da, wie sie schon zu allen Zeiten dagestanden hatten, die Uniformjacken straff gezogen, die Hände über dem Hintern verschränkt, ab und zu auf den Stiefelspitzen wippend. Einige machten grimmige Gesichter, andere lächelten ungläubig. Urian war dabei, Lachtaube, Berija, Zitteraal, Panzerplatte, Petrograd, Salonbolschewist, Leutnant Oppel und Knutschfleck. Sogar der VO war anwesend, der für alle Sicherheitsfragen zuständige Verbindungsoffizier zum Ministerium für Staatssicherheit: der Einzige in dieser Truppe, der keine blaue, sondern eine Stasi-Uniform trug; der einzige Schlüsselgewaltige im Haus, der uneingeschränkte Rechte besaß, keinerlei »Erziehungspflichten« hatte und keiner Kontrolle unterlag. Nur dem VO billigten die Häftlinge zu, eine Ahnung davon zu haben, wie es mit ihnen weitergehen würde – ob sie eine Chance hatten, bald ihren Vogelflug in den warmen Westen antreten zu dürfen oder noch lange im kalten Osten ausharren mussten. Lächelte der VO, begann der halbe Knast mit den Flügeln zu schlagen, blickte er hochmütig drein, sah man sich nach einer warmen Decke um. An diesem Tag jedoch machte er vor allem ein neugieriges Gesicht, der hoch gewachsene Fünfziger mit dem grau melierten Haar und der scharf vorspringenden Nase: Aufstand der Strafgefangenen? Das konnte doch nur ein schlechter Scherz sein. Na, diesen »Aufstand« wollte er sich mal ansehen!

Panzerplatte, ein Polizeiobermeister wie ein Steinquader, mit Specknacken und tief in die Stirn gezogener Schirmmütze, der oft so schwitzte, dass es in Wolken durch seine Uniform drang, übernahm als Erster das Kommando. Mit einem Donnerton, der sogleich klar machen sollte, dass er nicht Klöppenpieper hieß, befahl er: »Im Gleichschritt – marsch!«

Sie trippelten.

»Stillgestanden!«

Sie verharrten auf der Stelle und Panzerplatte schoss um sie herum wie ein ausgehungerter Tiger um eine Herde Schafe. Was das solle? Wenn sie nicht sofort in einen anständigen Marschtritt verfielen, würden sie allesamt bestraft.

Braun: »Wir verlangen einen Arzt für Stracks!«

Ha! Nun hatte er einen. Panzerplatte stürzte vor, packte Braun an den Jackenaufschlägen und zerrte ihn aus dem Glied. Petrograd und Knutschfleck, ein mittelgroßer, dicklicher Dreißiger mit ausgeprägt wulstigen Lippen, führten ihn ab. Kein Zweifel, dass es geradewegs in den Arrestkeller ging.

Kaum war Eri Braun mit seinen beiden Wachhunden im Zellenhaus verschwunden, stellte Panzerplatte sich erneut in Positur und befahl erst mal nur, die Reihen zu schließen. Dann ging er langsam um sie herum. Mal von rechts, mal von links blickte er sie an. Aber immer drohend. Sie seien aufgehetzt worden, erklärte er ihnen. Natürlich von Braun, diesem ewigen Querulanten. Das wäre aber sehr, sehr dumm von ihnen, wenn sie auf solche Typen hereinfielen. Letztendlich schadeten sie damit nur sich selbst. Doch vielleicht würden sie ja noch zur Vernunft kommen. Er wolle ihnen eine letzte Chance geben, sich gemäß Anstaltsordnung zu verhalten. »Im Gleichschritt – marsch!«

Sie trippelten.

Er starrte sie an, als wollte er nicht glauben, was er da sah, dann wendete er sich seinen Kollegen zu. Man palaverte ein Weilchen miteinander und beschloss wohl, die Gefangenen erst einmal eine Zeit lang weitertrippeln zu lassen; immer rundherum um den kahlen Rasenfleck im Gefängnishof; in der Hoffnung, dass sie irgendwann ganz von selbst schneller werden würden: Das konnte denen doch keinen Spaß machen, die hatten den ganzen Tag gearbeitet, sie mussten hungrig sein und müde.

Lenz beobachtete sie, die Herren »Erzieher«, wie sie da im Kreis beieinander standen, sie mit wütenden Blicken maßen und schon jetzt nicht mehr aus noch ein wussten. Keiner von denen besaß die geringsten pädagogischen oder psychologischen Voraussetzungen, mit Strafgefangenen umzugehen. Sie konnten nur Türen auf- und zuschließen und Gewalt androhen oder anwenden, waren nichts als Verwahrer und Bewacher. Weshalb aber hassten sie die politischen Häftlinge so? War es nur, weil sie wegwollten aus dem Staat, in dem sie selber es sich so gemütlich gemacht hatten? Oder spielten auch Minderwertigkeitsgefühle eine Rolle? Immerhin hatten zwei Drittel der hier an ihnen Vorübertrippelnden eine bessere Ausbildung als sie und waren ihnen auch intellektuell überlegen. Wenn man nicht diskutieren kann, ohne ausgelacht zu werden, was bleibt einem dann außer Gummiknüppel, Schlüsselbund, Arrestzelle, Tigerkäfig?

Eine endlos lange Runde nach der anderen trippelten sie um den Hof; ein Trauermarsch, wie er von keinem Choreographen grotesker hätte inszeniert werden können. Und als Panzerplatte einmal über einer Diskussion mit seinen Kollegen das Kommando »Links schwenkt – marsch!« vergaß, marschierten sie voller Schadenfreude geradeaus weiter, bis sie vor dem backsteinernen Zellenhaus stehen bleiben mussten und kichernd auf der Stelle traten. Wie ein aus der Hölle geschleuderter Racheteufel kam er da herangefegt, der Polizeiobermeister Panzerplatte, mit den unflätigsten Schimpfwörtern belegte er sie. Leutnant Oppel in seinem Gefolge wartete ab, bis der vor Zorn bebende Mann endlich verstummt war, dann ließ er sie stillstehen, um ihnen gleich darauf mitzuteilen, dass ihr Protest sinnlos sei. »Sie können uns zu nichts zwingen. Der Strafgefangene Stracks wird zum Arzt geführt, wenn wir das für notwendig erachten. Deshalb, letztmalig: Bewegen Sie sich von nun an gemäß Anstaltsordnung vorwärts und Sie dürfen in Ihre Zellen. Andernfalls zwingen Sie uns, Sie mit Strafexerzieren zu belegen. Wenn es sein muss, die ganze Nacht lang. Wir haben Zeit.«

»Wir auch.« Eine Stimme aus dem Marschblock, gefolgt von unterdrücktem Gelächter.

»Wer war das?« Panzerplatte hoffte auf ein neues Erfolgserlebnis, Oppel winkte ihn zurück und ließ weitermarschieren: »Im Gleichschritt – marsch!«

Sie trippelten und hinter den Fenstergittern der anderen Erziehungsbereiche drängten sich von Minute zu Minute mehr Gefangene. Erste Beifalls- und Anfeuerungsrufe wurden laut. Was ihre Verantwortung noch erhöhte; sie hatten etwas zu Ende zu bringen, auch wenn man sie bis zum Morgen durchmarschieren ließ. Die Frage war nur, ob sie das so lange durchhalten würden; diese Fortbewegungsmethode ging auf die Beine.

Es war Alfred Karp – er marschierte in der ersten Reihe –, der die Parole ausgab: »Riesenschritte! Zur Erholung eine Runde Riesenschritte.«

Welch erlösendes Signal! Kaum hatte Karp es ausgesprochen, stürmten seine beiden Nebenmänner und er schon los. Alle anderen ihnen nach. Panzerplatte blickte nur ganz verdattert, der schon seit längerer Zeit unruhig zitternde Berija stellte sich ihnen mit hochrotem Kopf in den Weg. »Stillgestanden!«

Sie blieben stehen, und wer nicht schnell genug reagiert hatte, prallte auf seinen Vordermann. Die Gefangenen in den Zellen johlten begeistert; es musste lustig ausgesehen haben, wie die zuvor so langsame Truppe sich auf einmal schräg in die Kurve legte und so mancher Kurzbeinige in den Laufschritt verfallen musste, um mitzuhalten.

Urian mit dem Nussknackergesicht, der windschlüpfrig wirkende, von der Gesichtsfarbe her an einen ausgekauten Kaugummi erinnernde Salonbolschewist, und der lange, dünne Hauptwachtmeister Zitteraal, der so herrlich lispelte – »Fie! Fie! Waf bilden Fie fich ein? Herkommen, hab ich gefagt!« –, mit langen Schritten verschwanden sie im Zellenhaus, um das unerwünschte Publikum von den Rängen zu vertreiben. Im Hof übernahm währenddessen Berija das Kommando. Er hielt keine Rede, drohte nicht, ermahnte sie nicht, starrte sie nur mit zusammengezogenen Augenbrauen an. Dann sagte er so leise, als wollte er damit eine besondere Art von Gefährlichkeit beweisen: »Im Gleichschritt – marsch!«

Sie trippelten. Bis sie nicht mehr konnten. Dann stürmten sie wieder los.

Und der sich so gern eiskalt gebende Berija erwies sich als genauso hilflos wie sein Vorgänger Panzerplatte. Was auch hinter den Gittern bemerkt wurde. »Weitermachen!«, wurden die Gefangenen im Hof angefeuert. »Nicht aufgeben!« Irgendwo rief einer immer wieder: »Bravo!«

Erneut liefen einige Beamte in die Häuser, um die Logenplätze zu räumen. Doch was konnten sie gegen die Beifallklatscher schon unternehmen? Sie befahlen ihnen, von den Gittern wegzutreten, aber es konnte nicht in jeder Zelle einer stehen bleiben, um die Befolgung dieses Befehls zu überwachen; kaum waren die Gefangenen unter sich, hing wieder alles am Gitter.

Auch ein Ruf aus der Tiefe der Arrestzellen drang in den Hof: »Danke!« Das war Stracks. Gleich darauf: »Nicht aufgeben!« Eri Braun.

Panzerplatte und Lachtaube stürzten los, um die beiden Arrestanten zum Schweigen zu bringen, ihre Kollegen steckten mal wieder die Köpfe zusammen. Bis Berija, Salonbolschewist und Zitteraal sich plötzlich in Richtung Hundezwinger entfernten.

»Die Hunde!«, ging es durch die Reihen. »Sie holen die Köter!«

Sogar Fabian Weiss, seit Eri Brauns Arrestierung in der Reihe neben Lenz und Dettmers, verging das Grinsen. »Jetzt wird's ernst!«

Er sollte Recht behalten. Kaum waren die drei zurück – jeder einen wild springenden Schäferhund an der Leine –, ließ Oppel den Erziehungsbereich stillstehen. »Letzter Vorschlag zur Güte: Sie marschieren jetzt fünf Runden normales Tempo und werden danach auf Ihre Zellen entlassen. Andernfalls werden wir den Hunden lange Leine geben.«

Er blickte ihnen prüfend in die Gesichter, dann befahl er: »Im Gleichschritt – marsch!«

Sie trippelten.

»Stillgestanden! Die erste Reihe – drei Schritt vor!«

Die Strafgefangenen Karp, Honigmann (dreieinhalb Jahre, weil er Biermann-Gedichte abgetippt und verbreitet hatte) und Kaczmarek (zwei Jahre und zehn Monate wegen schweren Grenzdurchbruchs mit einem LKW) trippelten einen halben Meter vor. Zitteraal, dessen Köter längst erregt kläffte, erkannte, dass das keine drei Schritte waren. »Weiter vor!«, schrie er. »Fofort!«

Die drei trippelten noch ein bisschen weiter von den anderen fort, wurden noch zwei-, dreimal angebrüllt und standen schließlich drei Meter vor dem Marschblock. Berija, Salonbolschewist und Zitteraal reihten sich hinter ihnen ein, dabei die Leinen ihrer Tiere so haltend, dass der Abstand zwischen Strafgefangenem und weit aufgerissener Hundeschnauze nur wenige Zentimeter betrug; unschwer auszumalen, was dem Befehl »Fass!« folgen würde.

»Im Gleichschritt – marsch!«

Honigmann, Karp und Kaczmarek trippelten voran, die zähnefletschenden Bestien in ihrem Rücken sprangen und kläfften, die drei Hundeführer hatten Mühe, sie festzuhalten. So ging es dreißig Meter weit – doch keiner der drei in der ersten Reihe wurde auch nur um einen halben Fuß schneller.

Der Beifall, der aus den Fenstern in den Hof drang, wurde zum Jubel, die Strafvollzugsbeamten blickten noch ratloser, die Köter, die nicht wussten, ob sie denn nun zubeißen sollten oder nicht, kläfften noch erregter.

Fabian Weiss flüsterte: »Und wenn die Welt auch bricht, klein bekommen die uns nicht.«

Auch Dettmers freute sich: »Wer hätte das gedacht! Wir sind ja echte Kintopp-Kommunisten, halten aus, bis man uns die Pelle von den Knochen reißt.«

Lenz nickte nur überrascht. Was geschah denn hier? Das war ja tatsächlich Solidarität, wie sie sie einst in der Schule gelernt hatten: Einen Zweig brichst du leicht, ein ganzes Bündel von Zweigen nicht …

»Stillgestanden!« Oppel beorderte die erste Reihe aus dem Glied, und Panzerplatte und Lachtaube führten die drei nun wohl als Rädelsführer angesehenen und aus allen Fenstern mit heftigem Beifall bedachten Häftlinge ins Zellenhaus. Besorgte Blicke aus den Reihen ihrer Mitprotestierer folgten ihnen: Jetzt waren die drei Panzerplatte und Lachtaube ausgeliefert; was würde mit ihnen geschehen? Würden die beiden aufgebrachten Blauuniformierten, kaum waren sie hinter der ersten Tür verschwunden, mit ihren »sozialistischen Wegweisern« auf sie einschlagen?

Die zweite Reihe wurde zur ersten und ebenfalls drei Schritt vor den Block befohlen. Und damit wusste nun auch Karrandasch eine Hundeschnauze hinter sich; der kleine Ex-Student, der von sich sagte, ein Held sei er nicht, sein Talent liege eher auf schöngeistigem Gebiet.

Die Köter kläfften erneut los und zerrten an ihren Leinen – Karrandasch und seine beiden Nebenmänner wurden bleich, aber sie setzten die Füße nicht schneller.

Wieder brandete Beifall auf, wieder wurde die erste Reihe abgeführt, drei weitere Häftlinge mussten vortreten. Darunter nun auch Franz Moll und »Schärpe« Cierpinski, der ehemalige Oberleutnant der Nationalen Volksarmee, der sich gegen diese

Aktion ausgesprochen hatte. Wie würde er jetzt reagieren? Würde er seinen Hintern für eine Sache hinhalten, die nicht die seine war?

Er hielt ihn hin, wagte nicht auszuscheren. Und auch der vor Aufregung glühende Franz Moll und der Dritte im Bunde, ein neunzehnjähriger Autodieb aus Brandenburg, beschleunigten nicht den Schritt.

Nur wenige Meter und auch diese drei wurden weggeführt und die nächste Reihe musste vortreten. In der Mitte Hagen Burwitz aus Erfurt, ein Bibliothekar, der öfters abfällige Bemerkungen über vom Staat protegierte Neuerscheinungen gemacht hatte, weshalb eines Tages Westzeitschriften in seinem Schreibtisch gefunden wurden, die er nie zuvor gesehen hatte. Zwei Jahre wegen feindlicher Propagandatätigkeit hatte er bekommen, wollte aber im Lande bleiben. Nun durfte er noch mal so richtig studieren, in welchem Land er bleiben wollte.

Die drei setzten die ersten Trippelschritte, da ertönte es plötzlich neben Lenz: »Bu – chen – wald! Bu – chen – wald!«

Fabian Weiss war es, der in diesen Protestruf ausgebrochen war. Einige wenige fielen sofort mit ein, andere schlossen sich nur zögernd an, bald aber skandierten sie es alle, dieses »Bu – chen – wald! Bu – chen – wald!«.

Auch Lenz rief mit. Warum denn nicht? Hatten die Überlebenden vom Ettersberg denn nicht einander geschworen, alles zu tun, damit es nie wieder zur Einkerkerung und Unterdrückung von Andersdenkenden kam? Cottbus war nicht Buchenwald – im Hinblick auf die vielen Millionen Toten in den KZ der Nazis ein lächerlicher, vielleicht sogar verbotener Vergleich –, aber jene Einkerkerung und Unterdrückung Andersdenkender, die es nie wieder geben sollte, sie fand statt. Und das nicht nur in Cottbus, sondern in allen Strafvollzugsanstalten dieser »Deutschen Demokratischen Republik«. Das Wort »Buchenwald« traf ins Ziel und drang noch durch die dickste Haut.

Wieder sah Lenz zu den Strafvollzugsbeamten hin. Da standen sie nun und wollten nicht glauben, was sie zu hören bekamen. Die Rufe aber nahmen kein Ende und auch die Gefangenen in den Zellen skandierten inzwischen mit. »Bu – chen – wald! Bu – chen – wald!« Musste das nicht bis in die Stadt hinein zu hören sein?

»Stillgestanden!« Leutnant Oppels Stimme überschlug sich. Er, der so gern den Ruhigen gab, jetzt hatte er Mühe, sich zu beherrschen und nicht einfach auf sie einzuschlagen. Und auch die anderen »Erzieher«, wie gern hätten sie sie nun niedergeknüppelt, bis keiner von ihnen auch nur noch einen einzigen Ton herausbekäme. Sie nahmen sich zusammen, weil sie wussten, dass zwei Drittel derjenigen, die hier im Kreis marschierten, eines Tages in die Bundesrepublik ausreisen und dort Bericht erstatten würden. Einen einzelnen Häftling konnten sie der Lüge bezichtigen, nicht aber einen ganzen Knast.

Doch wie nun reagieren? Musste in einem solchen Fall nicht die Staatsmacht ran?

Leutnant Oppel blickte sich nach dem VO um, und der Stasi-Offizier, der den Vorgang im Hof bisher nur mit verdutzter Neugier verfolgt hatte, trat vor. Was jetzt hier geschah, das wusste er, der Genosse VO, würde letztendlich er zu verantworten haben; es galt zu beweisen, dass er mehr zuwege brachte als seine schlicht gestrickten Genossen vom Strafvollzug. Doch welche Möglichkeiten hatte er? Was blieb ihm, außer diesen von der Feindpropaganda verführten Achtgroschenjungs wegen ihres verbrecherischen Vergleichs mit dem Barbarentum der Nazis weitere Freiheitsstrafen anzudrohen? »Beleidigen lassen wir uns von solchem Kroppzeug, wie Sie es sind, nicht!«, schleuderte er ihnen zornroten Gesichts entgegen. »Es waren unsere Genossen, die in Buchenwald gelitten haben, nicht solche Brut wie Sie. Wir werden weitere Verfahren gegen Sie anstrengen, wenn Sie nicht endlich Vernunft annehmen.«

Wollte er sie damit etwa einschüchtern? Wie lächerlich! Und interessant, wie hilflos ihre Bewacher und Kontrolleure waren, wenn ihnen eine Gruppe friedlich protestierender Häftlinge gegenüberstand, aus der niemand herauszubrechen war! Voller Genugtuung blickten die noch im Hof verbliebenen Häftlinge den Mann in der Uniform des Ministeriums für Staatssicherheit an, der schon wusste, dass er eine Niederlage erlitten hatte, dann ging es weiter im Kreis, drei Gefangene vorn, drei Hunde dahinter, danach der Rest. Nicht lange und sie brachen erneut in Buchenwald-Rufe aus und wieder stimmten die Häftlinge hinter den Fenstern mit ein.

Ein weiteres Mal wurde die erste Reihe ausgewechselt und nun mussten Weiss, Dettmers und Lenz vor die Hunde treten. Keiner von ihnen wurde schneller, egal, wie laut die Hunde kläfften, wie nah die Schnauzen ihren Hintern kamen. Sie trippelten – und sie verstummten nicht: »Bu – chen – wald! Bu – chen – wald! Bu – chen – wald!«

Als dann auch sie ins Zellenhaus geführt wurden, flüsterte Fabian Weiss: »Wenn sie mich schlagen, schlag ich zurück.«

Lenz wusste, er selbst würde nicht zurückschlagen. So weit wollte er den Berijas, Urians und Petrograds nicht entgegenkommen. Sollten sie ihn schlagen, würde er sich zusammenschlagen lassen, bis sie von ihm abließen. Er würde nicht daran zugrunde gehen. Und sollten noch nicht alle Arrestzellen belegt sein und sie ihn in eine davon sperren, würde er auch das überleben. Andere hatten es ausgehalten, weshalb nicht auch er?

Doch sie wurden nicht geschlagen und kamen nicht in den Arrest; sie wurden nur einer nach dem anderen vor die jeweilige Zelle geführt und ohne irgendein weiteres Wort hineingelassen.

Karrandasch und Moll, am Fenstergitter hängend, um den Fortgang der Protestaktion zu verfolgen, begrüßten Lenz lachend. »Der Drops ist gelutscht!«, rief Moll. »Keiner hat Schiss vor ihren Kötern.«

Das entsprach nicht der Wahrheit. Alle hatten sie Angst gehabt vor diesen zähnefletschenden Hundeschnauzen; sie hatten diese Angst nur überspielt.

Lenz stellte sich ans Fenster und sah ebenfalls in den Hof hinaus, wo die restlichen Gefangenen noch immer ihre Runden drehten. Die Furcht vor den Kötern war nun geringer geworden, wussten jetzt doch alle, dass die Hundeleinen auch künftig kurz gehalten würden. Und es war auch kein Erfolg für die Oppel, Berija und Co., dass die letzten sechs, unter ihnen Hausmann und Wiegand, nur noch schweigend im Kreis marschierten; die in den Fenstern, darunter alle aus dem Hof Entlassenen, stellten ihre Rufe nicht ein, bevor nicht auch der letzte Gefangene im Zellenhaus verschwunden war.

Franz Moll feierte diesen Sieg noch im Bett und niemand widersprach ihm. Sollte er doch stolz auf sich sein; was machte es aus, dass die Niederlage der Strafvollzugsbeamten noch lange keinen Sieg der Häftlinge bedeutete. Oder war inzwischen etwa ein Arzt bei Stracks? Und saß jetzt nicht auch Eri Braun im Arrest?

Sie hatten den Herren dieses Knastes nur gezeigt, dass ihre Macht nicht grenzenlos war. Mehr nicht. Aber immerhin!

5. Fünf Minuten

Die letzten Augusttage – und nichts war passiert! Kein Transport war abgegangen, keine neuen, hoffnungsvollen Parolen wurden verbreitet, nur immer wieder die alten Vogelflug-Geschichten wiedergekäut. Lenz litt unter der Ungewissheit. Also war all sein Hoffen auf eine vorzeitige Ausreise doch nur ein großer Selbstbetrug gewesen? Er glaubte, es nicht länger aushalten zu können, dieses andauernde Fortgegangen-aber-noch-nirgendwo-angekommen-Sein. Bald hatten Hannah und er ihr erstes Jahr herum. Und die Kinder ihres. In wenigen Tagen war Schulbeginn, dann wurde Micha eingeschult ... Und Silke kam nun schon in die vierte Klasse ...

Um sich abzulenken, ließ er sich immer wieder von schönen Zukunftsträumen in die Arme nehmen, egal, ob er mit hoch gekrempelten Hosenbeinen und nacktem Oberkörper auf dem Fenstersims der 218 saß, die Beine durchs Gitter gestreckt, den Kopf in der Sonne, oder ob er in seiner Bude saß und Arbeitsaufträge ausschrieb: Hannah, Silke, Micha und er, wie sie über eine Wiese spazierten, an einem Bergsee lagen; auf dem Heimweg Kühe, Pferde, Schafe, die Kinder stellten Fragen, sie erzählten viel ... Oder Hannah und er allein auf einer einsamen Waldlichtung, wie sie sich liebten und anlächelten und wieder liebten.

Silly und Micha waren endlich gemeinsam in einem Heim untergebracht; Hannah hatte es ihm geschrieben. Die einzige gute Nachricht der letzten Monate. Doch eine mit bitterem Beigeschmack: Das Heim lag am S-Bahnhof Greifswalder Straße; in der Gegend, in der seine Freunde und er als Kinder einst Mutproben ablegten, immer neben den S-Bahn-Schienen her.

Dachte Lenz an Hannah, dachte er oft auch an ihren Vater: Wie ironisch das Leben doch sein konnte! Weil einst der Vater nicht sitzen wollte, saß nun die Tochter – während der Vater sich sicher mal wieder mit einem »Selber-schuld« tröstete ... Ach, Hannah! Wenn er doch nur endlich mal mit ihr über alles reden könnte – richtig reden, ohne Zensor am Tisch. Dann könnte er ihr vielleicht wirklich Mut machen – und damit auch sich selbst.

Eines späten Vormittags sollte Lenz' Unruhe dann noch verstärkt werden – Leutnant Oppel holte ihn aus seiner Arbeitsbude: »Sie haben Besuch.«

Lenz folgte ihm nur zögernd. Wer sollte ihn denn hier besuchen? Hannah? Aber einen solchen Besuch hätte sie lange zuvor beantragen müssen und ganz sicher hätte sie ihm den vorher mitgeteilt. War ja auch noch viel zu früh für einen weiteren Sprecher, erst im Oktober, ein halbes Jahr nach dem letzten, hätten Hannah oder er eine neue Sprecherlaubnis beantragen können. War Robert gekommen? Kaum anzunehmen; der Bruder würde nicht extra einen Tag Urlaub nehmen und bis nach Cottbus reisen, nur um ihm zwanzig Minuten gegenübersitzen zu dürfen.

Wer ihm dann erwartungsvoll entgegensah, als er den kahlen Raum gleich neben dem Eingangstor betrat, in dem es außer einem Tisch und ein paar Stühlen unter dem Honecker-Foto nichts gab, wohin der Blick sich flüchten konnte? Eine Abordnung aus dem *VEB Haushaltselektrik;* Parteisekretär und Kaderleiterin höchstpersönlich.

Nur ein halbes Jahr hatte Lenz in diesem Betrieb gearbeitet; sein Fluchtpunkt, als er von *intermed* fortging. Es hatte dort ein paar nette Kollegen gegeben, richtig warm geworden aber war er in diesen sechs Monaten, in denen Hannah und ihn ganz andere Sorgen plagten, mit niemandem. Die da jetzt gekommen waren – Johannes Fahrland von der Partei, ein dicker, rotnasiger Mann im weiten, grauen Anzug, und Ida Kowalek, die Kadertante, eine kleine, von vielen Krankheiten gezeichnete, lebenstüchtige Person im blauen Strickkostüm –, diese beiden, die ihn nun so vorwurfsvoll anschauten wie ein besorgtes Elternpaar den schwer erziehbaren Sohn, wegen dem sie zur Schule bestellt worden waren, hatte er nie richtig kennen gelernt. Jetzt jedoch waren sie gekommen, um ihm zu zeigen, dass sie sich um ihre Mitarbeiter kümmerten. Sogar um solche Gestrauchelten wie Manfred Lenz. Sie wollten ihm helfen, wieder aufzustehen und einen geraden Weg einzuschlagen. Von seiner Wiedereingliederung in den Betrieb redeten sie, von dem Unrecht, das er begangen, von der Schuld, die er auf sich geladen, und der leider notwendigen Strafe, die er einzusehen und zu akzeptieren habe.

Ein letzter Versuch, ihn – und damit die Kinder – hier behalten zu können? Hatte die Stasi die beiden geschickt? Lenz hatte gehofft, dass man Hannah und ihn inzwischen längst abgeschrieben hatte. Unter Verluste verbucht. So dass ihrer Ausreise nichts mehr im Wege stand, wenn die Transporte endlich losgingen. Nun dieser Besuch. Wie sollte er den verstehen? Auf jeden Fall musste er auf der Hut sein; Leutnant Oppel, der jedes Wort, das gewechselt wurde, mitverfolgte, würde ja über dieses Gespräch berichten. Vielleicht wurde, was hier geredet wurde, auch aufgezeichnet. Wie sollte er wissen, ob nicht ein Tonband mitlief? Zeigte er sich beeindruckt von der Fürsorge seines Betriebes und ließ er sich auch nur halbherzig oder spielerisch auf eine Debatte über seine mögliche Wiedereingliederung in den sozialistischen Arbeitsprozess ein, dann gefährdete er womöglich ihre Ausreise.

Die Kowalek gab die Mütterliche, schien aber zu glauben, was sie sagte. »Sie gehören doch zu uns, Kollege Lenz. Wir lassen Sie nicht im Stich. Nach Ihrer Entlassung aus der Haft wartet ein Arbeitsplatz auf Sie. Natürlich erhalten Sie nicht Ihre alte Funktion zurück; Sie werden einsehen, dass das nicht möglich ist. Später jedoch, wenn Sie sich bewährt haben, stehen Ihnen alle Türen offen.«

Fahrland: »Wir leben in einem sehr menschlichen System, Kollege Lenz. Wir wollen helfen, nicht vernichten.«

Lenz versuchte, sich in ein herzhaftes Lachen zu retten. »Ja, das habe ich inzwischen kennen gelernt – Ihr menschliches System!« Aber dann packte ihn doch die Wut. »Ich weiß gar nicht, was Sie von mir wollen. Meine Frau und ich, wir haben längst unsere Ausreise in die Bundesrepublik beantragt. Sie können unbesorgt sein, meine Zukunft ist gesichert.«

Die beiden blickten den Leutnant an. Gab es denn so etwas, im Gefängnis sitzend die Ausreise in die BRD beantragen? Doch offenbar wollten sie nicht uninformiert erscheinen, deshalb baten sie Lenz, sich das Ganze noch einmal zu überlegen. Die kapitalistische Ellenbogengesellschaft … Und hier habe er doch seine Kollegen, die ihn bräuchten. Fahrland: »Kollege Lenz! In unserer Gesellschaft wird einer, der mal versagt hat, nicht verstoßen. Vertrauen Sie uns!«

Worte, die Lenz noch mehr aufbrachten. »Meine Frau und ich haben nicht versagt. Im Gegenteil, wir haben endlich zu uns selbst gefunden.«

Sie starrten ihn an, als wäre er nicht mehr ganz richtig im Kopf. »Aber Kollege Lenz …« Und dann redeten sie weiter auf ihn ein, wollten nicht so einfach aufgeben. Vielleicht würde der

Leutnant ja auch über sie berichten. Sie redeten und redeten, und Lenz widersprach, bis es ihm reichte. Er blickte den Leutnant an, der die ganze Zeit über ein eher unbeteiligtes Gesicht gemacht hatte. »Hab noch viel zu tun, können wir das nicht abkürzen?«

»Ein Rausschmiss!« Fahrland lachte ärgerlich, schien aber nicht unfroh zu sein, diese unangenehme Mission hinter sich zu haben, auch wenn sie nicht den gewünschten Erfolg gebracht hatte. Mit einem zögerlichen Händedruck verabschiedete er sich von Lenz.

Auch die Kowalek gab Lenz die Hand, hielt sie einen Augenblick lang fest und sah ihn dabei voller Unverständnis an: Wie konnte dieser Manfred Lenz nur dermaßen blind in sein Unglück laufen? Was war da schief gelaufen? Kein Zweifel: Der junge Mann in den Häftlingskleidern tat ihr Leid.

Neue Grübeleien setzten Lenz zu. Dieser Besuch, was hatte er zu bedeuten? War er auf Initiative der Kaderabteilung zustande gekommen – oder steckte die Stasi dahinter? Wenn ja, was erhoffte sie sich davon? War man einfach nicht bereit, ihn abzuschreiben, nur weil man auf die Kinder – die Zukunft des Staates! – nicht verzichten wollte?

Ängste, die schwer auszuhalten waren, die aber nur noch zwei Tage andauern sollten.

Ironischerweise begann der Tag der Erlösung mit Baltzer, dem heimlichen SS-Mann. Der fette Kerl, der wusste, wie sehr Lenz darunter litt, mit ihm zusammenarbeiten zu müssen, kam in Lenz' Bude, verlangte mürrisch einen neuen Arbeitsauftrag und verschwand wieder. Lenz jedoch, zuvor auf einer seiner Traumreisen mit Hannah und den Kindern – die neue Wohnung, die von Hannah und ihm schön eingerichteten Kinderzimmer –, fand nicht wieder in die gewünschte Stimmung zurück. Baltzers Anwesenheit hatte alles Träumerische in ihm verdrängt. Wie widerlich, mit solchen Typen in einen Topf geworfen zu werden! Wie pervers, dass jeder einzelne Anhänger der alten Diktatur den neuen Diktatoren als Alibi für ihre eigenen Unterdrückungsmaßnahmen diente! Um seinem Frust zu entfliehen, begab er sich auf Wanderschaft. Das hatte er in letzter Zeit oft getan. Stets gab er vor, in der Werkzeugmacherei nachschauen zu müssen, wie weit die von ihm in Auftrag gegebenen Werkzeugteile waren, um gegebenenfalls Druck ausüben zu können. Die Werkzeugmacher waren eine lustige Truppe, lachten viel und munterten auch den trübsinnigsten Besucher auf.

An diesem Tag wurde das Ausbleiben neuester Gerüchte diskutiert: War das nicht seltsam, seit knapp zwei Wochen war die Gerüchteküche kalt geblieben? Was hatte das zu bedeuten? Ein Anzeichen totaler Hoffnungslosigkeit? Vielleicht hatten sie sich ja in einen ganz und gar unbegründeten Optimismus hineingesteigert, und die Transporte würden erst kurz vor Weihnachten wieder losgehen, sozusagen als humane Geste?

Das Für und Wider eines solchermaßen gebremsten Optimismus wurde erörtert, und Witze wurden gerissen, um erst gar keine trübe Stimmung aufkommen zu lassen, als mit einem Mal auf der anderen Seite der etwa zwei Meter fünfzig hohen Holzwand, die die Werkzeugmacherei von einem anderen Arbeitsraum trennte, Lenz' Name fiel.

Sie verstummten und lauschten und hörten erneut Petrograds Stimme: »Wenn Se den Lenz sehn, schicken Se'n zu mir. Sagen Se ihm, er soll 'n bisschen Tempo machen.«

Hatte Petrograd in seiner Bude nach ihm geschaut und ihn nicht gefunden? Und nun suchte er ihn überall? Um sich einen

Spaß zu machen, bestieg Lenz einen der Arbeitstische und blickte über die Trennwand. »Was gibt's denn so Eiliges?«

Wütend starrte Petrograd zu ihm hoch. »Runter da!«

»Ich dachte, ich soll Tempo machen. Schneller ging's doch gar nicht.« Grinsend stieg Lenz vom Tisch.

Zwei Sekunden später stand Petrograd vor ihm. »Strafgefangener Lenz! Packen Sie Ihre Sachen. Sie gehn auf Transport.«

Transporte konnten nach überallhin abgehen, Lenz aber war sofort klar, um welche Art von Transport es sich handelte. Und Petrograd ahnte es auch. Deshalb dieser übertriebene Zorn … Doch was empfand der Strafgefangene Lenz in jenem Augenblick? Durchzuckte ihn ein Blitz? Schäumte Jubel in ihm auf? Schnürte es ihm vor Freude die Kehle zu? – Nichts von alledem! Er wusste Bescheid, doch wagte er nicht, seinem Gefühl zu trauen. »Wo … Wo geht's denn hin?«, fragte er nur heiser.

»Das werden Se schon noch sehn.«

Die Werkzeugmacher drängten sich um Lenz, umarmten ihn. Auch sie ahnten, wohin es ging, auch sie hatten Schwierigkeiten, ihrer Freude Ausdruck zu verleihen. Wenn es endlich wieder losging, verdammt noch mal, waren ja auch ihre Tage hier gezählt. »Grüß schön von uns. Sag, wir kommen auch bald.«

Es ging in die 218, Lenz' Schrank ausräumen, und in die 315, eine leere Zwölferzelle. Doch blieb Lenz nicht lange allein mit den vier Dreistockbetten; alle paar Minuten ging die Tür und ein weiterer Strafgefangener wurde gebracht. Alles Ausreisekandidaten, alle – bis auf eine einzige Ausnahme – Mandanten Dr. Vogels. Der Letzte, der grinsend in der Tür stand, war Detlef Dettmers. Petrograd hatte ihn aus dem Arrest holen müssen. Grund für Dettmers Bestrafung: Er hatte Petrograd, der Dettmers vom Tag seiner Ankunft an wie einen Bombenleger verfolgte, einen polternden Idioten genannt. Wie schön, dass ausgerechnet Petrograd heute Dienst hatte und seinen Intimfeind höchstpersönlich aus dem Keller holen musste!

Lenz musste über Dettmers Ankunft lachen: So würden der lange Student und er also auch den letzten Teil ihrer Reise von Burgas über Sofia, Hohenschönhausen, Rummelsburg, Cottbus und nun sicher auch Karl-Marx-Stadt bis hin ins Notaufnahmelager Gießen gemeinsam zu Ende bringen? Wie zwei Fußballer wenige Sekunden nach dem Gewinn der Weltmeisterschaft lagen sie einander in den Armen. Sie hatten es geschafft, hatten es tatsächlich geschafft!

Natürlich wurde in dieser Nacht nicht geschlafen. Immer wieder trat einer von ihnen ans Gitter, um zur Effektenkammer hinüberzuschauen. Dort brannte bis in die frühen Morgenstunden Licht, wurde alles für ihren Transport vorbereitet, ganz so, wie Eri Braun es beschrieben hatte.

Und auch in den anderen Zellen wollte keine Ruhe einkehren. Letzte Botschaften an die ehemaligen Zellengenossen wurden in die 315 gependelt; ein summendes Bienenhaus war sie, die Strafvollzugsanstalt Cottbus in jener warmen Augustnacht, wussten nun doch alle, dass er wieder losging, der so dringlich herbeigesehnte Ausverkauf all derer, die ihre Heimat verlassen wollten.

Am Morgen darauf, gleich nach dem Frühstück, ging es in die Minna. Dauerte die Fahrt lange, dauerte sie nicht lange? Was interessierte das jetzt noch! Lenz vertrieb sich und den anderen die Zeit, indem er ihnen von Hajo Hahne erzählte, seinem Hohenschönhausener Glückstreffer. Was hätte er getan, wie hätte er diese Zeit überstehen sollen, hätte er sich nicht an Hahnes Prophezeiungen klammern können?

»Vielleicht wusste er nur deshalb so viel, weil er irgendwie dazugehört hat zu diesem Gangsterverein«, vermutete Uli Ziesel, ein dicklicher Häftling mit braunem Haarkranz. Ziesel kam aus einem anderen Erziehungsbereich und war der Einzige von ihnen, der nicht durch Dr. Vogel vertreten wurde. Er habe nur deshalb einen Ausreiseantrag gestellt, weil er seine viereinhalb Jahre wegen staatsfeindlicher Hetze im verschärften Fall nicht absitzen wollte, hatte er erzählt.

Ziesels Verdacht lag nahe. Lenz selbst hatte Hahne verdächtigt, ein Zellenspitzel zu sein. Jetzt glaubte er das nicht mehr. Aus welchem Grund sollte ein Stasi-Mitarbeiter Häftlingen solch ermutigende Geschichten erzählen? Vielleicht war ja auch dieser Zieselpiesel nicht echt. So etwas sollte es ja geben: Stasi-Kundschafter, die mit einem großen Transport und einer dicken Vorstrafe in den Papieren in den Westen geschickt wurden, um den Sozialismus an der unsichtbaren Front zu verteidigen. – Alles war möglich in diesem verrückten, zweigeteilten Land, nichts durften sie ausschließen. Und weil das so war, würden sie sich ganz sicher auch zukünftig gegenseitig verdächtigen. Eine Mitgift der Stasi-Genossen – dem ewigen Misstrauen würde so schnell keiner entkommen.

Sie durften aussteigen und befanden sich in einem Gefängnishof. Die Männer, die sie in Empfang nahmen, trugen Stasi-Uniformen und sächselten. »Gomm Se! Gomm Se! Gomm Se!«

Alles klar: Das war »Chemnitz«, wie die Cottbuser Häftlinge die Stadt, die Anfang der fünfziger Jahre in Karl-Marx-Stadt umbenannt worden war, aus reinem Spaß an der Provokation zurückgetauft hatten. Sie hielten Einzug in das Stasi-Gefängnis auf dem Kaßberg.

Lenz und Dettmers bemühten sich, eine gemeinsame Zweierzelle zu beziehen, und hatten mal wieder Glück. Es interessierte die Stasi nicht mehr, wer von ihnen mit wem auf einer Zelle lag.

Ein altes, aber frisch renoviertes und auf Stasi-Niveau getrimmtes Gebäude; alles sehr sauber, hell und perfekt abgesichert. Dettmers auf seiner Pritsche konnte seine Vorfreude nicht länger zügeln. Er wälzte sich hin und her und grinste jedes Mal, wenn er Lenz anblickte, breiter. »Ticktack macht die Uhr, ticktack – und beim letzten Tack sind wir weg!«

Lenz quälte die Frage, was mit Hannah war. Als Petrograd ihn aus der Werkzeugmacherei weggeholt hatte, die ganze Nacht und die gesamte Fahrt über war er überzeugt, dass Hannah ebenfalls auf Transport gegangen war, sie also gemeinsam ausreisen würden. Sie gehörten zusammen, hatten die gleiche Strafe erhalten, weshalb sollten Unterschiede gemacht werden? Jetzt war er sich dessen nicht mehr so sicher. Der Stasi war alles zuzutrauen. Was, wenn er in den Westen entlassen wurde und Hannah weiter ihre Strafe absitzen musste, weil sie erst für einen späteren Transport vorgesehen war?

Und Silke und Micha? Wo wollte man die denn hier unterbringen? Sie konnten die Kinder doch nicht in eine Zelle sperren. Gab es hier so etwas wie ein Stasi-Kinderhotel?

Ein Abend, eine Nacht im Fieber. Lenz hätte nicht schlafen können, hätte ihm die letzte, durchwachte Nacht nicht noch in den Knochen gesteckt. Alpträume quälten ihn; als er lange vor dem Wecken erwachte, war er schweißgebadet. Beim Frühstück verriet er Dettmers seine Sorgen und – besser, es irrt sich, wer Schlimmes befürchtet – ließ sich willig Mut machen: »Deine Frau ist längst hier. Und wenn nicht, kommt sie bald nach. Das verläuft hier alles ganz bürokratisch. Und das mit den Kindern werden sie dank ihrer langjährigen Erfahrung auch irgendwie geregelt haben.«

Nach dem Frühstück kam Unruhe in den Bau, Riegel klirrten, Schlüssel rasselten. Die neu eingetroffenen Gefangenen wurden geholt. Wohin? Zu Vernehmungen? Um ihre Effekten in Empfang zu nehmen?

Es wurden sehr viele Zellentüren geöffnet und wieder geschlossen. Offensichtlich waren sie, die Cottbuser, nicht die einzigen Ausreisekandidaten, die hierher verlegt worden waren. Ein Gedanke, der Lenz ein wenig beruhigte. Je mehr Gefangene hier waren, desto größer die Chance, dass Hannah und die Kinder mit ausreisen durften.

Als dann endlich auch er geholt wurde, führte man ihn in einen kahlen, bis auf einen Tisch und zwei Stühle unmöblierten Raum. Ein Major in der Uniform des Ministeriums für Staatssicherheit begrüßte ihn freundlich, bat ihn Platz zu nehmen, blätterte in seinen Akten.

»Sie haben die Ausreise in die BRD beantragt?«

»Ja.«

»Sie ist genehmigt worden. Wenn Sie hier bitte unterschreiben wollen.«

Der Major schob ein bereits ausgefülltes Formular über den Tisch, Lenz überflog es rasch: Er, Manfred Lenz, erkläre sich hiermit einverstanden, aus der Staatsbürgerschaft der DDR entlassen zu werden … Einverstanden? Natürlich war er damit »einverstanden«! Froh und glücklich war er, dass es endlich so weit war. Nur: Warum ging das auf einmal so schnell? Kein langes Ins-Gewissen-Reden mehr, keinerlei Vorhaltungen, keine Warnungen vor der kapitalistischen Ellenbogengesellschaft – Sie haben beantragt, wir haben genehmigt!

»Und was ist mit meiner Frau?« Er hielt das Formular in der Hand, den Füllfederhalter ließ er noch liegen. So eilig hatte er es denn doch nicht. Erst musste er wissen, was für einen Scheck er da einlöste.

»Die ist ebenfalls hier. Auch ihrem Antrag wurde stattgegeben.«

Lenz fiel ein Felsen vom Herzen. »Und unsere Kinder?«

»Das wird noch ein wenig dauern. Da ist noch Behördenkram zu erledigen.« Er hatte noch nicht zu Ende gesprochen, dieser sich so freundlich und höflich gebende Major, da lag das Formular schon wieder auf dem Tisch.

»Ohne unsere Kinder gehen wir nicht.«

Der Major, ein sorgfältig frisierter Breitschädel mit tief liegenden Augen, legte die wulstige Stirn in Falten. Diese Reaktion habe er erwartet. Sie sei verständlich, aber leider sehr unvernünftig. »Oder glauben Sie, Sie tun Ihren Kindern einen Gefallen, wenn Sie jetzt nicht ausreisen? Was wollen Sie denn damit erreichen? Wenn Sie jetzt zögern, gehen Sie mit dem nächsten Transport in eine Strafvollzugsanstalt zurück und die ganze Sache wird zurückgestellt. Wie viel haben Sie denn noch? Ein Jahr, zehn Monate? Wollen Sie riskieren, so lange auf die Wiederzusammenführung mit Ihren Kindern warten zu müssen?«

Wollte er das riskieren? Was wollte er überhaupt? Hajo Hahne und er, sie waren davon ausgegangen, dass Eltern und Kinder zusammen ausreisen durften. Sie hatten sich einfach nichts anderes vorstellen können. Man durfte die unschuldigen Kinder doch nicht härter als ihre »schuldigen« Eltern bestrafen …

Der Major: »Wenn ich Ihnen etwas raten darf – unterschreiben Sie! Erst in dem Moment, in dem wir Ihre Frau und Sie aus der Staatsbürgerschaft der DDR entlassen, können Sie die Ausreise Ihrer Kinder beantragen.«

»Haben Sie denn meine Frau schon befragt?«

»Nein! Aber das wird in wenigen Minuten der Fall sein. Und ich hoffe, dass auch sie vernünftig sein wird. In Ihrer beider Interesse und im Interesse Ihrer Kinder.«

»Beraten dürfen wir uns vorher nicht?«

Was für ein Ansinnen! Darauf konnte der Major nur den Kopf schütteln.

»Und wie lange wird es dauern, bis unsere Kinder uns folgen dürfen?« Lenz musste sich zusammennehmen; er wollte nicht, dass seine Stimme ins Zittern geriet. Mochte dieser Major sich auch verständig geben, er war ein Stasi-Mann, jede Schwäche würde ihn freuen: Sehen Sie, wir haben Sie bis zum Schluss in der Hand. Ohne unsere freundliche Einwilligung geht gar nichts. Nicht mal, wenn Sie schon drüben sind.

»Jetzt haben wir Ende August, vielleicht wird es schon Ende September oder Anfang Oktober so weit sein. Bis Weihnachten sind sie auf jeden Fall bei Ihnen.«

Er hatte gefragt und eine Antwort bekommen. Doch konnten Hannah und er sich auf diese Aussage verlassen? Oder gar darauf berufen? Nein! Im Ernstfall bedeuteten diese Worte gar nichts. Der Staat, den sie verlassen wollten, saß am längeren Hebel. Verweigerten sie ihre Zustimmung zur Entlassung aus der Staatsbürgerschaft, fielen sie raus aus dem Verfahren, das nun in Gang gesetzt worden war; alles würde wieder von vorn beginnen. Oder gab es irgendetwas, womit sie die Stasi erpressen konnten? Etwa mit Hungerstreiks, von denen draußen niemand etwas erfuhr?

Ob es dir passt oder nicht, Manfred Lenz, dieser Stasi-Mann hat Recht. Bleiben ihre Eltern stur, müssen Silke und Micha womöglich noch zwei Jahre auf sie warten – und vielleicht wird Hannah dann als Bestrafung für mangelnde Kooperationsbereitschaft nach Hoheneck verlegt, in diesen alten Frauenknast, über den so viel Entsetzliches berichtet wurde, und du kommst nach Bautzen oder Brandenburg, unter die männlichen Schwerkriminellen. Vom Westen aus kannst du wenigstens nachbohren, einen Rechtsanwalt oder irgendwelche Behörden einschalten …

Der Major: »Herr Lenz! Sie und Ihre Frau sind doch nicht die Einzigen, die Kinder haben. Unter denen, die mit Ihnen ausreisen werden, sind mehrere Mütter und Väter. Die haben genau das gleiche Problem, müssen uns auch vertrauen. Denken Sie doch mal nach: Was hätten wir denn davon, Ihre Kinder länger als unbedingt nötig festzuhalten? Halten Sie uns für solche Unmenschen? Glauben Sie, dass wir uns an Ihren Kindern rächen wollen?«

Was hätte er darauf antworten sollen? Ja, ich traue Ihnen so was zu? Aber das stimmte ja gar nicht. Sie waren verbohrt, und es mangelte ihnen an Unrechtsbewusstsein, diese Herren Staatsschützer, aber sie waren doch keine Kidnapper. Welchen vernünftigen Grund sollten sie haben, Silke und Micha länger als unbedingt nötig festzuhalten?

Stumm griff Lenz nach dem Papier und unterschrieb.

Der Major machte ein Gesicht, als wollte er ihn zu seinem Entschluss beglückwünschen, verkniff es sich aber, fragte nur noch, wen Lenz mit der Auflösung seiner Wohnung beauftragen wolle.

»Vielleicht macht es mein Bruder.«

Der Major suchte in der Akte Roberts Namen und Anschrift, fand sie und nickte zufrieden. »Haben Sie noch Fragen?«

Lenz hatte nur noch eine einzige Frage: Wann denn nun endlich ihre Ausreise erfolgen werde?

»Übermorgen. Morgen bekommen Sie Ihre Effekten ausgehändigt, es werden noch ein paar Fotos gemacht und Papiere ausgefertigt, übermorgen geht es los.«

Lenz verabschiedete sich nicht. Er nickte nur still vor sich hin und wurde vom herbeigeorderten Läufer in die Zelle zurückgeführt.

Dettmers lag auf seiner Pritsche und strahlte. Auch er war inzwischen geholt worden. Er hatte sich das Papier, das er unterschreiben sollte, nur kurz angesehen, dann hatte er seinen Wilhelm darunter gesetzt. »Fünf Minuten hat sie nur gedauert, die ganze Sache! Oder besser: Ein Jahr und fünf Minuten. Aber was juckt mich jetzt noch dieses eine Jahr, wo doch ein ganzes Leben lang die schöne weite Welt auf mich wartet?«

Lenz berichtete von seinem Gespräch mit dem Major, von seinem Zögern und dass er letztendlich doch unterschrieben hatte. Dettmers bestärkte ihn in seiner Meinung, richtig gehandelt zu haben. »Auch deine Hannah wird nichts anderes tun können. Solange sie die Kinder haben, bleibt euch ja gar nichts anderes übrig, als Wohlverhalten zu zeigen. Die unsichtbare Leine, an der sie uns führen, wird zwar länger sein, aber eine Leine bleibt es deshalb doch.«

Er hatte Recht: Solange die Stasi ihre Kinder als Geiseln hatte, waren sie erpressbar. »Aber weshalb sagst du ›uns‹?«

Dettmers hatte den bösen Unterton in Lenz' Stimme herausgehört. Er richtete sich auf, um ihn zu besänftigen. »Ganz einfach: Ich glaub nicht, dass wir denen ganz und gar entwischen können. Die behalten uns auch drüben im Auge. Außerdem heißt es doch, dass Täter und Opfer für alle Zeit miteinander verbunden bleiben. – Wir werden immer wieder mal unter unserer nicht abreagierten Wut leiden, sie können uns das Verbrechen, das sie an uns begangen haben, nicht verzeihen.«

Lenz schwieg. Das alles interessierte ihn im Moment nur wenig.

Dettmers: »Aber natürlich, deine Hannah und du, ihr seid schlimmer dran. Solange sie noch eure Kinder haben, bleibt ihr ganz und gar in ihrer Hand. Das ist wie Knast mit freiem Ausgang.«

»Hör auf! Dieser Ofen wärmt nicht.«

»Sorry! Aber willst du etwa auch von mir belogen werden?«

In der Nacht lag Lenz lange wach und dachte an Micha und Silke. Also würden sie ihre Eltern doch noch nicht zurückbekommen ... Womit sollte er sich nun Mut machen? Mit den Worten dieses Majors? Vielleicht dauerte es ja wirklich nur noch einen Monat, bis sie sich wiederhatten ... Was machte das im Rückblick schon für einen Unterschied, zwölf Monate oder dreizehn? Aber wenn es nun doch Weihnachten würde? Das wären dann schon vier Monate ... Und was würden das für Monate werden! Nichts als warten, bangen, hoffen ... Nein, so hatte er sich ihre Ausreise nicht vorgestellt; vielleicht erwartete Hannah und ihn erst jetzt die wirkliche Prüfung, war alles andere nur so eine Art Vorspiel ...

Als er dann doch endlich eingeschlafen war, schreckte er schon nach kurzer Zeit wieder hoch: Was, wenn der Major ihn angelogen hatte und Hannah nicht mit ausreisen durfte? Er musste sich selbst gut zureden, dass ein solcher Trick ja gar keinen Sinn machte. Er war es doch gewesen, um den sie gekämpft hatten; die ehemalige Bundesbürgerin Hannah hatten sie von vornherein als verloren angesehen.

Sie wurden noch einmal fotografiert – düster wirkende Gangsterfotos für den Entlassungsschein; sie mussten sich ihrer Häftlingskleidung entledigen – einfach alles auf den Fußboden fallen lassen, damit sie keine Gelegenheit hatten, Kassiber herauszuschmuggeln. Lenz, der in Hemd und Hose festgenommen worden war, bekam zu seiner Zivilkleidung noch ein fabrikneues Sakko aus dem knasteigenen Textilfundus in die Hände gedrückt. Die ausgebürgerten Personen sollten in einigermaßen seriösem Zustand über die Grenze entlassen werden; ehemalige DDR-Bürger durften doch nicht wie arme Verwandte in den Kapitalismus ausreisen.

Seine Armbanduhr, der Gürtel, das Portemonnaie. Lenz bekam zurück, was ihm im Jahr zuvor abgenommen worden war, und wurde auf seine Zelle zurückgeführt.

Die letzte Nacht im Knast! Natürlich redeten Dettmers und er sehr viel und versprachen sich mehrmals, miteinander in Kontakt zu bleiben. Sie konnten ihre gemeinsame Reise durch die verschiedenen Gefängnisse doch nicht einfach nur mit einem Händedruck beenden. Leicht aber würde es nicht werden, sich öfter zu sehen; Lenz wollte nach Frankfurt am Main, Dettmers zog es nach WestBerlin. »Wat soll ick woanders?«, berlinerte er zukunftsfroh. »Reinickendorf is ja ooch fast schon Pankow.«

Am Morgen darauf geschah lange nichts. Sie bekamen ihr Frühstück und warteten, wurden nervös und spazierten in der Zelle auf und ab. Der eine von rechts nach links, der andere von links nach rechts. Bis endlich die Tür geöffnet wurde und sie noch einmal in den Verwaltungstrakt geführt wurden, damit ihnen ihre Entlassungspapiere ausgehändigt werden konnten. Auf einem dieser Papiere stand, dass man sie vorzeitig aus der Haft entlassen habe – wegen guter Führung!

Dettmers musste noch in der Zelle lachen: Gute Führung! Er, den Petrograd aus dem Arrest holen musste, um ihn auf Transport zu schicken, hatte sich gut geführt? Ihr Protestmarsch wenige Tage zuvor, die Buchenwald-Rufe – gute Führung?

Lenz hatte nur Augen für die Urkunde, die ihnen übergeben worden war. Auf einem DIN-A4-großen Bogen Papier wurde sie ihnen bestätigt, ihre Entlassung aus der DDR-Staatsbürgerschaft. Unterschrift: Der Innenminister. Was für ein wertvoller, unbezahlbarer Fetzen!

Danach marschierten sie weiter voller Unruhe in der Zelle auf und ab. Nein, solange sie nicht hinter der Grenze waren, gab es kein Aufatmen. Alles war möglich! Ein Papier war doch nur ein Papier, mit vier Fingern zu zerreißen.

Es gab noch mal Mittagessen. Sie hatten Mühe, es hinunterzubekommen. Dann, endlich: erneutes Riegelklirren und Schlüsselrasseln. Sie lauschten aufgeregt. Es ging schnell, im Abstand von nur jeweils drei, vier, fünf Minuten wurden die Zellen geöffnet – und nicht wieder verschlossen!

»Mann!«, stöhnte Dettmers. »Ist das 'ne Entbindung!«

Dann aber, irgendwann nach vielen anderen Zellenaufschlüssen, klirrten auch die Riegel an ihrer Tür, rasselte auch an ihrer Tür der Schlüssel im Schloss und stand kurz darauf ein junger Leutnant vor ihnen. Mit mürrischem Gesicht fragte er nach ihren Namen, hakte sie auf einer Liste ab und winkte sie heraus. »Mitkommen!«

An vielen, nun offenen Zellentüren vorüber ging es die eiserne Stiege hinunter in eine Art Vorhalle und danach durch einen von nur wenigen Glühbirnen erleuchteten Gang. Rechts und links standen Wachposten mit Maschinenpistolen, in einem Vorraum nahmen zwei Offiziere sie in Empfang. Sie wurden mit dem Nachnamen aufgerufen, mussten mit Vornamen und Geburtsdatum antworten, und auch der Haftentlassungsschein mit dem Gangsterfoto wurde noch einmal überprüft, dann durfte

Lenz vor Dettmers durch eine breite Tür treten. Er machte zwei, drei Schritte – und stand auf einer Freitreppe, vor ihm ein bunter Reisebus, voll besetzt mit Männern und Frauen.

»Was is?« Der weißblonde Offizier neben ihm wurde ungeduldig. »Gönn Se nich – oder woll'n Se nich?«

Lenz blickte ihn nur nachdenklich an, dann bestieg er den Bus. Es war nur der hintere Einstieg geöffnet. Fremde Gesichter lachten ihm zu, es wurde Beifall geklatscht. Er sah sich nach Hannah um – und da winkte sie auch schon! In der dritten Reihe von vorn saß sie, zwischen vielen anderen Frauen. Er stürzte ihr entgegen, umarmte sie lange und küsste sie und kehrte danach still in die hinteren Reihen zurück, um sich dort einen Platz zu suchen. Offensichtlich waren die Frauen zuerst zum Bus geführt und angewiesen worden, sich nebeneinander zu setzen, sonst hätte Hannah ihm sicher einen Platz freigehalten.

Dettmers empfing den Beifall, als stünde er ihm zu, setzte sich neben Lenz und grinste: »Bonjour Monsieur! Jedem Anfang wohnt ein Zauber inne. Bitte, vergessen Sie das nicht.«

Sie waren fast die Letzten, nur noch zwei sehr junge, ernst blickende Burschen stiegen zu. Auch sie mit freundlichem Beifall begrüßt. Noch einmal wurden die Listen überprüft, dann schloss der Fahrer die Tür und ließ den Motor an. Der Bus setzte sich in Bewegung und einige der Männer und Frauen brachen in lauten Jubel aus.

Lenz hatte nur Augen für Hannah. Sie sah schlecht aus, schlechter als während der Verhandlung vor dem Stadtgericht, schlechter als während ihres letzten Sprechers vor vier Monaten. Das blasse Gesicht noch weiter abgemagert, ihr inzwischen viel zu langes Haar ausgefranst und stumpf. Dennoch schaffte er es, ihr jedes Mal, wenn sie sich zu ihm umdrehte, froh zuzulächeln. Sicher machte er auf sie den gleichen Eindruck. Sie sollte nicht glauben, dass ihr beider Äußeres irgendeine Bedeutung hatte; körperlich würden sie sich bald erholen.

Sie waren noch keine fünf Kilometer gefahren, da tauschte die junge Frau neben Hannah mit Lenz den Platz. Der Begleitoffizier neben dem Fahrer hatte sich nicht einmal umgedreht.

»Silke und Micha?«, flüsterte Hannah in Lenz' Armen.

»Sie werden nachkommen … Es war richtig so … Alles andere – viel zu unberechenbar.« Es fiel Lenz schwer zu reden. Einige der Frauen um sie herum waren so hochgestimmt, als wären sie nur irgendeine Reisegruppe auf dem Weg zu einem idyllischen Ausflugsort.

Eine Zeit lang hielten sie sich bloß aneinander fest, dann fragte er leise: »War's sehr schlimm?«

Hannah senkte nur still den Kopf.

»Was waren das denn für Frauen, mit denen du zusammen warst?«

Sie wollte erst nicht erzählen. Die Frage kam ihr zu schnell, zu überraschend, aber dann musste es doch heraus. Flüsternd berichtete sie von auf den ersten Blick ganz normalen Frauen, die aber zum Teil unvorstellbar grausame Morde begangen hatten – an ihren Männern oder ihren Kindern. Aus Furcht davor, aus dem Hohenschönhausener Luxusknast in das schreckliche Hoheneck oder in irgendein anderes mittelalterliches Frauengefängnis zurückverlegt zu werden, hätten diese schlimmen Weiber die aus politischen Gründen einsitzenden Frauen kontrolliert und drangsaliert. »Immer wieder drohten sie uns: ›Wir haben lebenslänglich, uns kann nicht mehr viel passieren, egal, was wir euch antun …‹ Wir hatten Angst vor denen, haben ihnen Zigaretten gekauft, um uns gut mit ihnen zu stellen … Wenn sie keine Zigaretten hatten, wurden sie ja noch aggressiver.«

In Lenz stieg Wut auf, eine so hilflose, aber auch hasserfüllte

Wut, wie er sie sich nicht zugetraut hätte. Seht her, hatte man Hannah und den anderen Frauen suggerieren wollen, mit solchen Elementen habt ihr euch gemein gemacht! Nehmt zur Kenntnis, dass ihr auch nichts Besseres seid …

»Hab's ja ausgehalten«, tröstete sie ihn. »Wir müssen das jetzt vergessen. Sonst werden wir nie wieder froh.«

Sie hatten die Autobahn erreicht und der Bus fuhr schon längere Zeit zwischen Feldern, Wäldern und sanften Hügeln hindurch, als einer der beiden Herren, die in der Mitte des Busses Platz genommen hatten, plötzlich in den Gang trat. Lenz hatte die beiden schon längere Zeit beobachtet. Sie hatten nicht den Eindruck von entlassenen Häftlingen erweckt, so frisch gebräunt und gut angezogen, wie sie da in ihren Sitzen gesessen und sich miteinander unterhalten hatten. Und richtig, der eher kleine, blonde, mehrfach goldberingte und elegant gekleidete Mann um die Fünfzig, an dem auch die bunte Krawatte auffiel, räusperte sich, bat um Aufmerksamkeit – und stellte sich ihnen als Dr. Vogel vor.

Die nachfolgenden Worte ertranken in begeistertem Beifall.

Freundlich abwehrend hob Dr. Vogel die Hände, und als wieder einigermaßen Ruhe eingekehrt war, stellte er ihnen seinen etwa gleichaltrigen, rundgesichtigen Nachbarn mit dem streng gescheitelten dunklen Haar vor: Rechtsanwalt Jürgen Stange aus WestBerlin. Gemeinsam hätten sie die Ausreisemodalitäten ausgehandelt.

Wieder Beifall.

Dank Hajo Hahne war Lenz auch der Namen Stange ein Begriff. Der Zaubermeister aber, darüber war man sich im Bus einig, war Dr. Vogel, der ominöse Dr. Vogel, den Hannah und er, Dettmers und sicher auch viele andere Häftlinge bisher noch kein einziges Mal zu Gesicht bekommen hatten. Jetzt also, in einer Gruppe von vierzig, fünfzig freigekauften Häftlingen, durften sie ihn doch noch kennen lernen. Er freue sich, sagte er, dass sie nun endlich an das Ziel ihrer Wünsche gelangen würden. Er wisse, dass viele von ihnen in den letzten Monaten oder Jahren Schweres durchgemacht hätten, doch sei das ja nun gottlob ausgestanden, darüber seien der Herr Stange und er sehr froh.

Sein WestBerliner Kollege fügte noch ein paar ähnlich freundliche Worte hinzu, dann übernahm wieder Dr. Vogel: »Wir werden nun zum thüringisch-hessischen Grenzübergang Wartha/Herleshausen fahren. Dort verlassen Sie diesen Bus mit all Ihrem Gepäck, um in einen anderen umzusteigen, der Sie ins Aufnahmelager Gießen bringen wird. Je nach Verkehrslage wird die Fahrt etwa fünf Stunden dauern.«

Erneut brach Beifall los, Jubelrufe, Gejuchze. Einige der Frauen vor und hinter Lenz konnten und wollten sich ihre Freudentränen nicht verkneifen.

Dr. Vogel lächelte nur. Es war ein schwer deutbares Lächeln. Lenz hätte es so übersetzt: »Ja, ja! Ist ja gut. Ich weiß, wie sehr Sie sich freuen. Ich aber bin – ideologisch gesehen – neutral. Bin nur Vermittler. Zwar beglückwünsche ich Sie zu Ihrer Freilassung, aber zu dem neuen Lebensabschnitt, den Sie nun beginnen werden, werde ich Sie nicht beglückwünschen. Ich urteile weder über Ihre Tat noch über Ihren jetzigen Schritt fort von uns, mache nur meine Arbeit. So habe ich als Ihr Anwalt das Bestmögliche für Sie herausgeholt.«

Als der Beifall abgeebbt war, äußerte der Mann mit der bunten Krawatte noch eine Bitte:

»Geben Sie in der Bundesrepublik keine Interviews! Reden Sie nicht über die Umstände Ihrer Ausreise. Sie würden Herrn

Stange und mir die weitere Arbeit sonst sehr erschweren. Ich appelliere an Sie: Denken Sie an Ihre zurückgebliebenen Mitgefangenen! Wir können ihnen nur helfen, wenn unsere Aktivitäten nicht publik werden.«

Die Gesichter der Männer und Frauen im Bus verrieten es: Niemand würde reden, niemand wollte weitere Geschäfte dieser Art belasten oder gar verhindern.

Zufrieden mit dem Eindruck, den seine Worte hinterlassen hatten, bat Dr. Vogel, ihm nun allgemein interessierende Fragen zu stellen. Später wolle er durch die Reihen gehen und den einzelnen Fall betreffende Fragen beantworten.

Eine junge Frau hob die Hand: Ab wann man denn wieder in die DDR einreisen dürfe? Als Besucher natürlich nur.

Nur wenige lachten, die meisten harrten gespannt der Antwort.

Dr. Vogel: »Vorläufig würde ich Ihnen keinen DDR-Besuch empfehlen. Lassen Sie Zeit vergehen. In ein paar Jahren ist das sicher kein Problem mehr.«

Rechtsanwalt Stange: »Aber auch dann sollten Sie zuvor im Bundesministerium für Innerdeutsche Beziehungen nachfragen, ob in der DDR nichts gegen Sie vorliegt. Es gibt Fälle, in denen ehemalige DDR-Bürger auf dem Territorium der DDR festgehalten wurden. Da hatten wir dann viel Arbeit, sie wieder herauszuholen.«

Dettmers, von ganz hinten: »Und wie ist's mit Transitreisen?«

Dr. Vogel: »Da gibt es keine Probleme. Es sei denn, Sie sind in der Bundesrepublik gegen die DDR tätig geworden und ein neues Strafverfahren gegen Sie ist anhängig.«

Es folgten ein paar Fragen, die Hannah und Lenz nicht sehr interessierten: Wie lange das Notaufnahmeverfahren sich hinziehen würde, was man tun müsse, wenn man sofort nach Berlin weiterreisen wolle – WestBerlin natürlich, herzliches Lachen –, ob man sich bei Dr. Vogel über die Behandlung in den DDR-Haftanstalten beschweren könne oder das lieber erst im Westen tun solle?

Rechtsanwalt Stange antwortete, das Notaufnahmeverfahren in Gießen werde nur etwa zwei Tage in Anspruch nehmen. Danach dürfe sich dann jeder dort niederlassen, wo er wolle, egal ob in Hamburg, München, Stuttgart, WestBerlin oder – besaß man erst einen Pass – irgendwo im Ausland.

Worte, für die er sehr viel Beifall erhielt.

Dr. Vogel sagte, er halte es nicht für sinnvoll, sich über die Behandlung in den DDR-Strafvollzugsanstalten zu beschweren. Solches Nachkarten solle man im Interesse weiterer Häftlingsausreisen doch lieber vermeiden. Auf jeden Fall sei er dafür nicht der richtige Ansprechpartner.

Zögerndes Höflichkeitsklatschen.

Als keine weiteren Fragen mehr gestellt wurden, schritt Dr. Vogel durch die Reihen, begrüßte jeden Freigelassenen mit Handschlag und fragte nach persönlichen Sorgen, Nöten und Problemen. Hannah und Manfred Lenz hatten nur eine einzige Sorge: Ihre Kinder! Würden sie ihnen rasch nachfolgen? Und wie würde die Ausreise vonstatten gehen?

Dr. Vogel beruhigte sie: »Sie haben richtig gehandelt. Jetzt, da Sie aus der Staatsbürgerschaft der DDR entlassen sind, habe ich alles in der Hand, um für Ihre Kinder das Gleiche zu bewirken.« Wie lange das Verfahren dauern werde, könne er ihnen allerdings nicht sagen. Er nehme jedoch an, bis spätestens Weihnachten alles erledigt zu haben. Wie dann die Ausreise vonstatten gehe, werde ihnen rechtzeitig mitgeteilt. »Höchstwahrscheinlich kommen Sie nach Berlin und holen die Kinder einfach ab. Wichtig ist, dass Sie Herrn Stange oder mir bald Ihre neue Adresse mitteilen.«

»Danke.«

»Nichts zu danken.« Noch ein freundliches Nicken und der Zaubermeister mit der bunten Krawatte nahm sich des nächsten Falles an.

Die Grenze! Da war sie! Langsam durchquerte der Bus das Sperrgebiet und bog kurz vor den Schlagbäumen von der Autobahn ab. Auf einem zwischen Bäumen versteckten, durch einen Drahtzaun geteilten, menschenleeren Parkplatz wartete bereits der Bus mit dem bundesrepublikanischen Kennzeichen GI. Das Gepäck wurde herausgereicht, und Lenz übernahm den Koffer und eine der Taschen, die zu Hannahs Effekten gehört hatten. Vor fast auf den Tag genau einem Jahr, in Burgas, beim Aussteigen aus dem Zug, hatte er die Gepäckstücke das letzte Mal in der Hand gehalten.

Im Gänsemarsch ging es durch die von einem Grenzposten geöffnete Tür im Zaun zu dem Gießener Bus. Das Gepäck wurde eingeladen, drinnen setzten sich alle auf die Plätze, die sie auch in dem ersten Bus eingenommen hatten. Die beiden Rechtsanwälte stiegen zu; der Begleitoffizier und der Busfahrer waren hinter dem Zaun zurückgeblieben. Hier saß ein kleiner, dicklicher Herr neben dem Fahrer. Er trug ein farbenfrohes Hemd zur grauen Hose und bewachte ein paar Kartons mit bunt verpackten Fressalien. Langsam, sehr langsam fuhr der Bus auf die Grenze zu. Ein mit Maschinenpistole bewaffneter Grenzer stand neben dem offenen Schlagbaum und sah neugierig zu ihnen hoch. Fast hätte Lenz ihm zugewinkt. Der sah ja aus, als würde er ihn von Altwarp, Banzin oder Pragsdorf her kennen. Wer sagte denn, dass er nicht gern mitgefahren wäre?

Weitere offene Schlagbäume, Ampeln – alle auf Grün geschaltet –, Betonblöcke, Baracken, Leitplanken. Masten mit Scheinwerfern ragten in den Himmel, Grenztürme erhoben sich über die weitläufige Anlage, die ein einziges Sperrwerk darstellte. Vor der Kontrollstelle viele wartende PKW – innerhalb von Sekunden war der Bus an ihnen vorübergerauscht.

Jubel brandete auf und es wurde Beifall geklatscht. Einige sprangen auf und umarmten einander, andere weinten still. Der dickliche Herr neben dem Fahrer legte eine Kassette ein; Tony Marshall: »Schöne Maid, hast du heut für mich Zeit – hojahojahooo!«

Notwendige Nachbemerkung

Hannah und Manfred Lenz reisten im August 1973 aus der DDR aus. Zu jener Zeit war die Tätigkeit des OstBerliner Rechtsanwalts Dr. Wolfgang Vogel noch eines der bestgehüteten deutsch-deutschen Geheimnisse. Und dies, obwohl die ersten Häftlingsfreikäufe bereits Anfang der Sechziger stattgefunden hatten.

Die Möglichkeit, einen Ausreiseantrag zu stellen, in den achtziger Jahren von Zehntausenden von Ostdeutschen trotz aller über sie verhängten Repressalien genutzt, gab es Anfang der Siebziger noch nicht. Man musste durch eine Tat beweisen, dass man mit dem Staat gebrochen hatte. Und zumeist erfuhr man erst in den Gefängnissen – durch informierte Mithäftlinge – von der Chance, nach einem Ausreiseantrag von der Bundesrepublik freigekauft zu werden.

Insgesamt, so wird geschätzt, wurden in den vierzig Jahren des Bestehens der Deutschen Demokratischen Republik etwa eine Viertelmillion Menschen aus politischen Gründen inhaftiert; neunhundertsechzig kamen an der deutsch-deutschen Grenze ums Leben.

Die Häftlingsverkaufsaktionen des Ministeriums für Staatssicherheit wurden von den Grenzbehörden der DDR unter der Tarnbezeichnung »Kartoffelkäfer« registriert – wegen der gelben Streifen an der Häftlingskleidung, die die »Käfer«, wenn sie in Bussen über die deutsch-deutsche Grenze gebracht wurden, allerdings nicht mehr trugen. Nach Dr. Vogels Angaben hat er bis 1989 etwa zweihundertfünfzigtausend Fälle von Ost-West-Familienzusammenführungen bearbeitet und vierunddreißigtausend politischen Häftlingen zur Ausreise aus der DDR verholfen. Mehr als drei Viertel dieser »Familienzusammenführungen« wurden allerdings erst in den letzten Jahren des inzwischen marode gewordenen DDR-Staates möglich, als immer wieder Tausende von DDR-Bürgern in ausländische Botschaften oder die Ständige Vertretung der Bundesrepublik Deutschland in OstBerlin flüchteten und die beiden deutschen Staaten einen Weg finden mussten, diesen dem DDR-Staat abgepressten Ausreisen einen offiziösen Anstrich zu geben.

Die Beträge, die die Bundesrepublik für den einzelnen freigekauften Häftling zu entrichten hatten, bewegten sich anfangs zwischen vierzig- und achtzigtausend D-Mark; je nach beruflicher Qualifikation des Häftlings. Später wurde eine Pauschale von je neunzigtausend D-Mark pro Häftling ausgehandelt.

Erst ein Jahr nach der Ausreise von Hannah und Manfred Lenz, im August 1974, durften die Kinder nachfolgen. Dies trotz aller anders lautenden Zusagen. Zu einem ersten Wiedersehen zwischen Eltern und Kindern aber kam es bereits im Oktober 1973.

Sechs Wochen nach ihrer Entlassung aus der Staatsbürgerschaft der DDR und gegen die Empfehlung der Rechtsanwälte, den östlichen Teil Deutschlands vorläufig zu meiden, hielten Hannah und Manfred Lenz die noch immer andauernde Trennung von ihren Kindern nicht länger aus und besuchten sie im OstBerliner Kinderheim. Eine Überrumpelungsaktion, denn sie wählten ein Wochenende für ihr überraschendes Erscheinen. Weder das Ministerium für Staatssicherheit noch die Leitung des Kinderheims hatte mit einem solchen Besuch gerechnet. So wurde ihnen, den nun westdeutschen Bürgern, wohl weil ihre Namen datenmäßig noch nicht erfasst waren, der Grenzübertritt gestattet, und die Heimleitung, die keine übergeordnete Dienststelle erreichen konnte, erlaubte die »Kontaktaufnahme«.

Zwei Tage lang hatten die zehnjährige Silke und der Erstklässler Michael ihre Eltern zurück; die Hoffnung der Kinder, sie würden endlich abgeholt, mussten Hannah und Manfred Lenz jedoch enttäuschen. Sie konnten sie nur mit ihrem baldigen Wiedervereintsein trösten, glaubten sie doch noch immer, dass die Kinder bis spätestens Weihnachten 1973 bei ihnen sein würden.

Den Leiter dieses Kinderheims kannte Lenz. Er war einst Hausleiter im Kinderheim Königsheide.

Eine Erzieherin des Heimes nahm Hannah Lenz in einem unbeobachteten Moment zur Seite und flüsterte ihr zu, sie solle sich um ihre Kinder keine Sorgen machen; sie habe viel Verständnis für ihren Schritt. Worte, die Hannah und Manfred Lenz ihre Rückkehr nach Frankfurt am Main ein wenig erleichterten.

Als die Kinder Weihnachten 1973 noch immer nicht bei ihren Eltern waren, flog Lenz mehrmals nach WestBerlin, um über das Rechtsanwaltbüro Stange Erkundigungen einzuholen. Man riet zur Geduld, die Ausreise der Kinder sei beantragt, der Antrag durchlaufe die zuständigen Instanzen.

Weitere Heimbesuche allerdings wurden Hannah und Manfred Lenz untersagt. Nachdem sie ihre Eltern wiedergesehen hatten, sei bei Silke und Michael ein aufsässiges Verhalten bemerkt worden, wurde ihnen über Lenz' Bruder mitgeteilt. Für Hannah und Manfred Lenz trotz der andauernden Trennung eine frohe Botschaft: Ihre Kinder reagierten auf eine unnormale Situation völlig normal; sie wussten wieder, dass sie nicht allein waren.

Doch auch wenn weitere Heimbesuche gestattet worden wären, hätten Hannah und Manfred Lenz ihre Kinder im zweiten Jahr ihrer Trennung voneinander nicht besuchen können: In den folgenden zehn Jahren wurden sie jedes Mal, wenn sie während ihrer häufigen Berlin-Aufenthalte versuchten, in den Ostteil der Stadt zu gelangen, von den DDR-Grenzern als unerwünschte Personen zurückgewiesen.

Als die Kinder den Eltern endlich nachfolgen durften, musste Hannah allein nach OstBerlin fahren, um sie abzuholen. Lenz, wieder im Export tätig, hatte eine Dienstreise nach Rumänien anzutreten; eine Reise, die er in Erwartung der Ankunft der Kinder von Monat zu Monat verschoben hatte. Eine weitere Verlegung des Termins war nicht möglich. Es sei denn, er hätte in der Firma, in der er beschäftigt war, die Wahrheit über seine Vergangenheit gesagt. Da er nach seiner Entlassung aus der Haft aber die Erfahrung gemacht hatte, dass bundesdeutsche Firmen ihn wegen seiner Haftzeit in der DDR nicht einstellten, hatte er, um endlich Arbeit zu finden, zuletzt angegeben, im Zuge einer Familienzusammenführung in die Bundesrepublik gelangt zu sein.

Gesetze sind Gesetze, hatte man in den Firmen, die seine Bewerbung ablehnten, wohl gedacht; wer sie dort nicht einhält, hält sie auch hier nicht ein.

Dass die DDR-Behörden in manchen Fällen Kinder von in die Bundesrepublik ausgereisten Ehepaaren zur Adoption freigaben, um sie in der DDR behalten zu können, erfuhren Hannah und Manfred Lenz erst, nachdem Silke und Michael bereits bei ihnen waren. Ein nachträglicher Schock. Immerhin hatte auch Lenz' Bruder seine Einwilligung zur Ausreise der Kinder geben müssen.

Silke und Michael litten lange unter der zweijährigen Trennung von ihren Eltern, obwohl auch sie die angenehmen Seiten eines etwas freieren Lebens bald entdeckten. Silke: »Mami, Mami, hier darf ich im Sportunterricht anziehen, was ich will.« Micha, der noch ein Jahr DDR-Schulsystem kennen gelernt hatte: »Hier sind die Lehrer nicht so streng.« Spätere Besuche in Ost-Berlin ließen ein tieferes Verständnis für die Verzweiflungstat ihrer Eltern wachsen.

Lenz' Wunsch, sich schreibend äußern zu dürfen, ging in Erfüllung. Bereits nach kurzer Zeit wurden erste Texte von ihm veröffentlicht. Auf Lesungen allerdings passierte es ihm immer wieder, dass er den Staat, den er verlassen hatte, gegen allzu unberechtigte Kritik aus dem schlecht informierten bundesdeutschen Publikum verteidigen musste. »Geh doch nach drüben«, bekam er dann manchmal zu hören. Andererseits traf er Bundesbürger, die nur zu Kurzbesuchen in der DDR gewesen waren, sich das positive Bild, das sie dort gewonnen hatten, aber durch nichts und niemanden trüben lassen wollten.

1988, nach fünfzehnjährigem Leben und Arbeiten im Rhein-Main-Gebiet, zogen Hannah und Manfred Lenz nach WestBerlin, 1989 fiel die Mauer, 1990 wurde die Stadt wieder vereinigt. 1994 besuchten sie zum ersten Mal die inzwischen zur Besichtigung freigegebene ehemalige Untersuchungshaftanstalt des Ministeriums für Staatssicherheit in Berlin-Hohenschönhausen. Sie setzten sich in ihre ehemaligen Zellen und in die Vernehmungsräume, in denen noch alles Mobiliar und sogar Uniformteile der Wachmannschaften vorhanden waren, und ein Alptraum zerstob. Zorn und Trauer aber blieben erhalten.

Im Jahr darauf erhielten sie Einsicht in ihre Stasi-Unterlagen. Seither wissen sie, dass keiner ihrer Kollegen, Freunde oder Bekannten sie bei der Stasi angeschwärzt hatte. Im Gegenteil, die meisten, die um eine Charakterisierung des Ehepaars Lenz gebeten worden waren, hatten sich, wohl in der Absicht, ihnen damit zu helfen, übertrieben positiv geäußert.

In einer Akte war vergessen worden, den Namen ihres Vernehmers zu schwärzen. Im Telefonbuch fanden sie seine Anschrift. Sein Titel verriet, dass er sich noch immer mit dem Rechtswesen beschäftigte. Aufgesucht haben sie ihn nicht.

Denunziert hatte sie ein Informeller Mitarbeiter der Stasi, Deckname: »Fliege«. Der Klarname war nicht mehr herauszufinden. Da sie niemanden über ihre Fluchtabsichten informiert hatten, hoffen Hannah und Manfred Lenz nach wie vor, dass es sich bei dieser »Fliege« in Wahrheit nur um eine Wanze handelte.

Erich Loest im dtv

»Lest Loest, und ihr wißt mehr über Leipzig und wie alles gekommen ist.«
Armin Eichholz

Durch die Erde ein Riß
Ein Lebenslauf
ISBN 3-423-11318-9
Erich Loests Autobiographie – ein deutscher Lebenslauf von exemplarischem Rang.

Wälder, weit wie das Meer
Reisebilder
ISBN 3-423-11507-6
Reisen nach drinnen und draußen, fernab jedes Pauschal-Tourismus.

Nikolaikirche
Roman
ISBN 3-423-12448-2
Chronik einer Leipziger Familie. »Ein Epos, das Kraft und Mut all jener würdigt, deren aufrechter Gang die Wende ermöglicht hat.« (Freya Klier in ›europäische ideen‹)

Völkerschlachtdenkmal
Roman
ISBN 3-423-12533-0
Glanz und Elend der Stadt Leipzig. Ein Parforceritt durch die Historie Sachsens.

Gute Genossen
Erzählung, naturtrüb
ISBN 3-423-12861-5
»Man taucht in den Mief des Parteibonzen-Regimes ein – und versteht plötzlich, warum die Menschen diese seltsame Welt ertrugen.« (Nürnberger Zeitung)

Es geht seinen Gang oder Mühen in unserer Ebene
Roman
ISBN 3-423-13014-8
Ein Mann verweigert sich dem Leistungsdruck in Gesellschaft und Familie. DDR-Roman.

Reichsgericht
Roman
ISBN 3-423-13232-9
Innenleben und Geschichte eines Justizpalastes.

Jungen die übrigblieben
Roman
ISBN 3-423-13427-5

Der elfte Mann
Roman
ISBN 3-423-13428-3
Ein versteckt-spöttischer Blick auf den Sport- und Wissenschaftsbetrieb der ehemaligen DDR.

Uwe Timm im dtv

»Als Stilist und Erzähler sucht Uwe Timm
in Deutschland seinesgleichen.«
Christian Kracht in ›Tempo‹

Heißer Sommer
Roman
ISBN 3-423-**12547**-0

Johannisnacht
Roman
ISBN 3-423-**12592**-6
»Ein witzig-liebevoller Roman über das Chaos nach dem Fall der Mauer.« (Wolfgang Seibel)

Der Schlangenbaum
Roman
ISBN 3-423-**12643**-4

Morenga
Roman
ISBN 3-423-**12725**-2

Kerbels Flucht
Roman
ISBN 3-423-**12765**-1

Römische Aufzeichnungen
ISBN 3-423-**12766**-X

Die Entdeckung der Currywurst · Novelle
ISBN 3-423-**12839**-9
und dtv großdruck
ISBN 3-423-**25227**-8
»Eine ebenso groteske wie rührende Liebesgeschichte ...« (Detlef Grumbach)

Nicht morgen, nicht gestern
Erzählungen
ISBN 3-423-**12891**-7

Kopfjäger
Roman
ISBN 3-423-**12937**-9

Der Mann auf dem Hochrad
Roman
ISBN 3-423-**12965**-4

Rot
Roman
ISBN 3-423-**13125**-X
»Einer der schönsten, spannendsten und ernsthaftesten Romane der vergangenen Jahre.« (Matthias Altenburg)

Am Beispiel meines Bruders
ISBN 3-423-**13316**-3
Eine typische deutsche Familiengeschichte.

Uwe Timm Lesebuch
Die Stimme beim Schreiben
Hg. v. Martin Hielscher
ISBN 3-423-**13317**-1

Martin Hielscher
Uwe Timm
dtv portrait
ISBN 3-423-**31081**-2

Bitte besuchen Sie uns im Internet: www.dtv.de